Windows XP MegaBook pour LES NULS

Windows XP GigaBook pour LES NULS

Peter Weverka

Windows XP MegaBook Pour les Nuls
Titre de l'édition originale : *Windows XP GIGABOOK For Dummies*

Publié par Wiley Publishing, Inc. 111 River Street Hoboken, NJ 07030-5774

Edition française publiée en accord avec Wiley Publishing, Inc.
© 2005 Éditions First Interactive
27, rue Cassette
75006 Paris – France
Tél. 01 45 49 60 00
Fax 01 45 49 60 01
E-mail : firstinfo@efirst.com
Web : www.efirst.com

ISBN : 2-84427-720-9
Dépôt légal : 1er trimestre 2005

Collection dirigée par Jean-Pierre Cano
Edition : Pierre Chauvot
Traduction : Bernard Jolivalt
Couverture : Antoine Paolucci
Production : Emmanuelle Clément
Mise en page : Marie Housseau

Imprimé en France

Sommaire

Introduction

Ce livre est un guide informatique générique. Il traite de nombreux sujets – les PC, le système d'exploitation Windows XP, Internet, et la suite bureautique Microsoft Office 2003. Ce livre ne vous explique pas comment fonctionne un ordinateur, mais comment utiliser le vôtre.

Contenu de ce livre

Cet ouvrage est le condensé de quatre livres différents. Son propos s'articule autour d'astuces, de conseils, d'explications qui vous aident à tirer le meilleur parti de votre ordinateur. C'est un livre de référence. Cela ne signifie pas que vous deviez le lire du début à la fin. Ouvrez-le lorsque vous avez besoin de résoudre un problème, si vous souhaitez explorer de nouveaux horizons informatiques, ou bien tout simplement si vous cherchez le meilleur moyen d'exécuter une tâche. Voici les quatre parties qui composent cet ouvrage :

- **Livret 1 : Windows XP :** Découvrez les tenants et aboutissants du système d'exploitation Windows XP, y compris la personnalisation de Windows, la gestion des fichiers et des dossiers, et son utilisation en tant que périphérique multimédia.

- **Livret II : le PC et ses périphériques :** Apprenez comment installer et entretenir votre ordinateur, et à créer un réseau domestique. Vous découvrirez également des conseils d'utilisation d'un scanner, d'un appareil photo numérique, et d'autres périphériques très sympas.

- **Livret III : Internet :** Explorez Internet en surfant sur la vague du Web, en gérant votre courrier électronique, en créant des pages Web, en discutant en temps réel dans des chats, et en téléchargeant des fichiers musicaux.

- **Livret IV : Office 2003 :** Découvrez l'usage des logiciels contenus dans la suite Office 2003 : Word, Excel, PowerPoint, et Outlook.

Les spécificités de ce livre

Vous tenez entre les mains un ouvrage informatique destiné à faciliter votre existence. Toutefois, ce livre diffère des autres de bien des manières. Lisez plutôt.

Recherche intuitive des informations

Un ouvrage de référence est un livre où le lecteur doit trouver rapidement des instructions capables de résoudre ses problèmes. Pour parvenir à cette fin, les auteurs ont organisé logiquement le contenu de ce livre. Les titres, descriptifs, permettent de trouver rapidement des informations. Les listes à puces et les listes numérotées facilitent le suivi et la compréhension des procédures. Enfin, les divers tableaux permettent de mieux comprendre les options.

Les diverses informations affichées en haut et sur les côtés de chaque page permettent de localiser rapidement des instructions. L'organisation du contenu de ce livre aide à trouver n'importe quel sujet dans l'urgence.

Une approche basée sur l'exécution de tâches

La majorité des ouvrages informatiques décrivent un logiciel. Le présent ouvrage, quant à lui, explique comment exécuter des tâches avec un programme. Je suppose que vous avez acheté ce livre pour apprendre à faire quelque chose – imprimer des lettres, se connecter à un réseau domestique, concevoir un site Web. Si c'est le cas, vous avez fait le bon choix.

Une collection de best-sellers

Le contenu de ce livre est fidèle à la collection *pour les nuls*. Il est simple à lire, facile à utiliser, et vous fait progresser rapidement en informatique. Toutefois, si vous souhaitez approfondir l'un des sujets abordés dans cet ouvrage, je vous suggère de consulter des livres qui leur sont consacrés :

- ✦ *Windows XP 9 en 1 pour les nuls.*
- ✦ *Le PC 9 en 1 pour les nuls.*
- ✦ *Office 2003 9 en 1 pour les nuls.*
- ✦ *Windows XP Trucs et astuces pour les nuls.*

Hypothèses

Pardonnez-moi de faire les quelques hypothèses suivantes à propos de mes lecteurs :

- Vous avez un PC (et non pas un Macintosh).
- Vous utilisez le système d'exploitation Windows, et de préférence Windows XP. Le Livret I explique comment utiliser ce logiciel particulier, mais il s'adresse également aux utilisateurs de Windows 95, Windows 98, Windows NT, et à toutes les versions évoluées d'XP.
- Microsoft Office 2003 est installé sur votre ordinateur. Le Livret IV lui est consacré.
- Vous êtes aimable avec les touristes étrangers et gentils avec les animaux domestiques.

Les conventions de ce livre

Comme je souhaite que vous compreniez toutes les instructions de ce livre, j'ai adopté quelques conventions.

L'exécution d'une série de commandes est symbolisée par le signe /. Ainsi, lorsque vous lisez "Cliquez sur Fichier/Enregistrer pour enregistrer un fichier", vous savez qu'il faut cliquer sur le menu Fichier, puis sur la commande Enregistrer.

La méthode la plus rapide pour exécuter la commande ci-dessus consiste à cliquer sur le bouton ci-contre présent dans la barre d'outils Standard d'un logiciel. Ainsi, lorsque vous voyez ce type d'illustrations dans la marge, vous savez qu'il est possible d'exécuter la tâche décrite en cliquant sur le bouton représenté.

Tout texte écrit en caractères gras doit être saisi pour accomplir la procédure en cours. Par exemple, lorsque vous lisez "Saisissez **25** dans le champ pourcentage", vous devez tout simplement faire ce qui vous est demandé : Entrer le chiffre **25** à l'aide du clavier.

Les pictogrammes de ce livre

Pour tirer le meilleur parti de cet ouvrage, j'ai placé des icônes un peu partout. En voici la signification :

L'icône Astuce indique comment exécuter plus facilement une tâche, de manière à rendre votre vie informatique plus agréable.

La présence de cette icône exige toute votre attention. Elle met l'accent sur une action que vous risquez de regretter si vous l'accomplissez.

Cette icône montre qu'il va falloir faire un effort de mémoire. En effet, en retenir les explications vous servira tout au long de votre vie informatique.

Lorsque je suis obligé de donner des explications techniques, je fais précéder le paragraphe qui en traite par cette icône. Il n'est pas nécessaire d'en lire le contenu. Toutefois, il permet bien souvent de mieux comprendre le fonctionnement d'un logiciel ou d'un matériel.

Avertissement aux lecteurs

Les Éditions First Interactive attirent l'attention de leurs lecteurs sur les risques encourus par le téléchargement illégal sur Internet ou la gravure de fichiers protégés par des droits d'auteur.

Les Éditions First Interactive rappellent que la copie partielle ou totale et, par voie de conséquence, le téléchargement d'œuvres littéraires, cinématographiques ou musicales sont strictement interdits sans autorisation expresse des ayants droit. En l'absence d'une telle autorisation, les utilisateurs d'Internet téléchargeant des œuvres protégées s'exposent aux peines prévues à l'article L. 335-4 du Code de la propriété intellectuelle.

Quel que soit leur pays, les lecteurs sont invités à prendre connaissance des lois locales portant sur la protection des œuvres intellectuelles.

Livret I

Windows XP

Livret I : Windows XP

Chapitre 1
Présentation de Windows XP

Dans ce chapitre :

- Où placer Windows XP dans la grande galerie de l'évolution ?
- Ce que Windows peut et ne peut pas faire.
- Brève histoire de Windows.

Windows XP est l'un des programmes informatiques les plus sophistiqués jamais créés. Il a exigé beaucoup d'investissements financiers et de ressources humaines. Alors, pourquoi est-il si complexe à utiliser ? Pourquoi n'est-il pas capable de faire, immédiatement, ce que vous voulez qu'il fasse ? D'ailleurs, pourquoi en avez-vous besoin ? C'est tout le propos de ce chapitre.

Ce que Windows peut et ne peut pas faire

Un jour, vous deviendrez fou de Windows (ou bien à cause de lui, car finalement je ne sais pas vraiment comment présenter le problème). Pour éviter la camisole de force ou l'amour fou qui aliène tout esprit, a priori, bien portant, lisez cette section. Elle vous aide à comprendre les limites de Windows, et leurs raisons. Elle vous apprend également à communiquer avec tout individu capable de voler à votre secours, qu'il s'agisse du vendeur de votre quartier, de votre voisin de palier, ou du camarade de classe de votre fille qui vous nargue du haut de ses huit ans.

Matériel et logiciel

Fondamentalement, tout ordinateur est basé sur le concept du matériel et du logiciel :

- ✦ **Matériel :** Tout ce que vous pouvez toucher – un écran, une souris, un CD. Votre PC, c'est-à-dire cette boîte plus ou moins bien réussie qui trône sous votre bureau, est du matériel. Le moniteur (c'est-à-dire l'écran) aussi (lâchez-le sur votre pied et vous sentirez que c'est du palpable). Ouvrez la fenêtre de votre chambre, prenez votre boîtier, et lâchez-le du quatrième. Vous aurez confirmation, par les milliers de petites pièces réparties sur le sol, qu'il s'agit bien de matériels.

- **Logiciel :** C'est tout le reste – les e-mails (ou *courriels* si on jacte bien le frenchy), les photos de vos dernières vacances, des programmes comme Microsoft Office. Si vous gravez les photos d'une pellicule sur un CD, ce joli disque est du matériel – vous pouvez le toucher – mais l'ensemble des photos du CD (c'est-à-dire le contenu informatique) fait partie de la catégorie des logiciels. Vous comprenez la différence ? Windows XP est un logiciel. Vous ne pouvez pas le toucher.

Lorsque vous configurez votre PC pour la première fois, Windows vous demande d'accepter les termes du contrat de licence. Monsieur Gates, Bill pour les intimes, pense que les consommateurs sont assez studieux pour lire la totalité dudit contrat dont la terminologie devrait être soumise, avant de nous engager, à nos avocats respectifs. Mais, comme vous n'avez sans doute pas d'avocat attitré, et que vous souhaitez utiliser Windows XP, vous acceptez ce contrat sans même le lire. Ne vous inquiétez pas, nous faisons tous pareil. D'ailleurs, si vous refusez les termes du contrat, l'installation de Windows XP se termine et, avec elle, votre expérience de l'informatique.

Toutefois, vous avez la possibilité de lire ces conditions d'utilisation sur un papier imprimé inséré dans la boîte de Windows XP, si tant est que vous ayez acheté ce programme indépendamment de votre ordinateur. Si vous ne trouvez pas ce fameux contrat et que Windows XP est installé sur votre machine, et que votre machine est allumée, cliquez sur le bouton Démarrer, puis sur Aide et support. Dans le champ Rechercher de la boîte de dialogue qui apparaît, saisissez **cluf** (pour Contrat de Licence Utilisateur Final), et appuyez sur Entrée. Cliquez sur le lien "Questions et réponses relatives au Contrat de Licence Utilisateur Final" puis, dans le volet de droite, sur "Que stipule le Contrat de Licence Utilisateur Final", et enfin sur "Cliquez ici". Ledit contrat s'ouvre dans le Bloc-notes. Lisez-le et/ou imprimez-le (dans ce dernier cas, lisez-le quand même).

Lorsque vous achetez un ordinateur PC, vous payez une licence d'utilisation d'un logiciel qui se nomme Windows et sans qui vous ne pouvez pas utiliser ledit ordinateur (sauf si vous passez par Linux, mais c'est une tout autre histoire que je ne vais pas me mettre à conter ici). En général, Windows XP est installé sur votre ordinateur. Ceci signifie que l'assembleur, c'est-à-dire la personne qui a monté votre ordinateur, ou la grande surface qui vend des PC prêts à l'emploi, a payé Microsoft pour installer une version de Windows XP sur un ordinateur qu'il vous vend. Généralement, en cas de problème d'utilisation, vous téléphonez au service technique du magasin, par exemple Carrefour, la Fnac, Leclerc, Darty et j'en passe, ou du constructeur comme Dell, Toshiba, etc. Pourtant, les problèmes matériels étant très rares sur des ordinateurs, vous allez questionner ce support technique sur un problème inhérent à Windows. Microsoft s'en lave les mains. (Sympathique pour une société qui gagne des milliards de dollars de royalties par an.)

Pourquoi devez-vous utiliser Windows ?

La réponse est simple : vous n'êtes pas obligé d'exécuter Windows. Votre PC peut très bien être mis en route pour ne rien faire. Toutefois, un programme informatique est indispensable pour contrôler l'ordinateur et permettre d'y faire des choses comme afficher des pages Web, répondre aux clics de souris, ou imprimer des notes. Ce programme se nomme *système d'exploitation* car il exploite les possibilités de la machine.

Sans ce système d'exploitation, l'ordinateur s'allume, initialise le moniteur, et lance une séquence de démarrage qu'il arrête avec un flamboyant message blanc sur fond noir : `non-system disk` ou `disk error. Insert system disk and press any key when ready`. Parfois ce message est en français : `disque non système` ou `Erreur disque. Insérez un disque système et pressez sur n'importe quelle touche`. Pour aller plus loin en informatique, vous avez besoin d'un système d'exploitation.

Windows n'est pas le seul système d'exploitation au monde. Son plus grand concurrent est Linux. De nombreuses personnes préfèrent Linux à Windows, et le débat qui existe entre les deux clans peut vite tourner au vinaigre. Toutefois, ne nous voilons pas la face : 99 % des utilisateurs d'un PC ont Windows. Vous faites certainement partie de ce pourcentage.

Kit de survie terminologique

L'utilisation de certains termes techniques (ou non) nécessite un effort de mémoire. Eh oui ! Chacun doit savoir de quoi nous parlons. Sans cette connaissance, vous ne comprendrez rien.

Un *programme* est un *logiciel*, ou une *application*. Ces trois termes sont synonymes. Le programme ne peut fonctionner que sur un ordinateur. Le *système d'exploitation* Windows est un programme au même titre que les jeux, Microsoft Office, Microsoft Word, Internet Explorer (le navigateur Web de Microsoft), le Lecteur Windows Media, les virus, les économiseurs d'écran, etc.

Un programme très particulier appelé *driver* ou *pilote* permet au système d'exploitation de faire fonctionner certains matériels. Par exemple, l'imprimante connectée à votre ordinateur, votre moniteur, ou encore votre souris ont un pilote.

Pour utiliser un programme dans un ordinateur, vous devez l'installer. Cette procédure s'appelle l'*installation*.

Une fois le programme installé, vous pouvez l'utiliser. Cette action se nomme *exécuter*, démarrer, ou encore *lancer* le programme.

Si le programme ne fait plus ce qu'il est censé faire, vous pouvez dire qu'il *s'arrête*. Si cet arrêt s'accompagne d'un message, voire du redémarrage de votre ordinateur, vous pouvez dire qu'il *bugue*, *plante*, *déconne,* et qu'il vous... non ! J'allais être grossier. Si le programme est ouvert mais que vous ne pouvez plus rien y entreprendre, vous direz qu'il *bugue* (eh oui encore !), qu'il est *bloqué*, qu'il *ne répond pas*, et qu'il vous... Non ! J'allais encore être grossier.

Précisons le terme *bug*. Un *bug* est une chose qui survient alors qu'elle n'aurait pas dû. (Un bug n'est pas un virus. Au contraire, le virus, s'il cause des dégâts, est la preuve qu'il fonctionne parfaitement.)

A cela, s'ajoute un terme essentiel pour comprendre Internet : *téléchargement*. Le téléchargement envisage deux choses : l'enregistrement, sur votre disque dur, de fichiers provenant du Web (comme le contenu d'une page Web), et l'envoi de fichiers sur un serveur. Depuis l'avènement d'Internet, l'utilisateur ne cesse de télécharger des nouveaux pilotes, des correctifs, et il y en a même qui téléchargent de la musique (les vilains).

Et puis vous avez les *assistants*. Que serait votre vie sans eux ?! Windows en a des quantités. Ils vous guident dans l'exécution de procédures complexes pour vous éviter de faire de grosses bêtises. Un assistant ouvre une boîte de dialogue composée d'options et de trois boutons : Précédent, Suivant (ou Terminer), et Annuler (voir la Figure 1.1). Les assistants gardent vos choix en mémoire d'une étape à l'autre, et présentent les options de telle manière qu'il est impossible de faire des choix susceptibles de déstabiliser votre environnement informatique.

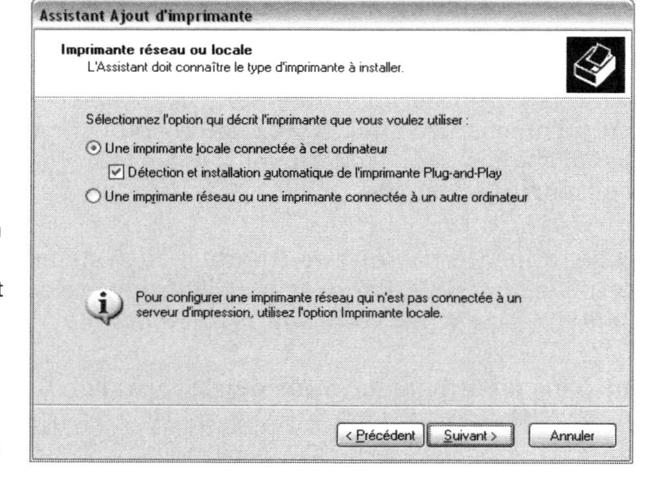

Figure 1.1 : L'Assistant Ajout d'imprimante vous guide dans la connexion d'imprimantes à votre ordinateur.

Brève histoire du démarrage

Vous savez probablement que le fait d'appuyer sur le bouton Marche, ou On de votre ordinateur, lance la séquence de *démarrage*, également appelée *amorçage*, *boot*, ou *initialisation*. En revanche, vous ignorez certainement pourquoi. Remontons un peu le temps. Quand un ordinateur démarre (ou boote), il doit exécuter un programme qui vérifie que toutes les conditions sont remplies pour que l'ordinateur fonctionne correctement. A l'origine, on parlait de *bootstrap* car aucun terme n'avait d'équivalent français. Aujourd'hui, nous savons que le *boot* est un démarrage intelligent qui *initialise* les composants de l'ordinateur.

D'où venons-nous ?

Contrairement à Windows ME qui est une version légèrement améliorée de Windows 98, et à Windows 2000 qui est une évolution de Windows NT 5.0, Windows XP est complètement différent de ses prédécesseurs. Pour bien comprendre cette différence, nous devons remonter aux origines.

Au tout début, Microsoft créa un système d'exploitation appelé DOS destiné à IBM. Nous sommes en 1981. MS-DOS se vendit comme des petits pains pour la simple raison qu'il était seul sur ce marché. Sans interface graphique, l'utilisateur devait saisir des lignes de commandes pour exécuter des tâches, dont celle de lancer une application.

La naissance de Windows

C'est pour utiliser convenablement le programme Excel (un tableur) que Microsoft développa Windows. La version 1.0 apparut en novembre 1985. Elle était lente, lourde, et instable – il y a des choses immuables n'est-ce pas ?! – mais pour faire tourner Excel, il fallait Windows.

Excel 2.0 et Windows 2.0 furent livrés en 1987. Ce fut une révolution. Pour la première fois un système d'exploitation permettait d'ouvrir plusieurs fenêtres qui se chevauchaient (d'où le nom de Windows, c'est-à-dire *Fenêtres*). Ce système d'exploitation tirait profit de la puce installée dans les PC/XT, c'est-à-dire la célèbre 80286. La version 2.1, également appelée Windows 286, apparut en juin 1988, et les gens découvrirent que finalement ils passaient plus de temps à travailler qu'à redémarrer leur ordinateur (ce qui était une avancée extraordinaire). Windows 286 tenait sur une disquette (on rêve).

Avez-vous des amis possesseurs d'un Macintosh qui aiment à raconter que Microsoft a volé toutes ses idées dans les vieux systèmes Mac ? La réalité est tout autre puisque aussi bien Apple que Microsoft ont tout pris à Xerox – et plus spécialement à la machine Star fabriquée au Palo Alto Research Center au début des années 80. Le Star avait un bureau avec des icônes et des fenêtres qui se chevauchaient. Il utilisait une souris, gérait les interactions du "pointer et cliquer", ouvrait des menus et des boîtes de dialogue, utilisait un réseau Ethernet comme celui sur lequel vous architecturez aujourd'hui votre environnement informatique, et introduisait l'imprimante laser.

Windows 3.0 arriva en mai 1990. A partir de cette date, l'industrie informatique ne fut plus jamais la même. Enfin Microsoft disposait de l'arme qui pouvait asséner le coup de grâce à son vieux rival MS-DOS. Lorsque Windows 3.1 vit le jour en avril 1992, il devint rapidement le système d'exploitation le plus utilisé au monde. En octobre 1992, Windows for Workgroups 3.1 permettait de gérer des réseaux, de partager des fichiers et des imprimantes, d'envoyer des messages électroniques internes, et bien d'autres fonctions que vous utilisez quotidiennement sans même vous en rendre compte. Savez-vous que certaines fonctions marchaient ?! Mais, une meilleure version, Windows for Workgroups 3.11, fut disponible en novembre 1993. Elle eut du succès auprès des entreprises.

eNTrer dans NT

Le cœur même de Windows 3.*x* battait encore à la mesure de MS-DOS, ce qui causait bien des défaillances. DOS n'était pas suffisamment stable ou polyvalent pour faire de Windows un système d'exploitation robuste. Bill Gates comprit qu'il n'était pas possible d'obtenir un système fiable si l'on continuait à le baser sur DOS. Il demanda alors à un nommé Dave Cutler de concevoir une nouvelle version de Windows sans aucune référence au DOS, c'est-à-dire en partant de zéro. Pour information, Dave avait conduit l'équipe qui développa le système d'exploitation VMS des ordinateurs DEC.

Lorsque Dave livra la nouvelle version de Windows en août 1993, elle se nommait Windows NT 3.1 ("New Technology", 3.1 et non 3.0… étrange pour une première), et était vraiment tatillonne. Elle ne gérait que certains matériels, et ne supportait pas les jeux.

NT et le "vieux" Windows

Pendant les huit années qui suivirent, deux lignées différentes de Windows coexistèrent. La vieille lignée DOS/Windows 3.1 devint Windows 95 (sorti en août 1995, "probablement la dernière version de Windows fondée sur DOS"), Windows 98 (juin 1998, "définitivement la dernière version de Windows basée sur DOS"), et Windows ME (Millenium Edition, en septembre 2000, "non, sincèrement, c'est la dernière version de Windows basée sur DOS").

Du côté New Technology, Windows NT 3.1 devint Windows NT 3.5 en septembre 1994, puis Windows NT 4.0 en août 1996. De nombreuses sociétés utilisent encore Windows NT 3.51 et NT 4 sur leurs serveurs – les machines qui structurent un réseau d'entreprise. En février 2000, Microsoft réalisa Windows 2000, qui n'est rien d'autre qu'une nouvelle évolution de Windows NT, et qui n'a rien en commun avec Windows 98 ou ME.

Malgré ses restrictions, notamment au niveau des jeux, Windows 2000 devint rapidement la référence dans le monde des affaires et chez quelques utilisateurs domestiques.

Fusion des lignées

A mon avis, Windows XP est la seule version qui justifie l'évolution du vieux Windows 95, et dont la sortie officielle remonte à octobre 2001. Vingt ans après MS-DOS, Windows XP s'affirme comme le système d'exploitation débarrassé de cet antique prédécesseur.

Certaines personnes pensent que Windows XP (où XP signifie eXPérience) est l'enfant naturel de deux lignées de Windows : un peu de ME d'un côté, de 2000 de l'autre, et une bonne dose de 98. Ceci est faux. Windows XP reprend 100 % des meilleurs aspects de NT, un point c'est tout.

C'est à la fois une bonne et une mauvaise nouvelle. Commençons par la ou les bonnes nouvelles : Windows XP fonctionnera sur votre ancien PC (sauf s'il s'agit d'une antiquité), et bien entendu sur tout nouveau PC qui est conçu pour faire tourner XP. Dans tous les cas, vous disposerez d'un système plus stable que toute autre version de Windows. La ou les mauvaises nouvelles : si vous aviez appris à contourner un problème sous ME, 98, ou 95, il y a de grandes chances pour que ça ne fonctionne pas sous XP. A la surface tout paraît sensiblement identique, alors qu'en profondeur, ce n'est pas la même affaire.

Microsoft a fait de gros efforts pour que Windows XP ressemble à Windows ME. Cette similitude s'arrête à l'aspect visuel. En effet, XP est une version améliorée de NT/2000. Il ne descend pas de ME ou de 98, même si l'on tente de vous le présenter comme tel. Cette absence de filiation fait que tout ce qui valait sous Windows ME ou 98 est obsolète sous Windows XP.

Chapitre 2

Passer à Windows XP

Dans ce chapitre :

- Mettre à niveau une ancienne version de Windows.
- Activer Windows pour l'utiliser.
- Trouver des solutions à vos problèmes.

Si, d'origine, Windows XP n'est pas installé sur votre ordinateur, vous faites partie de ces malheureux qui doivent mettre à jour leur ancienne version de Windows. Ce chapitre explique comment procéder, comment activer le produit, et appeler à l'aide en cas de problème.

Mise à niveau – une transplantation de cerveau

Si votre ordinateur tourne sous Windows 98, ou ME, vous pouvez le mettre à jour avec Windows XP. Il suffit de démarrer votre machine, et d'insérer le CD-ROM Windows XP une fois le système d'exploitation affiché sur votre écran.

En revanche, si vous disposez de Windows XP et que ce n'est pas votre tasse de thé, voici comment revenir à 98 ou Me :

1. **Cliquez sur Démarrer/Panneau de configuration.**
2. **Cliquez sur Ajouter ou supprimer des programmes.**
3. **Cliquez sur Windows XP, puis sur Supprimer.**
4. **Activez l'option qui permet de supprimer XP, et cliquez sur Suivant.**

Si votre ordinateur fonctionne sous Windows NT 4 ou Windows 2000, vous pouvez passer à la version Professionnelle de Windows XP. Dans ce cas, il ne sera pas possible de désinstaller Windows XP pour restaurer automatiquement NT 4 ou 2000.

Si votre ordinateur fonctionne sous Windows 95 ou NT 3.*x*, la mise à niveau est impossible. Dans ce cas, il faut préalablement supprimer Windows de votre disque dur, et effectuer une installation de Windows XP sur un disque dur vide de tout système d'exploitation. Pour plus de détails à ce sujet consultez la section "Installation propre et nette" un peu plus loin dans ce chapitre. Il y a en effet de grandes chances (ou risques) pour que votre environnement informatique ne soit pas assez puissant pour faire tourner correctement Windows XP. Le mieux est d'attendre une rentrée d'argent pour vous offrir un nouveau PC où Windows XP sera préinstallé.

La liste des matériels et des logiciels compatibles

Pour aider et rassurer (ou inquiéter les utilisateurs), Microsoft a mis en place un site qui dresse la liste des matériels et des logiciels compatibles avec Windows XP. Il s'agit d'éléments qui ont reçu l'approbation officielle de Microsoft. Cela ne signifie pas que les autres matériels, ceux n'ayant pas reçu ladite approbation, ne peuvent pas fonctionner sous Windows XP. Il suffit de contrôler la compatibilité sur le site de leur constructeur. Généralement, vous y trouverez un driver (ou pilote) qui assure le bon fonctionnement du matériel avec Windows XP.

La liste établie est en anglais. Même si vous la cherchez sur le site français de Microsoft à l'adresse `http://www.microsoft.com/france/windows/xp/info/info.asp?mar=/france/windows/xp/info/maj_winxp.html&xmlpath=/france/windows/xp/xml/highlights.xml&rang=0&SD=gn&LN=fr&gssnb=1` (impressionnant non ?!), vous ne trouverez qu'un lien vers le site suivant `http://www.microsoft.com/windows/catalog/`.

Cette liste indicative n'est pas à négliger. En effet, l'ajout de plusieurs matériels non certifiés peut entraîner des conflits qui nuisent à deux choses : le bon fonctionnement de l'un ou des deux matériels en conflit ; la stabilité du système. Dans tous les cas, n'hésitez pas à interroger les supports techniques des différents constructeurs pour vous assurer de cette compatibilité avant achat.

Avant de mettre à niveau votre ancienne version de Windows, vérifiez l'existence d'éventuels problèmes. Microsoft distribue un programme gratuit qui teste votre machine de manière à vous informer des potentiels problèmes d'une mise à jour vers XP. Malheureusement, j'ai eu beau tourner le site français dans tous les sens, je n'ai trouvé que cette page en anglais `http://www.microsoft.com/windowsxp/home/upgrading/default.mspx`. Là, cliquez sur le lien `Make Sure Your Hardware and Software Are Compatible` (Vérifiez que votre matériel et vos logiciels sont compatibles), puis cliquez sur `Use the Upgrade Advisor` (Utilisez l'assistant de mise à niveau). Dans la foulée, cliquez sur `Download the Upgrade Advisor`, pour télécharger un utilitaire qui va vérifier les possibilités de votre système et attirer votre attention sur les conflits potentiels. Pour obtenir ce rapport de compatibilité, il suffit d'exécuter le fichier UpdAdv.exe que vous venez de télécharger.

Installation propre et nette

Windows XP est un programme énorme et complexe. Dans le meilleur des cas, la mise à niveau se déroule sans problème. Le programme est capable de retenir votre ancienne configuration de façon à la retrouver dans Windows XP.

Malheureusement, nous ne vivons pas dans un monde où tout le monde il est beau tout le monde il est gentil. Pour obtenir un système d'exploitation stable, il est préférable d'installer Windows XP sur un disque dur vierge, et dans un ordinateur contenant le minimum de périphériques. Par minimum, il faut entendre : un disque dur (là où sera installé votre copie de Windows), un lecteur de CD-ROM, et une carte graphique. Ce n'est qu'une fois cette installation accomplie avec succès que vous installerez vos autres éléments l'un après l'autre comme : une carte son, une carte d'acquisition et de restitution vidéo, un modem, et j'en passe. Chaque fois, vous vérifierez que vous possédez bien les pilotes pour Windows XP développés par le constructeur de votre périphérique. En effet, dès que Windows XP détectera le nouveau matériel, il vous le demandera sauf s'il le possède déjà dans sa base de données des pilotes. Toutefois, il est conseillé d'installer la dernière version du pilote mis à votre disposition sur le site du constructeur du matériel installé.

Voici ma méthode d'installation propre, nette, et sans bavure :

1. **Sur le site** `www.snadboy.com`**, téléchargez le programme Revelation 2.0, illustré à la Figure 2.1.**

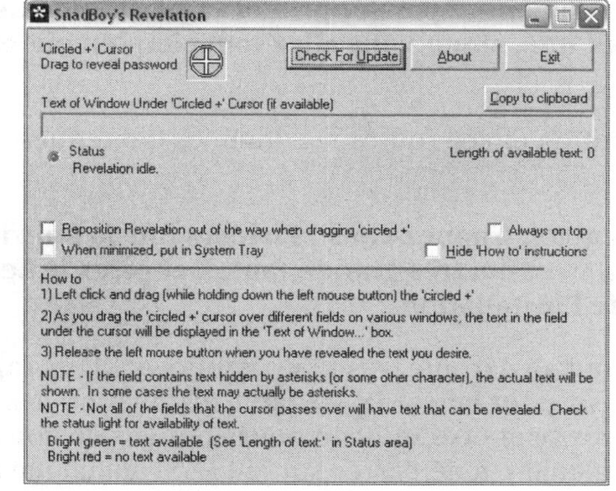

Figure 2.1 : Revelation de Snadboy permet de voir clairement les mots de passe qui apparaissent sous la forme d'astérisques.

Utilisez Revelation quelques jours ou quelques semaines pour retrouver des mots de passe tellement bien cachés que vous les avez oubliés.

2. **Vérifiez que vous disposez de tous les CD des programmes que vous utilisez habituellement.**

   Si les programmes en question nécessitent un mot de passe et/ou une clé d'installation, ayez-les sous la main.

3. **Sauvegardez absolument tout... deux fois !**

   Si vous avez un ordinateur Windows XP prêt à l'emploi, et que vous le raccordez via un réseau ou une connexion directe par câble au PC que vous désirez faire évoluer, mettez en œuvre l'Assistant Transfert de fichiers et de paramètres. Comme son nom l'indique, il transfère vos fichiers et vos paramètres vers le PC de destination. Suivez les instructions de la section "Utiliser l'Assistant de Transfert de fichiers et de paramètres" pour transférer temporairement vos paramètres avant de procéder à la mise à niveau. Ensuite, répétez cette opération pour effectuer le transfert en sens inverse, c'est-à-dire vers le PC d'origine mis à jour.

4. **Dans votre lecteur de CD, insérez le CD-ROM de Windows XP. Ensuite, cliquez sur Démarrer/Arrêter l'ordinateur.**

   Le fait d'éteindre l'ordinateur avec le CD-ROM présent dans le lecteur va initialiser l'installation au redémarrage de la machine.

5. **Allumez votre ordinateur.**

   Si le PC peut démarrer sur le lecteur de CD, il va lancer la procédure d'installation, ou vous demander d'appuyer sur une touche du clavier pour démarrer depuis le CD. Dans ce cas, appuyez sur n'importe quelle touche.

6. **Suivez les instructions. Commencez par supprimer la partition existante (si le disque dur en contenait une, sinon vous allez tout simplement en créer une).**

   La suppression d'une partition efface toutes les données contenues sur le disque dur.

7. **Ensuite, mettez-vous à genoux, frappez-vous plusieurs fois la poitrine en répétant : "C'est ma faute, c'est ma très grande faute", et priez le Seigneur pendant toute la durée de l'installation.**

   J'exagère. Normalement tout se déroule très bien. Windows XP va rapidement redémarrer votre ordinateur pour lancer la véritable installation des fichiers. Dans cette phase vous serez peut-être sollicité pour appuyer de nouveau sur une touche du clavier de manière à démarrer sur le CD. Si aucun message n'apparaît, c'est que l'ordinateur est capable de booter lui-même sur le CD quand il ne trouve pas de système d'exploitation sur le disque dur. Après ce redémarrage, vous voyez une interface de suivi de l'installation bien plus agréable, et qui présente les nouveautés de Windows XP pour vous faire patienter pendant cette longue procédure.

L'installation propre et nette représente, à mon sens, le meilleur moyen d'obtenir un système d'exploitation vraiment stable qui assure une exécution sans faille de Windows XP.

Utiliser l'Assistant Transfert de fichiers et de paramètres

Cet assistant de Windows XP transfère certains types de paramètres et de données d'un ordinateur à un autre. Cette fonction donne de bons résultats à condition que vous n'en espériez pas trop. Vous devez en connaître les limites :

- ✦ Le PC à partir duquel vous effectuez ce transfert doit fonctionner sous 95, 98, ME, NT 4, 2000, ou XP. Il est préférable qu'il soit connecté au PC de destination qui lui doit, en revanche, tourner sous Windows XP.

  Cet assistant doit envoyer une quantité homogène de données d'un PC à un autre. Ce transfert peut être fait avec des disquettes si vous avez plusieurs jours devant vous. Le mieux est d'y procéder entre deux ordinateurs connectés à un réseau. Mais, si cela vous effraie, réalisez une connexion directe par câble via le port Série des deux ordinateurs.

- ✦ L'assistant ne peut pas installer vos anciens programmes sur le nouveau PC. Vous devrez y procéder manuellement, l'un après l'autre.

  Si vous effectuez le transfert de fichiers et de paramètres sans installer ultérieurement les programmes, des choses étranges peuvent survenir sur l'ordinateur de destination. Par exemple, vous double-cliquez sur un fichier dans l'Explorateur Windows, et XP affiche un message par lequel il est incapable de trouver l'application qui peut afficher son contenu. Outlook ou Outlook Express peut rencontrer des difficultés pour ouvrir une pièce jointe à un e-mail.

- ✦ L'assistant ne prend que les fichiers de données et quelques entrées du Registre. N'espérez donc pas qu'il fasse migrer vos mots de passe, et qu'il fasse sauter les verrous de protection contre la copie des jeux par exemple.

L'avantage de toutes ces lacunes est que l'assistant de transfert ne va pas installer sur le nouveau PC tous les problèmes que vous aviez sur l'ancien. C'est une chose non négligeable.

Voici ce que vous pouvez transférer :

- Les fichiers de données présents sur votre bureau, dans le dossier Mes Documents (y compris Mes images et Ma musique), et dans les dossiers Documents partagés et Bureau.
- Les fichiers de documents dont Windows identifie les extensions comme `.doc` ou `.jpg`.
- Les paramètres de Windows (le bureau, les économiseurs d'écran, les options de la Barre des tâches, etc.), l'Explorateur Windows, Internet Explorer (y compris la liste de vos Favoris), et Outlook Express.
- Tous vos paramètres Microsoft Office.

Voici comment utiliser l'Assistant Transfert fichiers et paramètres :

1. **Vérifiez que Windows XP est bien démarré sur le PC de destination.**
2. **Connectez le PC de destination en tant que destinataire des fichiers et paramètres du PC source.**

   Si les deux ordinateurs sont connectés à un réseau, cliquez sur Démarrer/ Favoris réseau, ou sur Démarrer/Poste de travail. Là, vérifiez que la connexion réseau est établie. Si les PC ne sont pas connectés au même réseau, ou si vous n'avez pas de réseau, reliez-les par le port Série. (PC éteint bien entendu !)
3. **Cliquez sur Démarrer/Tous les programmes/Accessoires/Outils système/ Assistant Transfert de fichiers et de paramètres.**
4. **Suivez les étapes de l'assistant (voir la Figure 2.2).**

Activation du produit

Lorsque vous achetez une version d'XP, vous payez le droit de l'installer sur un seul ordinateur. Pour éviter des installations multiples, Microsoft a effectué ce que l'on nomme un "BIOS locking", c'est-à-dire un verrouillage du BIOS qui assure que la version installée ne l'a été que sur l'ordinateur concerné.

C'est le résultat de la lutte contre le piratage et les installations multiples. En réalité, lorsque vous achetez un programme, vous ne disposez que d'une seule licence d'utilisation. Par conséquent, si vous possédez trois PC, vous ne pouvez installer XP que sur l'un d'entre eux. Pour que chacun bénéficie de ce système d'exploitation, vous devez acheter trois licences du produit, ce qui revient relativement cher.

Windows XP renforce le contrôle de la licence d'utilisation en exigeant l'*activation* du produit. Voici comment procéder :

1. **Lors de l'installation de Windows XP, vous devez saisir un code à 25 caractères qui est imprimé sur le boîtier cristal du CD-ROM.**

   Lors de l'activation, le programme vérifie les divers numéros de série de votre PC – le processeur, la carte réseau, et les lecteurs de disques, parmi d'autres – pour produire un second code à 25 caractères qui identifie alors votre PC. Ces 50 caractères forment l'*ID d'installation*.

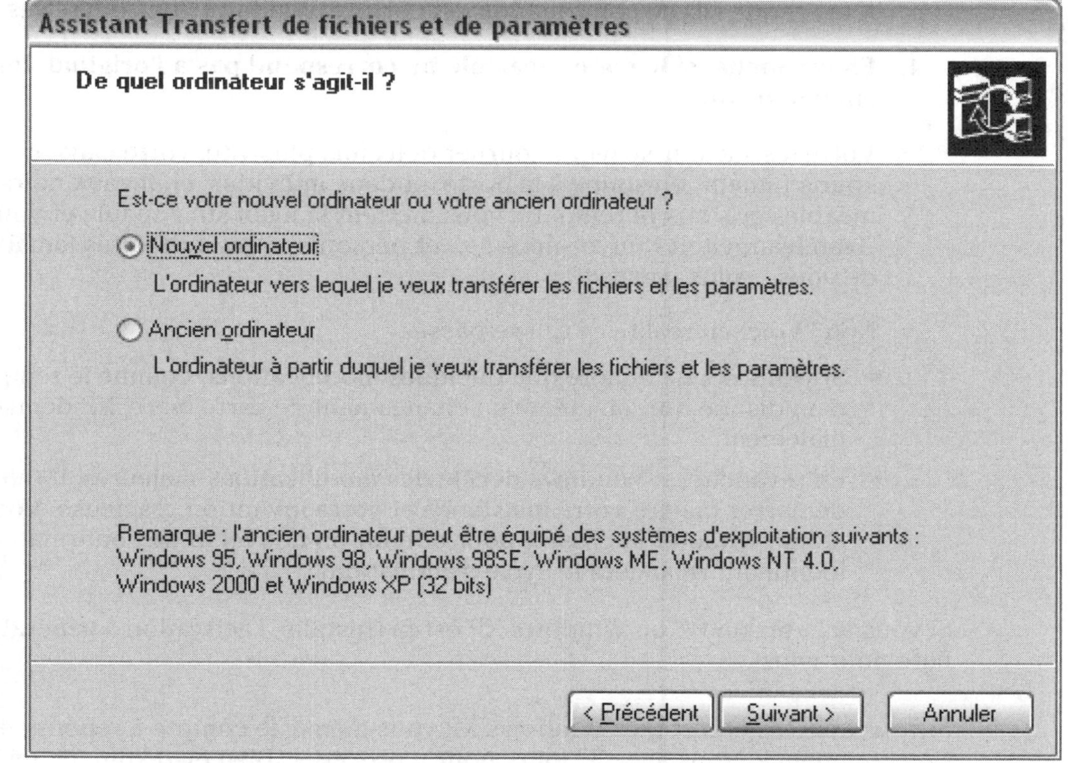

Figure 2.2 : L'Assistant Transfert de fichiers et de paramètres peut envoyer la majorité de vos informations les plus importantes d'un ancien PC à un nouveau.

2. **Lorsque vous *activez* Windows XP, vous communiquez à Microsoft un ID d'installation de 50 caractères.**

   Microsoft vérifie alors si quelqu'un a déjà soumis le code de 25 caractères présent sur le CD de Windows XP.

   - Si ce code a déjà été soumis, ou si le code de 25 caractères a été activé par l'ID d'installation (ce qui signifie que vous activez pour la seconde fois une même version d'XP sur un même ordinateur), Microsoft renvoie un *ID de confirmation* de 42 caractères. Ces deux ID, c'est-à-dire des identifiants, sont stockés sur votre PC.

- Si ce code de 25 caractères a déjà été utilisé sur un autre PC, un message vous avertit que le produit a déjà été activé, et que vous devez saisir une autre clé du produit. Dans ce cas, l'activation est refusée, et vous ne pourrez plus entrer dans Windows XP. Fini la "belle" vie informatique.

3. **A chaque démarrage de Windows XP, le code de 25 caractères est recalculé pour prendre en compte les divers numéros de série stockés dans votre PC.**

   Si le code généré correspond à l'un de ceux qui sont stockés dans votre ordinateur, et que l'ID de confirmation est correct, Windows vous ouvre ses portes.

4. **En revanche, si le code recalculé ne correspond pas à l'original, les ennuis commencent.**

   Votre disque dur se met à tourner deux fois plus vite, votre clavier et votre souris fument, on sonne à la porte, et deux individus, chapeaux noirs, imperméables gris au col remonté, vous mettent la main sur l'épaule et vous disent : "Ivan Ivanovitch ! Suivez-nous !"... et personne n'entendra plus jamais parler de vous... plus jamais !

   Non ! Voici en réalité ce qui se passe :

   - Si Windows ne dénote que quelques modifications, comme le remplacement d'un disque dur, ou même un changement de carte mère, XP démarre normalement.
   - En revanche, si Windows décèle des modifications majeures, il refuse de démarrer malgré votre insistance et votre invitation gracieuse. Vous devez alors contacter Microsoft pour obtenir un nouvel ID de confirmation. Cet identifiant relancera le cycle d'activation.

Si vous achetez un PC où Windows XP est préinstallé, l'activation a généralement été faite pour vous.

Si vous achetez et installez Windows XP vous-même, le compte à rebours de l'activation commence. Vous avez 30 jours pour y procéder. Bien évidemment, en fin d'installation Windows XP vous invite à l'activer. C'est un bon réflexe de le faire, ou alors d'attendre d'avoir installé tous vos périphériques. Quoi qu'il en soit, si au bout de 30 jours vous n'avez pas activé le produit, l'accès à Windows ne sera possible que si vous répondez "oui" à l'invite d'activation immédiate. Sachez que si, pour une raison ou pour une autre, vous devez réinstaller XP, il faudra de nouveau l'activer.

L'activation par Internet est simple. Vous choisissez une option et cliquez sur quelques boutons pour voir surgir un magnifique message qui atteste de son succès. L'activation par téléphone nécessite que vous ayez sous la main le CD d'installation. Vous devrez donner à votre interlocuteur l'ensemble des chiffres composant la clé du produit. Ensuite, il vous donnera à son tour une série de chiffres que vous devrez saisir dans l'assistant d'activation.

XP fonctionne encore quelques jours après expiration de la période d'activation. Il suffit de ne pas éteindre votre ordinateur, ou de faire systématiquement une veille prolongée. En revanche, quand vous ne pouvez plus entrer dans Windows, des périphériques comme un modem restent opérationnels, ce qui est important lorsque vous avez configuré un partage de connexion à Internet.

L'assistant d'activation n'a rien à voir avec l'enregistrement du produit. L'activation se contente d'envoyer à Microsoft un ID d'installation de 50 caractères. En revanche, la procédure d'enregistrement communique vos nom, prénom, adresse, numéro de téléphone, et tout autre type d'information que vous demande ce nouvel assistant.

L'activation est nécessaire sinon Windows XP décède ! L'enregistrement est facultatif. Aucune raison valable ne justifie que Microsoft vous connaisse. Par conséquent, n'enregistrez pas votre produit !

Les grosses sociétés qui installent des centaines de fois Windows XP sur des centaines de machines n'ont pas besoin d'activer les produits. Elles disposent d'une licence spéciale sous la forme d'une version particulière de Windows XP qui ne requiert pas l'activation.

Que faire si Windows refuse de s'ouvrir ?

Pleurez ! Non, j'ai un peu mieux à vous proposer :

- Si Windows XP est livré avec un nouveau PC, incriminez votre revendeur ! Il doit résoudre le problème. N'acceptez pas une excuse fallacieuse du genre : "C'est un problème logiciel, appelez Microsoft !". Si XP ne fonctionne pas sur une machine sortant d'un magasin c'est de la responsabilité du vendeur !
- Si vous mettez à niveau Windows 98 ou SE vers Windows XP, il est possible de désinstaller XP pour retrouver votre ancien système d'exploitation.
- Si vous mettez à niveau Windows NT 4.0 ou 2000, sans faire une installation propre et nette, imposez-vous cette procédure, étudiée un peu plus haut dans ce chapitre. Qu'est-ce que vous avez à perdre ?
- Si vous avez installé Windows XP sur un disque dur vierge et qu'il ne répond pas à vos avances, croyez que vous avez toute ma sympathie. Commencez par vérifier que vous disposez de la dernière version du BIOS de votre carte mère. (Reportez-vous au manuel de votre carte mère pour apprendre à mettre à jour le BIOS… je sens qu'on n'est pas sorti de l'auberge.) Consultez des groupes de discussion en ligne pour savoir si quelqu'un a une solution. Si rien n'y fait, soyez digne dans la défaite : réinstallez votre ancien système d'exploitation. La vie est trop courte pour lui ajouter d'autres problèmes… surtout informatiques.

Chapitre 3

Faire son chemin dans Windows XP

Dans ce chapitre :

- Le bureau.
- La souris.
- Les fenêtres.
- Les fichiers et les dossiers.
- Un tour dans Windows XP.

Dès que vous entrez dans Windows, une bouffée campagnarde gratuite vous saisit les poumons sous la forme d'une bien belle image qui trône sur ce que l'on nomme le bureau. Bien ! Mais quid du reste, et notamment de cette barre (eh oui on appelle cela ainsi) localisée en bas de l'écran, et qui commence, à gauche, par le mot Démarrer qui n'est autre qu'un bouton. Et en informatique, qui dit bouton, dit clic de souris, à l'instar des pustules qui garnissaient votre visage adolescent et qu'une envie irrésistible vous poussait à éclater entre vos ongles. Cependant, il est à mon sens, et c'est un connaisseur qui vous parle, plus facile de vivre avec de l'acné qu'avec Windows XP… c'est peu de le dire. Pour vous aider à construire votre existence dans ce système d'exploitation, dévorez ce chapitre. Il explique comment utiliser la souris, ce que sont les boîtes de dialogue, et ce que vous pouvez attendre des fichiers et des dossiers. Puisque je vous ai parlé du bouton Démarrer, vous découvrirez toutes les merveilles qu'il renferme quand on presse dessus (à la différence d'un bouton de puberté).

Le bureau

Figure 3.1 : Le bureau de Windows XP.

L'heure actuelle si vous la réglez correctement
Stocke les fichiers supprimés
Corbeille
Quelques icônes possibles de la zone des notifications
08:20

Un ordinateur, et plus globalement l'informatique, se résume à un travail devant un écran. Il est donc normal que Windows XP s'y affiche pour vous permettre de faire quelque chose des logiciels et des matériels installés sur votre PC. En règle générale, la première chose que vous voyez au démarrage d'XP est le bureau représenté à la Figure 3.1. Il va falloir vous y faire. En informatique, on travaille sur deux bureaux. Celui de votre entreprise ou de votre bureau (ah !), et celui de Windows.

Les objets présents sur le bureau dépendent de la configuration de base de votre ordinateur. (Tout comme l'image d'arrière-plan du bureau.) Si vous installez XP sur un disque dur vierge, peu d'éléments trônent sur ce bureau. Il en sera autrement avec un PC de marque ou préparé chez un revendeur. L'élément commun à tous (sauf si on vous joue un sale tour) est la corbeille. Elle se situe par défaut à proximité d'une partie de la Barre des tâches qui se nomme la Zone des notifications.

Il y a des chances pour qu'au bout de quelques jours votre bureau ne ressemble plus du tout à celui de la Figure 3.1. Vous allez y placer une quantité impressionnante d'icônes. Si vous avez acheté un nouvel ordinateur avec Windows XP préinstallé, je pense que vous verrez quelques icônes de fournisseurs d'accès à Internet, ainsi qu'un antivirus (je ne serais pas surpris qu'il s'agisse respectivement d'AOL et de Norton). Si une icône ne vous plaît pas, cliquez dessus avec le bouton droit de la souris (nous verrons ce bouton plus en détail dans quelques minutes), et choisissez Supprimer dans le menu contextuel qui apparaît. (Oui ! le menu qui s'affiche quand on clique sur le bouton de la souris est dit "contextuel".)

Que les termes informatiques sont étranges. Bien sûr que le bureau de Windows ne ressemble pas à un bureau au sens propre du terme. (En tout cas pas au mien.) Et puis ces icônes n'ont rien d'iconographique, et ce ne sont surtout pas des objets d'art.

Une fois la beauté du paysage assimilée, les autres éléments du bureau permettent de travailler. Il suffit de cliquer sur certains d'entre eux pour mieux faire connaissance avec votre environnement :

- **La Barre des tâches de Windows :** Elle s'étend tout en bas de l'écran. Elle contient un bouton de chaque programme actuellement ouvert, qu'il s'agisse d'applications comme Word, d'Internet Explorer, ou encore d'Outlook Express.
- **La Zone des notifications :** En voilà un terme barbare ! Elle se situe sur le côté droit de la Barre des tâches. Elle affiche les utilitaires qui tournent en tâche de fond, c'est-à-dire des processus actifs utiles à la protection de votre ordinateur, ou qui sont prêts à vous assister dans certaines tâches. Par exemple, votre connexion Internet y est symbolisée par un ou deux écrans d'ordinateurs qui clignotent quand vous chargez des pages Web. L'icône d'un haut-parleur y est souvent présente. Il suffit de cliquer dessus pour régler le volume général des haut-parleurs multimédias connectés à la carte son de votre PC. C'est également dans cette zone que vous avez l'heure, et parfois la date. (Si la date ne s'affiche pas en permanence, placez le pointeur de la souris sur l'heure. Une info-bulle apparaît indiquant le jour, le mois, et l'année en cours.)

Bien évidemment, l'heure doit être réglée pour être exacte. Vous verrez cela plus tard.

démarrer

- **Le bouton Démarrer :** Localisé dans le coin inférieur gauche du bureau, ce bouton donne accès à tout ce que l'ordinateur peut et sait faire. Cliquez dessus et vous verrez ce qui se passe. Pour plus d'informations à son sujet, lisez la section "Commencer avec le bouton Démarrer", plus loin dans ce chapitre.

Le bureau de Windows paraît simple mais ne vous laissez pas abuser. Derrière cette façade se cache l'un des programmes les plus complexes jamais créés. Des centaines de millions de dollars ont été nécessaires à la création de cette apparente simplicité. Pensez-y la prochaine fois que vous serez tenté de mettre un grand coup de pied dans cet ordinateur qui vous en fait baver !

La souris

La souris est le périphérique le plus intuitif pour commencer votre aventure informatique. Regardez comme c'est amusant ! Si vous la faites glisser, un pointeur se déplace sur l'écran. Encore plus drôle ! Cliquez sur le bouton droit ou le bouton gauche. Mieux ! Agissez sur la roulette du milieu (si vous en avez une), pour faire défiler le contenu de certaines fenêtres.

Les gauchers peuvent changer l'action des boutons de la souris. Ainsi, le fait de cliquer sur le bouton gauche revient à cliquer sur le bouton droit et réciproquement. Voici comment modifier cette disposition logicielle :

1. **Cliquez sur Démarrer/Panneau de configuration/Imprimantes et autres périphériques/Souris.**

   Si vous ne trouvez pas de lien Souris dans le Panneau de configuration, revenez en arrière en cliquant sur le bouton Précédente. Ensuite, dans le volet de gauche, cliquez sur "Basculer vers l'affichage classique". Les éléments qui s'affichent à droite sont classés par ordre alphabétique. Repérez Souris, et double-cliquez dessus.

2. **Cliquez sur l'onglet Boutons.**

3. **Dans la liste Bouton gauche, choisissez Clic droit, et dans la liste Bouton droit, Clic gauche.**

   En fonction du pilote de souris installé, les options en question peuvent se présenter sous la forme de cases à cocher ou de boutons radio. Activez l'option qui permute les actions des boutons.

4. **Cliquez sur OK.**

Utilisation de la souris

Voici des choses importantes à connaître sur les rongeurs :

✦ Pour déplacer un élément sur le bureau de Windows – procédé appelé *glisser-déplacer* ou *glisser-déposer* – cliquez dessus avec le bouton de la souris (c'est-à-dire le gauche). Sans le relâcher, déplacez la souris sur son tapis pour positionner l'objet à un nouvel emplacement. Dès que l'élément vous semble en bonne position sur le bureau, relâchez le bouton de la souris. (Note : quand je parle de bouton de la souris, j'invoque systématiquement le bouton gauche.)

Pour faciliter le travail des utilisateurs d'un ordinateur portable qui n'ont, comme les autres, que deux mains, Microsoft a implémenté une fonction appelée Verrouillage du clic. Vous pouvez la mettre en œuvre sur un ordinateur de bureau, mais son utilité n'est que relative. Avec ce verrouillage, inutile de maintenir la pression sur le bouton gauche pendant que vous effectuez le déplacement de l'élément. Voici comment activer cette fonction :

1. **Cliquez sur Démarrer/Panneau de configuration/Imprimantes et autres périphériques/Souris. (Si besoin, basculez dans le mode d'affichage classique.)**

2. **Cliquez sur l'onglet Boutons, et cochez la case Activer le verrouillage du clic.**

   Si vous utilisez une souris qui a besoin d'un pilote spécial, les options ne seront peut-être pas situées sous le même onglet. Ainsi, avec le pilote IntelliMouse de Microsoft, cliquez sur l'onglet Actions, et cochez la case Activer le verrouillage du clic.

3. **Cliquez sur le bouton Paramètres, et ajustez le temps d'appui nécessaire pour que Windows comprenne qu'il doit verrouiller le clic.**

Testez le verrouillage dans la boîte de dialogue de configuration de la souris si une zone le permet, ou directement sur le bureau.

Il est également possible de régler la reconnaissance du double-clic. En effet, au début de votre aventure informatique, vous aurez le doigt lourd. Le double-clic vous échappera à bien des reprises. La conséquence est qu'il ouvrira un élément dans le programme qui l'a créé, ou une boîte de dialogue quelconque.

Pour paramétrer la vitesse du double-clic :

1. **Cliquez sur Démarrer/Panneau de configuration/Imprimantes et autres périphériques/Souris. (Le cas échéant, basculez en mode d'affichage classique.)**

2. **Cliquez sur l'onglet Boutons ou Actions (selon les choix offerts par votre pilote de souris).**

3. **Double-cliquez sur l'icône du dossier affichée dans la section Vitesse du double-clic.**

4. **Si le dossier ne s'ouvre pas, faites glisser le curseur vers le paramètre Lente.**

Les entrailles de l'ordinateur mesurent le mouvement de la souris en unités appelées des *mickeys*. Il s'agit d'une unité de mesure matérielle du déplacement de la souris, qui sera ensuite convertie en pixels, en centimètres ou en années-lumière selon les besoins de l'utilisateur. Pour un écran de 14 pouces, soit environ 36 cm de diagonale, il vaut classiquement 1/20e de pouce, soit 1,27 mm.

Les pointeurs

Lorsque vous déplacez la souris sur le bureau, vous faites bouger un *pointeur*. Les pointeurs prennent une forme spécifique en fonction de la tâche demandée, comme l'indique le Tableau 3.1.

Si Windows affiche un des pointeurs d'occupation, il y a de fortes chances pour que le système d'exploitation soit bloqué. Comment le savoir ? Allez déjeuner, faites une partie de tennis, et si après toutes ces activités rien n'a changé sur votre écran, c'est que Windows est bloqué. Dans ce cas, appuyez sur la touche Ctrl. Sans la relâcher, appuyez sur la touche Alt. A cet instant, deux touches sont enfoncées, Ctrl+Alt (vous me suivez ?). Eh bien, sans les relâcher, appuyez sur la touche Suppr. Le Gestionnaire des tâches de Windows apparaît. Il permet de sélectionner et de terminer le programme qui ne répond pas.

Si, en travaillant sur une image, vous voyez apparaître un pointeur de redimensionnement, n'oubliez pas que chaque programme l'utilise différemment : certains effectuent un recadrage c'est-à-dire qu'ils suppriment tout ce qui se trouve en dehors du cadre que vous tracez. D'autres permettent d'agrandir ou de réduire l'image quand vous déplacez la souris. En général, vous pouvez appuyer sur Maj et Ctrl pour solliciter une autre action. Ainsi, le fait d'appuyer sur Ctrl redimensionnera l'image quand vous ferez glisser le pointeur de la souris. Testez les possibilités de vos programmes pour connaître l'action effectuée par la souris en fonction de la touche sur laquelle vous appuyez.

Quand le curseur permet de saisir du texte il prend la forme d'un gigantesque I que l'on nomme le *point d'insertion*. Vous le rencontrerez dans la majorité des logiciels de traitement de texte. En général, il clignote pour attirer votre attention sur l'emplacement de la saisie du texte.

Tableau 3.1 : Les pointeurs de souris standard de Windows.

Aspect du pointeur	Signification	Ce que cherche à vous dire Windows
	Normal	La souris attend vos ordres. Déplacez-la, et cliquez !
	Interaction	Windows vient de découvrir une zone interactive – souvent un lien hypertexte dans une page Web – et si vous cliquez dessus, vous êtes instantanément parachuté sur l'emplacement qu'il cible.
	*Prêt au redimensionnement*	Appuyez sur le bouton gauche de la souris, et faites-la glisser d'avant en arrière pour augmenter ou réduire la taille d'une fenêtre.
	*Prêt au redimensionnement*	Appuyez sur le bouton gauche de la souris, et faites-la glisser de gauche à droite pour augmenter ou réduire la taille d'une fenêtre.
	*Augmenter ou réduire pour ajuster la taille*	Cliquez et faites glisser un angle d'une fenêtre pour que le contenu s'ajuste à la nouvelle dimension.
	*Occupé*	Vous pouvez exécuter d'autres tâches, mais Windows sera bien plus lent car il est en train de faire autre chose.
	*Sorti déjeuner*	Cette fois Windows est tellement occupé que vous ne pouvez rien faire d'autre que déplacer le pointeur.
	Capturer quelque chose	Windows attend que vous dessiniez ou sélectionniez une partie d'une image (par exemple, vous sélectionnez la tête de l'oncle Ernest pour la recadrer). Pour cela, cliquez dans le coin supérieur gauche de l'image. Maintenez le bouton de la souris enfoncé, et faites glisser le pointeur jusqu'à l'angle opposé. Il n'est pas nécessaire d'être très précis car, généralement, vous pourrez affiner la sélection en utilisant les flèches de redimensionnement.
	*Déplacement*	Sous cette forme, le curseur permet de déplacer un élément sélectionné.

Tableau 3.1 : Les pointeurs de souris standard de Windows.

?(pointeur)	*Aide*	Cliquez sur un mot d'une boîte de dialogue, un champ, ou n'importe quoi d'autre pour obtenir une aide à son sujet. Si vous ne désirez pas d'aide appuyez sur Echap. Alors, le pointeur reprend sa forme standard.
I	*Point d'insertion*	Cliquez pour saisir du texte dans un champ.
⃠	*Interdit*	Sous cette forme, le pointeur ne peut plus rien faire. La manipulation que vous désirez effectuer est impossible.

L'incontournable bouton droit

Windows XP permet d'user, que dis-je, d'abuser du bouton droit de la souris. Cette action ouvre un menu dit *contextuel* qui propose des commandes et/ou des options propres au contexte de son utilisation. Par exemple, si vous cliquez sur l'icône d'une imprimante avec le bouton droit de la souris, vous pouvez suspendre l'impression. Ce type de commande n'apparaît pas si vous cliquez sur l'icône d'un disque dur avec ce même bouton droit. Sur la Figure 3.2, vous voyez les possibilités offertes par le sous-menu Nouveau quand on clique avec le bouton droit de la souris sur une portion vide du bureau, et que Microsoft Office est installé sur votre machine.

Une souris doit être propre ! Si vous rencontrez des problèmes de comportement du pointeur, nettoyez la boule de la souris. Oui, je sais ! Aujourd'hui la souris optique, c'est-à-dire sans boule, est très répandue. Dans ce cas, regardez si une saleté n'obstrue pas le faisceau lumineux qui guide le pointeur sur votre écran. Si vous avez une *bonne* vieille souris à boule, ouvrez la trappe pour la libérer, et enlevez toutes les saletés accumulées sur les tiges de rotation à l'intérieur de la souris. Un coton-tige sec est le meilleur outil de nettoyage en la circonstance.

Les fenêtres

Comme le laisse supposer son nom anglais, Windows ouvre de nombreuses fenêtres. Chaque partie d'une fenêtre porte un nom spécifique, et dispose de fonctions particulières.

Figure 3.2 : Menu contextuel de Windows XP quand la suite Office est installée sur le PC.

De nombreuses personnes utilisent Word 2003 qui est le traitement de texte de la suite Microsoft Office 2003. C'est aussi le traitement de texte utilisé pour l'écriture de message avec Outlook 2003 (à ne pas confondre avec Outlook Express, petit programme de messagerie gratuit fourni avec Windows). La Figure 3.3 donne un aperçu des composants d'une fenêtre typique de Word 2003.

Quelques précisions n'ont jamais fait de mal :

- Le nom de la fenêtre s'affiche tout en haut dans un emplacement appelé barre de titre, et tout en bas dans la Barre des tâches. Cela facilite l'identification de la fenêtre dans laquelle vous travaillez et/ou celle dans laquelle vous désirez travailler.
- Cliquez sur le bouton Réduire pour que la fenêtre disparaisse de l'écran sans fermer le programme, et qu'elle devienne un bouton de la Barre des tâches. Il suffira de cliquer sur ce bouton pour afficher de nouveau la fenêtre du programme et son contenu.
- Cliquez sur le bouton Niveau inférieur pour restaurer la taille initiale de la fenêtre. Ce bouton est utile lorsque vous avez préalablement cliqué sur le bouton Agrandir. En effet, suite à cette action, la fenêtre envahit la totalité de l'écran. Niveau inférieur permet d'afficher la fenêtre telle qu'elle était avant de cliquer sur le bouton Agrandir.

✦ Le bouton Fermer, comme son nom l'indique, ferme l'application, donc le programme, et la fenêtre. Dans ce cas, vous ne pouvez retravailler dans le logiciel qu'en l'exécutant de nouveau.

La majorité des fenêtres peuvent être redimensionnées en cliquant et en faisant glisser un de leurs côtés ou de leurs angles. Pour plus de détails à ce sujet, consultez la section "La souris", un peu plus haut dans ce chapitre.

Les boîtes de dialogue

L'interaction entre l'utilisateur et l'ordinateur s'établit par l'intermédiaire de fenêtres que nous appelons des boîtes de dialogue. La Figure 3.4 montre une boîte de dialogue typique que vous devez renseigner pour exécuter une tâche précise, ou définir des options dans un programme.

Chaque partie d'une boîte de dialogue a un nom bien précis :

✦ **Titre :** Une boîte de dialogue possède une *barre de titre*. Elle se situe en haut de la fenêtre mais, à la différence des fenêtres des programmes, une boîte de dialogue apparaît rarement dans la Barre des tâches de Windows.

Tout ce qui compose une boîte de dialogue se nomme des *contrôles*. A la différence des autres fenêtres, une boîte de dialogue ne propose pas de bouton *Réduire* et *Agrandir/Niveau inférieur*. Les autres contrôles sont identiques d'une boîte de dialogue à une autre et d'une fenêtre à une autre, ce qui permet aux utilisateurs de se familiariser rapidement avec les possibilités de chaque boîte de dialogue qui apparaît.

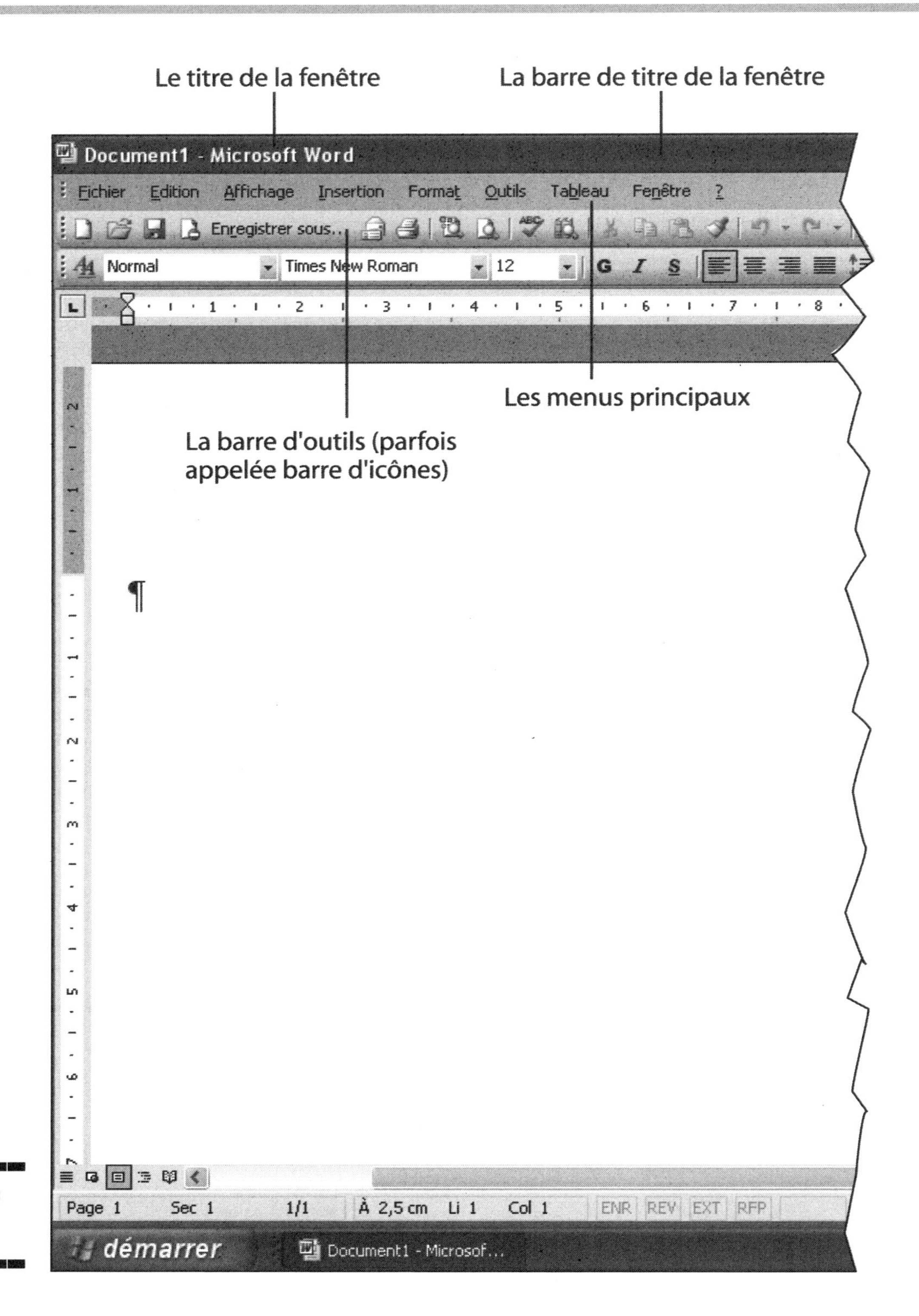

Figure 3.3 : La fenêtre de Word 2003.

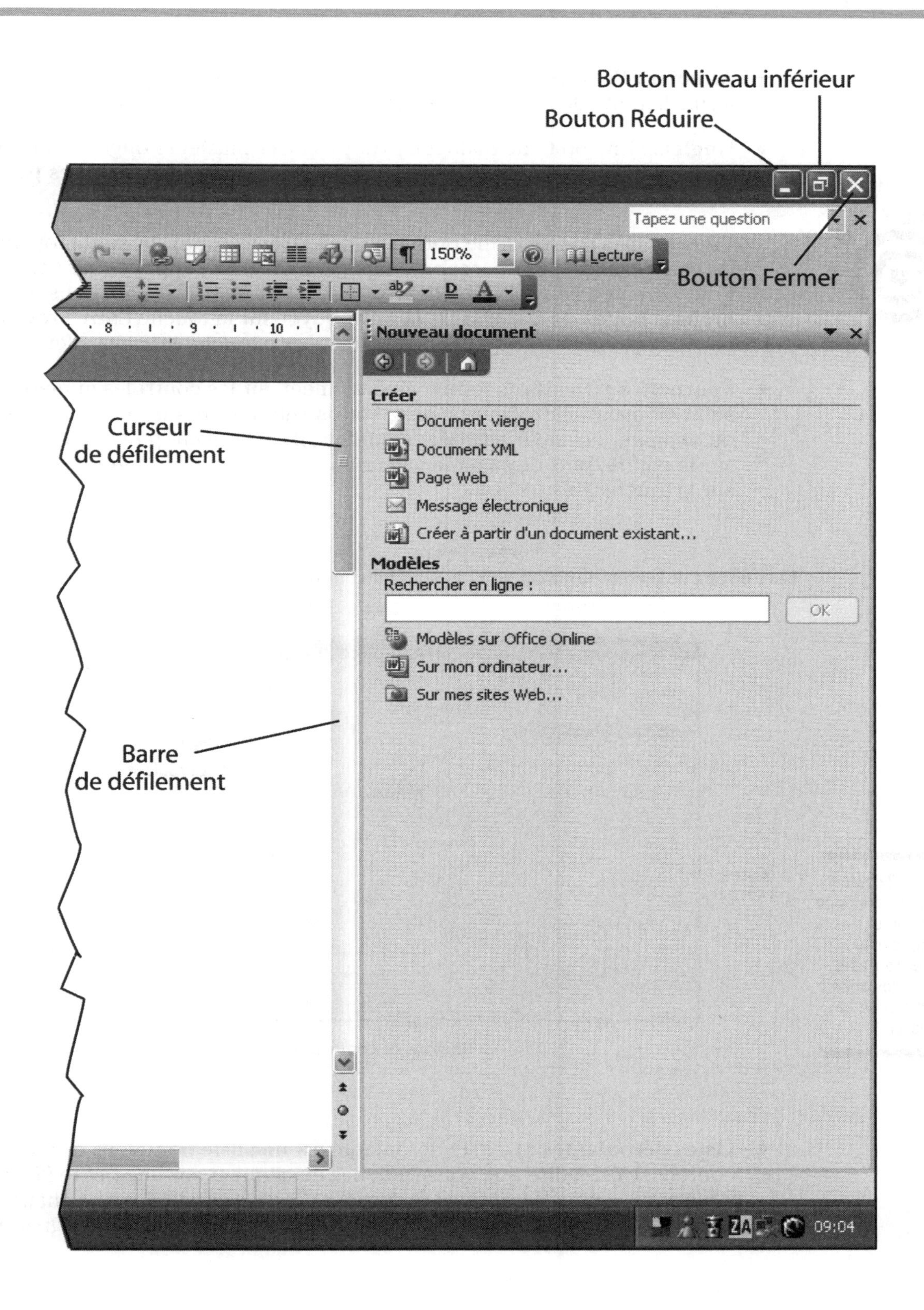
Bouton Niveau inférieur
Bouton Réduire
Bouton Fermer
Curseur de défilement
Barre de défilement
Tapez une question
150%
Lecture
Nouveau document
Créer
Document vierge
Document XML
Page Web
Message électronique
Créer à partir d'un document existant…
Modèles
Rechercher en ligne :
OK
Modèles sur Office Online
Sur mon ordinateur…
Sur mes sites Web…
09:04

- **Annuler :** Presque toutes les boîtes de dialogue ont un bouton Annuler. Il ferme la boîte de dialogue sans appliquer quoi que ce soit.
- **Onglets :** Une boîte de dialogue peut proposer plusieurs onglets. Chacun renferme des options particulières. Elles permettent de définir des paramètres en rapport avec le libellé de l'onglet.

Vous pouvez passer d'une option à une autre en appuyant sur la touche Tab de votre clavier. Pour passer d'un onglet à un autre, appuyez sur Ctrl+Tab. Pour revenir à l'onglet précédent, appuyez sur Maj+Ctrl+Tab. Dans de nombreuses boîtes de dialogue, le fait d'appuyer sur la touche Entrée revient à cliquer sur le bouton OK. Dans d'autres, cette touche est sans effet.

- **Tournettes :** On les rencontre généralement sur les contrôles numériques. Il suffit de maintenir le bouton de la souris enfoncé dessus pour faire augmenter ou diminuer la valeur affichée. Toutefois, il est souvent plus rapide de cliquer sur le chiffre, puis de saisir la valeur au clavier. Vous la validerez en appuyant sur la touche Tab.

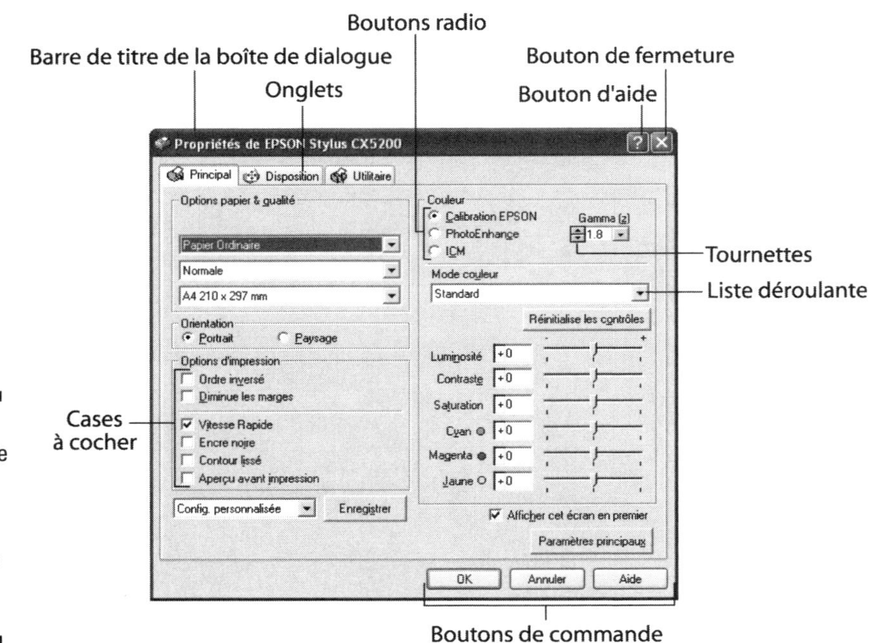

Figure 3.4 : Une boîte de dialogue d'un pilote d'impression assez représentative des boîtes de dialogue en général.

- **Listes déroulantes :** La liste déroulante est une liste dont vous déroulez le contenu, c'est-à-dire que vous l'affichez en cliquant sur une petite flèche. Là, vous activez une des options proposées. Certains assimilent les champs de saisie à des listes déroulantes, que vous devez vous-même renseigner en y saisissant des informations. Nous ne ferons pas cet amalgame. La liste déroulante propose des options, et le champ de saisie n'en propose pas.

- **Cases à cocher :** Il s'agit d'un carré qui affiche une coche quand vous cliquez dessus, ou qui supprime la coche quand elle est déjà présente dans la case. Une coche active une option. Il est possible d'activer plusieurs cases à cocher, ce qui signifie que les options d'une zone comprenant plusieurs cases à cocher ne sont pas exclusives les unes des autres.
- **Boutons radio :** Ont la même fonction que les cases à cocher, à cette grande différence que vous ne pouvez en activer qu'un seul dans une même série d'options. En d'autres termes, le bouton radio activé exclut tous les autres.
- **Boutons de commande :** Les libellés de ces boutons parlent d'eux-mêmes. Il suffit de cliquer dessus pour exécuter l'action souhaitée.

Fichiers et dossiers

Je ne sais plus combien de fois j'ai entendu cette question : "Eh m'sieur, c'est quoi un fichier ?" C'est un truc, un machin, un bidule, qui en contient d'autres. (Pourquoi on ne me pose jamais des questions plus simples ?)

Un fichier est un élément qui renferme des informations décryptées par un programme. Ce fichier peut contenir du texte, des photos, de la vidéo, du son, et j'en passe. Par exemple, quand vous écrivez un texte dans Word, puis que vous l'enregistrez sur votre disque dur, ce document devient un fichier. En fait, le fichier est tout document que vous avez enregistré dans un dossier du disque dur, sur un CD, une clé USB, et tout autre support de données. Ce fichier porte un nom qui permet de l'identifier plus facilement.

Les noms des fichiers et des dossiers peuvent comporter 256 caractères. Toutefois, un nom ne peut pas contenir les symboles suivants :

```
/ \ : * ? " < > |
```

Les fichiers peuvent être gros ou petits. Ils peuvent même être vides !

Voici trois choses dont je suis sûr à propos des fichiers :

- Chaque fichier porte un nom.
- Les fichiers – du moins ceux qui ne sont pas vides – contiennent des bits, c'est-à-dire les 1 et les 0 que les ordinateurs utilisent pour matérialiser le contenu informatique.

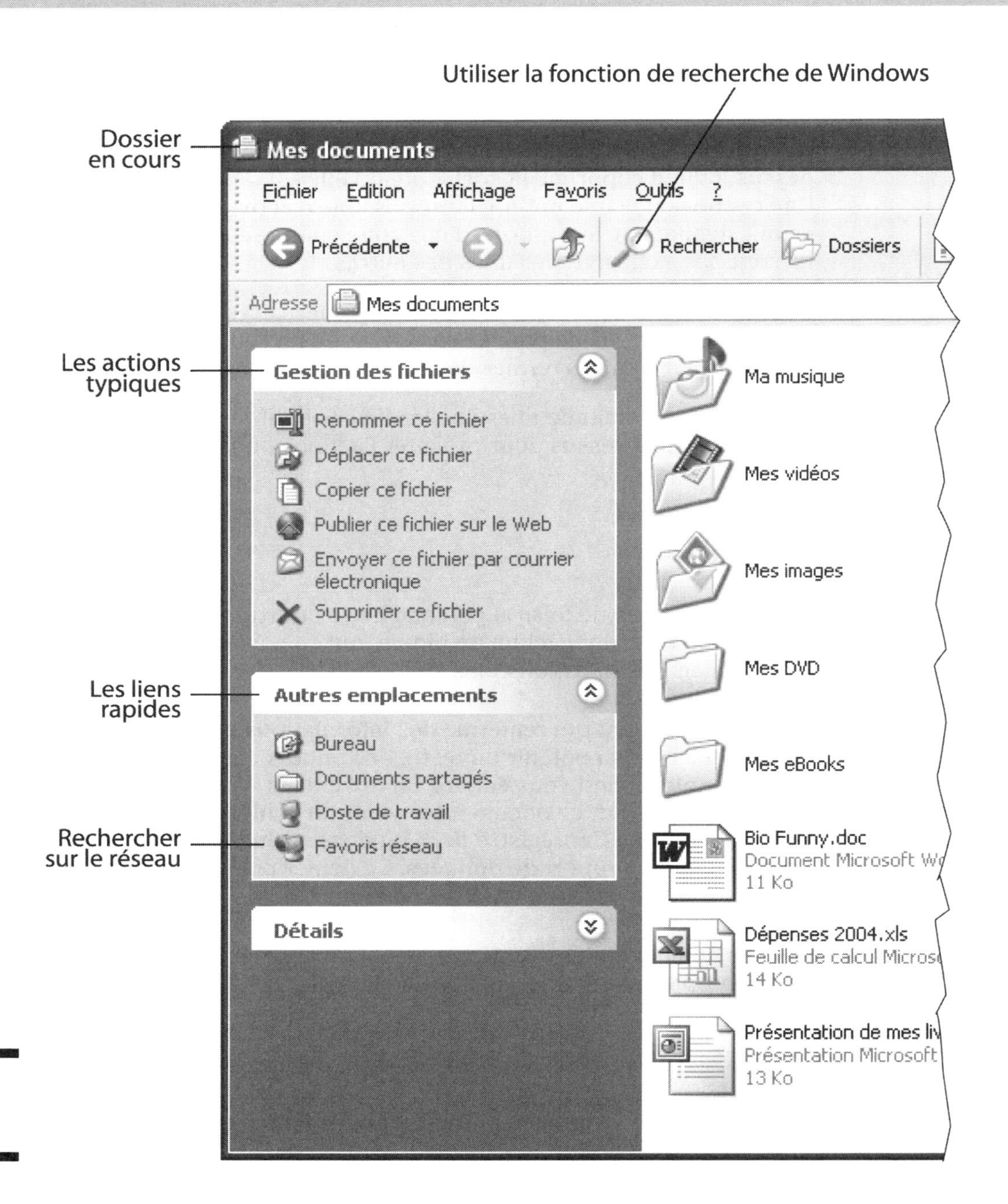

Figure 3.5 : Le dossier Mes documents.

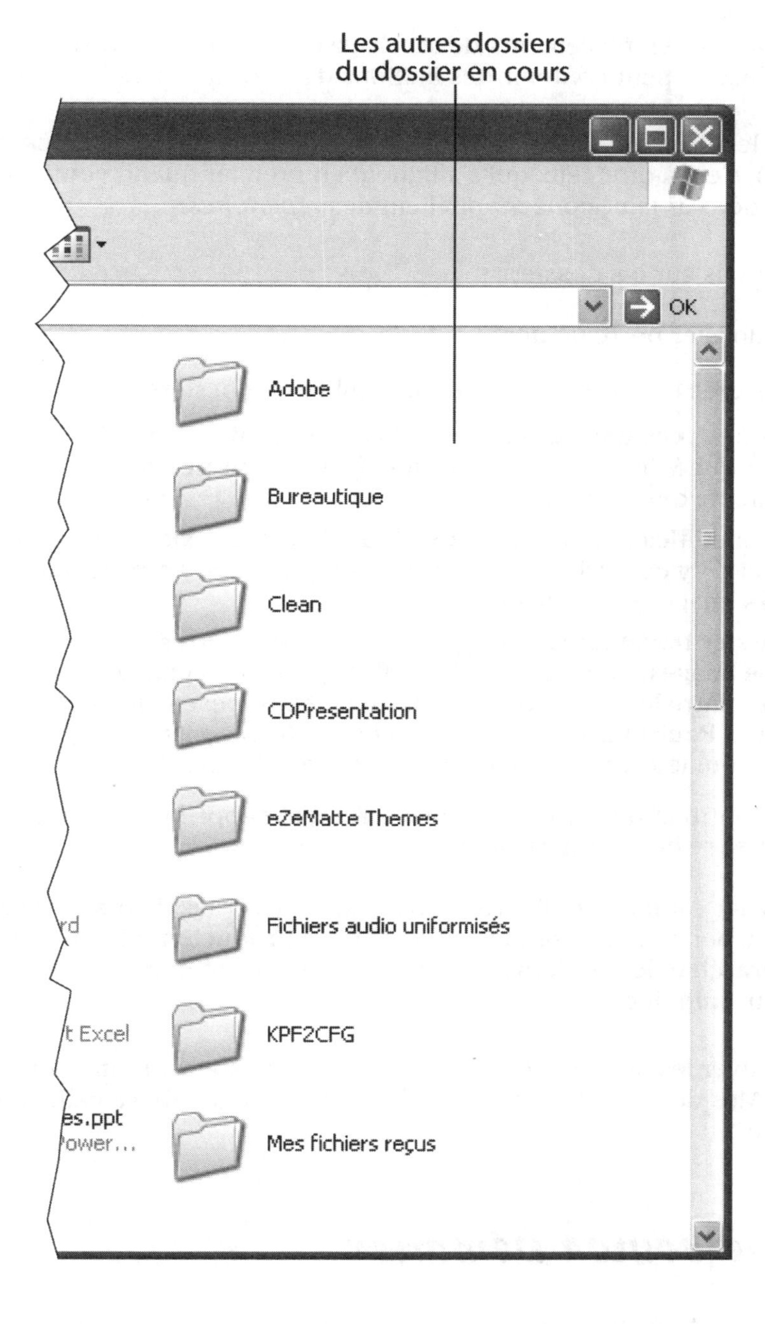

✦ Windows vous laisse travailler avec des fichiers – vous les déplacez, les copiez, les créez, les supprimez, et les regroupez.

Les *dossiers* sont des emplacements de stockage des fichiers. Un dossier peut être vide. Un seul dossier peut contenir des millions d'autres dossiers et/ou de fichiers.

Généralement les dossiers qui se trouvent en *racine* d'une unité de stockage (comme un disque dur), c'est-à-dire ceux qui s'affichent en premier quand vous double-cliquez ou cliquez sur leur icône, s'appellent des *répertoires*.

Voici ce que je sais sur les dossiers :

- ✦ Chaque dossier porte un nom.
- ✦ Windows crée et contrôle un certain nombre de dossiers :
  - Un dossier **Mes documents** pour chaque utilisateur d'un PC. C'est dans ce dossier que Windows et Microsoft Office placent par défaut les nouveaux documents que vous créez.
  - Un dossier **Mes images** et **Ma musique** dans le dossier Mes documents. Windows – y compris le Lecteur Windows Media – y stocke par défaut les fichiers images et musicaux.
  - Un dossier **Documents partagés** qui contient d'autres dossiers partagés comme Images, Musique, et Vidéo. Cela permet d'échanger facilement des fichiers entre les ordinateurs appartenant à un réseau local (si vous en avez créé un). Pour plus d'informations sur les documents partagés, consultez la section qui leur est consacrée au Chapitre 7 du Livret I.
- ✦ Windows permet de déplacer, copier, créer, et supprimer des dossiers, ainsi que de mettre des dossiers dans d'autres dossiers.

Lorsqu'un dossier est bien configuré, il vous aide à gérer les divers éléments que vous créez. Une bonne organisation est la clé de la productivité informatique. Seule une bonne hiérarchie de dossiers permet de retrouver rapidement les fichiers à consulter et/ou à modifier.

Ainsi, pour trouver les fichiers et les dossiers présents sur votre machine, cliquez sur Démarrer/Mes documents. Une boîte de dialogue semblable à celle de la Figure 3.5 apparaît.

Commencer avec le bouton Démarrer

Dans Windows, tout commence par le bouton Démarrer. Lorsque vous cliquez dessus, il affiche un contenu semblable à celui de la Figure 3.6.

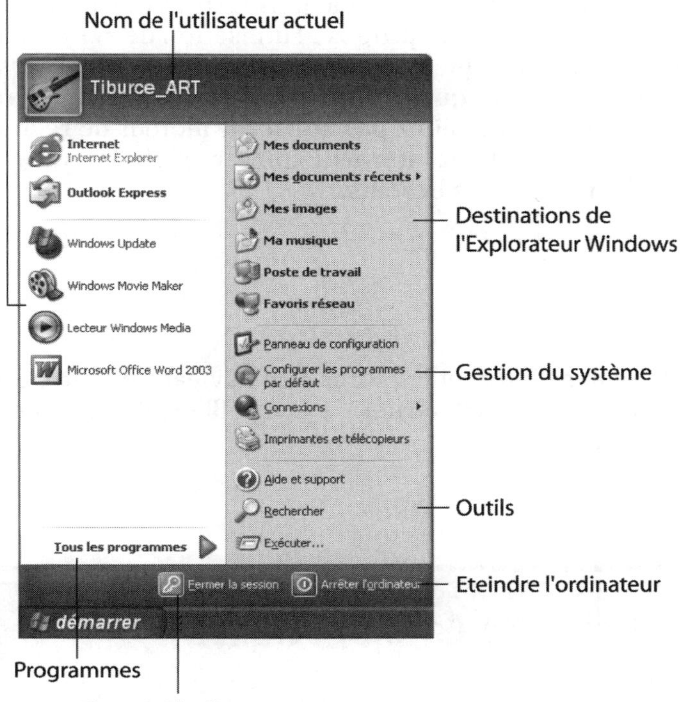

Figure 3.6 : Le menu Démarrer.

Le menu Démarrer n'est pas immuable. Vous pouvez y changer pas mal de choses :

- Pour changer le nom ou l'image de l'utilisateur, consultez le Chapitre 6 du Livret I.
- Pour enlever un programme affiché dans la liste, cliquez dessus avec le bouton droit de la souris. Dans le menu contextuel, exécutez la commande Supprimer de cette liste.
- Pour ajouter un programme à la liste, localisez-le avec l'Explorateur Windows (voir le Chapitre 7 du Livret I), cliquez dessus avec le bouton droit de la souris, et exécutez la commande Ajouter au menu démarrer.

Si vous achetez un ordinateur sur lequel Windows XP est préinstallé, la personne qui a préparé votre machine a pu ajouter ou enlever des éléments au menu Démarrer. N'hésitez pas à le personnaliser avec toutes les techniques décrites dans ce livre.

Le menu Démarrer cherche à faire preuve d'intelligence en vous simplifiant la vie. Par exemple, attendez-vous à y retrouver systématiquement les derniers programmes utilisés. En effet, Windows pense que vous chercherez sans doute à les réutiliser tôt ou tard (et certainement plus tôt que plus tard). Vous pouvez également vous attendre à ce que Windows XP propose l'utilisation de services propres à Microsoft comme MSN. Sachez que vous n'êtes pas l'otage des programmes affichés dans le menu Démarrer, surtout quand vous l'ouvrez pour la première fois. Rien n'est obligatoire ! Si vous ne souhaitez pas utiliser le moteur de recherche MSN, ne cliquez pas sur cette icône. Lancez Internet Explorer, et choisissez vous-même le moteur qui répond le mieux à vos besoins.

Internet

Windows XP est livré avec Internet Explorer 6, le navigateur Web de Microsoft. Pour l'exécuter, cliquez sur Démarrer/Internet. Le Livret III explique comment surfer sur le Web avec Internet Explorer.

Régler la date et l'heure

Windows XP Familial synchronise, une fois par semaine, l'horloge de votre PC avec les informations du site `time.windows.com`. Si vous disposez d'une connexion Internet analogique bas débit, votre modem composera automatiquement un numéro de téléphone, ce qui risque de vous inquiéter (et il y a de quoi quand on a l'impression que l'ordinateur prend des initiatives qui peuvent s'avérer coûteuses). En revanche, si la synchronisation n'est jamais effectuée, voici la procédure à suivre pour y remédier :

1. **Double-cliquez sur l'heure affichée dans la zone des notifications de Windows XP.**
2. **Dans la boîte de dialogue Propriétés de Date et d'heure, cliquez sur l'onglet Temps Internet.**
3. **Cliquez sur Mettre à jour.**

   Si ça ne marche pas, cliquez sur le lien `synchronisation de l'heure` en bas de la boîte de dialogue.

Si vous craignez que XP se connecte à ce site sans que vous ne vous en rendiez compte, et surtout si votre connexion est de type analogique payante, décochez la case Synchroniser automatiquement avec un serveur de temps Internet. Si vous ne souhaitez pas effectuer la synchronisation sur le site Microsoft, déroulez la liste Serveur, et choisissez `time.nist.gov`. Il s'agit du site de la National Institute of Standard and Technology, qui est une division du gouvernement américain.

E-mail

Windows XP est livré en standard avec un programme de gestion des messages électroniques appelé Outlook Express. Il gère vos messages, votre carnet d'adresses, les *news groupes* (ou *groupes de discussion*), c'est-à-dire des lieux Internet où les utilisateurs échangent des informations et des idées sur des sujets bien particuliers. Pour lancer ce programme, cliquez sur Démarrer/Outlook Express. Le Livret III traite d'Outlook Express.

Lecteur Windows Media

Windows XP fournit un lecteur multimédia capable de diffuser des vidéos et de la musique. Il organise tous les fichiers multimédias présents sur votre machine, et donne la possibilité d'extraire des fichiers musicaux d'un CD (ripper), et d'effectuer des gravures de fichiers audio et vidéo. Le Chapitre 11 du Livret III dit tout ce qu'il faut savoir sur le Lecteur Windows Media.

Mes documents, Mes images, et Ma musique

La Figure 3.5 montre le contenu du dossier Mes documents. Evidemment, l'ensemble des dossiers et fichiers représentés correspond à mes documents, et certainement pas aux vôtres. L'Explorateur Windows vous permet d'afficher le contenu des dossiers de plusieurs manières. Tout dépend de ce que vous recherchez, et de la façon dont vous souhaitez identifier vos éléments.

Dans le dossier Mes documents, vous découvrez deux dossiers supplémentaires, œuvres de Windows XP : Mes images et Ma musique. Vous pouvez y accéder directement via Démarrer/Mes images, ou Démarrer/Ma musique. Ceci ouvre l'Explorateur Windows qui affiche le contenu du dossier demandé. Si vous désirez voir des vignettes de vos images dans le dossier Mes images, cliquez sur l'icône Affichage, puis sur Pellicule. Vous obtenez un affichage semblable à celui de la Figure 3.7.

Double-cliquez sur une image pour l'ouvrir dans la fenêtre Aperçu des images et des télécopies Windows. Là, vous pouvez effectuer un zoom avant ou arrière, imprimer le fichier, le copier sur une disquette ou toute autre unité de sauvegarde, et même choisir une autre image.

Si vous choisissez Démarrer/Ma musique, et que vous invoquez l'affichage sous forme de miniatures, des actions spécifiques aux fichiers audio apparaissent dans le volet de gauche.

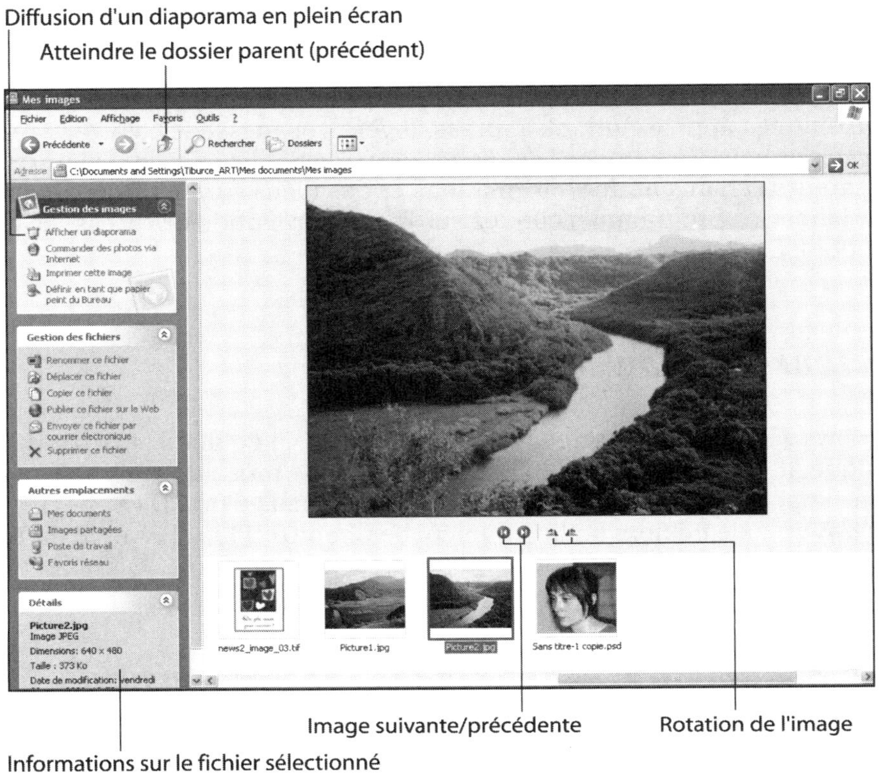

Diffusion d'un diaporama en plein écran

Atteindre le dossier parent (précédent)

Image suivante/précédente

Rotation de l'image

Informations sur le fichier sélectionné

Figure 3.7 : Le contenu du dossier Mes images affiché sous forme de pellicule.

Si vous utilisez le Lecteur Windows Media pour ripper (extraction audio) un CD audio, chaque chanson ainsi extraite est stockée dans un dossier. Créez un nouveau dossier consacré à un artiste précis, et déplacez-y le contenu de chaque dossier stockant des musiques de cet auteur. (Windows est compétent mais il y a des choses qu'il ne saurait faire seul.) Ensuite, placez le dossier de cet artiste dans le dossier Ma musique. Pour de plus amples informations sur le fonctionnement du Lecteur Windows Media, consultez le Chapitre 11 du Livret I.

Mes documents récents

Windows conserve une trace précise des documents que vous ouvrez. Pour les retrouver plus rapidement, il stocke les fichiers récemment ouverts dans la liste Mes documents récents. Les utilisateurs de Windows XP Professionnel peuvent gérer l'affichage de cette liste. Voici comment :

1. **Cliquez sur le bouton Démarrer avec le bouton droit de la souris, et choisissez Propriétés.**

2. **Cliquez sur le bouton Personnaliser.**
3. **Cliquez sur l'onglet Avancé.**
4. **Cochez la case Afficher les documents ouverts récemment, puis cliquez sur le bouton OK de chaque boîte de dialogue qui se succède.**

Lorsque la liste des fichiers récents est active, vous pouvez y accéder via Démarrer/ Mes documents récents. Windows suit l'ouverture de 15 documents maximum, comme le montre la Figure 3.8. Pour ouvrir un document de la liste, cliquez dessus.

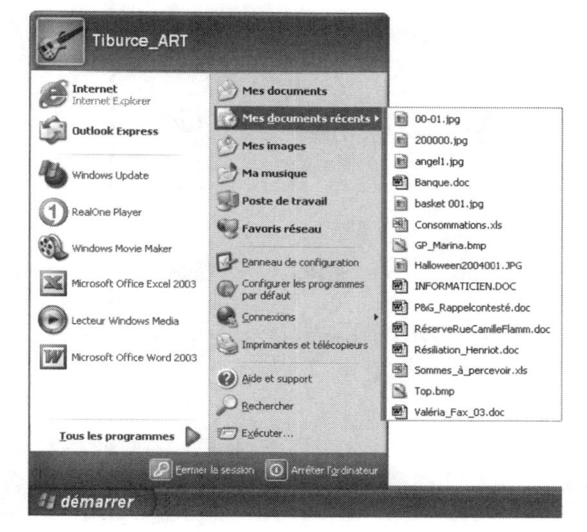

Figure 3.8 : Les documents ouverts récemment s'affichent dans la liste des documents récents du menu Démarrer.

Pour vider cette liste :

1. **Cliquez sur le bouton Démarrer avec le bouton droit de la souris, et choisissez Propriétés dans le menu contextuel.**
2. **Cliquez sur le bouton Personnaliser.**
3. **Cliquez sur l'onglet Avancé.**
4. **Cliquez sur le bouton Effacer la liste, puis sur les deux boutons OK qui se succèdent à la fermeture de chaque boîte de dialogue.**

   Tous les fichiers listés dans Mes documents récents disparaissent de la liste, mais pas de votre disque dur bien entendu.

Poste de travail

Cliquez sur Démarrer/Poste de travail pour afficher l'ensemble des lecteurs de votre PC. Par "lecteurs", nous entendons toutes les unités de stockage comme les disques durs, le lecteur de disquettes, et le lecteur/graveur de CD ou de DVD. (Voir la Figure 3.9.)

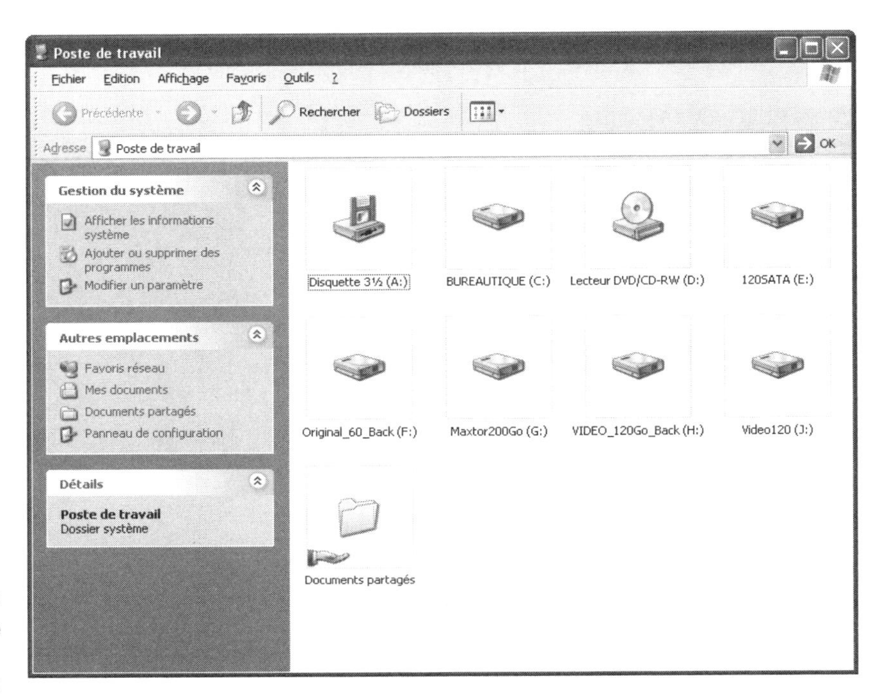

Figure 3.9 : Poste de travail.

Pour afficher la hiérarchie traditionnelle des unités (comme dans les versions antérieures à XP), cliquez sur le bouton Dossier de la boîte de dialogue Poste de travail. La structure de votre système s'affiche dans le volet gauche.

Panneau de configuration

Le cœur de Windows XP se situe dans le Panneau de configuration. Vous y accédez via Démarrer/Panneau de configuration. (Voir la Figure 3.10.)

Ce lien permet d'afficher le Panneau de configuration tel qu'il apparaît sous Windows 98, Me, et 2000.

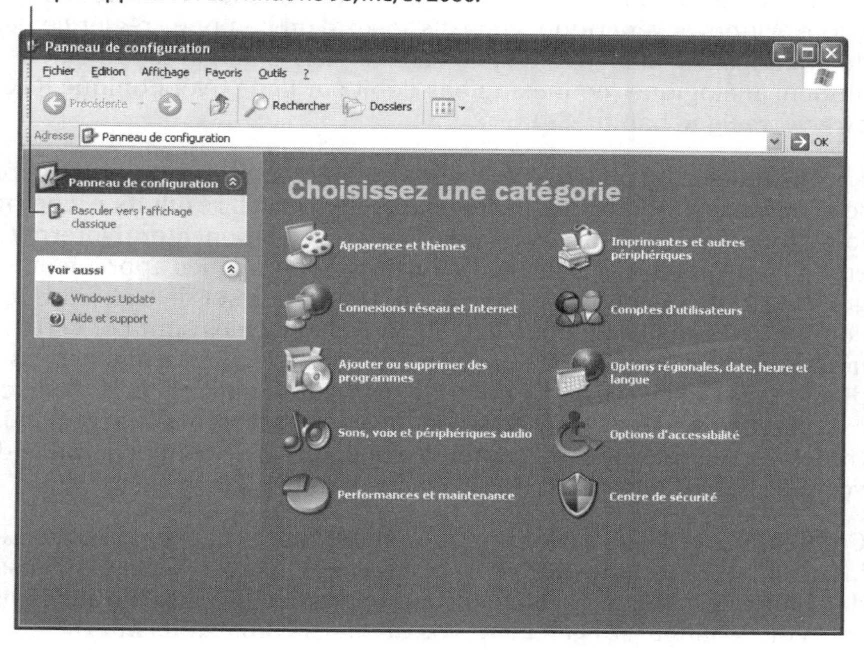

Figure 3.10 : Le Panneau de configuration de Windows XP (Service Pack 2).

Note du traducteur : *Le Panneau de configuration représenté à la Figure 3.10 est celui qui apparaît sous Windows XP SP2. SP2 signifie Service Pack 2. Il s'agit d'une mise à jour gratuite de Windows XP qui comble d'anciennes failles de sécurité très connues qui mettaient en péril la confidentialité des données des utilisateurs, notamment de ceux se connectant constamment à Internet par câble ou ADSL. Par conséquent, ne soyez pas étonné que votre Panneau de configuration ne contienne pas tous les éléments présents sur cette figure.*

Voici les composants principaux du Panneau de configuration :

✦ **Apparence et thèmes :** Il contient des options qui modifient l'aspect de votre bureau – le papier peint, les couleurs, les pointeurs de souris, les économiseurs d'écran, la taille des icônes et leur espacement. Définissez une résolution d'écran (par exemple 1024 x 768) qui va permettre d'afficher plus d'éléments sur votre écran. Veillez à masquer la Barre des tâches quand vous ne l'utilisez pas, et modifiez les éléments du menu Démarrer. Modifiez également l'aspect de l'Explorateur Windows quand vous consultez les dossiers.

✦ **Imprimantes et autres périphériques :** Ajoutez ou supprimez des imprimantes, et connectez des périphériques d'impression au réseau. Vous pouvez bien évidemment vous connecter à une imprimante du réseau quand elle n'est pas directement raccordée à votre PC. Définissez les paramètres de télécopie de

Windows. Installez, supprimez, et paramétrez les options des scanners et des appareils photo numériques. Lorsque vous disposez d'une souris qui utilise le pilote Windows générique, vous disposez d'un lien pour régler ce périphérique de pointage, les manettes de jeu, et le clavier. Configurez également votre modem analogique (connexion bas débit sur ligne téléphonique RTC, c'est-à-dire votre ligne habituelle).

Si vous utilisez un modem pour vous connecter à Internet, la fonction de télécopie de Windows risque de ne pas donner les résultats escomptés. Il est fort probable que vous soyez obligé de vous déconnecter d'Internet pour envoyer et/ou recevoir un fax. Beaucoup de personnes apprécient le programme J2 de télécopie (`www.j2.com`) car il permet de traiter les faxes comme des e-mails. En effet, les télécopies envoyées sont converties en e-mails. Ensuite, l'e-mail est envoyé à J2 qui renvoie le document vers le télécopieur standard de votre destinataire, évitant de payer le prix d'une communication longue distance. L'opération inverse est prise en charge par J2 qui transforme la télécopie entrante en e-mail directement consultable depuis votre programme de messagerie électronique.

✦ **Connexions réseau et Internet :** Configure une connexion réseau. Les Options Internet permettent de paramétrer Internet Explorer. Vous y définissez la page de démarrage, l'historique des fichiers, les cookies, la saisie semi-automatique, etc. Vous configurez également vos diverses connexions Internet, et plus particulièrement le partage d'une connexion Internet sur le réseau, ou via un modem câble ou ADSL.

✦ **Comptes d'utilisateurs :** Ajoute ou supprime des utilisateurs dans l'écran de Bienvenue de Windows. Vous pouvez aussi définir un compte Invité (pour plus d'informations sur la gestion des comptes d'utilisateurs, consultez le Chapitre 6 du Livret I). Vous y changerez les caractéristiques des comptes, comme l'image, le mot de passe, la connexion via le passeport .NET, etc.

✦ **Ajouter ou supprimer des programmes :** Permet d'installer, de modifier, ou de désinstaller certains programmes (notamment Windows XP et/ou les Services Pack).

✦ **Options régionales, date, heure, et langue :** Permet de modifier l'heure et la date – bien que ce soit plus rapide d'y procéder en double-cliquant sur l'horloge de la zone des notifications. (Il suffit d'ailleurs de demander à Windows la synchronisation automatique de l'heure et de la date pour ne plus avoir à vous en soucier.) Ici, vous pouvez également ajouter la prise en charge d'autres langues particulièrement complexes (comme la langue thaï), ainsi que des langues qui s'écrivent et se lisent de droite à gauche. Vous modifierez aussi le format des nombres, de l'heure, de la date, et de la monnaie.

✦ **Sons, voix et périphériques audio :** Contrôle le volume, le mutisme, et de multiples autres fonctions relatives à la gestion du son sous Windows. Toutefois, les meilleurs réglages seront obtenus avec le Lecteur Windows Media.

Vous pouvez sélectionner un nouveau modèle de sons, ou décider de ne pas laisser Windows émettre des bruits à la moindre alerte ou confirmation d'action. Vous choisirez, par exemple, une nouvelle musique de démarrage qui égaye vos oreilles chaque fois que Windows s'affiche sur votre écran.

- **Options d'accessibilité :** Permet d'adapter Windows à certains handicaps. Ainsi, certaines zones de l'écran s'afficheront comme si elles étaient placées sous une loupe. Vous pouvez également adapter le clavier à votre handicap ou bien utiliser un clavier visuel. De même, les malentendants remplaceront les sons Windows par un flash à l'écran.

- **Performance et maintenance :** Met à votre disposition un ensemble d'outils de maintenance et de réparation de votre système. Toutefois, l'intervention dans un logiciel aussi complexe que Windows doit se faire avec beaucoup de précaution pour ne pas courir à la catastrophe. Laissez faire des professionnels du système d'exploitation. Vous en connaissez au moins un dans votre entourage !

- **Centre de sécurité** (SP2 uniquement) **:** Options disponibles quand vous installez la mise à jour SP2 de Windows. Elles permettent de contrôler la sécurité de Windows. Ainsi, vous pouvez activer le pare-feu, les mises à jour automatiques, et la protection antivirus. De nombreux assistants et conseils vous guident dans ces opérations.

Aide et support

Windows XP inclut un système d'aide en ligne. Il permet d'obtenir des réponses et des assistants en cas de problème.

Rechercher

Windows XP permet de retrouver la majorité des fichiers et documents que l'on crée dans une vie informatique. Il suffit pour cela de lancer une recherche via Démarrer/ Rechercher. Cette fonction est étudiée en détail au Chapitre 8 du Livret I.

Exécuter

Pour les précurseurs, pour tous ceux qui étaient là bien avant les autres, retrouvez les joies des lignes de commande pour exécuter vos programmes.

Tous les programmes

Presque tous les programmes installés sur votre ordinateur sont accessibles via Démarrer/Tous les programmes. La Figure 3.11 montre le contenu du dossier Jeux.

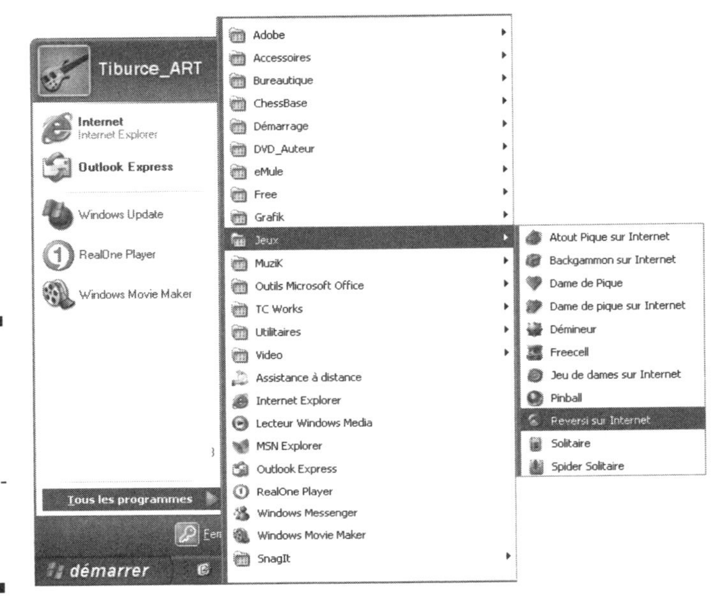

Figure 3.11 : Le dossier Jeux parmi tous les dossiers du menu Tous les programmes, lui-même contenu dans le menu Démarrer.

Tous les dossiers présents dans ce menu disposent d'une petite flèche noire indiquant qu'ils renferment quelque chose. Il suffit de placer le pointeur de la souris sur les dossiers pour les ouvrir sans cliquer. Toutefois, si vous êtes impatient, le fait de cliquer accélère légèrement la procédure d'affichage du contenu de ces dossiers.

Si vous ne parvenez pas à vous habituer à l'interface de Windows XP, revenez à celle de Windows 98/ME/NT/2000, en suivant ces quelques étapes :

1. **Cliquez sur le bouton Démarrer avec le bouton droit de la souris. Dans le menu contextuel, choisissez Propriétés.**
2. **Cliquez sur l'onglet Menu Démarrer.**
3. **Activez l'option Menu Démarrer classique.**

   Personnellement, je préfère le nouveau menu Démarrer, mais les goûts et les couleurs…

Organisez facilement le contenu du menu Tous les programmes :

- Pour copier ou déplacer un élément dans le menu Tous les programmes, cliquez dessus et ne relâchez pas le bouton de la souris. Ensuite, faites-le glisser jusqu'à un nouvel emplacement. Une barre horizontale noire montre où vous positionnez l'élément. Une fois l'emplacement atteint, relâchez le bouton de la souris.
- Pour trier les dossiers et les programmes du menu Tous les programmes de manière à les retrouver rapidement par ordre alphabétique, cliquez sur n'importe quel dossier de ce menu avec le bouton droit de la souris. Dans le menu contextuel, choisissez Trier par nom.

Testé et approuvé

Disposer plusieurs fenêtres côte à côte

Voici une astuce pour disposer rapidement plusieurs fenêtres affichées sur votre bureau. Vous pouvez les présenter côte à côte ou l'une sur l'autre (horizontalement) :

1. **Vérifiez que toutes les fenêtres sont ouvertes, c'est-à-dire que leurs icônes sont présentes dans la Barre des tâches.**
2. **Cliquez sur une icône d'une fenêtre. Ensuite, appuyez sur la touche Ctrl puis, avec le bouton droit de la souris, cliquez sur une autre icône d'un programme de la Barre des tâches.**
3. **Dans le menu contextuel, choisissez Mosaïque horizontale ou Mosaïque verticale.**

   Les fenêtres s'affichent en mosaïque sur toute la surface de votre écran.

Chapitre 4
Personnaliser votre bureau

Dans ce chapitre :

- L'histoire vraie de Windows XP et des éléments du bureau.
- Contrôler chaque niveau du bureau.
- Pourquoi est-il préférable d'ignorer certaines choses.
- Comment contrôler vos dossiers.

Vous faites ce que vous voulez avec votre bureau. XP amène le bureau à un niveau d'expérience encore jamais atteint, ce que vous allez découvrir dans ce chapitre.

J'y traite aussi des thèmes du bureau, des arrière-plans de l'Explorateur Windows, et des images des dossiers. Cette dernière fonction est super lorsque vous désirez illustrer les dossiers du répertoire Ma musique avec les pochettes des CD.

Les niveaux du bureau

Le bureau de Windows XP consiste en un ensemble de sept couches (voir la Figure 4.1). Les thèmes du bureau modifient l'aspect des sept couches en une seule opération. J'en parle un peu plus loin dans la section "Utiliser les thèmes du bureau".

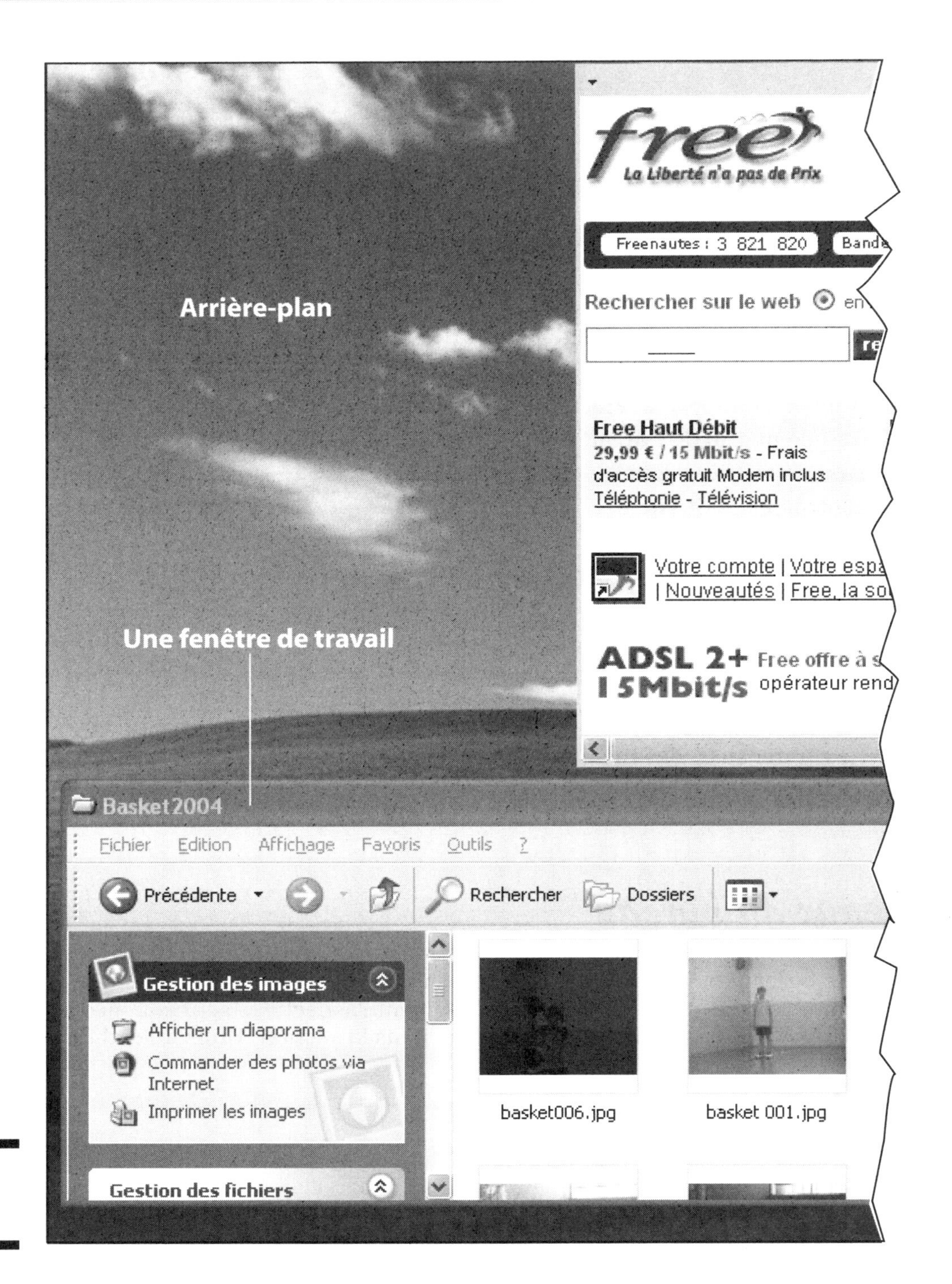

Figure 4.1 : Le bureau de Windows XP.

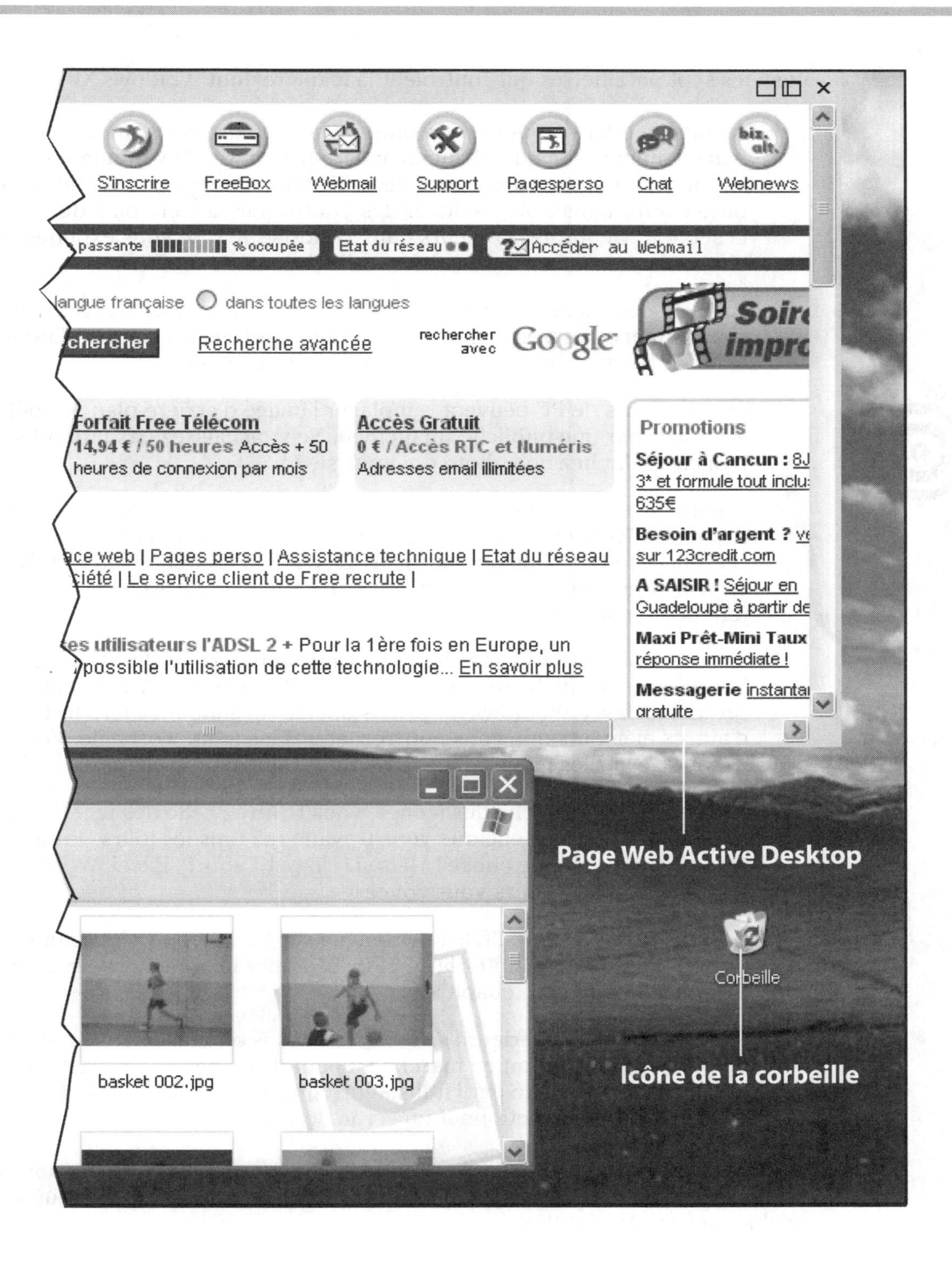
S'inscrire
FreeBox
Webmail
Support
Pagesperso
Chat
Webnews
Accéder au Webmail
langue française
dans toutes les langues
Recherche avancée
Forfait Free Télécom
14,94 € / 50 heures Accès + 50 heures de connexion par mois
Accès Gratuit
0 € / Accès RTC et Numéris
Adresses email illimitées
Promotions
Le service client de Free recrute
basket 002.jpg
basket 003.jpg
Corbeille
Page Web Active Desktop
Icône de la corbeille

Voici les sept paramètres qui contrôlent la manière dont Windows XP gère le bureau :

- Au niveau inférieur, vous avez une *couleur de base* qui s'affiche sous forme d'une couleur unie quand aucun arrière-plan n'est sélectionné pour remplir la surface du bureau. La majorité des utilisateurs ne voient pas cette couleur de base car ils aiment bien afficher des photos sur l'arrière-plan du bureau. Dans la section "Définir les couleurs dans Windows XP", je vous explique comment choisir la couleur de base unie, et celle des autres fenêtres.

- Juste au-dessus de la couleur de base, nous avons l'*arrière-plan*. Vous connaissez ces merveilleuses collines qui trônent sur tous les écrans Windows ?! Normal, les gens ne savent pas comment les changer !

  Les vendeurs de PC peuvent remplacer l'image d'arrière-plan par défaut de Windows par une publicité ou un logo. Ne vous laissez pas intimider ! Enlevez-moi ça et affichez une photo qui vous sied !

- Au-dessus de l'arrière-plan, Windows vous laisse mettre en place des images, des pages Web, et un peu tout ce que votre imagination est capable de générer. Microsoft a même un petit plus. En effet, la fonction *Active Desktop* permet de placer des pages Web sur le bureau. Cependant, n'abusez pas de cette fonction qui a tendance à ralentir votre système.

- Windows place toutes ses icônes sur la couche Active Desktop. Au départ, Windows XP n'affiche qu'une seule icône : la corbeille. Si vous achetez un ordinateur avec Windows XP préinstallé, le revendeur se fera fort de placer d'autres éléments que vous pourrez jeter dans ladite corbeille. Vous en saurez davantage sur les icônes dans la section "Contrôler les icônes".

- Au-dessus de la couche des icônes, vous trouvez celle des fenêtres des programmes. C'est avec elle que vous travaillerez tous les jours. Je suis sûr que cela vous dit quelque chose ! Mais si ! Un petit effort ! Excel, Word, le Lecteur Windows Media… alors vous voyez !

- Ensuite, vient la souris. Elle se promène sur les fenêtres. Pour modifier l'aspect de son pointeur, consultez la section "Modifier le pointeur de la souris", un peu plus loin dans ce chapitre.

- Enfin, la couche supérieure se compose des économiseurs d'écran ou écrans de veille. Ils se mettent en marche au bout d'une période d'inactivité du clavier ou de la souris définie par l'utilisateur. Apprenez-en davantage à leur sujet dans la section "Sélectionner un écran de veille".

Si plusieurs personnes utilisent le même PC, chacune peut configurer son bureau. Windows XP se souvient des paramètres de chaque session d'utilisateur, c'est-à-dire de chaque compte d'utilisateur.

Définir les couleurs de Windows XP

Windows XP est fourni avec des modèles de couleurs : Bleu (par défaut), Vert olive (plus moche que ça tu meurs), et Gris clair (pour un look à la Macintosh). Voici comment changer de modèle de couleur :

1. **Cliquez sur une partie vide du bureau avec le bouton droit de la souris. Dans le menu contextuel, choisissez Propriétés.**

   Une mignonne petite boîte de dialogue apparaît.

2. **Cliquez sur l'onglet Apparence (voir la Figure 4.2).**

Figure 4.2 : Les trois modèles de couleurs majeurs de Windows XP.

3. **Dans la liste Modèles de couleurs, choisissez l'un des trois modèles proposés.**

   Windows modifie la couleur de base unie – celle qui apparaît sur le bureau et qu'il ne faut pas confondre avec l'arrière-plan qui est la couche qui se superpose à cette couleur de base – ainsi que la barre de titre et le cadre de chaque boîte de dialogue, la Barre des tâches, les couleurs des menus, et bien d'autres éléments encore.

Vous n'êtes pas limité à l'univers tricolore de Windows XP. L'uniformité colorimétrique de ce système d'exploitation n'a de mise que si vous appliquez un modèle. Dans le cas contraire, vous pouvez choisir la couleur de nombreux éléments individuels.

Par exemple, voyons comment définir la couleur unie en blanc, que vous utilisiez le Style Windows XP ou le Style Windows Classique :

1. **Avec le bouton droit de la souris, cliquez sur une partie vide du bureau. Dans le menu contextuel, choisissez Propriétés.**

   La boîte de dialogue des propriétés apparaît.

2. **Cliquez sur l'onglet Apparence (voir la Figure 4.2).**

3. **Cliquez sur l'onglet Avancé.**

   Vous accédez à la boîte de dialogue des paramètres avancés illustrée à la Figure 4.3.

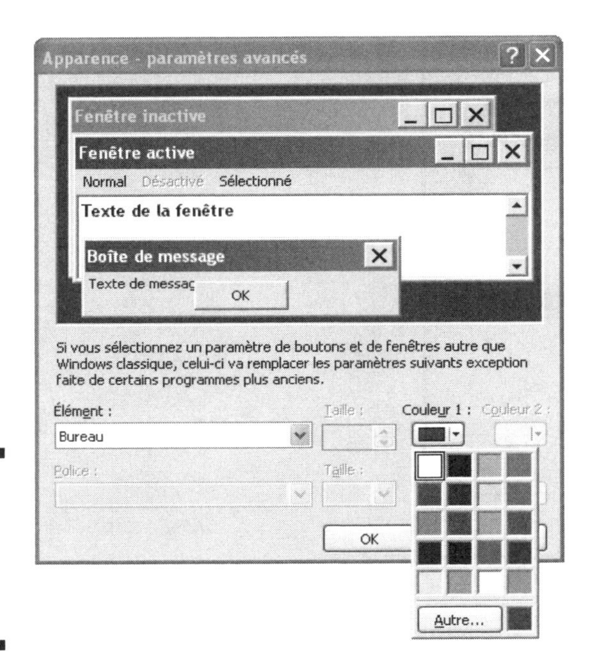

Figure 4.3 : Appliquez des paramètres individuels dans cette boîte de dialogue.

4. **Dans la liste Eléments, vérifiez que Bureau est bien sélectionné. Ensuite, cliquez sur la flèche de l'option Couleur 1, puis dans un nuancier de couleur blanche.**

5. **Cliquez sur le bouton OK des deux boîtes de dialogue ouvertes.**

   Et voilà ! La nouvelle couleur unie est blanche, faisant ainsi que le bureau est blanc. Même si vous appliquez un arrière-plan personnalisé, la première couche du bureau sera une couleur blanche unie (masquée dans ce cas, en tout ou partie, par l'image d'arrière-plan).

Choisir un arrière-plan

Windows XP propose par défaut un colline verdoyante. Ce cadre bucolique ferait pâlir de jalousie le citadin le plus typique. Comme je l'ai déjà dit, il y a de grandes chances pour que l'ordinateur que vous avez acheté avec Windows XP préinstallé affiche un tout autre arrière-plan. Il représentera certainement le logo du constructeur ou de l'assembleur. Aucune législation ne peut l'en empêcher.

L'arrière-plan n'a rien de magique. Windows XP peut placer n'importe quelle image sur le fond du bureau. Elle doit être préalablement sauvegardée dans un format reconnu par XP. D'ailleurs, plus vous gagnerez en expérience informatique et en confiance Web, plus vous amoncellerez des fonds d'écran téléchargeables depuis des milliers de sites. Cela va de votre acteur à votre chanteur préféré, en passant par la voiture de vos rêves. Voici comment changer l'arrière-plan installé par défaut :

1. **Cliquez sur un endroit vide du bureau avec le bouton droit de la souris. Dans le menu contextuel, choisissez Propriétés.**

   La boîte de dialogue homonyme apparaît.

2. **Cliquez sur l'onglet Bureau (voir la Figure 4.4).**

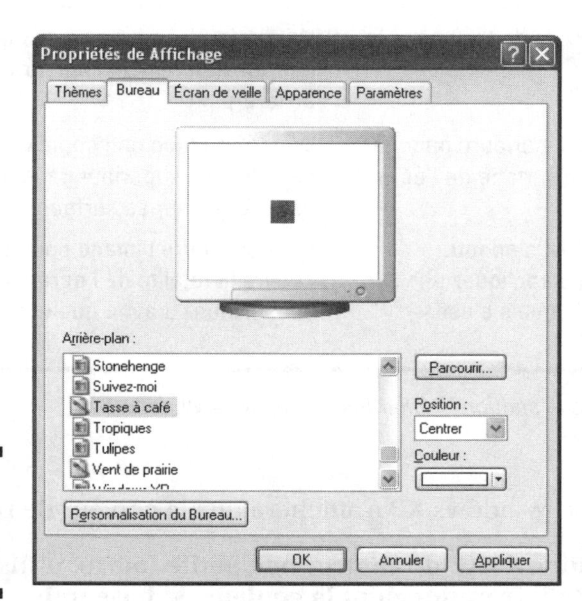

Figure 4.4 : Choisissez une nouvelle image d'arrière-plan.

Dans la liste Arrière-plan, choisissez un des fonds d'écran proposés. La liste est constituée des photos présentes dans le dossier Windows et le dossier

Mes images. Vous y trouverez également les pages Web portant l'extension `.htm` ou `.html` stockées dans ces dossiers. En revanche, vous n'y trouverez pas les images du dossier Documents partagés.

3. **Faites défiler le contenu de la liste et cliquez sur le fond à utiliser.**

   Si vous ne trouvez pas l'image que vous cherchez, cliquez sur le bouton Parcourir. Naviguez parmi les dossiers de votre disque dur, et localisez l'image en question. Sélectionnez-la, puis cliquez sur Ouvrir. Un aperçu s'affiche au centre de l'écran de la boîte de dialogue Propriétés d'affichage.

4. **Si votre image est trop grande pour s'ajuster aux dimensions de l'écran, vous devez indiquer à Windows comment la positionner.**

   Si l'image est trop petite pour couvrir la surface de l'écran, vous devez définir sa position en choisissant une des options de la liste du même nom. Reportez-vous au Tableau 4.1.

Tableau 4.1 : Comment Windows redimensionne les images du bureau.

Position	Si l'image est trop grande	Si l'image est trop petite
Centrer	Windows conserve la partie centrale de l'image qu'il place sur le bureau	Windows place l'image au centre de l'écran, affichant la couleur unie* en arrière-plan.
Mosaïque	Windows ne retient que la partie supérieure gauche de l'image qu'il répète sur toute la surface de l'écran	Windows place une copie de l'image dans le coin supérieur gauche de l'écran et la répète sur sa surface.
Etirer	Windows réduit l'image pour qu'elle s'adapte aux dimensions de l'écran. Si vous appliquez une photo, l'effet risque d'être horrible (mais c'est peut-être ce que vous cherchez)	Windows étire l'image pour qu'elle couvre la totalité de l'écran. Là aussi, vous risquez d'avoir quelques surprises.

**Lire l'explication donnée sur la couleur de base dans la section "Définir les couleurs de Windows XP".*

Si vous choisissez Aucun, Windows XP n'affichera que la couleur de base unie.

5. **Si vous demandez à Windows XP de centrer une petite image, utilisez l'option Couleur pour définir rapidement la couleur de base unie.**

6. **Cliquez sur Appliquer.**

Windows modifie l'arrière-plan en conséquence sans fermer la boîte de dialogue Propriétés d'affichage. Par conséquent, si le résultat ne vous convient pas, effectuez de nouvelles modifications.

7. **Cliquez sur OK.**

   La boîte de dialogue Propriétés d'affichage se ferme.

Beaucoup d'utilisateurs ne comprennent pas le fonctionnement de l'option Couleur de la boîte de dialogue Propriétés d'affichage car elle ne semble effectuer aucune tâche particulière. En réalité, elle n'a de sens que si vous choisissez de centrer une image trop petite pour couvrir toute la surface du bureau.

En modifiant la couleur de base dans l'onglet Apparence (via le bouton Avancé), vous changez également la teinte affichée par la liste de l'option Couleur de l'onglet Bureau, et réciproquement.

Vous cliquez sur une image GIF ou JPG d'un dossier ou d'une page Web avec le bouton droit de la souris. Dans le menu contextuel qui apparaît, choisissez la commande Définir en tant que papier peint du bureau, ou Etablir en tant qu'élément d'arrière-plan. Dès l'exécution de cette commande, l'image choisie s'affiche en arrière-plan du bureau. Positionnez-la avec les options Centrer, Etirer, ou Mosaïque.

Contrôler les icônes

Normalement, Windows XP ne place qu'une seule icône sur le bureau : la corbeille. Microsoft pense que la plupart des utilisateurs souhaitent un bureau bien propre.

Si vous achetez un PC avec Windows XP préinstallé, d'autres icônes s'afficheront certainement sur votre bureau. Ces icônes viendront du constructeur ou du revendeur. Elles sont faites pour vous inciter à acheter des produits ou à vous abonner à tel et tel service. Vous savez quoi ? Supprimez-les en profitant de la jolie corbeille mise à votre disposition par Microsoft. Toutefois, je recommande de conserver une seule icône en plus de celle de la corbeille : l'icône qui permet d'obtenir rapidement un support technique du vendeur de votre PC. Si jamais vous la supprimez, sachez qu'il est possible de la retrouver soit dans le menu Démarrer, soit dans un dossier du menu Tous les programmes. Cherchez un peu que diable !

Windows XP fournit quelques outils simples pour organiser les icônes de votre bureau. Il suffit de cliquer sur une zone vide du bureau avec le bouton droit de la souris, et de choisir Organiser les icônes dans le menu contextuel. Voici les options proposées :

- Trier les icônes par nom, taille, type (dossiers, documents, raccourcis, etc.), ou par date de modification.
- *Réorganisation automatique* des icônes qui dispose la première icône dans le coin supérieur gauche du bureau, la deuxième directement sous la première, et ainsi de suite.
- Si vous ne souhaitez pas une réorganisation automatique, vous pouvez opter pour *Aligner sur la grille*. Ainsi, les icônes ne se chevaucheront pas.

En général, vous pouvez retirer une icône du bureau en cliquant dessus avec le bouton droit de la souris. Dans le menu contextuel, choisissez Supprimer. Vous pouvez également cliquer dessus avec le bouton gauche de la souris pour sélectionner l'icône, puis appuyer sur la touche Suppr pour la supprimer. Enfin, une dernière méthode consiste à glisser-déposer l'icône dans la corbeille. Malheureusement, les fabricants de PC connaissent ce truc et s'arrangent pour protéger leurs icônes contre la suppression.

Certaines icônes sont liées au programme qui les a créées. Ainsi, lorsque vous placez l'icône d'un document Word sur le bureau, elle est associée à ce programme. De ce fait, si vous double-cliquez dessus, le document s'affiche dans Word.

Il est possible de modifier les icônes des raccourcis. (Les raccourcis sont traités au Chapitre 5 du Livret I.) Voici comment procéder :

1. **Cliquez sur l'icône avec le bouton droit de la souris.**
2. **Dans le menu contextuel, choisissez Propriétés.**
3. **Dans la boîte de dialogue Propriétés de <nom de l'icône>, cliquez sur le bouton Changer d'icône.**
4. **Dans la liste, sélectionnez une des icônes proposées, ou cliquez sur Parcourir pour en choisir une autre.**

   Windows foisonne d'icônes. Le Tableau 4.2 indique comment les trouver.
5. **Pour appliquer l'icône, cliquez sur les boutons OK des deux boîtes de dialogue qui se succèdent.**

Vous en voulez d'autres car votre soif d'icônes n'est pas étanchée ? Allez sur Internet ! Votre moteur de recherche préféré ne manquera pas de lister des milliers de sites proposant des icônes.

Un traitement spécial est réservé à cinq icônes : la corbeille (que vous ne pouvez pas supprimer du bureau sauf si vous modifiez le registre de Windows), Mes documents, le Poste de travail, Favoris réseau, et Internet Explorer. Voici comment contrôler leur apparence :

Tableau 4.2 : Trouver les icônes.

Contenu	Fichier
Toutes les icônes	`C:\WINDOWS\system32\shell32.dll.`
Ordinateurs	`C:\WINDOWS\explorer.exe.`
Communications	`C:\WINDOWS\system32\hticons.dll.`
Domestiques	`C:\WINDOWS\system32\pifmgr.dll.`
Dossiers	`C:\WINDOWS\system32\syncui.dll.`
Anciens programmes	`C:\WINDOWS\system32\moricons.dll.`

1. **Avec le bouton droit de la souris, cliquez sur un espace vide du bureau. Dans le menu contextuel, choisissez Propriétés.**

2. **Dans la boîte de dialogue Propriétés d'affichage, cliquez sur l'onglet Bureau (voir la Figure 4.4), puis sur le bouton Personnalisation du bureau.**

3. **Dans la boîte de dialogue Eléments du bureau, cliquez sur l'onglet Général comme à la Figure 4.5.**

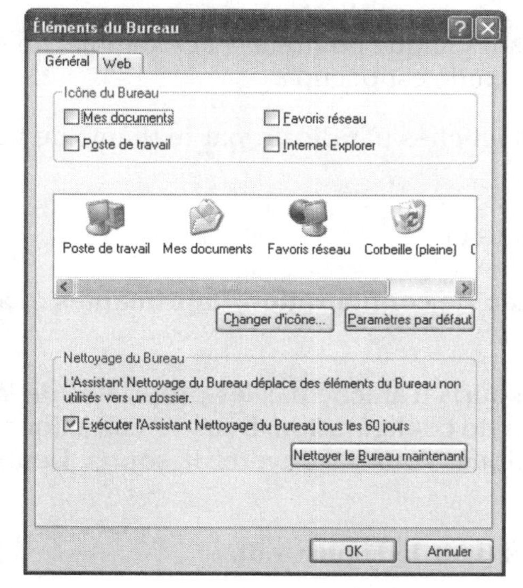

Figure 4.5 : La boîte de dialogue Eléments du bureau permet de contrôler l'apparence de certaines icônes.

4. **Cochez et/ou décochez les quatre cases – Mes documents, Poste de travail, Favoris réseau, et Internet Explorer – en fonction de l'icône que vous désirez associer au bureau.**

5. **Pour changer l'image de l'icône, sélectionnez-la dans la liste, puis cliquez sur le bouton Changer d'icône.**

   Maintenant, reportez-vous au Tableau 4.2 pour trouver l'icône qui vous convient.

6. **Une fois l'icône choisie, cliquez sur tous les boutons OK des boîtes de dialogue qui se succèdent pour appliquer la nouvelle icône.**

   Votre icône apparaît sur le bureau.

Modifier le pointeur de la souris

Croyez-le ou non, Microsoft a consacré des milliers d'heures de travail à la création des pointeurs. Les pointeurs de Windows XP sont faits pour vous donner les meilleures informations possibles sans pour autant distraire votre attention. Voici comment changer la destinée du pointeur de la souris :

- En choisissant un nouveau thème de bureau. En effet, un thème est constitué d'un arrière-plan, d'écrans de veille, et de tout ce que l'utilisateur peut personnaliser. Il faut donc que les pointeurs de la souris entrent en harmonie avec le thème. Vous en saurez davantage sur les thèmes en lisant la section "Utiliser les thèmes du bureau", un peu plus loin dans ce chapitre.

- En sélectionnant et en modifiant chaque pointeur. Par exemple, un dinosaure peut s'afficher quand le programme est occupé.

- En utilisant tous les pointeurs affichés par défaut par le thème de bureau sélectionné.

Voici comment modifier chaque pointeur :

1. **Cliquez sur Démarrer/Panneau de configuration/Imprimantes et autres périphériques.**

   Il se peut que votre pilote de souris n'affiche pas les propriétés de la souris dans cette section du Panneau de configuration. Dans ce cas, cliquez sur Basculer vers l'affichage classique. Vous y trouverez la souris. Double-cliquez dessus et passez à l'étape 2.

2. **Cliquez sur l'onglet Pointeurs (voir la Figure 4.6).**

3. **Pour changer tous les pointeurs en une seule opération, choisissez un modèle dans la liste homonyme.**

   Vous pouvez choisir un modèle sobre comme Windows animé (modèle système) ou plus farfelu comme Dinosaure, Reptile, ou Main.

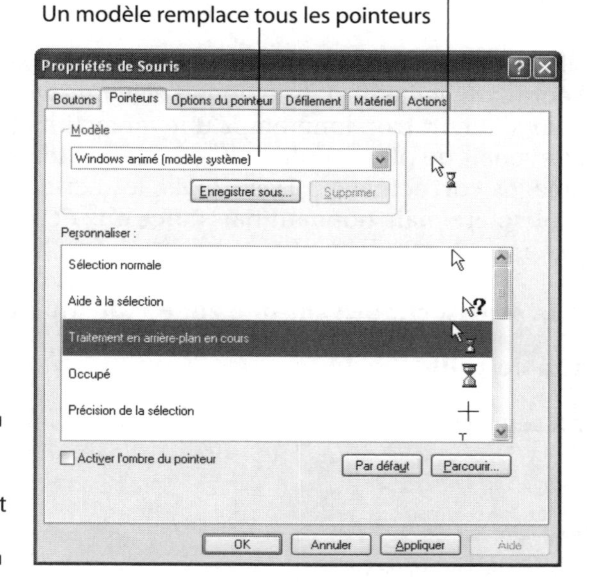

Figure 4.6 : Tous les pointeurs de la souris peuvent être modifiés.

4. **Pour retrouver le modèle d'origine, choisissez Windows par défaut (modèle système).**

5. **Pour modifier un pointeur particulier, sélectionnez-le dans la liste Personnaliser, puis cliquez sur Parcourir.**

   Windows affiche tous les pointeurs disponibles. Sélectionnez-en un, et cliquez sur Ouvrir.

6. **Pour retrouver le pointeur d'origine, sélectionnez-le dans la liste Personnaliser, puis cliquez sur Par défaut.**

7. **Lorsque vous avez défini un ensemble de pointeurs qui vous convient, sauvegardez-le en tant que modèle en cliquant sur le bouton Enregistrer sous. Donnez un nom au modèle de manière à le retrouver rapidement dans la liste de sélection.**

8. **Cliquez sur OK.**

   Windows XP utilise vos pointeurs.

Sélectionner un écran de veille

Aujourd'hui, les écrans de veille ne servent qu'à s'amuser, qu'à se faire plaisir. Il y a une bonne dizaine d'années, l'écran de veille portait le nom d'*économiseur d'écran*. Pourquoi ? Parce que si un écran affichait trop longtemps une même image, il *brûlait*, c'est-à-dire qu'au fil des ans il devenait de plus en plus difficile de lire les informations à l'écran, ou de voir les images correctement. Désormais, les écrans sont fiables, rendant l'économiseur obsolète mais donnant naissance aux écrans de veille. Voici comment sélectionner un écran de veille :

1. **Avec le bouton droit de la souris, cliquez sur une zone vide du bureau.**
2. **Cliquez sur l'onglet Ecran de veille.**

   Vous accédez au contenu représenté à la Figure 4.7.

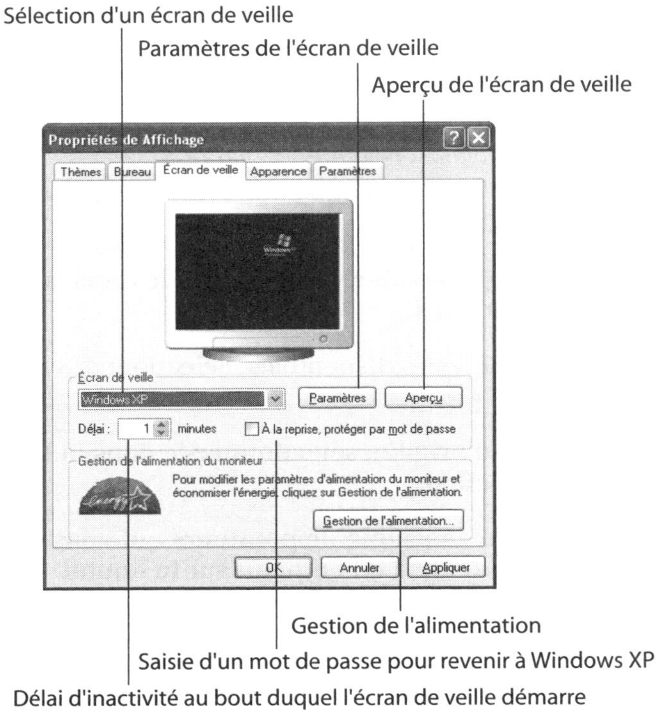

Sélection d'un écran de veille

Paramètres de l'écran de veille

Aperçu de l'écran de veille

Gestion de l'alimentation

Saisie d'un mot de passe pour revenir à Windows XP

Délai d'inactivité au bout duquel l'écran de veille démarre

Figure 4.7 : Les propriétés d'un écran de veille.

La majorité des paramètres parlent d'eux-mêmes. Toutefois, l'option de reprise par saisie d'un mot de passe peut prêter à confusion :

- Si la case "A la reprise, protéger par mot de passe" est cochée, un écran de connexion s'affiche avant que vous puissiez retourner sous Windows. Dans cet écran, saisissez votre mot de passe, et validez par un clic sur OK. Si le mot de passe est correct, vous accédez à Windows.
- Lorsque vous ne cochez pas cette case, Windows s'affiche dès que vous interrompez l'inactivé en bougeant la souris, ou en appuyant sur une touche du clavier.

3. **Dès que l'écran de veille est sélectionné et paramétré, cliquez sur OK.**

Dans les précédentes versions de Windows, il était facile de passer outre la saisie d'un mot de passe incorrect. Ce n'est pas le cas sous Windows XP. Ainsi, il est très difficile à une personne non avertie de *craquer* votre mot de passe pour entrer dans Windows sans votre consentement. C'est une sécurité supplémentaire à ne pas négliger.

Pour ne pas utiliser d'écran de veille, cliquez sur le bureau avec le bouton droit de la souris. Dans le menu contextuel, choisissez Propriétés. Cliquez sur l'onglet Ecran de veille et, dans la liste homonyme, choisissez Aucun. Validez par un clic sur OK.

Lisibilité du texte sur le bureau

Si les caractères affichés à l'écran ne sont pas suffisamment lisibles, Windows XP permet de corriger ce problème. Voici les cinq options principales :

- ✦ Activer la fonction ClearType qui améliore la lisibilité de certains textes, et notamment des ordinateurs portables.
- ✦ Afficher une police de grande taille pour les noms des icônes, les titres des fenêtres, le texte de l'Explorateur Windows, et les menus.
- ✦ Augmenter le nombre de ppp, une option tellement mauvaise que je n'en parlerai pas ici.

Bien que l'Aide et support de Windows XP explique comment changer ce paramètre, seules trois personnes de chez Microsoft connaissent réellement son utilité, et deux d'entre elles sont en congé sabbatique. (Oui, je sais que j'exagère toujours.) Si vous y tenez vraiment, et rompant le serment fait dans le précédent paragraphe, vous y accédez via Propriétés d'affichage/Paramètres/Avancé/Général. Et une fois que vous êtes face à cette option, n'y touchez pas. (Vous voilà bien avancé maintenant !)

- Utilisez la Loupe qui permet de grossir la zone où se trouve le pointeur de la souris.
- Essayez également la fonction Utiliser le contraste élevé que vous trouverez dans les Options d'accessibilité du Panneau de configuration. Elle réduit les détails mais renforce la lisibilité surtout quand l'utilisateur est à distance de l'écran.

Windows ne contrôle pas autant de paramètres de polices que vous pourriez l'imaginer. Par exemple, si vous augmentez la taille du texte avec la fonction Grandes polices, cela n'a aucun effet quand vous affichez le Centre d'aide et de support. Dans sa fenêtre, cliquez sur Options puis sur le lien Modifier les options du Centre d'aide et de support. Là, optez pour une taille Petit, Moyen, ou Grand.

Activer la fonction ClearType

La technologie ClearType de Microsoft améliore l'affichage des textes dans certaines circonstances. Je veux dire ici qu'en fonction de votre écran, ClearType donne des résultats plus ou moins probants. En revanche, lorsque vous décidez de l'appliquer, tout texte à l'écran en subit les effets. Ce sera le cas sur le bureau de Windows, dans un programme comme Excel, et même dans Internet Explorer.

Sachez que ClearType donne de bons résultats sur un écran plat, et surtout sur ceux des ordinateurs portables. En revanche, sur un ordinateur de bureau, le résultat est contestable. Si vous travaillez beaucoup dans Word, vous constaterez les effets néfastes de ClearType sur la lisibilité de votre texte. Sachez que ClearType est une technologie d'affichage qui n'affecte en rien l'impression du texte. Personnellement, je ne l'utilise pas.

Voici comment activer cette fonction :

1. **Avec le bouton droit de la souris, cliquez sur une partie vide du bureau. Dans le menu contextuel, choisissez Propriétés.**
2. **Cliquez sur l'onglet Apparence, puis sur Effets.**
3. **Dans la liste "Utiliser la police suivante pour lisser les bords des polices écran", choisissez ClearType comme à la Figure 4.8.**
4. **Cliquez sur OK. Démarrez le programme de traitement de texte de votre choix (si vous n'en avez pas, lancez le Bloc-notes de Windows). Saisissez du texte pendant quelques minutes, et relisez-le. Si vous devez sauter sur des cachets d'aspirine, abandonnez l'idée d'utiliser ClearType.**

   Pour cela, il suffit de sélectionner Standard, ou de décocher l'option.

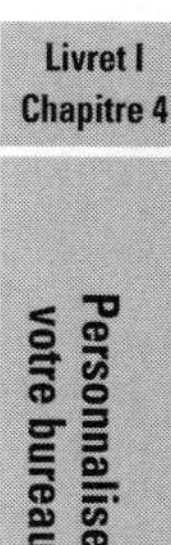

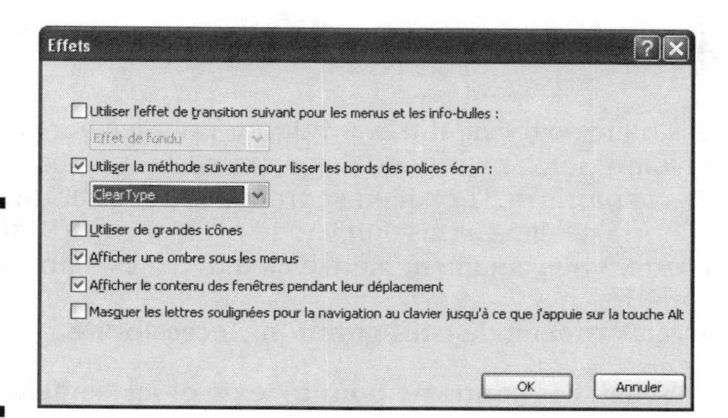

Figure 4.8 : Activez la fonction ClearType dans cette boîte de dialogue.

Afficher des polices de grande taille

Si vous utilisez le modèle de bureau par défaut, vous pouvez facilement modifier la taille des polices affichées par Windows. Toutefois, avant de sauter sur votre souris, prenez conscience des quelques restrictions suivantes :

- La taille de la police sélectionnée ne s'applique qu'aux titres des fenêtres de Windows, des légendes des icônes, du contenu de l'Explorateur Windows, et des menus. Rien d'autre n'est affecté.
- Lorsque vous appliquez un nouveau modèle de bureau (voir la section "Utiliser les thèmes du bureau" un peu plus loin dans ce chapitre), il remplace la taille de police que vous avez définie.
- Tous les thèmes de bureau ne supportent pas la multiplicité de tailles de polices. Pour le savoir, changez la taille, et observez son application.

Pour modifier la taille des polices :

1. **Avec le bouton droit de la souris, cliquez sur une partie vide du bureau. Dans le menu contextuel choisissez Propriétés.**
2. **Cliquez sur l'onglet Apparence.**
3. **Dans la liste Taille de police, choisissez celle qui vous convient.**

Utiliser la loupe et le contraste élevé

Deux paramètres d'Accessibilité se révèlent très pratiques pour les handicapés et les personnes valides. La loupe affiche une zone de grossissement en haut de l'écran. Elle affiche en gros la partie de l'écran où se trouve le pointeur de la souris. De son côté, la fonction Contraste élevé utilise un jeu de couleurs spécifique pour améliorer la lisibilité du texte. Voici comment mettre en œuvre ces deux options :

1. **Cliquez sur Démarrer/Panneau de configuration/Accessibilité.**
2. **Cliquez sur le lien "Ajuster le contraste pour le texte et les couleurs affichés à l'écran". Activez l'option Utiliser le contraste élevé.**
3. **Pour utiliser la loupe, cliquez sur ce nom dans le volet Voir aussi.**

Utiliser les thèmes du bureau

Les thèmes du bureau de Windows XP comportent de nombreux paramètres. Un thème comprend six des sept niveaux qui structurent le bureau – une couleur de base unie, un arrière-plan, des paramètres de police et de couleurs, des images pour les icônes de Windows (la corbeille, Mes documents, etc.), un jeu de pointeurs de souris, et un écran de veille. Un thème contient aussi des sons personnalisés associés à certains événements qui surviennent sous Windows. En revanche, je n'ai jamais trouvé de thème incluant la fonction Active Desktop. Pour appliquer un nouveau thème :

1. **Avec le bouton droit de la souris, cliquez sur un espace vide du bureau. Dans le menu contextuel, choisissez Propriétés.**
2. **Cliquez sur l'onglet Thèmes.**
3. **Dans la liste Thème, sélectionnez-en un.**

Dès que vous appliquez un thème, il remplace les sept niveaux du bureau en cours par les siens, ainsi que le jeu de sons qui se déclenchent pour signaler la survenance de certains événements propres à Windows. L'ancien arrière-plan, les icônes, les pointeurs de la souris, et les écrans de veille restent présents sur votre ordinateur. Si vous souhaitez les utiliser de nouveau, vous devez répéter la procédure de personnalisation du bureau. Pour éviter cela, il est judicieux d'enregistrer votre bureau personnalisé en tant que thème. Pour cela, cliquez sur le bouton Enregistrer sous de l'onglet Thèmes.

Personnaliser des dossiers

Dans certains cas, l'Explorateur Windows permet de modifier l'icône d'un dossier superposé à l'image du dossier lui-même. Par exemple, si vous rippez un CD avec le Lecteur Windows Media, il peut être sympa d'afficher la pochette du CD sur le dossier dans lequel se trouvent les fichiers musicaux de ce disque.

Pour modifier l'image superposée à celle du dossier :

1. **Ouvrez l'Explorateur Windows via Démarrer/Mes documents ; Démarrer/ Mes images, Ma musique, Poste de travail, ou Favoris réseau ; ou bien encore par Démarrer/Rechercher.**
2. **Naviguez jusqu'au dossier à modifier.**
3. **Cliquez sur le bouton Affichage, puis sur Miniatures.**

   L'Explorateur Windows affiche les dossiers sous forme de vignettes sur lesquelles des images de leur contenu apparaissent le cas échéant.

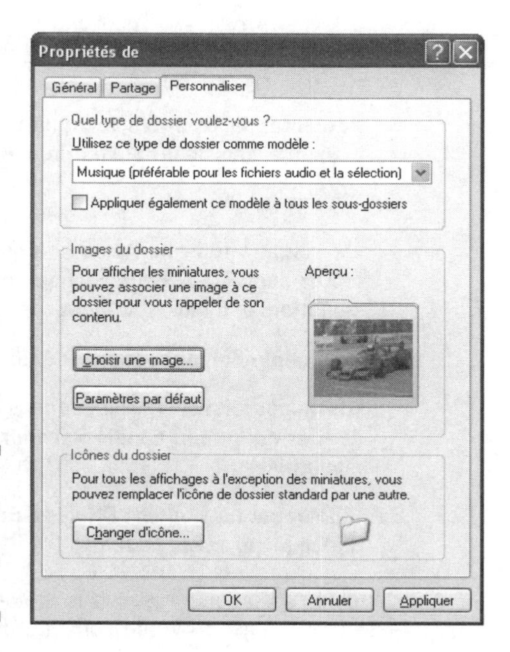

Figure 4.9 : Sélectionnez les images qui vont apparaître sur le dossier.

4. **Cliquez sur le dossier avec le bouton droit de la souris.**
5. **Pour analyser le contenu du dossier et trouver tous les fichiers image qu'il contient, cliquez sur la commande Actualiser la miniature. Le dossier affichera les vignettes des quatre images les plus récentes.**

6. **Si vous désirez appliquer votre propre image, cliquez sur Propriétés, puis sur l'onglet Personnaliser.**

   Vous accédez au contenu représenté à la Figure 4.9.

   Si vous ne voyez pas l'onglet Personnaliser, il y a de fortes chances pour que vous tentiez de modifier l'image d'un raccourci vers le dossier. Ceci n'est pas permis par Windows.

7. **Cliquez sur le bouton Choisir une image. Sélectionnez un fichier image stocké sur l'un de vos lecteurs.**

8. **Cliquez sur OK pour appliquer l'image sur l'icône du dossier.**

   Bien que Windows puisse afficher jusqu'à quatre images sur un même dossier, rien ne vous empêche d'en afficher une en particulier.

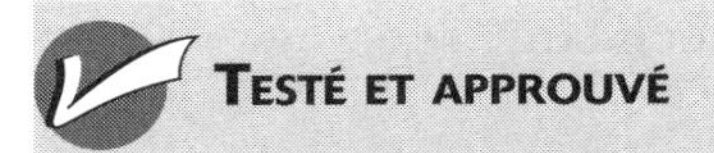

Nettoyer le bureau

Le bureau est un excellent emplacement de stockage temporaire. Pensez à le nettoyer périodiquement :

1. **Avec le bouton droit de la souris, cliquez sur une partie vide du bureau. Dans le menu contextuel, choisissez Propriétés. Dans la boîte de dialogue Propriétés d'affichage, cliquez sur l'onglet Bureau.**

2. **Sous cet onglet, cliquez sur le bouton Personnalisation du Bureau.**

   Vous ouvrez la boîte de dialogue Eléments du Bureau.

3. **Cliquez sur le bouton Nettoyer le Bureau maintenant.**

   L'Assistant Nettoyage de Bureau entre en scène.

4. **Cliquez sur Suivant.**

   L'assistant recherche uniquement les raccourcis. Il les présente dans une liste.

5. **Parcourez la liste des raccourcis, et cochez ceux que vous désirez supprimer du bureau.**

6. **Cliquez sur Suivant.**

   L'assistant affiche les raccourcis que vous souhaitez supprimer. Pour changer d'avis et en sélectionner d'autres, cliquez sur Précédent.

7. **Pour confirmer, cliquez sur Terminer.**

   Les raccourcis sont regroupés dans un nouveau dossier du bureau appelé Raccourcis Bureau non utilisés.

8. **Cliquez sur les boutons OK des deux boîtes de dialogue qui se succèdent.**

Certains raccourcis ne sont pas affichés. Par exemple, il m'est arrivé de constater que des raccourcis vers des fichiers MP3, portant le nom "Raccourci vers...", ne figuraient pas dans cette liste. Pourtant, je les avais ouverts de nombreuses fois avec le Lecteur Windows Media. Il en va de même pour les raccourcis vers des pages Web.

Chapitre 5
Organiser votre interface Windows XP

Dans ce chapitre :

- Maîtriser la puissance du menu Démarrer de Windows.
- Créer des raccourcis pour ouvrir des fichiers et des programmes.
- Connaître rapidement vos documents récemment utilisés.
- Exécuter vos programmes préférés en un clic de souris.
- Faire démarrer automatiquement vos programmes.

Windows XP contient de nombreux outils d'aide qui accélèrent votre travail quotidien. Plus vous serez familiarisé avec ce système d'exploitation, plus vous trouverez des méthodes pour simplifier votre vie. Ce chapitre vous explique comment.

Personnaliser le menu Démarrer

Au Chapitre 3 du présent Livret, j'ai fait un rapide tour d'horizon du menu Démarrer. Il est temps d'entrer dans les détails.

Votre menu Démarrer ne ressemblera certainement pas à celui de la Figure 5.1. Si vous achetez un ordinateur avec Windows XP préinstallé, le revendeur ne manquera pas d'y mettre ses propres éléments qui n'ont rien à voir avec Microsoft. Pour contrôler le contenu du menu Démarrer, suivez les différentes procédures de ce chapitre. C'est votre menu. Personne n'a à vous dire ce qu'il faut y mettre ou pas (sauf moi peut-être). Le modifier n'entraîne aucun dommage. Pour apporter ces modifications dans les comptes d'utilisateurs d'un seul et même ordinateur, vous devez disposer des autorisations d'administrateur. Pour en savoir plus à ce sujet, consultez le Chapitre 6 du Livret I.

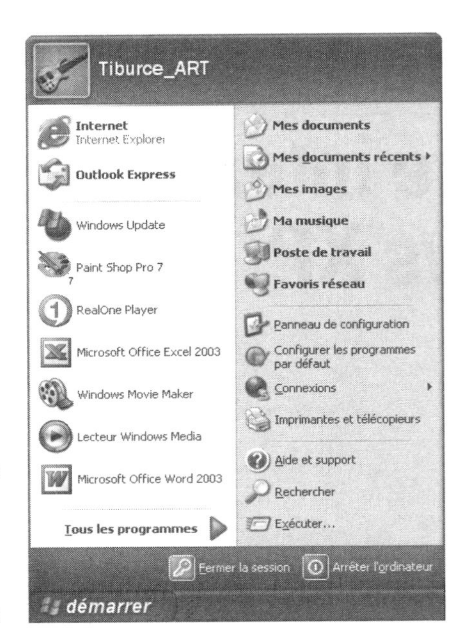

Figure 5.1 : Le menu Démarrer... du moins le mien.

Genèse du bouton Démarrer

Le menu Démarrer actualise son volet gauche chaque fois que vous cliquez dessus. Cela explique le léger délai qui s'écoule entre le clic et l'ouverture du menu. Voici d'où viennent ses différents éléments, analysés de haut en bas :

- Tout en haut à gauche s'affiche le nom et l'image de l'utilisateur en cours, c'est-à-dire de celui dont la session est ouverte.
- Il est possible de placer un programme dans la partie supérieure gauche du menu Démarrer. En revanche, vous ne pouvez pas y mettre un fichier. Nous verrons tout ceci en détail dans la prochaine section.
- Les *programmes récemment utilisés* apparaissent également dans le volet de gauche en dessous des applications "permanentes". Vous pouvez définir le contenu de cette liste. Sachez qu'à chaque fois que vous ouvrez un programme, il vient remplacer l'un de ceux qui étaient présents dans le menu. Le choix du programme à supprimer dépend de la périodicité de son utilisation. Vous en saurez plus à ce sujet dans la section "Davantage de programmes récents" un peu plus loin dans ce chapitre.
- En bas du menu, Tous les programmes se réfère à deux dossiers de votre disque dur. C'est la partie du menu Démarrer la plus simple à modifier. Vous pouvez ajouter des dossiers, en supprimer, réorganiser leur contenu et/ou les dossiers eux-mêmes.

Bien qu'il soit possible d'apporter des modifications dans la partie droite du menu Démarrer, il est souhaitable de les limiter au seul menu Mes documents récents. A vous de décider ou non d'y procéder après lecture de la section consacrée à ce sous-menu.

Placer des programmes dans le menu Démarrer

Avez-vous un ou deux programmes que vous utilisez quotidiennement ? Moi j'en ai ! Il s'agit de Word et d'Outlook. Windows XP permet de placer les applications de votre choix dans le menu Démarrer.

Si Office 2003 est installé sur votre ordinateur, Outlook 2003 sera certainement présent dans la partie supérieure gauche du menu Démarrer en remplacement de Outlook Express. Pour compléter la liste de ces applications "permanentes" en lui ajoutant Word 2003, suivez cette procédure qui vaut pour n'importe quel autre programme :

Note : La permanence dont je parle est relative, en ce sens qu'elle est temporaire (quel paradoxe). En effet, vous pouvez les enlever quand bon vous semble. En revanche, leur affichage ne dépend pas de la fréquence de leur utilisation, à l'inverse des applications listées juste en dessous.

1. **Les programmes Word 2003 et Outlook 2003 se trouvent tous deux en racine du menu Tous les programmes.**

   Si vous ajoutez un programme au menu Démarrer en cliquant sur l'icône de l'application avec le bouton droit de la souris, et en sélectionnant la commande Ajouter au menu Démarrer, Windows crée une copie de l'icône dans la zone d'affichage permanente. Cela signifie que l'icône originale du programme reste dans le menu Tous les programmes. Vous pouvez également placer une icône de programme par simple glisser-déposer depuis le menu Tous les programmes jusqu'à la zone supérieure du menu Démarrer.

   Tout programme ajouté apparaît en bas de la liste des applications permanentes. Par conséquent, comme il s'agit d'un premier ajout, le programme prendra place sous les icônes d'Internet Explorer et d'Outlook (ou Outlook Express). Une fois l'icône du nouveau programme en place, vous pouvez le glisser-déplacer à un nouvel emplacement de cette liste.

2. **Cliquez sur l'icône du programme avec le bouton droit de la souris. Dans le menu contextuel, choisissez Renommer. Attribuez à l'application un nom de votre choix.**

   Lorsque vous ajoutez un programme avec la commande Ajouter au menu Démarrer, ses deux icônes, c'est-à-dire celles placées dans le menu Démarrer, et l'originale du sous-menu Tous les programmes, sont liées. Cela signifie que le changement de nom affecte les deux éléments.

Vous pouvez retirer n'importe quel programme du menu Démarrer. Il suffit de cliquer sur son icône avec le bouton droit de la souris et, dans le menu contextuel, de choisir Supprimer du menu Démarrer. Pour les autres programmes placés dans ce menu par Windows, choisissez Supprimer de cette liste.

La commande Supprimer du menu Démarrer enlève le programme de la liste permanente. Cela n'affecte en rien ses autres raccourcis placés çà et là dans Windows. Par exemple, vous retrouvez l'application dans le sous-menu Tous les programmes.

Davantage de programmes récents

Juste au-dessus du bouton Démarrer, vous avez la liste de tous les programmes récemment utilisés. Ceci est très pratique : la liste s'actualise en temps réel chaque fois que vous cliquez sur le bouton Démarrer.

Lorsque vous exécutez un programme qui se trouve dans le coin supérieur gauche du menu Démarrer, il ne s'affiche pas, en plus, dans la liste des applications récemment ouvertes. Plus vous utiliserez Windows, plus vous vous rendrez compte que le principe d'actualisation de la liste en fonction des programmes ouverts n'est pas systématiquement respecté. Certaines applications restent affichées dans cette liste que vous les utilisiez ou non. Par exemple, le Lecteur Windows Media et MSN ont tendance à y rester plus longtemps que les autres.

Heureusement, il est possible de réinitialiser la liste de ces programmes :

1. **Avec le bouton droit de la souris, cliquez sur le bouton Démarrer. Dans le menu contextuel, choisissez Propriétés.**

2. **Dans la boîte de dialogue, cliquez le bouton Personnaliser.**

3. **Dans l'onglet Général, dont le contenu est illustré à la Figure 5.2, cliquez sur le bouton Effacer la liste.**

4. **Dans cette boîte de dialogue, vous pouvez opter pour l'utilisation de petites icônes – ce qui permet d'afficher davantage de programmes dans la liste, tout en sachant que la réduction de la taille des icônes les rend plus difficiles à cliquer – et modifier le nombre de programmes à afficher dans le menu Démarrer.**

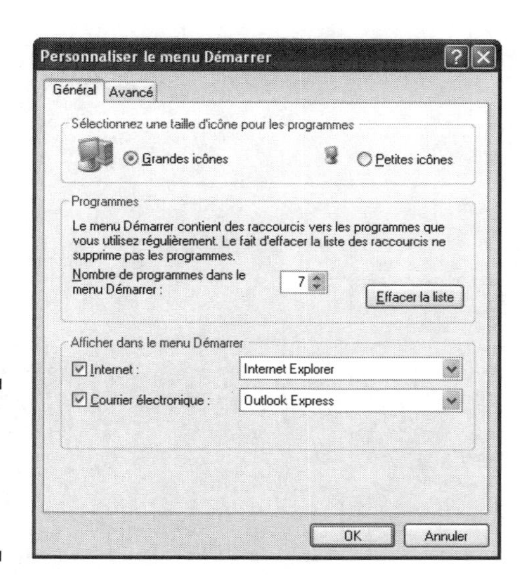

Figure 5.2 : Contrôlez ici la liste des programmes récents.

La boîte de dialogue Personnaliser le menu Démarrer prétend que vous pouvez modifier le nombre de programmes affichés. C'est faux ! En effet le chiffre indique le nombre d'icônes actuellement présentes. Pour permettre d'en afficher plus ou moins, modifiez cette valeur, puis cliquez sur le bouton Effacer la liste de manière à la réinitialiser.

5. **Cliquez sur le bouton OK des deux boîtes de dialogue qui se succèdent pour que les modifications soient prises en compte.**

Windows gère le contenu de cette liste. Par conséquent, vous ne pouvez pas glisser-déplacer des éléments dans et de la liste. Toutefois, il reste possible de supprimer des applications en cliquant dessus avec le bouton droit de la souris. Dans le menu contextuel, choisissez Supprimer de cette liste.

Afficher les documents récents

Beaucoup de personnes adorent la fonction des documents récents, mais un grand nombre la déteste. Windows conserve une trace d'un certain nombre de documents qui ont été ouverts. Pour en consulter la liste, il suffit de cliquer sur le bouton Démarrer, puis sur le sous-menu Mes documents récents. (Voir la Figure 5.3.)

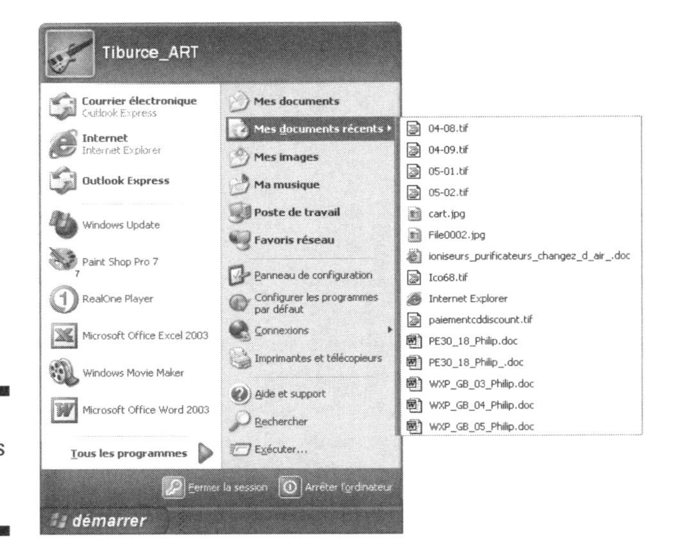

Figure 5.3 : Le sous-menu Mes documents récents.

Ceux qui aiment cette fonction apprécient le fait de pouvoir retrouver facilement les derniers fichiers utilisés. Il suffit alors de cliquer dessus pour les ouvrir dans l'application qui les a créés.

Ceux qui détestent cette fonction disent qu'il suffit d'ouvrir une application pour y retrouver une liste des fichiers qui y ont été récemment créés ou modifiés. Ces utilisateurs ne souhaitent pas non plus que quiconque puisse consulter la liste de leurs documents récents. Il est possible de désactiver cette fonction pour plus de confidentialité :

1. **Avec le bouton droit de la souris, cliquez sur Démarrer. Dans le menu contextuel, choisissez Propriétés.**

2. **Dans l'onglet Menu Démarrer, veillez à ce que l'option du même nom soit active, et cliquez sur le bouton Personnaliser.**

3. **Cliquez sur l'onglet Avancé, et décochez la case Afficher les documents ouverts récemment. (Voir la Figure 5.4.)**

   Vous pouvez profiter de cette boîte de dialogue pour effacer la liste des documents. Sachez que seuls les liens vers les fichiers présents dans la liste Mes documents récents sont supprimés. La liste idoine des applications reste intacte. Dans ce cas, pour ouvrir les documents dans leur application, il suffit de démarrer le programme et de sélectionner les documents dans la partie inférieure de son menu Fichier.

Figure 5.4 : Activez ou non la fonction d'affichage des documents récents.

Modifications mineures du menu Démarrer

Vous pouvez apporter des modifications au menu Démarrer. Certaines sont très utiles pour ceux qui aiment souvent changer les choses. Voici comment procéder :

1. **Avec le bouton droit de la souris, cliquez sur le bouton Démarrer. Dans le menu contextuel, choisissez Propriétés.**
2. **Dans l'onglet Menu Démarrer, veillez à ce que l'option du même nom soit active, et cliquez sur le bouton Personnaliser.**
3. **Cliquez sur l'onglet Avancé, et choisissez les fonctions à activer dans la liste ci-dessous. Validez vos choix en cliquant sur le bouton OK des deux boîtes de dialogue qui se succèdent dans cette procédure.**

Les six éléments suivants peuvent être affichés en tant que liens ou menus :

- **Le Panneau de configuration :** Cet élément peut afficher les applications classiques en tant que menu. Présenté par défaut sous forme de lien qui ouvre une boîte de dialogue, il devient un sous-menu renfermant toutes les icônes des éléments dont il assure la gestion.
- **Favoris :** Si vous cochez la case Menu Favoris, un menu du même nom s'affiche au-dessus du Poste de travail dans le menu Démarrer. Il contient l'ensemble des Favoris que vous avez définis (souvent dans Internet Explorer).

- **Poste de travail :** Si vous choisissez Afficher en tant que menu, son lien se transforme en sous-menu du menu Démarrer. Il affiche alors l'ensemble de vos lecteurs, Mes documents, et Documents partagés.
- **Mes documents, Ma musique, et Mes images :** Tous ces éléments peuvent lister leurs fichiers et dossiers dans un menu. Pour cela, cochez l'option Afficher en tant que menu.

Si vous aimez modifier les choses à tout bout de champ, faites défiler le contenu de la liste Eléments du menu Démarrer, et activez l'option "Afficher sur le menu Tous les programmes et le menu Démarrer". Ses programmes vous occuperont pendant des années.

Créer vos raccourcis

Parfois, la vie est plus simple avec les raccourcis. (Du moins tant qu'ils fonctionnent.) Dans Windows XP, les raccourcis pointent vers des éléments qui peuvent s'exécuter. Ainsi, vous pouvez définir un raccourci vers Word que vous placez sur le bureau. Double-cliquez dessus pour démarrer l'application Word. C'est bien plus rapide que de cliquer sur Démarrer/Tous les programmes/Microsoft Word.

Vous pouvez configurer des raccourcis qui pointent vers les éléments suivants :

- Les programmes de toute sorte.
- Les adresses Internet comme `www.woodyswatch.com/signup`.
- Les documents, les feuilles de calcul, les bases de données, les présentations PowerPoint, et tout ce qui peut être exécuté depuis l'Explorateur Windows par un double-clic.
- Des parties de texte de vos documents, des feuilles de calcul, des bases de données, des présentations, etc.
- Des dossiers.
- Des lecteurs (disques durs, disquettes, CD, lecteurs Jaz).
- Les autres ordinateurs du réseau, ainsi que les lecteurs et les dossiers desdits ordinateurs.
- Les imprimantes (y compris celles des autres ordinateurs d'un réseau), les scanners, les appareils photo numériques, et bien d'autres matériels.
- Les connexions réseau à distance (modems RTC).

Les raccourcis savent faire des choses incroyables. Par exemple, vous pouvez définir un raccourci sur votre bureau vers une imprimante réseau. Ensuite, lorsque vous souhaitez imprimer un fichier, glissez-déposez le sur ce raccourci.

Admettons que vous utilisiez quotidiennement la calculatrice de Windows. Pour l'exécuter plus rapidement, faites-en un raccourci que vous placez sur le bureau :

1. **Avec le bouton droit de la souris, cliquez sur une portion vide du bureau.**
2. **Dans le menu contextuel, choisissez Nouveau/Raccourci.**

   Vous lancez l'assistant Création d'un raccourci, représenté à la Figure 5.5.

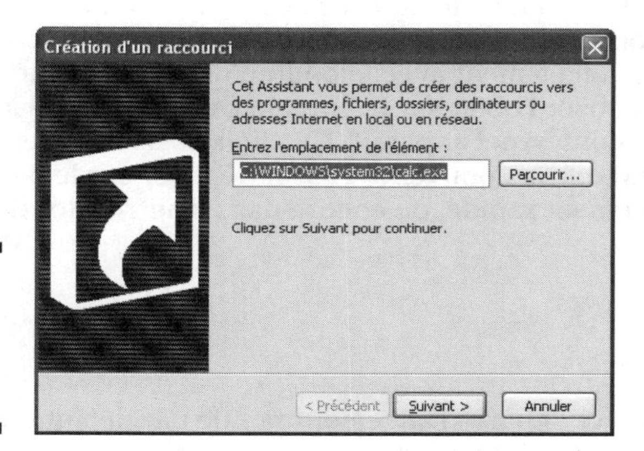

Figure 5.5 : Un assistant vous aide à créer un raccourci vers une application.

3. **Cliquez sur le bouton Parcourir.**
4. **Dans la boîte de dialogue Rechercher un dossier, cliquez sur Poste de travail, puis C:, Windows, et enfin System32.**

   Faites défiler la liste pour localiser `calc.exe`.

   Pour trouver rapidement cet exécutable parmi les centaines de fichiers, cliquez sur n'importe lequel d'entre eux afin de le sélectionner. Ensuite, appuyez sur la touche "c" de votre clavier. Vous voici sur le premier fichier commençant par cette lettre. Faites défiler la liste à partir de ce fichier pour trouver plus vite `calc.exe`.

5. **Cliquez sur** `calc.exe`, **puis sur OK.**
6. **Cliquez sur Suivant. Donnez un nom au raccourci, comme** `Calculette`, **puis cliquez sur Terminer.**

Chaque fois que vous double-cliquerez sur le raccourci Calculette, l'application s'ouvrira. Utilisez cette technique pour créer des raccourcis vers les dossiers, les fichiers, d'autres programmes, des documents, et des ordinateurs du réseau.

L'aspect le plus complexe du raccourci est la gestion de la référence faite à l'élément qu'il exécute. Dans la précédente procédure, vous avez vu que l'application `calc.exe` se situait dans le sous-dossier system32 de Windows. Si vous souhaitez créer un raccourci vers une application de la suite Office, vous devrez certainement la chercher dans `C:\Program Files\Microsoft Office\Office10`. En revanche, le dossier Fonts (c'est-à-dire Polices) se trouve en racine du dossier Windows.

Il y a d'autres manières de créer un raccourci. Par exemple, quand vous êtes dans l'Explorateur Windows, cliquez sur un élément avec le bouton droit de la souris. Dans le menu contextuel, choisissez Envoyer vers/Bureau (créer un raccourci). Enfin, vous pouvez cliquer sur un élément avec le bouton droit de la souris et, sans relâcher ce bouton, glisser-déposer l'objet sur le bureau. Quand vous relâchez le bouton de la souris, un menu contextuel apparaît. Là, choisissez Créer les raccourcis ici. Une fois le raccourci créé, vous pouvez le glisser déposer sur le bouton Démarrer, dans la barre Lancement rapide, ou encore dans d'autres dossiers.

Barre Lancement rapide

Windows XP Professionnel active la barre Lancement rapide par défaut. Toutefois, certaines personnes n'aiment pas voir leur Barre des tâches parasitée par la barre Lancement rapide. Pour eux, mais aussi pour tous ceux qui veulent paramétrer cette barre, je dédie les quelques pages qui suivent.

Activer

La barre d'outils Lancement rapide de Windows XP est un agencement de petites icônes situées à droite du bouton Démarrer, comme le montre la Figure 5.6. C'est l'une des fonctions les plus pratiques d'XP. Cependant, si vous avez la version Familiale de ce système d'exploitation, vous pouvez passer votre vie sans en connaître l'existence, ce qui serait vraiment dommage.

Pour activer la barre Lancement rapide, cliquez sur la Barre des tâches de Windows avec le bouton droit de la souris. Dans le menu contextuel, choisissez Barre d'outils/Lancement rapide. Cette barre de lancement comprend, par défaut, une icône vers Internet Explorer, le bureau, et le Lecteur Windows Media.

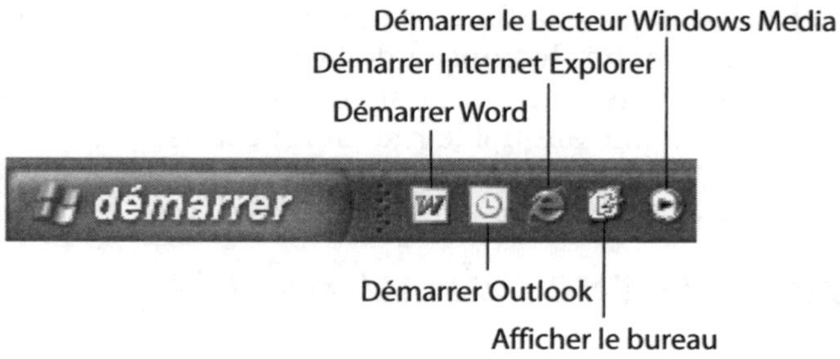

Démarrer le Lecteur Windows Media
Démarrer Internet Explorer
Démarrer Word
Démarrer Outlook
Afficher le bureau

Figure 5.6 : La barre d'outils Lancement rapide

Personnaliser

L'ajout d'icône à la barre Lancement rapide est très simple à réaliser. En revanche, vous risquez de rencontrer quelques problèmes si vous essayez d'ajouter plus d'icônes que ne peut en afficher la barre. Voyons comment éviter les ennuis :

1. **Affichez la barre d'outils Lancement rapide. (Voir la description ci-dessus.)**

2. **Avec le bouton droit de la souris, cliquez sur un espace vide de la Barre des tâches. Dans le menu contextuel, choisissez Déverrouiller la Barre des tâches.**

3. **Sur le côté droit de la barre Lancement rapide, localisez deux barres verticales (bleues par défaut) composées de points. Placez-y le pointeur de la souris. Quand il prend la forme d'une double flèche, glissez-déplacez-la vers la droite pour augmenter la taille de la barre Lancement rapide.**

4. **Localisez un programme que vous souhaitez placer sur cette barre.**

   Par exemple, si Microsoft Office est installé sur votre PC, placez Word dans cette barre d'outils. Il suffit de cliquer sur Démarrer/Tous les programmes, et de chercher l'icône de Microsoft Office Word.

5. **Cliquez sur l'icône du programme avec le bouton droit de la souris, et glissez-déposez-le à un emplacement de la barre d'outils Lancement rapide.**

   Une sorte de I majuscule noir permet de déterminer l'endroit de la barre Lancement rapide où vous allez déposer l'icône. Dès que vous relâchez le bouton de la souris, un menu contextuel apparaît. Choisissez-y l'option Copier les raccourcis ici.

6. **Placez autant de raccourcis que vous le souhaitez. Lorsque la barre n'est pas assez grande pour les afficher tous, des chevrons dirigés vers la droite apparaissent. Cliquez dessus pour afficher une liste des raccourcis masqués.**

Vous pouvez réorganiser les icônes de la barre d'outils Lancement rapide. Il suffit de cliquer sur une icône et, sans relâcher le bouton de la souris, de la déplacer avant ou après telle ou telle autre icône. Attention car si vous vous contentez de cliquer dessus, vous exécutez le programme auquel le raccourci est lié.

Personnaliser la Barre des tâches de Windows

Si plusieurs programmes tournent simultanément, la méthode la plus rapide pour passer de l'un à l'autre consiste à utiliser la Barre des tâches représentée à la Figure 5.7. A quelques exceptions près, chaque programme en cours d'utilisation affiche un bouton dans la Barre des tâches. Si plusieurs documents sont ouverts dans un programme, son bouton recèle une liste des documents en question. Cliquez sur celui à consulter (voir la Figure 5.7).

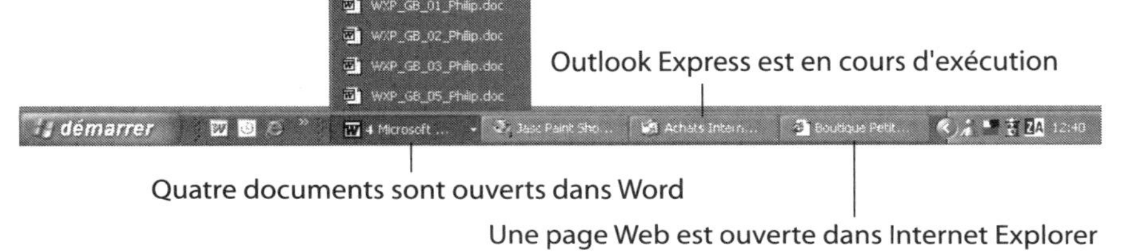

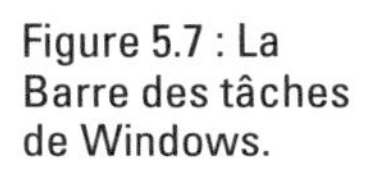
Figure 5.7 : La Barre des tâches de Windows.

Comme je viens de le dire, cliquez sur le bouton Microsoft Word pour afficher une liste des documents actuellement ouverts. Cliquez sur le document à afficher.

La Barre des tâches est personnalisable de bien des manières. Toutefois, une de ses fonctions les plus utiles est la possibilité de la masquer automatiquement. Dans ce cas, la partie inférieure de Windows n'affiche la Barre des tâches que si vous y placez le pointeur de la souris. Voici comment activer cette fonction :

1. **Avec le bouton droit de la souris, cliquez sur un espace vide de la Barre des tâches.**
2. **Dans le menu contextuel, choisissez Propriétés.**
3. **Cochez l'option Masquer automatiquement la Barre des tâches.**

Si vous n'avez pas envie ou ne pouvez pas utiliser la souris, voici un truc qui permet de basculer d'un programme à un autre avec le clavier. Appuyez simultanément sur les touches Alt+Tab. Un menu local affiche tous les programmes ouverts. Passez de l'un à l'autre en appuyant sur Tab sans relâcher la touche Alt.

Personnaliser le dossier Démarrage

Démarrez-vous un programme chaque fois que vous ouvrez Windows ? Peut-être exécutez-vous systématiquement le Lecteur Windows Media. Un de mes amis démarre toujours la calculatrice de Windows. Il est très facile d'indiquer à Windows XP les programmes à démarrer lors de l'ouverture d'une de ses sessions de travail. Il suffit de placer un raccourci du programme dans le dossier Démarrage.

Supposons que vous vouliez ouvrir la calculatrice au démarrage de Windows. Vous devez placer un raccourci vers ce programme dans le dossier Menu Démarrer du dossier All Users. Voici comment :

démarrer

1. **Cliquez sur le bouton Démarrer avec le bouton droit de la souris, et choisissez Explorer tous les utilisateurs.**
2. **Si le dossier Menu Démarrer n'est pas ouvert, double-cliquez dessus pour y procéder.**
3. **Revenez au bouton Démarrer, et choisissez Tous les programmes/Accessoires.**
4. **Cliquez sur l'icône Calculatrice avec le bouton droit de la souris. Ensuite, glissez-déposez-la dans le dossier Menu Démarrer. Quand vous relâchez le bouton de la souris, un menu contextuel apparaît. Cliquez sur Copier ici.**

   Un raccourci vers le programme Calculatrice prend place dans le menu Démarrer (ou Démarrage) de Windows XP.

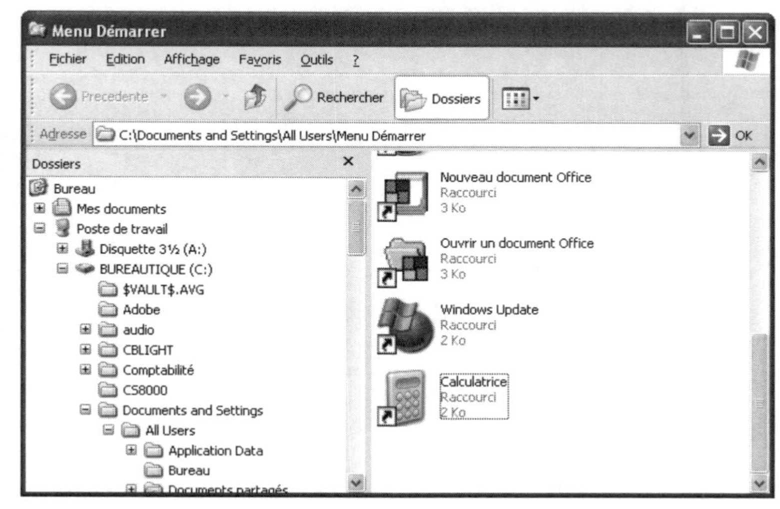

Figure 5.8 : Placez un raccourci de la Calculatrice dans le dossier Démarrer (ou Démarrage) pour qu'il s'exécute automatiquement à chaque démarrage de Windows.

Vous avez réussi !

Bien sûr, cette procédure peut être appliquée à n'importe quel programme.

Si vous avez des difficultés à glisser-déposer l'icône du programme dans le dossier Menu Démarrer affiché par l'Explorateur Windows, oubliez la procédure ci-dessus et faites comme ceci : cliquez sur Démarrer/Tous les programmes. Localisez l'application à exécuter automatiquement au démarrage de Windows XP. Cliquez sur son icône avec le bouton droit de la souris. Glissez-déplacez-la jusqu'au dossier Démarrage. Le dossier s'ouvre automatiquement. Placez-y l'icône (une barre horizontale noire permet de bien localiser la position future de l'icône). Relâchez le bouton de la souris. Dans le menu contextuel qui apparaît, choisissez Copier ici.

Chapitre 6
Configurer des comptes personnels

Dans ce chapitre :

- Comprendre le système d'ouverture de session.
- Ajouter des utilisateurs.
- Fermer une session.

Ce chapitre présente la stratégie de partage d'un ordinateur entre deux ou plusieurs utilisateurs. Windows XP permet à chacun d'appliquer une configuration personnalisée de son environnement de travail.

Contrôler les personnes qui se connectent

Windows XP suppose que, tôt ou tard, plusieurs personnes utiliseront le seul et unique PC de la maison. Cependant, le partage d'un ordinateur pose des problèmes. En effet, lorsque je configure mon environnement de travail avec telle et telle icône placée sur mon bureau, je n'aime pas que quelqu'un d'autre les supprime ou les déplace. Je n'aimerais pas non plus voir disparaître accidentellement ou non les listes de lecture définies dans le Lecteur Windows Media.

Windows œuvre pour la paix des ménages en permettant à chaque utilisateur d'ouvrir une session personnalisée du système d'exploitation. Ce principe repose sur la création de comptes d'utilisateurs qui, lorsqu'ils se connectent à Windows XP, se retrouvent dans un environnement plus ou moins sécurisé qui leur est propre. Il suffit d'indiquer à Windows qui se connecte, pour laisser cette personne jouer dans son joli petit bac à sable informatique.

Définir des paramètres personnels qui s'activent lorsque vous vous connectez à Windows XP n'est pas un gage de sécurité à 100 %, tout au moins dans la version familiale du logiciel. (Dans la version professionnelle de Windows XP, la sécurité est renforcée, ce qui exige le paramétrage de nombreuses options.) Windows XP Familial permet aux autres utilisateurs de modifier les paramètres, et même d'effacer des fichiers. En revanche, tant que chacun respecte la procédure de partage d'un ordinateur par l'ouverture de sessions d'utilisateurs, la méthode de connexion à Windows XP donne d'excellents résultats.

Un accueil chaleureux : l'écran de Bienvenue

L'ouverture d'une session de travail sous Windows XP passe par l'affichage préalable d'un écran de Bienvenue, que l'on appelle aussi écran de connexion, semblable à celui représenté à la Figure 6.1. Cet écran affiche une liste des comptes d'utilisateurs définis sur l'ordinateur, et peut même proposer l'ouverture d'une session d'invité (terme qui sonne beaucoup mieux que "autre" ou "Eh toi, viens un peu par ici !")

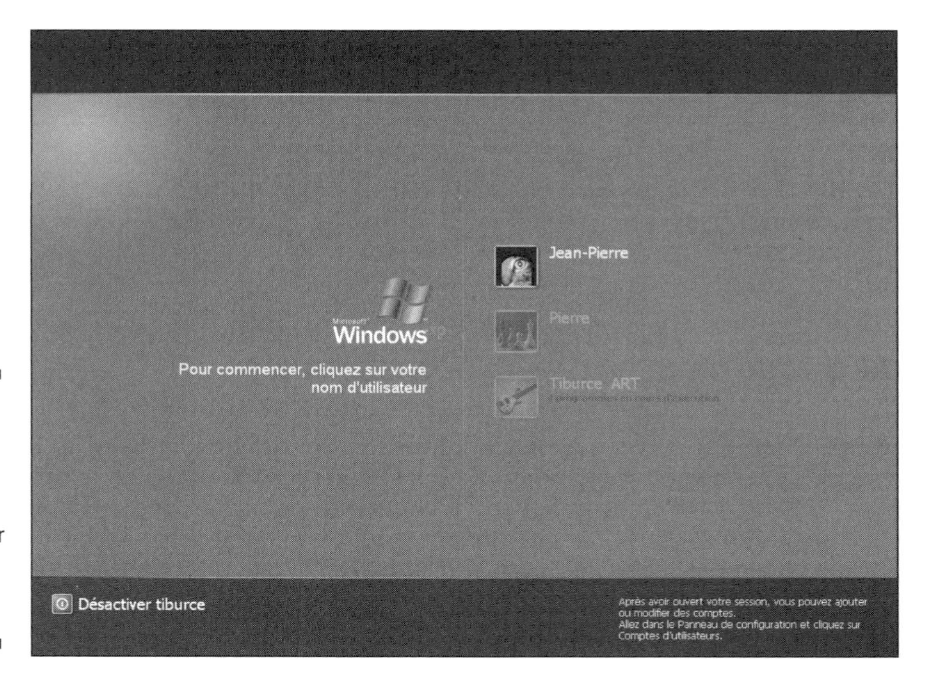

Figure 6.1 : L'écran de bienvenue permet de choisir l'utilisateur qui va ouvrir une session de travail dans Windows XP.

Vous pouvez configurer un compte Invité aux fonctions très limitées. C'est-à-dire que la personne bénéficiant de ce compte ne pourra effectuer aucune modification dans l'environnement qui lui est ainsi proposé. (Dans la prochaine section "Ajouter des utilisateurs" j'explique comment configurer ce type de compte.) Bien évidemment, dans l'absolu, personne ne peut empêcher un invité d'ouvrir la session d'un autre utilisateur. A partir de là, cet invité peut faire ce qu'il veut dans l'environnement de travail de cette personne. Pour éviter ce désagrément, vous devez définir un mot de passe pour chaque session d'utilisateur, c'est-à-dire pour chaque compte d'utilisateur créé. La procédure de connexion à Windows XP ne pourra aboutir que si vous saisissez le bon mot de passe. Vous en saurez davantage à ce sujet en consultant la section "Changer les paramètres utilisateur".

Ajouter des utilisateurs

Une fois que vous êtes connecté à Windows XP, c'est-à-dire que vous êtes dans votre environnement de travail, vous pouvez facilement ajouter d'autres utilisateurs. Il suffit de suivre cette procédure :

1. **Cliquez sur Démarrer/Panneau de configuration/Comptes d'utilisateurs.**

   Vous ouvrez la boîte de dialogue Comptes d'utilisateurs représentée à la Figure 6.2.

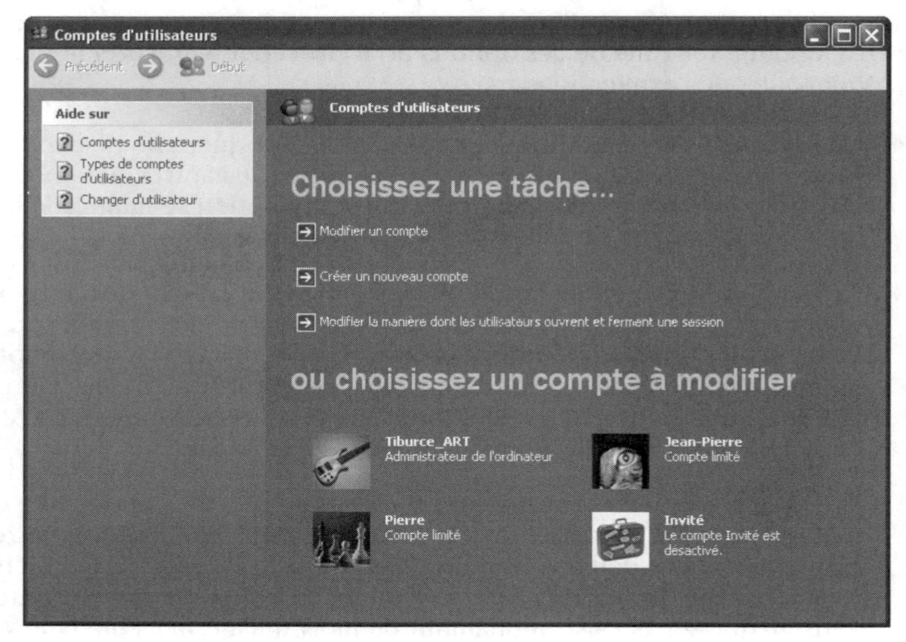

Figure 6.2 : Dans la boîte de dialogue Comptes d'utilisateurs, assurez la maintenance des différents comptes créés.

2. **Cliquez sur la tâche Créer un nouveau compte.**

3. **Saisissez le nom du compte.**

Si vous cliquez sur le bouton Suivant sans modifier d'autres paramètres, et que, pour terminer la procédure, vous cliquez sur le bouton Créer un compte, vous verrez désormais le nom de ce compte dans l'écran de Bienvenue de Windows XP.

Petite réflexion sur le nom des comptes : vous pouvez assigner n'importe quel nom à un nouveau compte : un prénom, un nom de famille, un surnom, un titre, ou encore des abréviations. Windows XP ne joue pas les censeurs. Un nom comme "tous à vos postes@!^" est accepté.

Pour créer le compte Invité, il suffit de cliquer sur l'icône du même nom dans la boîte de dialogue Comptes d'utilisateurs. Cette action a pour effet d'activer ce compte particulier.

Changer les paramètres utilisateur

Dans la section Choisissez un compte à modifier de la boîte de dialogue Comptes d'utilisateurs, cliquez sur le nom du compte dont vous souhaitez modifier les paramètres. Cinq options de modifications sont disponibles, comme le montre la Figure 6.3. Cliquez sur l'une de ces options pour procéder à une première modification. Voici quelques explications :

- **Changer le nom :** Modifie le nom de l'utilisateur qui s'affiche dans l'écran de Bienvenue, et tout en haut du menu Démarrer. Les autres paramètres ne sont pas affectés. Vous comprenez alors que cette option se limite à la modification du nom du compte. Par exemple, "Robert" peut devenir "Bob".
- **Créer un mot de passe :** Lorsque vous définissez un mot de passe pour un compte d'utilisateur, il devra être saisi pour ouvrir une session sous Windows XP. Ainsi, tout utilisateur qui cherchera à ouvrir un compte pour lequel un mot de passe a été défini, devra impérativement le saisir pour ouvrir une session de travail. La définition d'un mot de passe permet de respecter la confidentialité des utilisateurs d'un même ordinateur.

On dit que les mots de passe sont *sensibles à la casse*. Cela signifie que si le mot de passe est composé de minuscules et/ou de majuscules, voire une combinaison des deux, vous devez impérativement saisir les caractères corrects pour que le mot de passe soit validé. Si le mot de passe est moNAmOur, vous ne devez pas saisir monamour ou moNAmOur, mais bien moNAmOur.

Lorsque vous décidez de définir des mots de passe, il est important de passer quelques minutes avec l'Assistant Mot de passe oublié. Pour cela, je vous conseille de cliquer sur Démarrer/Aide et support, et de saisir **assistant mot de passe oublié** dans le champ Rechercher. Il permet de créer une disquette qui peut déverrouiller votre mot de passe de manière à accéder aux comptes lorsque vous ne vous souvenez plus de ce qu'il faut saisir. Ceci est particulièrement utile lorsque quelqu'un a modifié accidentellement un mot de passe d'utilisateur ne lui permettant plus d'ouvrir une session Windows. La disquette va permettre de court-circuiter la saisie du mot de passe. Ainsi, une fois que l'utilisateur aura ouvert son compte, il pourra définir un nouveau mot de passe. La disquette ne déverrouille que le compte pour lequel elle a été créée.

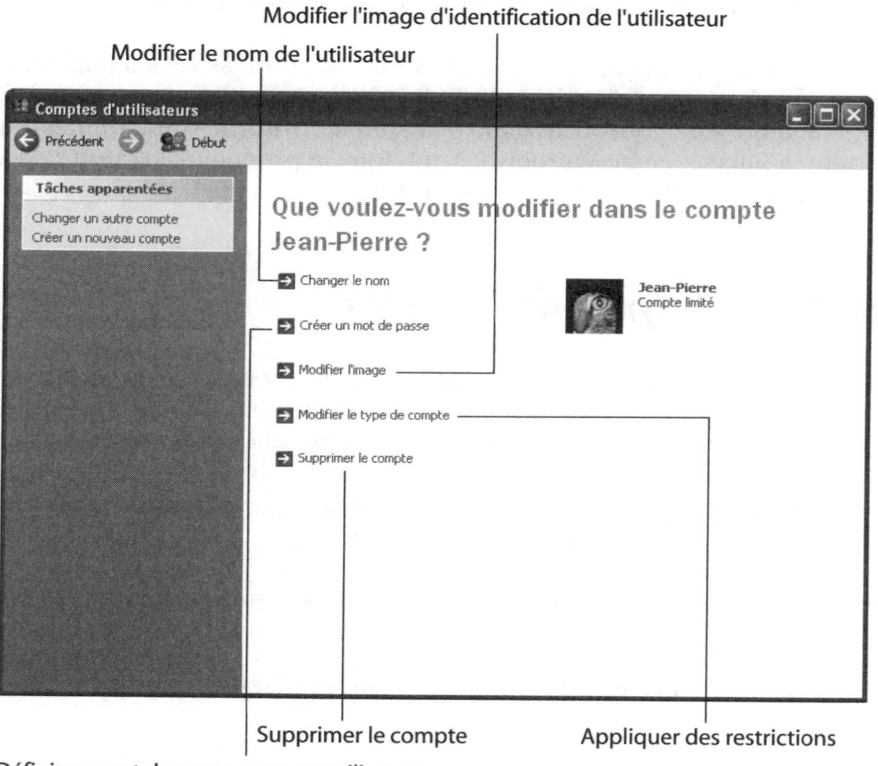

Figure 6.3 : Gestion d'un compte.

- **Modifier l'image :** Cette option change l'image qui apparaît dans l'écran de Bienvenue de l'ouverture d'un compte (c'est-à-dire d'une session de Windows), et dans le menu Démarrer. Vous pouvez choisir une des images proposées par Windows, ou un fichier graphique stocké sur votre disque dur au format GIF, BMP, JPG, ou PNG. Si vous sélectionnez une image de grande dimension, Windows ajuste automatiquement sa taille à celle de la vignette utilisée pour illustrer le compte d'utilisateur.
- **Modifier le type de compte :** Permet de transformer un compte limité en compte d'administrateur et inversement. Les implications de cette modification sont si complexes que je les traite dans la prochaine section.

- **Supprimer le compte :** Lorsque vous procédez à la suppression d'un compte, Windows vous offre la possibilité de conserver une copie des fichiers du compte. Il s'agit du dossier Mes documents et du bureau. Sachez malgré tout que la suppression d'un compte efface tous les messages électroniques, les favoris Internet, les autres paramètres précieusement définis par l'utilisateur. C'est vraiment le meilleur moyen de se faire des ennemis.

Bien évidemment, toutes ces modifications sont impossibles à réaliser si vous disposez d'un compte d'utilisateur limité. Seul l'administrateur, c'est-à-dire le grand chef, le manitou, le gourou, le maître absolu de l'informatique domestique, bénéficie de toute la puissance de Windows. Toutefois, la prochaine section relate une histoire quelque peu différente, un peu plus nuancée.

Utiliser des types de comptes

Les utilisateurs de Windows XP Familial se divisent en deux groupes : ceux qui ont le pouvoir, et ceux qui ne l'ont pas. Ceux qui ont le pouvoir sont appelés des *Administrateurs*. Ceux qui n'ont pas le pouvoir sont appelés des *Limités*.

Comme le laisse supposer ce qualificatif, l'utilisateur disposant d'un compte limité ne peut faire que des choses tout aussi limitées :

- Exécuter des programmes qui sont installés sur l'ordinateur (sans pouvoir en installer de nouveaux).
- Utiliser le matériel installé sur l'ordinateur (sans pouvoir en installer de nouveaux).
- Créer et utiliser des documents, des images, et des sons, contenus dans ses dossiers Mes documents, Mes images, et Ma musique, ainsi que dans les dossiers partagés de l'ordinateur.
- Modifier son mot de passe ou basculer d'un compte d'utilisateur à un autre dont il connaît également le mot de passe, ou qui n'en nécessite pas.
- Modifier l'image qui identifie son nom dans l'écran de Bienvenue et dans le menu Démarrer.

A l'inverse, l'administrateur peut modifier n'importe quoi, n'importe quand, à l'exception des dossiers privés. L'administrateur peut même changer les mots de passe des utilisateurs – une chose à vous rappeler si jamais vous perdez le vôtre.

Pour que des dossiers deviennent privés, votre système d'exploitation doit utiliser le système de fichiers *NTFS*. Si vous avez acheté un ordinateur sur lequel Windows XP était préinstallé, il y a de fortes chances que votre disque dur soit formaté dans ce système de fichiers. En revanche, si vous avez effectué une mise à niveau de Windows 98 ou ME vers Windows XP Familial, votre disque dur est certainement formaté en FAT32. Le Chapitre 7 du Livret I explique comment savoir si vous utilisez le système de fichiers NTFS, et comment rendre un dossier privé lorsque cela est possible.

A l'installation de Windows XP Familial, chaque compte a les caractéristiques d'un compte d'administrateur. Cela explique pourquoi certains d'entre vous sont obligés de saisir un mot de passe pour ouvrir leur session Windows. En effet, comme chacun est un administrateur en puissance, il peut s'amuser à définir des mots de passe quand bon lui semble.

Eviter le passeport Microsoft

De prime abord, le *passeport Microsoft* apparaît comme une idée magnifique : la centralisation d'informations qui permettent aux consommateurs d'interagir avec les vendeurs par le biais du Web, de discuter en temps réel avec d'autres personnes utilisant Windows Messenger, de télécharger des tarifs, de consulter une météo personnalisée, d'envoyer et de recevoir des e-mails en utilisant le service de messagerie électronique Hotmail, d'ouvrir un compte bancaire, de suivre le cours des actions, j'en passe et des meilleurs.

Si vous modifiez votre compte d'administrateur, vous avez la possibilité de modifier votre passeport .Net, comme le montre la Figure 6.4.

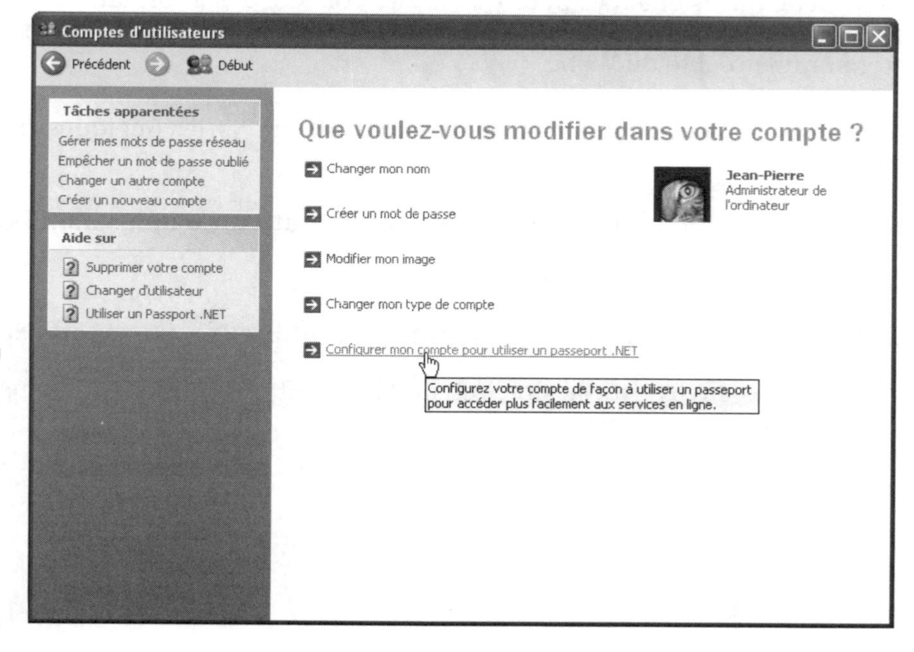

Figure 6.4 : Lorsque vous modifiez votre compte administrateur, vous avez la possibilité de changer votre passeport .net.

Voici les inconvénients d'un passeport Microsoft : *Dans quelle mesure Microsoft garantit votre vie privée ?* C'est la question que tout le monde se pose à propos de ce passeport. Peu de personnes font confiance à Microsoft.

Pourtant, avec son apparente gentillesse, le passeport semble bien inoffensif : saisissez votre nom, choisissez un identifiant et un mot de passe, et tout un univers merveilleux vous ouvre ses portes. Maintenant, si vous grattez un peu la surface, vous constatez que Microsoft détient les clés de tous les passeports créés. Le problème de la centralisation des informations sur les consommateurs est que nous ne sommes pas loin du fameux 1984 et du Big Brother de George Orwell. Il est compréhensible que l'utilisateur n'ait pas envie de communiquer la plus petite information sur ses habitudes.

Si vous ne créez pas ce fameux passeport, vous ne pouvez pas utiliser Windows Messenger. Pour ceux qui l'ignorent, Windows Messenger est le programme de conversation en temps réel de Microsoft. Dans le même ordre d'idées, l'utilisateur ne peut pas se servir de Hotmail pour envoyer et recevoir des messages électroniques. Il n'est pas possible de recourir à une fonction très intéressante pour dépanner les utilisateurs en difficulté, et qui se nomme Assistance à distance. (Parmi bien d'autres choses qui vous sont alors interdites.)

Que faire ? Trouver un compromis entre le respect de la vie privée et les avantages procurés par le passeport. Cela signifie qu'il faut être vigilant sur le type d'informations auquel Microsoft peut avoir accès. Vous pouvez trouver une solution tout à fait satisfaisante. Soyez conscients qu'une collection de données peut être véhiculée par le passeport de deux manières : si vous utilisez un passeport pour visiter des sites Web, il y a de fortes chances pour que le site collecte des informations qu'il enverra à Microsoft. Je ne cherche pas à vous rendre paranoïaque, mais simplement à vous alerter sur une réalité du Web.

Si vous désirez configurer un passeport Microsoft, suivez les quelques étapes ci-dessous :

1. **Cliquez sur Démarrer/Panneau de configuration/Comptes d'utilisateurs.**
2. **Sélectionnez votre compte.**
3. **Cliquez sur Configurer mon compte pour utiliser un passeport .NET.**

   Vous êtes envoyé sur le site Web de Microsoft qui vous assiste dans la configuration de votre passeport.

Supprimez-vous !

Vous avez peur n'est-ce pas ? Rassurez-vous ! Il est impossible de supprimer directement votre compte. En effet, Windows se protège. Chaque PC doit avoir au moins un administrateur. Si Windows XP les perd tous, personne ne pourra plus ajouter de nouveaux utilisateurs ou modifier le compte des utilisateurs existants. Impossible d'installer de nouveaux programmes et matériels. De ce fait, en tant qu'administrateur unique de votre ordinateur, vous ne pouvez pas transformer votre compte en Invité, et vous ne pouvez pas le supprimer.

Déconnexion

Une dernière chose. Windows XP Familial permet à plusieurs personnes d'ouvrir une session Windows. Ceci est très pratique lorsque vous utilisez le PC pour faire travailler vos enfants, et que vous vous précipitez dans la cuisine pour voir si le chat, hurlant à la mort, n'est pas en train de tourner sur le plateau du four à micro-onde. C'est à cet instant que votre femme décide de placer des photos de famille dans le dossier Images partagées de l'ordinateur.

La possibilité de passer rapidement d'un compte d'utilisateur à un autre a des avantages et des inconvénients :

✦ **L'avantage :** La fonction Bascule rapide utilisateur (quel nom !) permet de laisser une session de travail en l'état, c'est-à-dire avec ses applications et ses fichiers ouverts, pendant qu'une autre personne ouvre sa session. Une fois que cet utilisateur en a terminé, il ferme sa session, et vous retrouvez la vôtre dans l'état où vous l'aviez laissée.

✦ **L'inconvénient :** Les programmes sont mis en suspens, et la bascule risque de provoquer des bugs. Pour éviter cela, il est judicieux de vous déconnecter, c'est-à-dire de fermer votre session pour ouvrir celle de l'autre utilisateur.

Pour désactiver la fonction Bascule rapide utilisateur, cliquez sur Démarrer/Panneau de configuration. Dans la liste des tâches, choisissez "Modifier la manière dont les utilisateurs ouvrent et ferment une session". Décochez la case Utiliser la Bascule rapide utilisateur.

Si vous utilisez Windows depuis quelques années vous connaissez ce paradoxe qui consiste à cliquer sur le bouton Démarrer pour arrêter l'ordinateur.

Vous ne serez donc pas surpris de voir qu'il faut cliquer sur le bouton Démarrer pour basculer vers un autre compte et/ou fermer une session.

En plus de ces possibilités, il est possible de quitter Windows pour le placer en mode veille ou veille prolongée. Voici une présentation de ces deux modes :

- En mode veille, le PC éteint l'écran et les disques durs, mais conserve tout en mémoire de manière à se réveiller rapidement.
- En mode veille prolongée, le PC éteint l'écran et les disques durs, et effectue une copie du contenu de la mémoire vive sur un des disques. Ensuite, il s'éteint entièrement. Le démarrage est plus long qu'en mode veille car Windows doit copier, dans la mémoire vive, le contenu sauvegardé sur le disque dur.

Pour passer d'un mode à l'autre, cliquez sur Démarrer/Arrêter l'ordinateur. Vous ouvrez une boîte de dialogue représentée à la Figure 6.5.

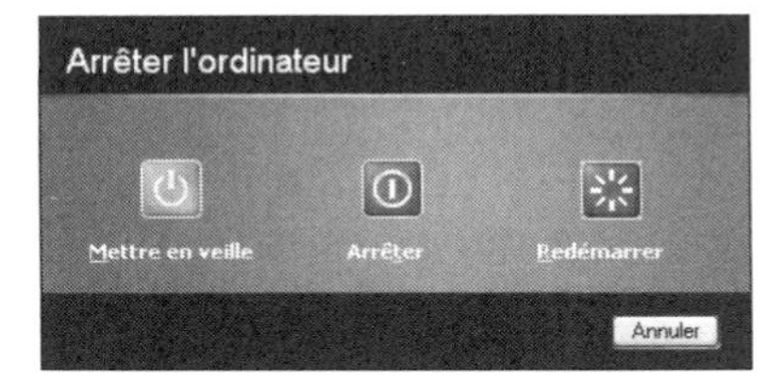

Figure 6.5 : Mettre l'ordinateur en veille.

Si votre PC supporte la mise en veille et la mise en veille prolongée, activez cette dernière en appuyant sur la touche Maj du clavier. Le bouton Mettre en veille devient Veille prolongée, comme le montre la Figure 6.6. Cliquez dessus pour appliquer ce mode.

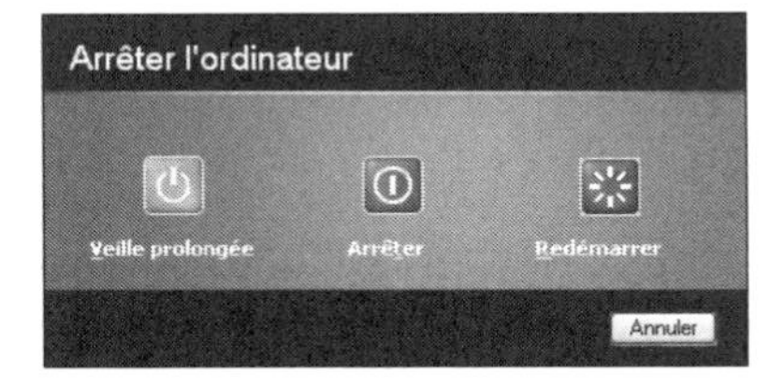

Figure 6.6 : Mettre en veille prolongée.

Vous devez toujours quitter Windows le plus officiellement possible, c'est-à-dire en cliquant sur Démarrer/Arrêter l'ordinateur/Arrêter. Si vous appuyez sur le bouton Marche/Arrêt du PC, vous quittez Windows illégalement ce qui peut causer des dommages logiciels irréversibles. En effet, avant de tout éteindre, Windows procède à des contrôles précis. Ce n'est qu'une fois l'ensemble des vérifications terminées qu'il décide d'éteindre l'ordinateur. Veillez toujours à quitter correctement Windows XP sous peine d'être confronté, tôt ou tard, à de sérieux ennuis.

Chapitre 7
Gérer des fichiers et des dossiers

Dans ce chapitre :

- Trouver son chemin dans l'Explorateur Windows.
- Sélectionner et créer des fichiers et des dossiers.
- Afficher les fichiers.
- Partager des dossiers.
- Restaurer un fichier ou un dossier effacé.

Les fichiers et les dossiers sont le cœur et l'âme d'un ordinateur. Ce chapitre explique tout ce que le commun des mortels doit connaître sur ces deux éléments. Vous y apprendrez comment les créer, les nommer, les sélectionner, et les supprimer. Il décrit les différentes méthodes d'affichage du contenu des dossiers, leur partage, et comment les rendre privés. Enfin, vous verrez qu'un fichier supprimé à tort ou à raison peut être restauré au grand soulagement de son utilisateur.

Utiliser l'Explorateur Windows

Un ordinateur est fait pour interagir avec ses utilisateurs. L'Explorateur Windows fait partie d'une *interface graphique* qui permet d'organiser les milliers de fichiers que vous pouvez créer sur un PC.

Si vous cliquez sur Démarrer/Mes documents, sur Démarrer/Poste de travail, Ma musique, Favoris réseau, ou encore sur Démarrer/Rechercher, l'Explorateur Windows entre en scène.

L'Explorateur Windows prend des instantanés de votre disque dur pour présenter exactement le contenu actuel de l'ordinateur. Ainsi, lorsque vous modifiez les éléments stockés sur un disque, il serait problématique que le contenu ne soit pas mis à jour. Supposons que vous souhaitiez écrire une lettre à votre tante Emma. Vous démarrez Word, écrivez votre courrier, et l'enregistrez dans le dossier Mes documents. Si vous basculez vers la fenêtre de l'Explorateur Windows, vous êtes surpris et inquiet de ne pas y voir la lettre en question. En effet, l'instantané n'est pas systématiquement mis à jour. Pour forcer cette mise à jour, appuyez sur la touche F5 de votre clavier.

Voici quelques points importants à considérer :

- **Le nom du dossier ouvert s'affiche dans la barre de titre de l'Explorateur Windows.** Si vous cliquez une fois sur un fichier ou un dossier, des informations s'affichent dans la section Détails du volet d'exploration. Lorsque vous double-cliquez sur un dossier, il devient le dossier en cours (ou *dossier actuel*). Si dans un dossier en cours, vous double-cliquez sur l'icône d'un fichier, le document s'ouvre dans l'application à laquelle il est lié. Par exemple, si vous double-cliquez sur un fichier Word, ce programme démarre, et le document s'y affiche. Vous pouvez le consulter et/ou travailler dessus.

- **La majorité des actions que vous pouvez effectuer sur des fichiers et des dossiers s'affichent dans le coin supérieur gauche du volet d'exploration de l'Explorateur Windows.** Cliquez sur un dossier pour le sélectionner. Immédiatement, le volet d'exploration affiche des actions. Il en va de même pour un fichier. Par conséquent, lorsque vous désirez exécuter une action sur un fichier, comme une copie, et qu'elle n'apparaît pas dans le volet d'exploration de l'Explorateur Windows, c'est que vous n'avez pas sélectionné le fichier en question. Procédez-y dans la partie droite de l'Explorateur Windows. Une fois la sélection opérée, vous voyez apparaître, dans le volet d'exploration (partie gauche), une commande Copier ce fichier.

- **Vous pouvez ouvrir autant d'occurrences de l'Explorateur Windows que vous le désirez.** Ceci est pratique quand vous souhaitez afficher plusieurs éléments stockés dans des emplacements différents. Vous avez tout à portée de main via plusieurs fenêtres de l'Explorateur Windows.

Créer des fichiers et des dossiers

En règle générale, vous créez des fichiers et des dossiers dans vos applications. Par exemple, vous allez créer un nouveau document Word en utilisant le programme Word. Dans la boîte de dialogue d'enregistrement du fichier, vous aurez la possibilité de créer un nouveau dossier pour y stocker ce fichier. La méthode classique consiste à cliquer sur Fichier/Enregistrer ou Fichier/Enregistrer sous. Mais, à côté de cette méthode traditionnelle, il est possible de créer un nouveau fichier ou dossier directement dans le dossier Mes documents, sans ouvrir préalablement la moindre application :

1. **Cliquez sur Démarrer/Mes documents pour ouvrir le contenu de ce dossier dans l'Explorateur Windows. Ensuite, ouvrez le dossier dans lequel vous désirez créer un nouveau fichier ou un nouveau dossier.**

   Par exemple, pour créer un nouveau dossier nommé Grunge Techno Révisionniste dans votre dossier Ma musique, cliquez sur Démarrer/Mes documents/ Ma musique.

2. **Dans le dossier ainsi ouvert, cliquez sur un espace vide avec le bouton droit de la souris.**

   Par "espace vide", j'entends un emplacement sans dossier ni fichier. En revanche, si vous désirez que l'élément que vous allez créer apparaisse sur le bureau, cliquez sur un espace de ce bureau avec le bouton droit de la souris.

3. **Dans le menu contextuel qui apparaît, choisissez Nouveau (voir la Figure 7.1), et cliquez sur le type de fichier à créer.**

   Pour créer un dossier, cliquez sur ce même nom.

Figure 7.1 : Cliquez sur un emplacement vide avec le bouton droit de la souris pour créer un nouveau fichier ou un nouveau dossier.

4. **Windows crée le nouveau fichier ou dossier, et laisse son nom en surbrillance, c'est-à-dire sélectionné. Il vous suffit de saisir un nouveau nom que vous validerez en appuyant sur la touche Entrée, ou en cliquant en dehors de cette zone de saisie.**

Il est très facile de créer de nouveaux dossiers. Si vous choisissez Démarrer/Ma musique, cliquez ensuite sur un espace vide du dossier Ma musique avec le bouton droit de la souris, pour accéder à un menu contextuel ou vous choisirez Nouveau/ Dossier. Une fois ce dossier créé, saisissez un nouveau nom comme **Grunge Techno Révisionniste**, et appuyez sur Entrée. Vous pouvez être fier d'avoir donné naissance à un nouveau dossier qui recevra tous vos fichiers audio de ce type de musique.

Sélectionner des fichiers et des dossiers

Avant de copier, déplacer, ou supprimer des fichiers ou des dossiers, vous devez les sélectionner. Comme le montre la Figure 7.2, l'Explorateur Windows et le Poste de travail proposent plusieurs méthodes de sélection des fichiers et des dossiers :

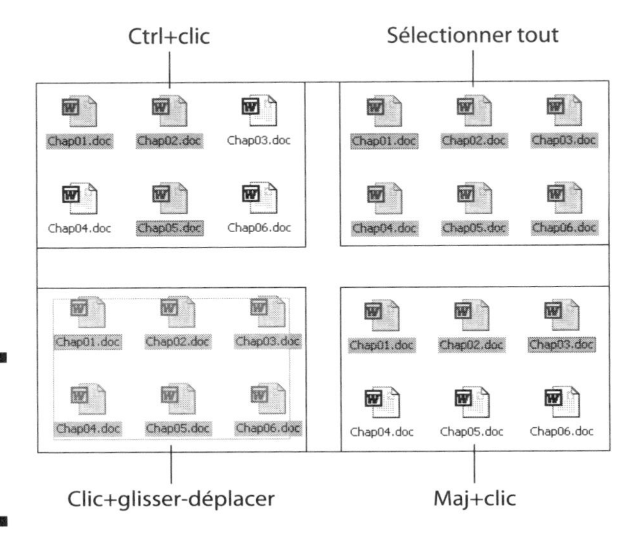

Figure 7.2 : Méthodes de sélection des fichiers et des dossiers.

- **Sélectionner divers éléments :** Appuyez sur la touche Ctrl et cliquez sur les fichiers ou les dossiers à sélectionner. Cette méthode permet de sélectionner des éléments qui se situent à divers emplacements d'un même dossier, ou divers dossiers eux-mêmes stockés dans un dossier.

- **Sélectionner des éléments qui se suivent :** Cliquez sur le premier fichier ou dossier. Il est alors sélectionné. Ensuite, appuyez sur la touche Maj, et cliquez sur le dernier élément à sélectionner. L'ensemble des fichiers ou des dossiers situés entre ces deux éléments est sélectionné.

- **Sélectionner un groupe d'éléments :** Cliquez dans un espace vide de la fenêtre et, sans relâcher le bouton de la souris, tracez un cadre de sélection englobant tous les fichiers ou dossiers à sélectionner. Les fichiers ou dossiers entrant dans la sélection apparaissent en surbrillance.

- **Sélectionner tous les éléments :** Cliquez sur Edition/Sélectionner tout, ou appuyez sur Ctrl+A. Supposons que vous souhaitiez supprimer de la sélection un ou deux éléments. Il suffit d'appuyer sur la touche Ctrl et de cliquer sur les éléments à retirer.

Certains affichages facilitent la sélection. Par exemple, la méthode Maj+clic excelle en mode Liste ou Détails. La technique du glisser-déplacer fonctionne mieux en mode d'affichage Mosaïque ou Icônes. La section "Les différentes manières d'afficher des dossiers et des fichiers", que vous trouverez un peu plus loin dans ce chapitre, explique comment changer l'affichage du dossier Poste de travail dans l'Explorateur Windows.

Modifier des fichiers et des dossiers

Il est très facile de modifier des fichiers et des dossiers – les renommer, les supprimer, les déplacer ou les copier – si vous vous souvenez de cette astuce : cliquez dessus et attendez.

Je sais que lorsque l'on est en plein apprentissage de nouvelles techniques, nous sommes tentés d'expérimenter diverses choses en même temps. C'est une réaction des plus humaines. Toutefois, en matière de dossiers et de fichiers, il est important de prendre patience. Vous devez attendre que l'ordinateur vous permette de faire telle ou telle chose. Ceci est d'autant plus vrai pour la copie, le déplacement, l'attribution d'un nom, et la suppression des dossiers ou des fichiers. Vous devez d'abord cliquer sur l'élément pour le sélectionner, et attendre que l'ordinateur vous invite à faire quelque chose. Cette invitation prend la forme de tâches affichées dans le volet d'exploration de l'Explorateur Windows.

Si vous double-cliquez sur un fichier, Windows tente de l'ouvrir dans l'application qui l'a créé. Par exemple, si vous double-cliquez sur un document Word, Windows ouvre Word et y affiche le document en question.

Cliquer une fois et attendre est la méthode la plus simple pour renommer, déplacer, copier, supprimer, e-mailer, ou imprimer un fichier. C'est le meilleur moyen de ne pas commettre d'erreur car vous suivez vos actions une à une.

Les différentes manières d'afficher des dossiers et des fichiers

Vous choisissez un mode d'affichage des dossiers et des fichiers en cliquant sur le menu homonyme de l'Explorateur Windows, ou sur le bouton du même nom dans la barre d'outils Standard. La Figure 7.3 montre le contenu de mon dossier Mes documents affiché en mode Détails. Voici les différents modes mis à votre disposition :

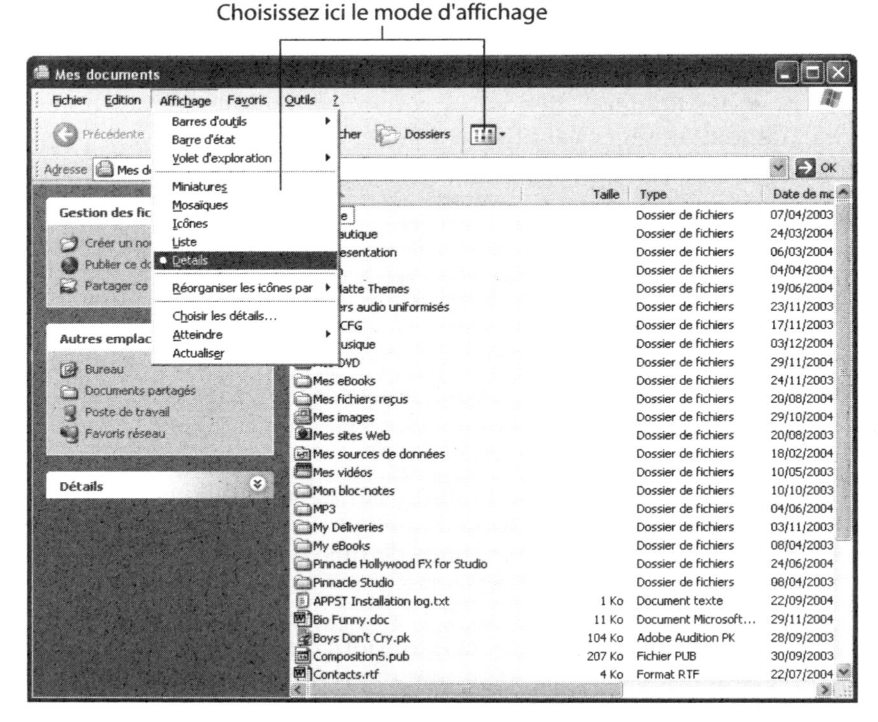

Figure 7.3 : Le dossier Mes documents affiché en mode Détails.

- **Miniatures :** Montre les fichiers et les dossiers sous forme graphique. Des icônes identifient les applications qui ont créé les fichiers, et des images s'affichent sur les icônes des dossiers.

- **Mosaïques :** Affiche de grandes icônes mais aucune image. Les documents sont identifiés par une icône correspondant à l'application qui les a créés.

- **Icônes :** Réduit la taille des icônes, sacrifiant les détails des documents.

- **Liste :** Dresse une liste des éléments. Ce mode d'affichage est essentiel lorsque vous avez de nombreux dossiers ou fichiers.

- **Détails :** Affiche le nom des fichiers, leur taille, et leur type. Dans la plupart des dossiers, vous trouverez également la date de création ou de dernière modification. Pour la musique et les images, vous voyez le titre et le nom de l'artiste. En mode Détails, vous pouvez trier les listes des fichiers en cliquant sur un des en-têtes de colonne – nom, taille, etc. Vous pouvez aussi cliquer sur ces en-têtes avec le bouton droit de la souris, et choisir Autre. Dans la boîte de dialogue Choisir les détails, cochez et décochez ceux que vous souhaitez afficher ou non dans le mode Détails. Par exemple, si vous ne souhaitez pas afficher le nom de l'auteur, décochez Auteur.

- **Pellicule :** Affiche les images sous forme de miniatures en bas de l'Explorateur Windows. L'image sélectionnée s'affiche dans une taille supérieure juste au-dessus de cette pellicule comme le montre la Figure 7.4. (Ce mode d'affichage n'est disponible que pour les dossiers contenant des images.)

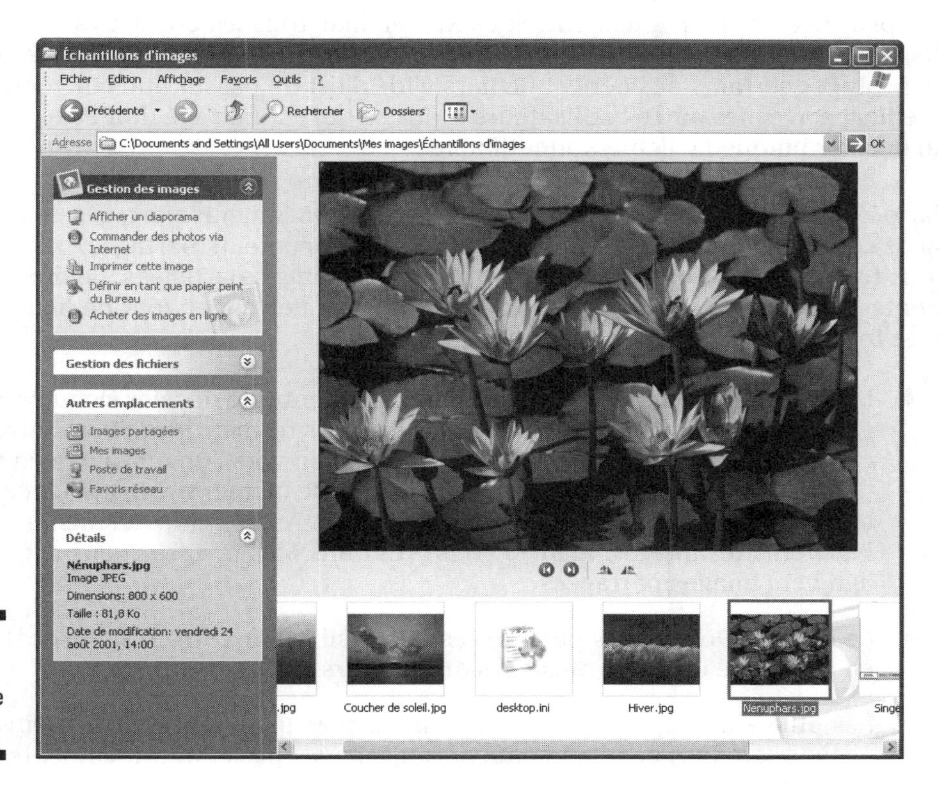

Figure 7.4 : Le dossier Mes images en mode Pellicule.

Partager des dossiers

Il faut partager ! Votre mère vous l'a assez répété quand vous étiez petit. Tout ce que vous avez appris dans les bacs à sable vous servira en informatique.

Windows XP Familial autorise quatre types de partages. Malheureusement, "partager" signifie des choses bien différentes en fonction du contexte. Voici un tour d'horizon des types de partages que vous rencontrerez dans les diverses parties de Windows, et une explication sur leur fonctionnement.

Partager sur un ordinateur

La forme la plus simple du partage est celle où plusieurs personnes utilisent le même ordinateur. Vous savez que chacun ouvre sa session de Windows en utilisant son propre compte d'utilisateur. Sous XP Familial, tous les dossiers sont mis à la disposition de n'importe qui ouvrant une session. Toutefois, pour ne pas être obligé de protéger certains dossiers et fichiers, l'idéal est de passer une convention simple et efficace avec les autres utilisateurs : tout ce qui est partagé doit être placé dans un dossier unique facilement identifiable.

Par défaut, Windows propose un dossier appelé Documents partagés. Il agit exactement comme un dossier Mes documents. Dans Documents partagés, par exemple, vous trouverez un dossier Musique partagée et Images partagées. Le dossier Documents partagés a trois caractéristiques sympathiques qui en font un lieu de stockage tout à fait spécifique :

- ✦ L'Explorateur Windows établit un lien ténu entre le dossier Documents partagés et le dossier Mes documents. En d'autres termes, la section Autres emplacements du volet d'exploration affiche un lien vers l'un ou l'autre en fonction du dossier dans lequel vous vous trouvez. De même, si vous affichez le contenu du dossier Images partagées, la section Autres emplacements propose un lien vers Mes images. Idem si vous êtes dans Mes images ; vous disposez d'un lien vers Images partagées.
- ✦ Le dossier Documents partagés est accessible sur votre réseau local (si vous en avez créé un entre plusieurs ordinateurs).
- ✦ Les utilisateurs qui ouvrent une session avec un compte Limité peuvent accéder au dossier Documents partagés, mais pas à Mes documents (voir le Chapitre 6 du Livret I).

En dehors de ces trois points, le réel avantage de placer des fichiers et des dossiers dans Documents partagés est que les autres utilisateurs penseront d'abord à consulter le contenu de ce dossier avant de se perdre dans les multiples lecteurs de votre PC.

Pour mettre un fichier ou un dossier dans Documents partagés – et ainsi le rendre disponible auprès de tous les utilisateurs – vous devez l'y placer physiquement. Ceci est très facile à réaliser :

1. **Ouvrez l'Explorateur Windows (via Démarrer/Mes documents), et cliquez sur le dossier ou le fichier que vous désirez placer dans Documents partagés.**
2. **Dans la section Gestion des fichiers du volet d'exploration, cliquez sur Déplacer ce fichier ou Déplacer ce dossier.**
3. **Dans la boîte de dialogue Déplacer les éléments (Figure 7.5), choisissez Documents partagés, puis cliquez sur Déplacer.**

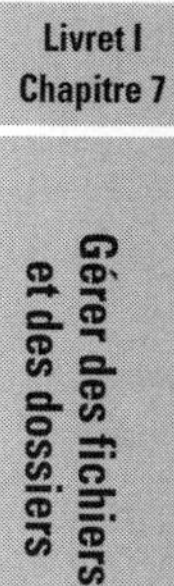

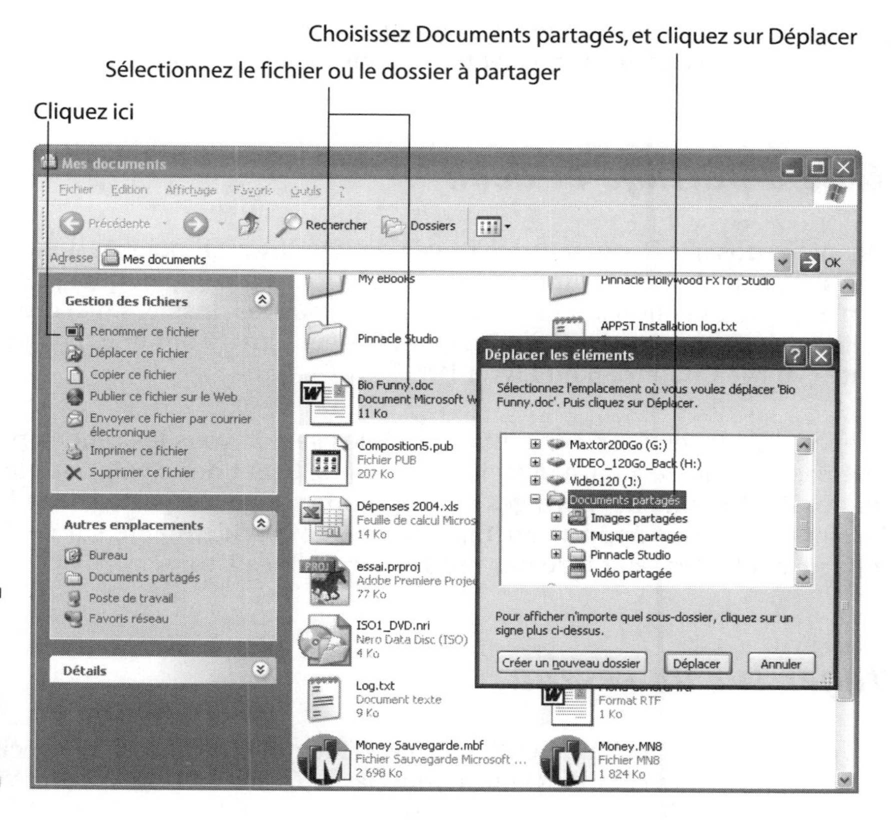

Figure 7.5 : Déplacer des fichiers et des dossiers vers le dossier Documents partagés.

La documentation de Windows XP suggère une autre méthode. Elle dit de glisser-déposer le dossier ou le document sur l'icône Documents partagés de la section Autres emplacements de l'Explorateur Windows. Je recommande fortement de ne pas suivre cette suggestion. En effet, il est très facile de commettre une erreur, donc de se tromper de dossier. De plus, cette technique ne vous permet pas de voir l'ensemble des dossiers de Documents partagés. C'est le meilleur moyen d'accumuler des fichiers dans des dossiers qui n'ont rien à voir les uns avec les autres, ruinant ainsi la loi d'organisation qui régit le monde informatique. C'est également une invitation au désastre – ou à une confusion massive – si Windows tombe sur des noms de dossiers identiques. Des copies de copies de copies vont s'amonceler dans Documents partagés.

Une fois que vous avez déplacé un fichier ou un dossier, vous risquez de passer beaucoup de temps à le chercher. Par exemple, si vous utilisez Word pour créer un document que vous placez ensuite dans le dossier Documents partagés, le programme ne sait pas que le fichier a été déplacé. Si, lors d'une autre session de travail dans Word, vous cliquez sur Fichier puis sur le nom du document, un message vous avertira que le fichier est introuvable. Le seul moyen de l'ouvrir est de cliquer sur Fichier/Ouvrir et de parcourir vos lecteurs pour localiser le document recherché.

Partage à partage et demi

Le concept du dossier Documents partagés de Windows XP pour partager des dossiers sur un seul ordinateur est un peu un leurre. En effet, en quelques clics de souris, n'importe quel utilisateur peut consulter tous les dossiers de l'ordinateur à l'exception des dossiers privés. Seuls les utilisateurs Invité ont une navigation restreinte (voir le Chapitre 6 du Livret I).

Je me répète ! Tous les dossiers sont accessibles sauf si vous les rendez privés, ce qui n'est pas une mince affaire pour les débutants. Il faut donc voir dans les possibilités du dossier Documents partagés une méthode simple de partage des fichiers et des dossiers mais qui n'apporte aucune sécurité et confidentialité sur des données que vous ne souhaitez peut-être pas rendre accessibles à tous.

Partager sur un réseau

C'est le véritable partage. Windows XP permet d'identifier des dossiers spécifiques (voire des disques durs complets) qui seront partagés sur un réseau local. Vous pouvez même indiquer à Windows XP si les personnes sont autorisées à lire et à modifier les éléments, ou si leur pouvoir s'arrête à une simple lecture des informations.

Windows XP ne permet pas de partager des fichiers individuels sur le réseau. Vous ne pouvez partager qu'un dossier (ce qui inclut d'autres dossiers et des fichiers), ou bien l'intégralité d'un disque dur. En revanche, un seul fichier ne peut pas être partagé.

Sous Windows XP Familial, les choix de partage sont simples : un dossier (ou un lecteur) est partagé ou non. Un dossier (ou un lecteur) partagé peut être en lecture seule ou en lecture/écriture. Tout utilisateur du réseau local peut accéder à un dossier ou à un lecteur partagé. Aucune autorisation spéciale n'est nécessaire.

Dans la version professionnelle de Windows XP, il y a de nombreuses options de sécurité. C'est ce qui justifie encore plus, s'il le fallait, l'existence d'un administrateur réseau.

Partager un dossier sur un réseau local est une procédure très facile à réaliser :

1. **Exécutez l'Explorateur Windows (par exemple via Démarrer/Mes documents), et localisez le dossier à partager.**

2. **Cliquez dessus avec le bouton droit de la souris. Dans le menu contextuel, choisissez Partage et sécurité.**

3. **Dans la boîte de dialogue Propriétés de <nom du dossier>, représentée à la Figure 7.6, cochez l'option Partager ce dossier sur le réseau.**

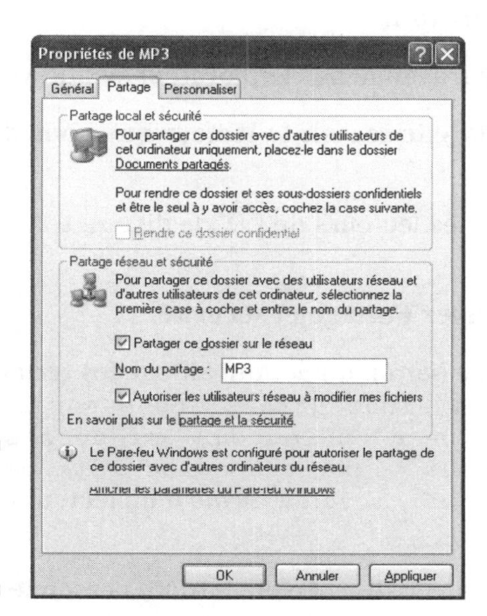

Figure 7.6 : Partage d'un dossier nommé MP3.

4. **Attribuez au dossier un nom sous lequel il apparaîtra aux autres utilisateurs du réseau.**

   Officiellement, ce nom est dit *Nom du partage*.

5. **Si vous désirez que les utilisateurs du réseau puissent modifier le contenu du dossier, cochez l'option Autoriser les utilisateurs réseau à modifier mes fichiers.**

Cliquez sur OK. Le dossier partagé devient accessible, dans les conditions spécifiées, à tous les utilisateurs du réseau. Si je clique sur Démarrer/Favoris réseau, le dossier partagé apparaît dans l'Explorateur Windows. Je peux le consulter et en modifier les fichiers si les autorisations sont correctement définies.

Quand vous partagez un dossier, tous ses dossiers et fichiers le sont également.

Partager un lecteur

La procédure de partage d'un lecteur est légèrement plus difficile, mais moins intimidante que celle du partage d'un dossier :

1. **Cliquez sur Démarrer/Poste de travail.**

   Vous ouvrez le contenu Poste de travail dans l'Explorateur Windows.

2. **Avec le bouton droit de la souris, cliquez sur le lecteur que vous désirez partager.**

   Notez que vous pouvez partager des lecteurs de CD, de disquettes, et tout autre support de stockage.

3. **Dans le menu contextuel, choisissez Partage et sécurité.**

   Windows répond à votre demande par un onglet qui affiche les termes suivants : `Pour protéger votre ordinateur des accès non autorisés, le partage de la racine d'un lecteur est déconseillé. Si, malgré les risques, vous souhaitez quand même partager la racine du lecteur, cliquez ici.` (La *racine* d'un lecteur est le lecteur lui-même.)

   Le partage d'un lecteur n'est pas sans risque. En effet, toute personne accédant au réseau peut consulter, voire modifier, tout le contenu du lecteur. Ainsi, lorsque vous partagez le lecteur C, c'est-à-dire le disque dur sur lequel Windows est installé, les utilisateurs du réseau peuvent accéder à son dossier. Ils peuvent également ouvrir le dossier Program Files (qui contient les applications installées sur votre ordinateur), et les paramètres de chaque utilisateur du PC.

4. **Cliquez sur "Si, malgré les risques, vous souhaitez quand même partager la racine du lecteur, cliquez ici".**

5. **Vous accédez à l'onglet Partage. (Si ce n'est pas le cas, cliquez dessus dans la boîte de dialogue qui apparaît.) Cochez la case Partager ce dossier sur le réseau. Donnez un Nom de partage compréhensible de tous les utilisateurs.**

   Si vous voulez que tout le monde puisse modifier le contenu du lecteur, activez l'option Autoriser les utilisateurs réseau à modifier mes fichiers. Cliquez sur OK. Désormais, le lecteur est partagé sur le réseau.

Lorsque vous partagez des lecteurs de CD, Jaz, et de disquettes, il est judicieux d'en donner une description précise dans le champ Nom du partage. L'utilisateur saura ainsi la quantité de données que peut stocker le lecteur. Cela évitera de tenter de copier un fichier de 2,3 Mo sur une disquette qui ne peut en contenir que 1,44.

Restaurer des fichiers et des dossiers

Lorsque vous supprimez un fichier, il ne va ni en enfer, ni au paradis, ni au purgatoire chers à Dante !

La réalité est, comme souvent, très terre à terre. Le fichier prend place dans la corbeille de Windows. Pour l'y envoyer, soit vous le glissez-déposez sur l'icône de la corbeille qui trône sur le bureau ; soit vous cliquez sur un fichier avec le bouton droit de la souris dans l'Explorateur Windows et choisissez Supprimer dans le menu contextuel ; soit enfin, vous cliquez dessus avec le bouton gauche de la souris et appuyez sur la touche Suppr du clavier. En cas de suppression accidentelle, vous pouvez facilement restaurer le(s) fichier(s) effacé(s).

Pour récupérer les fichiers et dossiers supprimés, double-cliquez sur l'icône de la corbeille. Son contenu s'ouvre dans une fenêtre de l'Explorateur Windows comme le montre la Figure 7.7.

Figure 7.7 : La corbeille, cimetière temporaire des fichiers et des dossiers.

Pour récupérer un élément, cliquez dessus. Une fois cette sélection opérée, cliquez sur Restaurer cet élément dans le volet d'exploration. Vous pouvez sélectionner plusieurs éléments à restaurer en utilisant la technique du Ctrl+clic ou du Maj+clic.

Pour récupérer l'intégralité des éléments supprimés, sélectionnez-en aucun, puis cliquez sur Restaurer tous les éléments.

Pour supprimer définitivement les dossiers et les fichiers de la corbeille, cliquez sur Vider la corbeille. Windows demande confirmation de cette action. Si vous répondez par l'affirmative, il ne sera plus possible de revenir en arrière.

Les fichiers et les dossiers des disquettes et des lecteurs réseau sont immédiatement effacés du disque dur quand vous les supprimez. En d'autres termes, ils ne passent pas temporairement par la corbeille de Windows.

Chapitre 8

Localiser des éléments avec Windows XP

Dans ce chapitre :

- Créer une requête de recherche.
- Chercher des fichiers de tout type.
- Utiliser des caractères génériques dans vos recherches.
- Les meilleures méthodes de recherche.

Les ordinateurs stockent de nombreux éléments. Retrouver des fichiers n'est pas une tâche très difficile lorsque vous débutez en informatique. En revanche, les choses se compliquent au fur et à mesure que les mois avancent. Très rapidement, le moindre fichier oublié devient très difficile à localiser. Windows XP propose une fonction de recherche très puissante appelée Assistant Recherche. Je vous propose d'en découvrir les tenants et les aboutissants dans ce nouveau chapitre.

Présentation de l'Assistant Recherche

Pour exécuter l'Assistant Recherche, cliquez sur Démarrer/Rechercher. Vous accédez à la boîte de dialogue représentée Figure 8.1.

Je pense que l'Assistant Recherche ne vous sera pas totalement inconnu. En effet, il s'agit d'un volet spécial qui s'ouvre dans l'Explorateur Windows. Regardez bien la Figure 8.2. Elle représente le contenu du dossier Mes document lorsque vous cliquez sur le bouton Rechercher de la barre d'outils Standard.

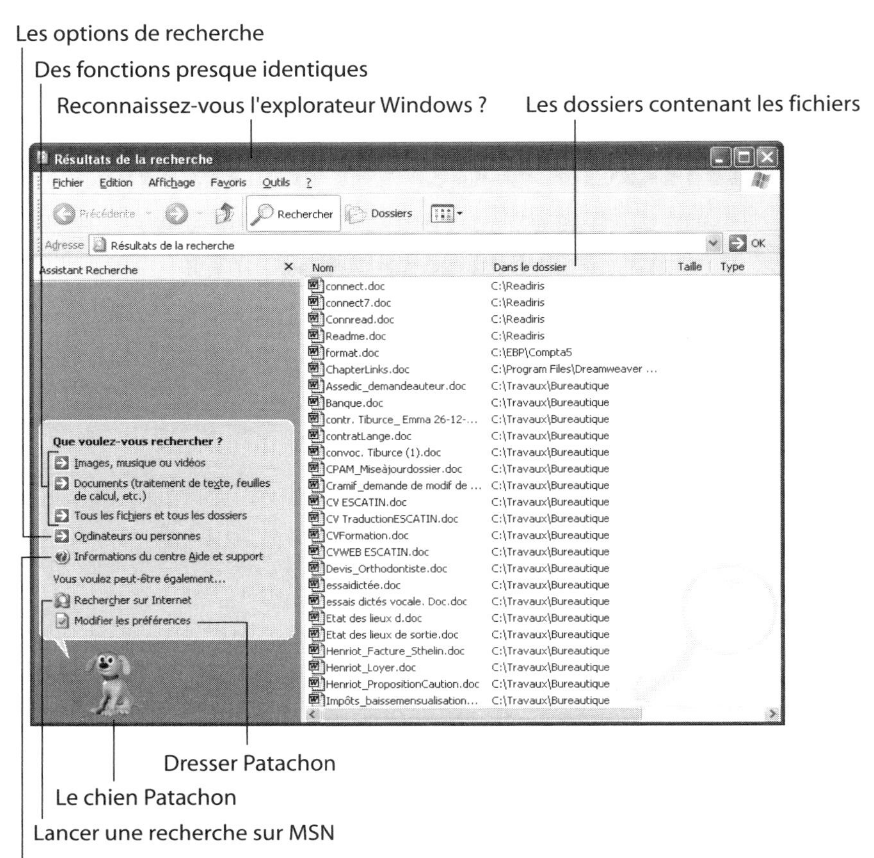

Figure 8.1 : L'Assistant Recherche.

Que pouvez-vous trouver ?

Lorsque vous lancez l'Assistant Recherche en cliquant sur Démarrer/Rechercher (voir la Figure 8.1), ou si vous cliquez sur le bouton Rechercher d'une fenêtre de l'Explorateur Windows (voir la Figure 8.2), le chien Patachon vous permet de rechercher les éléments suivants :

- **Images, musique, ou vidéos :** En choisissant cette option, notre fidèle compagnon recherchera les images, les photos, la musique, et/ou les fichiers vidéo. Si besoin, cochez toutes les options de recherche. Dans ce cas, Windows suppose que vous souhaitez exécuter une recherche complète (comme cela est décrit dans la section "Rechercher des fichiers et des dossiers" un peu plus loin dans ce chapitre). Comme le montre la Figure 8.3, la recherche se limite ici aux fichiers portant une extension bien spécifique.

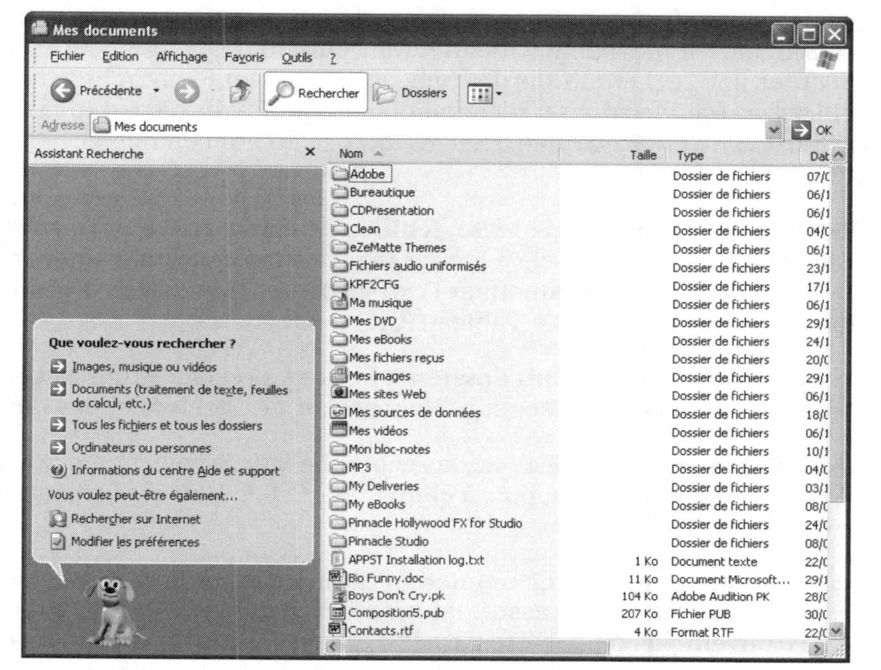

Figure 8.2 : Dans l'explorateur Windows, il suffit de cliquer sur le bouton rechercher pour voir apparaître l'Assistant Recherche.

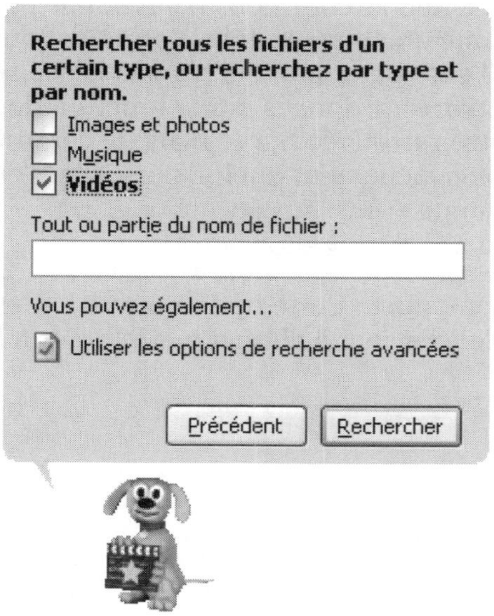

Rechercher tous les fichiers d'un certain type, ou recherchez par type et par nom.

Images et photos

Musique

Vidéos

Tout ou partie du nom de fichier :

Vous pouvez également…

Utiliser les options de recherche avancées

Précédent Rechercher

Figure 8.3 : Limiter la recherche aux extensions des noms de fichiers.

Le contenu du fichier n'est pas pris en compte par Windows XP. En effet, le programme est incapable d'identifier le contenu d'un document. Si vous effectuez une recherche sur des images, l'Assistant Recherche ressortira les fichiers graphiques dont il reconnaît le format. Ce format est identifié par l'extension de trois ou quatre lettres ajoutée au nom du fichier par le logiciel qui a créé le document.

✦ **Documents (traitement de texte, feuilles de calcul, etc.) :** A l'instar de la précédente option, celle-ci va limiter la recherche à des documents bureautiques dont l'assistant va identifier l'extension des noms de fichiers. Ces extensions sont reprises dans le Tableau 8.1.

✦ **Tous les fichiers et tous les dossiers :** Cette option lance une recherche étudiée en détail dans la section "Rechercher des fichiers et des dossiers".

✦ **Ordinateurs ou personnes :** Ici, la recherche lancée revient à cliquer sur Démarrer/Favoris réseau, puis à cliquer sur le lien Voir les ordinateurs du groupe de travail.

Cette option permet de rechercher un ordinateur sur le réseau, ou des personnes de votre carnet d'adresses. Pour rechercher des utilisateurs du Web qui ne se trouvent pas dans votre carnet d'adresses, vous pouvez effectuer votre recherche sur un service d'annuaires comme Bigfoot, VeriSign, ou WhoWhere.

Attention ! Ne croyez pas que ces services d'annuaire permettent de retrouver n'importe qui, n'importe où, et n'importe comment. En d'autres termes, il ne suffit pas de cliquer sur Démarrer/Rechercher pour trouver des personnes sur Internet. Le Web est un peu comme un annuaire téléphonique. Pour y être retrouvé, il faut s'y enregistrer. Toute personne qui n'a pas laissé ses coordonnées dans un des services d'annuaires proposés par la fonction de recherche de Windows XP ne pourra pas être retrouvée par le biais de cet utilitaire. Pour cette raison, vous retrouverez plus facilement quelqu'un sur le Web en utilisant un moteur de recherche comme : `www.anywho.com`, `www.whowhere.lycos.com`, ou `people.yahoo.com`.

✦ **Informations du centre Aide et support :** Cette option ouvre le Centre d'aide et de support de Windows XP. Cela revient à cliquer sur le bouton Démarrer/Centre d'aide et de support.

Tableau 8.1 : Les extensions de fichiers dans une recherche.

Choisissez ce type de fichier	et Windows XP recherche les documents portant les extensions suivantes
Images et photos	ANI, ART, BMP, Calque de réglage, CGM, CMP, DIB, EPS, GIF, JPG, TIF, PCX, PNG, PS, WMF.
Musique	AIF, AIFF, ASF, CDA, FAR, MID, MP3, RAM, RMI, WAV, WMA.
Vidéo	ASF, ASX, AVI, MMM, MPG
Documents	ASC, ASP, AW, CHI, DBF, DOC, DOT, HTM, HTML, MDB, MSG, OBD, PDD, POT, PPS, PPT, PUB, RTF, SAM, TIF, TXT, WRI, XLA, XLL, XLS, XLT.

Ce que vous ne pouvez pas rechercher

A la surprise générale, l'assistant recherche de Windows XP n'effectue aucune recherche des messages électroniques stockés dans Outlook ou Outlook Express. Ceci n'est possible qu'en activant le service d'indexation. Toute tentative de recherche basée sur le texte d'un message, ou sur le contenu de sa ligne Objet, se soldera par un échec.

Elaborer une requête

Il existe deux manières différentes de demander à un ordinateur de rechercher des éléments :

- **Recherche par mots-clés :** Cette recherche se base sur un mot que vous saisissez. Dans certains cas, ce type de recherche peut être amélioré par des opérateurs de comparaison comme ET ou PAS. Supposons que l'Assistant Recherche tente de localiser des fichiers contenant les noms **bleu** ou **dauphin**. Dans cette hypothèse, il liste tous les fichiers contenant l'un ou l'autre de ces mots.

- **Recherche intuitive :** Dans ce type de recherche, vous formulez une question à laquelle l'Assistant Recherche doit répondre. Par exemple, vous saisirez : **De quelle couleur sont les dauphins ?** Vous obtiendrez alors une liste de sites Web qui traitent de la couleur des dauphins.

L'Assistant Recherche de Windows XP combine ces deux méthodes d'une manière très particulière. Si vous recherchez des sites Web, vous devez poser une question. Pour tous les autres types de recherche, vous devez saisir des mots-clés. Si vous ne comprenez pas, ou ne respectez pas cette règle, les résultats de vos recherches n'auront pas fini de vous irriter, ou de faire naître une grande confusion dans votre esprit.

Rechercher des fichiers et des dossiers

L'expérience informatique montre chaque jour que nous oublions l'emplacement de stockage de certains documents. Par exemple, vous savez qu'un fichier traite d'un sujet spécifique, et vous ne savez plus où vous l'avez sauvegardé. Un autre problème peut également se présenter : Vous supprimez ou déplacez accidentellement toutes les images de votre voyage à Venise. Autre hypothèse : Lecteur Windows Média ne parvient plus à trouver les fichiers MP3 de la tournée des Grateful Dead de 1974. Cette section va redonner des couleurs à votre existence.

En général, les utilisateurs d'un ordinateur recherchent des fichiers ou des dossiers pour une ou deux raisons majeures. Par exemple, ils se souviennent vaguement avoir créé un document – une lettre au Père Noël, la description d'un produit, ou une bonne blague – mais ne se rappellent plus du tout dans quel dossier ce document a été stocké. Ou bien, ils ont fait joujou avec l'Explorateur Windows, et l'emplacement spécifique qu'ils croyaient retrouver en quelques clics de souris a bel et bien disparu.

Quel que soit le cas de figure auquel vous êtes confronté, la seule solution est de demander à Windows XP d'effectuer une recherche dans les dossiers et les fichiers.

Si vous cliquez sur Démarrer/Rechercher, l'Assistant Recherche (voir la Figure 8.1) permet de limiter les résultats à des fichiers images, musicaux, vidéos, ou bureautiques. En revanche, si vous ne connaissez pas le type de fichier à rechercher, il est judicieux de choisir l'option Tous les fichiers et tous les dossiers de l'Assistant Recherche.

Vous souvenez-vous du type de fichier recherché ? Vous souvenez-vous d'une partie du nom du fichier ? Neuf fois sur dix, connaître une partie du nom du fichier suffit. Les sections suivantes montrent comment effectuer des recherches permettant d'obtenir les meilleurs résultats.

Rechercher des images, de la musique, ou de la vidéo

Lorsque vous connaissez le type de fichier à rechercher, ne vous compliquez pas la tâche.

1. **Cliquez sur Démarrer/Rechercher.**

   Comme vous pouvez le voir à la Figure 8.1, l'Assistant Recherche entre en scène sous la forme de Patachon. (Bien évidemment, le personnage animé sera différent si vous en avez sélectionné un autre.)

2. **Cliquez sur Images, musique, ou vidéos.**

Le volet Assistant Recherche correspond à celui de la Figure 8.3.

3. **Sélectionnez le type de fichier à rechercher.**

   Tout ce que vous connaissez au sujet du fichier recherché peut être saisi dans le champ Tout ou partie du nom du fichier. Par exemple, si vous recherchez des fichiers musicaux et que vous saisissez le nom **Ludwig** dans ce champ, Windows trouvera sans problème la neuvième symphonie de Beethoven. Essayez et vous verrez ce que je vous dis.

   TRUC

   Toutes les options de recherche avancée sont disponibles telles qu'elles sont décrites dans la section traitant de ce sujet.

4. **Si vous ne trouvez pas le fichier recherché, exécutez le Lecteur Windows Média et tentez d'effectuer une recherche à partir de sa boîte de dialogue.**

Rechercher un document

Cette option suppose que vous connaissiez le type de fichier à rechercher. Il s'agit impérativement d'un document bureautique, que ce soit un fichier texte normal (dont l'extension de fichier est `.txt`), un document Word (`.doc`), un classeur Excel (`.xls`), une présentation PowerPoint (`.ppt` ou `.pps`), ou tout autre document listé au Tableau 8.1 :

1. **Cliquez sur Démarrer/Rechercher.**

2. **Cliquez sur Documents (traitement de texte, feuilles de calcul, etc.).**

   Vous ouvrez la boîte de dialogue représentée à la Figure 8.4.

3. **Indiquez à Patachon comment limiter la recherche.**

   Si vous vous souvenez de la date de la dernière modification du document, activez l'option appropriée. Si vous choisissez Semaine précédente, et que votre document a été modifié il y a plus de huit jours, il ne figurera pas dans les résultats de la recherche.

   Si vous vous souvenez d'une partie du nom du fichier, saisissez-le dans le champ de l'Assistant Recherche. Dans ce cas, vous obtiendrez une liste de tous les fichiers dont le nom contient les caractères saisis. (Voir le Tableau 8.2.)

Rechercher en utilisant le(s) critère(s) ci-dessous.

Date de sa dernière modification :

- (•) **Je l'ignore**
- ( ) Semaine précédente
- ( ) Mois précédent
- ( ) Année précédente

Une partie ou l'ensemble du nom du document :

Vous voulez peut-être également...

☑ Utiliser les options de recherche avancées

Précédent | Rechercher

Figure 8.4 : Demandez à Patachon de chercher des documents.

Tableau 8.2 : Correspondance des noms de fichiers.

Tapez ceci	vous obtiendrez cela	mais pas ceci
a	`a.xls`	`b.xls`
panne	`panne d'oreiller.txt`	`panneau.txt`
pape	`paperasserie.ppt`	`appelé.ppt`
bois	`boiserie.doc`	`boi.doc`

L'Assistant Recherche reconnaît les mots-clés OU et ET. Si, dans le champ Une partie ou l'ensemble du nom du document, vous saisissez **nouvelle ou récente**, Patachon listera des fichiers comme une `nouvelle image.jpg` et `chanson récente.mp3`. Patachon suppose que vous voulez dire ET.

La recherche par nom de fichier est littérale, et elle inclut les extensions si Windows est configuré pour les afficher. Dans ce cas, si vous effectuez une recherche basée sur les caractères txt, tous les fichiers portant l'extension `.txt` seront affichés dans les résultats de la recherche.

4. **Si vous ne trouvez pas le fichier objet de votre recherche, utilisez l'option "Un mot ou une phrase dans le document". Elle permet d'effectuer une recherche à l'intérieur même du document et pas uniquement sur le nom du fichier.**

Rechercher Tous les fichiers et tous les dossiers

Si vous ne connaissez absolument plus la nature de votre fichier, demandez à Patachon d'effectuer une recherche dans tous les fichiers et tous les dossiers de votre ordinateur :

1. **Cliquez sur Démarrer/Rechercher.**
2. **Cliquez sur Tous les fichiers et tous les dossiers.**

   Lorsque vous invoquez ce type de recherche, vous accédez à la boîte de dialogue représentée à la Figure 8.5.

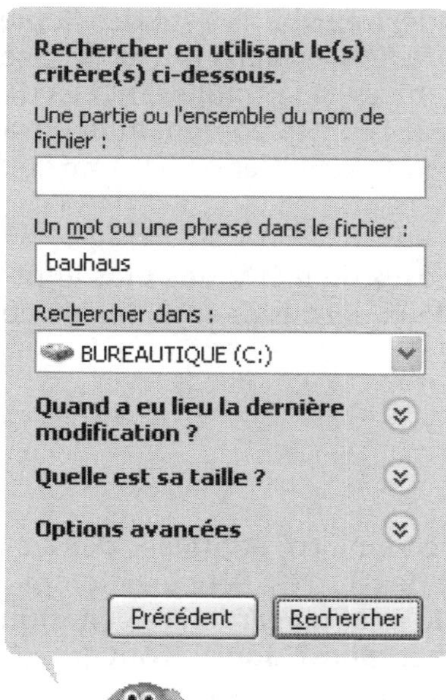

Figure 8.5 : Recherche la plus poussée de notre jeune limier.

3. **Aidez Patachon à trouver le fichier !**

   La recherche sur une partie du nom du fichier reprend les grands principes du Tableau 8.2. Si vous saisissez l'extension du fichier, par exemple **.doc**, vous obtiendrez tous les fichiers de ce type.

   Le champ Un mot ou une phrase dans le fichier demande à l'Assistant Recherche d'effectuer son enquête dans le contenu même du document. Ainsi, lorsque vous saisissez **de retour dans une minute**, l'assistant recherche tous les fichiers contenant cette phrase précise.

   L'Assistant Recherche regarde les informations attachées au fichier – des données que vous ne voyez pas lorsque vous ouvrez le fichier. Il s'agit d'informations insérées dans le fichier sous forme de *métadonnées*. C'est grâce à elles qu'en saisissant **ludwig** vous trouvez la neuvième symphonie de Beethoven. Les fichiers multimédias contiennent souvent des métadonnées qui précisent leur contenu. Les documents Microsoft Office disposent également de métadonnées. Pour les afficher, ouvrez un document dans son application Office, et choisissez Fichier/Propriétés. Les métadonnées sont stockées dans les onglets Résumé et Personnalisation.

4. **Cliquez sur Rechercher. L'assistant va dresser la liste de tous les fichiers répondant à vos critères.**

   Si vous indiquez à Patachon que vous désirez voir la liste des fichiers contenant **bois** dans tout ou partie du nom du fichier, ainsi que la phrase **des forêts entières**, il affichera uniquement les fichiers qui remplissent ces deux conditions. Par conséquent, un fichier `boiserie.txt` contenant la phrase `des forêts entières` sera exclu. A l'inverse, le fichier `bois.txt` contenant cette phrase sera affiché.

A côté de ces recherches simples, vous disposez de méthodes plus approfondies que je vous propose de découvrir dans les deux dernières sessions de ce chapitre.

Utiliser des caractères génériques

L'Assistant Recherche de Windows XP sait reconnaître et utiliser des *caractères génériques*. Il s'agit de signes qui remplacent des lettres. Seul un exemple permet de bien illustrer cette fonction. Ainsi, le symbole ? est un caractère générique pour l'assistant. Si vous lui demandez de rechercher **gloss?.doc**, il trouvera `gloss1.doc`, mais pas `glossaire.doc`. Le ? remplace un caractère, pas plus !

L'Assistant Recherche reconnaît deux caractères génériques. ? remplace un caractère, tandis que * en remplace plusieurs. (Voir le Tableau 8.3).

Tableau 8.3 : Les caractères génériques des noms de fichiers.

Ceci	donne cela	mais pas ceci
gloss?.txt	gloss1.txt	glossine.txt, glossaire.txt
gloss*.doc	glossaire.doc,	glossine.txt, gloss1.doc glossaire.txt, glossine.txt, gloss1.txt

Les caractères génériques ne fonctionnent qu'avec les noms de fichiers et de dossiers. Le champ "Un mot ou une phrase dans le fichier" ne reconnaît pas les caractères génériques.

Recherche approfondie avec les options avancées

La boîte de dialogue de l'Assistant Recherche contient trois options supplémentaires : Quand a eu lieu la dernière modification ?, Quelle est sa taille ?, et Options avancées. Si vous cliquez sur Quand a eu lieu la dernière modification ?, vous pouvez spécifier une option de recherche comme le montre la Figure 8.6. L'Assistant Recherche limitera son action à l'option spécifiée.

Si vous cliquez sur Quelle est sa taille ?, l'assistant limite sa recherche à la taille de fichier spécifiée. Par expérience, je sais que les utilisateurs n'ont pas conscience de la taille de leurs fichiers. Par conséquent, cette option ne doit pas être prioritaire.

Enfin, si vous cliquez sur Options avancées (voir la Figure 8.7), vous accédez à six possibilités :

- **Type de fichier** liste toutes les extensions des fichiers présents sur votre ordinateur, sauf si vous avez coché l'option qui interdit à Windows de les afficher. Si vous connaissez l'extension du fichier recherché, cette option est la pire que vous puissiez alors utiliser. Il est préférable de saisir l'extension dans le champ Une partie ou l'ensemble du nom du fichier. Par exemple, saisissez ***.mpeg** ou ***.ani**.
- Si vous cochez **Rechercher dans les dossiers système**, l'Assistant Recherche ne consulte que les dossiers Windows, Documents and Settings, et Program Files.
- L'option **Rechercher dans les fichiers et les dossiers** cachés limite la recherche aux fichiers et aux dossiers dont l'attribut caché est activé.

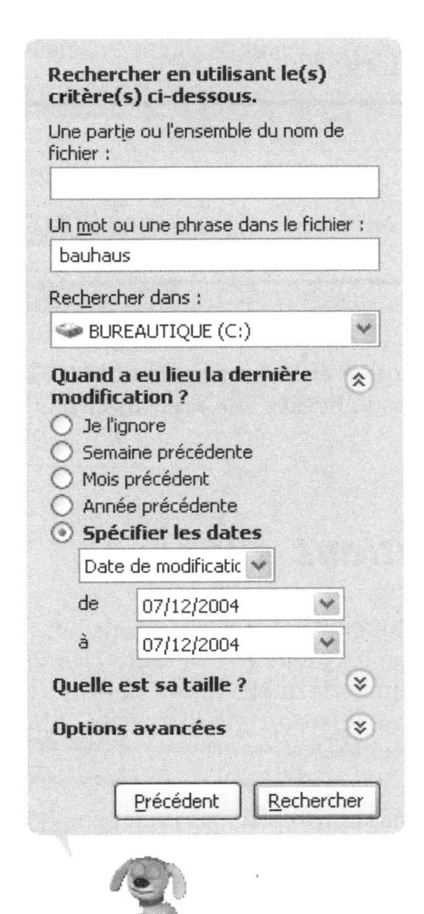

Figure 8.6 : Limitez la recherche en fonction de la date de dernière modification du fichier.

Les fichiers et les dossiers *cachés* ne le sont pas réellement. Ils sont marqués par un attribut qui empêche l'Explorateur Windows de les afficher. Pour que ces éléments deviennent visibles, vous devez activer une option de l'explorateur. Pour masquer un fichier ou un dossier, cliquez sur Démarrer/Mes documents. Cette action ouvre l'Explorateur Windows. Avec le bouton droit de la souris, cliquez sur l'icône d'un fichier ou d'un dossier, puis choisissez Propriétés dans le menu contextuel. Dans la section Attributs de l'onglet Général, cochez la case Fichier caché ou Caché (pour les dossiers). Si la fonction d'affichage de ces éléments cachés n'est pas active dans l'Explorateur Windows, celui-ci les masque.

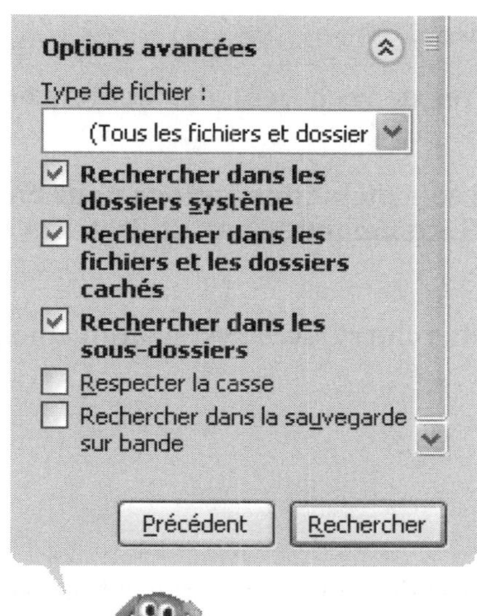

Figure 8.7 : Des options de recherche poussées.

- **Rechercher dans les sous-dossiers** indique à l'assistant d'inclure dans sa recherche les sous-dossiers du dossier spécifié dans le champ Rechercher dans. Il est préférable d'activer systématiquement cette option.

- En dépit de ce que vous pouvez lire dans d'autres ouvrages, l'option **Respecter la casse** n'est pas prise en compte dans la recherche des noms de fichiers. Elle ne s'applique qu'au texte saisi dans le champ Un mot ou une phrase dans le fichier. Alors, si vous tapez **Dauphin Bleu**, et que vous activez cette option, l'Assistant Recherche n'affichera que les fichiers contenant expressément ce texte. En conséquence, il n'affichera pas **Dauphin bleu**, **dauphin Bleu**, ou **dauphin bleu**, et toutes les variantes que vous pouvez imaginer.

  Les noms de fichiers ne sont jamais sensibles à la casse. Jamais ! Les termes "Mes documents" et "mes documents" se réfèrent bel et bien au même dossier.

- **Rechercher dans la sauvegarde sur bande** ne s'applique que si vous utilisez la fonction de sauvegarde sur bande de Windows XP.

Si vous en êtes à ce paragraphe, c'est que votre esprit a été littéralement conquis par la fonction de recherche de Windows. Si vous désirez trouver des fichiers spécifiques sans être distrait par l'animation de l'Assistant Recherche, conformez-vous à la procédure suivante :

1. **Cliquez sur Démarrer/Rechercher.**

2. **Cliquez sur Modifier les préférences.**

3. **Cliquez sur Modifier les paramètres de recherche des fichiers et des dossiers.**

4. **Activez l'option Recherche avancée – inclut des options pour entrer manuellement un critère de recherche. Recommandée aux utilisateurs expérimentés uniquement.**

Avec cette option active, l'Assistant Recherche s'ouvre systématiquement sur les options avancées.

Sauvegarder une recherche

Répétez-vous inlassablement le même type de recherche ? Si c'est le cas, peu d'utilisateurs savent qu'il est possible de sauvegarder une recherche pour la réutiliser à tout moment.

Voici comment procéder :

1. **Cliquez sur Démarrer/Rechercher pour ouvrir l'Assistant Recherche.**

2. **Configurez votre recherche.**

   Sur la Figure 8.8, je demande à Patachon de chercher tous les fichiers MP3 du dossier Ma musique qui ont, au plus, une semaine.

3. **Cliquez sur le bouton Rechercher.**

   Voici l'astuce. Peu importe que vous ayez besoin, à ce moment précis, de lancer ou non la recherche. L'essentiel est d'y procéder !

4. **Choisissez Fichier/Enregistrer la recherche.**

   Cette commande n'apparaît dans le menu Fichier que si la recherche a été lancée à l'étape 3. Par défaut, Windows XP propose d'enregistrer le fichier sous `Fichiers nommés @.mp3.fnd`.

5. **Parcourez vos lecteurs pour choisir celui dans lequel vous désirez stocker cette sauvegarde. Donnez-lui un nom plus significatif, et cliquez sur Enregistrer.**

6. **Chaque fois que vous désirerez lancer cette même recherche, double-cliquez sur le fichier `.FND`. Ce n'est pas plus compliqué.**

Figure 8.8 : Pour sauvegarder et réutiliser une recherche, indiquez son déroulement.

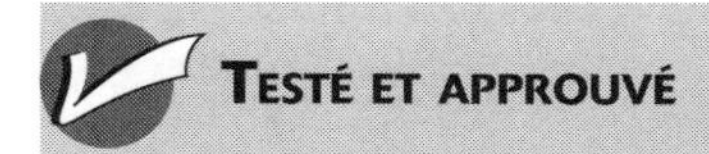

Testé et approuvé

Changer de clébard !

Patachon est le gentil petit chien que Windows XP vous propose par défaut comme Assistant Recherche. Mais voilà ! Certains utilisateurs n'aiment pas les chiens. D'autres ne supportent pas les animations qui distraient leur attention. Alors, soit vous changez d'assistant, soit vous n'affichez aucune animation.

Voici comment changer d'Assistant Recherche :

1. **Cliquez sur Démarrer/Rechercher.**
2. **Cliquez sur Modifier les préférences.**
3. **Pour remplacer Patachon, cliquez sur Avec un autre personnage. Si vous ne souhaitez pas d'animation, cliquez sur Sans personnage animé à l'écran.**

   Si vous changez de personnage, parcourez la galerie de portrait. Dès qu'un assistant vous plaît, cliquez sur OK.
4. **Cliquez sur OK.**

Chapitre 9

Ajouter et supprimer des programmes

Dans ce chapitre :

- Installer et supprimer un programme informatique.
- Utiliser le programme d'installation d'une application.
- Ajouter et supprimer des éléments de Windows XP.

Il y a quelques années, un chapitre comme celui-ci aurait demandé des explications très poussées et des procédures difficiles à exécuter. Réjouissez-vous de vivre au XXIe siècle. En effet, Microsoft a fait un travail remarquable pour faciliter l'ajout et la suppression de logiciels ainsi que celui de différentes parties du système d'exploitation Windows XP. Ce petit chapitre explique comment procéder.

Installer et supprimer des programmes

Windows XP dispose d'un petit utilitaire qui permet d'ajouter et de supprimer des programmes. Pour l'exécuter, cliquez sur Démarrer/Panneau de configuration/ Ajouter ou supprimer des programmes. Vous accédez à la boîte de dialogue représentée Figure 9.1.

Vous constatez que la boîte de dialogue Ajouter ou supprimer des programmes dispose d'un bouton Modifier. Il permet d'effectuer des modifications majeures dans un programme, mais ne pensez surtout pas qu'il autorise des modifications mineures comme la désactivation d'une option. Par exemple, n'utilisez pas ce bouton pour que Word n'affiche plus de règles. Ce type d'indication doit être donné directement dans le programme. Comme vous pouvez le voir sur la Figure 9.2, le fait de cliquer sur le bouton Modifier de la boîte de dialogue Ajouter ou supprimer des programmes lance une application d'installation propre à Microsoft Office permettant d'activer l'utilitaire d'analyse du programme Excel (ceci n'est qu'un exemple).

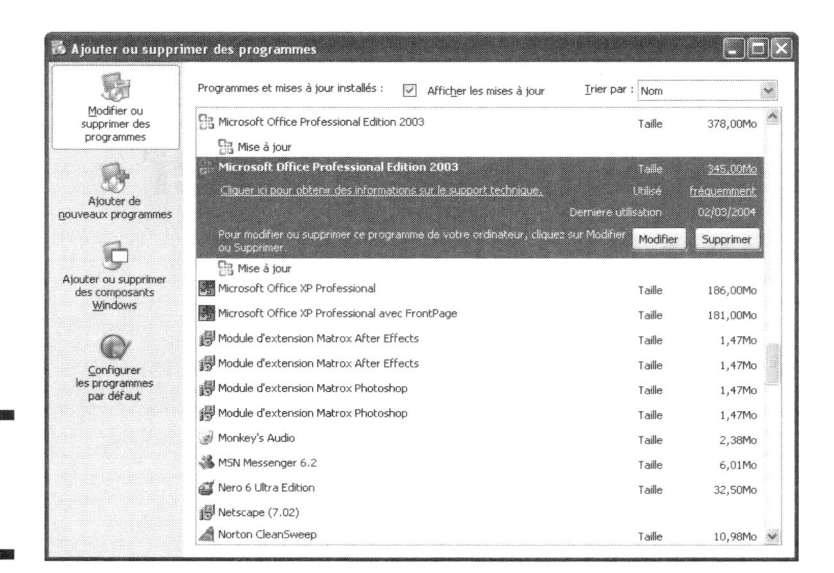

Figure 9.1 : Ajouter ou supprimer des programmes.

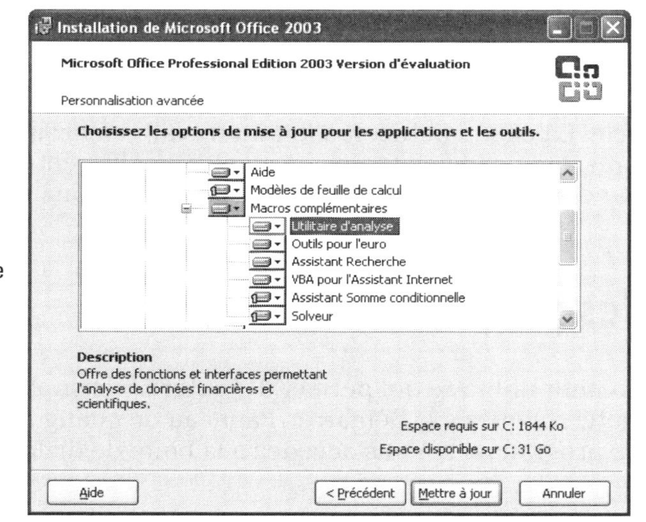

Figure 9.2 : La boîte de dialogue d'installation d'Office 2003 invoquée depuis la fenêtre Ajouter ou supprimer des programmes de Windows.

En réalité, Windows XP ne gère pas véritablement l'ajout ou la suppression de programmes. Le système d'exploitation ne fait que centraliser les désinstalleurs de tous les programmes présents sur votre ordinateur. En d'autres termes, vous pouvez très bien désinstaller un programme en lançant l'application créée par l'éditeur de ce logiciel. Généralement, ce petit utilitaire de désinstallation se trouve dans le dossier de l'application du menu Tous les programmes. Comme Windows XP se base sur ces utilitaires de désinstallation pour installer et désinstaller lui-même des programmes, en cas de problème, vous devez vous adresser à l'éditeur du logiciel fautif.

L'école de l'installation et de la désinstallation

Voici quelques remarques sur l'installation et la désinstallation de programmes :

- En pratique, vous ne devez jamais utiliser la boîte de dialogue Ajouter ou supprimer des programmes pour en installer de nouveaux. Lorsque vous souhaitez installer un nouveau programme, suivez la procédure recommandée pour les nuls : Insérez le CD d'installation dans votre lecteur de CD-ROM, et suivez les instructions qui apparaissent à l'écran. C'est à notre avis la méthode la plus simple.
- Vous utiliserez rarement la boîte de dialogue Ajouter ou supprimer des programmes pour retirer des éléments d'un programme. Généralement, vous essayez d'ajouter des fonctions à un programme lorsque vous avez oublié de les sélectionner lors de la première installation. Ou bien, vous chercherez à supprimer la totalité du programme.

Pour qu'un programme fonctionne bien, il est recommandé d'installer la totalité de ses composants. En effet, lorsque vous procédez à une installation minimale d'un programme, seuls les composants principaux sont installés. Ainsi, lorsque vous demanderez au programme d'exécuter telle ou telle tâche, vous devrez installer les éléments manquants. Si vous procédez de la sorte avec une application aussi complexe que Microsoft Office, vous n'arrêterez pas d'installer de nouveaux composants. Si vous n'installez pas la totalité d'un programme à cause d'un espace disque insuffisant, je vous invite instamment à investir dans un disque dur plus volumineux. Au regard du prix des disques actuels, il serait dommage de se priver d'un tel confort.

- De plus en plus de programmes de désinstallation exigent l'insertion du CD d'origine pour pouvoir supprimer le programme de votre disque dur. C'est un peu comme si vous deviez montrer le carnet de vaccination de votre chien avant de pouvoir sortir du territoire.

Lorsque vous exécutez un désinstalleur, vous êtes à la merci de cet utilitaire et des programmeurs qui l'ont écrit. Windows n'a rien à voir dans cette histoire.

Installer et supprimer des parties de Windows

La majorité du grand public n'utilise pas toutes les fonctions de Windows XP. Par exemple, l'homme de la rue n'a guère besoin de la fonction de télécopie et de sauvegarde de ce système d'exploitation. En plus, au moment de l'installation standard de Windows XP, certains utilitaires ne sont pas installés par défaut.

Nous savons que Windows intègre une fonction de télécopie qui est loin d'être remarquable. Par exemple, si vous ne possédez qu'un seul modem et que vous êtes actuellement connecté à Internet, il est impossible d'envoyer et recevoir des fax. Il est intéressant de voir à quel point les ingénieurs de chez Microsoft ont envisagé cette situation somme toute assez banale.

Personnellement, je ne connais personne qui utilise la fonction de télécopie de Windows. En général, les utilisateurs préfèrent un télécopieur autonome plutôt qu'une solution logicielle aussi médiocre que celle apportée par Microsoft. L'alternative consiste à utiliser un programme comme J2 Messenger (`www.J2.com`). Cette application envoie des fax aussi facilement que vous imprimez des documents. Il suffit de cliquer sur File/Print/Send pour que le programme convertisse votre télécopie en un message électronique. Ce message électronique arrive jusqu'à la société J2. Là, en très peu de temps, l'e-mail est transformé en une télécopie adressée au destinataire pour une fraction du prix d'un appel téléphonique longue distance. Lorsque ce destinataire souhaite vous répondre, ou si une autre personne désire vous adresser une télécopie, il l'envoie à cette même société qui la convertit en un mail que vous recevez quelques secondes plus tard.

Si la précédente solution ne vous convient pas, soit parce que vous ne savez pas comment obtenir ce logiciel, soit parce que vous ne connaissez pas l'anglais, voici la procédure générale d'installation du logiciel de télécopie proposé par Windows XP :

1. **Cliquez sur Démarrer/Panneau de configuration/Ajouter ou supprimer des programmes pour ouvrir la boîte de dialogue du même nom.**

2. **Dans cette boîte de dialogue, cliquez sur Ajouter ou supprimer les programmes. Dans la nouvelle fenêtre qui apparaît, cliquez sur Ajouter ou supprimer des composants Windows. (Voir la Figure 9.3.)**

3. **Localisez le composant à ajouter.**

   Dans l'exemple qui nous intéresse, cochez la case Services de télécopie. Dans certains cas, le composant sélectionné active le bouton Détails. Vous accédez alors à un ensemble de composants supplémentaires que vous pouvez ou non activer en fonction de vos besoins.

4. **Insérez le CD-ROM d'installation de Windows XP dans lequel l'assistant d'ajout de composants va piocher les éléments dont il a besoin.**

Suite à l'installation d'un nouveau composant de Windows XP, le système d'exploitation peut vous demander de redémarrer votre ordinateur. Cette procédure est nécessaire pour initialiser les composants de manière à les rendre opérationnels.

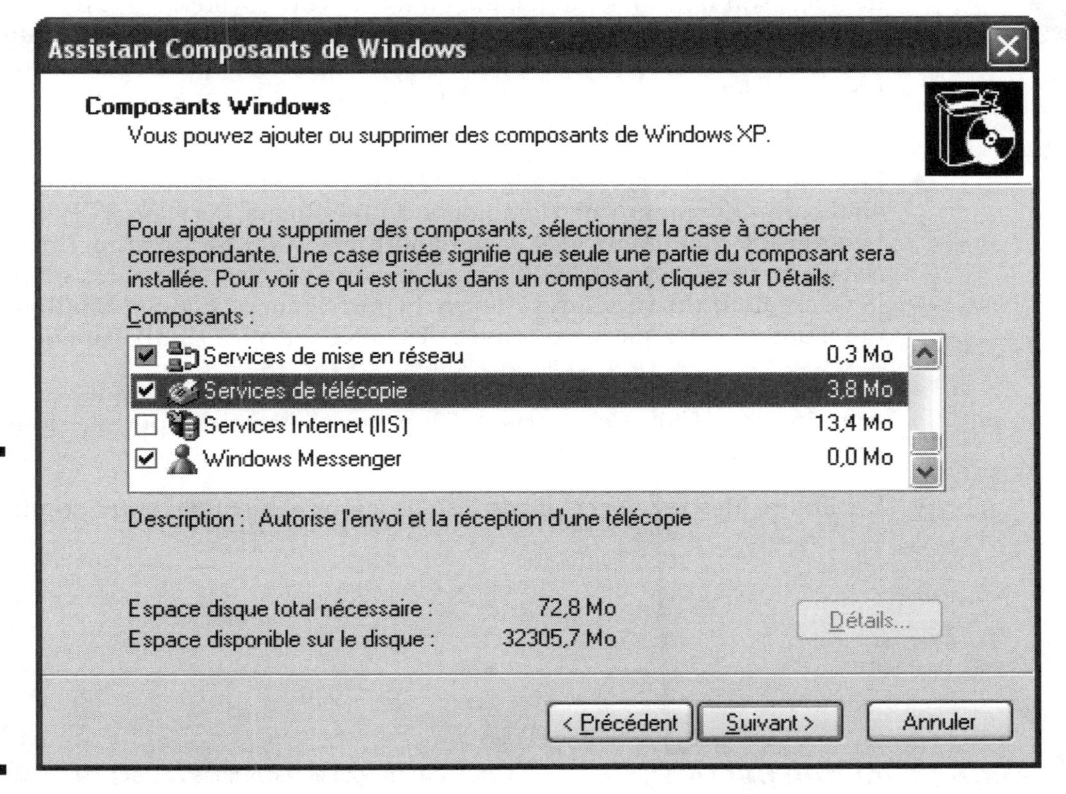

Figure 9.3 : Depuis la boîte de dialogue Assistant Composants de Windows, installez des composants Windows généralement peu utilisés.

L'installation standard de Windows XP version Familiale ne met pas à votre disposition tous les composants du système d'exploitation :

✦ Tous les accessoires et tous les utilitaires sont installés.

✦ Les services de télécopie ne sont pas installés. Suivez les instructions ci-dessus pour les implémenter tout en connaissant leurs limites.

✦ Le service d'indexation est installé.

✦ Les seuls outils de gestion et d'analyse disponibles correspondent au standard de gestion du réseau Internet appelé SNMP, c'est-à-dire Simple Network Management Protocol. Pour en savoir plus à son sujet, consultez le Centre d'aide et de support de Windows XP.

✦ Internet Explorer et MSN Explorer sont installés. Si vous n'en avez pas besoin, rien ne vous empêche de les supprimer.

Lorsque vous supprimez Internet Explorer par la boîte de dialogue Ajouter ou supprimer des composants Windows, vous constatez que le navigateur Web de Microsoft n'est pas totalement effacé de votre système d'exploitation. En réalité, cette action ne fait que supprimer l'icône Internet Explorer du menu Démarrer et du bureau. En d'autres termes, vous supprimez le raccourci vers Internet Explorer du menu Démarrer. Ce n'est pas tout à fait ce que l'on peut attendre d'une telle option.

✦ Le composant Services de mise en réseau permet d'ajouter trois nouveaux éléments – Ecouteur RIP, Homologue à homologue, Services TCP/IP simplifiés. Ecouter RIP fonctionne avec la version 1 de Router Information Protocol de NetWare. Les Services TCP/IP simplifiés prennent en charge les services TCP/IP Générateur de caractères, Heure du jour, Ignorer, Echo et Citation du jour, qui n'ont un sens que si vous avez des périphériques UPnP installés.

✦ Les Autres services de fichiers et d'impression réseau gèrent la gestion d'impression sous Unix. Cela permet d'imprimer à partir des périphériques d'impression connectés à votre PC.

✦ L'utilitaire Mettre les certificats Racine à jour est installé et fonctionnel.

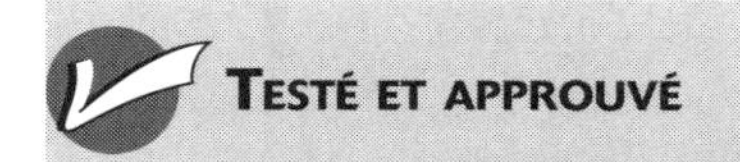

Mettre à jour un pilote

Microsoft a développé un programme de certification des pilotes. Normalement, cet utilitaire est destiné à valider les pilotes que vous installez sur votre ordinateur. Tout pilote certifié assure une parfaite compatibilité de votre périphérique avec Windows XP. Le programme de certification est une démarche volontaire qui vise à améliorer la stabilité des pilotes conçus pour Windows XP. Lorsque le test de compatibilité est réussi, le développeur du pilote peut le distribuer en tant que pilote certifié (également appelé pilote *signé*). Lorsque vous tentez d'installer un pilote qui n'a pas été certifié par Microsoft, un message vous avertit de cet état de fait. Malgré cet avertissement, vous pouvez installer le pilote. En effet, ce n'est pas parce qu'un pilote développé par le constructeur d'un périphérique n'a pas été validé par Microsoft qu'il ne sera pas opérationnel. Par expérience, j'ai installé de nombreux pilotes non certifiés qui étaient indispensables au fonctionnement de périphériques sous Windows XP. Je n'ai jamais rencontré le moindre problème, et je n'ai jamais porté atteinte à la stabilité de mon système informatique.

Chaque fois que vous installez un pilote non certifié par Microsoft, Windows XP crée un point de restauration du système. En revanche, lorsque vous installez un pilote certifié, Windows XP ne crée pas automatiquement ce point de restauration. Je trouve cela dommage car, à mon sens, ce n'est pas la certification qui assure le bon fonctionnement général de mon système. Deux précautions valent mieux qu'une ! Par conséquent, voici une procédure qui permet de mettre à jour un pilote en toute sécurité :

1. **Cliquez sur Démarrer/Tous les programmes/Accessoires/Outils système/Restauration du système.**

   L'assistant Restauration du système apparaît.

2. **Activez l'option Créer un point de restauration. Ensuite, cliquez sur le bouton Suivant.**

   La nouvelle étape de l'assistant vous invite à nommer votre point de restauration.

3. **Dans le champ Description du point de restauration, saisissez un nom significatif qui permettra d'identifier ce point de manière à le restaurer sans erreur en cas de problèmes dans le futur. Une fois le nom saisi, cliquez sur le bouton Créer.**

   La création d'un point de restauration demande du temps. Un message vous avertit quand la procédure est terminée.

4. **Pour quitter la boîte de dialogue restauration du système, cliquez sur le bouton Fermer, ou sur le bouton de fermeture situé dans le coin supérieur droit de la fenêtre (X).**

5. **Pour trouver le pilote de votre périphérique, connectez-vous au site suivant :** `http://www.microsoft.com/france/telechargements/drivers/default.asp`.

   Vous accédez à une liste impressionnante de périphériques. Cliquez sur le nom du périphérique pour lequel vous désirez trouver un nouveau pilote. Par exemple, si vous recherchez le dernier driver de votre carte graphique, cliquez sur Cartes graphiques. Vous accédez à une nouvelle page Web qui liste la majorité des constructeurs de cartes graphiques grand public. Cliquez sur le nom de la vôtre pour être transporté directement sur la page Web du constructeur de votre périphérique. Là, il suffit généralement de cliquer sur un lien *téléchargement* pour trouver le modèle de votre carte et la dernière version de son pilote.

6. **Une fois le pilote téléchargé sur votre disque dur, double-cliquez dessus.**

   Le téléchargement d'un pilote peut prendre beaucoup de temps. En effet, en fonction du périphérique à mettre à jour, la taille de son driver est plus ou moins importante. Si vous disposez d'une connexion ADSL, la notion de durée devient toute relative.

7. **Maintenant que le pilote est installé, procédez à de multiples tests.**

   En effet, le test est indispensable pour identifier immédiatement un problème ; vous n'allez pas attendre trois semaines !

Chapitre 10
Maintenance de Windows XP

Dans ce chapitre :

- Installer la dernière version de Windows XP.
- Utiliser les différents utilitaires.
- Programmer des actions que l'ordinateur exécutera automatiquement.
- Optimiser le stockage avec la compression et le zippage.

La vie sous Windows XP ne se résume pas un à magnifique rayon de soleil. En effet, il peut parfois pleuvoir sur votre système d'exploitation. Malgré les nombreux tests effectués par des personnes habilitées à le faire par Microsoft, Windows XP n'est qu'un programme informatique. Comme tout programme informatique il a des faiblesses.

Ce chapitre vous fait découvrir tous les outils indispensables à une maintenance efficace de Windows XP qui, si elle n'abolit pas tous les problèmes, peut considérablement en réduire les incidences. Il s'agit plus d'un acte de prévention que de réparation.

Rester à jour

La première fois que vous installez Windows XP, une petite icône ressemblant à un ballon apparaît dans la zone des notifications. Elle vous invite à activer la procédure de mise à jour automatique de Windows. Il s'agit d'une fonction appelée Windows Update.

Faire connaissance avec Windows Update

Beaucoup de raisons plaident en faveur d'une mise à jour automatique de Windows XP. La fonction Windows Update vous aide à exécuter les choses suivantes :

- Mettre à jour correctement Windows en installant les dernières versions des logiciels et des pilotes sans bloquer votre ordinateur ou introduire des virus.

  Les *pilotes* sont des programmes informatiques qui permettent à votre ordinateur de communiquer avec des périphériques. Par exemple, un clavier, une souris, un modem, une imprimante, un port USB, un appareil photo numérique, j'en passe et des meilleurs ont tous besoin d'un pilote pour être identifiés par votre PC. Par expérience, j'ai souvent constaté que les pilotes entraînaient des problèmes. Si votre ordinateur se bloque régulièrement, il y a 50 % de chances qu'un pilote de vos périphériques soit en cause. Dans ce cas, revenez à une version antérieure du pilote qui ne posait aucun problème.

- Installez systématiquement les derniers correctifs de sécurité. En effet, à la différence des anciennes versions de Windows, XP est très ouvert sur Internet. Il est la proie des virus, des worms (vers), et des attaques intempestives des hackers.

- Recherchez toujours de l'aide. Microsoft redéfinit continuellement (et dans bien des cas, améliore) son système d'aide. Windows Update permet à tous les utilisateurs de disposer des derniers fichiers d'aide que vous pouvez consulter par l'intermédiaire du Centre d'aide et de support du système d'exploitation.

Vraiment, l'informatique c'est formidable ! Savez-vous que tous ces avantages sont gratuits ? Il n'est même pas nécessaire d'enregistrer votre copie de Windows pour profiter de Windows Update. De plus, aucune information sur votre machine n'est envoyée à Microsoft lorsque vous utilisez ce service. Seuls les composants de Windows sont nécessaires pour effectuer correctement la mise à jour du système d'exploitation.

Configurer les mises à jour automatiques

Voici comment bénéficier des mises à jour automatiques :

1. **Pour configurer Windows Update, vous devez être l'administrateur de l'ordinateur.**

   Si vous utilisez Windows XP Familial (et que votre compte n'est pas celui d'un invité), il y a de fortes chances pour que vous soyez administrateur. Si vous exécutez Windows XP Professionnel, vous n'êtes administrateur que si votre compte a été validé comme tel. Dans une entreprise, seule une personne qualifiée peut prétendre à ce titre. Peut-être est-ce vous ?!

2. **Dans la zone des notifications, cliquez sur la petite icône qui vous indique comment rester à jour avec les mises à jour automatiques.**

   Vous accédez à un assistant qui vous guide dans la procédure de mise en route de cette tâche automatique.

3. **Indiquez à Windows si la fonction de mise à jour automatique doit être appliquée sans aucune vérification préalable de votre système.**

   Je conseille de demander à Windows d'effectuer la vérification du système avant d'appliquer les mises à jour automatiques. Pourquoi ? Parce que les mises à jour de Microsoft ont une très longue histoire. Si vous décidez de télécharger et d'installer immédiatement une mise à jour, et que pendant cette procédure votre ordinateur croise le chemin d'un virus relativement récent et virulent, votre machine sera infestée. Pour cette raison, il est préférable d'attendre toujours une ou deux semaines avant d'appliquer des modifications aux composants majeurs de votre PC.

4. **Cliquez sur le bouton Terminer.**

   Windows se connecte alors à Internet, et suit une procédure qui lui permet de rechercher et de trouver les dernières mises à jour. Si les mises à jour sont disponibles, une icône apparaît dans la zone des notifications (à proximité de l'horloge).

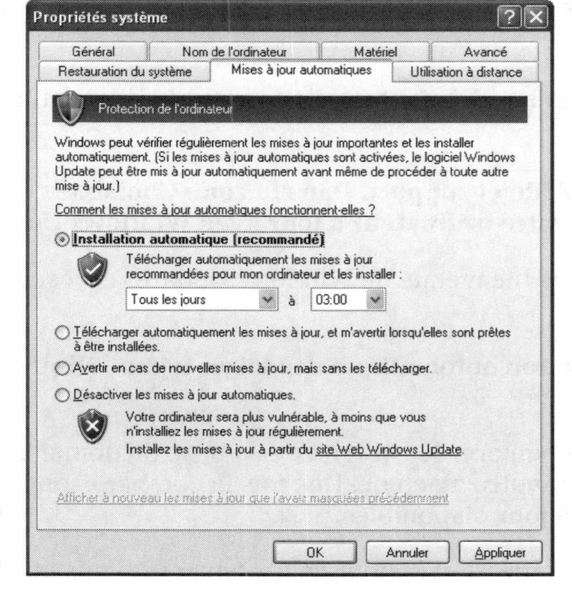

Figure 10.1 : Windows XP Service Pack 2 s'intéresse de très près à la sécurité donc aux mises à jour de votre système d'exploitation.

Pour les utilisateurs de Windows XP Service Pack 2, la procédure d'activation des mises à jour automatiques est différente lorsqu'une icône de la zone des notifications ne vous invite pas à le faire. Dans ce cas, vous devez cliquer sur le bouton Démarrer/Panneau de configuration/Performances et maintenance/Système. Dans la boîte de dialogue Propriétés système, cliquez sur l'onglet Mises à jour automatiques. Activez l'option Installation automatique (recommandé), et définissez une périodicité d'installation des mises à jour comme à la Figure 10.1.

Exécuter la mise à jour

Sauf si vous désactivez la fonction Windows Update, chaque fois que vous vous connectez à Internet, Windows vérifie la présence de nouvelles versions de ces fichiers, des fichiers d'aide, et de tout ce qui est vital pour votre ordinateur. En fonction de la configuration de Windows Update, le système d'exploitation peut simplement vous avertir de la présence de nouvelles mises à jour par une icône affichée dans la zone des notifications. Dans ce cas, cliquez sur cette icône pour commencer le téléchargement des mises à jour.

Pendant la procédure de mise à jour automatique, Windows peut vous demander de télécharger et d'installer certains composants qui gèrent la mise à jour elle-même. C'est un peu le problème de la poule et de l'œuf : Vous avez besoin de ces composants pour effectuer la mise à jour, mais Windows ne peut pas automatiquement les télécharger sans votre permission. La solution est donc toute trouvée ! Cliquez sur OK pour installer les composants.

Voici comment fonctionne la mise à jour automatique lorsque vous souhaitez contrôler ses éléments :

1. **Cliquez sur Démarrer/Aide et support. Dans la zone Choisissez une tâche, cliquez sur Maintenez votre ordinateur à jour avec Windows Update.**

   Vous accédez à l'écran de bienvenue de Windows Update représenté à la Figure 10.2.

2. **Pour éviter une installation automatique des mises à jour, cliquez sur le lien Installation personnalisée.**

   Windows commence à comparer le contenu de sa base de données avec les composants installés sur votre machine. Une fois la comparaison terminée, il vous indique les mises à jour disponibles.

Vous pouvez éviter les étapes 1 et 2. Pour cela, connectez-vous au site `http://v5.windowsupdate.Microsoft.com`.

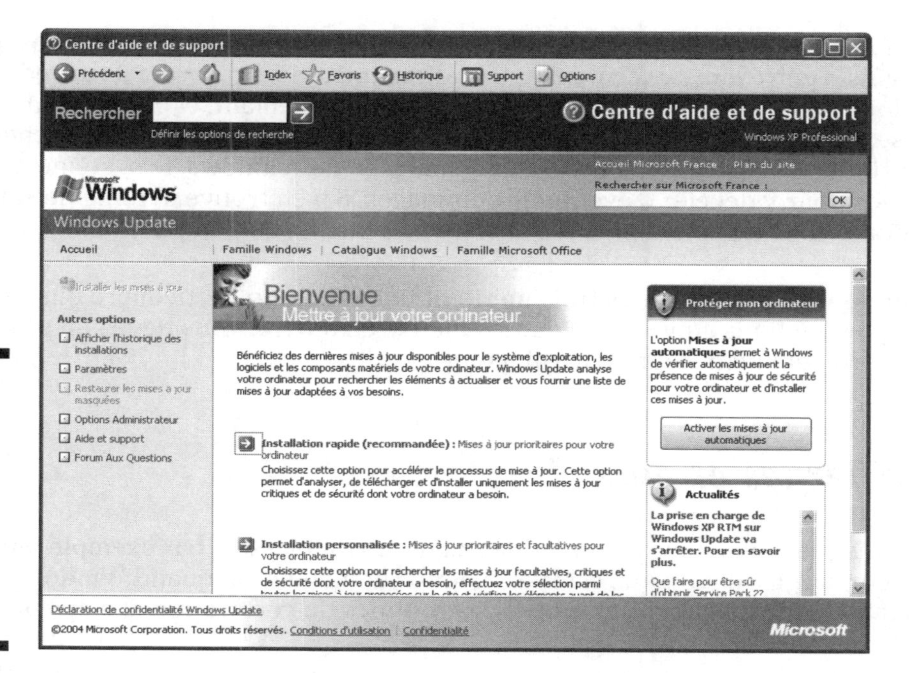

Figure 10.2 : Le système d'exploitation analyse les composants Windows de votre machine pour vous proposer des mises à jour.

3. **Dans la liste des composants disponibles, c'est-à-dire des mises à jour du logiciel voire des correctifs de sécurité, cliquez sur ceux que vous désirez installer sur votre PC.**

   Il suffit de cocher la case correspondant à la mise à jour que vous désirez installer. En revanche, pour être certain de ne pas installer accidentellement une mise à jour, cochez la case Masquer cette mise à jour.

4. **Dès que votre choix est fait, cliquez sur le bouton Installation des mises à jour.**

   En général, la procédure d'installation exige que vous acceptiez la licence d'utilisation des éléments téléchargés. Une fois la mise à jour effectuée, Windows vous invitera probablement à redémarrer votre ordinateur.

Exécuter une maintenance périodique

Un lecteur vous lâche toujours au mauvais moment. Il y a souvent des signes avant-coureurs comme une lenteur dans l'ouverture des fichiers, ou encore l'affichage d'un document dont le contenu est remplacé par des signes incompréhensibles. A ces signes s'ajoutent ceux d'un Windows moribond qui ne sait plus tellement ce qu'il fait.

Windows XP est livré avec un ensemble d'outils qui vérifie la santé de vos lecteurs. Certains d'entre eux s'exécutent automatiquement quand l'ordinateur redémarre ou se bloque de manière inattendue, comme lorsqu'un enfant, espiègle en matière de bêtise, tire ardemment sur le cordon d'alimentation au point de débrancher la prise électrique. Dans ce cas, au prochain démarrage de Windows, le système analyse les disques pour y déceler d'éventuels dommages. S'il en trouve, il tente de sauvegarder les données et de condamner les secteurs du disque corrompus.

Parmi tous ces outils, seuls trois méritent une attention particulière qui justifie les quelques sections suivantes. Pour les mettre en œuvre, vous devez disposer d'un compte d'administrateur de l'ordinateur.

Vérifier les erreurs

Si un disque commence à donner des signes de faiblesse – par exemple, un message d'erreur surgit quand vous essayez d'ouvrir un fichier, ou quand Windows se bloque de manière inexplicable – exécutez des routines de vérification des erreurs :

Si vous êtes un vieux de la vieille de Windows, vous reconnaîtrez la vénérable routine `CHKDSK`, sous un aspect modernisé.

1. **Cliquez sur Démarrer/Poste de travail.**
2. **Avec le bouton droit de la souris, cliquez sur l'icône du disque dur qui pose problème, et choisissez Propriétés dans le menu contextuel.**
3. **Cliquez sur l'onglet Outils, puis sur le bouton Vérifier maintenant.**

   La boîte de dialogue Vérification du disque apparaît comme à la Figure 10.3.

4. **La plupart du temps, vous activerez l'option Rechercher et tenter une récupération des secteurs défectueux. Cliquez sur Démarrer pour lancer la vérification.**

   Pour ne pas attendre pendant des heures la fin de la vérification, vous activerez aussi l'option Réparer automatiquement les erreurs de système de fichiers.

Si vous n'utilisez pas de fichiers sur lesquels porte la vérification, Windows mène l'analyse jusqu'à son terme. En revanche, si des fichiers sont en cours d'utilisation, Windows vous demande de programmer une vérification qui s'exécutera au prochain démarrage de l'ordinateur. Si vous répondez oui à cette invitation, vous devez éteindre le PC et le rallumer. Ce n'est qu'à cette condition que la vérification s'effectuera avant que vous n'entriez dans Windows.

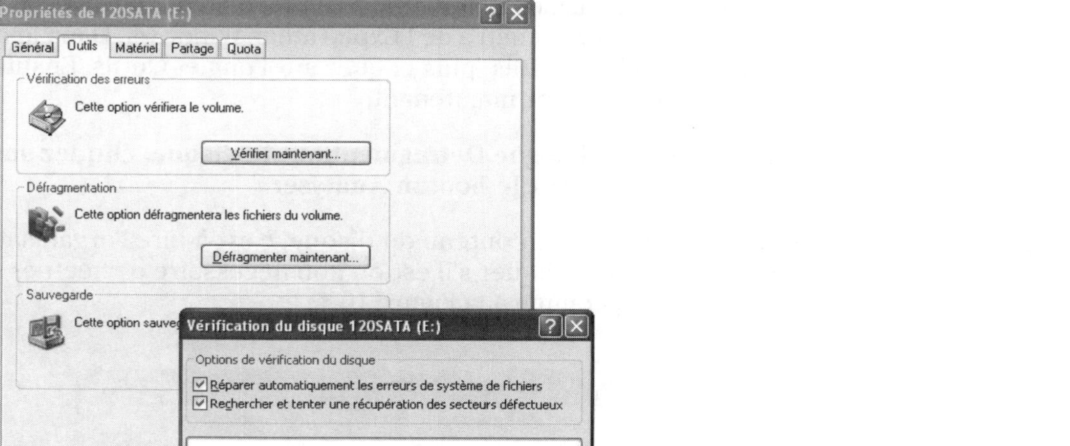

Figure 10.3 : Utilisez la fonction de vérification des erreurs pour analyser la surface de vos lecteurs.

Programmer des nettoyages

Bien que je pratique des vérifications périodiques de mes disques, j'utilise régulièrement le planificateur des tâches de Windows pour supprimer tous les fichiers temporaires présents sur ma machine en exécutant l'utilitaire Nettoyage de disque. Vous en saurez plus à son sujet dans la section "Planifier des tâches", plus loin dans ce chapitre.

Défragmenter un lecteur

Chaque semaine ou presque, je lance le défragmenteur de disque de Windows XP. A la différence de la vérification des lecteurs, le défragmenteur analyse le contenu du disque pour réorganiser les fichiers dont les parties ne sont pas contiguës. En d'autres termes, plus vous sauvegardez des fichiers sur un disque, plus ces fichiers sont morcelés donc longs à reconstituer pour les afficher dans une application. Pour optimiser les performances de vos disques, il est conseillé de les défragmenter régulièrement. Voici comment procéder :

1. **Cliquez sur Démarrer/Tous les programmes/Accessoires/Outils système/ Défragmenteur de disque.**

Une alternative consiste à cliquer sur l'icône d'un disque avec le bouton droit de la souris dans une fenêtre de l'Explorateur Windows. Dans le menu contextuel, choisissez Propriétés, puis cliquez sur l'onglet Outils. Ensuite, cliquez sur le bouton Défragmenter maintenant.

2. **Dans la boîte de dialogue Défragmenteur de disque, cliquez sur le lecteur à défragmenter, puis sur le bouton Analyser.**

   Windows XP analyse le contenu du disque, c'est-à-dire l'organisation de ses fichiers pour vous indiquer s'il est ou non nécessaire d'effectuer une défragmentation comme à la Figure 10.4.

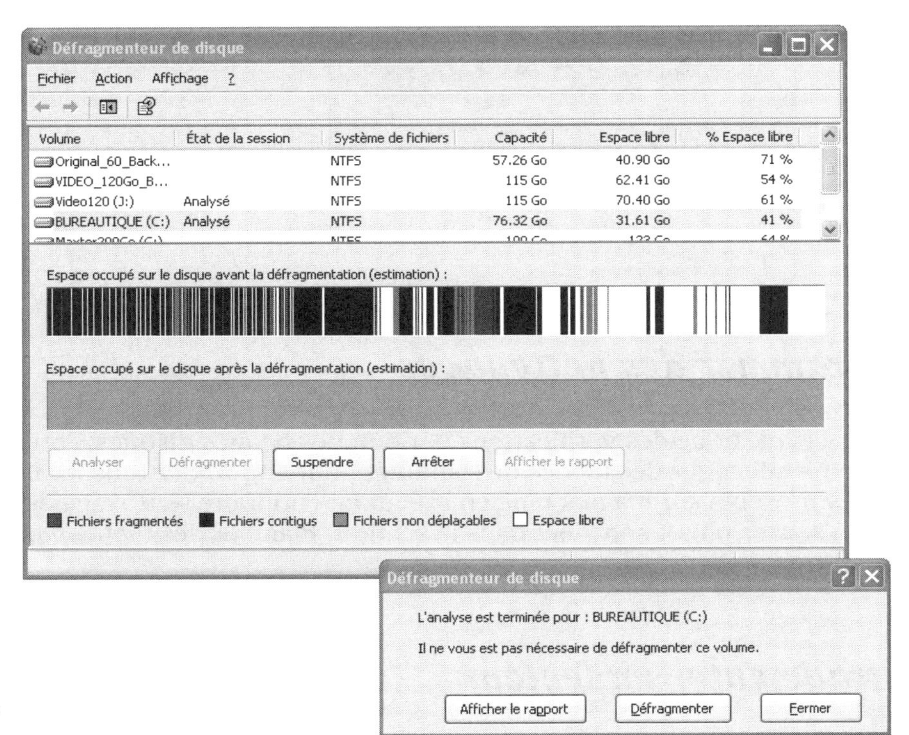

Figure 10.4 : La phase d'analyse qui précède toute défragmentation.

3. **Pour lancer la défragmentation (même si XP considère qu'elle n'est pas nécessaire), cliquez sur le bouton Défragmenter.**

4. **Reprenez le roman que vous étiez en train de lire car la défragmentation demande beaucoup de temps.**

   Vous pouvez suivre la progression de la défragmentation dans la partie inférieure de la boîte de dialogue. Ne vous inquiétez pas si le pourcentage affiché ne progresse pas. D'un seul coup, il avancera d'une manière aussi inexplicable qu'il est resté figé de longues minutes.

Utilisez ces trois outils régulièrement – Chkdsk, Nettoyage de disque, et Défragmenteur de disque – et vous aurez toute la reconnaissance de vos disques.

Sauvegarder et restaurer

Windows XP est livré avec des outils de sauvegarde et de restauration appelés récupération automatique du système ou ASR (acronyme de Automated System Recovery). La partie sauvegarde de ce système utilise un assistant. La fonction de récupération se met en route, à votre demande, au démarrage de l'ordinateur.

Sans être très complexe, la fonction ASR demande beaucoup de précaution et d'attention. Je vous invite à consulter le Centre d'aide et de support de Windows, et vous comprendrez ce que je veux dire.

Dans les précédentes versions de Windows, vous deviez redémarrer votre ordinateur avec des disquettes de secours. Windows XP n'utilise pas ce système. Les fonctions prises en charge par ces disquettes font désormais partie de l'ASR. Vous n'avez plus à démarrer Windows depuis des disquettes.

Si vous utilisez Windows XP Professionnel dans un contexte de réseau d'entreprise, et que ce réseau n'est pas du tout configuré pour gérer des sauvegardes, la seule solution est de vous adresser à une personne compétente en matière de récupération automatique du système. Demandez-lui de configurer cette fonction. Généralement, la personne la plus compétente est votre administrateur réseau adoré.

Qu'en est-il de Windows XP Familial ? A la sortie de XP, Microsoft annonça que seule la version professionnelle bénéficierait de la sauvegarde automatique. Ceci ne manqua pas de provoquer de violentes réactions. En effet, les utilisateurs expérimentés de la version familiale considéraient avoir autant de raisons de protéger leur système que les utilisateurs de la version professionnelle.

A contrecœur, sans doute, Microsoft intégra le système de sauvegarde ASR dans Windows XP Familial. Toutefois, l'utilisateur de cette version doit savoir comment le mettre en œuvre. C'est une manière pour Bill Gates de rendre la sauvegarde aussi utile qu'une Ferrari sans roues !

Pour utiliser ASR sous Windows XP Familial, insérez le CD de Windows dans votre lecteur. Choisissez d'en parcourir le contenu. Ensuite, ouvrez le dossier VALUEADD, puis MSFT/NTBACKUP. Avant toute chose, double-cliquez sur le fichier README.TXT (ne vous inquiétez pas, son contenu est en français). Une fois cette prise de connaissance terminée, double-cliquez sur le fichier NTBACKUP.MSI pour lancer l'installation de l'utilitaire de sauvegarde/restauration NTBackup et de la Restauration automatique du système (ASR).

Planifier des tâches

Windows XP dispose d'une fonction de planification des tâches. Elle permet de planifier du travail pour quasiment tous les programmes. Le planificateur s'avère très utile dans deux situations :

- Lorsque vous désirez effectuer une tâche tous les jours à la même heure. Par exemple, si vous disposez d'une connexion Internet bas débit, vous désirez peut-être vous connecter au Web tous les matins à 6 h15. Plutôt que de vous lever, les yeux encore ensommeillés, laissez Windows XP faire le travail à votre place (c'est pas beau l'informatique ?!).
- Lorsque vous désirez que Windows effectue des opérations de maintenance car vous savez pertinemment que vous n'y penserez jamais. Ainsi, vous pouvez demander un nettoyage de disque tous les jours à 14 h. Windows XP s'en chargera même en votre absence (c'est pas beau l'informatique ?!)

La planification des tâches soulève une question existentielle. Dois-je ou non laisser mon ordinateur tourner toute la nuit ? En fait, personne ne peut donner une réponse nette et précise. La sagesse conduit à dire qu'il suffit de laisser l'ordinateur allumer 24 h/24 une fois par semaine pour que les tâches planifiées soient exécutées (quand la périodicité est quotidienne).

De nombreuses personnes affirment qu'il est dangereux de lancer quotidiennement une analyse de la surface des disques. En effet, cela impose un travail et des contraintes mécaniques énormes à vos disques. Il est donc préférable de ne pas planifier cette tâche, ou du moins de l'imposer une fois par semaine, voire une fois par mois.

Une des fonctions les plus importantes de la planification est de programmer un nettoyage de disque. Ceci permet de libérer de l'espace en supprimant des fichiers temporaires qui ne servent plus à rien. Voici comment procéder :

1. **Cliquez sur Démarrer/Tous les programmes/Accessoires/Outils système/Tâches planifiées.**

   Vous accédez à une variante de l'Explorateur Windows.

2. **Double-cliquez sur l'icône Création d'une tâche planifiée.**

   La fenêtre Assistant Tâche planifiée apparaît.

3. **Cliquez sur Suivant.**

   L'assistant affiche une liste de tous les programmes pour lesquels vous pouvez planifier une tâche, comme l'illustre la Figure 10.5.

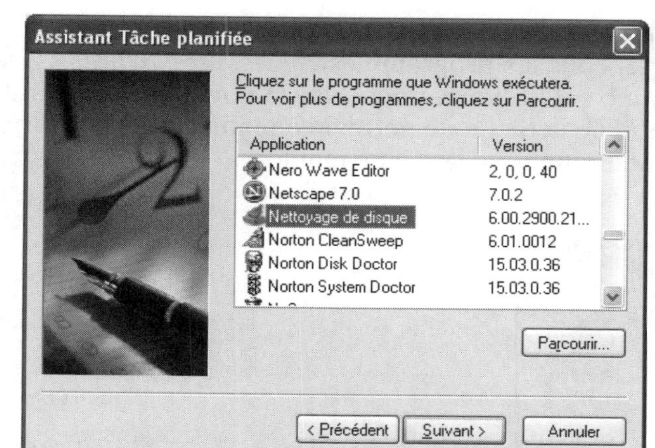

Figure 10.5 : Pour exécuter un nettoyage de disque périodique, programmez-le avec l'utilitaire Tâches planifiées.

La liste affiche tout un assortiment de programmes. Ils sont classés par ordre alphabétique. En fait, le planificateur les récupère dans le menu Tous les programmes. Pour planifier un programme qui ne figure pas dans la liste, cliquez sur le bouton Parcourir.

4. **Dans cet exemple, je suppose que vous désirez planifier un nettoyage de disque. Par conséquent, vous devez localiser cette application dans la liste affichée par l'Assistant Tâche planifiée. Cliquez sur Nettoyage de disque, puis sur Suivant.**

   Vous pouvez indiquer à Windows la fréquence du nettoyage.

5. **Cliquez de nouveau sur Suivant. Cette fois, précisez l'heure du début, le jour (et/ou la semaine), et cliquez sur Suivant.**

6. **Dans cette nouvelle étape, définissez les paramètres de sécurité.**

   Cette phase est importante. Le programme ne pourra s'exécuter que si vous disposez de toutes les autorisations requises. (Consultez le Chapitre 6 du Livret I.)

7. **Dans cette dernière étape, vous pouvez accéder aux propriétés avancées de la panification.**

   Ces propriétés permettent d'indiquer à Windows ce qu'il doit faire quand la tâche prend trop de temps. Vous pouvez aussi demander l'arrêt de la tâche après une certaine période d'inactivité de l'ordinateur. Enfin, il est possible de planifier la sortie d'une veille pour que la tâche soit exécutée.

L'utilitaire Nettoyage de disque a de nombreux paramètres comme le montre la Figure 10.6. Ces paramètres ne peuvent pas être configurés quand vous planifiez ce nettoyage. Donc, pour contrôler tous les aspects du nettoyage de disque, vous devez cliquez sur Démarrer/Tous les programmes/Accessoires/Outils système/ Nettoyage de disque. Comme cet utilitaire mémorise la nouvelle configuration, il l'utilisera lors de l'exécution de la tâche de nettoyage planifiée. De nombreux autres programmes Windows fonctionnent de la même manière.

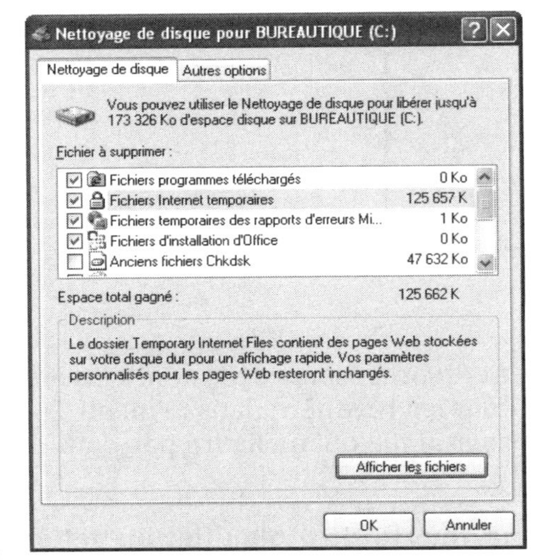

Figure 10.6 : Dans la boîte de dialogue Nettoyage de disque, vous choisissez les types de fichiers à supprimer

Zippage et compression

Windows XP gère deux types différents de *compression* de fichiers. La distinction est un peu difficile à comprendre, mais son importance justifie que vous me pardonniez cette tentative. La compression des fichiers réduit leur taille en éliminant des parties qui ne sont pas nécessaires à sa reconstitution. Cette fonction sollicite beaucoup l'ordinateur qui doit calculer les informations à supprimer avant de stocker le fichier sous une forme compressée, et pour le restituer dans son état d'origine lorsqu'un utilisateur le demande. La compression diminue énormément la taille de certains fichiers.

Comment la compression fonctionne-t-elle ? Tout dépend de la méthode utilisée. Dans un des types de compression appelé *encodage Huffman*, les lettres que l'on rencontre le plus dans un fichier (comme le *e*) sont massées de manière à occuper le moins de place possible. Tandis que les lettres les moins utilisées, comme le *x*, occupent l'espace qu'elles veulent. Ainsi, plutôt que d'allouer huit 1 ou 0 pour chaque lettre d'un document, certaines n'en exigent que deux. D'autres en prendront jusqu'à 15. Il en résulte une très nette réduction de la taille du fichier initial.

Voici les deux techniques de compression de Windows XP :

- Les fichiers peuvent être compressés et placés dans un *dossier compressé* c'est-à-dire un dossier *zippé*. Une icône spécifique est attribuée à ce fichier.
- Les fichiers, les dossiers, et même des lecteurs entiers peuvent être compressés en utilisant les possibilités de compression du système de fichiers NTFS.

C'est là que tout se complique. La compression NTFS est intégrée au système de fichiers lui-même. Vous ne pouvez l'utiliser que sur des disques durs formatés en NTFS. Cette compression est perdue dès que vous déplacez un fichier compressé de son lecteur. Envisagez la compression NTFS comme une compression limitée au disque dur.

Tableau 10.1 : Compression NTFS et Dossier compressé (zip).

NTFS	ZIP
Envisagez la compression NTFS comme une compression inhérente au disque dur.	La technologie Zip fonctionne sur n'importe quel type de fichier sans se soucier de son emplacement de stockage.
Dès que vous sortez un fichier compressé NTFS, pour l'envoyer par e-mail par exemple, il est instantanément décompressé, et vous ne pouvez rien y faire : vous expédiez un gros fichier.	ous pouvez déplacer un fichier compressé sous Vforme d'un Dossier compressé (en réalité un fichier Zip portant cette même extension). Le principe du Zip est indépendant des lecteurs. Vous pouvez donc joindre un fichier compressé de ce type à un courrier électronique. La personne qui reçoit ce fichier peut en voir le contenu si elle utilise Windows XP, ou si elle a installé l'utilitaire WinZip sur sa machine.
La compression NTFS sollicite beaucoup le processeur : en effet, Windows doit compresser et décompresser les fichiers à la volée.	Avec un fichier Zip le processeur est peu sollicité. De nombreux programmes sont capables de lire les fichiers zippés.
La compression NTFS est salutaire lorsque vous n'avez plus beaucoup d'espace libre sur un disque dur formaté dans ce système de fichiers.	Les Dossiers compressés (fichiers Zip de Windows XP) sont universels, ce qui permet de les utiliser partout.
Vous pouvez utiliser la compression NTFS sur l'intégralité d'un lecteur, d'un dossier, ou d'un seul fichier. Ils ne sont pas protégés par mot de passe.	Vous pouvez zipper des fichiers et des dossiers. Ils peuvent être protégés par mot de passe.

La notion de *dossier compressé* prête à confusion. En effet, lorsque vous envoyez un fichier vers ce type de dossier, un utilitaire effectue la compression. C'est donc bel et bien le fichier qui est compressé dans un format spécial appelé *Zip*. Le fichier compressé porte l'extension .zip. Il peut être manipulé par un utilitaire très répandu sur PC qui se nomme WinZip (www.winzip.com ou www.avanquest.fr pour la version française) et qui est bien plus puissant que la fonction Dossier compressé de XP. Les fichiers Zip peuvent regrouper plusieurs fichiers en un seul. Ceci est très pratique pour échanger des données par e-mail. Cet utilitaire présente donc un avantage indéniable sur la fonction Dossier compressé de Windows XP qui ne peut, malheureusement pour vous, que compresser un seul fichier à la fois.

Le Tableau 10.1 établit une comparaison entre la compression NTFS et la compression ZIP.

Si vous essayez de compresser le lecteur où se trouve le dossier Windows, les fichiers en cours d'utilisation ne seront pas affectés.

Voici comment appliquer la compression NTFS à un disque dur :

1. **Veillez à disposer des autorisations d'administrateur (voir le Chapitre 6 du Livret I).**

2. **Cliquez sur Démarrer/Poste de travail. Ensuite, cliquez sur l'icône du disque dur avec le bouton droit de la souris, et choisissez Propriétés dans le Menu contextuel. Vous accédez normalement au contenu de l'onglet Général comme à la Figure 10.7.**

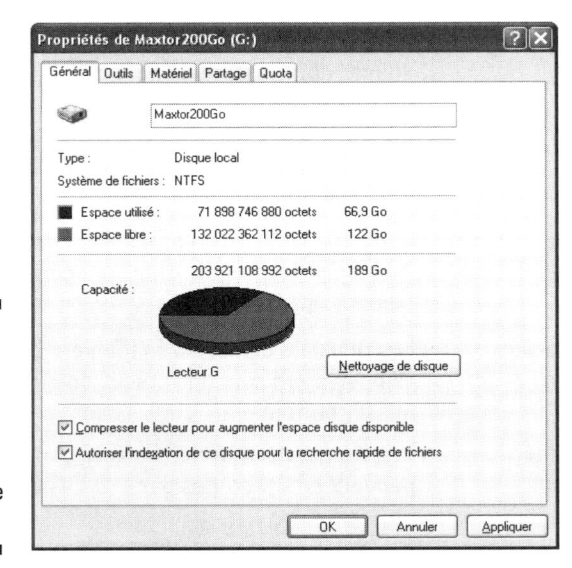

Figure 10.7 : La compression NTFS n'est disponible que sur des disques durs formatés dans ce système de fichiers.

3. **Si le lecteur est formaté en NTFS, cochez la case Compresser le lecteur pour augmenter l'espace disque disponible.**

4. **Cliquez sur OK.**

   Windows demande confirmation de la décision. Une fois l'acceptation donnée, la compression va demander du temps. Dans certains cas, cela peut aller jusqu'à plusieurs jours.

Voici comment appliquer une compression NTFS à un dossier ou un fichier :

1. **Vérifiez que vous disposez des autorisations d'administrateur. (Reportez-vous au Chapitre 6 du présent Livret.)**

2. **Naviguez parmi vos lecteurs pour localiser le fichier ou le dossier à compresser. (Par exemple, cliquez sur Démarrer/Mes documents, ou sur Démarrer/Poste de travail.) Cliquez sur le dossier ou le fichier avec le bouton droit de la souris. Dans le menu contextuel, choisissez Propriétés. Dans la section Attributs de la boîte de dialogue, cliquez sur le bouton Avancé.**

   Vous ouvrez la boîte de dialogue représentée à la Figure 10.8.

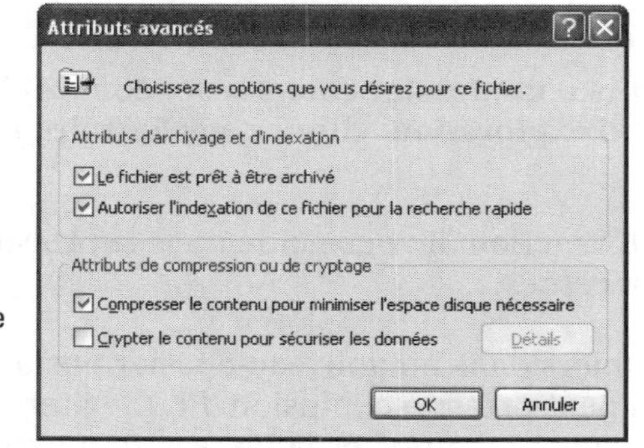

Figure 10.8 : La boîte de dialogue Attributs avancés.

3. **Cochez l'option Compresser le contenu pour minimiser l'espace disque nécessaire.**

   Pour décompresser un fichier ou un dossier, revenez dans cette boîte de dialogue et décochez l'option.

Pour effectuer une compression Zip avec la fonction Dossier compressé, suivez cette procédure :

1. **Cliquez sur Démarrer/Mes documents. Parcourez vos lecteurs et vos dossiers pour localiser le fichier à zipper.**

2. **Cliquez sur le fichier avec le bouton droit de la souris. Dans le menu contextuel, cliquez sur Envoyer vers/Dossier compressé.**

   Windows XP compresse le fichier qui apparaît alors avec l'extension `.zip`.

   Ce nouveau fichier est comme n'importe quel autre. Vous pouvez le renommer, le copier, le déplacer, le supprimer, l'envoyer par e-mail, le publier sur Internet, ou toute autre chose compatible avec la gestion des fichiers standard.

Une autre technique consiste à :

1. **Cliquer sur un espace vide de l'Explorateur Windows avec le bouton droit de la souris.**

2. **Dans le menu contextuel, choisissez Nouveau/Dossier compressé. (Si WinZip est installé sur votre ordinateur, choisissez Nouveau/Fichier WinZip.)**

3. **Pour ajouter un fichier à ce dossier, glissez-déposez le dedans. La compression se fait automatiquement.**

   Avec WinZip vous pouvez contrôler le niveau de compression.

4. **Pour copier un fichier zippé, traitez-le exactement comme s'il s'agissait d'un fichier ordinaire.**

5. **Pour récupérer tous les fichiers d'un dossier compressé, double-cliquez dessus. Ensuite, dans le volet d'exploration, cliquez sur Extraire tous les fichiers.**

   Cette action lance l'Assistant Extraction. Il vous guide dans la procédure de récupération des fichiers compressés.

Par défaut, cet assistant place les fichiers dans un nouveau dossier portant le même nom que le dossier compressé. Ceci peut prêter à confusion. Pour éviter cela, je conseille de saisir un nouveau nom dans le champ Les fichiers seront extraits dans ce dossier. Par exemple si l'Assistant propose `C:\Nouveau dossier compressé`, saisissez `C:\Fichiers décompressés`. Si vous saisissez une autre lettre que C:\, les fichiers seront extraits vers le disque dur correspondent à la lettre substituée, par exemple D, E, ou F si vous avez autant de disques durs. Pour vous aider à localiser le lecteur de stockage des fichiers décompressés, cliquez sur Parcourir. Vous pouvez alors vous simplifier la vie en procédant à la décompression sur le bureau. Ensuite, vous rangerez les fichiers décompressés à l'aide de l'Explorateur Windows.

Chapitre 11
Ça swingue avec le Lecteur Windows Media

Dans ce chapitre :

- Le guide multimédia : recherche de contenu sur Internet.
- Que lire ?
- Copier de la musique d'un CD.
- La Bibliothèque : un archivage de votre musique.
- Copier de la musique sur un CD ou un lecteur audio numérique.

Le Lecteur Windows Media est un logiciel multimédia gratuit livré d'autorité avec Windows XP. Il permet de lire, d'organiser, et de stocker de la musique sur votre ordinateur. Il est également capable de lire des vidéos, et de vous connecter à des radios diffusant sur les *ondes* de l'Internet. Si vous possédez un graveur de CD, le Lecteur Windows Media sera capable de graver vos albums et vos compilations légalement téléchargées sur Internet, ou des morceaux légalement récupérés sur des disques de votre CDthèque. (Et pas de celle de votre voisin ou de musiques diffusées par des réseaux P2P.) Si vous possédez un lecteur audio numérique, du genre lecteur MP3, le Lecteur Windows Media pourra y copier vos morceaux favoris. Vous pourrez swinguer dans toutes les circonstances de votre vie hip hop !

Le Lecteur Windows Media n'a de sens que si votre ordinateur est doté d'une carte son ou d'un circuit audio intégré, d'un casque et/ou de haut-parleurs. Le petit haut-parleur de l'ordinateur qui bip dès que vous allumez votre machine est incapable de reproduire la musique diffusée par le Lecteur Windows Media ou tout autre lecteur de ce type installé sur votre PC. En conclusion, si votre ordinateur n'a pas de carte son, vous devez en acheter une. Ce n'est pas une dépense excessive puisque le prix des cartes d'entrée de gamme se situe aux alentours de 15 euros.

Commencer avec le guide multimédia

Pour exécuter le Lecteur Windows Media, cliquez sur Démarrer/Tous les programmes/Accessoires/Divertissement/Lecteur Windows Media. Si vous avez récemment utilisé ce programme, il sera présent dans la liste du menu Démarrer. Dans les deux cas, vous accédez à une interface standard illustrée à la Figure 11.1.

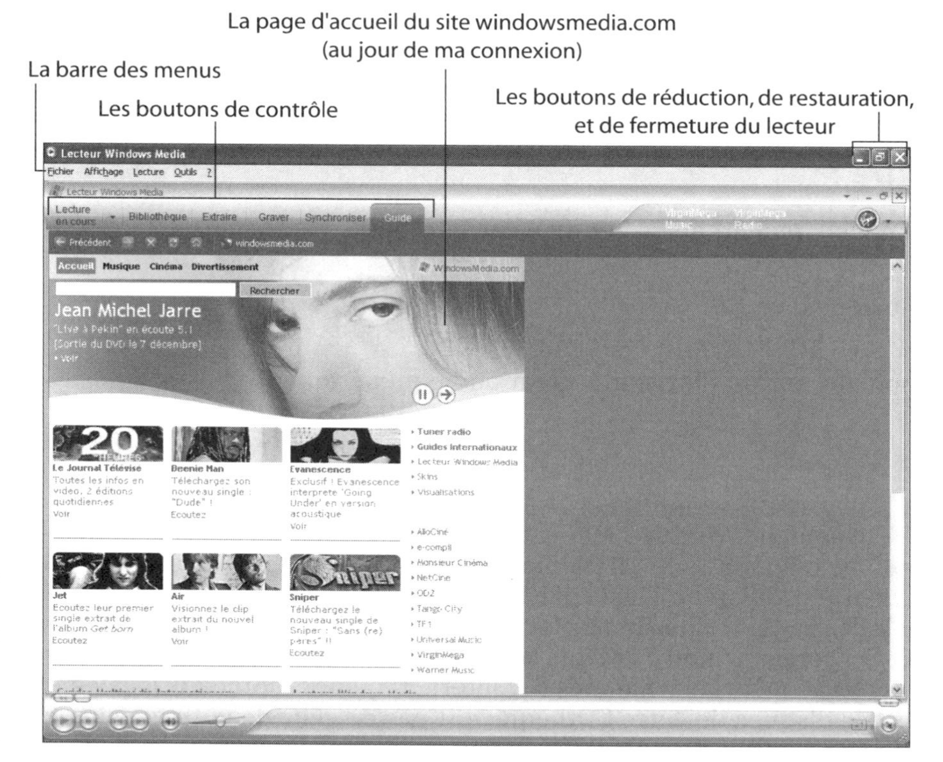

Figure 11.1 : Voici l'aspect du Lecteur Windows Media au démarrage.

Si l'apparence du Lecteur Windows Media n'est pas du tout celle de la Figure 11.1, cela tient au fait que vous utilisez une ancienne version. Mettez-la à jour vers la version 10 (dernière en date au moment où j'écris ces lignes) sur le site `www.microsoft.com/windows/windowsmedia/fr/player/download/download.aspx`.

Le guide multimédia vous connecte au site `www.windowsmedia.com` qui appartient à une petite société basée à Washington. Ce site propose des nouveautés musicales et vidéo, des nouvelles sur le cinéma, la musique, et bien d'autres informations susceptibles d'intéresser les utilisateurs du Lecteur Windows Media. De nombreux liens vous permettent d'acheter en ligne les produits proposés par ce guide.

Ce que lit le Lecteur Windows Media

Le premier bouton de contrôle situé dans la partie supérieure du lecteur est libellé Lecture en cours. Dès que vous cliquez sur sa petite flèche, vous accédez à un ensemble de sous-menus qui contiennent des éléments multimédias. Il est évident que, lors de votre première utilisation du lecteur, ces divers éléments soient quasiment vides. Toutefois, Microsoft vous offre quelques chansons qui permettent de tester les capacités du lecteur. La plus commune d'entre elles car disponible depuis les premières versions sophistiquées du lecteur est Like Humans Do de David Byrne. Dès que vous cliquez sur ce morceau, qui se trouve normalement dans la liste Mes sélections, la lecture commence. Au centre du Lecteur Windows Media, s'affiche une sorte d'animation psychédélique que l'on appelle une *visualisation*. (Voir la Figure 11.2.)

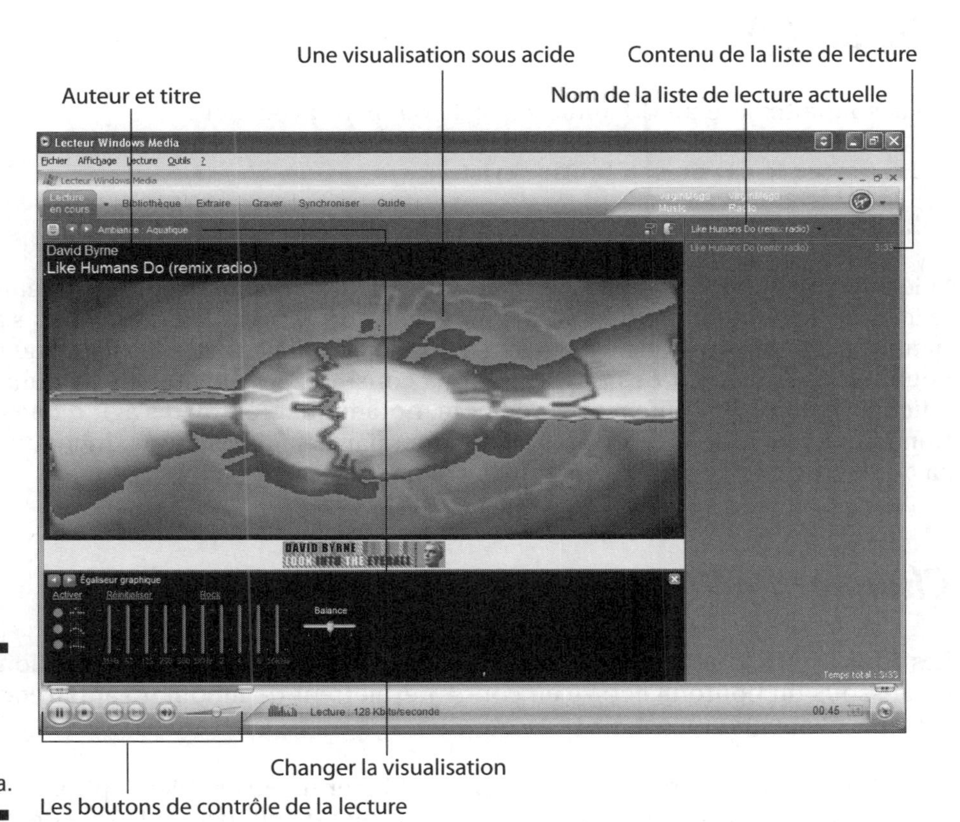

Figure 11.2 : La liste de lecture (ou playlist) du Lecteur Windows Media.

Pour ouvrir une nouvelle Liste de lecture, cliquez sur la flèche située dans le coin supérieur droit du Lecteur Windows Media (à droite du nom de la liste en cours). Dans le menu qui apparaît, cliquez sur Ouvrir la sélection, puis sur le nom de la liste. Vous ne trouverez dans ce sous-menu que des listes que vous aurez vous-même préalablement créées. C'est une procédure que nous étudions un peu plus loin dans ce chapitre.

En marge de la lecture de listes de morceaux stockés sur votre disque dur, vous pouvez utiliser le Lecteur Windows Media comme un simple lecteur de CD audio. Dans ce cas, insérez un CD audio, ou un CD-R/RW audio dans votre lecteur de CD/DVD. En général, la lecture du CD commence immédiatement. La liste des chansons qu'il contient s'affiche dans la partie droite du Lecteur Windows Media.

Les boutons situés dans la partie inférieure du lecteur permettent de contrôler la lecture du CD.

Lire un CD

Vous souhaitez lire un CD audio ? Voici comment procéder :

1. **Sortez le CD de son boîtier cristal.**
2. **Insérez le CD dans votre lecteur de CD/DVD.**

Si le Lecteur Windows Media est ouvert, la lecture commence immédiatement. Pour le lecteur, le contenu du CD est une liste de lecture. De ce fait, ses pistes s'affichent dans la partie droite du lecteur, c'est-à-dire celle qui présente les listes de lecture. Si vous regardez en haut de cette liste, vous constatez que le nom de l'album y est affiché. Quand cet album n'a pas de nom, notamment lorsqu'il s'agit d'une compilation faite à partir de vos propres CD, le nom par défaut est Album inconnu, suivi de sa date et de son heure de création entre parenthèses.

Changer l'affichage

Les trois boutons situés au-dessus de la zone d'affichage de la visualisation, et juste en dessous du bouton Lecture en cours, permettent de modifier l'apparence de certains éléments du lecteur :

- Cliquez sur le premier bouton pour afficher un ensemble d'options contenues dans des sous-menus. Visualisation permet de choisir un thème de visualisation, puis une visualisation. Si vous le souhaitez, il est possible d'afficher la pochette de l'album en tant que visualisation. Si vous ne souhaitez pas d'animation pendant la lecture du disque, optez pour Aucune visualisation.
- Cliquez sur le deuxième bouton pour remonter dans la sélection des visualisations.

✦ Cliquez sur le troisième bouton pour accéder aux visualisations suivantes. (Ces boutons ne sont plus affichés quand vous choisissez Aucune visualisation ou Pochette d'album.)

Modifier la taille de la fenêtre

La forme initiale du Lecteur Windows Media s'affiche sur toute la surface de l'écran avec une barre de titre et de menus. Pour réduire cette fenêtre, cliquez sur le bouton Niveau inférieur de la barre de titre, ou sur le bouton Restaurer vers le bas situé dans le coin supérieur droit de la fenêtre même du Lecteur Windows Media. Une fois la fenêtre réduite, c'est-à-dire n'affichant plus ni barre de titre ni barre de menus, vous pouvez modifier sa taille comme celle de n'importe quelle autre fenêtre.

Si vous réduisez trop la taille de la fenêtre, vous risquez de manquer de place pour afficher tous les boutons situés dans la partie supérieure. Dans ce cas, des chevrons apparaissent. Cliquez dessus pour accéder à un menu local où les boutons masqués apparaissent comme des commandes traditionnelles d'un menu. Cliquez sur la commande correspondant à l'action que vous souhaitez exécuter.

Copier à partir d'un CD

Pour copier tout ou partie du contenu d'un CD, c'est-à-dire *ripper* le CD, cliquez sur le bouton Extraire. Cette appellation est d'autant plus correcte que l'action de ripper consiste à effectuer une extraction audio numérique des pistes d'un CD. Comme le montre la Figure 11.3, toutes les pistes du CD sont listées dès que vous cliquez sur ce bouton.

Si vous cliquez sur le bouton Extraire avant d'insérer un CD dans votre lecteur, le Lecteur Windows Media actualise ce contenu dès l'insertion du disque. Comme la lecture commence, cliquez sur le bouton Arrêter situé dans la barre des boutons de contrôle du lecteur. Pour empêcher la lecture automatique, appuyez sur la touche Maj à l'insertion du CD.

Dans la partie gauche de cette liste de morceaux, vous constatez que toutes les cases à cocher sont… cochées. En effet, Windows considère que vous souhaitez ripper l'ensemble des morceaux du disque. Mais comme vous êtes très intelligent, vous comprenez qu'il suffit de décocher les titres que vous ne désirez pas ripper (ou extraire).

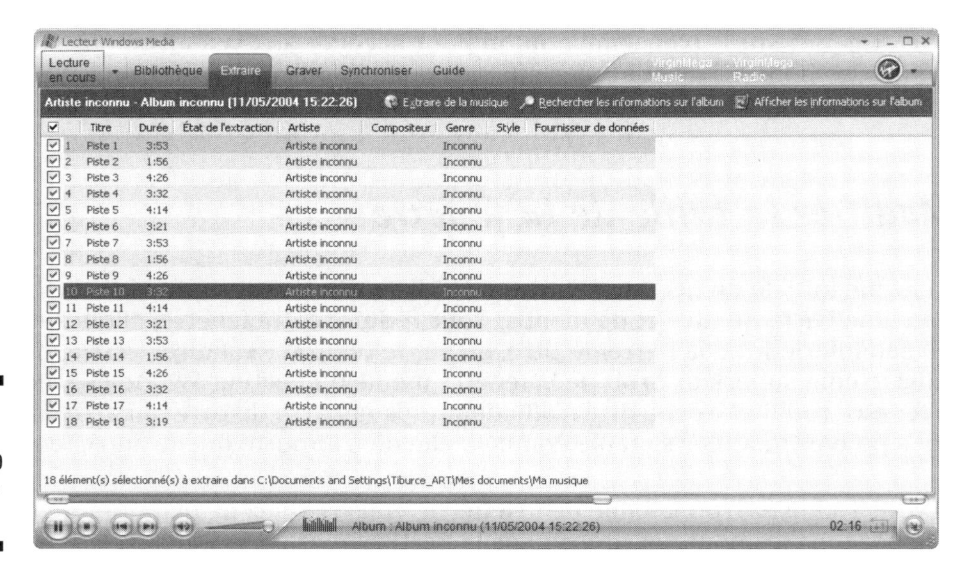

Figure 11.3 : Copier le contenu d'un CD sur votre disque dur.

Avant d'extraire de la musique, il faut choisir son format d'extraction et l'emplacement de stockage des fichiers ainsi rippés. La procédure est simple :

1. **Cochez les morceaux à extraire.**
2. **Cliquez sur Outils/Options.**
3. **Dans la boîte de dialogue Options, cliquez sur l'onglet Extraire de la musique.**
4. **Dans la section Extraire de la musique à cet emplacement, cliquez sur le bouton Modifier pour choisir un autre dossier que celui proposé par défaut.**

   Si besoin créez un nouveau dossier en cliquant sur le bouton idoine.

5. **Dans la liste Format, sélectionnez le format de compression à utiliser.**

   Par exemple, choisissez MP3 (le plus répandu).

6. **Le cas échéant, définissez la qualité de la compression.**

   Plus la qualité est élevée, moins le fichier audio est compressé, meilleur est le son, mais le stockage du morceau nécessite davantage d'espace disque. Le meilleur compromis qualité/compression est 192 Kbits/s.

7. **Une fois vos paramètres de stockage et de compression définis, cliquez sur OK.**

8. **Revenu dans l'interface du Lecteur Windows Media, cliquez sur le bouton Extraire de la musique situé au-dessus de la liste des fichiers du CD.**

   L'opération d'extraction des titres sélectionnés commence. Vous en suivez la progression dans la colonne Etat de l'extraction. Une fois l'extraction terminée, cette colonne affiche Extrait dans la bibliothèque.

9. **Pour écouter les fichiers rippés, cliquez sur le bouton Bibliothèque. Dans la section centrale, sélectionnez le ou les fichiers rippés à écouter comme à la Figure 11.4, et cliquez sur le bouton Lire.**

   C'est parti !

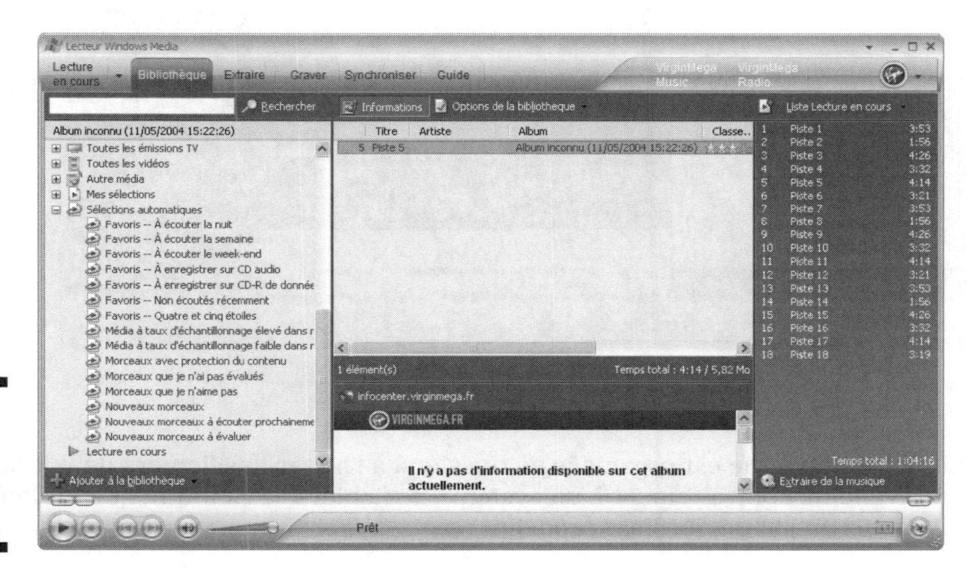

Figure 11.4 : Ecouter immédiatement les fichiers extraits du CD.

Organiser la Bibliothèque de vos fichiers multimédias

La Bibliothèque multimédia du Lecteur Windows Media permet d'organiser tous les titres présents sur vos divers lecteurs. Le Lecteur Windows Media constitue la Bibliothèque à la volée en utilisant les données du dossier Ma musique et Musique partagée.

Consulter la Bibliothèque

Pour consulter la Bibliothèque, cliquez sur le bouton homonyme du Lecteur Windows Media. Quatre volets apparaissent comme l'illustre la Figure 11.5.

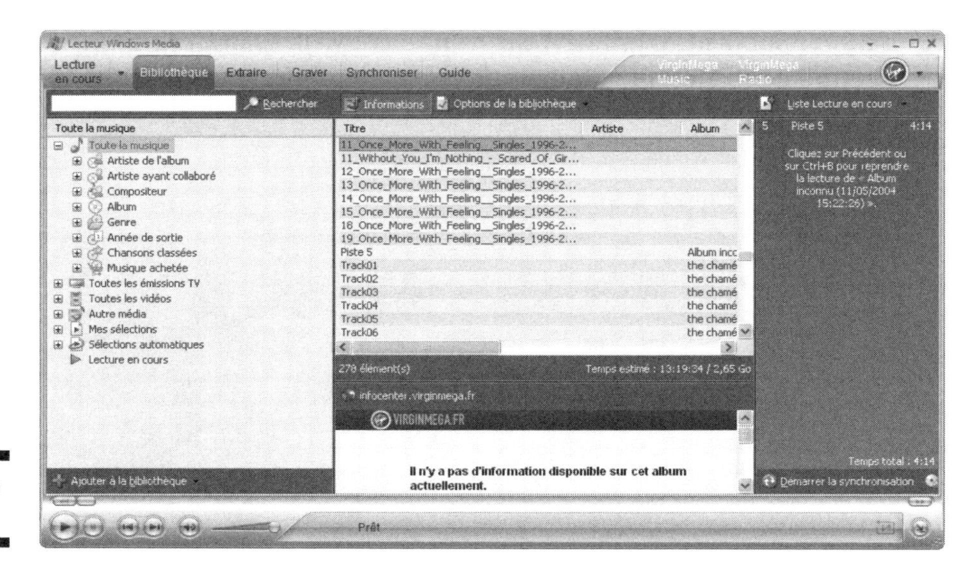

Figure 11.5 : Ma Bibliothèque.

Cette bibliothèque est organisée en dossiers, à l'instar des fichiers de Windows XP. En revanche, contrairement à un système de fichiers, la Bibliothèque multimédia dispose d'un jeu de dossiers prédéfini :

- ✦ **Toute la musique :** Regroupe l'ensemble des catégories audio dans lesquelles vous pouvez classer vos musiques.
  - **Artiste de l'album :** Affiche la liste de tous les albums d'un ou plusieurs artistes. Cliquez sur le signe + à gauche de chaque élément répertorié pour afficher une liste d'albums regroupés sous la rubrique de cet artiste. Le contenu de l'album, quant à lui, s'affiche dans la partie centrale de la Bibliothèque. Il devient ainsi la nouvelle liste de lecture en cours. Sélectionnez le premier morceau à écouter (ou un autre), et cliquez sur le bouton Lire.
  - **Compositeur :** Liste tous les compositeurs répertoriés dans la Bibliothèque. C'est une autre méthode pour trouver des albums ou des morceaux en prenant leur compositeur comme critère de recherche.
  - **Album :** Contient tous les albums répertoriés dans la Bibliothèque multimédia du lecteur. Cette fois vous trouvez les titres et les artistes en fonction des albums.

- **Genre :** Cette rubrique fonctionne comme Artiste. La différence est que les artistes et les albums sont classés en fonction de leur genre.

Lorsqu'un album ou quelques titres d'un genre ne sont pas dans la bonne catégorie, il suffit de les sélectionner dans la section centrale de la Bibliothèque. Ensuite, glissez-déposez les vers un autre genre. Le Lecteur Windows Media demande confirmation du changement de genre. Si vous êtes sûr de vous, cliquez sur Oui.

✦ **Toutes les vidéos :** Les enregistrements vidéo sont traités au Chapitre 12 du Livret I. Ce dossier contient tous les fichiers vidéo répertoriés sur vos différents lecteurs.

Vous pouvez classer vos vidéos par Acteurs, Genre, Vidéos classées, et Vidéos achetées.

Le classement dans ces catégories reprend le même principe que le changement de genre audio. Il suffit de sélectionner les vidéos et de les glisser-déposer dans une sous-catégorie.

✦ **Autres médias :** Regroupe tous ce qui n'a pas pu être classé ailleurs. Vous pourrez toujours procéder à une classification par la technique du glisser-déposer des fichiers dans d'autres catégories de la Bibliothèque.

✦ **Mes sélections :** Contient des listes de lecture que vous avez créées. Cliquez sur le signe + pour les afficher. Ensuite, cliquez sur une des listes pour en afficher le contenu dans la section centrale de la Bibliothèque. Double-cliquez sur un des titres de la sélection pour en faire la liste de lecture en cours qui apparaît alors dans le volet de droite. Sa lecture démarre immédiatement.

✦ **Sélections automatiques :** Organise automatiquement les éléments en fonction de critères parfois aléatoires. Vous ne vous en servirez que très rarement.

Trouver les musiques que vous cherchez

Les dossiers de la Bibliothèque sont très puissants pour assurer l'organisation des différents fichiers multimédias de votre ordinateur. Ils mettent à votre disposition plusieurs méthodes pour retrouver des titres spécifiques. Vous désirez retrouver les albums d'un artiste spécifique ou contenant certaines de ses chansons ? Les éléments du dossier Artiste de l'album vous apportent la solution. Vous souhaitez savoir ce que contient un album particulier ? Le dossier Album vous apporte la réponse.

Trier

Dans le volet central, vous pouvez trier le contenu en fonction de l'en-tête des colonnes. Par exemple, cliquez sur Toute la musique pour afficher absolument tous les fichiers audio répertoriés par la Bibliothèque. Ensuite, cliquez sur l'en-tête de la colonne Artiste pour afficher les titres par artiste. Cliquez sur la colonne Album pour afficher les albums par ordre alphabétique. Cliquez une seconde fois sur l'en-tête de la colonne pour effectuer un classement alphabétique décroissant. Lorsque vos collections musicales contiennent des centaines de titres, le classement par action sur les en-têtes de colonnes permet de retrouver plus facilement ce que vous cherchez.

Rechercher

Vous pouvez effectuer des recherches de titres, d'artistes, de genre, ou d'albums en saisissant des mots clés. Cette méthode est salutaire lorsque vous passez trop de temps à effectuer une recherche par la technique du tri évoquée dans la précédente section.

Pour effectuer une recherche dans la Bibliothèque, cliquez sur un dossier, puis saisissez un terme dans le champ Rechercher situé dans le coin supérieur gauche, et enfin cliquez sur le bouton du même nom. Ainsi, vous trouverez (ou non) les albums, les titres etc. contenant le mot clé. (Voir la Figure 11.6.)

Figure 11.6 : Une recherche s'effectue le plus simplement du monde dans la Bibliothèque du Lecteur Windows Media.

Une fois la recherche terminée, une rubrique Résultats de la recherche apparaît en bas du volet gauche, et les titres s'affichent dans le volet central.

Le résultat de la recherche n'est rien d'autre qu'une liste de lecture. La grande différence ici est que son contenu change chaque fois que vous lancez une nouvelle recherche. Pour ne pas perdre son résultat, cliquez sur Résultats de la recherche avec le bouton droit de la souris. Dans le menu contextuel, vous avez le choix entre : Lecture (pour lire les fichiers trouvés), Ajouter à la liste de lecture en cours (ce qui permet d'enrichir la liste actuellement écoutée), Ajouter à la sélection à graver (pour graver un CD audio ou de données en y ajoutant les fichiers trouvés), Ajouter à la liste des éléments à synchroniser (c'est-à-dire des éléments qui s'actualisent en fonction d'une liste à jour sur Internet), Enregistrer en tant que nouvelle sélection (pour faire des éléments de la recherche une liste de lecture à part entière).

Lire des pistes depuis la Bibliothèque multimédia

Vous pouvez lire des pistes directement depuis la Bibliothèque. Sélectionnez-en une dans la section centrale du Lecteur Windows Media, et cliquez sur le bouton Lecture. Une autre méthode consiste à double-cliquer sur un titre pour en démarrer la lecture. Pour lire toutes les chansons d'un artiste, cliquez sur son nom dans le dossier Compositeur. Sélectionnez la première chanson dans le volet central, puis cliquez sur Lire.

Gérer des listes de lecture

Le principe du Lecteur Windows Media repose sur une idée toute simple. Ce que vous écoutez fait partie d'une liste de lecture ou peut être intégré à une liste existante, voire constituer une nouvelle liste. Au sein de chaque liste, vous pouvez réorganiser les chansons. N'avez-vous jamais eu envie de faire votre propre album des Beatles ?

Créer une liste de lecture

Si vous disposez d'un ensemble de chansons d'un ou plusieurs artistes que vous aimez écouter régulièrement, faites-en une compilation sous la forme d'une liste de lecture. Non seulement vous pourrez la lire depuis votre PC (tant que vous n'y supprimez pas les fichiers), mais vous pourrez également en graver un CD. Pour en savoir plus sur ce sujet, consultez la section "Copier sur un CD ou un autre périphérique numérique".

Pour créer une nouvelle liste de lecture, Cliquez sur la flèche située dans le coin supérieur droit de la Bibliothèque. Dans la liste qui apparaît, exécutez Nouvelle liste/ Sélection. Ensuite, parcourez tous les dossiers de la Bibliothèque (volet de gauche) et glissez-déposez les titres dans le volet de droite situé juste en dessous de Nouvelle sélection, comme à la Figure 11.7.

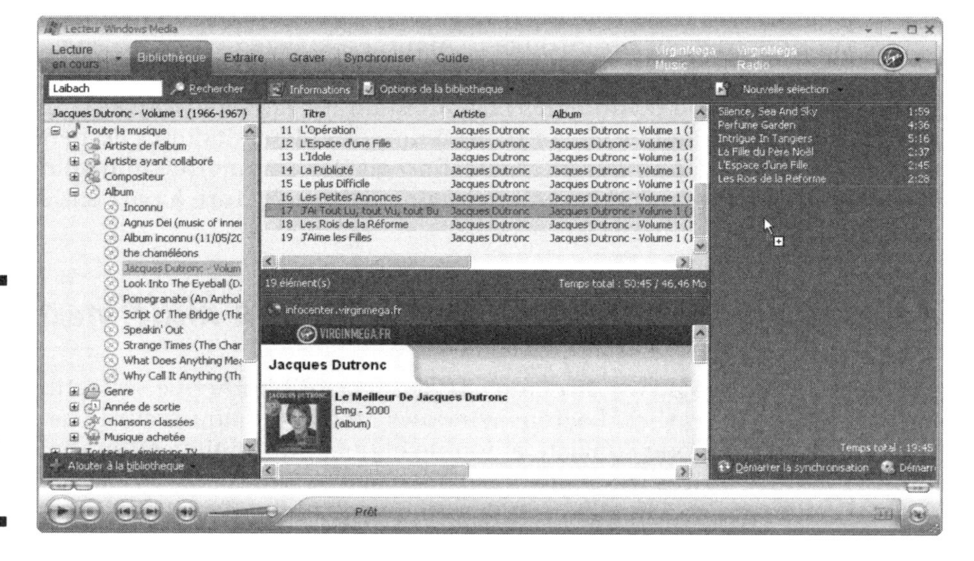

Figure 11.7 : Constitution d'une nouvelle liste de lecture par simple glisser-déposer des titres de la Bibliothèque.

Pour conserver cette sélection et lui donner un nouveau nom, cliquez sur la flèche située à droite du nom Nouvelle sélection, puis choisissez Enregistrer la sélection sous. La boîte de dialogue Enregistrer sous propose de stocker le fichier dans le dossier My Playlists. Ne changez rien, donnez un nom, et cliquez sur Enregistrer. A partir de cet instant, la nouvelle liste de lecture apparaît dans le dossier Mes sélections de la Bibliothèque (volet de gauche). Vous pouvez l'écouter sans problème depuis le bouton Lecture en cours du Lecteur Windows Media, ou directement depuis la Bibliothèque.

Ajouter une piste absente de la Bibliothèque à une liste de lecture

Dans la Bibliothèque, vous pouvez ajouter des pistes à n'importe quelle liste de lecture.

1. **Dans la Bibliothèque, cliquez sur Ajouter à la Bibliothèque.**
2. **Dans le menu qui apparaît, choisissez Ajouter un fichier ou une sélection.**

3. **Dans la boîte de dialogue Ouvrir, parcourez vos lecteurs pour localiser le fichier à importer dans la Bibliothèque.**

4. **Sélectionnez un ou plusieurs fichiers et cliquez sur Ouvrir.**

De retour dans la Bibliothèque, vous ne trouvez pas le fichier importé ?! Où peut-il bien être ? Le Lecteur Windows Media a une attitude assez logique pour sa "propre logique". Pour nous, simples mortels, les choses sont un peu plus complexes. Pour retrouver le fichier importé, vous devez le considérer comme un nouveau morceau, un nouveau morceau à écouter prochainement, ou un nouveau morceau à évaluer.

5. **Le ou les titres importés se trouvent dans Sélections automatiques, rubriques Nouveaux morceaux, Nouveaux morceaux à écouter prochainement, et Nouveaux morceaux à évaluer. Cliquez sur l'un de ces sous-dossiers.**

6. **Cliquez sur votre titre, et écoutez-le.**

   C'est bien lui !

7. **Glissez-déposez-le dans le volet de droite qui affiche la sélection en cours. Une autre méthode consiste à afficher le contenu du dossier Mes sélections (volet de gauche de la Bibliothèque), et à glisser-déposer le ou les titres dans une des sélections.**

Renommer et supprimer des listes de lectures

Pour supprimer une liste de lecture, cliquez dessus avec le bouton droit de la souris. Dans le menu contextuel, choisissez Supprimer, comme à la Figure 11.8. Un message surgit avec deux options : Supprimer de la bibliothèque seulement et Supprimer de la bibliothèque et de mon ordinateur. La première option supprime uniquement le lien fait vers les titres de la liste de lecture. En d'autres termes, la liste de lecture disparaît, mais les fichiers qui la composent restent sur votre disque dur. En revanche, la seconde option supprime tout ! Vigilance !

Pour changer le nom d'une liste de lecture, cliquez dessus avec le bouton droit de la souris, et choisissez Renommer dans le menu contextuel. Saisissez un nouveau nom que vous validez en appuyant sur la touche Entrée.

Copier sur un CD ou un périphérique numérique

Si vous disposez d'un graveur de CD et/ou de DVD, vous pouvez graver des fichiers répertoriés par le Lecteur Windows Media sous forme d'un CD audio, un CD de données, ou un CD HighMAT. Si vous possédez un lecteur numérique de type MP3 par exemple, qui est compatible avec Windows XP, vous y copierez des listes de lecture que vous écouterez en toutes circonstances.

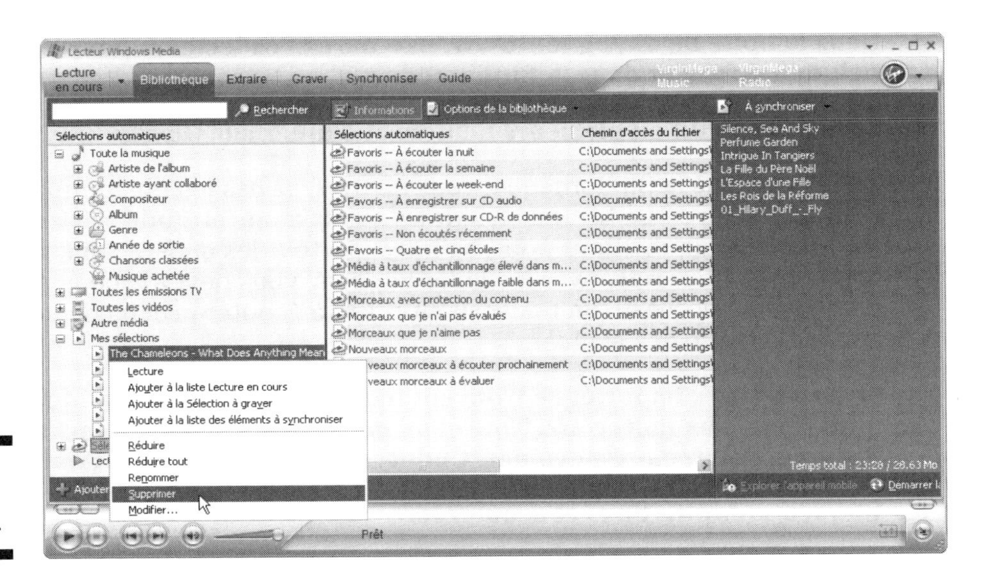

Figure 11.8 : Supprimer une liste de lecture.

La fonction de création d'un CD audio connaît quelques restrictions avec le Lecteur Windows Media. En effet, vous ne pouvez copier que des fichiers WMA (Windows Media Audio), MP3 (portant l'extension .mp3), et WAV (extension .wav).

La différence entre CD-R et CD-RW

Il existe deux types de CD :

- Le *CD-R* qui signifie *CD-Recordable* c'est-à-dire enregistrable, et sur lequel vous ne pouvez écrire qu'une seule fois (en une ou plusieurs sessions de gravure). Cela signifie qu'une fois que ce disque est plein, vous ne pouvez pas l'effacer pour y substituer d'autres données.
- Le *CD-RW* qui signifie *CD-ReWritable*, c'est-à-dire réinscriptible ou réenregistrable, dont les données peuvent être effacées et remplacées par d'autres autant de fois que vous le souhaitez.

En général, un CD-R sera lu par n'importe quelle platine CD de salon, radiocassette CD, et le lecteur de CD de votre voiture. Dans certains cas, vous rencontrerez des problèmes de lecture, car les CD-R sont un peu plus épais que les CD audio du commerce. En ce qui concerne les CD-RW, ils ne sont lus que par les lecteurs de CD informatiques, et les lecteurs de salon, les mini-chaînes (dont vous vérifierez malgré tout la compatibilité), et les lecteurs de DVD compatibles CD-R/RW.

Le Lecteur Windows Media ne peut pas ajouter de données à un CD-RW qui en contient déjà. Voici comment l'effacer :

1. **Insérez le CD-RW dans votre graveur.**
2. **Cliquez sur Démarrer/Poste de travail.**
3. **Sélectionnez l'icône du graveur.**
4. **Dans le volet d'exploration de l'Explorateur Windows, cliquez sur Effacer ce disque.**

Il se peut que cette commande n'apparaisse pas dans le volet d'exploration. Dans ce cas, c'est qu'un autre utilitaire de gestion des CD-RW a été installé sur votre machine. L'un des plus répandus est InCD de l'éditeur Ahead créateur de Nero. Dans ce cas, vous devez cliquer sur l'icône du graveur avec le bouton droit de la souris. Dans le menu contextuel, choisissez InCD Effacer.

Vous pouvez également procéder à l'effacement du disque dans l'interface de gravure du Lecteur Windows Media. Il suffit de cliquer sur le bouton Effacer le disque.

Graver un CD

Dans cette section, "CD" se réfère aussi bien à un CD-R qu'à un CD-RW. La procédure de gravure depuis le Lecteur Windows Media est d'une facilité déconcertante :

1. **Cliquez sur Démarrer/Lecteur Windows Media.**

   Si, pour une raison ou pour une autre, le Lecteur Windows Media n'est pas affiché dans le menu Démarrer, choisissez Tous les programmes/Lecteur Windows Media ou bien passez par Accessoires/Divertissement/Lecteur Windows Media.

2. **Cliquez sur le bouton Copier sur...**

   Vous accédez à une interface illustrée Figure 11.9.

3. **Dans le volet de gauche activez tous les titres à copier sur le CD.**
4. **Pour ajouter d'autres titres, cliquez sur le bouton Modifier la sélection.**
5. **Dans la liste Afficher la bibliothèque multimedia par de la boîte de dialogue qui apparaît, choisissez une sélection (ou un autre dossier de stockage).**
6. **Ouvrez la sélection en cliquant dessus.**

7. **Dans la liste des fichiers audio compatibles proposés, cliquez sur le titre à ajouter.**

   Le titre apparaît immédiatement dans la partie droite de la boîte de dialogue Sélection à graver.

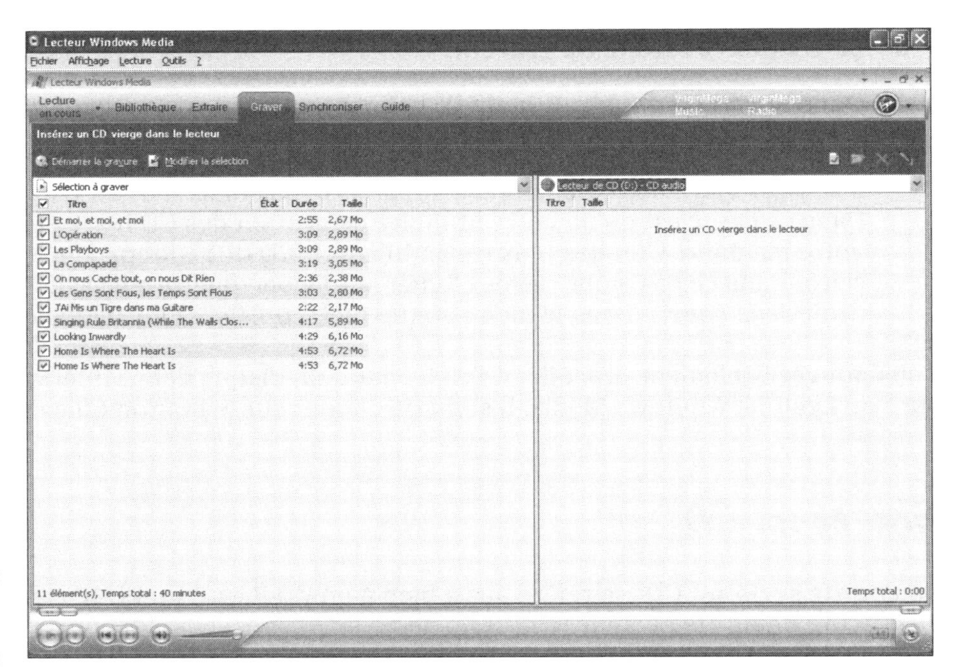

Figure 11.9 : Copier sur un CD ou un périphérique numérique.

8. **Si vous le désirez, réorganisez les morceaux dans la liste Sélection à graver.**

   Pour cela, glissez-déposez les titres à un autre emplacement de la liste, ou bien cliquez sur un titre pour le sélectionner, puis sur la flèche dirigée vers le haut pour le faire remonter dans la hiérarchie de la sélection, ou vers le bas pour le faire descendre. Si vous désirez enlever un titre à graver, cliquez sur le bouton X à gauche des deux flèches.

9. **Une fois les morceaux choisis, cliquez sur OK.**

   Revenu dans la section de gravure du Lecteur Windows Media, vous retrouvez les titres choisis.

10. **Dans la liste située dans le coin supérieur droit de l'interface, choisissez le type de CD à graver.**

    Comme il s'agit de créer un CD audio, choisissez cette option.

11. **Insérez un CD vierge dans votre graveur.**

    Dès qu'un CD vierge est identifié, la colonne Etat du Lecteur Windows Media affiche Prêt à graver pour tous les fichiers sélectionnés.

12. **Cliquez sur le bouton Démarrer la gravure.**

    Une première phase s'enclenche. Elle convertit les fichiers MP3 ou WMA en fichiers WAV de manière à créer un CD audio compatible avec tous les lecteurs de CD.

    Une fois la conversion de tous les titres terminée, la gravure commence. Ne faites rien d'autre que patienter.

13. **Une fois la gravure arrivée à son terme, l'état des pistes affiche Terminé, et le disque est éjecté.**

    Délectez-vous de votre CD !

La durée de la gravure dépend des performances de votre graveur.

Il est préférable de ne pas travailler pendant une phase de gravure sous peine de l'anéantir. Ce n'est pas très grave quand vous utilisez des CD-RW, mais ça peut revenir cher avec des CD-R.

Si la gravure refuse de commencer c'est que la sélection contient des fichiers dont la Bibliothèque a perdu toute trace. Pour les identifier, lancez la lecture depuis l'interface de gravure. Tous les fichiers non trouvés apparaissent en orange précédés d'un point d'exclamation. Supprimez-les de la sélection, et tout rentrera dans l'ordre.

Si la lecture d'une gravure effectuée sur un CD-RW refuse de commencer car Lecteur Windows Media ne reconnaît pas son contenu, fermez l'application et redémarrez-la. Cliquez sur le bouton Lecture en cours, et tout fonctionnera correctement.

Copier vers un lecteur audio numérique

L'appellation "Appareils mobiles" du Lecteur Windows Media se réfère à des lecteurs audio numériques dont raffole la jeunesse dépravée à grand renfort de fichiers MP3. D'ailleurs, dans le langage populaire, on parle de *lecteur MP3.* Voici comment exporter des hits dans ces lecteurs :

1. **Connectez le lecteur en question à votre ordinateur par le biais d'un port USB, et allumez-le.**

2. **Dans le Lecteur Windows Media, cliquez sur Graver.**

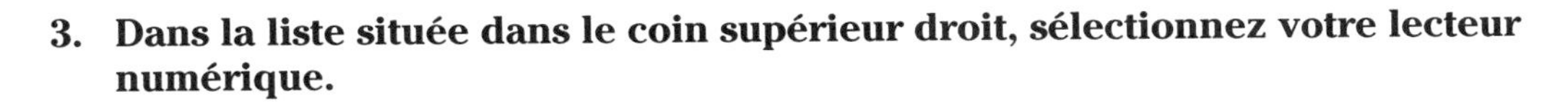

3. **Dans la liste située dans le coin supérieur droit, sélectionnez votre lecteur numérique.**

Si, dans la liste, vous ne voyez pas votre périphérique numérique, plusieurs causes sont possibles :

- ✦ Le Lecteur Windows Media n'a pas vu qu'un lecteur numérique était connecté à votre PC. Pour corriger ce problème, quittez l'application et redémarrez-la.
- ✦ Windows XP ne reconnaît pas votre lecteur car il est incompatible avec le système d'exploitation.

Le reste de la procédure de copie est sensiblement la même que pour la gravure d'un CD.

Par rapport au CD, le périphérique numérique présente des avantages :

- ✦ Vous pouvez ajouter des pistes à un lecteur audio numérique qui en contient déjà du moment qu'il reste suffisamment de place.
- ✦ Vous pouvez supprimer des pistes de votre lecteur numérique. Sélectionnez-les dans la liste de droite, puis cliquez sur le bouton Supprimer de l'appareil mobile situé dans le coin supérieur droit de l'interface.

Chapitre 12
Silence ! Moteur ! Action ! Windows Movie Maker

Dans ce chapitre :

- Capturer et monter vos vidéos.
- Ajouter un commentaire, de la musique et des bruitages.
- Organiser vos clips (séquences).

Windows Movie Maker est un logiciel qui transforme votre PC en véritable studio de post-production vidéo. Vous pourrez y monter des documentaires, des films de famille, dont le résultat sera enregistré sur bande, sur CD, publié sur Internet, ou encore envoyé par e-mail. Serez-vous le prochain Spielberg ? A vous de juger !

Ce dont vous avez besoin pour faire des films

Pour travailler convenablement avec Windows Movie Maker, certains matériels sont indispensables. Ainsi, cela va sans dire mais ça va mieux en le disant, vous devez posséder une caméra vidéo numérique. A cela, ajoutez un ordinateur performant. Voici les recommandations minimales de Microsoft :

- Un Pentium II à 300 MHz ou équivalent.
- Au moins 64 Mo de mémoire RAM.
- Une carte son ou une carte mère disposant d'un circuit audio intégré.
- Au moins 2 Go d'espace libre sur votre disque dur.

Lorsque je lis ces recommandations, deux réflexions me viennent à l'esprit. Soit les ingénieurs de chez Microsoft n'ont jamais fait de vidéo sur ordinateur, soit ils souhaitent faire croire à l'utilisateur que la vidéo assistée par ordinateur peut se faire dans des conditions matérielles que je considère comme précaires. En réalité, le montage vidéo sur PC n'est confortable que si vous disposez d'un Pentium cadencé à 600 MHz, avec au moins 256 Mo de mémoire vive, et avec un disque dur entièrement dédié à la vidéo.

Présentation de Windows Movie Maker

Windows Movie Maker ne ressemble à aucune autre application Microsoft. Il s'agit d'un programme spécifique entièrement dédié à la post-production vidéo. Il suffit d'exécuter Windows Movie Maker via Démarrer/Tous les programmes/Accessoires/Windows Movie Maker, pour le constater. L'interface du programme s'affiche comme à la Figure 12.1.

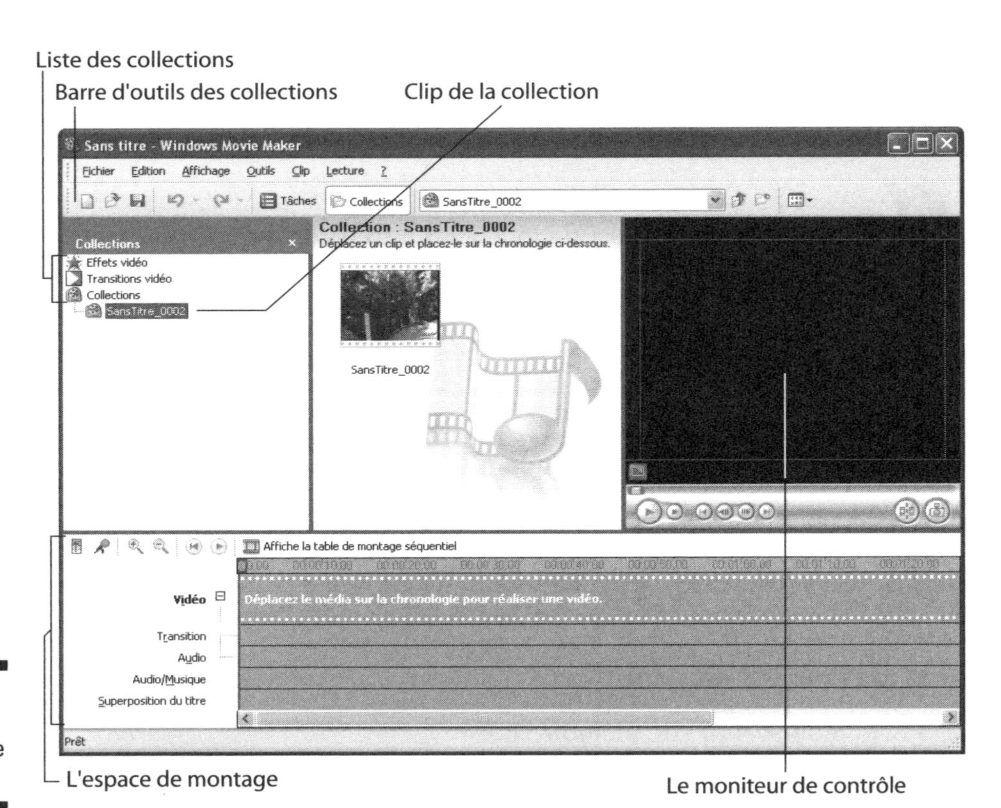

Figure 12.1 : La fenêtre de Windows Movie Maker.

Prenez quelques minutes pour vous familiariser avec l'interface de Windows Movie Maker. La partie centrale du programme se divise en trois volets. Dans le volet de gauche, vous avez la liste de toutes les collections de vos séquences vidéo (que l'on appelle plus communément des clips vidéo). Une *collection* regroupe un ensemble de clips. Ainsi, vous pouvez utiliser des collections pour organiser l'ensemble des séquences vidéo, exactement comme lorsque vous regroupez des fichiers dans des dossiers à l'aide de l'Explorateur Windows. Le volet central affiche les clips vidéo de la collection sélectionnée dans le volet de gauche. Cliquez sur un clip pour l'activer, puis cliquez sur le bouton Lecture du *moniteur* de contrôle affiché dans le volet de droite pour apprécier le contenu de cette séquence.

Sous ces trois volets, se trouve l'espace de travail, c'est-à-dire l'espace de post-production vidéo à proprement parler. C'est ici que vous assemblez les différents clips de votre film pour obtenir une vidéo cohérente.

Comme toutes les fenêtres des programmes Windows, vous disposez d'une barre de menus, et d'une barre d'outils Standard. Les deux boutons les plus importants se nomment respectivement Tâches et Collections. Lorsque vous cliquez sur le bouton Tâches, un ensemble d'assistants à la capture et à la création s'affiche dans le volet de gauche. Lorsque vous cliquez sur le bouton Collections, comme à la Figure 12.1, ce même volet affiche l'ensemble des collections répertoriées par Windows Movie Maker sur votre disque dur.

Capturer et monter une vidéo

Avant de procéder au montage d'une vidéo, vous devez la capturer sur votre ordinateur. En revanche, si vous ne possédez pas de périphériques vidéo, il est possible d'importer des fichiers vidéo existants dans Windows Movie Maker. Toutefois, j'attire votre attention sur le fait que certains fichiers de types AVI ne sont pas supportés par le logiciel. Ceci entraîne des blocages intempestifs qui finissent par agacer l'utilisateur quel que soit son niveau d'expérience.

Choisir une caméra

Le matériel d'enregistrement et de lecture vidéo se présente sous quatre types principaux :

- **Caméra vidéo analogique :** Il s'agit d'un caméscope relativement ancien. En effet, il effectue un enregistrement sur bande magnétique analogique qui confère au film une qualité VHS ou S-VHS. Dans ce cas, la vidéo ne peut être capturée qu'avec une carte d'acquisition vidéo disposant d'entrées analogiques. Il en existe de différentes qualités, dont les plus modestes sont celles qui permettent également d'afficher la télévision sur votre ordinateur.

- **Caméra vidéo numérique (mini DV) :** Il s'agit du caméscope désormais le plus répandu. Il enregistre le signal vidéo sur une petite bande magnétique numérique. La qualité est exceptionnelle comparée à celle des cassettes VHS, S-VHS, Hi8, voire 8. Avec ce type de caméra, vous capturez la vidéo en connectant l'appareil à la prise *FireWire* (*IEEE 1394*) de votre ordinateur ou de votre carte d'acquisition vidéo. Sous Windows XP, le caméscope numérique est immédiatement identifié, et la capture peut commencer sans difficulté.
- **Magnétoscope :** Vous pouvez capturer le signal vidéo sortant d'un magnétoscope VHS ou S-VHS. Dans cette configuration de capture, vous devez posséder une carte d'acquisition comportant des entrées analogiques. Ce principe permet même d'enregistrer les télédiffusions.
- **Webcam :** La capture vidéo à partir d'une Webcam ne nécessite aucun matériel supplémentaire. Reliez la caméra au port USB de votre ordinateur avec un câble spécifique, laissez Windows XP installer les pilotes appropriés, et commencez la capture.

Si votre Webcam dispose d'un microphone intégré, Windows Movie Maker capturera à la fois l'image et le son. Si ce n'est pas le cas, vous devez ajouter un microphone externe pour capturer le son en même temps que l'image. Dans ce cas, connectez la prise du microphone dans l'entrée micro (ou Mic) de la carte son de votre ordinateur.

Capturer une source vidéo

Windows Movie Maker facilite la capture vidéo :

1. **Connectez la caméra.**

   La connexion de la caméra consiste à la raccorder à votre ordinateur soit par l'entremise d'un câble IEEE 1394, soit par le biais des connecteurs analogiques de votre système d'acquisition vidéo. Si vous utilisez un magnétoscope, il y a de grandes chances pour que vous ne disposiez que d'une prise péritel. Dans ce cas, vous devez acheter une prise péritel se terminant, à une de ses extrémités, par des connecteurs de type RCA audio et vidéo.

2. **Dans la fenêtre de Windows Movie Maker, cliquez sur le bouton Tâches pour afficher un assistant dans le volet de gauche. (À la place de la hiérarchie des collections.)**
3. **Cliquez sur Capturer la vidéo.**
4. **Dans la liste qui apparaît, cliquez sur Capturer à partir du périphérique vidéo.**

Si plusieurs périphériques vidéo sont installés sur votre ordinateur, une fenêtre vous demande de choisir celui à partir duquel vous désirez effectuer la capture. En règle générale, choisissez votre caméscope numérique. Cliquez sur le bouton Suivant, puis donnez un nom à votre capture, et choisissez son dossier de stockage.

5. **Cliquez sur suivant. Une nouvelle étape vous demande de choisir votre format de capture. Si vous désirez créer un film dont le montage sera ultérieurement enregistré sur bande, optez pour Format du périphérique numérique.**

   Si vous souhaitez simplement consulter cette vidéo sur ordinateur, choisissez l'option Qualité optimale pour la lecture sur mon ordinateur (recommandé).

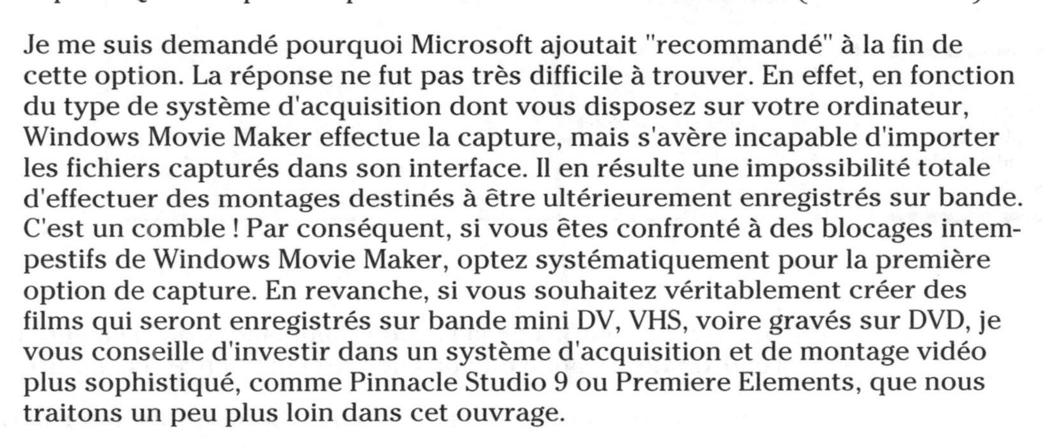

Je me suis demandé pourquoi Microsoft ajoutait "recommandé" à la fin de cette option. La réponse ne fut pas très difficile à trouver. En effet, en fonction du type de système d'acquisition dont vous disposez sur votre ordinateur, Windows Movie Maker effectue la capture, mais s'avère incapable d'importer les fichiers capturés dans son interface. Il en résulte une impossibilité totale d'effectuer des montages destinés à être ultérieurement enregistrés sur bande. C'est un comble ! Par conséquent, si vous êtes confronté à des blocages intempestifs de Windows Movie Maker, optez systématiquement pour la première option de capture. En revanche, si vous souhaitez véritablement créer des films qui seront enregistrés sur bande mini DV, VHS, voire gravés sur DVD, je vous conseille d'investir dans un système d'acquisition et de montage vidéo plus sophistiqué, comme Pinnacle Studio 9 ou Premiere Elements, que nous traitons un peu plus loin dans cet ouvrage.

Les bugs de Windows Movie Maker apparaissent surtout dans des configurations semi-professionnelles qui embarquent déjà un système sophistiqué de capture et de montage virtuel. Vous corrigerez de nombreux bugs en cliquant sur Outils/Options. Ensuite, dans l'onglet Compatibilité, décochez tous les filtres présents. Normalement, les bugs devraient disparaître.

6. **Cliquez sur Suivant. Maintenant, déterminez la méthode de capture.**

   Vous avez le choix entre Capturer automatiquement la vidéo complète, ou Capturer manuellement des parties de la bande vidéo.

   La première option permet de capturer l'intégralité de la bande vidéo, tandis que la seconde vous impose de suivre la procédure de capture pour l'interrompre et la redémarrer en fonction des parties de la bande que vous désirez capturer sur votre disque dur.

   L'option Afficher un aperçu pendant la lecture permet de voir sur l'écran de votre ordinateur les images diffusées par votre caméscope.

7. **Cliquez sur suivant. Vous voici dans la fenêtre de capture. (Figure 12.2).**

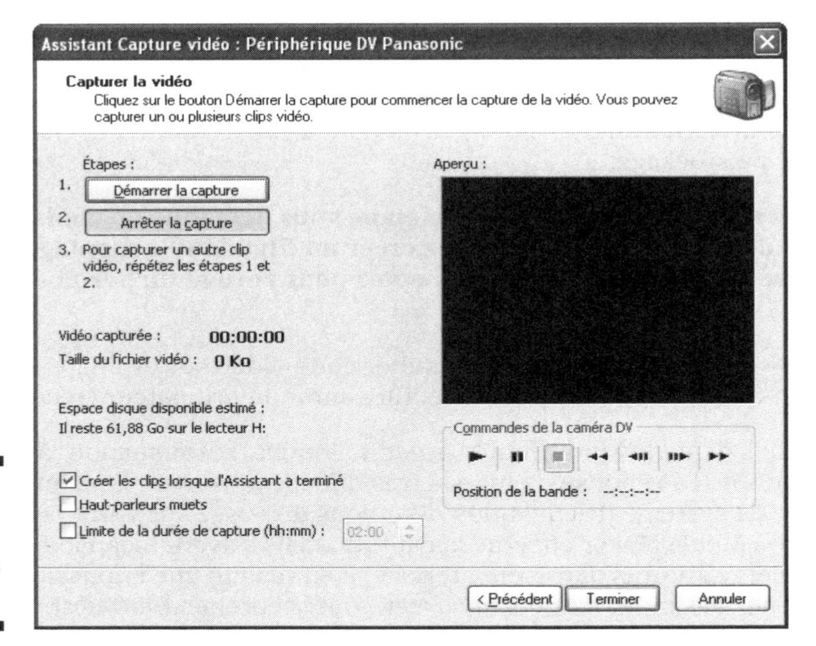

Figure 12.2 : La fenêtre de capture de Windows Movie Maker.

Utilisez les boutons de la section Commandes de la caméra DV pour repérer l'endroit de la bande où vous désirez commencer la capture.

8. **Pour capturer la vidéo, cliquez sur le bouton Démarrer la capture.**

9. **Pour interrompre la capture, cliquez sur le bouton Arrêter la capture.**

   Chaque fois que vous cliquez sur ce bouton, vous créez une nouvelle séquence.

10. **Pour enregistrer d'autres séquences, répétez les étapes 7 à 9.**

11 **dès que vous avez fini de capturer toutes les séquences nécessaires au montage de votre film, cliquez sur le bouton Terminer.**

   Le volet central de Windows Movie Maker affichera alors l'ensemble des clips capturés.

Comment Windows Movie Maker fait-il pour créer ces clips ? Il analyse le contenu des images qui se succèdent. Dès qu'il repère un changement flagrant de luminosité ou de couleur, il considère qu'un nouveau clip doit être créé. De ce fait, même si vous capturez une séquence très longue, Windows Movie Maker va la scinder en plusieurs petits clips.

Regardez la Figure 12.2. Vous constatez que la case Créer des clips lorsque l'Assistant a terminé est cochée. Par conséquent, pour éviter que Windows Movie Maker ne scinde votre capture en plusieurs petites séquences, désactivez cette option.

Monter un film

Un *projet* est un fichier qui contient tout le travail réalisé sur une vidéo. En effet, un projet *est* un film terminé ou en développement. Un *clip* est un élément de ce film, c'est-à-dire une séquence. La précédente section a expliqué comment capturer une source vidéo que Windows Movie Maker traite par la suite comme des clips, nous devons maintenant voir ce que peut en faire le programme :

1. **Cliquez sur Fichier/Nouveau projet.**

   Vous commencez un nouveau film avec les séquences capturées dans vos diverses collections.

2. **Dans une des collections, choisissez un clip, et glissez-déposez-le dans la ligne Vidéo située dans le volet inférieur du logiciel.**

   Une vignette apparaît dans cette ligne de montage séquentiel. Elle identifie le clip en affichant sa première image.

3. **Glissez-déposez d'autres clips derrière le premier.**

   Vous obtenez un agencement comme celui de la Figure 12.3 (limité ici à deux séquences).

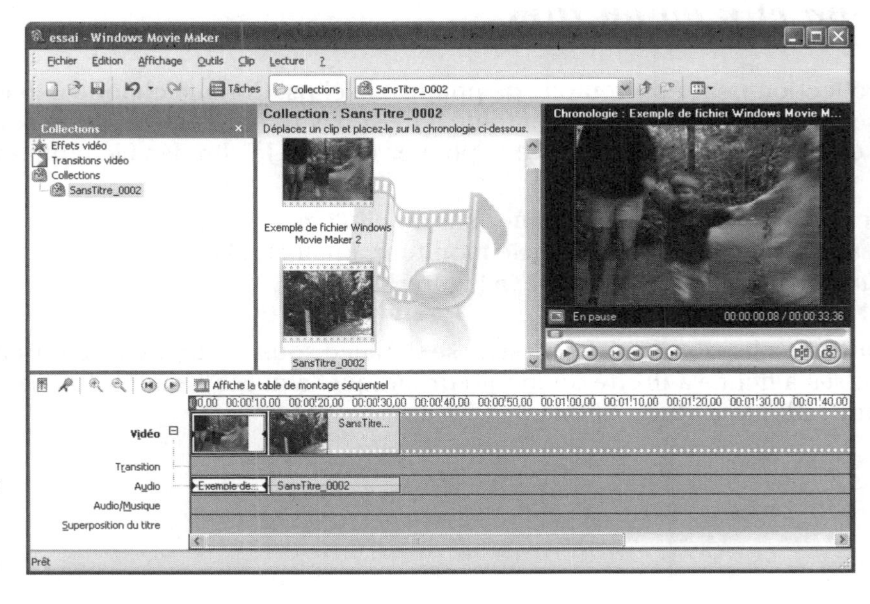

Figure 12.3 : Agencement des clips dans la chronologie.

Si la zone de montage n'est pas identique à celle de la Figure 12.3, cliquez sur le bouton Affiche la chronologie.

Vous pouvez insérer un clip entre deux clips. Il suffit de glisser-déposer cette nouvelle séquence à l'intersection des deux autres.

4. **Vous pouvez modifier l'ordre des clips en les glissant-déposant les uns devant ou derrière les autres.**

   Vous pouvez réduire la durée d'un clip en plaçant le pointeur de la souris sur l'un de ses bords. Quand il prend la forme d'une double flèche, cliquez et faites glisser le bord vers la gauche. Le moniteur permet de contrôler la réduction du clip.

   Comme vous effectuez un montage virtuel, tous les éléments restent intacts. Ainsi, il est très facile de récupérer les images éliminées par la réduction d'un clip. Placez de nouveau le pointeur de la souris sur un bord. Quand il prend la forme d'une double-flèche, cliquez et faites glisser le clip vers la droite pour récupérer les images préalablement éliminées.

   Vous pouvez également couper un clip. Placez la tête de lecture à l'endroit précis où vous désirez couper le clip. Ensuite, cliquez sur Clip/Fractionner. Voilà ! Le clip est coupé en deux. Vous pouvez éliminer l'une ou l'autre de ses parties en cliquant dessus puis en appuyant sur la touche Suppr de votre clavier. Vous pouvez également insérer un autre clip à l'endroit même du fractionnement.

5. **Pour sauvegarder votre projet, cliquez sur Fichier/Enregistrer le projet.**

Lire un clip ou un film

Une collection peut être remplie de nombreux clips. Comme chaque clip est identifié par la première image de son contenu, il n'est pas toujours facile de se souvenir dudit contenu. Heureusement, vous pouvez diffuser le clip dans le moniteur.

Pour effectuer cette lecture, cliquez sur un clip dans le volet central. Attendez que sa première image s'affiche dans le moniteur. Ensuite, cliquez sur le bouton Lecture. La diffusion commence comme à la Figure 12.4.

Lorsque vous lisez un clip, le curseur se déplace sous le moniteur. La première série de chiffres affichée à droite du moniteur indique la durée écoulée, tandis que la seconde indique la durée totale.

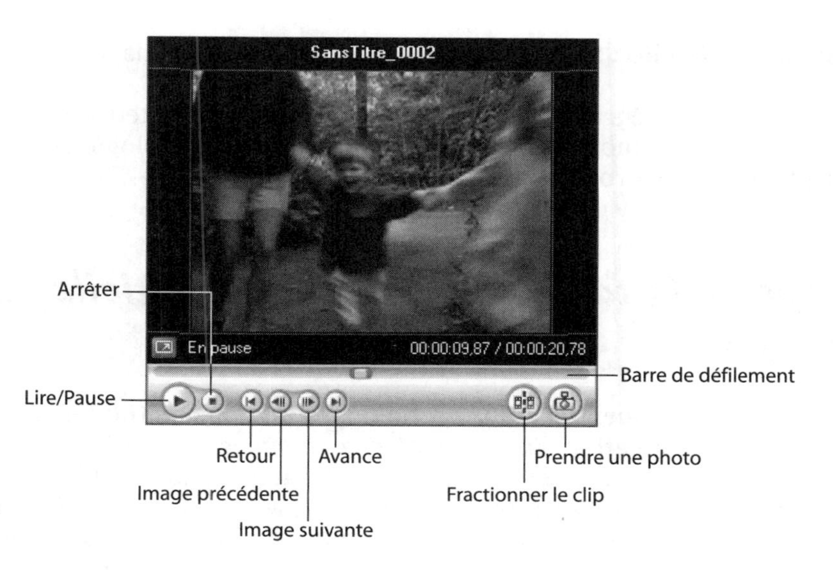

Figure 12.4 : Lecture d'un clip dans le moniteur.

Les autres boutons placés sous le moniteur sont :

✦ **Arrêter :** Stoppe la lecture du clip et le désélectionne.

✦ **Retour :** Sélectionne le clip précédent (dans le montage).

✦ **Image précédente :** Affiche l'image précédant l'image actuelle (à n'utiliser qu'en pause).

✦ **Image suivante :** Affiche l'image suivant l'image actuelle (à n'utiliser qu'en pause).

✦ **Avance :** Sélectionne le clip suivant (dans le montage).

✦ **Plein écran :** Affiche le moniteur sur toute la surface de votre écran. Le curseur de défilement et les boutons de contrôle ne sont plus visibles. Pour contrôler la lecture du montage dans ces conditions, utilisez des combinaisons de touches :

  - **Lecture ou Pause :** Barre d'espace.
  - **Arrêter :** Ctrl+K.
  - **Retour :** Ctrl+Alt+Flèche gauche.
  - **Image précédente :** Alt+Flèche gauche.
  - **Image suivante :** Alt+Flèche droite.
  - **Avance :** Ctrl+Alt+Flèche droite.
  - **Quitter le mode plein écran :** Echap.
  - **Fractionner le clip :** Ctrl+L (ne fonctionne pas toujours très bien en mode plein écran).

- **Fractionner le clip :** Scinde le clip en deux à partir de l'image en cours.

Vous souhaitez lire l'intégralité de votre montage dans le moniteur ? Cliquez sur Lecture/Lire la table de montage séquentielle ou Lire la chronologie en fonction du mode dans lequel vous procédez au montage.

Affichage de la table de montage séquentielle ou de la chronologie

La table de montage séquentiel et la chronologie sont deux méthodes d'affichage d'un film en cours de création. En mode *table de montage séquentielle*, chaque clip apparaît sous la forme d'une vignette, comme à la Figure 12.5. C'est la représentation des clips idéale pour organiser rapidement vos séquences. La *chronologie*, représentée à la Figure 12.6, affiche la durée des clips dans un espace proportionnel. La durée est affichée au-dessus des vignettes des clips. C'est le vrai mode de montage de Windows Movie Maker qui permet de réduire la durée des clips, de les fractionner, d'insérer des clips entre deux autres, etc.

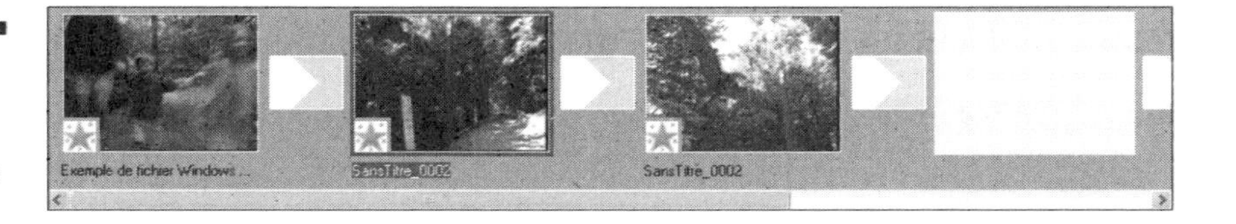

Figure 12.5 : L'espace de m ntage en mo e Table e ontage s quentiel.

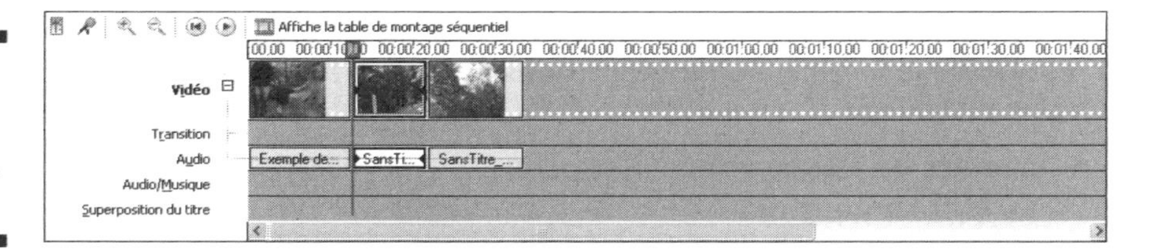

Figure 12.6 : L'espace de montage en mode Chronologie.

Pour basculer d'un mode à un autre, cliquez sur le bouton Affiche la chronologie ou Affiche la table de montage séquentiel.

Réduire la durée d'un clip

Windows Movie Maker permet de réduire la durée de chaque clip en supprimant des images au début ou à la fin. Cette réduction se fait indifféremment en mode Chronologie et Table de montage séquentiel. Toutefois, il est préférable d'y procéder en mode Chronologie car vous voyez exactement la durée supprimée. Voici les étapes à suivre :

1. **Dans l'espace de montage, sélectionnez le clip à raccourcir.**

   Sa première image s'affiche dans le moniteur.

2. **Déplacez le curseur du moniteur jusqu'à l'image au-delà de laquelle vous souhaitez éliminer les autres.**

   - Cliquez sur le bouton Lecture, puis sur le bouton Pause quand le clip atteint la bonne image.
   - Faites glisser le curseur du moniteur jusqu'à l'image en question.
   - Cliquez sur les boutons Image suivante ou Image précédente pour vous positionner correctement.

3. **Une fois la tête de lecture en bonne position, cliquez sur Clip/Définir le point initial de découpage pour éliminer les images du clip situées à gauche de la tête de lecture ; ou Définir le point final de découpage pour éliminer les images situées à droite de la tête de lecture.**

   Lorsque vous procédez à une telle réduction de la durée d'un clip, les autres séquences se décalent de manière à ne laisser aucun vide dans le montage. Un raccord s'opère donc automatiquement.

4. **Si vous découpez un peu trop une séquence, cliquez sur Clip/Supprimer les points de découpage.**

   Découper un clip dans le montage n'altère aucunement le clip d'origine. Celui-ci pourra être de nouveau placé dans le montage avec toute sa durée. En d'autres termes, les autres occurrences d'un clip ne sont pas concernées par la découpe d'une de ses copies.

Une autre technique, plus intuitive, permet de réduire la durée d'un clip directement dans la zone de montage. Placez le pointeur de la souris sur un des bords du clip, cliquez et faites glisser le curseur dans le sens de la réduction voulue (vers la droite quand vous êtes en début de clip, vers la gauche quand vous êtes en fin de clip). (Voir la Figure 12.7.)

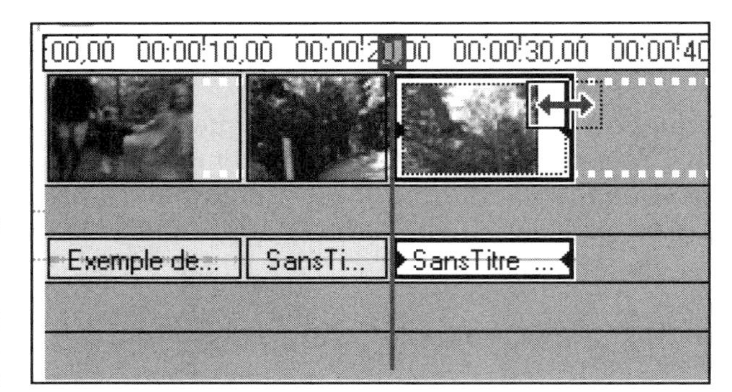

Figure 12.7 : Glissez le bord d'un clip pour en réduire la durée.

Lorsque vous agissez de la sorte, regardez le moniteur pour contrôler les effets de la réduction.

Si vous réduisez trop la séquence, appuyez sur Ctrl+Z. Vous annulez ainsi la réduction. Pour en annuler plusieurs, appuyez plusieurs fois sur Ctrl+Z, ou cliquez sur le bouton Annuler de la barre d'outils Standard.

Vous pouvez annuler plusieurs manipulations en un clic de souris. Cliquez sur la flèche du bouton Annuler. Vous affichez les 15 dernières actions exécutées. Mettez en surbrillance celle à annuler, et cliquez !

Pour voir la durée des clips en mode chronologie, cliquez sur l'icône de la loupe ornée d'un signe +. En revanche, pour voir tout le montage, effectuez un zoom arrière avec la loupe -.

Fondu

Un *fondu* est une transition qui permet à un clip de disparaître progressivement pendant qu'un autre apparaît. Avec un fondu, vous passez graduellement d'un clip à un autre. Pour appliquer ce type de transition, il suffit de faire glisser un des clips sur l'autre. L'importance du chevauchement détermine la durée de la transition.

Effectuez ce type de transition en mode Chronologie. Par exemple, cliquez sur un clip pour le sélectionner, et faites-le glisser vers la gauche pour qu'il recouvre une partie de la séquence qui le précède. Pour voir l'effet obtenu, lancez la lecture dans le moniteur.

Fractionner et associer des clips

Vous pouvez fractionner ou associer des clips de deux manières : dans l'espace de montage et dans le volet Collections. Le fractionnement et l'association de clips dans l'espace de montage produisent des effets similaires au découpage d'une séquence (réduction de la durée) : seul le clip concerné est affecté. Lorsque vous procédez à ces manipulations dans le volet Collections, vous affectez le fichier qui contient la séquence concernée. Cette fois, tous les projets utilisant ce clip subissent les conséquences de cette modification.

Fractionner un clip dans l'espace de travail est indispensable à l'insertion d'autres éléments au milieu de la séquence ainsi coupée en deux. L'association de clips dans la zone de montage n'est pas une opération aussi simple à réaliser que le fractionnement, comme nous le verrons dans les prochaines sections.

Fractionner/associer des clips dans la zone de montage

Pour fractionner un clip dans la zone de montage :

1. **Cliquez sur le clip à fractionner.**
2. **Déplacez le curseur du moniteur pour vous positionner sur l'image à partir de laquelle vous souhaitez fractionner le clip.**
3. **Cliquez sur le bouton Fractionner le clip en deux clips situé dans le coin inférieur droit du moniteur.**

   Chaque partie du clip porte le même nom.

Pour associer de nouveau ces deux clips fractionnés, appuyez sur la touche Maj, puis cliquez sur chacun d'eux. Ensuite, cliquez dessus avec le bouton droit de la souris. Dans le menu contextuel, choisissez Associer.

Fractionner/associer des clips dans le volet Collections

Le fractionnement et l'association de clips dans le volet Collections permet de mieux organiser vos séquences. Par exemple, vous souhaiterez fractionner un clip car Windows Movie Maker n'a pas réussi à détecter deux scènes différentes lors de la capture. De même, vous voudrez associer des clips car Windows Movie Maker a fait preuve de zèle en détectant deux scènes alors qu'il n'y en avait qu'une. Pour fractionner un clip dans une collection, sélectionnez-le. Faites glisser le curseur du moniteur pour vous positionner sur l'image à partir de laquelle vous souhaitez fractionner. Ensuite, cliquez sur le bouton Fractionner le clip en deux clips du moniteur. Le nouveau clip né du fractionnement porte le même nom que la séquence d'origine avec le chiffre 1 entre parenthèses. Pour combiner deux clips dans le volet collection, ils doivent appartenir à la même session de capture. Appuyez sur la touche Ctrl, puis cliquez sur chaque clip à associer. Cliquez sur l'un d'eux avec le bouton droit de la souris. Dans le menu contextuel, choisissez Associer.

Vous ne pouvez associer que des clips capturés consécutivement, ou qui ont été préalablement fractionnés, ce qui limite les facultés de montage de Windows Movie Maker.

Terminer la vidéo

Une fois la vidéo montée, vous souhaiterez la partager avec d'autres personnes. Windows Movie Maker 2.0 a largement amélioré les possibilités de diffusion de vos films.

Pour accéder à toutes les possibilités de sortie d'un film, cliquez sur le bouton Tâches de la barre d'outils Standard. Ensuite, cliquez sur Terminer la vidéo pour afficher un ensemble de fonctions qui vous guident pas à pas dans la préparation de votre montage jusqu'à sa diffusion sous diverses formes comme le montre la Figure 12.8.

Figure 12.8 : Terminer la vidéo avec plusieurs diffusions possibles.

✦ **Enregistrer sur mon ordinateur.** Permet de générer un fichier vidéo de type WMV (Windows Media Video). Sa résolution de 320 x 240 en fait un petit film idéal pour une consultation sur ordinateur. D'autres formats sont disponibles lorsque vous cliquez sur Autres paramètres. Seul le format DV-AVI (PAL) permet de créer un fichier vidéo disposant des mêmes paramètres que la vidéo standard, c'est-à-dire 720 x 576, à une cadence de 25 ip/s, dans un rapport de 4:3.

- **Enregistrer sur un CD.** Permet de compiler le film pour le graver ensuite sur un CD-R/RW, à condition qu'un tel graveur soit installé sur votre machine.
- **Envoyer dans un message électronique.** Compile le film pour l'envoyer en tant que pièce jointe d'un courrier électronique. A réserver aux fichiers vidéo de petite taille.
- **Envoyer sur le Web.** Compile le film au format WMV, en proposant des options par défaut qui envisagent la connexion par modem RTC, RNIS, ou ADSL. D'autres paramètres sont disponibles. Quel que soit celui que vous choisissez, le fichier créé sera toujours au format WMV. Une fois la vidéo compilée, il faudra la publier sur Internet dans l'espace Web que vous réserve votre fournisseur d'accès. Il est souvent préférable de publier vous-même la vidéo via un programme FTP car l'assistant de Windows Movie Maker n'est pas souvent capable de trouver et de gérer la connexion FTP de votre fournisseur.
- **Envoyer vers la caméra DV.** Vous devez préalablement connecter votre caméscope DV à la prise IEEE 1394 de votre ordinateur ou de votre carte d'acquisition/restitution vidéo. Ensuite, le film est compilé par Windows Movie Maker et envoyé à votre caméscope. En d'autres termes, vous enregistrez sur bande numérique votre montage numérique.

Utiliser des clips audio

Vous pouvez enregistrer une narration (ou tout autre type de son) que vous utiliserez dans vos films. Windows Movie Maker stocke les clips audio sur votre disque dur sous forme de fichiers `.wma`. Ce fichier est ajouté aux collections. Il est alors facile de l'ajouter à votre montage.

Enregistrer un clip sonore

Vous pouvez enregistrer deux types d'accompagnement sonore : un commentaire, et de la musique (ou des bruitages).

Commençons par voir comment enregistrer un commentaire :

1. **Ouvrez le projet auquel vous souhaitez ajouter un commentaire.**
2. **Basculez en mode Chronologie, puis cliquez sur le bouton Narration de la chronologie (icône d'un micro dans la partie gauche de la zone de montage).**

Si vous cliquez sur ce bouton alors que vous êtes en mode Table de montage séquentiel, un message vous avertit qu'il faut basculer en mode Chronologie pour pouvoir enregistrer une narration.

3. **Dans l'interface Narration de la chronologie illustrée à la Figure 12.9, cliquez sur le lien Afficher plus d'options.**

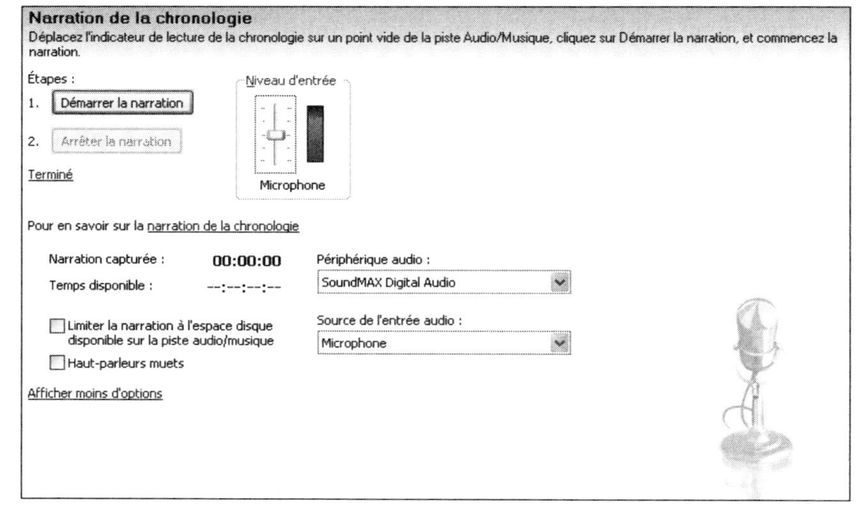

Figure 12.9 : L'interface d'enregistrement des éléments audio, en l'occurrence un commentaire.

4. **Dans la liste Périphérique audio, vous devez voir le nom de votre carte son. Dans la liste Source de l'entrée audio, choisissez Microphone.**

5. **Veillez à brancher un microphone à l'entrée Mic ou Micro de votre carte son.**

6. **Parlez et réglez le niveau d'entrée de telle manière que vos consonances les plus fortes n'affichent jamais la zone rouge.**

7. **Une fois les réglage effectués, concentrez-vous, cliquez sur Démarrer la narration, et déclamez vos tirades comme à vos plus belles heures théâtrales.**

8. **Dès que le commentaire est fini, cliquez sur le bouton Arrêter la narration.**

9. **Dans la boîte de dialogue Enregistrer le fichier Windows Media, donnez un nom à votre narration, choisissez un dossier de stockage, puis cliquez sur Enregistrer.**

   Je vous conseille d'enregistrer ce fichier audio dans le même dossier que votre projet et vos clips vidéo.

La narration est sauvegardée au format WMA (Windows Media Audio). Elle est ajoutée à votre collection en cours et apparaît dans la piste Audio/Musique de l'espace de montage.

Pour enregistrer un accompagnement musical, la procédure est identique. La seule différence est, qu'à l'étape 4, vous devez sélectionner une source audio correspondant à l'entrée de votre carte son où est connecté votre périphérique de lecture audio. Par exemple, si vous récupérez de la musique sur une cassette audio, vous connecterez certainement les sorties audio de la platine à l'entrée auxiliaire de la carte. Dans ce cas, sélectionnez Aux dans la liste Source de l'entrée audio.

Ajouter un clip sonore à un film

Pour ajouter un clip audio à un film en cours de montage, glissez-déposez-le de sa collection jusqu'à l'emplacement désiré de la piste Audio/Musique de la zone de montage affichée en mode Chronologie. La procédure est sensiblement la même que celle consistant à ajouter des clips vidéo, avec toutefois ces quelques différences :

- ✦ Les clips audio ne sont visibles qu'en mode Chronologie qui affiche la piste Audio/Musique.
- ✦ Une piste Audio/Musique est destinée à recevoir tous les fichiers audio supplémentaires, comme à la Figure 12.10.

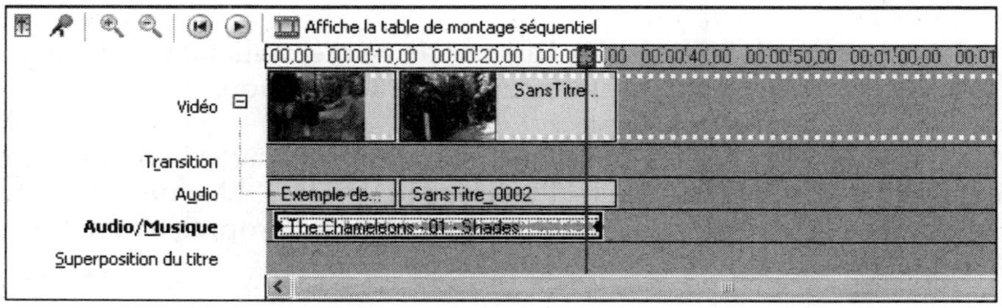

Figure 12.10 : Les fichiers audio prennent place sur la piste Audio/Musique.

- ✦ Vous ne pouvez pas laisser d'espace vide entre les clips vidéo, alors que vous le pouvez entre les clips audio.

Pour lire uniquement un clip audio, sélectionnez-le dans une collection, puis cliquez sur le bouton Lecture du moniteur.

Dans le montage, vous pouvez réduire la durée d'un clip audio comme celle d'un clip vidéo.

Organiser vos clips

Pendant la phase de création d'un film, vous accumulez de nombreux clips dans une ou plusieurs collections. Il est important de les organiser correctement pour les retrouver facilement.

Commencez par organiser vos clips dans des collections facilement identifiables :

1. **Pour créer une nouvelle collection, cliquez sur le bouton Collections de la barre d'outils.**
2. **Cliquez sur le bouton Dossier nouvelle collection, ou sur Outils/Dossier nouvelle collection.**
3. **Donnez un nom à votre collection, et validez-le en appuyant sur la touche Entrée.**

Ensuite, organisez vos différents clips en les glissant-déposant dans des dossiers de collections.

Vous pouvez également attribuer quelques informations à votre projet :

1. **Cliquez sur Fichier/Propriétés.**
2. **Dans la boîte de dialogue Propriétés du projet, renseignez les divers champs.**

   Saisissez un titre, le nom de l'auteur de ce merveilleux travail, le copyright, le genre (classification), et donnez-en une description.

Pour accéder aux propriétés des clips, cliquez dessus avec le bouton droit de la souris. Dans le menu contextuel, choisissez Propriétés. Là, vous ne pouvez changer que le titre. Tout le reste concerne des informations propres à la nature du clip, et sur lesquelles vous n'avez aucune influence.

Windows Movie Maker permet de mettre des collections dans d'autres collections. Pour cela, glissez-déposez une collection sur le dossier d'une autre. L'ensemble de ces techniques de création et d'imbrication des collections vous donne une grande latitude pour organiser vos projets comme vous le souhaitez.

Cette organisation est propre à Windows Movie Maker. Cela signifie que les éléments de votre montage stockés sur votre disque dur ne subissent aucune modification. Ils restent en place. Gardez toujours à l'esprit que les collections représentent l'organisation d'un projet vidéo et non pas celle des dossiers et fichiers de votre disque dur.

Si le fichier d'une collection est endommagé, Windows Movie Maker "perd" tout ou partie de vos collections et de vos clips. Les clips sont certainement stockés à leur emplacement d'origine, mais Windows Movie Maker ne parvient plus à les trouver. Dans ce cas, vous devez indiquer au programme le chemin d'accès aux clips mystérieusement égarés. Il en va de même lorsque vous changez un clip de dossier avec l'Explorateur Windows.

Chapitre 13

Travailler avec des photos numériques

Dans ce chapitre :

- Choisir un appareil photo numérique.
- Imprimer des photos.
- Organiser vos clips (séquences).

Comparé aux anciennes versions de Windows, XP permet de gérer plus facilement les photos numériques. Les heureux possesseurs de ce système d'exploitation, qui a justifié l'achat du présent ouvrage, vont apprécier les nouvelles possibilités offertes.

Dans ce chapitre, apprenez tout ce que vous avez toujours voulu savoir sur les appareils photo numériques sans jamais oser le demander. Connectez-le à votre ordinateur, et récupérez-y les photographies que vous enregistrerez sur votre disque dur, et que vous imprimerez en quelques clics de souris.

Choisir un appareil photo numérique

Avant de pouvoir manipuler des photographies, vous devez les stocker sur votre ordinateur. Voici plusieurs manières de procéder :

- ✦ Vous pouvez utiliser un appareil photo *conventionnel,* c'est-à-dire *argentique,* qui stocke les images sur une pellicule. Vous ferez alors développer la pellicule pour disposer d'un ensemble de photographies tirées sur papier. Dans ce cas, la seule manière de stocker ces photos sur votre PC consiste à les numériser par le biais d'un périphérique qui se nomme *scanneur.*

- Vous pouvez utiliser un appareil photo numérique comme celui représenté à la Figure 13.1. Avec ce type d'appareil, les photographies sont stockées sur une petite carte mémoire. Il suffit alors de connecter votre appareil photo numérique à votre ordinateur par l'intermédiaire d'un câble USB pour récupérer les images qui vous intéressent et les stocker sur votre disque dur.

Figure 13.1 : Un appareil photo numérique Cybershot de Sony.

- Vous pouvez également utiliser une Webcam pour capturer des images diffusées en direct soit sous forme d'images fixes, soit de clips vidéo. Je vous rappelle que les Webcams n'ont pas la possibilité de stocker des images sur une bande vidéo ou sur un support optique.

- Vous pouvez utiliser une caméra vidéo analogique au numérique (c'est-à-dire un caméscope) pour enregistrer des séquences vidéo sur bande que vous capturerez ultérieurement sur votre ordinateur à partir de la prise FireWire (IEEE 1394) de votre ordinateur, ou d'une carte d'acquisition vidéo.

Présentation des appareils photo numériques

Un appareil photo numérique peut s'utiliser comme un appareil argentique traditionnel. La seule différence est qu'un appareil photo numérique enregistre les images sur une carte mémoire. Par conséquent, vous n'avez plus peur de gaspiller de la pellicule puisque vous n'en utilisez pas. La récupération des images est bien plus facile qu'avec un tirage papier. En effet, il suffit de connecter l'appareil photo numérique à votre ordinateur par l'intermédiaire d'un câble USB pour lancer le processus de téléchargement des images. Evidemment, la présence d'une mémoire permet d'effacer les images qui ne conviennent pas au moment de la prise de vue, et après les avoir téléchargées sur votre ordinateur.

Les appareils photo numériques existent en quatre catégories :

- **Les appareils compacts :** Ce sont les modèles les plus simples et les moins chers. Leur prix tient au fait qu'ils utilisent des objectifs de petite taille et très bon marché, que leur boîtier est souvent en plastique, et qu'il n'y a pas de mise au point manuelle. Ils suffisent pour des photographies occasionnelles, ou pour des images destinées à un site Web personnel.
- **Les appareils à viseur électronique amélioré :** Ils ont de plus grandes possibilités que les appareils compacts mais sont beaucoup plus chers. Globalement, leur design est similaire, mais ils proposent des fonctions qui améliorent grandement la qualité des prises de vue. Par exemple, ils disposent d'un objectif de meilleure qualité, d'un autofocus performant qui peut parfois être débrayé.
- **Les appareils avec zoom :** Ici, l'objectif est constitué d'un zoom performant qui reste attaché en permanence à l'appareil. Le viseur montre exactement l'image captée par l'objectif. Cette visée ne dépend donc pas d'un système optique séparé. Comme ces appareils sont destinés aux photographes amateurs avertis et aux professionnels, ils offrent une excellente qualité d'image, et des fonctions bien plus sophistiquées que les appareils à viseur électronique amélioré.
- **Les appareils photo numériques reflex :** Ce sont les plus sophistiqués. Qui dit sophistication dit prix très élevé. Ces appareils sont souvent vendus boîtier nu. Cela signifie que vous devez acheter un objectif pour pouvoir prendre vos photographies. Bien évidemment, le prix de l'objectif dépend de ses fonctionnalités et de ses performances, ce qui peut générer au final un appareil photo numérique hors de prix. Avec ce type d'appareil, vous disposez de la même souplesse de prise de vue qu'avec un appareil photo argentique. La visée reflex est très précise, ce qui évite les problèmes majeurs de mise au point rencontrés avec des appareils plus modestes.

Cette rapide présentation permet, je l'espère, de vous faire une idée du type d'appareil photo qui vous convient. Toutefois, si vous ne savez pas quel modèle choisir, je vous recommande de faire des recherches approfondies sur des sites Web de manière à vous constituer en acheteur avisé.

Comme je crains que vous ne vous perdiez dans les méandres techniques des différentes caractéristiques des appareils photo numériques, demandez l'avis d'un ami qui en possède déjà un, ou qui a de bonnes compétences en matière de photographie numérique.

La résolution

Un appareil photo numérique forme ses images à partir d'informations enregistrées par un capteur qui contient une grille de zones sensibles à la lumière appelées des *pixels*. La résolution se réfère au nombre de pixels d'un capteur. Plus il y a de pixels, plus l'appareil photo peut prendre des images détaillées. Plus les images sont détaillées, plus les dimensions d'impression sont élevées, et plus les images s'octroient de l'espace de stockage sur la carte mémoire de l'appareil.

Voici une règle à garder en mémoire : un capteur d'environ 1 million de pixels est excellent pour produire des impressions en 13 x 18. Avec 2 millions de pixels, vous obtenez de bonnes photos 20 x 25. Avec 3 millions de pixels, vous pouvez prétendre à des photos en 28 x 35.

Réfléchissez bien ! Avez-vous besoin d'autant de pixels que le prétendent les magazines de photos, les revues informatiques, et les vendeurs des rayons spécialisés des grands magasins. Personnellement je ne le pense pas. En effet, si vous n'êtes pas un professionnel de la profession (comme aime à le dire un certain Jean-Luc Godard), un appareil photo de 5 millions de pixels avec un objectif de facture moyenne donnera d'excellents résultats au regard de ce que vous envisagez de faire avec vos photographies.

Le zoom

Si vous ne savez pas ce qu'est un zoom, je me demande ce que vous avez fait ces 40 dernières années. Le zoom est un procédé optique ou numérique qui permet de prendre en photo un sujet éloigné. Les appareils photo numériques de moyenne et de haut de gamme disposent de ce type d'accessoires. Avec les appareils photo hauts de gamme, à zoom interchangeable, vous disposez de plages focales impressionnantes qui permettent de réaliser des clichés tout à fait remarquables.

Par zoom optique, il faut entendre un zoom réalisé uniquement par un jeu de lentilles constituant le téléobjectif. Ce type de zoom ne crée aucune perturbation sur l'image. Le zoom numérique quant à lui, procède à une interpolation de l'image d'origine. En d'autres termes, l'interpolation est un grossissement artificiel d'une zone de l'image. Par conséquent, en fonction de la qualité de ce zoom et de celle de votre appareil photo, les résultats risquent d'être bien décevants. Conclusion : privilégiez toujours le zoom optique au zoom numérique.

La mise au point

La majorité des appareils numériques compacts ne disposent que d'un seul type de mise au point : fixe. En général, avec ce type d'appareil, le calcul de la netteté se fait en fonction de la distance qui sépare l'objectif du sujet. Vous avez donc une mesure qui s'effectue sur les sujets éloignés pour des plans relativement généraux, et une autre mesure qui s'effectue lorsque vous photographiez des gros plans. On parle de focus fixe. Avec ce type de mise au point, tout sujet placé entre une distance minimale (environ 1 m) et l'infini sera net.

Il est préférable de disposer d'un focus automatique, plus communément appelé *autofocus*. Avec ce procédé, l'objectif mesure la distance qui le sépare du sujet photographié. Il adapte la netteté en conséquence.

Certains appareils photo plus sophistiqués que d'autres permettent de débrayer la mise au point automatique. Dans ce cas, vous effectuez une mise au point manuelle. Quel est l'intérêt ? Souvent, l'autofocus ne parvient pas à faire une mise au point parfaite lorsque le sujet photographié ne se trouve pas au centre de l'image, ou lorsque le sujet est trop clair, trop sombre, ou présente un faible contraste. Il en va de même lorsque la photographie est faite à travers une vitre, de l'eau, ou bien encore lorsque vous désirez mettre en évidence une toute petite partie de l'image en la rendant plus nette que les autres – comme une petite fleur placée juste devant un visage.

Contrôle de l'exposition et du flash

Tous les appareils photo numériques ajustent automatiquement l'exposition en fonction des conditions d'éclairage. Les meilleurs d'entre eux disposent de circuits électroniques sophistiqués qui produisent de bonnes photographies dans les conditions les plus extrêmes. Les appareils haut de gamme permettent à l'utilisateur de contrôler la sous-exposition, en prenant une photographie qui est légèrement plus claire ou légèrement plus sombre que l'analyse faite par l'appareil. Il est même possible d'obtenir le contrôle total de l'exposition en réglant vous-même l'ouverture du diaphragme et la vitesse d'obturation.

Beaucoup d'appareils disposent d'un flash électronique intégré qui se déclenche automatiquement lorsque les conditions d'éclairage sont insuffisantes. En revanche, les appareils plus sophistiqués disposent d'un flash plus puissant et plus souple d'utilisation, offrant toute une gamme de contrôles à la fois complexes et précis. Par exemple, vous pouvez désactiver le flash. Vous pouvez le forcer dans des conditions où l'appareil photo ne le requiert pas. Enfin, il est même possible de moduler l'impact du flash en diminuant ou en augmentant un indice de correction.

Les appareils photo numériques sont réputés pour la mauvaise qualité de leurs flashs. C'est-à-dire que dès qu'on les utilise, la photo se retrouve souvent surexposée. Ceci dit, j'ai rencontré exactement le même problème avec des appareils photo argentiques de moyenne gamme. L'avantage du numérique est de disposer d'un ensemble de circuits électroniques qui peuvent compenser les mauvais effets d'un flash. Par exemple, si le sujet photographié se retrouve saturé suite à l'utilisation d'un flash traditionnel, vous pouvez enclencher une fonction qui s'appelle *synchro flash*. Ici, le flash ne va pas se déclencher d'un seul coup. Il va émettre trois clignotements successifs de manière à éclairer le sujet sans le saturer. Une fois les mesures effectuées suite à ces trois flashs très brefs, la photo peut être prise, par l'appareil, dans les meilleures conditions. Si vous possédez un appareil photo numérique proposant cette fonction, ou si vous testez des appareils avant achat, expérimentez toujours la fonction synchro flash. Elle peut être modulée par un système de correction qui permet de parfaire son impact sur la photographie finale.

Stockage et transfert d'images

Bien que très rares, vous rencontrerez encore des appareils photo numériques bas de gamme qui stockent les images dans une mémoire intégrée. Dans ce cas, lorsque la mémoire est pleine, vous devez transférer les images de l'appareil photo jusqu'à un dossier de votre disque dur. Une fois la mémoire libérée de toutes ses photos, vous pouvez recommencer à en prendre.

En règle générale, je vous rassure, les appareils photo acceptent des cartes mémoire. De ce fait, lorsque vous partez en promenade, vous pouvez emmener avec vous plusieurs cartes mémoire. Ainsi, dès qu'une carte est remplie, vous l'enlevez de l'appareil photo et la remplacez par une carte sinon vide, qui du moins dispose encore d'un espace de stockage suffisant pour prendre d'autres clichés. De retour à la maison, vous transférerez toutes les images de toutes vos cartes sur le disque dur de votre ordinateur.

Aujourd'hui, une norme de transfert s'est instaurée. Plus qu'une norme, il s'agit d'une méthode. Elle consiste à connecter l'appareil photo numérique au port USB de votre ordinateur.

Pour éviter de connecter et de déconnecter régulièrement l'appareil photo de votre ordinateur, envisagez l'achat d'un lecteur de cartes. Il se connecte également à un port USB de votre ordinateur. Vous retirez la carte mémoire de son logement dans l'appareil photo numérique, et vous l'insérez dans le lecteur de cartes. Windows XP l'identifiera instantanément.

Les lecteurs de cartes, qu'ils soient de type USB ou PCMCIA, éliminent certains problèmes de compatibilité. Toutefois, comme ces problèmes sont rares, le vrai motif d'achat d'un lecteur de cartes est sa souplesse d'utilisation. En effet, vous éjectez la carte de l'appareil photo numérique et vous l'insérez dans le lecteur qui est perpétuellement connecté à la prise USB de votre ordinateur. Pensez aussi que cela vous évite le risque de faire tomber de votre bureau votre appareil photo numérique pendant le téléchargement des images.

Compatibilité

Windows XP gère la majorité des appareils photo numériques. Mais, qui dit majorité, ne dit pas unanimité. Si vous achetez un appareil photo numérique qui n'est pas reconnu immédiatement par Windows XP, on ne peut pas dire que votre achat soit des plus performants. Que faire ? Dans ce cas, vous devez obligatoirement utiliser le logiciel fourni avec l'appareil photo pour pouvoir télécharger vos images sur votre ordinateur. Comme un homme averti en vaut deux, lorsque vous achèterez votre appareil photo numérique veillez à ce qu'il soit compatible avec Windows XP.

Design et prise en main

Eh oui, les appareils photo numériques ont un look et une prise en main plus ou moins agréables. Le meilleur appareil du monde ne sert à rien si son utilisation est trop compliquée. Si vous appuyez sans cesse sur le mauvais bouton, je ne vois pas où est l'intérêt de posséder un tel appareil. Donc, avant d'acheter votre appareil photo, prenez-le en main, appuyez sur les différents boutons de contrôle, et voyez si vous vous sentez à l'aise avec son utilisation.

Avant d'acheter votre appareil, il est important de le tester dans le calme, en l'absence de toute pression. N'achetez jamais un appareil photo sans avoir la possibilité de l'échanger s'il ne vous convient pas. C'est une des conditions majeures de votre achat. Même si vous trouvez un appareil photo identique sur le Web à un prix défiant toute concurrence, privilégiez la possibilité d'un échange.

Utilisation d'un appareil argentique

Si vous ne voulez pas ou n'avez pas les moyens d'acheter un appareil photo numérique, rien ne vous empêche de photographier avec un appareil argentique. Qu'est-ce qu'un appareil argentique ? C'est un appareil photo traditionnel qui utilise une pellicule. Une fois la pellicule remplie, faites-la développer dans un laboratoire ou procédez-y vous-même si vous disposez du matériel nécessaire. La première solution est la meilleure car vous pouvez demander au laboratoire de mettre les photos sur CD. Il ne reste plus qu'à l'insérer dans votre lecteur de CD-ROM pour récupérer les photographies et les manipuler numériquement. Une autre méthode consiste à faire développer vos photos sur Internet de manière à les recevoir par e-mail.

Actuellement, et même si l'écart entre les deux types d'appareils tend à se réduire, force est de constater que l'appareil photo argentique fait de meilleurs clichés que l'appareil photo numérique. Toutefois, l'avènement du reflex numérique va bouleverser considérablement la donne. Si vous restez un inconditionnel de l'argentique, une ultime solution consiste à investir dans un scanner de très haute qualité pour numériser vos clichés et les manipuler dans les logiciels de retouche les plus sophistiqués. Sachez que les meilleures numérisations sont obtenues à partir de diapositives. Dans ce cas, un bon scanneur coûte relativement cher.

Passer par un laboratoire pour obtenir des photos numériques à partir de clichés argentiques peut être coûteux. En effet, la procédure est lente car vous devez attendre que le film soit développé, et que les images soient transférées sur un CD. Le coût élevé tient au fait qu'il faut payer la pellicule, le développement, et la numérisation.

Utiliser une Webcam

Une Webcam est une petite caméra vidéo principalement conçue pour être raccordée à un ordinateur via un port USB.

Certaines personnes utilisent des Webcams pour diffuser continuellement de la vidéo depuis un site Web. Eh oui ! Beaucoup de personnes aiment partager les plus petits aspects de leur quotidien avec des internautes qu'ils ne connaissent pas. Mais il existe des domaines d'application plus passionnants, comme la vidéo conférence, l'enregistrement d'images fixes ou de courtes séquences vidéo que l'on joint à un e-mail.

Les Webcams sont généralement bon marché. Toutefois, leur utilité se limite à l'informatique. En effet, leur faible résolution, 320 x 240 (environ 77 000 pixels, comparés aux 800 000, 1 million et plus des caméscopes), ne permet pas d'envisager un autre type d'utilisation. Les meilleures ne vont guère au-delà des 640 x 480 (soit environ 300 000 pixels). Les objectifs, la qualité de l'image, et la précision de la couleur suffisent à des transmissions Web, mais dès que vous envisagez de filmer convenablement et/ou de prendre des photos, tournez-vous vers un caméscope.

Si vous souhaitez capturer rapidement et facilement des images dans votre ordinateur sans avoir besoin d'une bonne qualité, achetez une Webcam.

Consultez la liste des matériels compatibles avec Windows XP avant d'acheter une Webcam. Il se peut en effet que Windows XP soit incapable de faire fonctionner un appareil ne figurant pas dans sa liste. Une section de ce livre est consacrée à la compatibilité matérielle de Windows XP.

Vous pouvez transférer vos images vidéo vers votre ordinateur à partir d'un caméscope analogique. En fonction de la caméra, des câbles ou d'autres périphériques de raccordement peuvent être nécessaires.

Une caméra vidéo analogique est un outil idéal pour enregistrer des séquences que vous monterez avec Windows Movie Maker. Elle est bien moins performante pour capturer des images fixes. La résolution d'une caméra analogique est bien plus faible que celle d'un caméscope numérique.

Transférer les images sur votre ordinateur

La manière dont vous transférez les images sur un ordinateur dépend du type d'appareil photo que vous utilisez. Avec un appareil argentique dont les photos ont été mises sur CD par un laboratoire de développement, la procédure de transfert est on ne peut plus simple : Insérez votre disque dans votre lecteur de CD-ROM, et copiez les fichiers. Si les photos sont mises à votre disposition sur le site Web du labo de développement, connectez vous au site, et téléchargez-les.

Tableau 13.1 : Les principaux fabricants sur le Web .

Constructeur	site Web français
Canon	`www.canon.fr`
Intel	`www.intel.fr`
Kodak	`www.kodak.fr`
Logitech	`www.logitech.fr/index.cfm/FR/FR`
Minolta	`www.minolta.fr`
Nikon	`www.nikon.fr`
Olympus	`www.olympus.fr`
Panasonic	`www.panasonic.fr`
Philips	`www.philips.fr`
Sony	`www.sony.fr`

Avec une caméra vidéo, la procédure dépend du modèle et de l'interface utilisés. Il y a tellement de combinaisons possibles qu'on ne peut pas toutes les envisager ici. Pour obtenir les réponses aux questions que vous vous posez, consultez les sites Web des fabricants répertoriés au Tableau 13.1.

Trois procédures différentes permettent de transférer les images d'un appareil photo numérique et d'une Webcam vers votre PC :

- Avec une Webcam et un appareil photo numérique reconnus par Windows XP, utilisez l'Assistant Scanneur-appareil photo.
- Avec les appareils photo numériques non reconnus par Windows XP, utilisez le programme de transfert livré par le constructeur.
- Avec un appareil photo numérique utilisant des cartes mémoire, insérez la carte dans un lecteur idoine.

Voici comment transférer les images avec un appareil photo numérique reconnu par Windows XP :

1. **Connectez l'appareil dans le port (généralement USB) approprié de l'ordinateur. Allumez l'appareil photo numérique en mode de lecture du contenu de sa carte mémoire.**

   La connexion se fait par l'intermédiaire d'un câble. Insérez une des broches dans le connecteur de l'appareil photo numérique, et l'autre dans le PC.

2. **Dans la boîte de dialogue Disque amovible qui apparaît, choisissez Copier les images sur mon ordinateur, et cliquez sur OK.**

   L'Assistant Scanneur-appareil photo entre en scène comme à la Figure 13.2.

3. **Dans cet assistant, cliquez sur Suivant. Le contenu de la carte mémoire se télécharge progressivement sous forme de vignettes.**

4. **Décochez les vignettes des images que vous ne désirez pas télécharger, et cliquez sur Suivant.**

5. **Donnez un nom au groupe d'images.**

   C'est-à-dire que toutes les images transférées commenceront par ce nom, et chaque nom sera incrémenté d'une unité. Par exemple, si vous saisissez Vacances, la première photo se nommera Vacances001, la deuxième Vacances002, et ainsi de suite.

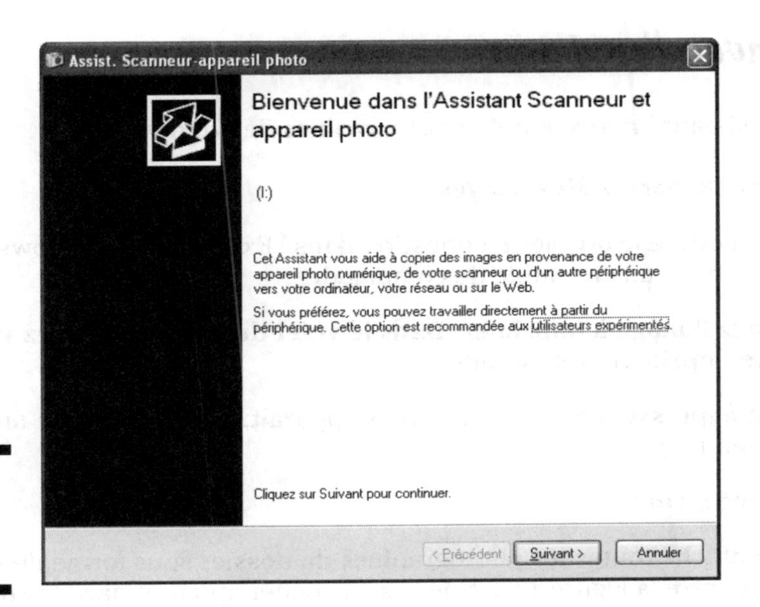

Figure 13.2 : L'Assistant Scanneur-appareil photo.

6. **Choisissez le dossier de stockage des images en cliquant sur le bouton Parcourir.**

   Naviguez parmi vos lecteurs pour localiser le dossier dans lequel vous allez transférer vos photos.

7. **Cliquez sur Suivant pour lancer le transfert.**

   La durée du transfert dépend de deux choses : du type de connexion USB (1.1 ou 2.0), et du nombre de photos.

8. **Enfin, cliquez sur Terminer.**

Vous pouvez essayer le logiciel livré avec votre appareil photo numérique. Installez-le sur votre ordinateur, et suivez ses instructions.

Même si Windows XP reconnaît votre appareil photo numérique, essayez le programme livré avec votre matériel. En effet, il peut proposer des fonctionnalités absentes de XP, comme le réglage à distance de certains paramètres de l'appareil.

Imprimer des images

Sous Windows XP, il existe plusieurs méthodes d'impression des photographies. Si vous possédez une imprimante qualité photo, utilisez l'Assistant Impression de photographies. Vous pouvez l'invoquer dès que vous sélectionnez un fichier image.

Imprimer avec l'assistant

Pour utiliser l'Assistant Impression de photographies de Windows XP :

1. **Cliquez sur Démarrer/Mes images.**

   Cette action ouvre le dossier en question dans l'Explorateur Windows. Le volet de gauche affiche un ensemble de commandes.

2. **Sélectionnez l'image à imprimer. Dans le volet de gauche, cliquez sur la commande Imprimer cette image.**

   L'Assistant Impression de photographies apparaît. Il vous souhaite une cordiale bienvenue.

3. **Cliquez sur Suivant.**

   L'assistant affiche toutes les photographies du dossier sous forme de vignettes comme le montre la Figure 13.3. Une case à cocher apparaît dans le coin supérieur droit de chaque vignette. Cochez les images que vous désirez imprimer.

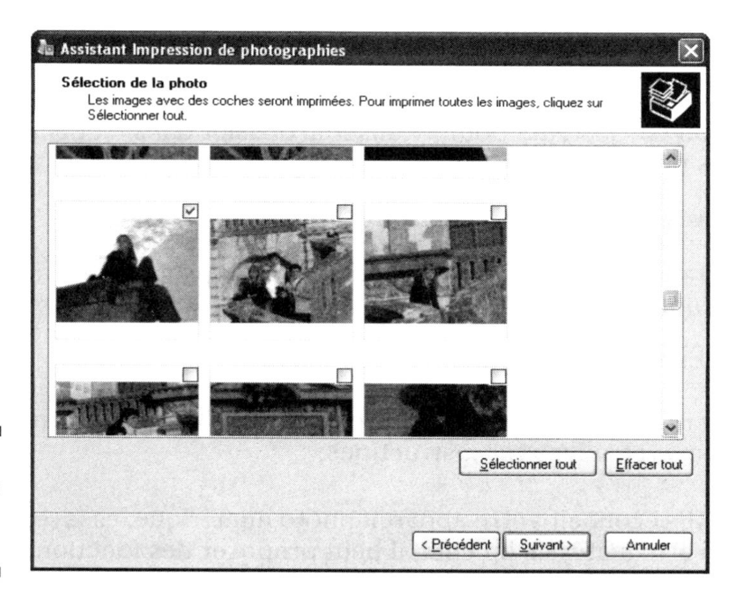

Figure 13.3 : Sélectionnez les photos à imprimer.

4. **Cliquez sur suivant.**

   Cette nouvelle étape vous permet de configurer votre imprimante. Commencez par sélectionner l'imprimante à utiliser, puis cliquez sur le bouton Options d'impression. Ceci ouvre la boîte de dialogue du pilote de votre imprimante.

En règle générale, ce pilote permet de sélectionner la qualité du papier ainsi que la qualité d'impression. Vous pouvez également choisir d'imprimer en couleur ou en noir et blanc. Les options disponibles dépendent du modèle de votre imprimante.

5. **Cliquez sur suivant.**

   Dans cette nouvelle étape, mettez en page la ou les photographies à imprimer, comme à la Figure 13.4.

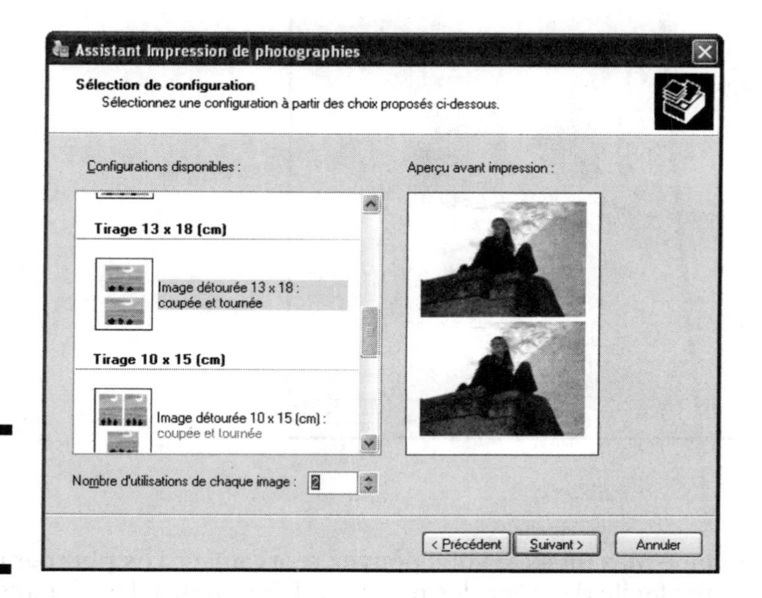

Figure 13.4 : Mise en page des photos à imprimer.

   Vous pouvez choisir d'imprimer une seule photo par page, ou plusieurs copies de la même photo. Bien entendu, lorsque vous avez sélectionné plusieurs photos, vous pouvez toutes les imprimer sur une même page au format A4, comme le montre la Figure 13.5.

6. **Cliquez sur suivant.**

   L'impression démarre. Une barre de progression vous permet d'en suivre l'évolution.

7. **Cliquez sur Terminer pour fermer l'assistant.**

Lorsque vous êtes dans l'Explorateur Windows, il est plus facile de sélectionner plusieurs images lorsque vous les affichez en mode Pellicule.

La section Détails du volet d'exploration de l'Explorateur Windows affiche quelques informations qui peuvent s'avérer utiles pour choisir les photos à sélectionner : le format d'image, la date de modification, les dimensions, et sa taille exprimée en kilos ou en méga-octets.

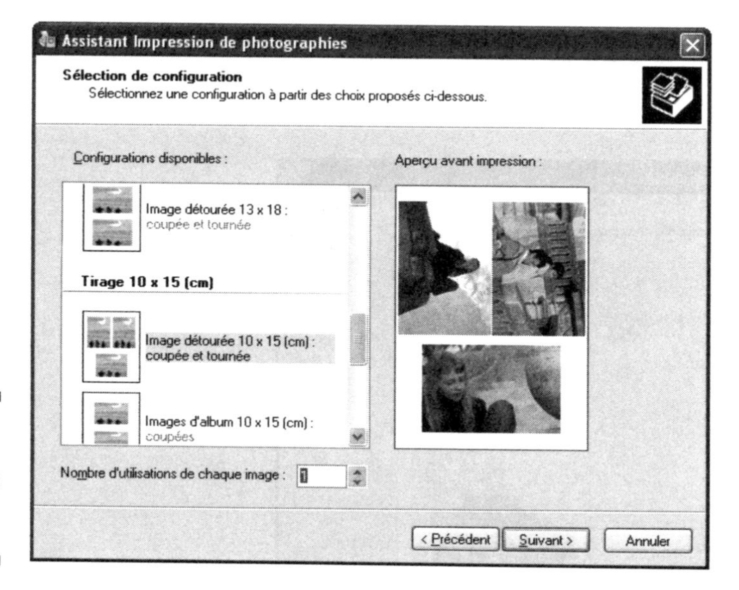

Figure 13.5 : Impression de plusieurs photos sur une même page.

Dans un dossier comme Mes images, vous pouvez réorganiser vos photographies. Par exemple, il est très facile de créer des dossiers thématiques dans lesquels vous classerez vos photographies. Ainsi, un dossier "Vacances" pourra contenir l'ensemble des photographies prises pendant vos congés. Un dossier "Enfants", contiendra toutes les photographies de vos chérubins. Comme je l'ai déjà dit, il est également possible de créer des dossiers dans des dossiers. C'est le meilleur moyen de rester organisé, et d'être sûr de trouver systématiquement les bonnes photos à imprimer.

Les programmes d'impression sophistiqués

L'assistant d'impression de Windows XP est intéressant lorsque vous ne souhaitez pas modifier vos images. Il répondra aux besoins de la majorité des utilisateurs débutants. En revanche, l'assistant est incapable de sélectionner une partie d'une image imprimée. Par exemple, sur une photo de famille, vous aurez peut-être envie d'imprimer uniquement le visage de telle personne. Dans ce cas, vous devez recourir à des programmes d'édition graphique sophistiqués.

Ces programmes divers et variés ont un coût. Le Tableau 13.2 liste les plus connus d'entre eux. Avant d'investir, il est important de bien cerner vos besoins pour ne pas faire de dépenses inutiles en achetant un programme aux fonctionnalités complexes, et qui dépasse largement les quelques manipulations graphiques que vous souhaitez exécuter.

Tableau 13.2 : Les programmes d'édition graphique.

Programmes	Site Web
Photoshop	www.adobe.fr/products/photoshop/main.html
Photoshop Elements 3.0	www.adobe.fr/products/photoshopelwin/main.html
Picture-It	www.microsoft.com/france/chezvous/logiciels/pictureit/
Paint Shop Pro	http://fr.jasc.com/
PhotoSuite	www.roxio.de/french/products/ps7/index.html
Ulead PhotoImpact	www.ulead.fr/pi/runme.htm

Problèmes et solutions

Voici quelques suggestions pour résoudre des problèmes qui peuvent survenir dans l'exécution des procédures décrites dans ce chapitre :

- ***J'ai connecté mon appareil photo numérique à mon ordinateur, mais l'assistant scanneurs et appareils photo ne le reconnaît pas.***

  Vérifiez que les extrémités de chaque câble sont bien insérées, que l'appareil est allumé, et que ses batteries sont chargées.

  Vérifiez que l'appareil est bien en position de transfert des photographies vers l'ordinateur.

  Si vous n'avez jamais utilisé cet appareil photo avec Windows XP, vérifiez qu'il fait partie de la liste des matériels compatibles avec ce système d'exploitation. Si ce n'est pas le cas, installez et utilisez le programme de transfert de fichiers livré avec votre appareil.

- ***J'ai affiché le contenu du dossier Mes images dans l'Explorateur Windows, mais le volet de gauche n'affiche pas la liste des tâches. Je ne vois que la hiérarchie de tous les dossiers de mon ordinateur.***

Cliquez sur l'icône Dossiers de la barre d'outils.

Si la solution précédente ne suffit pas, fermez l'Explorateur Windows. Ensuite cliquez sur Démarrer/Mes images. Cette nouvelle ouverture du dossier Mes images dans l'Explorateur Windows devrait résoudre votre problème.

✦ ***Mes images sont belles à l'écran mais leur impression est dramatique.***

La solution est difficile à donner dans la mesure où la qualité d'impression dépend bien souvent de la qualité de l'imprimante jet d'encre. Toutefois, voici quelques petites choses à vérifier qui peuvent apporter une solution :

- Vérifiez les paramètres de votre pilote d'impression. Ainsi, pour obtenir une impression de qualité photo, vous devez impérativement utiliser un papier adéquat, et indiquer à l'imprimante que vous utilisez ce type de papier. Enfin, vous devez choisir la qualité d'impression : normal, fine, très fine, qualité photo, ou encore qualité photo supérieure. (Les qualités indiquées ici sont purement informatives dans la mesure où leur libellé dépend du pilote d'impression de votre périphérique.)
- Utilisez un papier approprié. En effet, les imprimantes jet d'encre donnent leurs meilleurs résultats sur du papier glacé de qualité photo. Vous obtiendrez également des résultats satisfaisants sur du papier couché. En règle générale, utilisez un papier de la même marque que votre imprimante.
- Vérifiez que vous possédez bien une imprimante photo. Quelques rares modèles sont conçus pour imprimer des cartes de visite, des graphiques commerciaux, et des couleurs unies. Elles sont incapables de tramer les pixels de manière à reproduire fidèlement sur papier une image affichée sur votre ordinateur.

✦ ***Je suis totalement perdu !***

Vous trouverez de nombreuses informations sur la photo numérique en surfant sur le Web.

Commencez par le site `www.zdnet.fr`. Dans le champ Rechercher sur zdnet, saisissez les mots "appareil photo numérique", et cliquez sur le bouton Go.

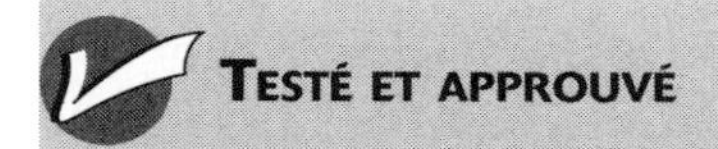

Graver des images sur un CD

Tôt ou tard, votre PC va regorger de photographies à tel point qu'il n'y aura plus suffisamment d'espace sur votre disque dur pour en stocker davantage. Si vous possédez un graveur de CD et/ou de DVD, gravez vos images sur disque. Je pense que votre objectif est de conserver, tout au long de votre vie, les photographies numériques qui forgent vos plus beaux souvenirs. Croyez-moi, un CD a une durée de vie bien plus longue qu'un disque dur. La procédure de gravure d'images sur CD ou DVD est très simple :

1. **Vérifiez qu'un graveur de CD et/ou de DVD est installé dans votre ordinateur, et qu'il est opérationnel.**
2. **Ouvrez l'Explorateur Windows (via Démarrer/ Mes images, ou Démarrer/Poste de travail).**
3. **Naviguez jusqu'au dossier contenant les images à graver sur CD.**

   Si aucun programme de gravure tiers n'est installé sur votre PC, une commande de copie sur CD s'affiche dans la section Gestion des images du volet d'exploration.

   Si un programme de gravure est installé, je vous recommande de l'utiliser.
4. **Sélectionnez les images à graver, et cliquez sur Copier sur le CD.**
5. **Une fois tous les fichiers prêts à graver, cliquez sur Démarrer/Poste de travail.**
6. **Ouvrez le contenu du graveur de CD.**

   Vous y voyez tous les fichiers prêts à être gravés.
7. **Insérez un CD dans le graveur, puis cliquez sur Graver ces fichiers sur le CD-ROM.**

   L'Assistant Graver un CD apparaît.
8. **Donnez un nom au CD, et cliquez sur Suivant.**

   Si vous avez mis à jour votre système pour qu'il prenne en compte les CD HighMAT, vous pouvez choisir d'en graver un. Pour le moment, ignorez cette option et cliquez sur Suivant.
9. **Si vous souhaitez graver plus d'images que ne peut en contenir le CD, Windows XP affiche un avertissement. Revenez en arrière dans la procédure, et supprimez les fichiers superflus.**

   Ces fichiers restent sur votre disque dur. Vous ne faites que les effacer de la liste des fichiers à graver.
10. **Dès que vous pensez avoir enlevé suffisament de fichiers ou de dossiers, revenez à l'assistant, et relancez la procédure de gravure. Ensuite, cliquez sur Suivant.**

    En fonction du nombre de fichiers et de la vitesse du graveur, l'opération peut prendre jusqu'à 20 minutes.
11. **Une fois la gravure finie, cliquez sur le bouton Terminer.**

    L'assistant enlève tous les fichiers de la zone des fichiers prêts à être gravés.
12. **Ouvrez le disque pour voir les images du CD.**

    Il y a de fortes chances pour que tout se soit parfaitement déroulé, et que vous photos soient lisibles depuis le CD.

J'attire votre attention sur un fait très important. Souvent, les graveurs sont livrés avec un logiciel de gravure. Si ce programme est installé sur votre ordinateur, il risque de ne pas fonctionner lorsque l'utilitaire de gravure de Windows XP est activé. Ou bien c'est l'inverse qui se produit : le programme de gravure fonctionne bien, mais pas celui d'XP, entraînant la perte de vos CD. Pour pallier ce problème, cliquez sur l'icône du graveur avec le bouton droit de la souris. Dans le menu contextuel, choisissez Propriétés. Dans la boîte de dialogue qui apparaît, cliquez sur l'onglet Enregistrement, et décochez la case Activer l'écriture de CD sur ce lecteur. Cliquez sur OK. Dans ce cas, vous perdez la fonction de gravure depuis Windows XP, mais pouvez utiliser sans problème votre logiciel de gravure, qui s'avérera certainement plus performant que celui de XP.

Livret II

PC et périphériques

Livret II : PC et périphériques

Chapitre 1
Commencer par le commencement

Dans ce chapitre :

- Définition du matériel, des logiciels, et des périphériques.
- Identifier les composants communs à tous les PC.
- Comparer les portables et les ordinateurs de bureau.
- Assimiler la mémoire RAM et le processeur.
- Définition du système d'exploitation.

Ce chapitre répond à des questions basiques, comme celles sur les éléments entrant dans la composition de votre PC, et explique pourquoi vous avez besoin d'un système d'exploitation. Vous comprendrez également où l'ordinateur puise sa puissance, et apprécierez les avantages et les inconvénients d'un ordinateur de bureau et d'un ordinateur portable. (Ce qui vous permettra de mieux choisir entre les deux.)

Si vous êtes un technicien informatique, ou un utilisateur patenté de PC, vous pouvez passer ce chapitre. En revanche, tous les nouveaux venus dans l'univers informatique, ou ceux qui envisagent d'acheter leur premier ordinateur, doivent impérativement lire les quelques sections qui suivent. De plus, je connais un grand nombre d'utilisateurs qui possèdent un ordinateur depuis deux ou trois ans, et qui demeurent complètement perturbés par le vocabulaire informatique.

Définition des termes de base

Un homme avisé dit toujours : "Il ne faut jamais commencer un art sans en connaître les termes." Par conséquent, avant d'entrer dans la grande aventure informatique, découvrez un certain nombre de termes que je vous conseille de mémoriser.

Inutile de tatouer ces termes sur votre avant-bras à côté de *Maman*. En dehors de l'utilisation même d'un ordinateur, je ne vois pas très bien où vous pourrez étaler votre science. En revanche, plus vous gagnerez en expérience, plus vous serez tenté d'en discuter avec des spécialistes. Dans ce cas, sachez qu'il faut toujours employer des termes précis pour éviter des confusions dommageables, et des ricanements malveillants. (Je tiens malgré tout à préciser que les spécialistes informatiques dignes de ce nom ne se moquent jamais de l'ignorance des utilisateurs.)

Matériel

Dans le monde informatique, le matériel est un composant qui entre dans la structure physique de votre ordinateur. Par exemple, l'écran de votre PC est un matériel, au même titre que son lecteur de disquettes. Il en va de même pour tous les composants que vous ne pouvez pas toucher car ils sont assemblés dans le boîtier du PC. Je prendrai deux exemples : la carte mère, et le bloc d'alimentation.

La Figure 1.1 montre un composant matériel classique : une carte graphique avec son connecteur AGP (Accelerated Graphics Port).

Figure 1.1 : Un matériel typique : une carte graphique.

Logiciel

le logiciel est une application, un programme, sans lequel votre ordinateur ne sert à rien. Tout programme s'installe sur un disque dur. En effet, les applications lancées depuis le lecteur de disquettes ont quasiment disparu de la planète informatique.

Bien évidemment, si vous travaillez en réseau, le programme sera installé sur le serveur de manière à être utilisé par toutes les personnes connectées au réseau. Aujourd'hui, presque tous les logiciels sont livrés sur CD-ROM.

Lorsque vous entendez des gens parler de *mises à jour*, de *correctifs*, de *patchs* ou encore d'*upgrade*, d'*update*, ne croyez pas que vous avez affaire à des extraterrestres. Non ! Il s'agit d'un autre aspect du logiciel. Une *mise à jour* est une évolution de logiciels existants. Cette évolution lui ajoute de nouvelles fonctionnalités, corrige certains bugs, ou encore améliore son interface. Certaines de ces mises à jour sont gratuites, d'autres sont payantes. Les mises à jour gratuites sont mineures, c'est-à-dire qu'elles corrigent certaines imperfections. Les mises à jour payantes représentent une évolution majeure du logiciel. D'une manière générale, nous pouvons dire qu'une mise à jour est une nouvelle version d'un programme existant. (Généralement, les développeurs de logiciels attribuent un numéro à la version de leur programme, comme *Version 1.5*, ou *Version 3.* Dès qu'une mise à jour est disponible, le numéro de la version évolue. Lorsque l'évolution est mineure, on passe, par exemple, de la Version 1.5 à la Version 1.6. En revanche lorsque la mise à jour est majeure, on passe par exemple de la Version 1.5 à la Version 2.0.)

Un programme peut être (presque) gratuit !

Vous rencontrerez probablement d'autres types de logiciels : les freewares et les sharewares. Le *freeware* est un programme tombé dans le domaine public. Dans ce cas, vous ne payez aucune contribution pour l'utiliser. Vous pouvez même le distribuer gratuitement. Mais, pour témoigner votre sympathie à son développeur, rien ne vous empêche de lui envoyer un peu d'argent.

Le shareware, n'est pas gratuit : vous pouvez le télécharger pour l'utiliser pendant un certain laps de temps, durée au bout de laquelle vous êtes ardemment encouragé à payer une contribution directement à son auteur. Cependant, sans le paiement de cette contribution, certains sharewares restent utilisables ad vitam aeternam. D'autres s'arrêtent de fonctionner une fois la période d'évaluation écoulée. En règle générale, les sharewares ne sont pas très onéreux.

Avant d'utiliser un freeware ou un shareware, vérifiez que son auteur le met à jour régulièrement. En effet, lorsqu'une personne travaille pour des cacahuètes, elle n'est parfois pas très encline à vouloir poursuivre le développement de votre application.

Depuis l'avènement de l'Internet, deux autres types de petites applications s'incrustent dans vos PC : il s'agit des *spywares* et des *adwares*. Ce sont des logiciels espions. Ils sont faits pour enregistrer vos habitudes de consommation afin de délivrer des informations très utiles aux sociétés commerciales qui vendent sur le net.

Pour résumer, je dirai que le logiciel est une application que vous achetez, comme Microsoft Office, ou le Lecteur Windows Media illustré à la Figure 1.2. Toutefois, le terme logiciel s'applique également au système d'exploitation lui-même et aux pilotes qui sont livrés avec les matériels de votre PC. Malheureusement, les virus sont également des logiciels.

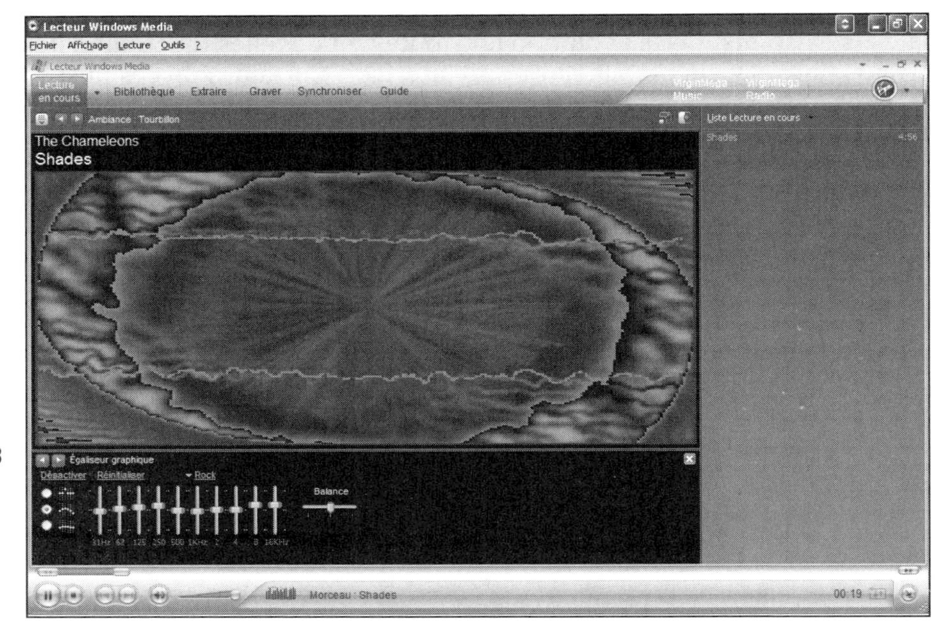

Figure 1.2 : Ecoutez vos dernières acquisitions MP3 avec le programme de lecture multimédia de Microsoft.

De temps en temps, vous entendrez parler d'un autre type de programme très particulier que l'on appelle *firmware*. Le firmware est un programme d'instructions qui est stocké dans la mémoire interne d'un matériel. Par exemple, votre graveur de CD ou de DVD possède une petite puce qui contient un firmware. Ce firmware contrôle les tâches nécessaires à la gravure d'un disque. Dans la plupart des cas, vous n'avez pas à vous préoccuper de ce micrologiciel. Mais dans d'autres, il est utile de le mettre à jour. En effet, la mise à jour d'un firmware peut augmenter les fonctionnalités de votre matériel en le rendant, par exemple, compatible avec une nouvelle génération de CD ou de DVD. La mise à jour d'un micrologiciel se fait sur le site Web de son constructeur, et prend la forme d'un exécutable sur lequel il suffit de double-cliquer pour mettre à jour le firmware du matériel.

Périphérique

On entend par périphérique le matériel que l'on place en dehors du boîtier de l'ordinateur. Il peut s'agir :

- ✦ D'imprimantes.
- ✦ De graveurs de CD externes comme celui représenté à la Figure 1.3, et de disques durs.
- ✦ De Webcams.
- ✦ De tablettes graphiques.
- ✦ De manettes de jeu.
- ✦ D'un matériel réseau comme des périphériques de partage Internet.
- ✦ De scanneurs et d'appareils photo numériques.

Figure 1.3 : Un graveur de CD externe, un périphérique indispensable qui va changer votre vie.

Les trois éléments externes indispensables à votre PC pour fonctionner – votre moniteur, votre clavier, et votre souris – ne sont pas considérés comme des périphériques. Pour ne vexer personne appelez-les des matériels.

Les périphériques se connectent à votre ordinateur par l'intermédiaire de prises (appelées des ports) qui se situent à l'arrière de l'ordinateur. Le Chapitre 3 du Livret II donne des précisions sur ces ports. N'importe quel utilisateur aguerri d'un PC peut identifier un port au premier coup d'œil. Ce n'est pas le cas des débutants.

Les composants traditionnels d'un PC de bureau

L'ordinateur de bureau est un animal assez étrange. Il commence par prendre une place relativement réduite dans votre environnement, puis il étend son territoire de mois en mois. Très rapidement, l'ordinateur de vos débuts devient un véritable salon informatique. (Je sais que j'ai toujours tendance à exagérer.)

Les quelques sections qui suivent présentent les composants qui équipent tout ordinateur sortant d'un magasin.

L'ordinateur

L'ordinateur prend la forme d'un boîtier qui protège tous les éléments internes. (Malheureusement, la poussière pénètre par les ailettes d'aération, et les divers ventilateurs qui refroidissent votre appareil. De ce fait vous devez régulièrement ouvrir le boîtier pour expulser la poussière qui s'accumule sur les éléments électroniques, poussière qui a tendance à les faire surchauffer. Eliminez ces poussières avec une petite bombe d'air comprimé.)

Les techniciens se réfèrent à votre PC en utilisant les dénominations suivantes :

- le boîtier
- le CPU
- le châssis
- des injures (réservées à des occasions très spéciales)

La forme

Depuis quelques années, les PC n'ont pas tous la même forme. En effet, certains fabricants ont fait des efforts d'imagination pour produire des boîtiers plus originaux que les traditionnels châssis de couleur beige d'une monotonie déprimante. Aujourd'hui, le PC est à l'heure du tuning. Dernièrement, j'ai même vu un PC guère plus épais qu'un lecteur de DVD de salon.

A l'origine, le boîtier d'un PC prenait place sur un bureau. On ne parlait pas de tour. Aujourd'hui, la plupart des ordinateurs sont livrés sous la forme d'un boîtier appelé "tour". Comme ces boîtiers sont relativement embarrassants, vous les posez par terre.

Voici l'aspect que peut prendre le boîtier de votre PC :

✦ **Tour standard :** C'est le boîtier préféré des utilisateurs avertis et des administrateurs réseau (voir la Figure 1.4). En effet, il permet de disposer de nombreux connecteurs d'extension destinés à recevoir des cartes augmentant les possibilités de la machine. Les tours sont généralement placées par terre car elles sont trop imposantes pour prendre place sur un bureau.

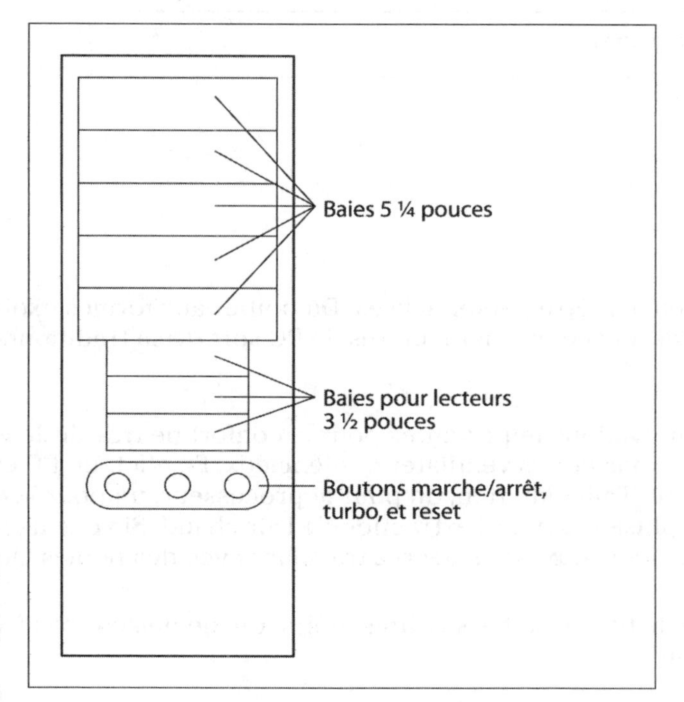

Figure 1.4 : Une tour typique d'un PC.

✦ **Mini tour :** Boîtier standard de la majorité des PC. Il s'agit d'une version miniature de la tour. Elle est idéale pour les stations de travail domestiques et bureautiques.

✦ **Desktop :** Il s'agit des PC les plus petits et que l'on rencontre de moins en moins. Ils sont souvent utilisés dans les administrations, les hôpitaux, les banques, etc. La Figure 1.5 montre ce type de boîtier.

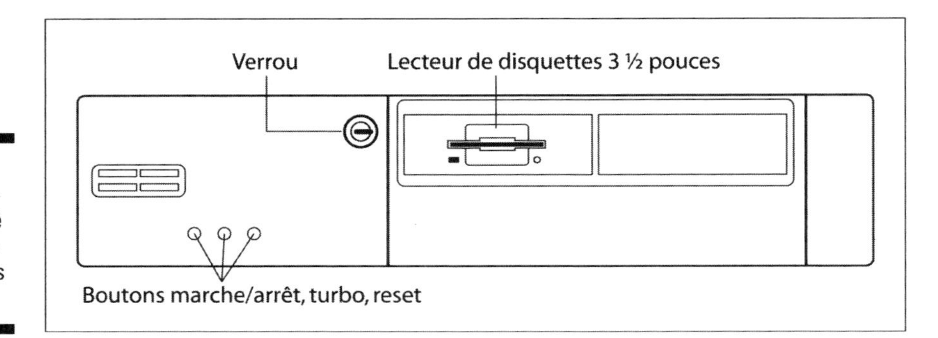

Figure 1.5 : Le boîtier horizontal, plat, appelé Desktop est de moins en moins usité.

Le tuning

Aujourd'hui, les PC peuvent être personnalisés. Du boîtier aux formes exotiques, en passant par le plexiglas aux néons multicolores, le PC sort de sa traditionnelle austérité.

A cela, s'ajoute des innovations importantes pour le confort de travail. Je veux parler ici des alimentations et des ventilateurs silencieux. En effet, un PC est truffé de ventilateurs : un pour l'alimentation, un pour le processeur, un pour la carte graphique, et parfois plusieurs pour l'extraction de l'air chaud. Si vous n'optez pas pour des ventilateurs silencieux, vous devrez travailler avec des boules Quies.

Vous trouverez aussi de beaux boîtiers sobres, noirs, qui ne nuisent pas à l'harmonie de votre habitation.

L'écran

Les moniteurs sont de deux types :

- **Le moniteur à tube à rayons cathodiques (CRT) :** Le plus répandu mais dont la suprématie est contestée par le moniteur LCD. Bon marché, le moniteur cathodique consomme plus d'électricité, dégage beaucoup de chaleur, et émet toutes sortes de radiations. Ces moniteurs étant architecturés autour d'une structure identique à celle d'un téléviseur, ils sont encombrants, surtout quand leur diagonale est de 19 ou 21 pouces. La majorité des moniteurs CRT ont un écran relativement plat, tandis que les plus anciens sont bombés, ce qui déforme l'image.

- **Le moniteur LCD :** Les moniteurs LCD, également appelés *écrans plats*, reprennent la même technologie que les ordinateurs portables. Ils sont donc extra fins et consomment beaucoup moins d'électricité qu'un écran CRT. (Certains sont même conçus pour s'accrocher au mur.) Les écrans LCD n'émettent aucune radiation. En d'autres termes, mis à part leur prix, ils n'ont que des qualités.

Ces deux types d'écran peuvent être installés dans un environnement domestique ou bureautique. Toutefois, je conseille un moniteur LCD si vous avez les moyens d'en acheter un. Plus la diagonale de l'écran est élevée, moins vos yeux peinerons, et plus vous verrez de fenêtres simultanément ouvertes sur le bureau de Windows.

Le clavier et la souris

Les PC modernes disposent quasiment tous d'un clavier possédant des touches Windows qui améliorent la productivité des utilisateurs avertis. Malgré tout, j'ai quelques suggestions à faire sur les claviers :

- **L'ergonomie.** Il existe des claviers aux formes étranges, comme le Natural Keyboard de chez Microsoft (Figure 1.6), qui sont destinés aux personnes sachant taper avec tous les doigts, et qui saisissent du texte à longueur de journée. En revanche, du fait de la forme curviligne et de la disposition des touches, une personne tapant avec deux ou quatre doigts risque une belle tendinite car il faut que les poignées restent en appui permanent sur la surface prévue à cet effet.

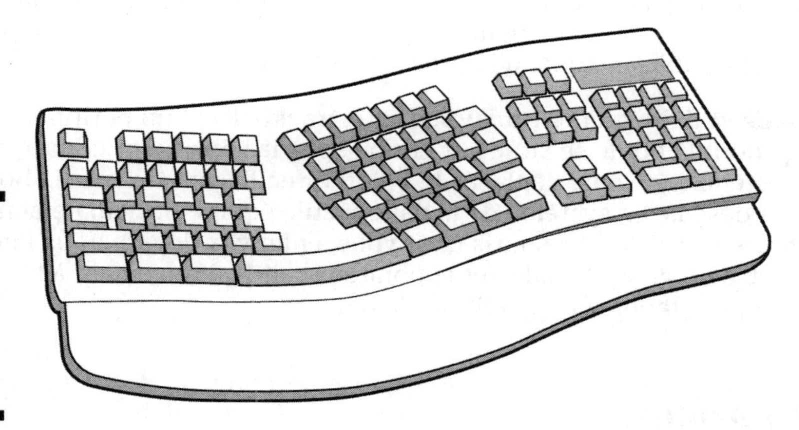

Figure 1.6 : Le clavier ergonomique est indispensable aux utilisateurs qui font beaucoup de saisie.

- **Les claviers à touches Web et multimédia.** Il existe de plus en plus de claviers disposant de touches (plutôt des boutons d'ailleurs) qui permettent d'exécuter une tâche par simple pression. Par exemple, vous appuyez sur un bouton représentant une enveloppe pour lancer votre gestionnaire de courrier électronique. Un autre bouton exécutera Internet Explorer ; d'autres contrôleront votre lecteur de CD, ce qui permet de lancer la lecture depuis le clavier, de l'interrompre, de passer à la plage audio suivante, etc. Vous pouvez aussi modifier la programmation de ces touches dans le pilote du clavier. Par exemple, j'ai programmé un bouton pour qu'il exécute mon gestionnaire réseau en lieu et place du lancement d'une impression.

Les souris existent aussi sous plusieurs formes. Voici les modèles que vous rencontrerez le plus souvent :

- **Souris sans fil :** Ces souris ne sont pas raccordées à l'ordinateur par un cordon et une prise PS2 ou USB. Elles ont un émetteur qui envoie les informations à un récepteur connecté au PC. La majorité fonctionne à piles, mais il est avisé d'investir dans une souris dont le support sert également de chargeur. Le gros avantage d'une souris sans fil est qu'elle peut être utilisée à distance de l'ordinateur. La portée est relativement élevée.

- **Souris optique :** Cette souris n'a pas de boule. Elle peut donc être placée sur n'importe quelle surface. Elle ne nécessite aucun entretien. Sa précision est supérieure à celle d'un système à boule.

- **Souris à plusieurs boutons :** Toute souris fonctionnant sous Windows possède deux boutons. La majorité des souris propose en plus un bouton roulette. Il permet de faire défiler des pages d'un traitement de texte, d'un tableur, etc., mais peut également être programmé pour exécuter une action quand on appuie dessus. Personnellement, j'ai programmé le bouton roulette pour qu'il effectue un double-clic quand je presse une fois dessus.

- **Trackballs et dalle tactile (touchpad) :** La trackball est un périphérique de pointage dont la boule se situe sur et non sous la souris. Par conséquent, la souris reste fixe, et vous déplacez le pointeur en faisant tourner la boule qui se trouve au-dessus. Le système de la dalle tactile équipe principalement les ordinateurs portables. La souris c'est vous, enfin vos doigts. Vous faites glisser votre doigt sur la dalle, et le pointeur suit le mouvement à l'écran. Pour double-cliquer, tapotez deux fois sur la dalle.

Les haut-parleurs

Qu'est-ce qui attire le grand public vers l'informatique ? Réponse : le multimédia. Or, sans haut-parleurs, votre PC est aussi efficace qu'une cantatrice aphone. La plupart des PC sont livrés avec des haut-parleurs. Dans certains cas, ils sont incorporés au moniteur (avouons que la restitution sonore n'est pas très bonne).

Si vous pensez que les deux haut-parleurs de bureau que l'on vous a livrés sont insuffisants, je vous invite à prendre connaissance des dernières évolutions en la matière :

- **Les haut-parleurs plats :** Ils sont aux haut-parleurs classiques ce que le moniteur LCD est à l'écran CRT. Bien souvent il font moins de 2,5 cm d'épaisseur tout en proposant une puissance et une qualité équivalentes à leurs prédécesseurs.
- **Le son dolby-surround :** Au Chapitre 15 du présent livret je traite en détail de la haute fidélité. Sachez simplement qu'avec une carte son adéquat, et les haut-parleurs assortis, vous pouvez transformer votre PC en un système home cinéma.
- **Connexions numériques USB (Universal Serial Bus) :** Désormais, la meilleure qualité audio s'obtient avec des haut-parleurs USB qui restituent le son directement en numérique. Cela signifie que le son n'est pas traité par des convertisseurs numériques/analogiques avant d'être reproduit sur votre système d'écoute.

PC de bureau contre PC portable

Une question vous hante : "Dois-je acheter un ordinateur de bureau ou un portable ?" Naturellement, si la mobilité est une priorité, investissez dans un portable. Aujourd'hui, les portables sont aussi puissants que les ordinateurs de bureau. Même les modèles de base sont livrés avec un graveur de CD/DVD, et les cartes graphiques permettent de faire tourner des jeux 3D sophistiqués.

Si vous hésitez purement et simplement pour une question de plateforme, je vous conseille un ordinateur de bureau pour les raisons suivantes :

- **Les portables sont moins évolutifs que les ordinateurs de bureau :** Bien que les portables jouissent des technologies USB et FireWire, les ordinateurs de bureau sont plus faciles à mettre à niveau (notamment pour le processeur et la carte graphique qui sont quasiment inchangeables dans un portable).
- **Les portables sont beaucoup plus chers.** La mobilité a un prix, et vous vous en rendrez compte quand vous le comparerez avec un ordinateur de bureau.
- **Les portables sont plus chers à réparer.** Si la carte son de votre ordinateur de bureau tombe en panne, vous la remplacez par une neuve en quelques coups de tournevis. En revanche, si le circuit audio d'un portable rend l'âme, comptez bien les billets de votre portefeuille. D'abord, vous ne pouvez pas procéder vous-même au remplacement, et bien souvent il faut changer la carte mère. (En effet, pour réduire l'espace occupé par le matériel, les fabricants de portables incluent quasiment tout dans la carte mère.)

Si vous possédez un ordinateur portable, n'arrêtez pas la lecture de cet ouvrage. Ce qui y est dit vous intéresse. Passez outre les sections consacrées à la mise à jour des composants.

Mémoire RAM et processeurs : les clés de la performance

Lorsque vous entendez des spécialises parler de vitesse et de performance, ils se réfèrent principalement à trois composants :

- **La mémoire du système, ou RAM (random access memory) :** Plus votre PC possède de mémoire rapide, plus il sera performant – d'autant que Windows aime à s'en accaparer une bonne part. Vous en saurez plus sur la mémoire au Chapitre 11 du Livret II.

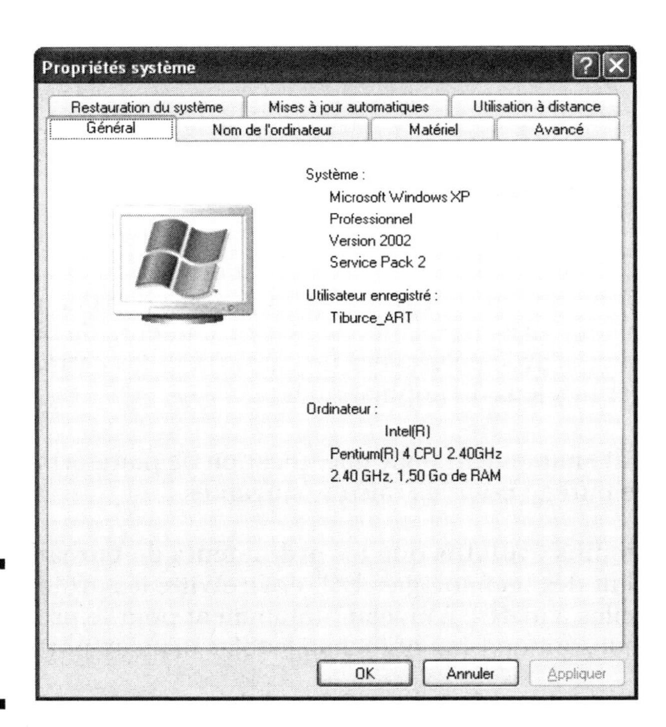

Figure 1.7 : Affichez les Propriétés système.

- **Le processeur central (CPU) :** A l'heure où j'écris ces mots, les PC sont dotés d'un processeur Intel Pentium 4 ou de son cousin meilleur marché, le Celeron. Certains embarquent un processeur Athlon XP du fondateur AMD, ou son cousin meilleur marché, le Duron. La vitesse d'un processeur se mesure en MHz (mégahertz) ou en GHz (gigahertz). Le rapport est simple : 1 GHz égale

1 000 MHz. Plus la vitesse de votre processeur est élevée, plus votre PC exécutera rapidement ses tâches. (J'en dis davantage au Chapitre 1 de ce Livret.)

- **Le processeur graphique (GPU) :** Il s'agit de la puce installée sur votre carte graphique. Plus sa capacité est importante, plus elle soulage le processeur central des calculs 3D. Cela ouvre la porte aux jeux 3D temps réel les plus gourmands. Vous en saurez plus sur les cartes graphiques au Chapitre 15 du Livret II.

Pour connaître la quantité de mémoire RAM de votre ordinateur, cliquez sur l'icône du Poste de travail avec le bouton droit de la souris. Dans le menu contextuel, choisissez Propriétés. Vous accédez à une boîte de dialogue semblable à celle de la Figure 1.7. Vous y voyez la vitesse du processeur, et la quantité de mémoire RAM.

Notre ami le système d'exploitation

Windows, qui est votre *système d'exploitation*, est le premier programme que vous devez exécuter pour :

- Naviguer parmi les fichiers de votre disque dur.
- Exécuter d'autres programmes.
- Ecouter de la musique, afficher des images, ou regarder des films.
- Copier, déplacer, et supprimer des éléments, parmi tant de belles autres choses à réaliser.

En fait, Windows est composé de centaines de petites applications dont vous ne remarquez même pas l'exécution. Windows préfère vous présenter une interface graphique intuitive et conviviale.

Je me dois de mentionner que Windows n'est pas le seul système d'exploitation existant sur PC. Vous pouvez, par exemple, y faire tourner Unix, Linux, BeOS, OS/2 Warp, ou même votre bon vieux DOS. Le seul gros inconvénient est que la plupart des programmes et des matériels tiers sont conçus pour fonctionner sous Windows. Je crains que le choix du système d'exploitation ne s'impose à vous de facto. Pour vous éviter bien des déboires, partez du bon pied avec Windows XP. Que risquez-vous finalement ? De rejoindre une communauté de millions d'utilisateurs à travers le monde !

Chapitre 2
Des joujoux qui ravissent les PC

Dans ce chapitre :

- Comparer les imprimantes.
- Ajouter un scanner à votre système.
- Mettre à jour vos périphériques d'entrée.
- Ajouter une manette de jeu.
- Présentation des appareils photo numériques et des caméscopes DV.
- Ajouter un nouveau périphérique de stockage.
- Protéger votre PC avec un parasurtenseur ou un onduleur (UPS).

Vous avez acheté un PC et je vous en félicite. Mais voilà, très rapidement vous vous rendez compte qu'il ne suffit pas d'avoir une tour, un écran, un clavier, et une souris, pour faire quelque chose d'intéressant avec votre machine. Vous allez devoir investir un peu plus d'argent pour profiter de tout le potentiel de votre PC. Quel investissement ? Une imprimante par exemple, sans laquelle vous ne pouvez rien faire de vos textes, de vos dessins, ou de vos photos (ou du moins pas tout ce que vous souhaiteriez en faire).

Ce nouveau chapitre est une présentation des *gadgets* les plus populaires qui prennent irrémédiablement place à côté d'un ordinateur. Certains d'entre eux sont étudiés en détail – le Chapitre 5 du Livret II se consacre aux scanners, tandis que d'autres ne sont mentionnés qu'à titre informatif.

Les imprimantes

L'imprimante est devenu le premier périphérique acheté par les utilisateurs d'un PC. En effet, il est très important de pouvoir sortir des documents, des dessins, des photos, et des peintures numériques sur papier.

Jet d'encre vs. laser

Il y a quelques années, le combat qui opposait ces deux types d'imprimantes tournait à l'avantage du jet d'encre car le prix d'une laser était prohibitif, surtout lorsque vous souhaitiez des sorties couleur. Par conséquent, tous les utilisateurs domestiques investissaient dans une imprimante jet d'encre. Aujourd'hui, les écarts de prix sont moindres. C'est pourquoi je vous propose d'étudier ensemble les avantages et les inconvénients de chaque système.

Les avantages des imprimantes laser

Une imprimantes laser monochrome coûte de 200 à 300 euros, ce qui est donné lorsque l'on compare les prix affichés il y a une dizaine d'années (plus de 1500 euros). Voici les avantages du laser :

- **Vitesse :** Une imprimante laser imprime une page de texte bien plus vite qu'une jet d'encre.
- **Faible coût :** Le toner, c'est-à-dire l'équivalent des cartouches jet d'encre, vaut beaucoup moins cher, et imprime plus de pages.

Figure 2.1 : Pour une utilisation purement bureautique, l'imprimante laser est un excellent investissement.

- **Silence :** Un système laser est bien plus silencieux qu'un système jet d'encre, ce qui n'est pas négligeable dans un bureau où les impressions vont bon train.

- **Meilleure qualité d'impression :** Aucune imprimante jet d'encre n'imprimera aussi bien le texte qu'une imprimante laser.

Si vous avez les moyens, c'est-à-dire environ 1000 euros à dépenser, envisagez l'achat d'une imprimante laser couleur. Elle offre une bien meilleure qualité que les jets d'encre pour un coût moins important.

L'imprimante laser monochrome illustrée à la Figure 2.1 peut imprimer 12 pages à la minute.

Les avantages du jet d'encre

Les imprimantes jet d'encre sont moins chères que les imprimantes laser. Vous pouvez acheter une jet d'encre couleur pour moins de 100 euros, et qui donnera de bons résultats. Ce type de périphérique est certainement la solution des utilisateurs domestiques. Voici quelques autres avantages :

- **Polyvalence :** Une imprimante jet d'encre couleur peut imprimer sur une quantité impressionnante de supports : du papier glacé, du papier kraft, du papier à transfert, du papier à tatouage, et j'en passe.

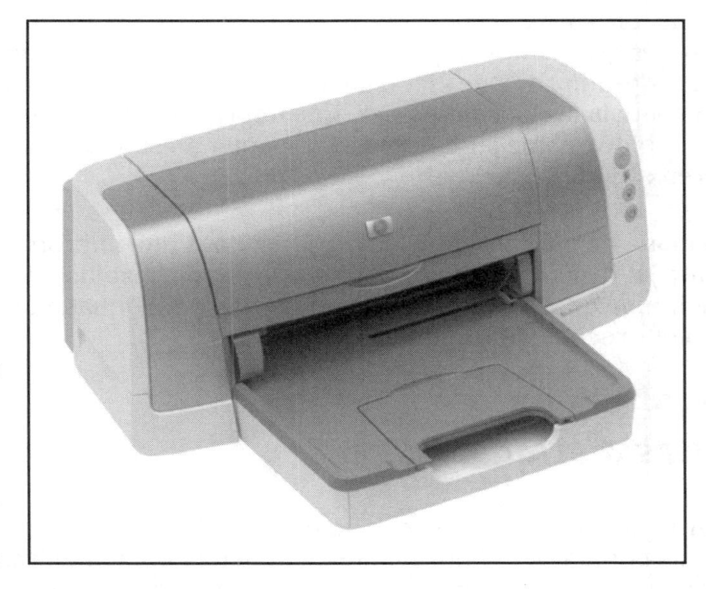

Figure 2.2 : Cette imprimante jet d'encre produit des tirages photo d'une rare qualité.

- **Encombrement réduit :** Une imprimante jet d'encre prend peu de place sur un bureau.

✦ **Grand format d'impression :** Si vous dépensez un peu plus, vous pouvez acquérir une imprimante qui supporte le format A3, voire plus.

L'imprimante jet d'encre illustrée à la Figure 2.2 coûte moins de 300 euros, et elle intègre des connexions Ethernet et USB. Elle peut imprimer du texte de qualité laser à la cadence de sept pages à la minute, et des images de qualité photo à la vitesse de cinq pages à la minute. Ce modèle peut être configuré pour des impressions recto-verso.

Les imprimantes photos

Les *imprimantes photos* sont conçues pour des sorties papier qui rivalisent avec les tirages argentiques traditionnels. Elles utilisent les meilleures technologies d'encre, ou reposent sur la technique dite de *la sublimation thermique*. La sublimation thermique transfère la couleur depuis un ruban encré sur un papier couché spécial. Cela produit la même continuité de tons qu'une photographie obtenue à partir d'un négatif. Les imprimantes photos acceptent les cartes mémoires des appareils photo numériques. Il n'est plus nécessaire d'allumer votre PC pour reproduire vos photos numériques sur papier.

Ce type d'imprimante existe dans des tailles diverses et variées. Bien évidemment, elles n'acceptent pas le format A4, ne peuvent pas imprimer du texte noir et blanc, ce qui en fait un périphérique d'impression moins polyvalent que les autres. Aujourd'hui, la plupart des imprimantes jet d'encre et photo impriment sans bordure, c'est-à-dire sur toute la surface du papier. Une imprimante à sublimation thermique est moins rapide qu'une jet d'encre, et le papier ainsi que le ruban encreur sont plus onéreux à long terme.

Si vous êtes un passionné de photographie, investissez dans une imprimante photo. Sinon, une imprimante jet d'encre standard couvrira tous vos besoins informatiques, sachant qu'avec une bonne qualité d'impression et un papier adéquat, vous obtenez aussi des tirages papier proches de l'argentique.

Les imprimantes d'étiquettes

Avant de passer à autre chose, je vais parler d'un nouveau type d'imprimantes qui devient de plus en plus populaire – l'imprimante d'étiquettes personnelles, comme la DYMO LabelWriter 330 Turbo. Comme vous pouvez le voir sur la Figure 2.3, ce type d'imprimante ressemble plus à un jouet qu'à un périphérique d'impression. Pourtant, son prix au kilo est redoutable !

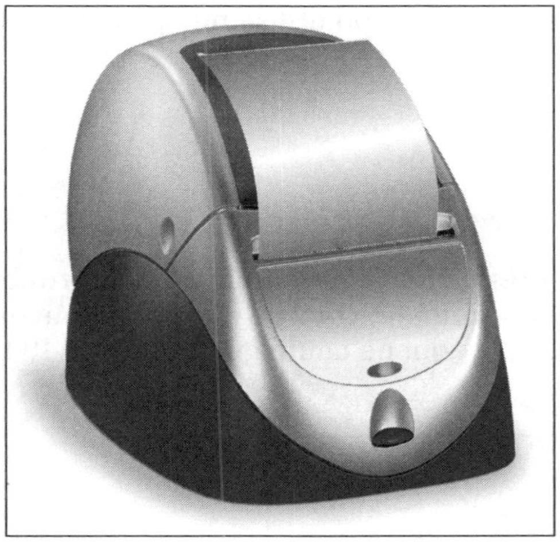

Figure 2.3 : Une imprimante d'étiquettes est l'outil indispensable des fanatiques de l'impression petit format.

Voici ce que peut produire la LabelWriter 330 Turbo :

- **Des étiquettes d'adresses**, avec le logo de l'entreprise.
- **Des badges de sécurité.**
- **Des étiquettes de CD et de DVD.**
- **Des codes barres et des codes postaux.**
- **Des étiquettes pour dossiers.**
- **Des étiquettes de disquettes** (vous savez, ces petits carrés qu'on insérait jadis dans les ordinateurs pour y stocker des données).
- **Des étiquettes pour cassettes VHS et cassettes audio**

Le logiciel qui contrôle cette imprimante propose presque tous les formats d'étiquettes connus. Vous pouvez sélectionner la police de caractères, la date et l'heure d'oblitération, l'impression de dessins, et même des photographies miniatures. Vous pouvez faire pivoter le texte et l'imprimer avec un effet miroir, ou créer très facilement des codes barres. Vous avez aussi la possibilité d'imprimer des étiquettes depuis des applications comme Outlook, Word, ACT!, et QuickBooks.

Certains diront qu'il est possible d'imprimer des étiquettes avec une imprimante jet d'encre classique sur un papier destiné à cet effet. Oui, bien sûr ! Mais le gros avantage d'une imprimante d'étiquettes est de pouvoir imprimer au coup par coup. Rien ne vous oblige à imprimer une planche entière d'étiquettes si une seule vous suffit. De plus, toute personne ayant essayé d'imprimer un code barre et des adresses avec une jet d'encre ou une laser s'en souvient encore.

Une imprimante comme la LabelWriter 330 Turbo utilise une connexion USB et coûte entre 200 et 300 euros.

Les scanners

Les scanners sont des bestioles intéressantes au prix tout à fait abordable et qui rendent énormément de services. Par exemple, voici ce que vous pouvez attendre de l'appareil représenté à la Figure 2.4, et qui ne coûte guère plus de 100 euros :

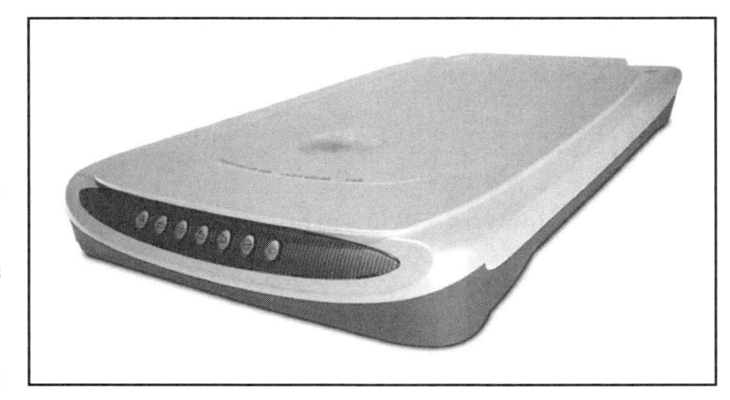

Figure 2.4 : Ce scanner peut numériser toutes sortes de documents imprimés.

- **La production d'images numériques tirées de magazines et de livres, des photographies, et tout autre support imprimé.** Les images numérisées (ou *scannées*) peuvent ensuite être éditées dans un logiciel de retouche, envoyées par e-mail, ou gravées sur CD ou DVD.
- **Convertir un texte imprimé en document Word.** C'est la technologie dite *OCR,* c'est-à-dire de reconnaissance de caractère. Elle évite des heures et des heures de saisie.
- **Produire des images que vous pouvez envoyer par télécopie avec le modem/fax de votre PC.**
- **Produire des images à partir de transparents ou de diapositives (avec l'adaptateur adéquat).**
- **Jouer le rôle de photocopieur quand vous possédez une imprimante.**

Les scanners sont devenus très bon marché pour une qualité tout à fait convenable dans une utilisation domestique. Les scanners plus sophistiqués sont généralement autonomes ou attachés à une imprimante multifonction. De ce fait, il est possible de réaliser des photocopies, et d'imprimer des photographies depuis la carte mémoire d'un appareil photo numérique, sans allumer l'ordinateur.

Il existe des scanners spécialisés dans certaines tâches comme la production de codes barres ou de cartes de visite. L'un de mes préférés est le scanner stylet représenté à la Figure 2.5. Il permet de garder un enregistrement numérique de vos notes, réflexions, idées, dessins etc. Tout ce que vous avez écrit sur un bloc-note numérique est ensuite transféré à votre PC par l'intermédiaire du stylet avec lequel vous avez pris vos notes. Le système **io** de Logitech est très performant. Connectez-vous au site `www.logitech.fr` pour vous en convaincre.

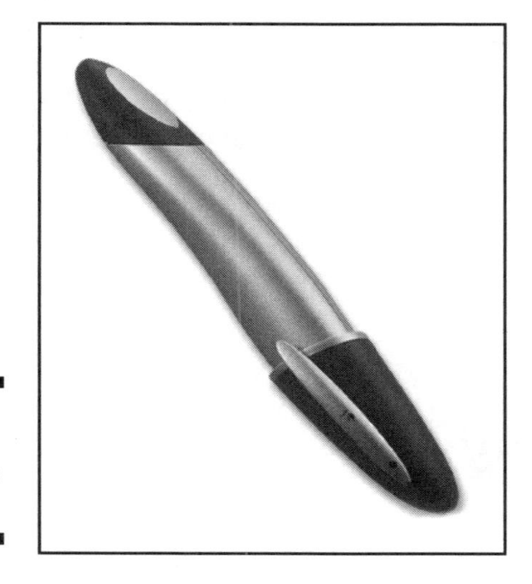

Figure 2.5 : Le stylo numérique est une sorte de scanner.

Malheureusement, ce confort a un prix très élevé : environ 200 euros.

Clavier, tablette, et périphériques de pointage

Utiliser un PC sans périphérique de pointage est un défi. Il est vrai que dans certaines applications, la souris ne sert pas à grand-chose. Par exemple, dans un programme de traitement de texte comme Word, toutes les commandes s'exécutent bien plus vite au clavier (quand on en a pris l'habitude). En revanche, en matière de graphisme, je défie quiconque de dessiner au clavier. Même avec une souris la chose est harassante.

Les joies du sans fil

Pour contrôler plus facilement le système d'exploitation Windows, de nombreux claviers disposent désormais de touches spécifiques. De plus, les claviers ont adopté des formes tout à fait particulières. Leur ergonomie permet, notamment, aux personnes qui tapent avec les dix doigts de se positionner parfaitement pour ne sentir aucune fatigue et échapper au fameux syndrome du canal carpien.

Pour libérer le bureau et placer les périphériques comme bon vous semble, vous vous tournerez vers des solutions sans fil, comme le si joli couple formé à la Figure 2.6. Il s'agit d'un clavier et d'une souris sans fil qui utilisent la technologie Bluetooth. (Vous en saurez davantage sur cette technologie au Chapitre 18 du Livret II.) Ce clavier est magique, il ne possède pas moins de onze touches d'accès rapide à des applications et des fonctions, et propose un ensemble de contrôles multimédias qui permettent d'écouter vos CD audio, et d'en contrôler la lecture et le niveau sonore.

Figure 2.6 : Le combiné clavier/souris sans fil, un souffle de liberté.

Une tablette au travail

Si vous êtes un artiste numérique, un professionnel de la photographie, ou quelqu'un qui adore dessiner à la main, envisagez l'achat d'une *tablette graphique* (illustrée à la Figure 2.7). Elle permet de dessiner ou de prendre des notes comme avec la bonne vieille méthode du stylo et du papier. A l'instar d'un clavier ergonomique, une tablette soulage vos poignées.

"Mais qu'en est-il du rapport tactile qui s'établit entre mon crayon et la matière ?" demandez-vous avec une hargne qui révèle votre aversion pour un art émergent ! Pas de problème ! Aujourd'hui, les tablettes sont sensibles à la pression. Certaines détectent même l'angle du stylet pour produire exactement le même type de trait que celui obtenu avec un crayon. Des applications comme Photoshop et Painter permettent de choisir vos outils : l'aquarelle, la craie, le fusion, les feutres, les crayons, etc.

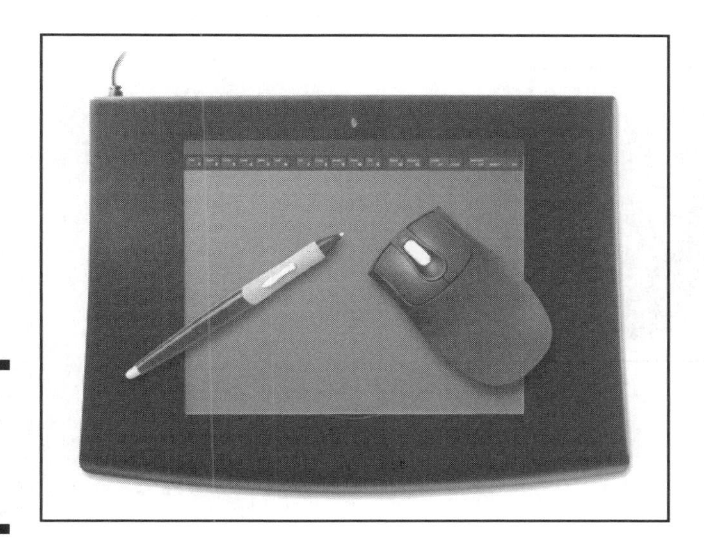

Figure 2.7 : Une tablette graphique est l'outil indispensable des artistes.

Une tablette graphique typique comme l'Intuos3 de Wacom (www.wacom.fr) n'a pas de batterie, et son stylet est sans fil. Elle est même livrée avec une souris. La tablette se connecte au PC par un port USB, et elle coûte environ 500 euros dans son format A4. Des modèles plus modestes comme ceux de la série Graphire coûtent environ 50 euros.

Répétez après moi : Achetez un trackball !

Je n'ai pas pu travailler longtemps avec une souris classique. Non ! Décidemment, le trackball est la souris indispensable qui offre les avantages suivants :

- **Compacité.** Une fois placée sur votre bureau, la souris trackball n'a plus de raison de bouger d'un millimètre puisque la boule se trouve sur le dessus et que vous la faites tourner avec votre pouce pour déplacer le pointeur à l'écran.
- **Précision.** Tous ceux qui utilisent un trackball sont d'accord pour dire que le niveau de contrôle du pointeur est plus précis.
- **Propreté :** Un trackball est bien plus propre qu'une souris, même optique.

La Figure 2.8 montre un trackball que vous contrôlez au pouce et à l'œil (ah !). Le modèle représenté se connecte soit à un port USB, soit à un port PS/2, et coûte environ 45 euros.

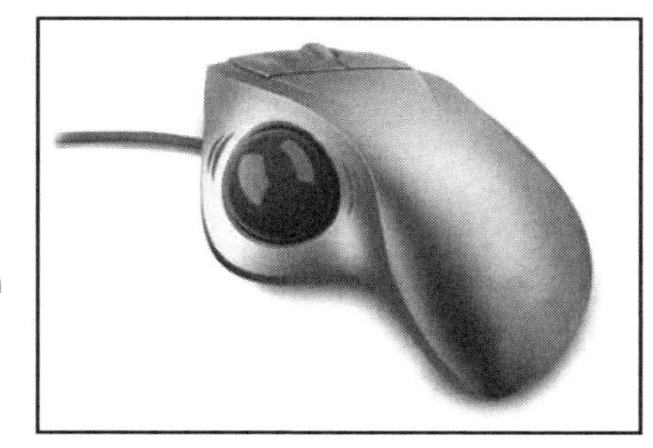

Figure 2.8 : Un trackball est bien plus efficace qu'une souris traditionnelle.

Les manettes de jeu

Les manettes de jeu ont beaucoup évolué depuis le joystick de la console Atari à la fin des années 70.

Comme les joueurs d'aujourd'hui veulent toujours plus de boutons, le joystick a cédé la place à des manettes ultra sophistiquées comme celle représentée à la Figure 2.9. Ce modèle est une savante combinaison entre un gamepad (c'est-à-dire une manette) et un pavé numérique. Pourquoi une telle complexité ? Parce que les jeux disposent de fonctions de plus en plus avancées qui nécessitent de nombreuses combinaisons de touches pour bénéficier de plusieurs dizaines d'actions. Cette manette coûte environ 50 euros. Ces boutons sont programmables en fonction des jeux utilisés.

Figure 2.9 : Mais oui ! C'est une manette de jeu.

Les sensations sont recherchées par les gamers (joueurs) les plus mordus (et même les autres). La fonction de *retour de force* (*force feedback*) est quasi indispensable. Qu'est-ce donc ? Il s'agit d'une vibration d'intensité variable en fonction des coups portés et/ou reçus par un joueur. Le retour de force se rencontre dans quasiment tous les jeux : action, stratégie, sport, etc.

Si vous regardez la manette Microsoft Sidewinder Force Feedback, qui utilise le même mécanisme de tracking optique que les souris optiques et les trackballs actuels, vous verrez qu'elle dispose de son propre processeur. Il contrôle tout ce qui se passe dans le jeu, et active les moteurs de vibration quand certaines conditions sont réunies. Le retour de force est également présent sur certains volants, comme le Logitech Formula Vibration Feedback Wheel, pour la modique somme de 50 euros.

Caméscope et appareil photo numérique

Dans ce domaine aussi nous devons faire fi de nos anciens réflexes analogiques. L'image, qu'elle soit fixe ou animée, est numérique. Voici d'ailleurs les avantages procurés par les caméscopes et les appareils photo numériques sur leurs équivalents analogiques et argentiques :

- **Pas de traitement en labo :** Vous connectez directement l'appareil numérique au PC et vous récupérez vos images.
- **L'édition est simple dans des programmes comme Photoshop Elements, Paint Shop Pro, Premiere Elements, ou encore Pinnacle Studio 9.** Les deux derniers nommés sont destinés à la vidéo, et traités un peu plus loin dans ce chapitre.
- **Pas de pellicule.** Une fois les images téléchargées sur votre ordinateur, effacez le contenu de la carte mémoire de l'appareil.
- **Vos photos et vos vidéos peuvent être gravées sur CD ou DVD pour un stockage permanent.**
- **Les photos et les vidéos peuvent être envoyées par e-mail ou affichées sur une page Web.**
- **Vous pouvez créer vos propres DVD vidéo à partir de séquences tirées de votre caméscope.**

Il existe un type de caméra conçu pour rester sur votre bureau : la Webcam. Les gens l'utilisent pour afficher leur minois sur le Net, ajouter de la vidéo en temps réel sur leur site Web, ou enregistrer des films depuis leur fauteuil. Les Webcams sont utilisées pour les vidéoconférences. Leur prix est variable, mais les modèles les plus sophistiqués ne dépassent guère les 150 euros, sachant que les modèles d'entrée de

gamme avoisinent les 50 euros. Les Webcams se connectent au PC par le biais d'une prise USB ou FireWire.

La Figure 2.10 montre un appareil photo numérique standard qui ressemble beaucoup à un appareil argentique. La Figure 2.11 montre un caméscope avec lequel vous filmez vos meilleurs moments, que vous transférez ensuite sur votre PC pour monter vos vidéos comme un professionnel de l'audiovisuel.

Figure 2.10 : L'image du nouveau millénaire : l'appareil photo numérique.

Figure 2.11 : Avec un caméscope numérique, vous pouvez graver les meilleurs moments de votre vie sur DVD.

Apprenez à monter vos films au Chapitre 7 et 8 du Livret II.

Les lecteurs externes

Voyons maintenant avec quelle facilité vous pouvez étendre les possibilités de stockage de votre ordinateur – ou avec quelle simplicité vous pouvez graver vos propres CD et DVD. Si vous avez peur d'ouvrir votre PC pour y connecter un nouveau disque dur ou un graveur de CD/DVD, optez pour une solution externe. Il s'agit de périphériques qui se connectent sur un port USB 2.0 ou FireWire de votre machine. (Si vous n'êtes pas à l'aise avec les vitesses de transfert, consultez le Chapitre 14 du Livret II.)

Disques durs et graveurs portables

Oubliez les volumineux boîtiers bruyants que vous aviez achetés à prix d'or il y a dix ans. Aujourd'hui, les lecteurs externes sont minces, rapides, et assez bon marché (voir la Figure 2.12). Par exemple, vous trouverez des disques durs externes de 80 Go pour une centaine d'euros qui se connectent à un port USB 2.0.

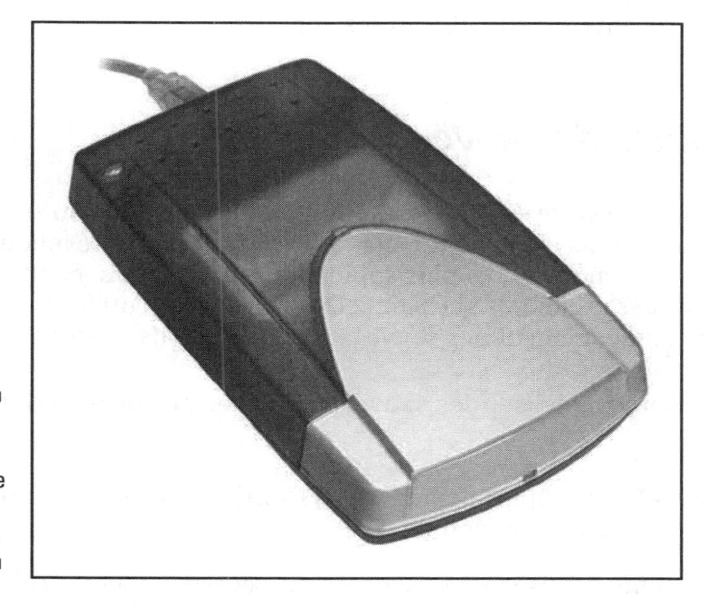

Figure 2.12 : Ce disque dur externe, symbole de la compacité et de la mobilité.

Sur la scène de la gravure de CD et/ou de DVD, vous avez cinq types de graveurs :

- **CD-R/CD-RW :** Capable de stocker de 650 à 900 Mo de données sur un CD (tout dépend de la capacité du disque en question).

- **DVD-R/DVD-RW :** En simple couche grave jusqu'à 4,7 Go de données, et jusqu'à 9,4 Go en double couche.
- **DVD-RAM :** Stocke jusqu'à 9,4 Go sur un DVD double couche.
- **DVD+R/DVD+RW :** Stocke 4,7 Go en simple couche et 9,4 Go en double couche.
- **DVD Universel :** Supporte tous les types de DVD. Existe en graveur simple et double couche.

RW est l'acronyme anglais de *rewritable,* c'est-à-dire réinscriptible. Cela signifie que les CD et les DVD estampillés –RW ou +RW peuvent être réutilisés des centaines de fois (oui car au bout d'un certain temps le disque devient inutilisable). Tous les graveurs de CD et de DVD peuvent produire des CD audio à partir de morceaux WAV ou MP3 (les deux formats les plus répandus sur PC). Faites attention lors de l'achat d'un graveur car, mis à part le graveur universel, les autres sont incompatibles avec certains DVD. Par exemple, un graveur estampillé DVD+R/+RW uniquement ne pourra pas graver des -R/-RW, et réciproquement. Si votre but est de créer des DVD vidéo, achetez un graveur compatible avec votre lecteur de DVD de salon. La plus grosse incompatibilité concerne la lecture des DVD-RW ou +RW. Généralement, les lecteur DVD de salon récents acceptent tous les supports.

Les périphériques de sauvegarde

Les périphériques de sauvegarde sont des matériels destinés à enregistrer les données sur une bande. Les moins chers sont lents, bruyants, de capacité modeste, et leur utilisation est assez complexe. Les plus sophistiqués sont chers, et effectuent des sauvegardes automatiques régulières sur bande DAT. C'est ce qu'utilisent les sociétés qui doivent opérer quotidiennement des sauvegardes de millions de données.

A votre niveau, vous pouvez réaliser des sauvegardes avec des périphériques plus communs :

- **Le graveur de DVD.** Plus spécialement le DVD-RAM ou les DVD double couche pour 9,4 Go de sauvegarde de données.
- **Sauvegarde en ligne.** Utilisez un service de sauvegarde en ligne. (C'est la seule solution viable si vous disposez d'une connexion haut débit à Internet. En effet, la sauvegarde d'un disque dur entier prendrait trop de temps avec un modem 56 K.)
- **Disques durs externes FireWire ou USB 2.0** dont la capacité peut aller jusqu'à 500 Go. Dans une configuration RAID, les sauvegardes sont automatiques. Vous ne vous occupez de rien.

A titre indicatif, un disque dur externe LaCie de 500 Go coûte à l'heure actuelle 500 euros.

Les clés USB

Dernier petit gadget du stockage, qui est très pratique : la clé USB. Pas besoin d'alimentation, ni de batteries. Vous la connectez au port USB d'un PC ou d'un Mac, et vous pouvez y récupérer ou y stocker des données. Les capacités de stockage de ces clés ne cessent d'évoluer. Certaines disposent même d'un disque dur intégré d'un pouce (2,54 cm), pour y stocker jusqu'à 1 Go de données.

Lorsque vous insérez une clé USB dans un PC, Windows XP la reconnaît immédiatement.

La Figure 2.13 montre une clé USB d'une capacité de 128 Mo qui coûte environ 30 euros. Ces clés disposent souvent d'un système de verrouillage qui évite d'y effacer accidentellement des informations.

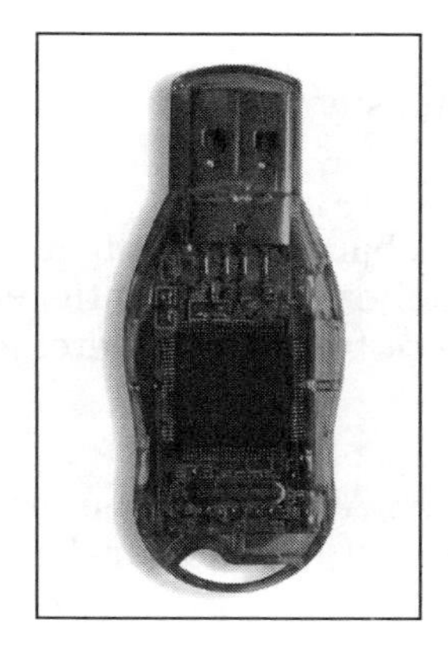

Figure 2.13 : La clé USB, pour un stockage limité mais peu encombrant, et universel.

Les parasurtenseurs et les onduleurs

Un bloc d'alimentation est très sensible. Un orage peut suffire à le griller. Quand une alimentation lâche à cause d'une surtension, vous risquez d'endommager également les circuits de votre carte mère et d'autres périphériques. Pour éviter ce genre de désagrément, je vous suggère d'acheter un parasurtenseur, sorte de grosse multiprise qui dispose d'un disjoncteur. En cas de surtension, le courant est coupé avant qu'il ne parvienne à votre ordinateur.

Un autre cas de figure à ne pas négliger est la panne de courant. Généralement soudaine, elle ne vous laisse pas le temps d'enregistrer vos travaux en cours, puis de quitter Windows XP selon la procédure recommandée. Ces coupures peuvent entraîner des dommages matériels et logiciels. Pour éviter cela, investissez dans un onduleur. Il s'agit d'un appareil qui va alimenter votre ordinateur même en cas de coupure de courant. L'autonomie est suffisante pour fermer vos applications, enregistrer vos documents, et quitter Windows le plus légalement qui soit. Une fois le courant rétabli, vous rallumez votre machine, et tout repart comme s'il ne s'était jamais rien passé. Les modèles d'onduleurs sont aussi nombreux que leurs prix diversifiés. Les tarifs vont de 60 à plus de 1 000 euros. Si vos moyens le permettent, optez pour un onduleur qui a les avantages suivants sur un parasurtenseur :

- **Autonomie :** Un onduleur se substitue à votre alimentation électrique. De ce fait, vous disposez généralement d'un laps de temps allant de 5 à 60 minutes pour terminer les travaux en cours, et quitter proprement Windows.
- **Arrêt automatique :** Les onduleurs haut de gamme peuvent prendre la décision de quitter Windows et d'éteindre le PC en cas de coupure de courant.
- **Signal électrique propre :** La majorité des onduleurs filtrent le courant alternatif pour délivrer un signal électrique exempt d'interférences dommageables pour les composants électroniques d'un PC.
- **Signal d'alerte :** Certains onduleurs émettent un signal sonore dès qu'un problème électrique est identifié.

L'autonomie d'un onduleur dépend de son niveau de charge. Un onduleur onéreux n'est pas synonyme d'autonomie plus importante. Sachez que l'essentiel est de disposer de suffisamment de temps pour enregistrer votre travail et éteindre votre ordinateur sans dommage.

Si vous êtes connecté à Internet par votre ligne RTC ou ADSL, veillez à brancher votre modem à un parasurtenseur ou à un onduleur pour le protéger des surcharges électriques.

Testé et approuvé

Ejecter une disquette ou un CD coincé dans son lecteur

Plus vos disquettes vieillissent, plus la lamelle métallique qui protège le disque magnétique se fragilise. De plus, au fil des ans, un lecteur de disquettes accumule de la poussière. Un jour ou l'autre, vous serez confronté à ce fameux problème de la disquette que l'on ne peut plus éjecter.

L'outil qui vous sortira de ce pas délicat se nomme une *pince à épiler*. Voici comment l'utiliser pour extraire la disquette récalcitrante :

1. **Quittez Windows et éteignez l'ordinateur.**
2. **Avec vos doigts, retirez la petite façade du lecteur de disquettes.**
3. **Insérez la pince à épiler, et faites des petits mouvements de va et vient jusqu'à ce que vous sentiez la disquette sortir de son logement.**

Ejecter un CD qui refuse de sortir est plus facile :

1. **Quittez Windows et éteignez l'ordinateur.**
2. **Prenez un trombone que vous déliez.**
3. **Insérez l'extrémité du trombone dans le petit trou situé en façade du lecteur de CD-ROM (ou du graveur). Appuyez fermement. Le tiroir s'ouvre manuellement.**

Voilà, vous n'avez plus qu'à retirer le disque et à repousser délicatement le tiroir.

Chapitre 3

Connecteurs, ports, et ouvertures diverses

Dans ce chapitre :

- Connecter des périphériques USB.
- Connecter des périphériques FireWire.
- Mettre au rebus votre antique port série.
- Identifier le port parallèle d'un PC.
- Connecter votre écran.
- Localiser les divers connecteurs de votre carte son.
- Connecter votre souris et votre clavier.

Au début de l'informatique, il y avait deux ports – le série et le parallèle. Qui avait besoin de plus ? Personne ! Une imprimante se connectait au port parallèle et un modem (ou peut-être une souris) au port série, point final.

Aujourd'hui, les PC disposent toujours de ces deux ports. Bien que vous puissiez les utiliser pour une imprimante, un modem, et même une souris, vous avez sous la main de nombreux autres connecteurs qui étendent les capacités de votre ordinateur en autorisant l'ajout d'un grand nombre de périphériques externes. Dans ce chapitre, je vous aide à identifier et à comprendre le fonctionnement des ports disponibles à l'arrière (et parfois à l'avant) de votre PC.

Utiliser l'USB

Il s'agit d'un port qui est rapidement devenu incontournable sur PC et Macintosh. Un port USB (représenté à la Figure 3.1) permet la connexion de toutes sortes de périphériques, dont les traditionnels clavier et souris. Intel est le père de ce port polyvalent.

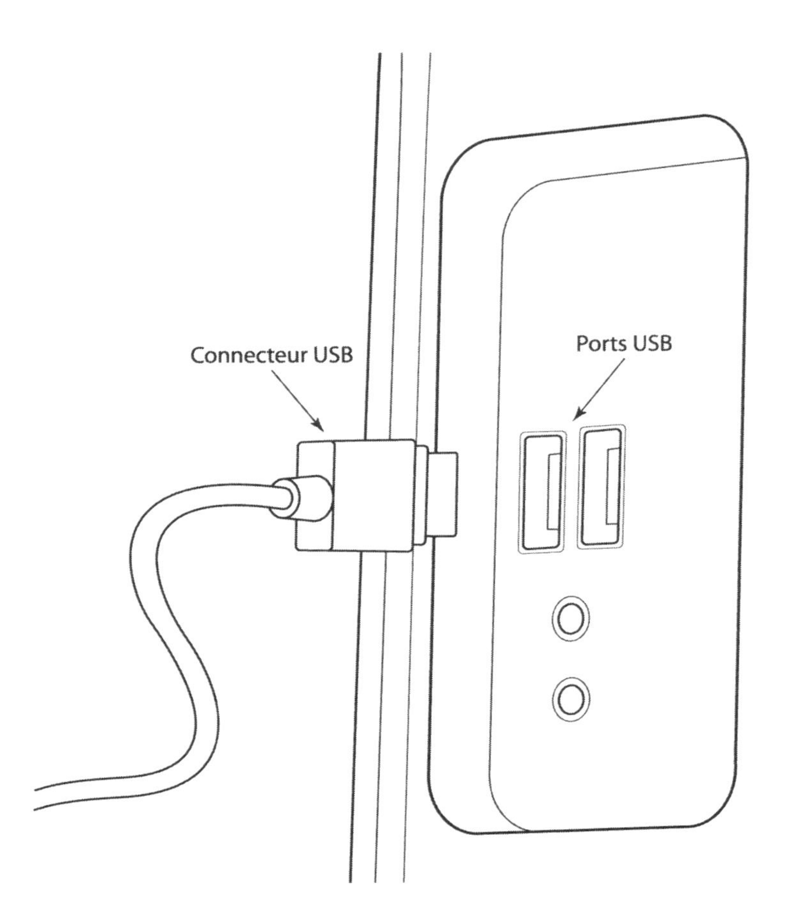

Figure 3.1 : La procédure de connexion à un port USB.

Une connexion USB est le choix du roi pour les raisons suivantes :

- **Elle est Plug and Play.** C'est-à-dire vraiment Plug and Play. En effet, vous branchez le périphérique sur le port USB ordinateur allumé. (On appelle cela une *connexion à chaud*.) Windows XP le reconnaît. Bien souvent, il n'est pas nécessaire d'installer des pilotes supplémentaires. (Toutefois si votre périphérique est vraiment particulier, l'installation des pilotes fournis sur CD sera indispensable pour tirer parti de toutes ses fonctionnalités.)
- **Un seul port gère des dizaines de périphériques.** Vous pouvez chaîner jusqu'à 127 appareils sur un seul port USB. Malheureusement, de nombreux périphériques USB n'ont pas de connecteur d'entrée. Dans ce cas, raccordez

un concentrateur USB (également appelé *hub USB*) qui dispose de plusieurs prises permettant de connecter divers périphériques.

✦ **Le port USB est relativement rapide.** Il existe aujourd'hui deux types de ports USB : le 1.1 (qui transfère les données à la vitesse d'un port série), et le 2.0 (qui est extrêmement rapide).

Je traite en détail des ports USB au Chapitre 14 du Livret II. Sachez qu'il est préférable d'acheter un périphérique à connecteur USB plutôt qu'un équivalent à connecteur série ou parallèle.

Prendre la voie rapide : le FireWire

Il n'y a pas si longtemps, le port FireWire était le connecteur le plus rapide d'un PC. On le connaît aussi sous le nom de port IEEE 1394. On l'a immédiatement destiné à la capture du signal vidéo provenant d'un caméscope numérique, et aux numérisations des scanners haute résolution. C'est la société Apple qui a conçu le port FireWire.

Le recul du SCSI

Pendant de nombreuses années, vitesse rima avec SCSI. Il s'agit de l'acronyme de *Small Computer System Interface.* C'était le seul système capable de maintenir des débits de données élevés et constants, et qui acceptait un chaînage de 15 périphériques (par exemple 15 disques durs). L'équipement était très coûteux, et sa configuration délicate. Pourtant, aujourd'hui encore, les lecteurs SCSI restent les plus rapides et les plus fiables du marché.

Malgré ses avantages, le SCSI présente de nombreux inconvénients comparé à l'USB. En effet, le chaînage de périphériques SCSI est bien plus difficile à réaliser que celui de l'USB ou du FireWire. Les appareils SCSI externes ne sont pas Plug and Play, et le transfert des données fait pâle figure au regard des performances affichées par l'USB et le FireWire.

Pour ces raisons diverses et variées, je préconise à tous les utilisateurs d'un PC d'opter pour des périphériques externes USB ou FireWire, et de laisser le SCSI aux gourous de l'informatique (ou à ceux qui aiment à se complaire dans les anciennes technologies en se basant sur la vieille idée "que c'était mieux avant" – et dont nous ferons partie quand l'USB et le FireWire auront été supplantés par de nouveaux ports).

Le FireWire originel voit sa vitesse supplantée par l'USB 2.0. Toutefois, l'implantation du FireWire est telle qu'il lui reste encore de belles années devant lui. Par exemple, je continue à capturer mes vidéos en FireWire car j'ai pu constater que l'USB streaming laissait parfois à désirer.

Contrairement à l'USB qui équipe désormais tous les PC, le FireWire exige parfois l'ajout d'une carte spécifique. Et là, vous n'avez guère le choix. Vous devez ouvrir votre PC pour y insérer une carte PCI à connecteur IEEE 1394, c'est-à-dire FireWire. A l'un de ces ports, vous connecterez la sortie DV de votre caméscope numérique pour capturer vos vidéos avec un logiciel prévu à cet effet. Le FireWire est également Plug and Play, et il gère jusqu'à 63 périphériques chaînés.

J'ai parlé de la nouvelle norme FireWire 800 qui est une première dans le domaine des transferts de données avec un taux incroyable de 800 Mo/s (c'est-à-dire deux fois la vitesse du FireWire classique).

Votre antique port série

D'accord, le port série est peut-être une antiquité, mais il est incontournable sur un PC.

La majorité des périphériques qui se branchaient autrefois sur le port série lui préfèrent désormais le port USB. Toutefois, voici des périphériques qui peuvent encore se raccorder au port série :

- Des modems
- Des manettes de jeu
- Des appareils photo numériques
- Des stations d'accueil pour assistant personnel (PDA) Palm et Pocket PC

Comme les périphériques qui se connectent sur le port série ne sont pas Plug and Play, vous devez les brancher ordinateur éteint, puis démarrer la machine. En général, Windows XP identifie leur présence et demande l'installation des pilotes nécessaires à leur utilisation. Là encore, si un des périphériques mentionnés existe en version USB, optez pour lui.

Le port parallèle... un vieux souvenir

Ah ! La belle nostalgie ! Je me souviens du début des années 80, quand le port parallèle était l'empereur des connecteurs pour relier une imprimante au prix exorbitant.

La Figure 3.2 montre un port parallèle standard mâle et femelle. Malgré son obsolescence théorique, bon nombre d'imprimantes disposent d'une connexion parallèle et USB. A vous de choisir ! Il en va de même pour des lecteurs Zip et des scanners.

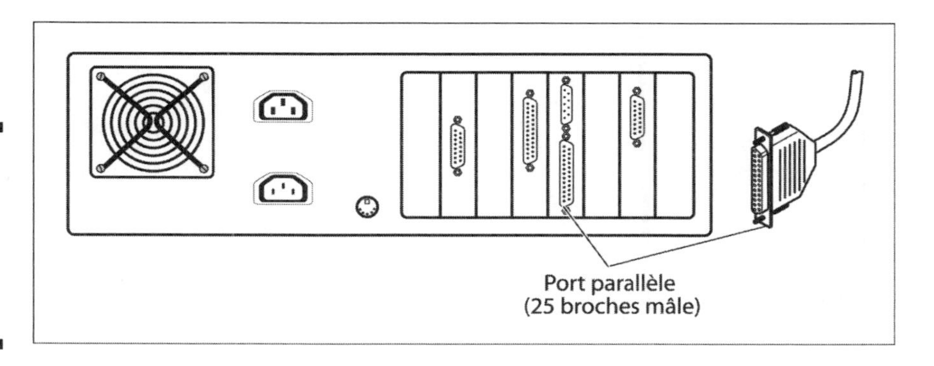

Figure 3.2 : Une référence en matière de connexion historique : le port parallèle 25 broches.

De nombreux ordinateurs portables ont un port infrarouge (plus communément appelé port *IrDA*). Il est utilisé pour communiquer avec d'autres périphériques proposant un port identique comme les assistants personnels, et d'autres portables. Windows gère totalement les connexions infrarouges. Malheureusement, cette technologie reste marginale.

Rencontre avec le port vidéo

Voici un port qui a les reins solides ! Aujourd'hui encore, les cartes graphiques proposent le sacro-saint port vidéo 15 broches, originellement appelé D-SUB par IBM. Toutefois, l'informatique est numérique par nature. Nous voyons apparaître de plus en plus de cartes graphiques disposant d'un port D-SUB et d'un port DV-I 29 broches. Il est destiné à la connexion d'écrans LCD. La Figure 3.3 montre les ports d'une carte graphique typique.

Avec deux connecteurs vidéo sur une même carte, vous pouvez utiliser simultanément deux moniteurs. Ceci permet de profiter d'un bureau immense, et de mieux organiser son espace de travail.

Comme il existe des adaptateurs DVI-VGA, vous pouvez brancher deux moniteurs cathodiques sur une carte graphique du même type que celle représentée à la Figure 3.3.

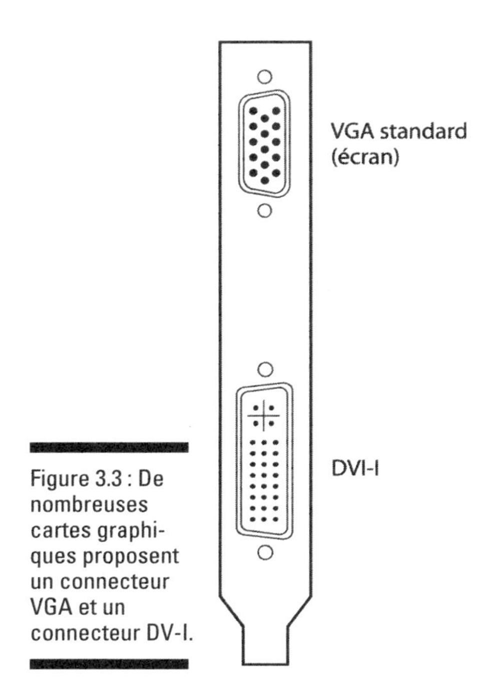

Figure 3.3 : De nombreuses cartes graphiques proposent un connecteur VGA et un connecteur DV-I.

Les connecteurs audio

Aujourd'hui, les haut-parleurs d'une carte son se connectent de trois manières différentes :

- **Par les jacks Line-Out/Speaker (sortie ligne/haut parleur) analogiques de la carte :** Il s'agit des connecteurs audio les plus répandus, que vous retrouvez à la Figure 3.4.
- **Par les prises RCA analogiques de la carte :** Certaines cartes de moyenne et haute gamme ont des prises RCA (rouge et blanche) que l'on retrouve sur les amplis hi-fi, et à l'arrière des platines CD et cassettes de salon. Comme ces prises sont standard, il est facile de les raccorder directement à une entrée ligne (line) ou auxiliaire (aux) de votre système haute fidélité.
- **Par un port USB :** Surprise ! Le port USB laisse passer le son. Qui l'eût cru ? Dans cette configuration, les haut-parleurs utilisent n'importe quel port USB de votre système comme connexion numérique audio. C'est le choix des audiophiles convaincus qui ne supportent pas l'idée qu'un signal numérique puisse être converti en analogique avant d'être reproduit sur des haut-parleurs.

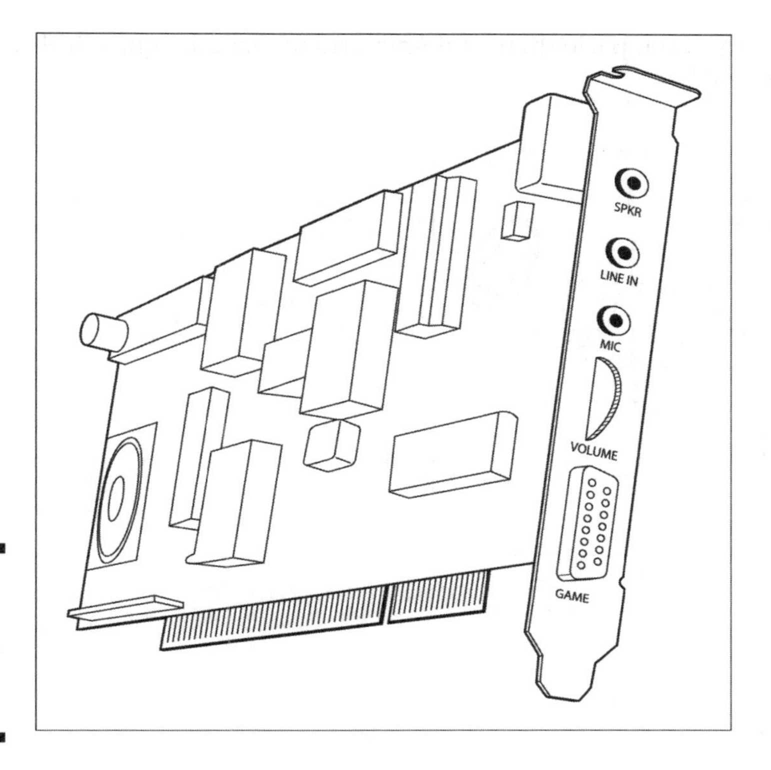

Figure 3.4 : Les entres/sorties traditionnelles d'une carte son tout aussi traditionnelle.

Vous trouverez également un port jeu sur la majorité des cartes son. Il permet de connecter une manette ou tout autre type de contrôleur de jeu. Dans ce domaine aussi, l'USB fait son œuvre. La plupart des manettes se branchent désormais en USB.

Les ports clavier et souris

Nous voici arrivé à la fin du voyage. Il ne nous reste plus qu'à parler du port PS/2 illustré à la Figure 3.5. Vous en trouverez généralement deux sur un PC. Ils sont identifiés par une couleur distincte : l'une pour la souris, et l'autre pour le clavier.

Je n'aime pas me répéter, mais cela est souvent nécessaire en informatique, quitte à passer pour un vieux radoteur : aujourd'hui, l'USB est partout. Votre clavier et votre souris n'échappent pas à la loi des constructeurs. Il existe des claviers disposant de ports USB pour y connecter la souris (ou un autre périphérique). Quoi qu'il en soit, il n'y a pas d'avantage à brancher un clavier ou une souris sur un port USB plutôt que sur un port PS/2. Aucune configuration spéciale n'est requise, sauf si votre périphérique dispose de boutons spéciaux que seul un pilote créé pour lui en permet le paramétrage.

Enfin, je vous aurais bien parlé du port d'Amsterdam, mais Jacques Brel l'aurait fait bien mieux que moi !

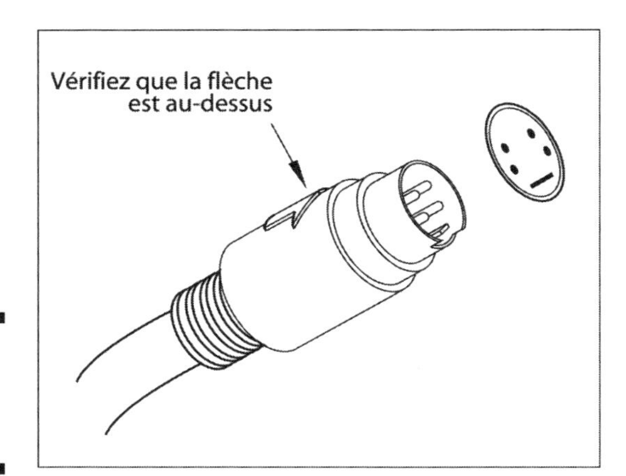

Figure 3.5 : Un connecteur clavier/souris PS/2.

Chapitre 4
Entretien de votre matériel

Dans ce chapitre :

- Déplacer correctement votre PC.
- Dépoussiérer votre PC.
- Garder le contrôle de votre câblage.
- Nettoyer votre écran et votre scanner.
- Entretenir la souris et le clavier.
- Assurer la maintenance de votre imprimante.

Bien que le boîtier de votre PC laisse penser que tous les éléments électroniques vivent dans un environnement clos, les divers ventilateurs y insèrent de la poussière. Comme cette poussière se dépose sur les composants de l'ordinateur, elle tend à les faire surchauffer, vous obligeant ainsi à effectuer un nettoyage périodique. Mais qu'en est-il des périphériques externes comme les imprimantes et les scanners ? Ils sont continuellement exposés à la poussière, aux saletés, et à d'autres dépôts innommables.

Dans ce chapitre, je présente les étapes rudimentaires de nettoyage de votre matériel.

Quand dois-je déplacer mon PC ?

Malgré son imposante carrure, un ordinateur de bureau peut très bien être déplacé. Bien sûr, vous ne l'emporterez pas avec vous à chaque voyage en avion, en voiture, ou encore moins à pied. En revanche, lorsque vous jouez en réseau, il y a de grandes chances pour que vous soyez obligé de déplacer momentanément le boîtier de votre ordinateur.

Voici quelques règles à respecter :

✦ **Ne déplacez jamais un ordinateur tant qu'il n'est pas complètement éteint.** J'entends ici que vous ne devez pas déplacer votre ordinateur même de quelques centimètres.

✦ **Ne jamais déplacer un PC en cours de fonctionnement.** Cette règle vaut pour les ordinateurs portables. En effet, lorsque vous bougez un PC, vous portez atteinte au fonctionnement de parties mobiles comme les ventilateurs, les graveurs de CD/DVD, les disques durs. Par conséquent, éteignez le PC et attendez une dizaine de secondes avant de le bouger.

✦ **Ne placez jamais le boîtier d'un ordinateur sur le sol d'une voiture.** Ceci dit en passant, ce n'est pas une très bonne idée de placer un ordinateur dans une voiture pour lui faire subir un crash test. Lorsque vous n'avez pas d'autre solution que de déplacer votre PC dans une automobile, placez-le sur un siège ou sur la banquette arrière, et attachez-le avec la ceinture de sécurité. En effet, tout PC placé sur le sol d'une voiture subit des vibrations dommageables que vous risquez de regretter à plus ou moins longue échéance et ce, quelle que soit la distance parcourue.

✦ **Utilisez une serviette si nécessaire.** Placez votre PC sur une serviette lorsque vous devez le déplacer sur une surface rugueuse qui risque de rayer le boîtier, ou d'arracher quelques parties de matériel installées en façade de l'ordinateur.

Eviter la poussière

Lorsque je parle de poussière, je parle également de toutes les saletés qui peuvent s'accumuler dans une pièce. Par exemple, si vous avez un lapin en cage, évitez de laisser traîner ses petites crottes çà et là (je plaisante bien entendu, mais nous avons vu des choses encore bien pire).

Voici une liste de ce que vous devez faire :

✦ **Ouvrir et dépoussiérer votre PC au moins une fois par an.** Considérez cet acte comme le cadeau d'anniversaire de votre ordinateur. Retirez le boîtier, et utilisez une bombe d'air comprimé pour le débarrasser des poussières accumulées sur la carte mère, la carte graphique, les câbles. (Mais également les autres éléments insérés dans des connecteurs PCI ou AGP.) La poussière accumulée sur des composants électroniques forme une couche qui entraîne leur surchauffe. Elle réduit la durée de vie de votre matériel.

✦ **Enlever la poussière accumulée sur les lames du ventilateur.** Utilisez une bombe d'air comprimé pour éliminer la poussière qui s'accumule sur les larmes du ventilateur mais aussi dans les lamelles des radiateurs. Pour ventiler correctement et rafraîchir votre PC comme il se doit, toutes ces ouvertures doivent être propres.

✦ **Nettoyer tous les mois le boîtier de votre PC et votre moniteur avec un chiffon propre.** N'utilisez jamais un produit d'entretien contenant des solvants pour nettoyer votre moniteur ou le boîtier de votre PC. Préférez-y une solution de nettoyage antistatique et un chiffon doux spécialement conçu pour le nettoyage du matériel informatique. Vous en trouverez chez le revendeur de votre quartier ou au rayon informatique des grandes surfaces.

Que faire avec une tache qui refuse de s'en aller ? Appliquez un peu de détergent sur un coton-tige, et badigeonnez par petites touches.

• **Ne mangez pas en travaillant.** Je sais, il est très difficile de passer des heures sur Internet sans qu'une petite fringale se fasse sentir. Si vous ne pouvez vraiment pas résister, faites preuve de diligence. Protégez votre clavier avec une serviette, et ayez toujours à portée de main du papier absorbant. Sachez que si vous renversez du café ou du soda sur un clavier, il y a de grandes chances pour que ce périphérique soit définitivement hors d'usage.

✦ **Votre espace de travail doit être propre et ouvert.** L'accumulation de documents et de papier dans un bureau est une chose tout à fait normale et naturelle. Toutefois, il faut savoir que c'est un risque supplémentaire d'accumulation de poussière. D'autre part, veillez toujours à ce que les feuilles de papier ne se baladent pas un peu partout. Elles pourraient venir se coller sur le ventilateur du bloc d'alimentation ce qui empêcherait l'évacuation de la chaleur intérieure de votre ordinateur. Autant que faire se peut, laissez un espace libre d'au moins 50 cm tout autour du boîtier de votre PC.

Si votre PC doit être entreposé dans un environnement poussiéreux, envisagez l'achat d'un ioniseur. J'en n'utilise un dans mon bureau. Non seulement il purifie l'air, mais en plus il le débarrasse de nombreuses poussières en suspension.

Surveillez vos câbles

La popularité des périphériques USB et FireWire crée une véritable forêt de câbles tout autour de votre PC. A priori, ceci n'est pas un problème majeur. En revanche, cela le devient lorsque vous décidez de déplacer votre PC, ou que vous souhaitez réparer ou mettre à jour un composant interne.

Voici quelques astuces pour garder le contrôle de vos câbles :

✦ **Utilisez un système de fixation pour grouper vos câbles dans la bonne direction.** Je suis un fanatique de la bande Velcro. Avec ce système de fixation, je peux facilement regrouper les câbles en un ensemble plus facile à gérer. Vous pouvez également fixer ces attaches sous votre bureau ou derrière des meubles pour les cacher et ainsi écarter tout danger.

- **Etiquetez vos câbles !** Soyez toujours sûr de pouvoir identifier la source et la destination de vos câbles en un clin d'œil. Certains câbles sont identifiables par leur forme, comme les câbles réseaux. En revanche, tous les câbles USB se ressemblent. Comment savoir que tel câble est celui de l'imprimante, et que tel autre est celui du scanner ? La solution n'est pas de déplacer à chaque fois votre PC pour savoir de quel câble il s'agit, ni même de déconnecter les prises. Donc, sacrifiez à un rituel très simple : Utilisez un papier adhésif d'étiquetage pour marquer le nom du périphérique correspondant au câble USB que vous allez étiqueter.

- **Vissez vos connecteurs :** Vous constaterez que certains connecteurs peuvent être enfoncés dans un port et rendre le périphérique parfaitement opérationnel. Par exemple, les deux extrémités du câble d'un moniteur peuvent s'enfoncer dans une prise sans y être vissés. Or, vous constaterez également que ce type de prise dispose de deux vis incorporées. Même si cela vous fatigue, vissez-les !

- **Vérifiez périodiquement le bon état de vos câbles.** J'ai un chat. Avez-vous un chat ? Avez-vous un chien ? Si oui, ne soyez pas surpris de retrouver un jour vos câbles complètement mâchonnés. Pour des raisons de sécurité matérielle et animale, je laisse toujours la porte de mon bureau fermé.

Nettoyez écrans et scanners

La plupart des utilisateurs de PC savent ou remarquent qu'il faut nettoyer régulièrement la surface vitrée de leur moniteur et de leur scanner. C'est très bien ! Toutefois, ce nettoyage ne doit pas se faire dans n'importe quelles conditions :

- **Bannissez l'abrasif !** Certains produits de nettoyage des vitres contiennent des cristaux qui peuvent rayer la vitre de votre moniteur ou de votre scanner. Quelle que soit la méthode de nettoyage utilisée, n'employez jamais de papier abrasif. Je conseille donc d'utiliser uniquement un chiffon propre et sec, ultra doux, comme celui servant à nettoyer les objectifs des appareils photo. Ajoutez quelques gouttes d'un produit légèrement alcoolisé et non gras pour nettoyer parfaitement ces deux surfaces spécifiques.

- **Ne jamais asperger du liquide sur un scanner.** En effet, le liquide peut s'infiltrer dans le châssis du scanner et provoquer des dommages irréversibles. Même sans dommages immédiats, l'infiltration d'un liquide peut conduire à l'apparition d'une condensation qui nuira à toutes vos numérisations. Je conseille donc de nettoyer la surface vitrée d'un scanner comme vous nettoyez la surface vitrée d'un moniteur. (J'étudie en détail les scanners au Chapitre 5 du Livret II.)

- **Les écrans ne doivent jamais être ouverts.** En effet, cette intervention est particulièrement dangereuse. Le moniteur d'un système informatique fait partie des deux ou trois composants dont le voltage peut sérieusement vous blesser. Si ce périphérique doit être nettoyé, adressez-vous à un revendeur informatique. (Pour plus d'informations sur les moniteurs, consultez le Chapitre 1 du Livret II.)

✦ **Couvrez votre scanner.** Très bien ! Vous avez acheté un scanner, mais combien de fois utilisez-le-vous par semaine ? Ah je sais, le constat est impitoyable. Dans la mesure où vous utilisez ce périphérique une ou deux fois dans la semaine, je vous conseille de le recouvrir avec un linge ou une housse spécialement conçue à cet effet, de manière à lui éviter de prendre la poussière. En effet, chaque particule qui se pose sur la surface vitrée du scanner est une poussière supplémentaire qu'il faudra éliminer de la photo numérisée.

Nettoyer votre souris et votre clavier

Les souris et les claviers sont les deux périphériques qui se salissent le plus rapidement car vous les utilisez à tout bout champ.

Voici quelques conseils pour conserver une souris et un clavier propres :

✦ **Secouez votre clavier !** Non, il ne s'agit pas d'une nouvelle danse. Je vous indique tout simplement une des meilleures méthodes pour débarrasser votre clavier d'un tas de petites cochonneries qui se sont accumulées entre les touches. Vous retournez le clavier, le secouez un peu dans tous les sens, et vous verrez tomber des miettes de pain, des crottes de nez, des pellicules, des croûtes, et bien d'autres choses que je n'ose pas nommer ici.

✦ **Achetez une souris optique ou un trackball.** Si vous utilisez une souris à boule, c'est-à-dire celle du début des années 90, vous devez impérativement retirer le logement de la petite bille qui se trouve sous la souris. Je peux vous dire alors que le nettoyage n'est pas de la tarte. En effet, une masse poussiéreuse enchevêtrée bloque les petits supports de roulement. Vous devez la retirer à l'aide d'un coton-tige, ou d'une pince à épiler. Je pense qu'après une ou deux opérations de nettoyage, vous irez chez votre revendeur acheter une souris optique ou un trackball.

Les souris optiques et les trackballs ne nécessitent pas de nettoyage particulier. Seuls les boutons sur lesquels vous cliquez risquent d'être sales. Dans ce cas, nettoyez-les avec un petit linge humide lorsque l'ordinateur est éteint. Pour les souris optiques, quand vous constatez un dysfonctionnement, retournez-la pour vérifier que le faisceau lumineux n'est pas perturbé par une poussière. Si c'est le cas, soufflez dessus.

✦ **Autres utilisations efficaces d'une bombe d'air comprimé.** Votre clavier peut collecter des débris impossibles à évacuer en le secouant. Dans ce cas, un petit coup de bombe d'air comprimé entre les touches va régler le problème.

Nettoyage et entretien de votre imprimante

Malgré leur apparence, les imprimantes sont des périphériques qui nécessitent un entretien régulier car :

- Elles sont ouvertes au monde extérieur.
- Elles sont composées de parties mobiles complexes.
- Il faut régulièrement remplacer leurs cartouches d'encre couleur ou leur toner.
- Elles attirent la poussière.

Dans cette section, je montre comment nettoyer et entretenir votre périphérique d'impression.

Nettoyer des imprimantes laser

L'ennemi mortel de l'imprimante laser se nomme le toner. Un toner mal positionné, ou qui échappe à votre vigilance, peut répandre sa fine poudre sensible aux charges statiques dans tous les coins de votre imprimante. Cette poudre est très difficile à nettoyer. De plus, le toner peu tacher les vêtements et les tapis d'une manière permanente. Vous devez donc le laisser dans sa cartouche.

Face à tous ces dangers, prenez le temps de lire les instructions de remplacement du toner de votre imprimante. Evitez de secouer la cartouche sauf si le constructeur l'exige pour répartir équitablement son contenu.

Si vous répandez le contenu d'un toner dans l'imprimante, portez-la chez votre revendeur, ou achetez un chiffon spécialement conçu pour ce nettoyage. Ces tissus contiennent un composant chimique qui attire la poudre, et peut donc la retirer aussi bien de l'appareil que des fibres de vos vêtements. Ne nettoyez jamais vos mains poudreuses à l'eau chaude. La poudre adhérera à vos mains comme vous ne l'imaginez pas.

N'essayez jamais de nettoyer l'intérieur d'une imprimante laser ! La technologie laser utilise de très hautes températures pour fixer la poudre sur le papier. Si vous y mettez les mains, vous risquez de sérieuses brûlures. Avant d'intervenir dans une imprimante laser je m'assure qu'une trentaine de minutes se sont écoulées depuis que je l'ai éteinte.

Vous devez suivre les instructions spécifiques à votre imprimante. Toutefois, voici une liste des parties qui nécessitent généralement un bon nettoyage :

✦ **Les chargeurs électrostatiques :** Illustrés sur la Figure 4.1, ils transfèrent une charge statique au papier de manière à attirer la poudre d'encre. S'ils sont encrassés, l'impression est considérablement dégradée. La plupart des fabricants conseillent de les nettoyer avec un coton-tige sec.

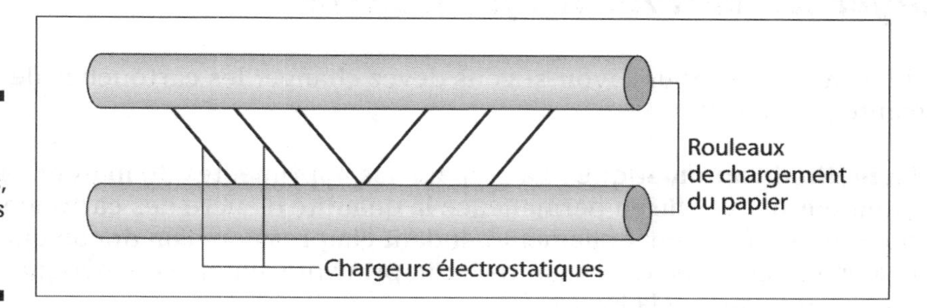

Figure 4.1 : Les chargeurs électrostatiques, pièces sensibles à nettoyer avec précaution.

✦ **Support de toner :** Cartouche du toner qui contient la poudre avant qu'elle ne se pose sur le document. Généralement, le remplacement du toner se fait par celui de la cartouche. Il est possible de nettoyer le logement du toner avec un tissu propre.

✦ **Rouleaux de chargement du papier :** Utilisez un coton-tige avec de l'alcool pour nettoyer les rouleaux, comme à la Figure 4.2.

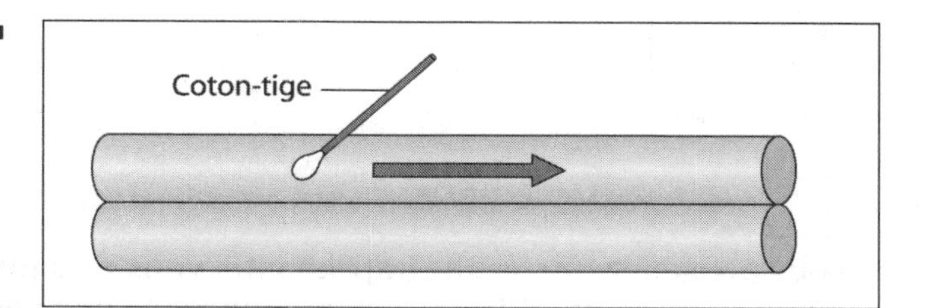

Figure 4.2 : Nettoyer les rouleaux de chargement du papier peut améliorer l'impression.

✦ **Ventilateur :** Une imprimante laser a un ventilateur qui évacue la chaleur émise par le laser. Comme tout autre ventilateur, il faut le nettoyer avec une bombe d'air comprimé.

Je recommande l'utilisation des feuilles de nettoyage pour imprimantes laser que vous pouvez acheter dans n'importe quel magasin de fournitures informatiques. Ces papiers sont traités pour enlever la poussière et le trop-plein du toner qui se dépose sur les feuilles de papier. L'avantage est qu'ils sont faciles à utiliser : vous les chargez dans l'imprimante comme n'importe quel autre type de papier. Si votre imprimante se trouve dans un local poussiéreux ou enfumé, ces feuilles spéciales sont de véritables petits trésors.

Changer les cartouches jet d'encre

Voici deux méthodes pour savoir si vous devez changer les cartouches de votre imprimante jet d'encre :

- **La méthode automatique :** La plupart des imprimantes du marché ont un moniteur qui vérifie en permanence la quantité d'encre des cartouches. Cette quantité s'affiche généralement pendant l'impression d'un document. Il est également possible de les contrôler imprimante allumée en invoquant ce moniteur comme à la Figure 4.3.

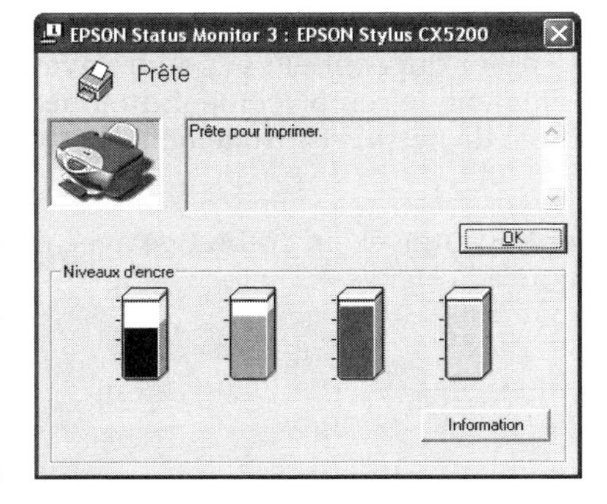

Figure 4.3 : Les modèles récents d'imprimante permettent de contrôler le niveau d'encre.

- **Le système D :** Si vous possédez une vieille imprimante, vous ne saurez peut-être pas quand les cartouches sont vides. (Ceci dit, imprimez une page et vous verrez bien si elles sont vides… ah !)

Dès que vous savez qu'une ou plusieurs cartouches sont vides, encore faut-il connaître la procédure pour les changer. Elle varie d'une imprimante à l'autre, mais globalement, voici comment ça se déroule :

1. **Ouvrez le couvercle de l'imprimante.**

   Cette simple action décale souvent les têtes d'impression pour permettre de libérer les cartouches. Sur d'autres modèles, il faut appuyer sur une touche spéciale.

2. **Dès que les cartouches sont accessibles, éteignez l'imprimante.**

Evitez de mettre les mains dans une imprimante sous tension. Toutefois, sur certains modèles, le fait d'éteindre l'imprimante repositionne les cartouches de telle sorte que vous ne pouvez pas les remplacer. Dans ce cas, vous n'avez pas d'autre choix que d'effectuer le remplacement sous tension.

3. **Appuyez sur les bords de la cartouche pour les déclipser de leur logement.**

   Parfois, vous aurez simplement à actionner un petit levier pour libérer la cartouche.

   La plupart des imprimantes jet d'encre ont deux cartouches : une pour le noir, et une pour les trois couleurs Cyan, Magenta, et Jaune. De plus en plus d'imprimantes ont quatre cartouches, et les imprimantes photos en ont six.

4. **Retirez la cartouche vide et remplacez-la par une neuve.**

   Il existe des systèmes de remplissage des cartouches vides. J'en parle un peu plus loin dans ce chapitre.

5. **Abaissez le couvercle de l'imprimante, et allumez-la.**

   Dans certains cas, appuyez sur un bouton pour valider le changement de cartouche.

   L'imprimante entame un cycle de nettoyage des buses et de chargement de l'encre dans son système d'impression.

Calibration de votre imprimante

La *calibration* est une tâche qui consiste à aligner parfaitement les têtes d'impression pour obtenir une qualité de reproduction sans reproche. Si vous n'alignez pas les têtes, l'imprimante s'abîme. Le mauvais alignement se décèle surtout après l'impression de photographies. Des bandes sans couleur peuvent apparaître.

Si vous entendez un professionnel de l'image parler de *calibration colorimétrique*, ne vous méprenez pas. Il s'agit d'un réglage pointu qui permet d'obtenir sur papier des couleurs équivalentes à ce que vous voyez sur votre écran. En effet, au début de vos expérimentations, vous risquez d'être déçu de voir que tel rouge s'imprime en fuchsia, et que tel bleu marine est un cyan inacceptable. Il va vous falloir du temps, de la patience, beaucoup d'encre, et beaucoup de feuilles de papier avant de trouver le bon réglage, ou du moins le meilleur compromis. Car le pire, c'est que telle photo va s'imprimer correctement, mais que telle autre va être une catastrophe. Tout ceci est un problème de gestion des couleurs par l'imprimante, et par le programme de retouche que vous utilisez. On obtient de bons résultats, si l'on est consciencieux et pugnace. Windows propose un mode appelé ICM (Image Color Matching) qui signifie littéralement *correspondance des couleurs*. Il prétend calibrer l'impression exactement sur ce qui est affiché à l'écran. Ouais ! Le résultat est loin d'être satisfaisant, et surtout ne donne pas les mêmes impressions en fonction du papier utilisé et de la qualité d'impression sélectionnée. Que puis-je dire, sinon répéter que seuls des tests vous permettront d'obtenir de bons résultats.

Votre imprimante se calibrera automatiquement lorsque vous changerez des cartouches. Si vous n'imprimez pas beaucoup, je vous recommande de procéder à cette calibration tous les trois mois.

Bien que chaque modèle ait ses procédures, voici une méthode générique de calibration sous Windows XP :

1. **Cliquez sur Démarrer/Imprimantes et télécopieurs.**

   Vous accédez aux imprimantes disponibles sur votre ordinateur et/ou sur le réseau comme à la Figure 4.4.

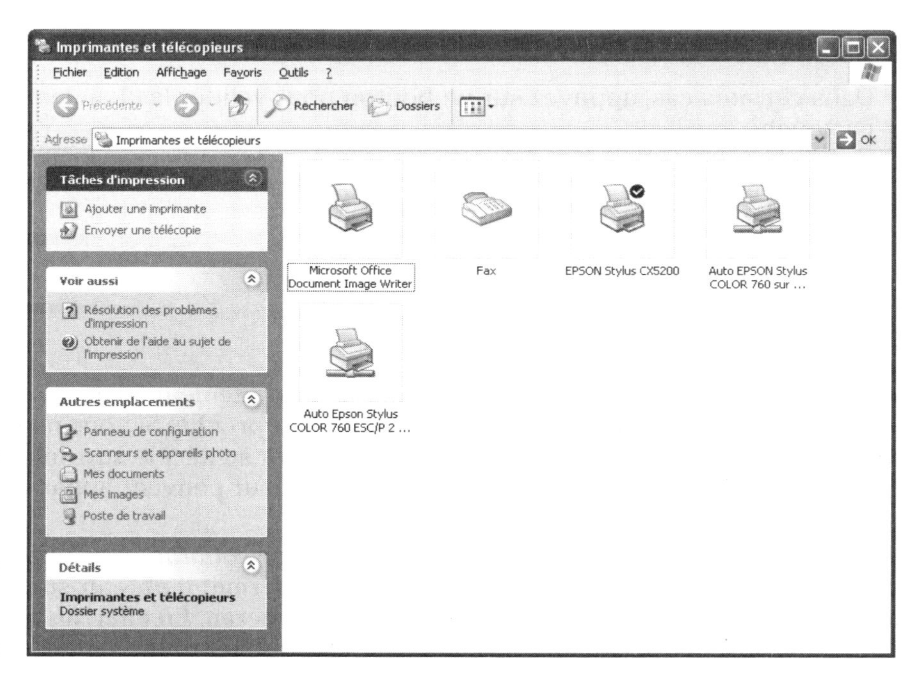

Figure 4.4 : Les imprimantes de votre système informatique que vous pouvez calibrer.

2. **Avec le bouton droit de la souris, cliquez sur l'icône de l'imprimante à calibrer. Dans le menu contextuel, choisissez Propriétés.**

   Une boîte de dialogue semblable à celle de la Figure 4.5 apparaît.

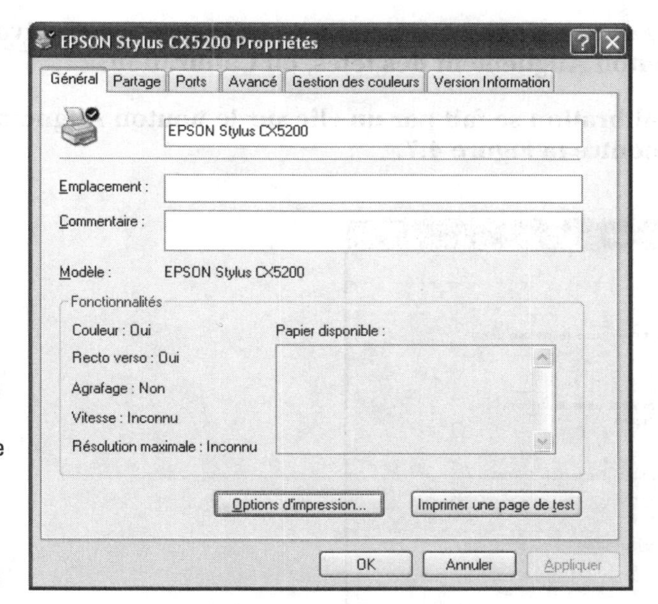

Figure 4.5 : La boîte de dialogue des propriétés d'une imprimante Epson Stylus CX5200.

3. **Si les fonctions de calibration ne sont pas visibles dans l'onglet Général, cliquez sur un bouton ou un onglet Options d'impression (ou équivalent).**

   Vous ouvrez une boîte de dialogue semblable à celle de la Figure 4.6.

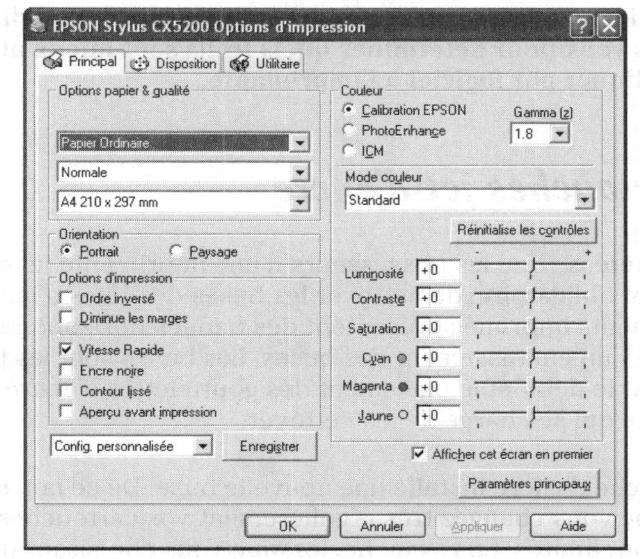

Figure 4.6 : Les fonctions de calibration se trouvent souvent avec les options d'impression.

4. **Si besoin, cliquez sur un onglet ou un bouton Utilitaires (ou équivalent). Là, cliquez sur le bouton Alignement des têtes, ou Calibration.**

   Chez Epson, la calibration se fait par un clic sur le bouton Alignement des têtes comme le montre la Figure 4.7.

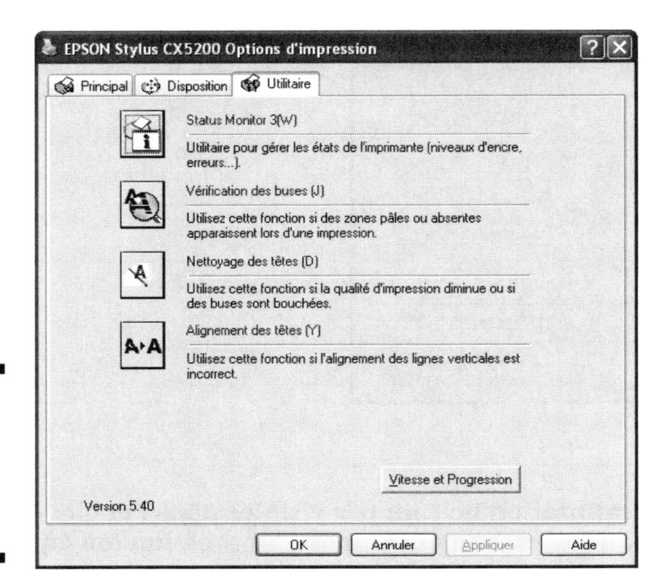

Figure 4.7 : La calibration est un alignement des têtes pour les imprimantes Epson.

   Suivez les indications de l'assistant qui vous guide dans cette tâche. Il faut avoir d'excellents yeux pour déterminer quels traits sont mieux alignés que les autres, et l'indiquer par logiciel à l'imprimante.

Nettoyer les cartouches jet d'encre

Voici une tâche qui n'intéresse que les possesseurs d'une imprimante jet d'encre. Il est important, et souvent obligatoire, de nettoyer les buses des têtes d'impression. Par exemple, vos documents imprimés présentent des bandes horizontales blanches. Ce problème tient à un encrassement des buses. Les buses sont les petits dispositifs qui contrôlent le débit et le placement des gouttelettes d'encre sur la feuille. C'est l'imprimante qui se charge de les nettoyer.

Chaque nouvelle cartouche d'encre installe une nouvelle buse. De ce fait, si vous imprimez souvent, et que vous changez très régulièrement vos cartouches, les risques d'obstruction sont limités. En revanche, lorsque vous choisissez d'utiliser des kits de remplissage pour rendre de nouveau vos cartouches opérationnelles, les problèmes risquent d'être plus complexes, comme vous pouvez le lire dans la prochaine section.

A l'instar de la calibration, le nettoyage des cartouches est pris en charge par l'imprimante. Vous remarquerez que, régulièrement, au démarrage, l'imprimante émet des bruits étranges pendant quelques minutes. Ne vous inquiétez pas. Elle entame un cycle de nettoyage qui assure une parfaite propreté de vos buses. Toutefois, malgré cette bienveillance, il arrive qu'à force d'imprimer, ou si vos cartouches sont génériques (c'est-à-dire ne sont pas de la marque de votre imprimante) et de mauvaise qualité, les buses se bouchent… et l'impression est atroce. Vous pouvez alors forcer l'imprimante à effectuer ce nettoyage en invoquant son pilote d'impression qui, en général, dispose d'un onglet Utilitaires (ou autre dénomination), renfermant un bouton de nettoyage des buses. Certains modèles permettent de lancer un nettoyage en appuyant sur un bouton, ou en faisant défiler le contenu d'un menu sur un petit écran LCD.

La Figure 4.8 montre les deux options de vérification et de nettoyage qui peuvent conduire au lancement d'un cycle de nettoyage des cartouches sur une imprimante Epson Stylus CX5200.

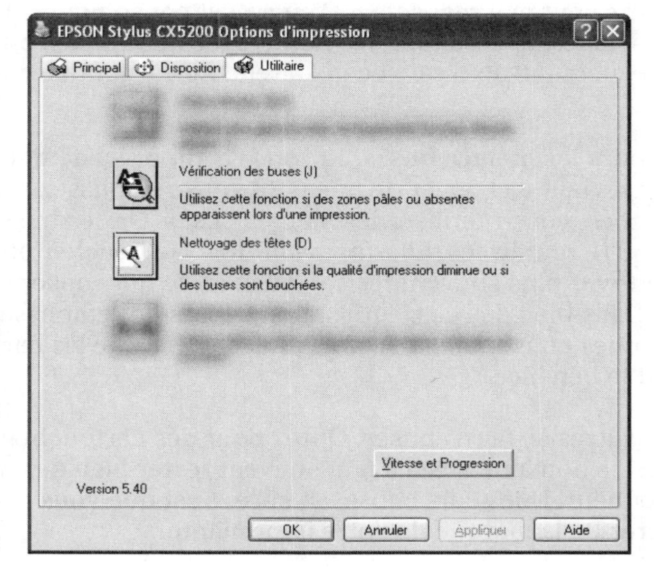

Figure 4.8 : Options de vérification et de nettoyage des cartouches sur une Epson CX5200.

Devez-vous remplir des cartouches vides ?

Je vais être honnête avec vous : je ne remplis jamais mes cartouches d'encre, et je ne conseille à personne de le faire. Le seul avantage des kits de remplissage est l'économie que vous faites comparé au prix, disons-le, exorbitant des cartouches de marque. Pensez-vous qu'il soit normal de payer environ 40 euros une cartouche d'encre noire ? Non ?! Bien oui, mais combien achetez-vous aujourd'hui des imprimantes performantes ? C'est tout le problème.

Voici les raisons pour lesquelles je déconseille les kits de remplissage :

- **Vous allez en mettre partout.** Même si vous faites très attention, il y a de grands risques pour que vous fassiez des taches indélébiles sur vos vêtements. Si vous souhaitez vraiment utiliser ces kits, couvrez-vous des pieds à la tête, et protégez toutes les surfaces environnant le lieu où vous procédez au remplissage.

- **L'encre des kits est de qualité inférieure.** Si les kits de remplissage sont moins chers, c'est que leurs encres ne sont pas d'aussi bonne qualité que celle des cartouches de la marque de votre imprimante. Il en résulte plusieurs choses : les couleurs sont mal respectées, l'encre est consommée plus vite, elle sèche dans les buses, nécessitant des nettoyages quotidiens, ou encore l'encre contient beaucoup trop d'eau, ce qui a tendance à gondoler votre papier au séchage.

- **Vous utilisez toujours les mêmes buses.** Je vous l'ai dit précédemment. Changer une cartouche revient à changer de buses. Si vous remplissez sans cesse les mêmes cartouches, vous réutilisez les mêmes buses. Or, les buses ne sont pas conçues pour être réutilisées. Elles peuvent donc se boucher plus rapidement. Il faudra nettoyer plus souvent les cartouches, ce qui consomme de l'encre pour rien. Dans bien des cas, l'utilisation de kits de remplissage ou de cartouches génériques consomme deux fois plus d'encre que les cartouches de marque. Où est le bénéfice ?

Croyez-moi ! Laissez les autres se faire abuser. Optez pour des cartouches de marque ou génériques. Dans ce domaine aussi il faut souvent tester bien des modèles avant de trouver son bonheur. Une seule chose est sûre, c'est que vous ne serez jamais déçu par les encres de la marque de votre imprimante.

Testé et approuvé

Nettoyer les CD et le clavier

Si vous n'avez pas un kit de nettoyage de CD sous la main, comment pouvez-vous les entretenir ? La réponse va vous surprendre : prenez une douche avec votre disque ! Mettez un peu de savon dans le creux de vos mains et faites-le mousser. Ensuite, appliquez avec soin de la mousse sur la surface brillante du CD. Sortez de la douche, prenez une serviette douce et sèche, et essuyez le disque en partant du centre et en allant vers l'extérieur en ligne droite.

Avez-vous déjà taché votre clavier avec un café bien noir ? Si cela vous arrive, ne paniquez pas. Retournez le clavier. Laissez-le ainsi pendant quelques heures. Ensuite, retirez les vis situées sous le clavier et enlevez sa plaque de protection. Laissez les touches en place ! Avec un tissu légèrement humide, nettoyez les taches aussi bien que vous le pouvez. Avec un coton-tige imbibé d'alcool non gras, passez dans les recoins. Une fois le travail achevé, revissez le couvercle.

Chapitre 5
Numérisez avec zèle !

Dans ce chapitre :

- Comprendre le fonctionnement d'un scanner.
- Acheter un scanner à plat.
- Numériser une image.
- Faire pivoter et recadrer vos numérisations.
- Convertir et enregistrer les images numérisées.
- Les étapes d'une numérisation.
- Respecter le copyright des documents scannés.

Un scanner est l'un des périphériques les plus polyvalents que vous puissiez raccorder à votre ordinateur, pour une somme allant de 45 à 500 euros. Ce matériel peut photocopier, télécopier (avec une imprimante et un modem), créer des images numériques de toutes sortes, et même convertir un document textuel en un fichier texte utilisable dans un programme comme Word grâce à la technologie OCR (reconnaissance de caractères).

Les types de scanners sont très nombreux, et ils existent avec des connectiques variées. Pour obtenir de bonnes numérisations, vous devez savoir comment fonctionne cet appareil et apprendre les bases de la capture des images. Vous devez également savoir comment nettoyer un scanner, choisir un format d'image, et respecter les droits d'utilisation des éléments numérisés.

Dans ce chapitre, je vous indique les instructions à suivre pour effectuer des numérisations basiques. Si vous désirez en savoir plus, je vous renvoie à l'excellent opus "Utiliser un scanner pour les nuls" paru aux éditions First Interactive. En revanche, si la numérisation devient une véritable passion, et pourquoi pas une profession, enrichissez votre bibliothèque de livres plus volumineux consacrés à ce merveilleux périphérique.

Que se passe-t-il dans un scanner ?

Je ne vais pas étudier tous les composants d'un scanner. En effet, aujourd'hui ce type de périphérique est bien moins complexe qu'un graveur de CD. De plus, il n'est pas indispensable de connaître les entrailles d'un scanner pour numériser. Par conséquent, seuls les plus curieux d'entre vous liront cette section.

Vous êtes encore avec moi ? Alors n'hésitons plus ! Pour comprendre comment on passe d'un document sur papier à un document numérique, regardez le schéma de la Figure 5.1 :

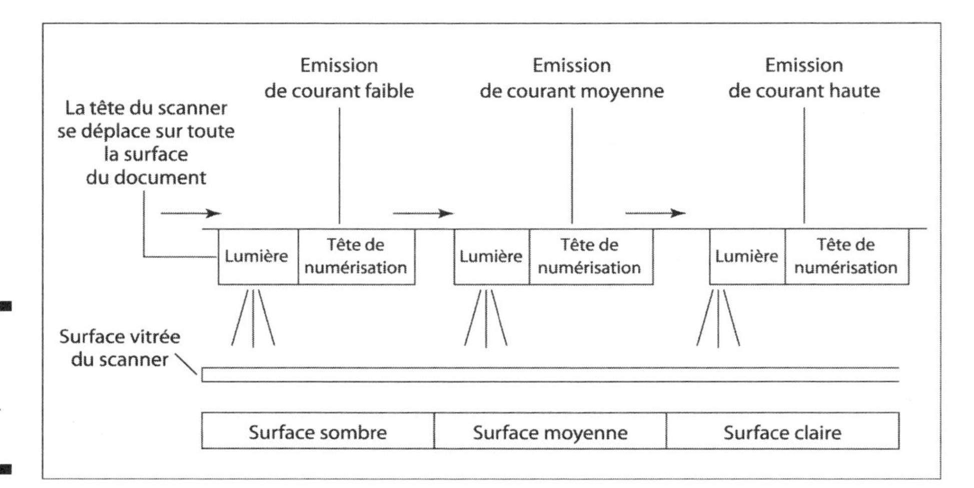

Figure 5.1 : Un scanner numérise une image ligne par ligne.

1. Le *capteur* du scanner (un dispositif de cellules photosensibles) se déplace sur une ligne au-dessus du matériel à numériser. Le capteur est apparié à une forte source de lumière qui éclaire ce qui doit être scanné.

2. Pendant le déplacement du capteur sur le document, chaque cellule envoie un niveau de courant correspondant à un point (un *pixel*) de lumière réfléchi par le matériel. Par exemple, numériser les zones blanches d'un document imprimé envoie un signal tout à fait différent des zones noires (les caractères).

3. Le cerveau électronique du scanner collecte tous les signaux de chaque pixel. Il en résulte une image numérique d'une seule ligne contenant toutes les données du document scanné.

4. Le scanner envoie ces données à votre PC.

5. Le capteur avance d'une ligne, et le processus reprend à l'étape 1.

C'est un peu comme si vous photographiiez chaque ligne d'un document, puis que vous assembliez ces lignes une à une dans un programme d'édition graphique pour recomposer le document entier. Heureusement, le pilote de numérisation prend cette tâche à sa charge. Une fois la numérisation terminée, le document apparaît dans l'application où vous l'avez réalisée.

Scanner à plat mon ami

La Figure 5.2 montre un scanner à plat. Ici, le document reste immobile sur la surface vitrée. C'est le mécanisme contenant le capteur et la lumière qui survole et analyse le contenu de ce document.

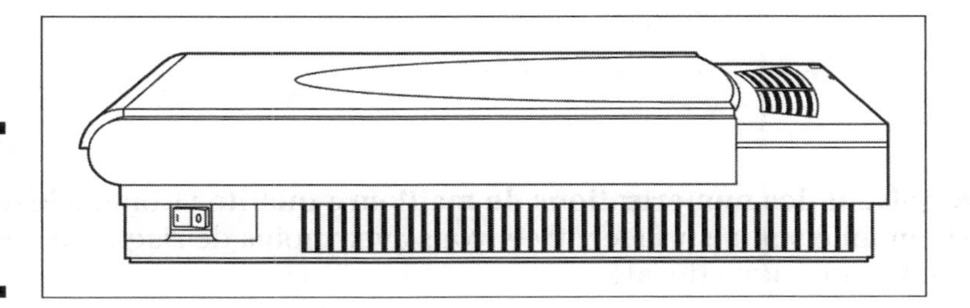

Figure 5.2 : Rien n'est plus plaisant qu'une scanner à plat.

Il existe des scanners où le document est chargé un peu à la manière d'une feuille dans une imprimante. Vous comprenez alors que c'est le papier qui se déplace devant une unité d'analyse fixe.

Il existe aussi des imprimantes dites *multifonction* qui embarquent un scanner sur le dessus. Avec ce type d'appareil, vous pouvez réaliser des photocopies, ordinateur éteint.

Au regard des modèles de scanners existants, je vous conseille d'opter pour un scanner à plat. En effet, les scanners à feuilles comme celui de la Figure 5.3 vous limitent dans le type de document que vous pouvez numériser.

Les scanners à feuille intéressent principalement les bureaux qui doivent parfois numériser des centaines de pages. Il serait coûteux d'employer une personne pour se charger de cette tâche ingrate et bien peu valorisante.

Pourquoi suis-je un fervent supporter des scanners à plat ? Voici quelques éléments de réponse :

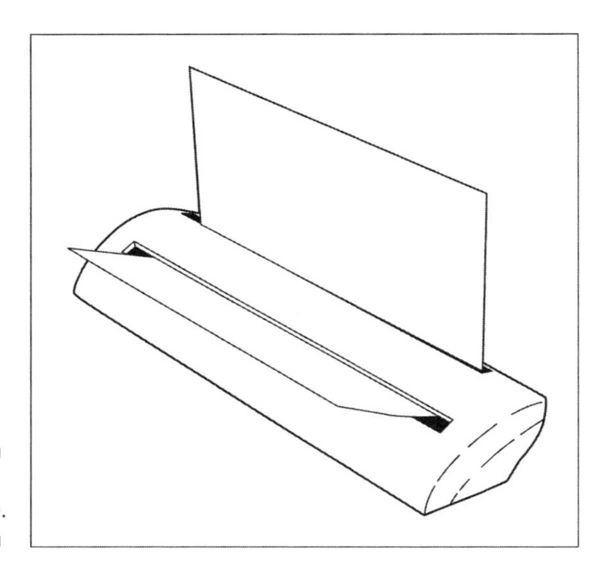

Figure 5.3 : Un scanner à feuille.

- **Ils produisent des numérisations de meilleure qualité :** Comme le document reste immobile sur la surface vitrée, vous avez moins de risque de produire un document numérique décalé.
- **Ils sont polyvalents :** Tout original pouvant tenir sur la surface vitrée pourra être numérisé : des livres, des cartes, et même des tissus. Un scanner à feuille se limite à des feuilles.
- **Ils ont moins de pièces mobiles :** Les scanners à feuille peuvent bourrer le papier en cas de mauvaise introduction dans l'appareil. Vous risquez d'abîmer l'original. Ces scanners nécessitent plus d'entretien et de réglages que les scanners à plat.

Dans les scanners à feuille, introduisez toujours des documents parfaitement propres, sans déchirure, ni cornement. Sinon, le document risque de se bloquer, de se déchirer, et même s'il est parfaitement chargé, la qualité du scan s'en ressentira.

Si, par malheur, vous avez déjà acheté un scanner à feuille, jetez-le par la fenêtre ! Mais non ! Restez calme ! Votre cas n'est pas désespéré. Le très gros handicap est que vous ne pourrez pas numériser tout ce que vous souhaitez.

Voici une présentation d'autres scanners spécialisés :

- **Les scanners de négatifs :** Ces modèles très coûteux produisent des numérisations exceptionnelles à partir de pellicules. Ils ne font rien d'autre. N'attendez donc aucune polyvalence de leur part.

- **Les scanners de cartes de visite :** Ils portent bien leur nom puisque leur fonction est de numériser les éléments présents sur des cartes de visite. On les utilise conjointement à des ordinateurs portables ou des palmtops.
- **Stylo :** Un scanner de type stylo ne numérise qu'une ligne de texte à la fois. Sa mobilité en fait le compagnon idéal d'un portable, et d'un programme OCR qui numérise un texte et le convertit en fichier texte.

Les fonctions les plus populaires des scanners

Voici une liste des fonctions qu'un scanner doit présenter pour qu'il vaille la peine d'être acheté :

- **Sa résolution optique doit être d'au moins 600 x 1200 :** Sans entrer dans les détails techniques, sachez que plus la résolution optique est élevée meilleure sera la numérisation. Rejetez tout scanner dont ladite résolution est inférieure à 600 x 1200. Ne voyez que la résolution optique. La *résolution interpolée* ne doit jamais être considérée comme un argument de vente donc d'achat. En effet, cette résolution ne fait qu'ajouter des pixels qui n'existent pas pour générer une numérisation de plus grande taille. Des imperfections apparaissent sur l'image.
- **Numérisation en une passe :** Lorsqu'un scanner numérise toutes les informations chromatiques en un seul passage, vous gagnez un temps précieux. J'avoue qu'il est très rare, aujourd'hui, de trouver des scanners à trois passes, c'est-à-dire une passe pour chaque couleur RVB (et dire que j'en ai eu un au début des années 90 !!!).
- **Une touche :** Il ne s'agit pas de pêche ou de drague. Non, mais simplement d'une fonction qui permet de lancer la numérisation d'un document en appuyant sur un seul bouton situé sur le scanner. Cette action lance le pilote de numérisation qui permet ensuite de choisir la destination du document : impression, e-mail, télécopie etc. Si vous optez pour l'impression, n'oubliez pas d'allumer votre imprimante. En effet, une fois la numérisation terminée, le pilote du scanner envoie les données à l'imprimante qui, à votre grand étonnement, les imprime. Lorsque vous possédez une imprimante multifonction, c'est-à-dire avec scanner intégré, vous pouvez effectuer des photocopies sans allumer votre ordinateur.
- **Un minimum de 36 bits par couleur :** Plus la valeur de bits est élevée, plus le scanner peut numériser de couleurs. Ignorez tout scanner proposant moins de 36 bits, et si possible optez pour un 42 bits.
- **Un adaptateur pour transparent :** Parfois, cet adaptateur est inclus au scanner. Il permet de numériser des négatifs et des diapositives.

- **Connexions USB ou FireWire :** Bien qu'un nombre assez restreint de scanners se branchent encore sur le port parallèle, optez pour un appareil qui se connecte à un port USB ou FireWire. Bien évidemment, ce type de connexion exige que votre PC soit équipé de ces ports, comme cela est expliqué au Chapitre 3 du Livret II. Une connexion USB et FireWire permet de transmettre plus rapidement les données à votre PC.

Les bases de la numérisation avec Paint Shop Pro

Les constructeurs de scanners livrent toujours (il faut du moins l'espérer) un programme de numérisation qui prend la forme d'un pilote TWAIN. Il s'agit d'un protocole universel qui permet de scanner à partir de n'importe quelle application graphique.

Numérisation de l'image

Dans cette section, j'explique comment un scanner Epson USB permet de numériser des images dans le programme d'édition graphique Paint Shop Pro. Cette procédure est quasiment la même dans tous les autres programmes de ce type. Si vous la suivez scrupuleusement, vous afficherez l'image dans Paint Shop Pro, la convertirez dans un autre format, ou vous contenterez simplement de l'enregistrer sur votre disque dur. (Je recommande l'utilisation de Paint Shop Pro aux novices. En effet, c'est un programme bon marché aux fonctions impressionnantes bien moins complexe à maîtriser qu'un outil comme Photoshop.)

En supposant que Paint Shop Pro soit installé sur votre ordinateur, suivez ces instructions :

1. **Double-cliquez sur l'icône de Paint Shop Pro présente sur votre bureau, ou cliquez sur Démarrer/Tous les programmes/Jasc Software/Paint Shop Pro.**

   Le programme s'affiche comme à la Figure 5.4.

2. **Cliquez sur Fichier/Importer/TWAIN.**

3. **Dans le sous-menu TWAIN, choisissez Sélectionner la source.**

   La boîte de dialogue Sélectionner la source s'affiche comme à la Figure 5.5.

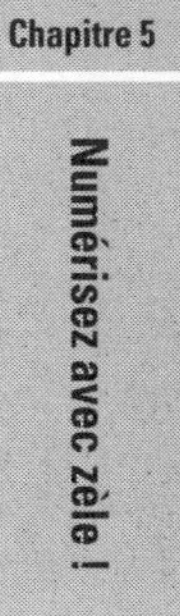

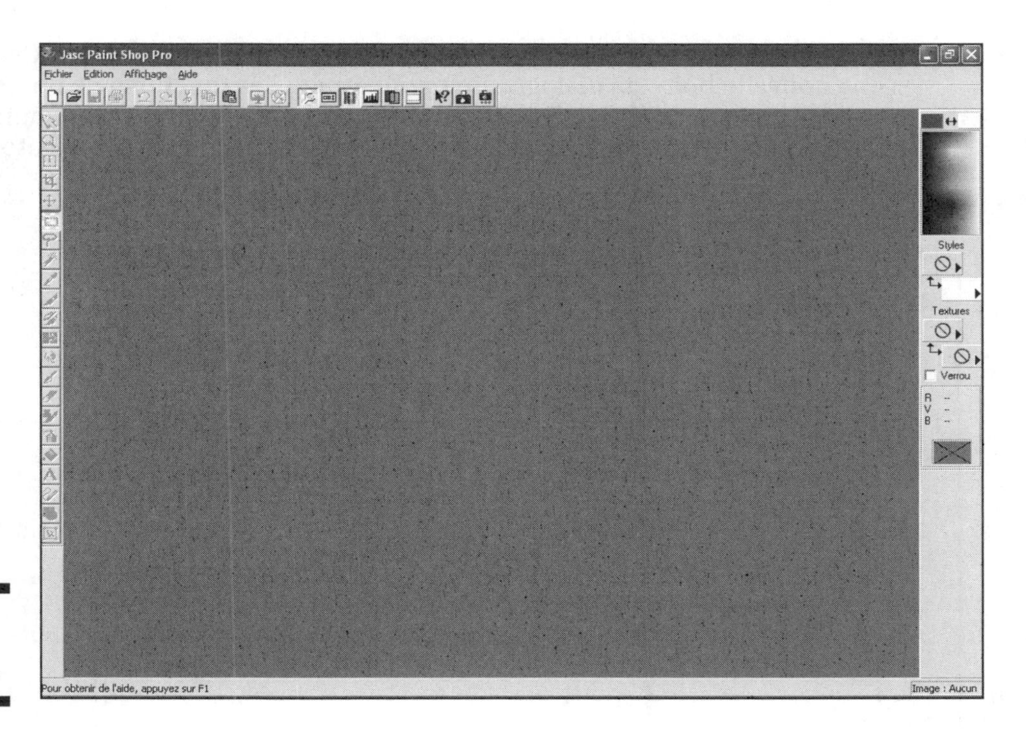

Figure 5.4 : L'interface de Paint Shop Pro.

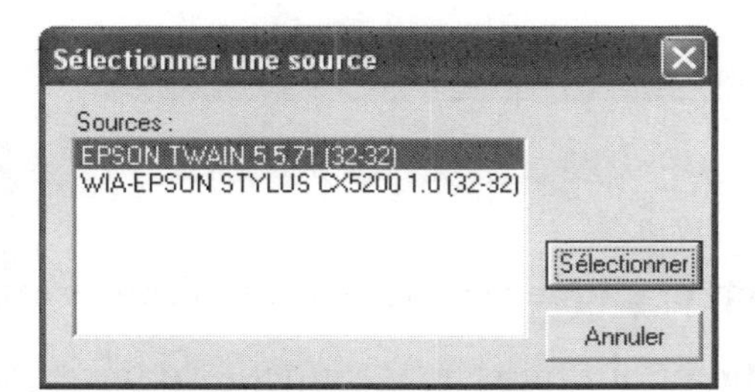

Figure 5.5 : Sélectionnez le pilote TWAIN du scanner.

4. **Comme il est souhaitable d'utiliser le pilote TWAIN de votre scanner et non pas celui de Windows, j'ai choisi EPSON TWAIN, que j'ai validé par un clic sur Sélectionner.**

Paint Shop Pro est capable de récupérer des images de votre appareil photo numérique. Dans le menu Importer, choisissez TWAIN, puis Appareil photo numérique/Accéder.

5. **Choisissez Fichier/Importer/TWAIN/Acquérir.**

A cet instant, Paint Shop Pro invoque le pilote TWAIN du scanner. Ceci lance une nouvelle boîte de dialogue de paramétrage des fonctions de numérisation comme celle de la Figure 5.6. (Le contenu du pilote diffère d'un scanner à l'autre.) Ainsi, l'aperçu du document à numériser peut être lancé automatiquement.

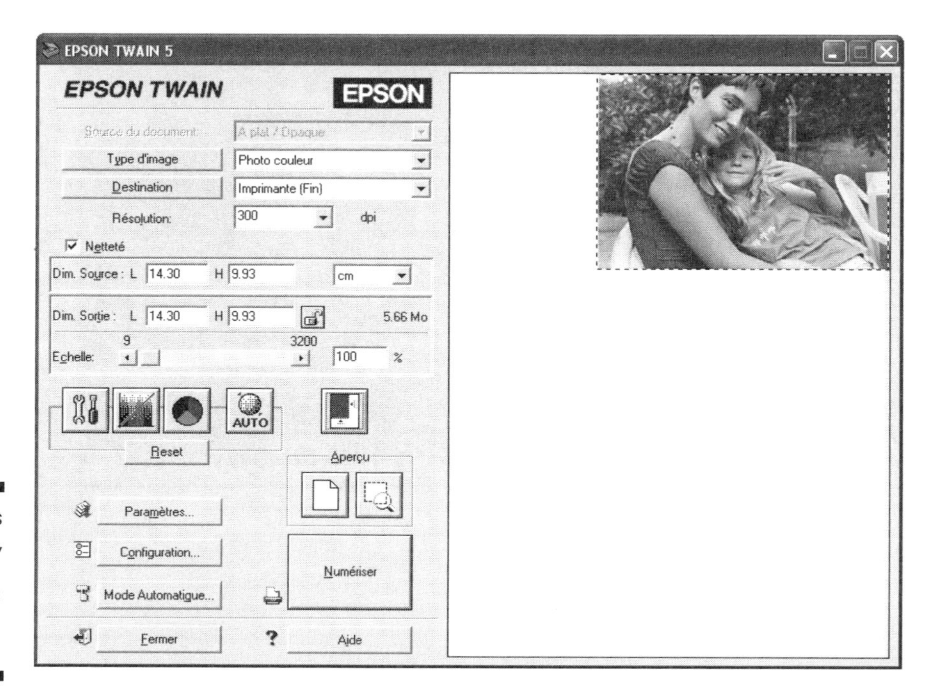

Figure 5.6 : Dans le pilote TWAIN, utilisez l'aperçu pour délimiter la zone à numériser.

6. **Délimitez la zone à numériser, et cliquez sur le bouton Numériser.**

   Fermez le pilote de numérisation pour que l'image affichée dans Paint Shop Pro soit exploitable comme à la Figure 5.7.

La numérisation n'est pas toujours une procédure aussi rectiligne que celle indiquée ici. Certains réglages sont nécessaires en fonction de la destination de votre document. Par conséquent, avant de cliquer sur le bouton Numériser ou Scan, voici ce que vous pouvez généralement définir :

✦ **Le type d'image (ou de sortie) :** Ce paramètre détermine la qualité de l'image numérisée. Par exemple, si vous destinez l'image à l'impression photo, optez pour une sortie Photo couleur. Souvent, le choix du type d'image détermine aussi sa résolution, paramètre que nous étudions un peu plus loin. Si le document est une page de texte, choisissez une option du genre Texte/Mode trait.

Figure 5.7 : L'image numérisée s'affiche dans Paint Shop Pro.

- **Aperçu ou recadrage :** Souvent, le document à numériser ne couvre pas la totalité de la surface vitrée. Si vous prenez l'exemple de la photo à la Figure 5.6, il paraît à la fois idiot et inutile de numériser les parties vides. Dans ce cas, cliquez sur un bouton qui va faire apparaître un rectangle en pointillés ou muni de poignées. Ce rectangle permet de définir la zone à numériser. Si vous limitez cette zone à l'image, vous ne scannerez pas les portions superflues.

- **Echelle :** L'échelle permet de numériser l'image dans une dimension inférieure ou supérieure à celle de l'original. Dans les deux cas, le scanner interpole les pixels, ce qui réduit la qualité de la numérisation. Je déconseille l'agrandissement, surtout des photos de magasines, car vous allez énormément grossir la trame d'impression (simili), c'est-à-dire les points d'encre qui composent l'image.

- **dpi (ou résolution) :** Parfois, le pilote du scanner détermine la résolution en fonction du type d'image et de sa destination. Toutefois, rien ne vous empêche de déjuger le scanner et d'imposer votre résolution. Toutefois, sachez que pour un affichage écran d'une photo, il n'est pas nécessaire d'aller au-delà de 96 dpi. Pour numériser un texte, 150 dpi suffisent. En revanche, pour obtenir une belle impression photo, ne descendez pas en dessous de 300 dpi. Plus la résolution est élevée, plus le fichier résultant sera lourd.

Pivoter et recadrer des images

Une fois l'image affichée dans Paint Shop Pro, libre à vous de la manipuler. Corrigez ses problèmes de tonalité, de couleurs, ou encore éliminez certains éléments qui ne vous satisfont pas.

L'édition numérique des images ne peut pas se faire en quelques lignes. Des ouvrages complets existent sur le sujet. Procurez-vous celui qui répond à vos besoins et surtout à vos attentes. Toutefois, voici deux petites manipulations que vous pouvez facilement réaliser dans Paint Shop Pro :

- **Rotation :** Une image tête en bas a subi une rotation.
- **Recadrer :** Une image qui laisse trop de place au décor peut être rognée (ou recadrée) de manière à focaliser l'attention sur le sujet principal de la photo.

Pour faire pivoter une image de manière à la présenter correctement, suivez ces étapes :

1. **Numérisez l'image avec Paint Shop Pro.**
2. **Cliquez sur Image/Rotation.**

   Vous ouvrez une boîte de dialogue semblable à celle de la Figure 5.8.

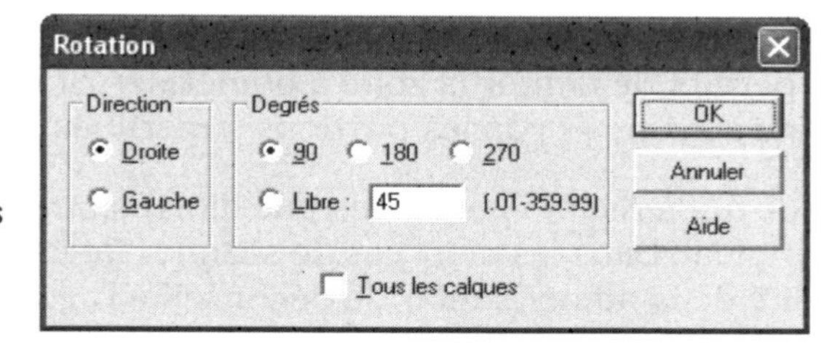

Figure 5.8 : C'est ici que vous faites pivoter vos images dans Paint Shop Pro.

3. **Activez l'option Droite ou Gauche pour spécifier le sens de la rotation.**
4. **Indiquez de combien de degrés doit s'effectuer la rotation. Si aucune mesure prédéfinie ne convient, activez l'option Libre et saisissez une valeur dans le champ adjacent.**
5. **Cliquez sur OK pour faire pivoter l'image.**

Pour recadrer une image :

1. **Dans la boîte à outils de Paint Shop Pro, cliquez sur l'outil Recadrer.**

2. **Cliquez dans le coin supérieur gauche de la zone de l'image que vous désirez conserver et, sans relâcher le bouton de la souris, faites glisser l'outil dans le coin inférieur opposé. Tout ce qui se trouve à l'intérieur de ce rectangle (ou ce carré) sera conservé.**

3. **Si nécessaire, procédez à des ajustements. Pour cela, placez le pointeur de la souris sur un des bords du rectangle de recadrage. Quand il prend la forme d'une double flèche, cliquez et faites glisser ce bord dans le sens du recadrage voulu, soit pour réduire la zone à conserver, soit pour l'augmenter, comme à la Figure 5.9.**

Figure 5.9 : Une image numérisée prête à être recadrée.

4. **Une fois la zone de recadrage délimitée, double-cliquez dedans. Tout ce qui se trouve à l'extérieur du cadre est éliminé comme en témoigne la Figure 5.10.**

Figure 5.10 : L'image recadrée.

Convertir et enregistrer l'image

Lorsque vous avez fini de travailler sur une image, sauvegardez-la sur votre disque dur. Cette procédure m'amène à parler de la possibilité de choisir le format graphique sous lequel le fichier sera enregistré.

Un format représente la structure informatique d'un fichier image – c'est-à-dire un fichier de données équivalent aux programmes que vous exécutez et aux documents que vous ouvrez. Le format est donc la méthode par laquelle les données de l'image sont organisées au sein même du fichier. Il existe beaucoup trop de formats graphiques pour que je les étudie dans cet ouvrage. J'ai préféré opter pour la présentation des formats qu'il est préférable d'utiliser pour certaines applications, et ceux qu'il est préférable d'éviter.

Vous devez envisager la conversion d'une image numérisée pour les raisons suivantes :

- **Certains formats permettent d'économiser de l'espace disque.** Le vainqueur toute catégorie est le format JPEG (ou JPG) qui compresse les données en éliminant les informations redondantes. Le fichier résultant est donc considérablement moins lourd que son équivalent BMP (bitmap Windows) ou TIFF non compressé.

- **Certains formats préservent la qualité de l'image.** La compression du format JPEG qui élimine des données d'une image est une compression dite à perte. Ceci entend que plus vous compressez l'image, plus elle se détériore. Vous comprenez alors que ce format ne peut pas être utilisé dans toutes les occasions. Lorsque vous travaillez sur des images destinées à l'impression personnelle ou professionnelle, envisagez le format TIFF. La taille du fichier résultant est bien plus imposante, mais la qualité de l'image est entièrement préservée.
- **Certains systèmes d'exploitation n'acceptent pas tous les formats.** Les utilisateurs d'un Mac et du système d'exploitation Linux risquent de rencontrer des problèmes de chargement des images au format BMP de Windows. Pour des raisons de compatibilité, préférez un format universel : le TIFF.
- **Le Web n'accepte que certains formats.** En règle générale, toutes les images d'une page Web sont en JPEG ou en GIF. Ce sont les deux formats reconnus par tous les navigateurs Web de la planète. Le format GIF est davantage adapté aux images peu colorées, aux bannières publicitaires, et à certaines petites animations, tandis que le format JPEG est le format privilégié des photos et des peintures numériques publiées sur Internet.

Maintenant que vous en connaissez les raisons, voyons comment procéder à cette conversion dans Paint Shop Pro :

1. **Cliquez sur Fichier/Enregistrer sous pour ouvrir la boîte de dialogue du même nom.**
2. **Pour convertir l'image dans un autre format, choisissez-le dans la liste Type.**
3. **Dans le champ Nom du fichier, saisissez le nom que vous désirez donner à votre image.**
4. **Le cas échéant, cliquez sur le bouton Options pour définir certains paramètres propres au format sélectionné.**

   Sur la Figure 5.11, vous voyez les paramètres de compression du format JPEG. Pensez à les contrôler sinon vous risquez de bien mauvaises surprises. Dans cette boîte de dialogue, plus vous appliquez une compression faible, meilleure sera la qualité de l'image, mais plus son poids sera important. Toutefois, j'attire votre attention sur le fait que même en choisissant un taux de compression extrêmement faible, le poids de l'image sera énormément réduit. Validez vos réglages par un clic sur OK.

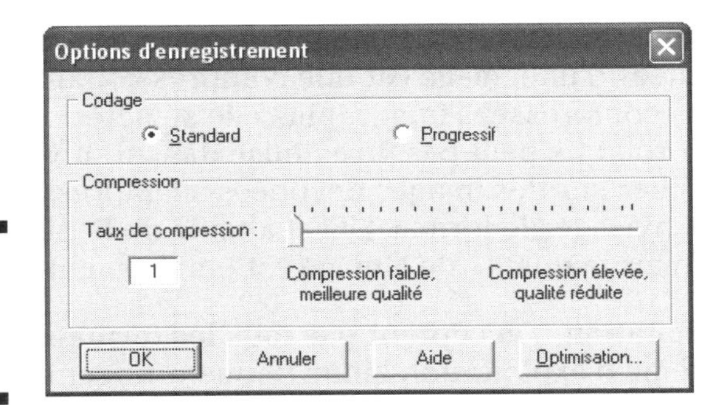

Figure 5.11 : Modifiez les paramètres du format JPEG.

5. **Cliquez sur Enregistrer.**

N'abusez pas du format JPEG ! Je veux dire ici que le format JPEG doit être utilisé lorsque vous êtes certain de ne plus modifier votre image. En effet, chaque fois que vous travaillez sur une image JPEG que vous enregistrez de nouveau, une compression supplémentaire s'applique. Au bout de quelques enregistrements successifs, l'image sera détériorée même si le taux de compression initial est très faible.

Ce que vous pouvez et ne pouvez pas faire avec un scanner

Aujourd'hui, les pilotes de numérisation font tout ce qui est en leur pouvoir pour faciliter votre tâche. Toutefois, il y a un certain nombre de règles qu'ils ne peuvent pas vous enseigner et que je vais tenter de vous transmettre :

✦ **Ne placez pas d'objets lourds sur la vitre du scanner.** C'est difficile à croire, mais il y a un nombre impressionnant d'utilisateurs qui ont brisé la vitre de leur scanner, en voulant numériser une brique ou des pierres – sans doute pour faire l'arrière-plan de leur page Web. Même si vous ne brisez pas la vitre, vous risquez de la rayer. Toute rayure se voit sur une numérisation, nécessitant un travail de retouche qu'il est toujours agréable d'éviter.

Ne laissez pas traîner des trombones et des agrafes. Lorsque vous numérisez un document, retirez toujours ces attaches avant de le placer sur la vitre du scanner.

✦ **Travaillez avec le plus grand original possible.** Plus l'original est de grande taille, meilleure sera la qualité de l'image. En effet, agrandir artificiellement un document avec une numérisation interpolée ne donne jamais de très bons résultats.

- **Nettoyez la vitre du scanner avec les produits adéquats.** N'envoyez pas directement un produit liquide avec le pistolet de votre bouteille de détergent. Du liquide peut s'introduire sous la vitre et causer de la condensation. Préférez l'utilisation d'un chiffon doux pour objectifs d'appareils photo. Vous pouvez également imbiber un chiffon doux d'alcool que vous passez sur la surface vitrée. L'alcool s'évapore rapidement. Je nettoie la vitre de mon scanner une fois par semaine.
- **Ajoutez autant de mémoire RAM que votre ordinateur peut en recevoir.** Plus vous disposez de mémoire vive, plus votre PC gérera rapidement et facilement les grandes numérisations. Certaines images risquent de peser de 40 à 50 Mo. De plus, les programmes d'édition graphique fonctionnent mieux lorsqu'ils ont beaucoup plus de mémoire à leur disposition. Pour une application comme Paint Shop Pro je préconise au moins 256 Mo de mémoire RAM, alors que pour bien s'en sortir avec Photoshop, 512 Mo est un minimum. La mémoire est relativement bon marché de nos jours.
- **Ne travaillez jamais sur la numérisation.** L'image numérisée est un repère. Vous ne devez jamais la modifier. Par conséquent, avant de retoucher un scan, faites-en une copie. Sur cette copie, vous appliquerez tous les filtres que vous voudrez, et effectuerez toutes les modifications que vous jugez nécessaires. Si jamais vos expérimentations tournent mal, vous aurez toujours l'original à portée de main pour en faire une nouvelle copie qui subira, à son tour, vos assauts numériques.
- **Mettez à jour vos pilotes de numérisation.** Comme n'importe quel autre périphérique mentionné dans ce livre, vérifiez la présence de nouveaux pilotes sur le site Web du constructeur de votre scanner. Les pilotes récents corrigent certains bugs et ajoutent des fonctionnalités aux matériels.
- **N'utilisez pas des formats graphiques obsolètes ou spécifiques.** Les utilisateurs de PC doivent éviter le format de fichier MSP (Microsoft Paint), et tout format exotique qui ne sera reconnu que par un type particulier d'applications. Suivez cette règle : Enregistrez les images en TIFF, JPEG, BMP, ou GIF, et pourquoi pas les quatre à la fois.

Ces irritants problèmes de copyrights

Il n'y a pas de problèmes de copyrights lorsque vous êtes le créateur de la photo ou de l'œuvre graphique. En tant qu'auteur, je suis un fervent défenseur de mes droits. En tant qu'utilisateur, vous ignorez certainement qu'il est interdit de publier quoi que ce soit sur le Net sans l'autorisation de son auteur, et ceci même si vous incluez une infime partie de sa création dans une de vos compositions.

J'aime à dire que je suis un auteur, pas un avocat ! La loi sur le copyright varie en fonction du pays d'exercice. En France, cette notion commence à être un peu plus claire dans les esprits, surtout depuis les récentes affaires des réseaux P2P. Avant de poursuivre mon propos, je tiens à vous conseiller ceci : dès que vous utilisez des documents dont vous n'êtes pas l'auteur, vous devez vous soucier des lois protégeant les droits des artistes. En effet, si vous imprimez, diffusez, publiez sous quelque forme que ce soit, tout ou partie d'un document appartenant à un tiers, vous devenez un contrevenant. Cette qualité vous place dans l'illégalité, ce qui peut entraîner des sanctions graves pouvant aller jusqu'à l'interdiction d'un site, et le versement de dommages et intérêts.

Voici une liste d'erreurs perpétrées par les utilisateurs :

- **"Je l'ai trouvé sur Internet, cela fait donc partie du domaine public."** Faux. Ce n'est pas parce que vous trouvez une image sur Internet que vous pouvez en disposer comme bon vous semble. Le Web n'est pas, n'a jamais été, et ne sera jamais synonyme de domaine public. Par conséquent, tout document que vous récupérez sur Internet et que vous désirez publier sous une forme ou une autre, doit recevoir l'aval de son auteur. Dans bien des cas, vous obtiendrez une autorisation moyennant finances. Ceci est tout à fait normal car il faut bien que les artistes vivent.
- **"Comme j'ai modifié l'image de quelqu'un d'autre, désormais elle m'appartient."** Voici un lieu commun qu'il faut faire tomber immédiatement. En effet, le simple fait de modifier une image existante ne vous transmet pas sa propriété.
- **"Comme cette photographie n'a pas de marque de copyright, sa numérisation la transforme en travail personnel."** Eh bien non ! Il n'est pas nécessaire de marquer une œuvre pour que la loi sur la protection des droits d'auteur s'applique. Le concept est très simple. Il suffit que vous sachiez que vous n'êtes pas l'auteur de l'œuvre pour que vous vous trouviez en défaut. Même si l'absence de marque de copyright ne facilite pas la recherche de l'auteur de l'œuvre originale, vous devez malgré tout le trouver. Seul l'auteur ou ses ayants droit pourront vous donner les autorisations nécessaires à l'utilisation du document.
- **"Je peux utiliser cette œuvre dans un but non lucratif."** Ceci est vrai si et seulement si vous utilisez une image appartenant à une collection libre de droit. En d'autres termes, vous savez en toute connaissance de cause que l'image en question est définie comme ne pouvant être utilisée et diffusée que dans un but non lucratif. En réalité, vous passez un contrat avec les auteurs des images au moment où vous achetez la collection en question. Les termes de ce contrat sont clairement définis au moment de l'achat. Si vous acceptez l'achat sans lire les termes en question, vous vous mettez en défaut.
- **"Le fait de numériser cette photographie me confère le copyright."** Je n'ai pas entendu très souvent cette affirmation. Évidemment, le raccourci est facile à faire. En créant une copie numérique, l'utilisateur pense que magiquement le

copyright lui est transféré. Comment n'y ai-je pas pensé plus tôt ? Ah oui maintenant cela me revient. Cette affirmation est fausse. Modifier la forme d'une œuvre ne transfère jamais un quelconque droit sur celle-ci. L'auteur en reste le propriétaire intellectuel, et son œuvre ne peut pas être utilisée sans son consentement.

✦ **"Cette œuvre a été dessinée il y a une centaine d'années.** La loi sur le copyright ne s'applique pas." Pour cela, il faut que l'œuvre soit tombée dans le domaine public. En France, la notion de domaine public est très restrictive. Ce n'est pas l'âge de l'œuvre qui la fait tomber dans le domaine public, mais l'existence ou non des ayants droit capables de faire valoir les droits de l'auteur original qui est un de leurs parents. Par conséquent, avant d'utiliser une œuvre très ancienne, vérifiez bien qu'elle est tombée dans le domaine public. Ce n'est pas à vous d'en décider.

Ajouter une ligne de copyright

Il est possible d'ajouter une marque de copyright dans Paint Shop Pro. Ouvrez le programme, et suivez cette procédure :

1. **Cliquez sur Fichier/Ouvrir pour afficher la boîte de dialogue du même nom.**
2. **Parcourez vos lecteurs et vos dossiers pour localiser l'image numérisée. Cliquez dessus pour la sélectionner, puis sur le bouton Ouvrir.**
3. **Dans la barre d'outils de Paint Shop Pro, cliquez sur l'icône du texte (figurant un A majuscule).**
4. **Cliquez à l'emplacement de l'image où vous désirez insérer la marque de copyright.**

   Paint Shop Pro ouvre la boîte de dialogue Texte illustrée à la Figure 5.12.

5. **Pour changer la police de caractères, cliquez sur la liste Nom.**

   Vous pouvez également changer la taille du texte ainsi que sa couleur et les paramètres d'enrichissement comme la mise en gras, la mise en italique, et le soulignement.

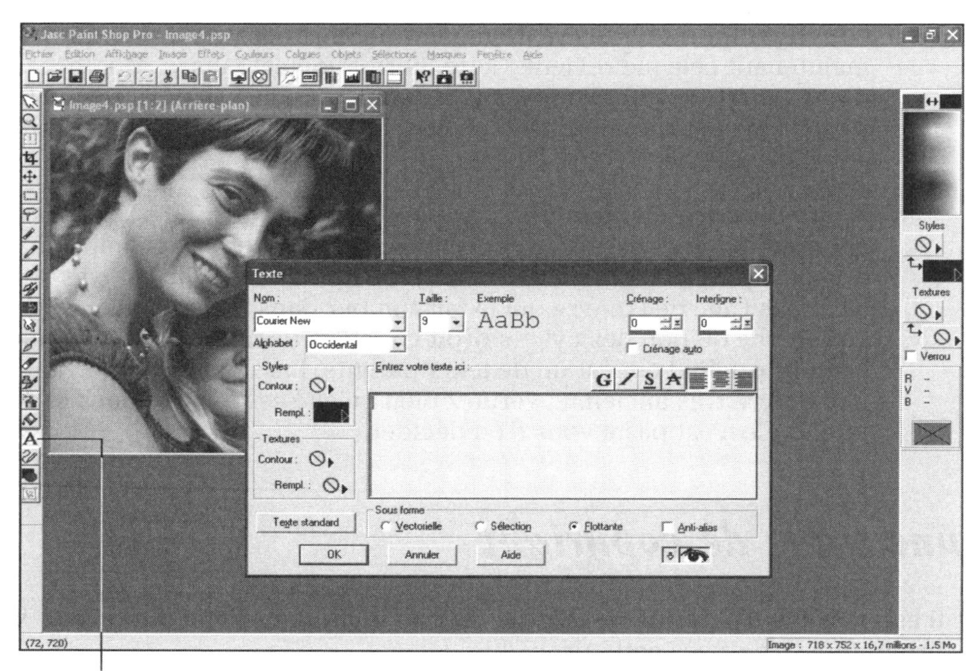

Figure 5.12 : Définissez les propriétés du texte de votre marque de copyright.

6. **La zone Exemple de la boîte de dialogue montre l'aspect que revêtira votre texte. Si elle vous convient, cliquez dans la vaste zone blanche "Entrez votre texte ici". Saisissez le texte de votre marque de copyright.**

   Une marque de copyright classique est : Copyrigth © [année] par [nom], Tous droits réservés.

7. **Enregistrez la nouvelle image sous un nouveau nom de fichier en cliquant sur Fichier/Enregistrer sous. Dans la boîte de dialogue du même nom, attribuez un nouveau nom de fichier à votre image protégée.**

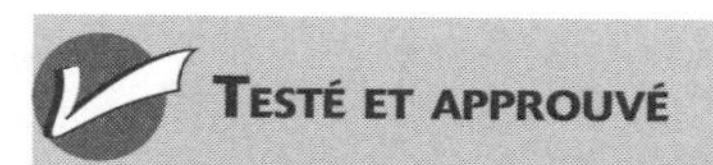

Graver un diaporama sur CD

Si vous avez un CD rempli d'images, vous pouvez l'insérer dans le lecteur de CD-ROM de votre ordinateur. Avec les fonctionnalités propres à Windows XP, vous pourrez directement les diffuser sous forme de diaporamas. Il suffit d'ouvrir l'Explorateur Windows, et de cliquer sur Afficher un diaporama dans la section Gestion des images du volet d'exploration (à gauche).

Ceci est parfait. Mais qu'en est-il des personnes qui n'utilisent pas Windows XP ? Si vous envoyez ce même CD à des gens qui utilisent un autre système d'exploitation, ils se contenteront d'ouvrir le contenu du disque et d'afficher les images une à une dans un aperçu, ou dans un logiciel d'édition graphique. Point de diaporama à l'horizon !

Heureusement, vous pouvez graver un diaporama sur CD. Il fonctionnera sous n'importe quelle version de Windows. Dans les quelques étapes qui suivent, vous allez comprendre avec quelle facilité vous pouvez graver le diaporama en question :

1. **Démarrez Internet Explorer, et rendez-vous à la très longue adresse suivante :** `http://www.microsoft.com/france/windows/xp/pro/telecharge/info/info.asp?mar=/france/windows/xp/home/telecharge/info/powertoys.html`.

2. **Parcourez la liste des fichiers à télécharger, et cliquez sur Slideshow.exe.**

   Une fois le téléchargement terminé, vous devez installer la petite application. Ne recherchez surtout pas le fichier Slideshow.exe. En effet, toujours dans le souci de simplifier les choses, Microsoft lui donne un autre nom dès qu'il est enregistré sur votre disque dur.

3. **Vous devez double-cliquer sur le fichier SlideshowPowertoySetup.exe pour lancer l'installation de l'utilitaire.**

   Un assistant très simple vous guide dans la procédure d'installation. Sachez que le générateur de diaporama sur CD n'est pas un programme autonome. Il devient une étape supplémentaire de l'assistant de gravure de CD de Windows XP.

4. **Rassemblez toutes les images que vous désirez graver sous forme de diaporama sur le CD. Cliquez sur le bouton Copier sur le CD.**

5. **Si l'assistant démarre automatiquement, cliquez sur le bouton Suivant. Sinon, dans le volet d'exploration, cliquez sur Graver ces fichiers sur le CD-ROM.**

6. **Dans l'Assistant Graver un CD, donnez un nom à votre CD et cliquez sur le bouton Suivant.**

   Si la fonction de compatibilité HighMat est installée, passez l'étape de création d'un disque compatible en cliquant sur Suivant.

7. **L'étape suivante est malheureusement en anglais. Pour diffuser les images sous forme de diaporama, activez l'option "Yes, add a picture viewer" (Ajouter une visonneuse).**

8. **Une fois le CD gravé, insérez-le dans une machine qui n'utilise pas Windows XP et admirez le travail !**

Un diaporama apparaît avec ses boutons de contrôle dans le coin supérieur gauche. Si vous ne touchez à aucun bouton, le diaporama se déroule automatiquement. Vous pouvez contrôler manuellement son déroulement en faisant des pauses, et en cliquant sur les boutons pour passer d'une image à une autre, ou encore appuyer sur les flèches du pavé directionnel de votre clavier.

Chapitre 6
Rock around the MP3

Dans ce chapitre :

- Faire connaissance avec le format MP3.
- Ripper des fichiers MP3 depuis un CD audio.
- Lire des fichiers MP3.
- Télécharger de la musique MP3 vers votre lecteur MP3.
- Comparer d'autres formats audio avec le MP3.
- Graver des CD audio avec des fichiers MP3.

Pouvez-vous me donner le nom d'une ou deux véritables révolutions technologiques de ces dix dernières années ? Peut-être les CD-ROM et les DVD-ROM, les téléphones mobiles, ou la *Star Ac !* Rien de tout ça ! La révolution c'est le MP3, car le MP3 est révolutionnaire (presque) pour tout le monde.

Un ouvrage consacré à Windows XP et à tout ce que permet ce système d'exploitation se doit de traiter du MP3. Vous allez voir combien il est facile de créer vos propres fichiers MP3, et de les utiliser dans divers domaines.

Une introduction au MP3

Si vous ne savez pas ce qu'est le MP3, demandez à ma femme. Elle en connaît un rayon sur le sujet ! Le MP3 est un format audio compressé. Il faut donc le voir non pas comme un format audio natif, mais comme un format vers lequel vous rippez des pistes audio traditionnelles.

Les fichiers MP3 stockent de la musique exactement comme un CD audio. C'est un format universel informatique qui peut être lu sur toutes les plateformes munies d'un lecteur multimédia compatible MP3. Vous verrez aussi qu'il existe aujourd'hui de nombreux lecteurs MP3 matériels qui prennent la forme de clés USB, de lecteurs CD MP3, de lecteurs MP3 tout court et, cerise sur le gâteau, la majorité des lecteurs de DVD actuels savent lire les disques remplis de fichiers MP3. Même les assistants personnels parviennent à les lire, et les téléphones mobiles ne sont déjà quasiment plus en reste.

Voici quelques parallèles établis entre les CD audio et les fichiers MP3 :

- Un fichier MP3 classique correspond à une piste d'un CD audio. C'est normal quand on sait que pour les utilisateurs lambda, il ne peut y avoir de fichiers MP3 qu'après extraction audio numérique (c'est-à-dire *rippage*) de pistes d'un CD audio.
- Les fichiers MP3 offrent une qualité de son équivalente ou quasi équivalente à celle d'un CD audio.
- Comme les pistes d'un CD audio, les fichiers MP3 peuvent contenir des informations sur l'artiste et les titres des chansons.
- A l'instar des CD audio, vous pouvez dupliquer un fichier MP3 autant que vous le désirez sans altérer sa qualité. En effet, la copie numérique est une duplication de chiffres (1 et 0) et non pas de fréquences.
- Un ensemble de fichiers MP3 peut être gravé sur un CD-R vierge, créant ainsi un nouveau CD audio. Vous pouvez graver des fichiers MP3 aux origines diverses de manière à constituer une compilation.

Comme un fichier MP3 n'est rien d'autre qu'un ensemble de données, vous pouvez les traiter comme n'importe quel autre média numérique. Ainsi, vous pouvez :

- **Les envoyer par e-mail :** Envoyez de petits fichiers MP3 en tant que pièces jointes.
- **Les télécharger :** De nombreux sites légaux, donc payants, permettent de télécharger des fichiers MP3. Si vous êtes compositeur, rien ne vous empêche de les donner en téléchargement sur un site FTP.
- **Les sauvegarder :** Vous pouvez enregistrer vos fichiers MP3 sur des disques Zip, des CD et des DVD, ou des clés USB.

L'aspect portable du MP3 cause bien des soucis. Allié à l'Internet, les échanges de fichiers MP3 vont bon train sur la toile. En France, il faut être de plus en plus vigilant et, quoi que l'on en pense, vous devez éviter les téléchargements sur des réseaux P2P (*peer-to-peer* ou *paire à paire*). La chasse aux sorcières est commencée car, il paraît, en tout cas certaines personnes le prétendent, que l'industrie du disque se porte mal à cause d'un piratage éhonté des œuvres musicales. Chacun se fera son opinion !

La qualité de restitution audio d'un fichier MP3 dépend de son encodage. Cet encodage est exprimé en *bite rate*, c'est-à-dire en kilo-bits par seconde. Plus cette mesure est élevée, meilleure est la qualité, mais plus volumineux est le fichier. Le Tableau 6.1 liste les taux de compression les plus communément rencontrés. A 128 Kbps, vous avez quasiment la qualité d'un CD audio.

Tableau 6.1 : Débits binaires des fichiers MP3.

Radiophonique	FM stéréo	Qualité CD	Qualité audiophile	
48 Kbps	64 Kbps	96 Kbps	128 Kbps	160/192/256/320 Kbps

Ripper vos propres fichiers MP3

Pour montrer comment ripper des pistes audio existantes d'un CD pour les convertir au format MP3, j'ai choisi un disque dont je suis le compositeur (comme ça personne ne m'embêtera, na !). Une fois le contenu rippé en MP3, je peux le télécharger sur un lecteur MP3, comme l'iPod d'Apple.

Pour cette démonstration, j'utilise mon programme d'extraction préféré, j'ai nommé MUSICMATCH 9, que vous pouvez télécharger à l'adresse `www.musicmatch.com`. Une fois sur le site, cliquez sur le lien français de manière à afficher les pages dans la langue de Molière. Pour environ 20 dollars, c'est-à-dire une misère au cours de l'euro (le 24 décembre 2004), vous pouvez acquérir ce superbe outil.

Voici une petite note légale : en application du droit français à la copie, vous ne pouvez ripper que les CD audio que vous avez légalement achetés. Si vous rippez le CD de votre copain, vous êtes dans l'illégalité ! Idem pour la copie audio ou le rippage des CD empruntés à une médiathèque.

Maintenant que notre conscience sait discerner le bien et le mal, suivez les étapes ci-dessous pour ripper un CD audio en fichiers MP3 :

1. **Cliquez sur Démarrer/Tous les programmes/Musicmatch/Musicmatch Jukebox.**

   Le programme apparaît comme à la Figure 6.1.

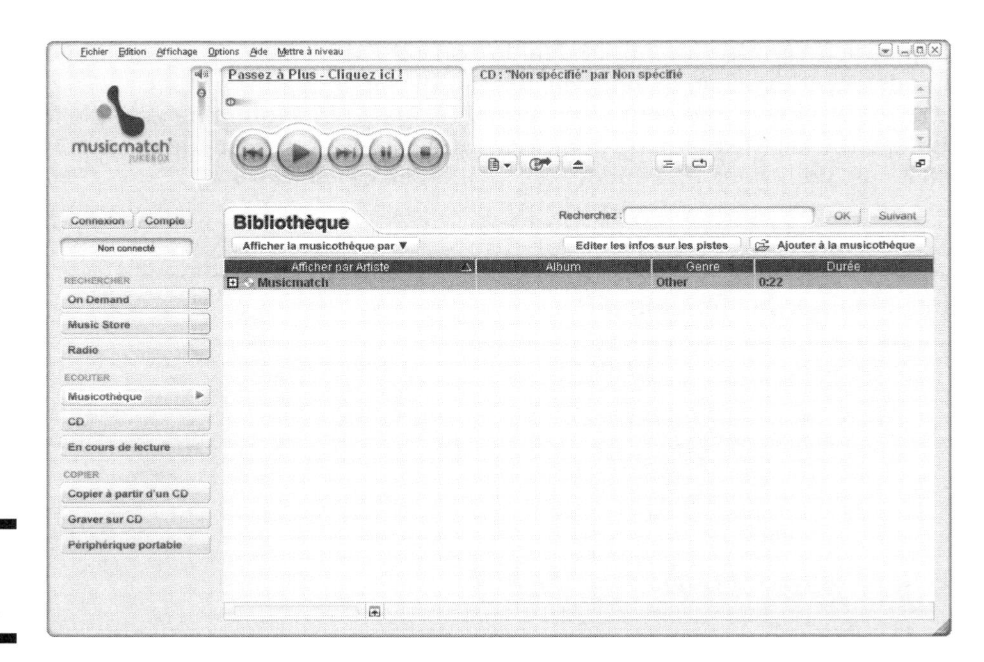

Figure 6.1 : L'interface de Musicmatch 9.

2. **Insérez un CD audio dans votre lecteur de CD-ROM.**

   Comme le montre la Figure 6.2, Musicmatch affiche la liste des pistes du disque, et en commence la lecture. Comme je n'ai pas l'intention d'écouter le disque maintenant, je clique sur le bouton Arrêter.

Figure 6.2 : Le Jukebox peut lire automatiquement un CD audio.

3. **Pour effectuer l'extraction, cliquez sur le bouton Copier le CD sur l'ordinateur.**

   Vous ouvrez la boîte de dialogue Enregistreur illustrée à la Figure 6.3.

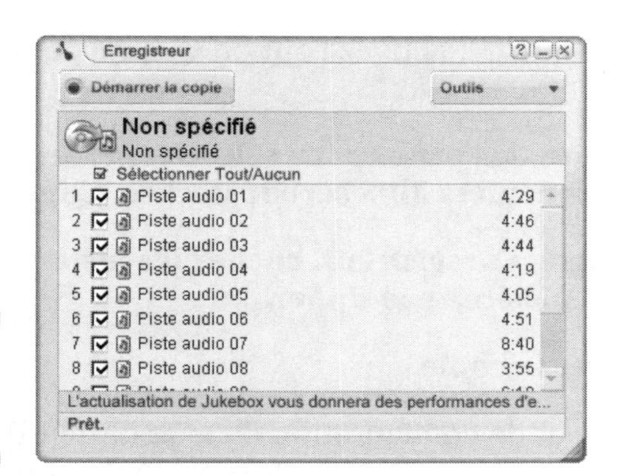

Figure 6.3 : Première phase de l'extraction.

4. **Comme on ne rippe pas des pistes audio n'importe comment, cliquez sur Outils/Paramètres.**

   Vous ouvrez la boîte de dialogue Paramètres qui affiche les options de l'onglet Enregistreur, comme le montre la Figure 6.4.

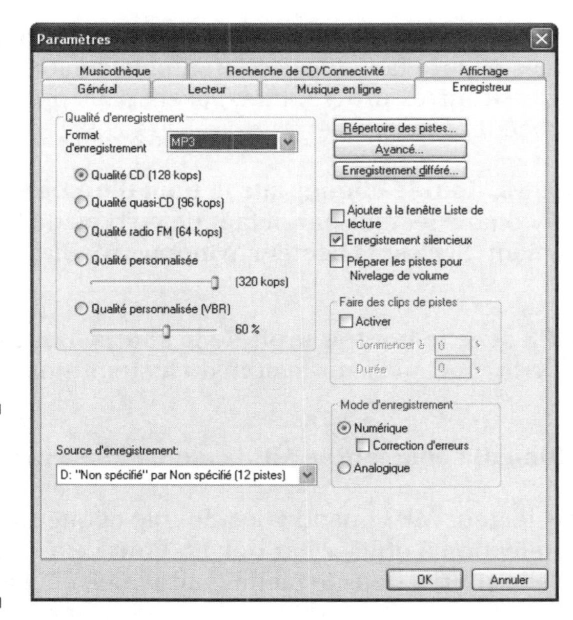

Figure 6.4 : Définissez ici la qualité de l'encodage MP3 lors de l'extraction.

5. **Pour conserver une qualité proche d'un CD audio activez l'option Qualité CD (128 kbps).**

Pour un encodage de meilleure qualité, activez l'option Qualité personnalisée, et fixez le niveau du débit binaire.

6. **Cliquez sur le bouton Répertoire des pistes pour sélectionner le disque dur et/ou le dossier dans lequel les fichiers MP3 seront stockés. Cliquez sur OK.**

7. **Revenu dans la boîte de dialogue Enregistreur, cochez les pistes à extraire et décochez celles que vous ne désirez pas ripper.**

8. **Cliquez sur le bouton Démarrer la copie.**

   Après une phase d'initialisation et de configuration du lecteur de CD-ROM, l'extraction commence. Le processus est assez lent, sans doute pour que vous mettiez à jour Musicmatch en ajoutant un module qui rippe huit fois plus vite.

   Une fois l'extraction terminée, le fichier est ajouté à la Bibliothèque de Musicmatch.

Ecouter vos fichiers MP3

Dès que vous surferez sur la vague du numérique, vous allez ripper des fichiers MP3 à tour de bras. C'est bien joli, mais encore faut-il les écouter. Musicmatch et le Lecteur Windows Media (ainsi que d'autres programmes) lisent sans problème les fichiers MP3. Voici comment procéder :

✦ **Dans l'Explorateur Windows, double-cliquez sur le nom d'un fichier MP3.** Si Musicmatch est configuré comme lecteur par défaut de ce type de fichier, il le charge et le lit immédiatement. Si c'est le Lecteur Windows Media, il se passe la même chose.

✦ **Cliquez sur un fichier MP3 avec le bouton droit de la souris.** Dans le menu contextuel cliquez sur Ouvrir avec, puis sur le nom du lecteur multimédia qui va lire le fichier.

✦ **Exécutez un lecteur multimédia compatible MP3 comme Musicmatch.**

Si Windows XP lance le mauvais lecteur MP3 quand vous double-cliquez sur un fichier de ce type, indiquez l'application à utiliser par défaut. Pour cela, cliquez sur le fichier avec le bouton droit de la souris. Dans le menu contextuel, choisissez Ouvrir avec/Choisir le programme. Dans la boîte de dialogue qui apparaît, sélectionnez le lecteur qui vous convient, et surtout cochez la case "Toujours utiliser ce programme pour ouvrir ce type de fichier". Validez par un clic sur OK.

Si vous utilisez le Jukebox de Musicmatch, voici comment écouter un ou plusieurs fichiers MP3 :

1. **Cliquez sur Démarrer/Tous les programmes/Musicmatch/Musicmatch Jukebox, pour démarrer l'application.**
2. **La méthode la plus conviviale consiste à ouvrir l'Explorateur Windows, et à glisser-déposer les fichiers MP3 de cet explorateur jusqu'à la Bibliothèque de Musicmatch.**
3. **Cliquez sur le morceau à partir duquel vous désirez lancer la lecture, et cliquez sur le petit bouton qui s'affiche à sa gauche.**
4. **Pour constituer une liste de lecture que vous contrôlerez avec les boutons de la partie supérieure gauche de la fenêtre, sélectionnez plusieurs titres dans la Bibliothèque et glissez-déposez-les dans la Fenêtre liste de lecture.**

   Lisez la liste dans l'ordre qui vous convient, et contrôlez la lecture comme vous le faites avec la télécommande de votre platine laser de salon.

Le Jukebox mémorise les morceaux placés dans la Fenêtre liste de lecture. Pour commencer une liste de lecture vide, cliquez sur le bouton Effacer la Fenêtre liste de lecture (icône d'une croix). En revanche, pour sauvegarder une liste de lecture que vous chargerez selon vos envies d'écoute, cliquez sur le bouton Enregistrer les pistes de la fenêtre comme liste de lecture (icône d'une disquette). Pour charger une liste de lecture, cliquez sur le bouton Ajouter des listes de lecture à la Fenêtre liste de lecture.

Télécharger vers un lecteur MP3

Connaissez-vous un des mots les plus à la mode ? Non ?! Oui ?! Réfléchissez bien ! Mais oui c'est la *mobilité*, la *portabilité*. Tous les marchands de soupe numérique veulent que vous emmeniez le maximum de loisirs multimédias avec vous. Regardez les téléphones mobiles. Ils photographient, envoient des SMS, des e-mails (et en reçoivent), surfent sur Internet, filment, diffusent de la vidéo, et éventuellement permettent de téléphoner.

En matière de MP3, la mobilité est plus que jamais à l'ordre du jour avec de petits périphériques numériques que l'on connaît génériquement sous le nom de *lecteurs MP3*. Personnellement, j'utilise un iPod de 5 Go de capacité de stockage, avec une autonomie de 5 heures, et une connexion FireWire qui autorise des vitesses de téléchargement ultra rapides. Ceci n'engage que moi, mais mon cœur est tenté de vous dire que l'iPod est bien le meilleur lecteur MP3 du marché (et je n'ai pas d'actions chez Apple, son constructeur).

Avec Musicmatch, vous pouvez télécharger vos musiques MP3 vers un appareil mobile. Il suffit de télécharger le plug-in de votre matériel sur le site Web de Musicmatch. Une fois ce module installé, suivez les précédentes instructions pour ajouter des pistes MP3 à votre liste de lecture (ou bien pour charger une liste existante).

Voici la procédure de téléchargement de votre liste de lecture MP3 vers votre lecteur depuis le module Jukebox de Musicmatch :

1. **Connectez votre lecteur MP3 à la prise USB ou FireWire de votre ordinateur.**

   Windows détecte automatiquement la présence d'un nouveau périphérique. Il le reconnaît en tant que lecteur MP3, et le traite comme n'importe quel autre lecteur de votre ordinateur. Si jamais le lecteur n'est pas correctement identifié, installez ses pilotes pour enrichir la base de données des drivers de Windows XP. A partir de cet instant, XP identifiera sans problème le lecteur MP3.

2. **Dans Musicmatch, cliquez sur Fichier/Envoyer au périphérique portable.**

   Le module Portable Device Manager apparaît, comme à la Figure 6.5.

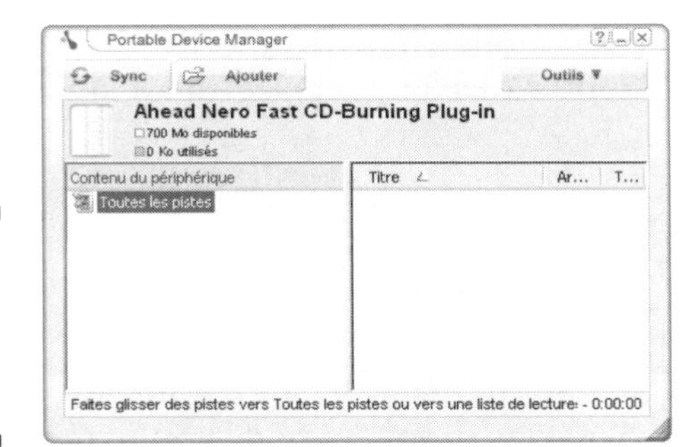

Figure 6.5 : Préparation au téléchargement vers un périphérique portable.

3. **Pour réorganiser les pistes avant leur téléchargement, cliquez dessus et, sans relâcher le bouton de la souris, faites les glisser les unes au-dessus ou en dessous des autres.**

   Pour insérer d'autres morceaux, cliquez sur le bouton Ajouter. Dans la boîte de dialogue qui apparaît, parcourez vos disques durs et vos dossiers pour localiser les fichiers MP3 (ou WMA) à télécharger. Sélectionnez-les, et cliquez sur Ajouter. Pour supprimer des fichiers, sélectionnez-les dans le volet de droite, et cliquez dessus avec le bouton droit de la souris. Dans le menu contextuel, choisissez Supprimer.

4. **Une fois la liste de lecture préparée selon vos désirs, cliquez sur le dossier du périphérique dans le volet de gauche, et sélectionnez le nom de votre lecteur MP3.**

5. **Cliquez sur le bouton Sync pour copier les chansons vers votre lecteur.**
6. **Une fois la copie terminée, cliquez sur le bouton d'éjection, et déconnectez votre lecteur. Ecoutez !**

Utiliser d'autres formats audio

Ce serait mentir par omission que de ne pas parler des autres formats audio existants dans le monde du numérique. Il est vrai que le MP3 est devenu tellement populaire que beaucoup de personnes arrêtent leur connaissance de la musique numérique à ce format. Pourtant, la base même du son sur PC n'est pas le MP3 puisque l'audio numérique existe depuis l'avènement des ordinateurs. Sur PC, tout part du format WAV. C'est ensuite qu'on le décline avec ou sans compression vers d'autres formats.

Suis-je dans la légalité ?

"D'accord, tout ce que vous me dites jusqu'à présent est formidable, mais ma collection MP3 est-elle illégale ?" Eh bien, je répondrai "*peut-être*." Tout dépend de la manière dont vous avez obtenu les fichiers qui la composent. Si vous rippez des CD que vous avez achetés dans le commerce, ou si vous utilisez des fichiers MP3 que vous avez légalement achetés sur Internet, vous êtes dans la légalité la plus complète.

Ce qui vaut pour le droit à la copie privée s'applique également au MP3. Rien ne vous empêche de faire une copie dite de sauvegarde de vos musiques. Cette sauvegarde peut être au format MP3 ! Dans ce cas, le contenu de votre lecteur est tout à fait légal. En revanche, vous ne pouvez pas copier une copie, que ce soit pour vous ou pour quelqu'un d'autre. De plus, les fichiers MP3 de votre lecteur ne peuvent pas être copiés sur l'ordinateur d'un de vos amis (les amis n'étant pas exclusifs de tout autre type de personne). Pire encore, car c'est la grande mode, vous ne pouvez pas placer vos collections (ou même un seul fichier) sur un site Web permettant alors son téléchargement par quiconque voudra bien s'y connecter. Idem en réseau P2P !

Qu'en est-il dans la réalité ? Bien malin celui qui ne contrevient pas à la loi sans s'en rendre compte, c'est-à-dire sans chercher à être un hors-la-loi et à le revendiquer. Je ne connais personne qui tremble à l'idée de savoir si le fait de ripper tel ou tel album de sa CDthèque risque de le conduire en prison. Je ne connais pas plus de personnes qui se soucient de savoir si les fichiers MP3 de son lecteur ne sont pas également dans celui de son fils (quoiqu'en matière de musique, c'est un peu le conflit des générations, ce qui limite les risques de tomber dans l'illégalité).

Le format WAV

WAV est le format audio de Microsoft et signifie Windows Audio/Video. C'est le standard audio sur PC. Si vous en rencontrez sur le Web, votre navigateur les jouera sans aucun problème. Les fichiers WAV peuvent avoir une qualité audio supérieure à celle d'un CD. Cependant, tout CD audio traditionnel se fait à partir de fichiers audio à ce format. Donc, lorsque vous désirez créer des fichiers MP3, vous partez d'un CD audio qui va être rippé en WAV puis converti en MP3 sans que vous ne vous rendiez compte de la conversion WAV initiale. De même, quand vous désirez graver un CD audio à partir de fichiers MP3, ils sont convertis en WAV, puis gravés en fichiers CDA sur votre disque. En règle générale, et selon le taux de compression MP3, un fichier WAV est dix fois plus volumineux.

Le format WMA

Pour ne pas être en reste, Microsoft a voulu concurrencer le format MP3 en proposant son propre format de compression audio : WMA (acronyme de *Windows Media Audio*). Il faut être juste. A niveau de compression équivalent, les fichiers WMA produisent un son de meilleure qualité que les fichiers MP3, et ils peuvent être enregistrés en son Surround 5.1. Le seul problème est que le format WMA aura du mal à s'imposer face à un format non propriétaire comme le MP3. La preuve en est que de nombreux lecteurs MP3 ne gèrent pas les fichiers WMA – et lequel reproduit un son Surround 5.1 ?

Format AU

Le format AU (Audio Unix) est l'œuvre de Microsystem. Il est donc très populaire sur les plateformes Unix et Linux. Objectivement, ce format de fichier est de moins bonne qualité que le MP3, mais sa taille est bien plus petite, ce qui le rend extrêmement populaire sur les sites Web. Heureusement, les deux grands navigateurs Web que sont Internet Explorer et Netscape reconnaissent ce format audio.

Le format AIFF

C'est le format standard d'Apple donc du Macintosh. En d'autres termes, si on utilise WAV sur PC pour créer de la musique, on privilégie AIFF sur Mac. Bien évidemment, sur ces deux plateformes, la majorité des programmes d'édition audionumérique sont capables d'utiliser l'un ou l'autre de ces formats (ce qui n'a pas toujours été le cas). A l'instar du format WAV, le poids d'un fichier AIFF l'exclut de facto du Web et des lecteurs MP3.

Le format MIDI

MIDI est l'acronyme de Musical Instrument Digital Interface. Il ne s'agit pas de fichiers audio numérique, mais d'instructions d'exécution d'une musique. C'est un programme appelé séquenceur qui, en lisant des données MIDI, envoie des commandes à un instrument de musique comme un synthétiseur ou un expandeur. Cet instrument joue les notes indiquées, les instruments programmés, et l'arrangement du morceau. On peut dire que les fichiers MIDI permettent de commander, seul, tout un orchestre. Evidemment, un fichier MIDI ressemble plus à un fichier texte qu'à autre chose. Vous ne pouvez pas le convertir en fichier MP3. Pour cela, il faut préalablement enregistrer la chanson reproduite par le synthé ou l'expandeur (voire la table d'ondes de votre carte son) sous forme de fichier WAV. Cet enregistrement se fait un peu comme lorsque vous enregistrez, à l'aide d'un programme d'édition audio numérique, le contenu d'une cassette audio sur votre disque dur.

Graver un CD à partir de fichiers MP3

Revenons aux multiples talents de Musicmatch en expliquant comment graver un CD audio à partir d'une collection de fichiers MP3. Il en résulte un disque lisible dans n'importe quel lecteur de CD ou de DVD de salon, de lecteur de CD-ROM ou de DVD d'un PC, et de votre autoradio CD.

Pour graver un CD audio à partir de fichiers MP3 :

1. **Créez une liste de lecture que vous désirez convertir en CD audio.**
2. **Une fois toutes vos pistes organisées, cliquez sur le bouton Graver les pistes sur un CD.**

   Jukebox lance le module de gravure Burner Plus, illustré à la Figure 6.6.
3. **Réorganisez l'ordre des pistes par simple glisser-déplacer dans la fenêtre de Burner Plus.**

   Pour ajouter d'autres pistes, cliquez sur Ajouter. Pour enlever des pistes, cliquez dessus, puis sur le bouton Effacer, ou appuyez sur la touche Suppr de votre clavier.

   Cette action supprime le fichier du futur CD, mais pas de votre disque dur.

   TRUC

   Burner Plus surveille l'espace disponible sur le CD vierge inséré dans votre graveur. Toutefois, la capacité du CD ne correspond peut-être pas aux déductions de Burner Plus. Pour ne pas voir s'afficher une barre rouge en bas du module indiquant que vous ne disposez pas assez de place, cliquez sur le bouton Outils, puis sur Paramètres. Dans la section Préférences de l'onglet

Général, cliquez sur la liste Taille du support, et choisissez la durée correspondant à celle du CD vierge inséré dans le graveur. Ne trompez surtout pas Burner Plus, sinon vous risquez des pertes de données, voire de ruiner votre disque.

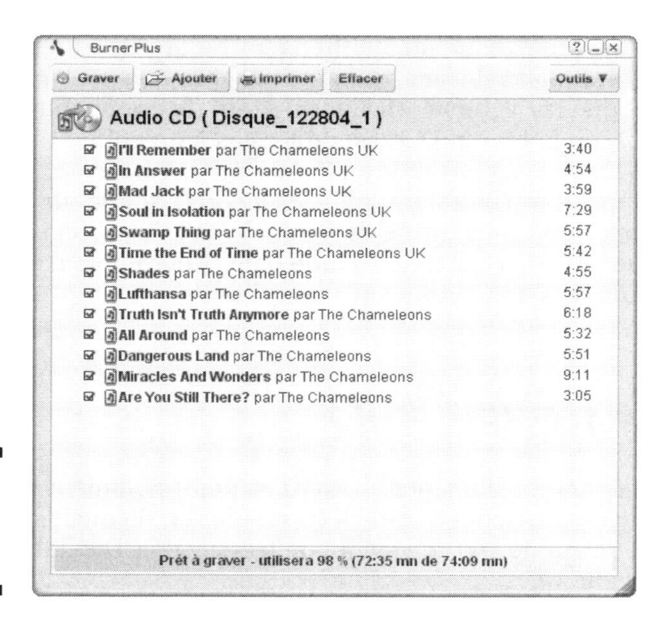

Figure 6.6 : Choisissez et organisez les pistes à graver.

4. **Si Burner Plus affiche une note de musique et un nom attribué par défaut, vous êtes alors certain de graver un CD audio.**

5. **Insérez un CD vierge dans le graveur.**

   Seuls certains lecteurs de CD audio peuvent lire des CD-RW (c'est-à-dire des disques réinscriptibles). Par conséquent, pour une compatibilité totale, privilégiez les CD-R.

6. **Cliquez sur le bouton Graver. Détendez-vous, et patientez !**

Chapitre 7

Faire des films avec votre PC et Pinnacle Studio 9

Dans ce chapitre :

- Capturer une vidéo dans Pinnacle Studio 9.
- Les principes du montage virtuel dans Pinnacle Studio 9.
- Utiliser des transitions.
- Ajouter du son.
- Appliquer des effets vidéo.
- Titre et générique.
- Créer un film.
- Créer un DVD.

Après avoir découvert le programme de montage virtuel natif de Windows XP, c'est-à-dire Windows Movie Maker 2, voyons le fonctionnement d'un programme très intéressant développé par la société Pinnacle, j'ai nommé Studio. Aujourd'hui livré dans sa version 9, Pinnacle Studio fait partie des solutions de montage vidéo familiale les plus séduisantes du moment.

Studio peut être acheté seul, c'est-à-dire en dehors de toute offre Pinnacle qui consiste à allier une carte d'acquisition vidéo IEEE 1394 à son logiciel grand public phare. Cette autonomie potentielle de Studio signifie que vous pouvez acheter d'un côté une petite carte FireWire (synonyme pour vous de IEEE 1394 ou encore ILink) à 50 euros, et que vous achetez ensuite la dernière version de Studio pour effectuer vos montages. Cependant, l'offre carte/logiciel de Pinnacle est souvent la meilleure solution, car les cartes de ce constructeur se paramètrent très simplement et s'interfacent sans problème avec le logiciel Studio. De plus, les cartes d'entrée de gamme Pinnacle sont d'excellente facture, et raviront tous les débutants en vidéo numérique, pour un prix tout à fait abordable. (Consultez le site `www.pinnaclesys.com`.)

Pinnacle Studio, comme la majorité des programmes de montage virtuel, ne reconnaît que les cartes IEEE 1394 compatibles OHCI. Si cette compatibilité n'est pas assurée, Studio ne reconnaîtra pas la carte et vous indiquera qu'aucun périphérique vidéo n'est disponible. Cela signifie que le logiciel ne peut pas communiquer avec le caméscope via la carte FireWire. Donc, VÉRIFIEZ !

Sur le site `www.pinnaclesys.com`, vérifiez que votre caméscope fait partie de la liste des périphériques vidéo testés et reconnus comme fonctionnant avec Studio. Il existe là aussi des incompatibilités. Elles sont mineures, et il y a de grandes chances pour que votre caméscope soit reconnu ; mais deux précautions valent mieux qu'une.

Dans Pinnacle Studio, la vidéo est entendue en trois étapes :

1. **Capturer.**
2. **Éditer.**
3. **Créer un film.**

Capturer des séquences vidéo dans Studio

Cette section montre comment capturer des séquences vidéo depuis Pinnacle Studio 9. Pour cela, nous sommes obligés de passer outre certains problèmes techniques liés à votre configuration. De ce fait, nous supposons que :

- Vous possédez Pinnacle Studio 9 (même en version de démonstration).
- Vous possédez une carte d'acquisition avec entrée/sortie numérique (port IEE1394 dit FireWire ou encore Ilink).
- Les pilotes de la carte sont correctement installés et celle-ci est parfaitement reconnue par les utilitaires livrés par son constructeur (logiciel de capture, testeur de la rapidité des disques, etc.).
- Votre caméscope MiniDV ou votre magnétoscope numérique est connecté au port DV de la carte.
- La carte apparaît parmi les périphériques vidéo pilotés par Pinnacle Studio.

Capturer

Pour lancer une capture, utilisez l'ensemble des outils mis à votre disposition. Nous allons étudier ici la méthode la plus simple et la plus intuitive. Avant de lancer la capture, vérifiez les points suivants :

- ✦ Le caméscope est raccordé à la prise IEEE-1394 de la carte d'acquisition par le biais d'un câble généralement fourni avec la carte.
- ✦ Le caméscope est allumé. (Ne riez pas c'est arrivé à plus malin que vous !)
- ✦ Une cassette est dans le caméscope.
- ✦ Le caméscope est en mode magnétoscope, c'est-à-dire VCR et non pas en mode Caméra.

Une fois ces vérifications effectuées et éventuellement corrigées, procédez comme suit :

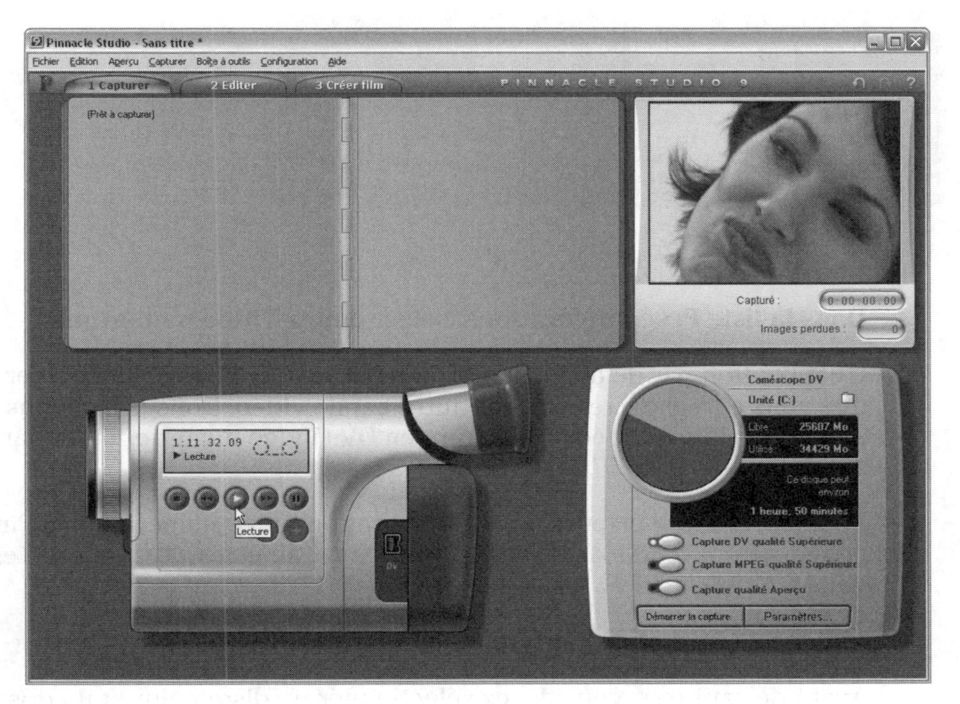

Figure 7.1 : Choisir le début de la séquence à capturer.

1. **Cliquez sur le bouton Lecture ou Avance rapide du caméscope représenté dans l'interface de Studio pour repérer la séquence à capturer.**

Miracle ! Le caméscope lance la lecture ou l'avance rapide sans appuyer sur l'un de ses boutons. Vous apercevez alors des images comme celle de la Figure 7.1, et appréciez la vidéo dans le Lecteur situé à droite. Dès que vous êtes au début de la séquence qui vous intéresse, cliquez sur le bouton Stop du caméscope virtuel.

2. **Cliquez sur le bouton Paramètres.**

   Vous accédez à l'onglet Format de capture de la boîte de dialogue Options de configuration représentée sur la Figure 7.2.

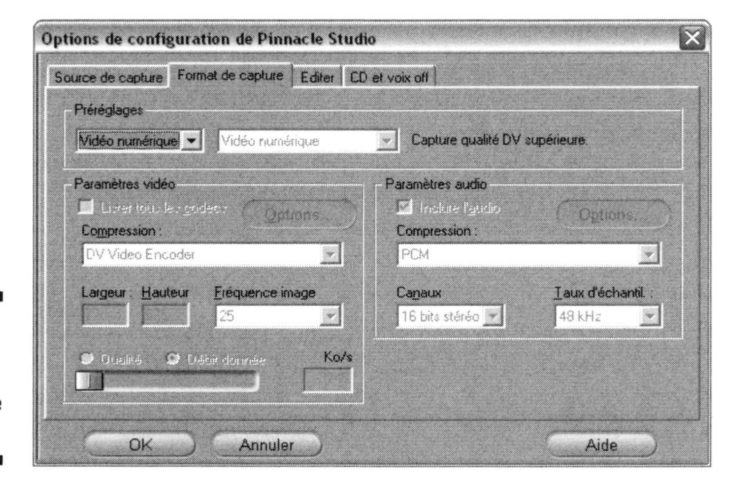

Figure 7.2 : Définissez le format de capture de votre vidéo.

3. **Dans la liste Préconfigurations, sélectionnez Vidéo numérique.**

   C'est l'option par défaut. Nous supposons ici que vous désirez créer un film que vous enregistrerez sur une autre bande vidéo. Donc, travaillons dans la pleine résolution vidéo, c'est-à-dire en DV (Vidéo numérique), et dans une résolution de 720 x 576.

   Pour éviter toute erreur, la préconfiguration Vidéo numérique de Pinnacle est grisée, ce qui rend inaccessibles tous les paramètres. C'est aussi bien pour vous !

4. **Validez ce format de capture en cliquant sur OK.**

   Avant de capturer, vous devez sélectionner un disque dur et un dossier de destination.

5. **Dans l'interface de capture, cliquez sur l'icône du dossier située à droite du mot Unité.**

Vous accédez à une petite boîte de dialogue qui permet de sélectionner un disque dur et un dossier. Par défaut, Studio stocke les vidéos dans le dossier Mes vidéos du répertoire Vidéos partagées de Windows XP du disque C. Vous pouvez choisir un autre disque (si vous en possédez un dédié à la vidéo par exemple), et un dossier spécifique. Vous pouvez également créer un nouveau dossier en cliquant sur l'icône du même nom de cette petite boîte de dialogue. Cliquez sur OK pour valider l'emplacement de la capture.

ATTENTION !

Studio teste la vitesse des disques qu'il ne connaît pas. Si le taux de transfert du disque est inférieur aux exigences requises en vidéo numérique, vous risquez de capturer avec des pertes d'images, ce qui nuirait à votre travail en provoquant des sautes insupportables.

Une fois la destination choisie, passez à la capture.

6. **Cliquez sur Démarrer la Capture.**

   Une boîte de dialogue apparaît comme sur la Figure 7.3. Studio assigne un nom par défaut suivi du chiffre 1. Cela est important pour classer vos captures dans un ordre chronologique. Vous pouvez donner un nom plus significatif comme "Anniversaire de Loulou", si c'est le sujet de la séquence capturée bien entendu. Ensuite, vous pouvez modifier l'emplacement d'enregistrement de la séquence en cliquant sur l'icône du dossier. Vous pouvez également limiter la durée de la capture en saisissant des minutes et des secondes dans les champs prévus à cet effet. Par défaut ils affichent la durée maximale d'enregistrement en fonction de la place disponible sur le disque dur de destination. Ne vous en préoccupez pas pour le moment.

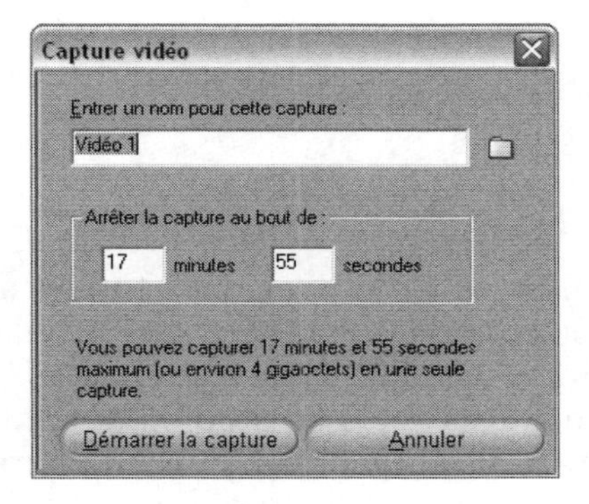

Figure 7.3 : Derniers paramètres avant la capture.

7. **Cliquez sur le bouton Démarrer la capture.**

   C'est parti. Studio donne l'ordre au caméscope de lire la vidéo qui s'affiche alors dans le Lecteur de l'interface.

8. **Terminez la capture en cliquant sur le bouton Arrêter la capture.**

   Le caméscope s'arrête. Une vignette apparaît dans l'album. Studio crée un nouvel album de séquences dans le dossier du disque dur de capture.

   Répétez les étapes pour capturer d'autres séquences d'une même cassette MiniDV ou d'une autre bande. Vous vous constituez ainsi un ensemble de clips qui seront organisés, coupés et enchaînés au moment du montage, phase de travail que nous allons découvrir dans la prochaine section.

Le montage avec Pinnacle Studio

L'acquisition ne sert qu'à une seule chose : capturer des séquences vidéo sur le disque dur pour les assembler, les couper, les coller, les triturer afin d'obtenir un montage qui satisfait à vos besoins familiaux, documentaires ou artistiques.

Pinnacle Studio offre trois possibilités de montage, dont l'une n'est qu'une simple organisation des séquences dans la Fenêtre du film. Les deux autres permettent de "couper" à l'intérieur des séquences pour éliminer les plans ratés et/ou pour raccourcir les plans trop longs. L'une est très intuitive, l'autre appelle une nouvelle interface plus sophistiquée donc plus précise.

Quelle que soit la méthode utilisée, tout commence par un clic sur **2 Editer**.

Dans les sous-sections qui suivent nous allons travailler avec les clips de la vidéo Photoshoot proposés par Pinnacle Studio.

Montage dans le Scénario

Commençons par une hypothèse assez courante. Vous avez filmé tout et n'importe quoi sur des cassettes dont vous ignorez le contenu. Au moment de la sélection des séquences pour retracer les anniversaires successifs de vos chères têtes blondes, vous capturez les années dans le désordre. Le Scénario de Studio permet de remettre toutes ces séquences dans le bon ordre. Cela suffit à bien des amateurs pour compiler un film complet sur des événements successifs. Quoi qu'il en soit, le Scénario de Studio représente une première organisation des séquences qui seront ensuite coupées de manière plus précise.

La procédure d'organisation des séquences pour un film est très simple :

1. **Dans la Fenêtre du film, cliquez sur l'icône Affichage Scénario (à droite). Vous pouvez également cliquer sur Aperçu/Scénario.**

La fenêtre affiche une succession de cadres vides crantés comme une pellicule de cinéma.

2. **Depuis l'Album, glissez-déposez les vignettes dans les cases de la fenêtre.**

   Faites l'expérience suivante. Glissez-déposez la troisième vignette dans le cadre 1, la deuxième dans le cadre 2 et la première dans le cadre 3. Appuyez ensuite sur la barre d'espace pour voir les trois séquences s'enchaîner. Visiblement quelque chose ne va pas ! Deux femmes descendent un escalier, puis l'une d'elles entre dans la maison, et enfin nous voyons un panoramique de la ville.

   Rectifiez cette organisation pour obtenir une cohérence dans le déroulement de l'action.

3. **Glissez-déposez la séquence 3 devant la 1.**

4. **Glissez-déposez la séquence 2 après la 3.**

   Vous obtenez une organisation des séquences identique à la celle de la Figure 7.4.

Figure 7.4 : Organisation des séquences pour une progression logique de l'action.

5. **Sélectionnez la première séquence dans la Fenêtre du film, et appuyez sur la barre d'espace.**

   Cette fois l'action est correcte… mais un peu longue. Vous allez y remédier en passant en mode Affichage de l'axe temporel, comme expliqué dans la prochaine section.

Voilà ! L'organisation logique des différentes séquences capturées est très simple à réaliser dans Pinnacle Studio. Mais ce n'est pas du montage ! Voyons comment rythmer davantage cette succession de trois séquences, et supprimer quelques imperfections.

Montage dans l'Axe de temps

L'organisation est une chose, le montage en est une autre. Que vous ayez défini temporairement ou définitivement la narration dans le Scénario, certaines séquences paraîtront trop longues ou comporteront des plans inutiles voire des erreurs grossières.

Partant des trois séquences organisées dans la précédente section, vous allez aborder la deuxième phase du montage dans Pinnacle Studio. Toutefois, comme votre projet est relativement bien en place ce serait dommage de tout perdre bêtement à cause d'une manipulation accidentelle ou une coupure de courant intempestive. Cliquez sur Fichier/Enregistrer le projet. Par défaut, Studio enregistre le projet dans le dossier Mes vidéos. Rien ne vous empêche d'en sélectionner un autre sur votre disque dur, et même d'en créer un. Dans le champ Nom du fichier de la boîte de dialogue Enregistrer sous, donnez un nom à votre projet vidéo comme "ma première vidéo", et cliquez sur Enregistrer. Tout au long de la procédure de montage, ayez le réflexe d'appuyer sur Ctrl+S pour enregistrer vos modifications majeures même si Studio est configuré par défaut pour procéder à un enregistrement automatique toutes les 180 secondes. Dans la barre de titre de Studio vous remarquerez l'apparition d'un astérisque chaque fois que vous modifiez le projet. Il indique que le projet n'a pas été enregistré, donc que vous risquez de perdre votre travail en cas de problème quelconque. Pour éviter cela, appuyez sur Ctrl+S.

Le montage depuis l'axe temporel de la Fenêtre du film se fait en cliquant sur l'icône Affichage Plan de montage. Le montage prend alors une drôle d'allure comme en témoigne la Figure 7.5.

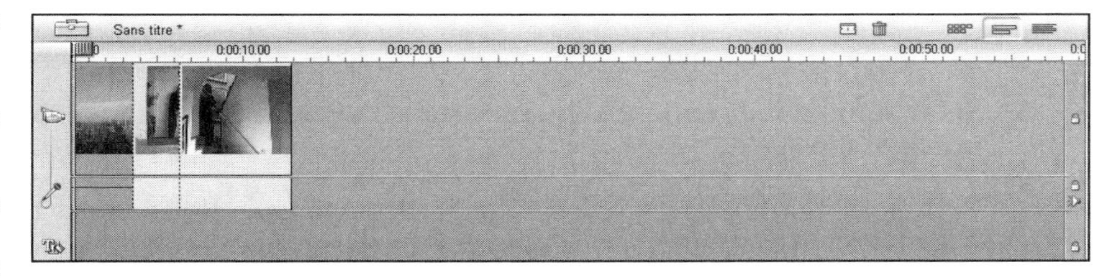

Figure 7.5 : Le "vrai" montage commence dans le plan de montage. Déconcertant de prime abord !

Difficile de reconnaître vos séquences. Cette représentation de la vidéo permet d'apprécier l'intégralité d'un long montage et de se placer immédiatement sur la durée qui nous intéresse. Pour voir la totalité de la première image de vos clips placés sur le plan de montage, positionnez le pointeur de la souris sur la ligne jaune affichant le temps. Il prend la forme d'une montre agrémentée de deux flèches pointant respectivement vers la gauche et vers la droite. Cliquez et ne relâchez pas le bouton de la souris. Si vous faites glisser ce curseur vers la droite, les images des séquences s'agrandissent jusqu'à devenir entièrement visibles. Si vous le faites glisser vers la gauche, vous réduisez lesdites images. Faites glisser le pointeur de la souris pour obtenir un résultat identique à celui de la Figure 7.6.

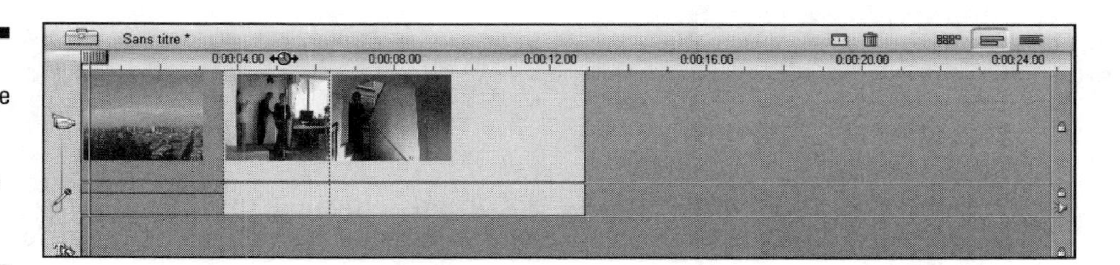

Figure 7.6 : Un plan de montage qui permet de bien voir la première image de chaque séquence.

Nous allons maintenant réduire cette séquence d'introduction et corriger un petit problème qui nuit à la continuité de la narration. Comme l'unique plan de la première séquence est trop long, nous allons en raccourcir le début et la fin. Voici comment procéder :

1. **Cliquez sur la première image de l'axe de temps.**

   Il s'agit de la séquence où l'on voit le panoramique sur la ville. Ce plan de situation est très classique. Il commence en fixe, puis la caméra opère une rotation sur son axe. Pour plus de modernité dans ce montage, éliminez le plan fixe et entamez la vidéo directement par le mouvement de caméra.

   Dès que vous cliquez, le fond de l'axe devient bleu.

2. **Approchez le pointeur de la souris du bord gauche de cette séquence.**

   Il prend la forme d'une flèche bleue dirigée vers la droite. Cela signifie que vous allez supprimer les premières images de la séquence.

3. **Appuyez sur le bouton de la souris et faites lentement glisser le pointeur vers la droite.**

   Regardez simultanément dans le Lecteur et/ou dans l'axe de temps. Le panoramique s'effectue comme si vous lisiez la vidéo. Cependant, cette fois, vous définissez la première image à partir de laquelle cette séquence va être lue. Relâchez le bouton de la souris dès que vous êtes satisfait. Dans notre exemple, relâchez le bouton de la souris dès que l'image montre le centre-ville.

4. **Procédez comme à l'étape 3 mais en plaçant le pointeur de la souris sur le bord droit de la première séquence, comme à la Figure 7.7.**

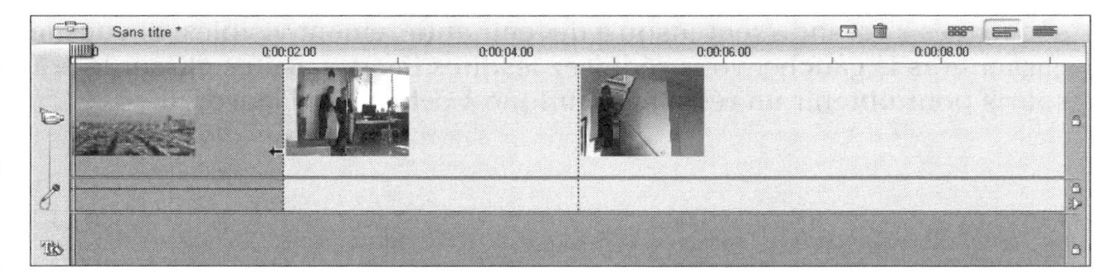

Figure 7.7 : Supprimez les images de fin qui ne vous intéressent pas.

Cette fois, le pointeur de la souris prend la forme d'une flèche dirigée vers la gauche indiquant que vous pouvez supprimer les images de fin de la séquence.

Appuyez sur le bouton de la souris sans le relâcher et déplacez la flèche vers la gauche pour marquer la fin de la séquence. Observez ce qui se passe dans le Lecteur et dans l'axe de temps. Dès que vous atteignez l'image de fin, relâchez le bouton de la souris. C'est fait ! La séquence est bien plus courte, suffisante, et nous pouvons corriger le petit problème qui apparaît au tout début de la deuxième séquence, c'est-à-dire le rapide fondu enchaîné. Le film s'enchaîne en "cut" c'est-à-dire en coupe franche. À ce moment du projet, le montage ressemble à celui de la Figure 7.8.

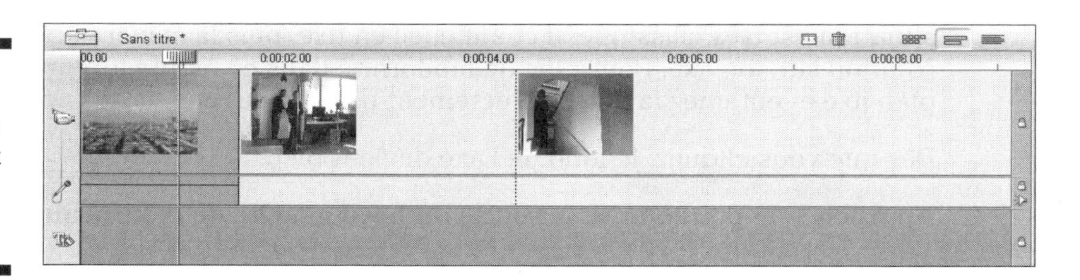

Figure 7.8 : La première séquence a été réduite en deux clics de souris, et sans altérer l'original.

Appréciez la qualité de vos coupes sans ciseaux ni colle en plaçant la tête de lecture au début du montage et en appuyant sur la barre d'espace pour lancer la lecture de la vidéo.

En deux opérations très simples vous avez défini ce que les professionnels du montage appellent un *point d'entrée* et un *point de sortie*. L'intérêt d'une telle technique, que l'on retrouve dans tous les logiciels de montage virtuel, est de conserver la séquence originale intacte. Si vous avez trop réduit la séquence, il suffit de procéder comme aux étapes 3 et 4 mais cette fois augmentez la durée de la séquence pour récupérer des images que vous ne vouliez pas à l'origine.

Une fois la lecture de la Séquence 1 terminée, Studio passe à la lecture de la Séquence 2. Que remarque-t-on ? Dès les premières images, une jeune femme entre dans une pièce, et un homme referme la porte. Tout cela est trop rapide. Nous pouvons introduire une ellipse dans ce début de séquence, c'est-à-dire occulter la fermeture de la porte. Corrigez ce problème en reprenant les techniques expliquées ci-dessus.

Cette technique de montage est la plus simple car vous ne vous souciez guère du temps, et n'avez pas inséré une séquence en plein milieu d'une autre pour montrer, par exemple, les évènements qui se déroulent à un autre endroit au même moment. Avec la Boîte à outils vidéo, Pinnacle Studio propose un autre type de montage, plus fin, plus précis, qui se rapproche, sans en avoir les performances, des systèmes proposés par les logiciels professionnels.

Montage avec la Boîte à outils vidéo

Comme son nom le suppose, la Boîte à outils vidéo ne se contente pas de faciliter le montage, mais permet aussi d'agir sur d'autres aspects de l'image. Limitons-nous pour le moment au montage. Nous allons voir comment utiliser cette boîte à outils pour définir plus précisément les points d'entrée et de sortie des séquences. Mais avant toute chose, supprimez les clips présents dans l'axe de temps. Voici comment procéder :

1. **Cliquez sur Edition/Sélectionner tout.**
2. **Appuyez sur la touche Suppr du clavier ou choisissez Edition/Effacer.**

   Toutes les séquences disparaissent de l'axe de temps. En revanche, elles sont intactes sur votre disque dur.

Pour effectuer avec la Boîte à outils vidéo un montage identique au précédent, procédez comme suit :

1. **Glissez-déposez la quatrième séquence sur le Plan de montage.**

   La configuration du montage est identique à celle de la Figure 7.9.

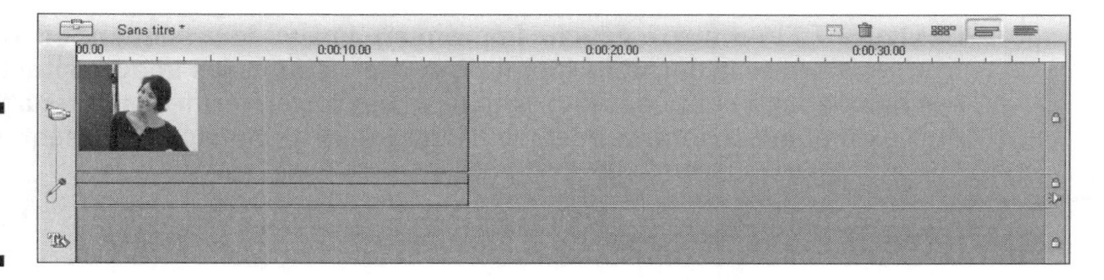

Figure 7.9 : Une séquence prête à être manipulée.

2. **Dans le coin supérieur gauche du Plan de montage, placez le pointeur de la souris à gauche de l'icône de la boîte à outils. Une Caméra apparaît. Cliquez dessus !**

   Vous accédez à la Boîte à outils vidéo représentée sur la Figure 7.10. Vous voyez à gauche la première image de la séquence et à droite sa dernière image. La définition des points d'entrée et de sortie en est que plus facile à réaliser.

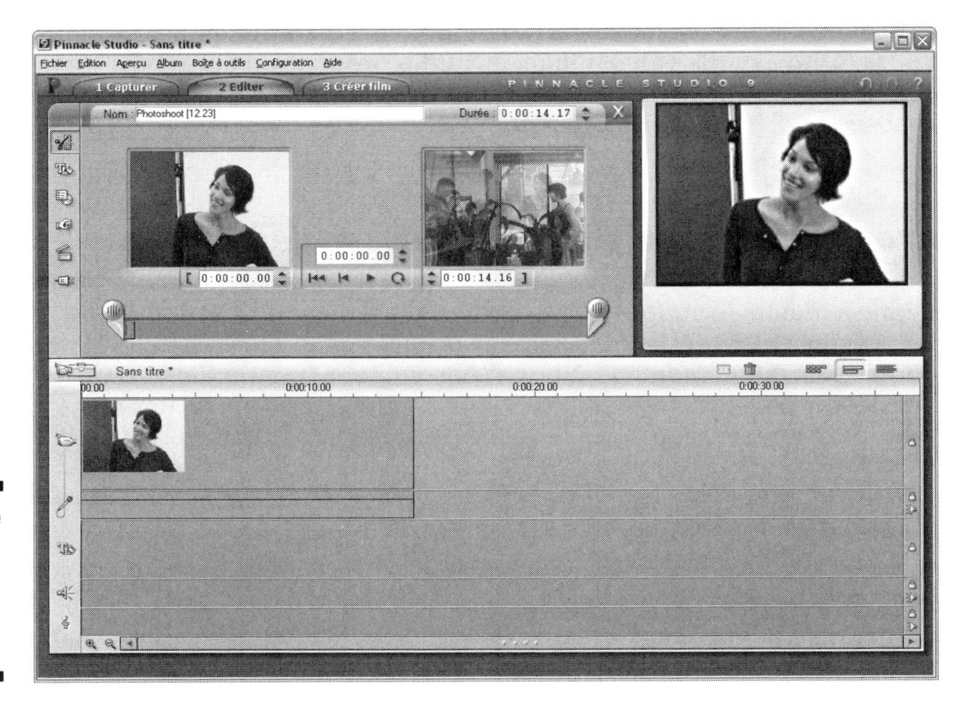

Figure 7.10 : Une interface de montage à l'image près digne des professionnels.

3. **Faites glisser vers la droite le gros curseur gauche pour définir le point d'entrée.**

4. **Faites glisser vers la gauche le gros curseur droit pour définir le point de sortie.**

   La Figure 7.11 montre à gauche la première image de la séquence (point d'entrée) et à droite la dernière (point de sortie). Toutes les images situées entre ces deux points sont conservées dans le montage. Vérifiez maintenant que la durée du plan est suffisante en ne lisant que cette portion de la séquence.

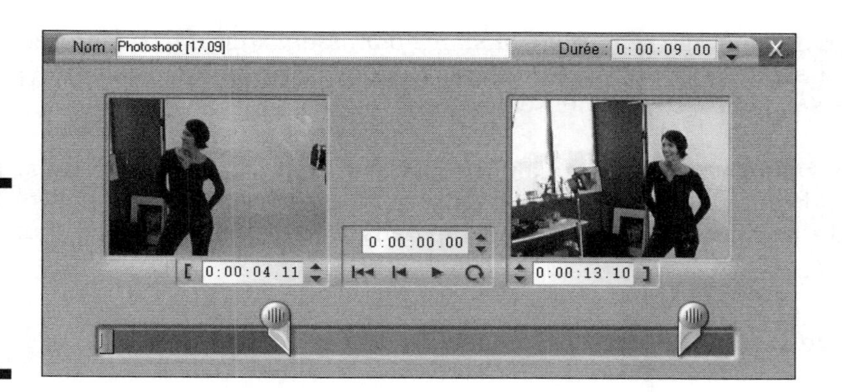

Figure 7.11 : Définition précise et visuelle du contenu d'une séquence.

5. **Au centre de la boîte à outils, cliquez sur le bouton Aller au début du clip coupé.**

6. **Cliquez ensuite sur le bouton Lire le clip découpé.**

   Le résultat s'affiche dans le Lecteur. Pas mal !

Le champ Durée en haut à droite de la boîte à outils affiche la durée totale de la séquence modifiée. Les champs numériques situés sous chaque image affichent les codes temporels respectifs de la première et de la dernière image de la séquence.

Vous pouvez saisir directement le code temporel d'entrée et de sortie. Par exemple, si vous désirez que le point d'entrée se situe à deux secondes du début du clip saisissez 0:00:02:00 dans le champ gauche. Ensuite, pour définir le point de sortie à quatre secondes, saisissez 0:00:04:00 dans le champ de gauche.

Vous venez d'apprendre à utiliser un outil de montage plus précis. Pour modifier de la sorte plusieurs séquences placées dans le Plan de montage, double-cliquez sur chaque clip. Il s'ouvre dans la Boîte à outils vidéo. Définissez intuitivement les points d'entrée et de sortie de chaque séquence. En d'autres termes, vous supprimez les images de début et de fin qui ne vous servent pas. Amusez-vous avant de passer à un autre aspect du montage, l'insertion d'une séquence au milieu d'une autre.

Une fois vos modifications opérées, cliquez sur le bouton de fermeture de la Boîte à outils vidéo (le gros X).

Montage par insertion

Tout ce que nous avons vu jusqu'à présent se limite à un montage très simple qui consiste à juxtaposer des séquences dont on supprime des éléments au début et à la fin. Ce type de montage se nomme *montage par assemblage*. Mais, l'intérêt du montage virtuel est de pouvoir insérer des séquences les unes dans les autres, en toute simplicité, sans perdre le travail réalisé jusqu'à présent.

Le *montage par insertion* sert à cela. Il permet, par exemple, de voir ce qui se passe à un autre endroit au même moment, et de revenir dans la scène sans rupture de continuité. En d'autres termes, on insère un clip dans un autre clip, ou entre deux clips.

Insérer une séquence entre deux séquences

La procédure est très simple. Nous allons insérer les divers clips donnés en exemple par Pinnacle. L'important est que l'insertion ne brise pas la continuité outre mesure mais qu'elle fasse naître chez le spectateur l'idée qu'il se déroule un évènement ailleurs en rapport ou non avec l'action en cours, voire à l'intérieur même de l'action. Dans le fichier Photoshoot, la séance de photo est un peu étrange. Le mannequin prend en main une caméra mini DV, la tend à bout de bras, puis on a une succession de gros plans de ce visage. Nous allons insérer des gros plans au sein même des autres séquences pour en rompre la monotonie.

Voici comment procéder :

1. **Placez sur le Plan de montage les séquences 4, 5 et 10.**

2. **En utilisant les techniques décrites dans les précédentes sections, réduisez la durée de la première séquence en vous focalisant que sur le plan américain du mannequin. Ensuite, éliminez tous les fondus enchaînés des autres séquences.**

3. **Glissez-déposez entre les deux premières séquence du Plan de montage le gros plan actuellement placé en fin de montage.**

   Réduisez la fin du clip pour éliminer le fondu enchaîné. Faites-le soit depuis le Plan de montage, soit depuis la Boîte à outils vidéo.

   Voilà, vous venez d'insérer un clip dont vous avez réduit la durée. Mais pour rester en accord avec la continuité de l'histoire, insérez de nouveau la Séquence 1.

Insérer une séquence dans un clip fractionné

Le résultat obtenu dans la précédente section peut être réalisé de manière plus précise en fractionnant la Séquence 1 pour insérer le gros plan sans rompre la continuité.

Pour les besoins de cet exemple, supprimez la dernière séquence du Plan de montage.

Voici comment insérer une séquence dans un clip préalablement fractionné :

1. **Dans le Plan de montage, placez la tête de lecture au début du film.**
2. **Lancez-en la lecture depuis le Lecteur.**
3. **Arrêtez la lecture à l'endroit précis où vous désirez insérer une autre séquence dans ce clip.**

   Par exemple à la durée 0:00:05:00.

4. **Dans le Plan de montage, cliquez sur le bouton Fractionner le clip (à gauche de l'icône de la poubelle), comme à la Figure 7.12.**

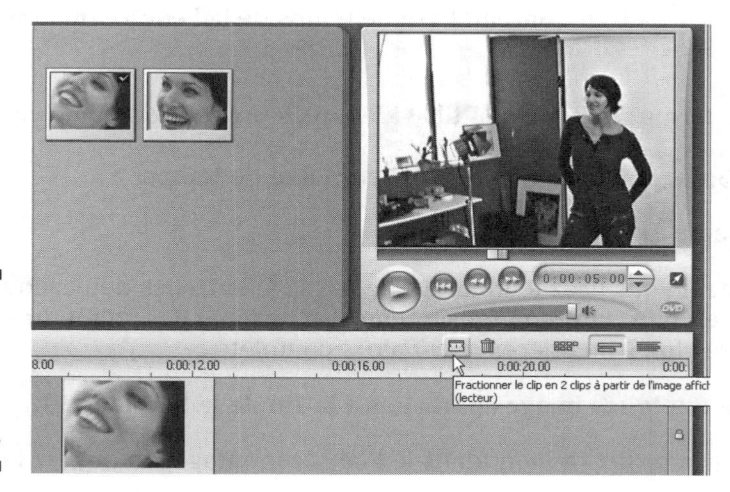

Figure 7.12 : Fractionner permet de couper à l'intérieur même d'une séquence.

La séquence ainsi fractionnée représente désormais deux clips dans l'axe de temps de la Fenêtre du film.

5. **Glissez-déposez la seconde séquence (gros plan) entre les deux parties du clip fractionné.**

   Vous pourriez également glisser-déposer un clip de l'album.

6. **Placez la tête de lecture en début de montage et lisez la vidéo.**

   L'insertion est parfaite et la séquence fractionnée est coupée dans l'action sans rupture de continuité.

Difficile de faire le tour d'un logiciel aussi riche de Pinnacle Studio 9. Toutefois, avec ces quelques exercices de montage vous avez acquis toutes les bases pour parfaire des montages sophistiqués. Pour aller plus loin dans la découverte des outils de Studio, voyons comment passer d'une séquence à une autre avec un effet de transition.

Utiliser des transitions

Les transitions sont des effets utilisés pour passer progressivement d'une séquence à une autre. Elles montrent un changement de lieu, une progression de temps ou encore l'évolution d'une situation. Elles permettent de faire passer un sentiment narratif que ne parvient pas à distiller ce que l'on appelle le montage en *cut* c'est-à-dire le montage en *coupe* que vous avez expérimenté jusqu'à présent.

Commencez par vider de tout contenu l'axe de temps de la Fenêtre du film (Ctrl+A, puis Suppr).

Si elle est ouverte, fermez la Boîte à outils vidéo, puis procédez comme ceci :

1. **Depuis l'Album, placez la Séquence 1 sur l'axe de temps.**

2. **Faites de même avec la Séquence 4.**

   À cet instant, si vous lisez le montage, le passage entre les deux séquences est brutal, mais en plus, la première séquence se termine par un fondu enchaîné avec un autre clip. L'incohérence est alors complète.

3. **Eliminez les quelques images parasites à la fin de la Séquence 1.**

   Pour cela, agissez directement dans le Plan de montage, ou ouvrez la Boîte à outils vidéo.

3. **Dans la partie gauche de l'Album, cliquez sur l'icône représentant un éclair.**

   Vous accédez à la section Transitions de l'album représentée sur la Figure 7.13. Par défaut, Pinnacle Studio affiche les transitions standard. Pour accéder à des effets plus sophistiqués, cliquez sur la liste.

   Restons simple et appliquons un fondu enchaîné qui permet de lier progressivement un plan de situation au mannequin en train de poser.

4. **Glissez-déposez la transition Fondu enchaîné entre les deux séquences.**

   L'axe de temps ressemble alors à celui de la Figure 7.14.

Figure 7.13 : La caverne aux Transitions aussi riches que multiples.

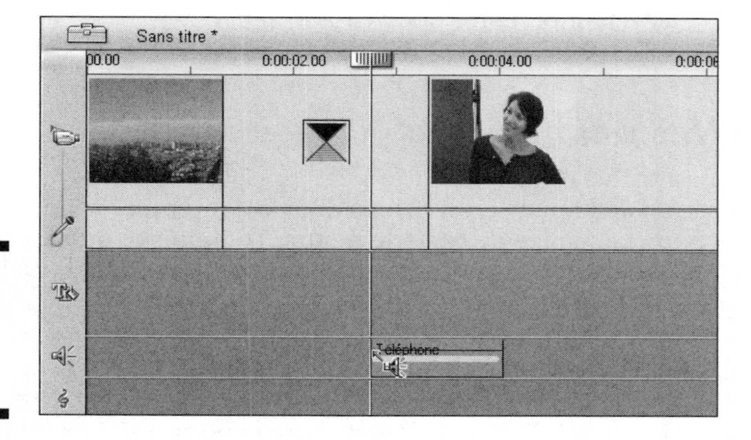

Figure 7.14 : Le fondu enchaîné est placé entre les deux séquences.

5. **Lancez la lecture du montage.**

   Le passage entre les deux séquences s'effectue progressivement. Du travail de pro !

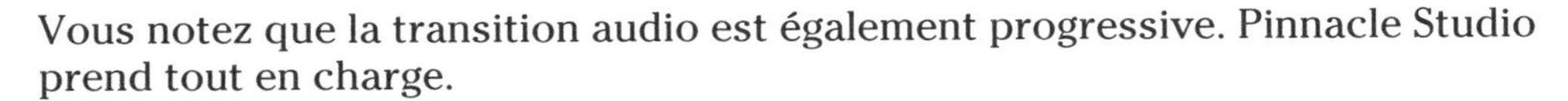

Vous notez que la transition audio est également progressive. Pinnacle Studio prend tout en charge.

Pour réduire ou allonger la durée du fondu, placez le pointeur de la souris sur son bord gauche ou droit. Quand il prend la forme d'une flèche étirez le symbole du fondu dans l'une ou l'autre direction. Ce n'est pas plus compliqué.

Chaque fois que vous sélectionnez une transition le Lecteur en affiche un aperçu en simulant un passage de la lettre A à la lettre B.

Testez tous les types de fondu qui existent… vous en avez pour un moment. Sachez que Pinnacle fournit avec ses cartes et ses logiciels la gamme des effets Hollywood FX qui propose des transitions en 3D assez impressionnantes, dignes des studios de télévision professionnels. Toutefois, comme ces effets nécessitent des machines puissantes et un certain temps de calcul, Studio les affiche en basse résolution. Cela permet de voir si la transition est à propos ou non.

Ajouter du son

Si vous regardez bien l'interface de Pinnacle Studio, vous remarquez, dans la Fenêtre du film, la présence de l'icône d'un haut-parleur et juste en dessous, celle d'une clé de sol. Il s'agit des pistes effets sonores/commentaires et musique.

Cette section montre comment les utiliser et asservir le son aux besoins d'un montage aussi simple que la transition entre deux clips vidéo.

Ajouter un effet sonore

Pour illustrer l'utilisation de la piste audio, nous allons ajouter une sonnerie de téléphone sur la seconde séquence de l'axe de temps. Toutefois, n'oubliez pas que nous passons progressivement, par un fondu enchaîné, de la Séquence 1 à la Séquence 2.

Pour ajouter un téléphone qui sonne :

1. **Dans l'Album, cliquez sur l'icône du haut-parleur pour afficher les effets sonores comme sur la Figure 7.15.**

   La configuration de pistes est identique à celle de la Figure 7.15.

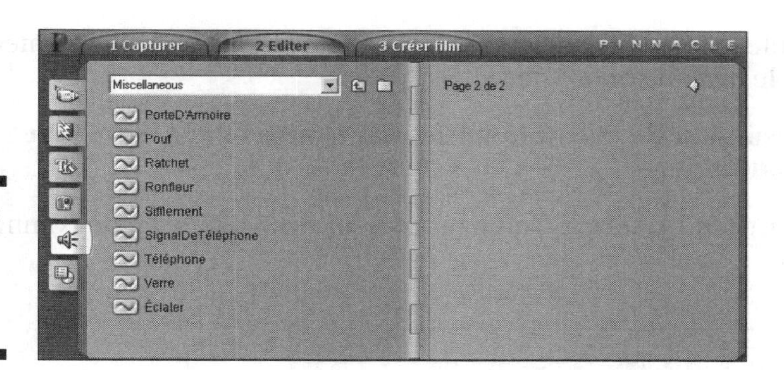

Figure 7.15 : Les effets sonores proposés en standard par Studio.

2. **Ouvrez la liste des effets sonores, et sélectionnez Miscellaneous (c'est-à-dire Divers, qui n'est pas traduit dans le logiciel). Ensuite, cliquez sur Téléphone pour sélectionner cet effet.**

   Vous devez cliquer sur la petite flèche située dans le coin supérieur droit de l'album pour accéder à cet effet.

   Il est immédiatement lu par le lecteur de Pinnacle Studio.

3. **Glissez-déposez l'icône du son Téléphone de manière qu'il chevauche la transition et le second clip comme sur la Figure 7.16.**

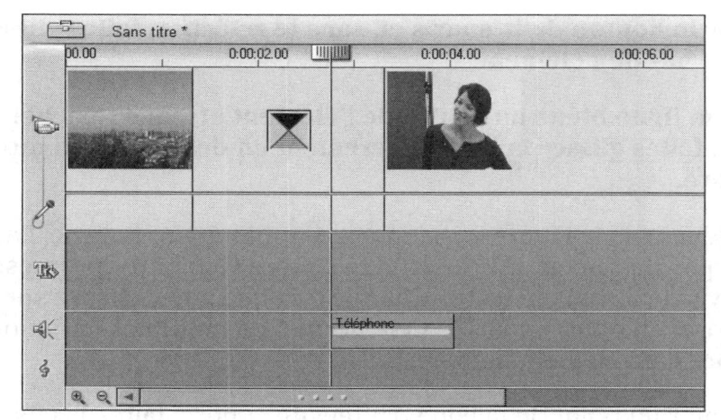

Figure 7.16 : Positionnement d'un effet sonore sur la piste audio.

   Si vous lisez le montage, vous notez que le son du téléphone est bien trop fort tout au long de la transition. Pour agir sur le volume sonore de l'effet ajouté, passez à l'étape 4.

4. **Dans le Plan de montage, cliquez sur l'élément audio de la piste son pour le sélectionner.**

Une ligne bleue apparaît au centre et sur toute la longueur de l'élément. Elle symbolise le niveau sonore de l'effet.

5. **Placez le pointeur de la souris sur le bord gauche de la ligne bleue de l'élément audio.**

   Le pointeur prend la forme d'un haut-parleur orné d'une flèche comme sur la Figure 7.17.

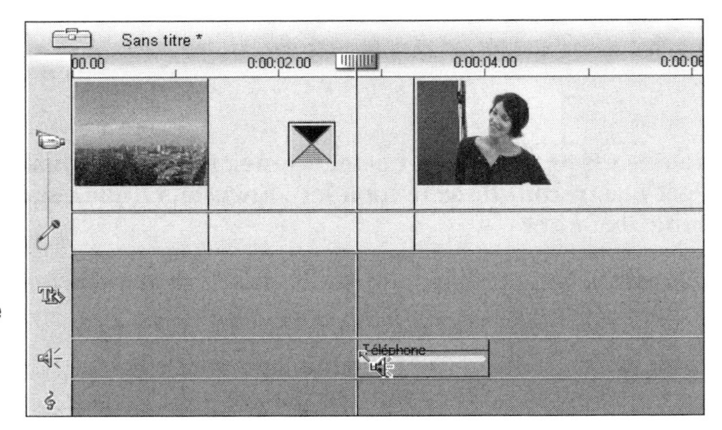

Figure 7.17 : Ce symbole permet d'agir sur la ligne du volume sonore de l'élément audio.

6. **Appuyez sur le bouton de la souris et, sans le relâcher, faites glisser la ligne bleue vers le bas de l'élément.**

7. **Cliquez sur la ligne bleue au centre de l'élément et, sans relâcher le bouton de la souris, faites glisser la ligne légèrement en dessous de la moitié du niveau sonore.**

   Comme en témoigne la Figure 7.18, un point apparaît sur la ligne. La forme de la ligne indique clairement que le volume sonore va monter progressivement en accord avec le fondu enchaîné. Chaque fois que vous agissez sur la ligne du volume sonore, un point apparaît. Cela permet de multiples variations du niveau sonore d'un élément audio.

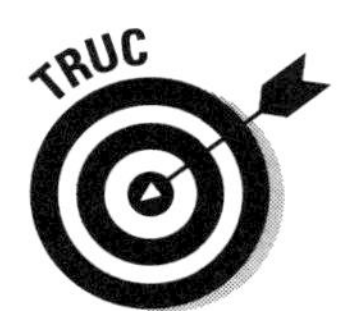

   Pour supprimer un point de la ligne d'intensité sonore, faites-le glisser en dehors de l'élément et relâchez le bouton de la souris.

8. **Lisez le montage et regardez l'image tout en écoutant bien le son.**

   L'effet est réaliste et il donne l'impression que le téléphone sonne dans la seconde séquence et non dans la première.

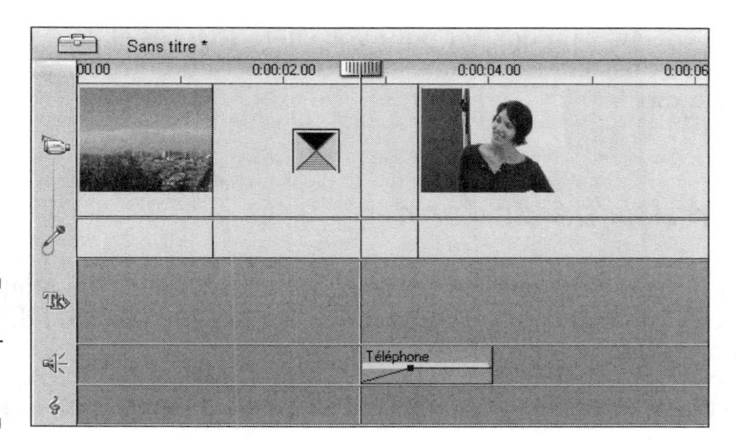

Figure 7.18 : Montée progressive du volume du téléphone.

Pour régler plus précisément le volume sonore de chaque piste et le volume général de la vidéo, placez le pointeur de la souris sur le côté droit de l'icône de la Boîte à outils. Un haut-parleur apparaît. Cliquez dessus pour accéder à la Boîte à outils audio représentée sur la Figure 7.19. Agissez sur le volume des pistes qui vous intéressent. Dans notre exemple, gérez le volume général du téléphone en faisant tourner vers la gauche le bouton circulaire situé à proximité de l'icône du haut-parleur (bouton du *gain*). Cette action *normalise* le niveau sonore global du téléphone sans modifier la montée progressive définie dans l'axe du temps. Pour vous en convaincre, lancez la lecture du montage et regardez le comportement du curseur (potentiomètre). Il monte automatiquement jusqu'au niveau maximum spécifié dans cette Boîte à outils audio.

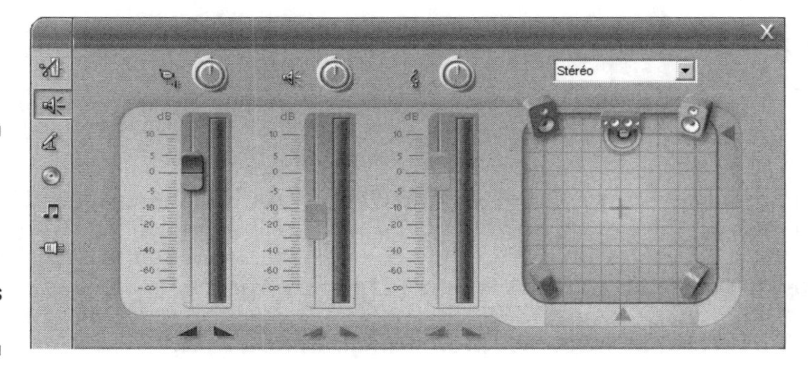

Figure 7.19 : La Boîte à outils audio permet, entre autres, de régler le volume global des pistes audio.

Bien entendu, vous n'êtes pas limité aux effets audio de Pinnacle Studio. Vous pouvez créer vos propres effets tirés de vos vidéos personnelles. Tout fichier WAV (format audio par défaut de Windows), MP3, voire AVI (format vidéo par défaut de Windows) peut servir d'élément audio. Copiez-les dans le dossier Sound Effects de

Pinnacle Studio, ou spécifiez un dossier pour vos effets sonores et accédez-y en cliquant sur l'icône du dossier située dans la partie supérieure droite du volet gauche de l'album audio.

Ajouter une musique de fond

La procédure d'ajout d'une musique de fond est identique à celle d'un effet sonore. La seule différence est que vous placez la musique sur la piste Musique de fond de la Fenêtre du film. Voici comment procéder :

1. **Cliquez sur l'icône Créer automatiquement un fond musical de la Boîte à outils audio.**

   Vous accédez aux styles, chansons et versions par défaut de Pinnacle Studio comme le montre la Figure 7.20. Vous pouvez en acquérir d'autres en cliquant sur le bouton SmartSound, mais pour le moment contentez-vous de celles proposées par défaut.

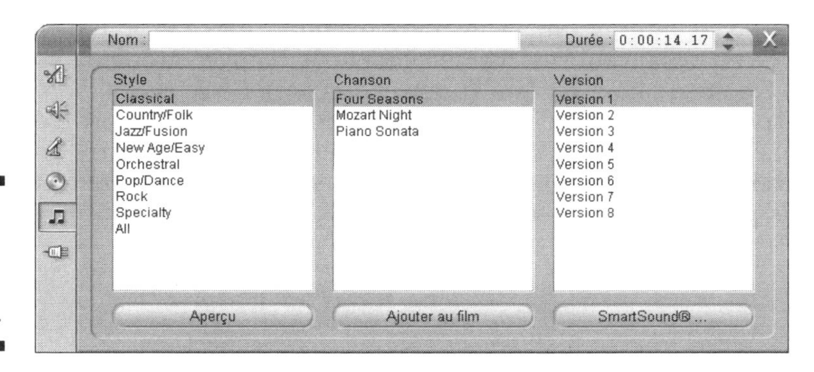

Figure 7.20 : Les outils d'accompagnement musicaux de Pinnacle Studio.

2. **Dans la colonne Style choisissez Pop dance ; dans Chanson, On The Town ; dans Version, Version 3.**

3. **Écoutez la sélection par un clic sur le bouton Aperçu.**

4. **Pour l'intégrer à la vidéo, cliquez sur Ajouter au film.**

   Attention, car la musique apparaît à l'endroit où se situe la tête de lecture dans le Plan de montage.

   La durée de la musique est fonction de celle de la séquence où se trouve la tête de lecture.

5. **Cliquez sur l'élément musical et glissez-le au début du film.**

6. **Pour que la musique couvre la totalité du montage, placez le pointeur de la souris sur le bord droit de l'élément musical.**

   Le pointeur prend la forme d'une double flèche.

7. **Cliquez et faites glisser ce bord droit jusqu'à la fin du montage.**

8. **Ajustez le volume comme vous l'avez fait pour le téléphone dans la précédente section.**

   Il est judicieux ici que le son monte progressivement au début de la vidéo, puis se stabilise et se réduise encore légèrement. Baissez également le niveau global du son de la piste audio d'origine. Une fois tous vos réglages terminés, vous obtenez une configuration de pistes identique à celle de la Figure 7.21. Écoutez et regardez ! Le résultat ne manquera pas de surprendre un débutant tel que vous.

Figure 7.21 : Une séquence vidéo montée et sonorisée.

Rien ne vous empêche d'ajouter des effets sonores et des musiques de qualité CD. Le résultat sera parfait. Envisagez ces exercices comme un apprentissage. La qualité finale ne dépendra que de vous !

Génial ! Mais ce n'est pas tout. Vous pouvez personnaliser une vidéo grâce à quelques effets qui, sans en abuser, donneront un sacré caractère à vos travaux.

Appliquer des effets vidéo

C'est sans doute dans ce domaine que Pinnacle Studio 9 a fait le plus de progrès. Les filtres vidéo sont gérés dans une toute nouvelle interface, et se répartissent en catégorie :

- ✦ Effets de netteté.
- ✦ Effets de temps (qui agissent sur la vitesse de lecture de la vidéo).
- ✦ Effets de couleurs.
- ✦ Effets fantaisie.
- ✦ Effets de style.

Il n'est pas possible d'étudier chaque filtre en détail. Nous allons simplement acquérir les principes d'utilisation des effets de Studio 9. A vous ensuite de sélectionner ou non ceux qui s'adaptent le mieux à votre vidéo et au sens que vous désirez donner à vos images.

Pour appliquer un effet sépia, diminuer la luminosité et augmenter le contraste, conformez-vous aux étapes suivantes :

1. **Dans le Plan de montage, double-cliquez sur la seconde séquence.**

   Vous ouvrez la Boîte à outils vidéo.

2. **Cliquez sur l'icône Ajouter un effet à un clip vidéo (elle ressemble à une prise de courant).**

   L'environnement Studio ressemble alors à celui de la Figure 7.22.

3. **Dans la liste Catégorie, sélectionnez Effets de couleurs.**

4. **Dans la liste Effet, cliquez sur Correction des couleurs.**

5. **Cliquez sur OK.**

   L'effet s'affiche dans la zone Effets vidéo de l'interface, et les paramètres là où vous avez sélectionné l'effet.

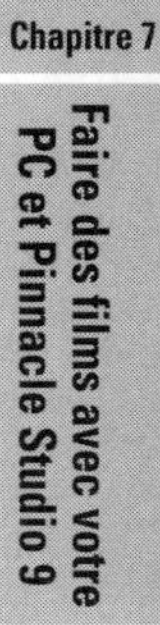

Figure 7.22 : Les nouveaux effets de Studio 9.

6. **Modifiez les valeurs des paramètres Luminosité et Contraste.**

   Il suffit de faire glisser les curseurs correspondant ou de saisir directement une valeur dans les champs de ces réglages.

7. **Cliquez ensuite sur Ajouter un nouvel effet.**

8. **Dans la liste Effet, cliquez sur Sépia, puis sur OK.**

   L'effet Sépia se cumule à la Correction des couleurs. Vous pouvez modifier l'intensité Sépia en agissant sur le curseur Quantité.

Pour apprécier et régler plus facilement un effet indépendamment des autres, décochez ceux dont vous n'avez pas besoin dans la liste Effets vidéo.

Si vous ne souhaitez pas appliquer un des effets, cliquez dessus dans la liste Effets vidéo, puis sur l'icône de la poubelle de l'interface d'application des effets comme l'illustre la Figure 7.23.

Figure 7.23 : Gestion des effets vidéo de Pinnacle Studio 9.

Le Lecteur affiche immédiatement les images du clip modifiées par les effets.

8. **Dans le Lecteur, cliquez sur le bouton Aller au début.**

9. **Cliquez sur le bouton Lecture pour voir l'effet ainsi obtenu.**

La lecture est heurtée. Cela est normal car la prévisualisation se fait en temps réel alors que les effets ont besoin d'être calculés. Vous pourriez vérifier que tout est parfait en créant un film. Mais, pour le moment, poursuivons notre découverte et notre apprentissage du montage virtuel en ajoutant un titre de début et un générique de fin.

Plus vous ajoutez de transitions, d'effets, et d'éléments audio, plus la lecture risque d'être heurtée, et de vous désabuser. Sachez que cela n'aura aucune conséquence sur le fichier vidéo final. Une fois calculé, le film sera correctement enregistré sur bande. Toutefois, Studio 9 dispose d'une nouvelle fonction d'optimisation du rendu pendant l'aperçu ou pour l'enregistrement sur bande. Cela ralentit quelque peu votre travail, mais permet de se faire une idée précise de la vidéo finale. Pour activer ou désactiver cette optimisation, cliquez sur Configuration/Edition. Dans la liste Rendu, choisissez Optimiser pour l'aperçu. Toutefois, bien qu'utile, cette fonction connaît des limites. Dès que les effets sont trop nombreux ou les transitions trop complexes, Studio ne peut proposer un aperçu de qualité. La lecture est heurtée. Il faut vous y faire, sachant que cela ne nuit pas au film que vous compilerez pour un enregistrement sur bande ou une gravure sur DVD.

Montage vidéo facile avec SmartMovie

SmartMovie est une nouvelle fonction de Pinnacle Studio 9. Elle permet, en quelques clics de souris de créer une vidéo musicale complète. Cette fonction autorise, par exemple, la création d'une séquence musicale qui prendra place dans une vidéo plus globale. Ainsi, vous pourrez facilement agrémenter vos films de vacances d'une belle séquence nostalgique sur les plages de l'atlantique.

Avec SmartMovie, vous sélectionnez vos clips, une musique, et Studio se charge du reste. Voici comment procéder :

1. **Ouvrez la Boîte à outils vidéo.**

2. **Cliquez sur le bouton représentant un clap de cinéma.**

   Vous accédez à SmartMovie comme le montre la Figure 7.24.

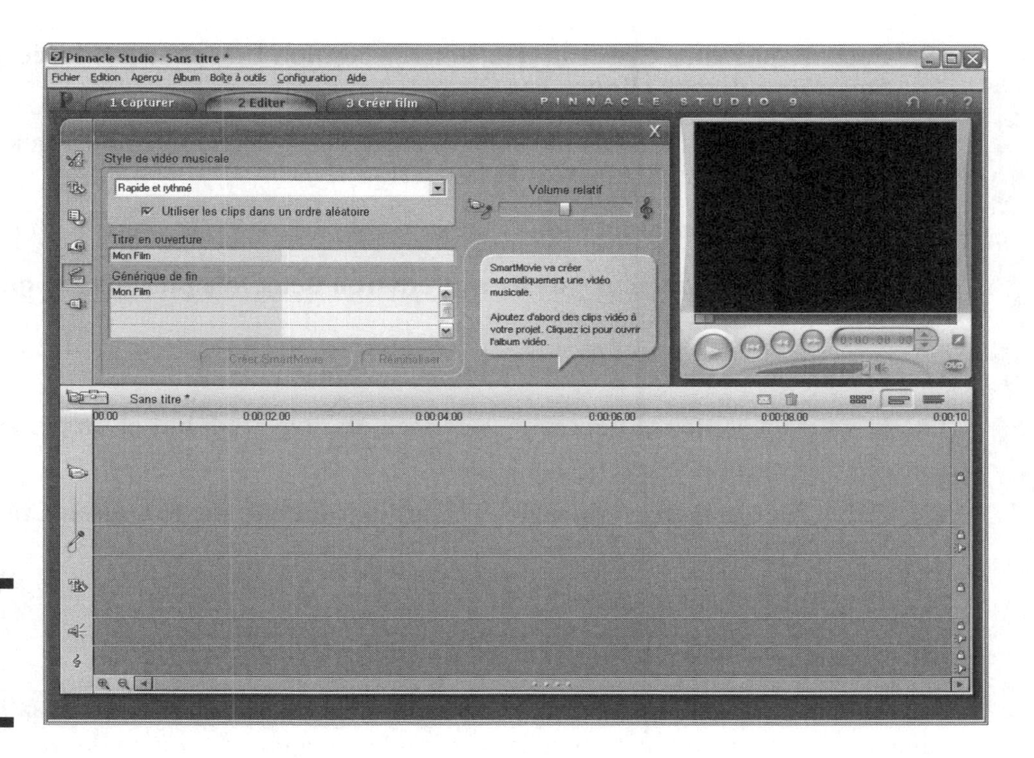

Figure 7.24 : Le montage vidéo facile avec SmartMovie !

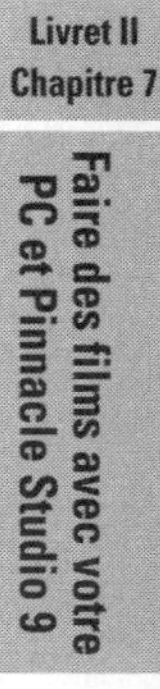

3. **Comme on vous le demande, cliquez sur la bulle.**

   Vous accédez à l'Album des clips. Comme nous voulons simplement illustrer cette fonction, placez n'importe quels clips et dans n'importe quel ordre sur le Plan de montage ou le Scénario.

4. **Réduisez si nécessaire la longueur des clips, fractionnez-les, et insérez d'autres clip... en d'autres termes montez rapidement vos séquences, bien que vous pourriez les laisser telles qu'elles sont.**

5. **Cliquez sur Retourner à SmartMovie.**

6. **Dans la première liste de cette fonction, sélectionnez le type de clip musical que vous désirez créer.**

   Par exemple, choisissez Rapide et Rythmé, et pour plus de surprise, cochez l'option Utiliser les clips dans un ordre aléatoire.

7. **Cliquez de nouveau sur la bulle pour sélectionner la musique du clip.**

   Une boîte de dialogue apparaît. Vous pouvez soit choisir une musique stockée dans votre dossier Ma musique, soit extraire une piste d'un CD audio, soit sélectionner une chanson SmartSound.

8. **Pour ne pas vous casser la tête, activez l'option Une chanson créée par SmartSound, puis cliquez sur OK.**

   Dans l'interface SmartSound, sélectionnez un style, par exemple Rock, une Chanson, comme Gladiators, et la Version 1.

9. **Cliquez sur Ajouter au film.**

10. **Etirez la musique pour qu'elle soit environ deux fois plus longue que la totalité du film.**

11. **Cliquez sur Cliquez ici pour retourner à SmartMovie.**

12. **Si vous en sentez la nécessité, saisissez un titre de début et un générique de fin.**

13. **Enfin, lancez la procédure de création par un clic sur le bouton Créer SmartMovie.**

    Très rapidement le clip est prêt.

13. **Cliquez sur le bouton de lecture du Lecteur.**

Avec les éléments sélectionnés, SmartMovie fait de son mieux pour créer le clip. Il cadence les images en fonction de la piste audio, et ajoute les effets de transition qu'il juge nécessaires. Par conséquent, SmartMovie coupe aléatoirement vos séquences. Avec un peu de pratique vous réaliserez des clips plus sophistiqués. Si le résultat ne vous satisfait pas, choisissez un autre style et relancez la création de SmartMovie.

Titre et générique dans Pinnacle Studio

Un titre et un générique de fin sont deux éléments qui donnent un aspect résolument professionnel à une vidéo d'amateur. De plus, ils permettent, dans certaines circonstances, d'utiliser le texte à des fins narratives, ou pour localiser un lieu si vous relatez dans une vidéo de quinze heures vos périples expéditionnaires des vingt dernières années.

Passons aux choses sérieuses ! Une fois le montage terminé, ajoutez un titre au début de la vidéo et un générique de fin à la... fin.

Titre

Le projet en cours ne permet pas de connaître la nature du sujet traité dans la vidéo. Si vous avez lu toutes les séquences, vous savez qu'il s'agit d'une jeune femme qui se rend à une séance de photographies. En fonction du montage, la nature même d'une vidéo peut changer. Par exemple, avec un fondu enchaîné et un traitement sépia, nous donnons l'impression que cette jeune femme pense à ce que sera cette séance. C'est un grand moment de sa vie. Le titre doit donc être en rapport avec le sujet traité, mais peut aussi procéder d'un fin jeu de mots pour laisser planer un doute ou faire naître une ambiguïté qui sera estompée par la vision du film.

Pinnacle Studio rend la procédure de création d'un titre d'une facilité enfantine. Dans la Fenêtre du film, vous observez la présence d'une icône contenant la lettre T. Ne vous prenez surtout pas pour un génie si vous déduisez qu'elle symbolise la piste de titre ! C'est en effet ici que vous placerez les éléments de titrage.

Partant de notre vidéo composée de deux séquences liées par un fondu enchaîné, suivez les étapes ci-dessous pour ajouter un titre au début de votre futur film :

1. **Dans l'Album, cliquez sur l'icône Afficher les titres.**

   Symbolisée par la même icône que celle de la piste des titres, elle affiche une série de titres prédéfinis personnalisables comme le montre la Figure 7.25.

Figure 7.25 : Les titres prédéfinis de Pinnacle Studio.

   Ici le choix importe peu. Sauf si vous êtes fainéant, vous personnaliserez le titre par défaut pour que son aspect coïncide avec la nature de votre film. On ne titre pas de la même manière Vidéogag et Thalassa.

2. **Glissez-déposez dans la piste de titre la vignette affichant Avec votre nom.**

   À peine en place le miracle se produit. Le titre apparaît en surimpression sur l'image. Pour le moment, ne vous préoccupez pas de son emplacement et de son apparition, mais plutôt de son aspect.

Personnellement, je n'aime ni la police, ni la couleur, et constate que le titre n'a aucune signification pour cette vidéo. Modifiez tout cela avec l'étape suivante.

3. **Double-cliquez sur l'élément de la piste de titre.**

   Vous accédez à un éditeur de titre représenté sur la Figure 7.26. C'est ici que vous allez personnaliser le titre.

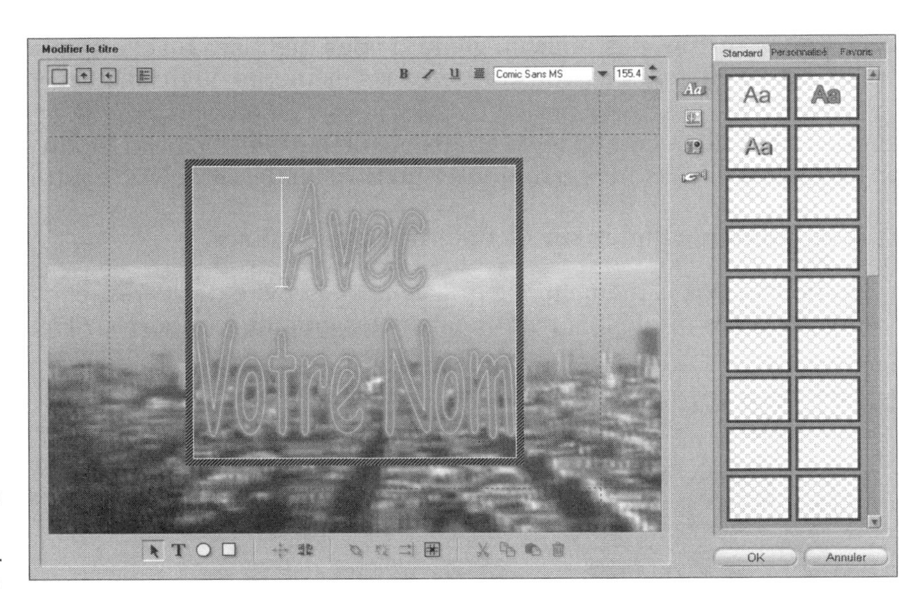

Figure 7.26 : L'éditeur de titre.

   Il fonctionne comme un programme de traitement de texte.

4. **Supprimez le contenu du titre.**

   Sélectionnez les lettres et saisissez un autre titre, ou appuyez sur la touche Suppr jusqu'à ce qu'il n'y ait plus aucun mot affiché dans l'éditeur.

5. **Saisissez votre titre, par exemple "Photoshoot".**

   Comme la police est trop fantaisiste, cliquez sur la bande zébrée qui entoure le titre. La zone de saisie de titre est maintenant sélectionnée.

6. **Cliquez sur la flèche de la liste des polices et choisissez une police sobre comme Arial.**

   Si besoin, diminuez ou augmentez la taille de la police soit en cliquant sur les petites flèches situées à droite de la valeur de la taille, soit en saisissant directement sa valeur dans ce champ.

Maintenant, modifiez la représentation même du titre.

7. **Choisissez un autre effet parmi les icônes de l'onglet Standard.**

   Pour cette vidéo, optons pour le texte blanc au contour noir, c'est-à-dire l'effet 05-8.

TRUC

   Le numéro de l'effet apparaît quand vous laissez le pointeur de la souris sur l'icône pendant une seconde.

8. **Cliquez sur l'onglet Personnalisé pour modifier les paramètres de l'effet appliqué au texte.**

   Ici, laissez faire votre sens artistique. Vous pouvez rendre les caractères plus flous, augmenter l'épaisseur du contour noir, changer la couleur des caractères et/ou de la bordure, atténuer celle-ci, décaler l'ombre et modifier sa direction.

   J'ai défini les paramètres suivants (voir la Figure 7.27) :

   - Flou des caractères : 10
   - Epaisseur de la bordure : 6

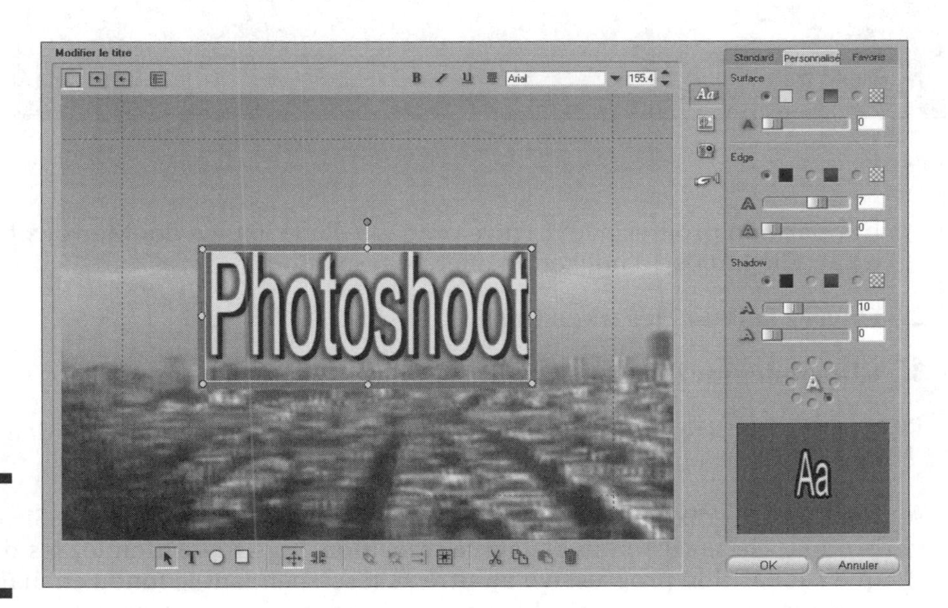

Figure 7.27 : Définition du titre.

Pour ne pas parasiter l'image, placez le titre en bas à droite, à la limite des lignes rouges en pointillé.

Vous ne pouvez modifier ces paramètres que si le texte est sélectionné dans sa zone !

9. **Cliquez sur OK pour appliquer ce nouveau titre à la vidéo.**

L'aspect du titre est défini. Il faut maintenant le positionner correctement, définir sa durée, et tenter de le faire apparaître progressivement :

1. **Glissez-déposez l'élément à son nouvel emplacement.**

   Comme nous envisageons de le faire apparaître progressivement, placez-le au début de la transition, et réduisez sa longueur de manière qu'elle coïncide avec le début du téléphone comme sur la Figure 7.28.

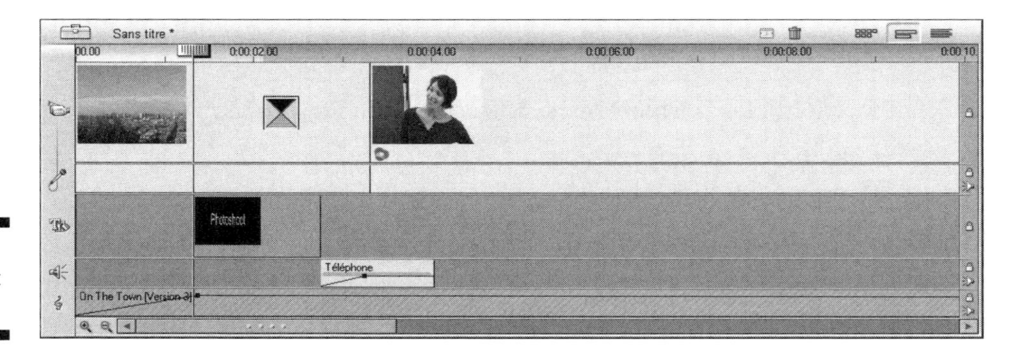

Figure 7.28 : Positionnement du titre.

   L'apparition progressive du titre procède d'une astuce dont je vous fais cadeau. Elle impose d'utiliser un effet de transition.

2. **Ouvrez l'album des transitions.**

3. **Glissez-déposez la transition Fondu devant l'élément du titre.**

   C'est ça l'astuce ! Placer le fondu dans la piste de titre et non pas dans la piste des clips ! (J'ai bien dit Fondu pas Fondu enchaîné.)

   Neuf fois sur dix, l'élément de transition se place derrière le titre. Si cela se produit, glissez le fondu devant la transition, puis repositionnez les deux pour que l'apparition progressive du titre se fasse pendant le fondu enchaîné. Après quelques ajustements pénibles, vous obtenez une configuration de montage semblable à celle de la Figure 7.29.

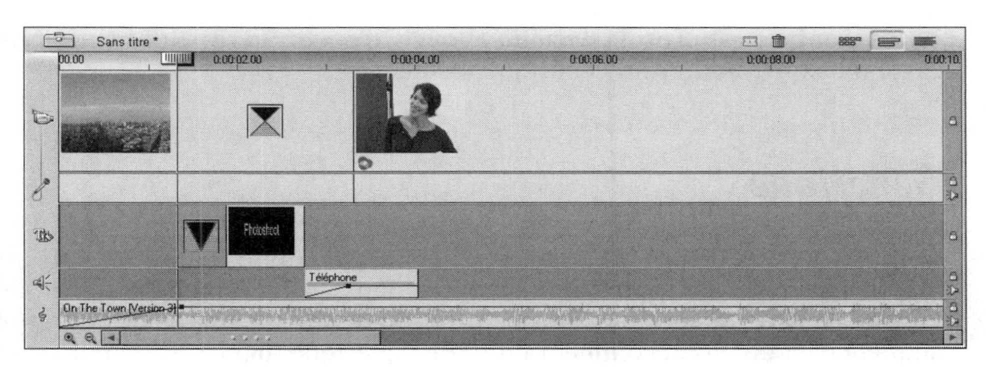

Figure 7.29 : L'apparition progressive d'un titre est aussi simple que cela !

4. **Lancez la lecture ou faites glisser la tête de lecture sur les différents éléments du montage.**

   Le titre apparaît progressivement !

5. **Pour faire disparaître progressivement le titre, placez un effet de fondu de l'autre côté de l'élément de titre, comme sur la Figure 7.30.**

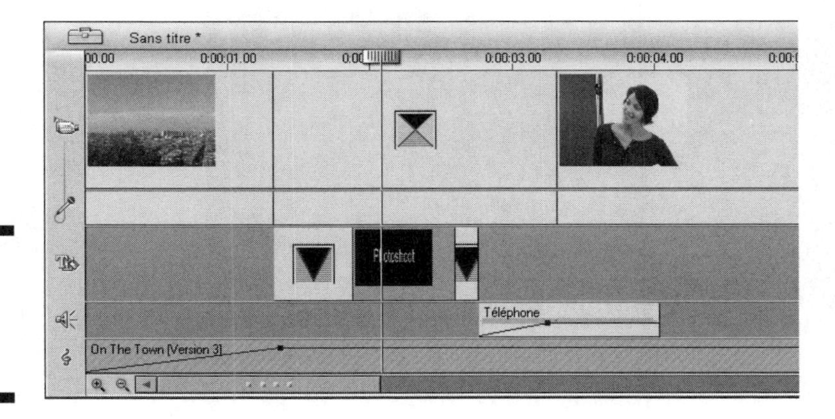

Figure 7.30 : Apparition et disparition progressives d'un titre.

Si la transition recouvre l'élément du titre, cliquez dessus et faites glisser la flèche vers la droite pour augmenter la taille de l'élément en question jusqu'à ce qu'elle s'arrête à l'endroit précis où commence la sonnerie du téléphone. L'élément de transition s'adapte en conséquence.

Un titre de début peut comporter de nombreuses mentions comme le nom des acteurs et du réalisateur. Créez autant de titres que le nécessite votre sujet, et placez-les sur la piste de titre. Ajoutez ou non des effets, et surtout explorez toutes les possibilités de l'éditeur de titre que nous ne pouvons malheureusement pas traiter dans un ouvrage global sur la vidéo numérique.

Votre montage est presque terminé. Vous y trouvez un titre, des transitions, il ne reste plus qu'à ajouter un générique de fin.

Générique

Tout film se doit de rendre hommage à ceux qui y ont participé. Ces diverses informations et remerciements sont consignés dans un générique très traditionnel qui consiste à faire défiler du texte sur un fond noir ou une image, et pourquoi pas une séquence vidéo. Voici comment créer un générique digne des grands studios de postproduction vidéo et cinéma :

1. **Dans la Fenêtre du film, cliquez sur l'icône d'ouverture de la Boîte à outils vidéo.**

2. **Cliquez sur l'icône T de cette boîte à outils.**

   Vous accédez à une autre forme de l'éditeur de titre représenté sur la Figure 7.31. Il va permettre de créer un générique déroulant comme au cinéma.

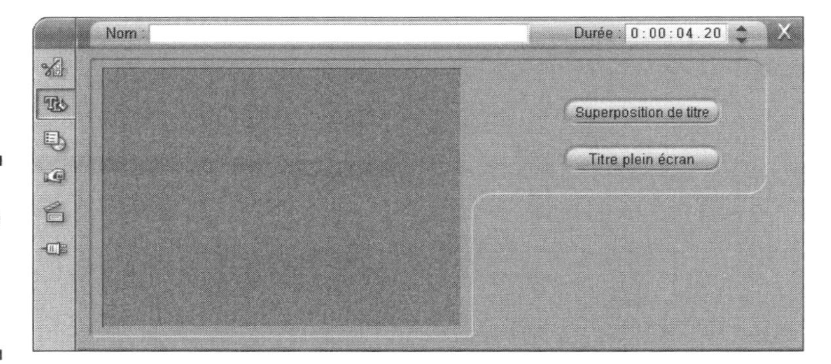

Figure 7.31 : L'éditeur de titre qui permet de définir un générique déroulant.

3. **Cliquez sur le bouton Titre plein écran.**

   Vous accédez alors à l'éditeur de titre standard mais configuré pour définir un titre ou un générique sur fond noir et qui prendra place sur une piste de séquences et non dans la piste de titre.

4. **Saisissez le texte du générique et cliquez sur l'icône Déroulant symbolisée par une flèche dirigée vers le haut.**

   Comme sur la Figure 7.32, n'hésitez pas à sauter des lignes pour aérer le générique. Définissez une taille et une police appropriées. Comme le générique déroule sur un fond noir, sélectionnez une couleur de caractère gris clair plutôt que blanche qui aveugle toujours le spectateur. Paramétrez vos préférences dans l'onglet Personnalisé de l'éditeur de titre.

Figure 7.32 : L'éditeur de titre d'un générique déroulant.

5. **Validez le titre en cliquant sur OK.**

La tête de lecture de Pinnacle Studio a la sale habitude de se placer au début du film. Le générique de fin se retrouve donc au début, situation paradoxale. Pour remédier à cela, sélectionnez l'élément du générique, et cliquez sur Edition/Couper. Les autres éléments du montage reprennent leur place. Placez la tête de lecture à la fin du montage. Avec le bouton droit de la souris, cliquez dans la piste des clips. Un menu contextuel apparaît. Choisissez-y Coller. Le générique se trouve désormais à la fin du montage.

Paramétrez sa durée en étirant ses bords vers la droite ou la gauche. Pour définir une durée précise, double-cliquez sur le générique et saisissez une durée dans le champ Durée de l'éditeur du déroulant. Validez la modification en cliquant sur OK.

Voilà ! Le générique est fait. Contemplez-le en lançant la lecture de la vidéo. Comme tout est correct, vous devez maintenant créer le film pour l'enregistrer sur un des supports proposés par Pinnacle Studio.

Créer le film sous Pinnacle Studio

La prise en main de Pinnacle Studio est un plaisir, mais sa plus grande lacune est la prévisualisation en temps réel. Vous ne rencontrez aucun problème quand vous placez des clips les uns à côté des autres. En revanche, la lecture devient chaotique dès que vous ajoutez de la musique, des transitions et des effets vidéo.

Pour être certain que le montage est bon, nous vous conseillons de créer des petits films dans une faible résolution. Si le résultat est satisfaisant, passez à la phase ultime d'un projet Pinnacle Studio, c'est-à-dire la création du film.

Créer un film consiste à définir sa destination c'est-à-dire le support sur lequel il sera enregistré. Ici, nous allons détailler la procédure d'enregistrement d'un montage sur cassette MiniDV. Cliquez sur le bouton 3 Créer film pour accéder aux supports proposés par défaut. Vous affichez l'interface de création représentée sur la Figure 7.33. Vous avez le choix entre :

- **Bande :** Ici, Studio calcule le film et l'enregistre sur le disque dur avant de l'envoyer vers le caméscope pour l'enregistrer sur bande. Nous verrons cela en détail dans la prochaine section.

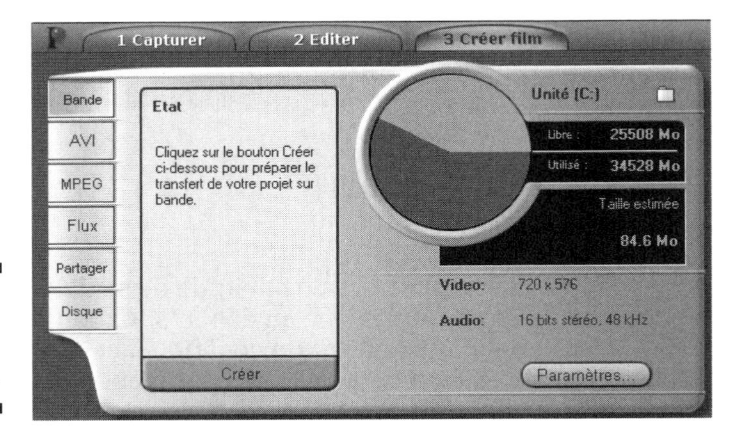

Figure 7.33 : Créer un film dans Pinnacle Studio.

- **AVI :** Crée un fichier vidéo AVI selon les paramètres définis. Ce fichier peut consister en une vidéo numérique au format DV, une vidéo destinée au multimédia ou à des systèmes de montage virtuel aux sorties analogiques. Le fichier résultant est alors exploitable dans n'importe quel logiciel de montage virtuel.

- **MPEG :** Pour toute sorte de vidéos multimédias, VHS, S-VHS, VCD, SVCD, et Web.

- **Flux :** Pour créer des films au format WMV ou RM, c'est-à-dire deux types de fichiers lus en flux continu depuis un site Web. (Les technologies Windows Media et RealNetwork.)
- **Partager :** Crée un film téléchargé automatiquement sur le site de diffusion en streaming de Pinnacle System.
- **Disque :** Pour créer un film qui sera enregistré sur CD-R en qualité VCD ou SVCD, ou sur DVD-R en qualité DVD. Les trois formats sont lisibles sur la plupart des lecteurs DVD vidéo de salon fabriqués depuis 2002.

Comme je l'ai dit en préambule, voyons comment créer un film destiné à un enregistrement pour la vidéo.

Bande

L'idée qui se cache derrière cette option est fort simple : vous capturez des séquences. Elles sont organisées et montées dans Studio, et vous désirez tout naturellement enregistrer le film sur une cassette MiniDV pour ne rien perdre de la qualité numérique inhérente à la vidéo informatique et aux caméscopes numériques.

Nous partons du principe que la connexion IEEE 1394 entre votre carte d'acquisition et le caméscope est parfaitement réalisée.

Voici comment transférer un montage sur bande vidéo numérique :

1. **Cliquez sur 3 Créer Film.**
2. **Cliquez sur Bande.**
3. **Cliquez sur l'icône dossier pour sélectionner un dossier de destination du fichier temporaire que va créer Studio.**

   C'est ce fichier vidéo temporaire qui va être enregistré sur la bande MiniDV vierge de votre caméscope.
4. **Cliquez sur le bouton Paramètres.**

   Vous accédez à la boîte de dialogue représentée sur la Figure 7.34. L'onglet Créer une bande est actif puisque vous avez choisi cette option dans l'interface de création du film.

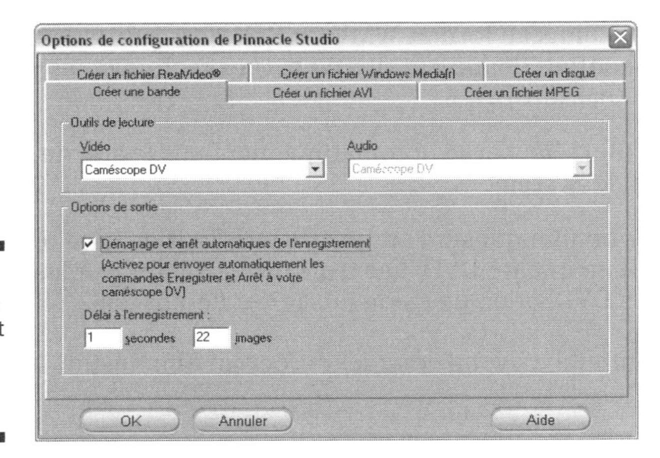

Figure 7.34 : Paramétrage de l'enregistrement du montage sur bande vidéo numérique.

5. **Cochez la case Démarrage et arrêt automatique de l'enregistrement.**

   C'est le nirvana vidéographique ! Avec cette option Studio se charge de tout. Dès que Studio a fini de calculer le rendu du film, il suffit de cliquer sur le bouton de lecture du Lecteur pour que le caméscope bascule en mode enregistrement. Studio arrête l'enregistrement après la lecture de la dernière image du fichier. Génial !

   Génial mais pas universel ! Si Studio ne parvient pas à piloter votre appareil vidéo, n'activez pas cette option. Une fois le film calculé, lancez l'enregistrement depuis votre caméscope et cliquez sur le bouton Lecture du Lecteur de Pinnacle Studio.

6. **Dans la liste Vidéo, vérifiez que Caméscope DV est bien sélectionné.**

7. **Cliquez sur OK.**

8. **Dans l'interface de création du film, cliquez sur Créer.**

   Studio lance le calcul du rendu du film dans un fichier temporaire. La durée de ce rendu dépend de la vitesse de votre ordinateur, de la complexité et de la durée du montage. Plus il y a d'effets, plus le rendu est long. Patientez !

9. **Une fois le rendu terminé, cliquez sur le bouton Lecture du Lecteur.**

   Cette fois le caméscope passe en mode enregistrement. La lecture du fichier temporaire commence. Studio envoie les images au port IEEE 1394 qui lui-même les transmet au caméscope qui lui-même les enregistre sur bande. Dès que la dernière image du montage est lue, Studio arrête l'enregistrement.

10. **Contrôlez la qualité de l'enregistrement en lisant la bande vidéo de votre caméscope.**

Félicitations ! Vous savez mener de bout en bout un projet dans Pinnacle Studio 9, un logiciel vraiment à la portée de tous. Nous n'avons pu, dans un ouvrage générique sur la vidéo numérique, traiter tous les aspects de ce programme riche et prometteur. Nous espérons que des ouvrages spécialisés sortiront sur le sujet pour que vous exploitiez pleinement les possibilités du montage virtuel sous Pinnacle Studio.

Créer un DVD avec Pinnacle Studio 9

Je serais étonné que vous ne soyez pas habitué aux DVD commerciaux. Vous en connaissez la structure qui compose les disques en différents menus. Un DVD classique permet de sélectionner la langue, les sous-titres, et de regarder le film sous forme de chapitres, permettant alors d'accéder à une séquence spécifique du film en une ou deux pressions sur les touches de la télécommande. Les menus représentent une phase essentielle de la conception d'un DVD. Lorsque vous créez un menu, vous devez :

- Concevoir la structure générale des menus.
- Créer les boutons des menus.
- Définir des liens sur ces boutons pour accéder à différentes parties du film.

Les prochaines sections expliquent comment créer un menu aussi efficace qu'esthétique.

Créer un menu

Bien que les étapes de création d'un menu varient d'un programme à un autre, les principes de base restent les mêmes. Dans Pinnacle Studio, par exemple, commencez par sélectionner un menu standard que vous personnaliserez pour répondre à vos besoins. Voici comment procéder :

1. **Lorsque le montage de la vidéo est terminé, placez la tête de lecture au début du film dans le Plan de montage.**
2. **Cliquez sur le bouton Afficher les menus. Dans la liste des menus, sélectionnez Standard menus pour accéder aux menus animés prédéfinis de Studio, comme à la Figure 7.35.**

Figure 7.35 : Les menus animés prédéfinis de Pinnacle Studio 9.

3. **Sélectionnez un des 15 menus disponibles. Glissez déposez-le au début du montage.**

   Studio vous demande si vous désirez que le programme crée automatiquement les liens des chapitres en se basant sur le découpage des clips de votre montage. Ceci n'est pas une bonne idée car vous risquez d'avoir deux chapitres pour une même séquence fractionnée pour des questions de montage et/ou d'application d'un effet particulier. Cliquez sur Non.

4. **Double-cliquez sur le menu pour l'ouvrir dans une fenêtre d'édition.**

   Le menu apparaît comme à la Figure 7.36. C'est ici que vous allez définir les chapitres et les liens vers ces chapitres.

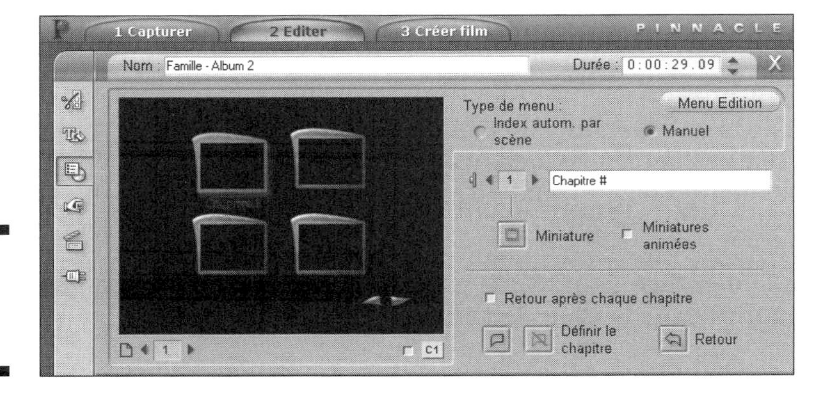

Figure 7.36 : Mode d'édition sommaire du menu.

5. **Dans le Plan de montage, cliquez sur le premier clip avec le bouton droit de la souris. Dans le menu contextuel, choisissez Définir le chapitre du disque.**

Immédiatement, une icône C1 apparaît au début de la séquence et la première image de cette séquence s'affiche dans le menu comme le montre la Figure 7.37.

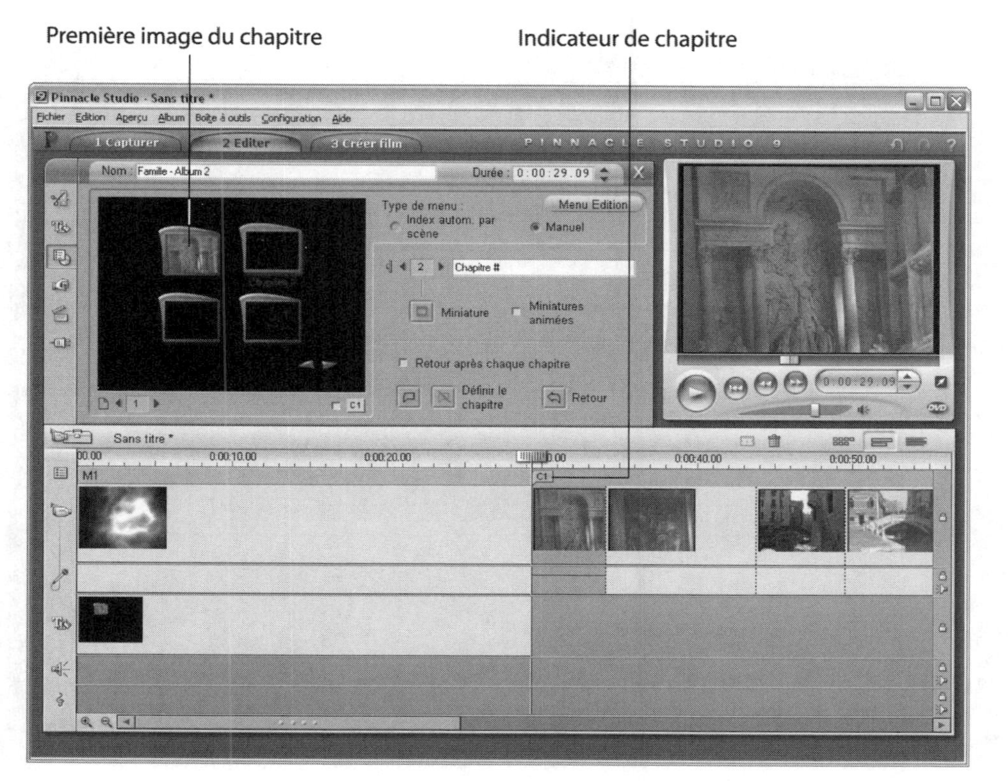

Figure 7.37 : Définition d'un premier chapitre avec l'image correspondante dans le menu du disque.

6. **Répétez cette opération en sélectionnant d'abord le cadre du menu qui va renvoyer au chapitre, puis en définissant le chapitre dans le Plan de montage.**

   Comme le montre la Figure 7.38, il ne m'a pas fallu plus de trois minutes pour définir quatre chapitres dans cette petite vidéo.

7. **Vous pouvez renommez les chapitres appelés par défaut Chapitre #. Pour cela, sélectionnez le cadre du chapitre à renommer. Dans la zone où est inscrit Chapitre #, saisissez le nom du chapitre.**

   Par exemple, sur la Figure 7.39, j'ai nommé le premier chapitre **Monuments**.

8. **Testez vos chapitres. Pour cela, cliquez sur le bouton DVD du Lecteur de Studio 9.**

Le moniteur affiche le menu comme à la Figure 7.40. Vous constatez que la partie inférieure du moniteur ressemble à une télécommande de lecteur de DVD.

Figure 7.38 : Quatre chapitres définis en moins de temps qu'il ne faut pour le dire.

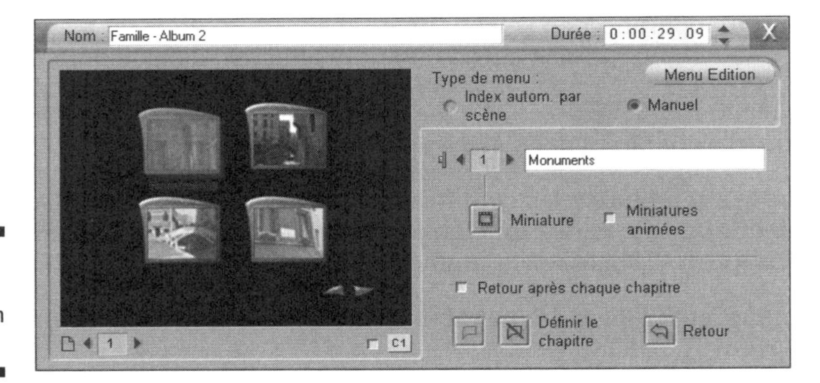

Figure 7.39 : Personnalisez vos chapitres en les renommant.

Cliquez directement sur les cadres pour accéder au chapitre de votre choix.

Figure 7.40 : Test du DVD !

A priori, les liens fonctionnent. Mais ne vous arrêtez surtout pas là. En effet, il est important qu'à la fin du film, l'utilisateur revienne au menu principal. Procédez comme à l'étape 9.

9. **Si nécessaire, double-cliquez sur la partie inférieure du menu dans le Plan de montage pour ouvrir son éditeur.**

10. **Dans le Plan de montage, placez la tête de lecture sur la dernière image du film.**

11. **Cliquez sur le bouton droit de la souris et, dans le menu contextuel, choisissez Définir le retour au menu.**

L'icône M1 apparaît, indiquant qu'à ce point précis du film le menu 1, c'est-à-dire celui que vous venez de créer, va s'afficher. (Voir la Figure 7.41.)

Vous pouvez pousser plus loin la personnalisation des menus en cliquant sur le bouton Menu Edition de l'interface de définition des liens vers les différents chapitres du film. Vous accédez à un éditeur à la fois complet et complexe que seule la lecture d'un ouvrage dédié à Studio vous permettra de maîtriser totalement. C'est dans cet éditeur illustré à la Figure 7.42 que vous créerez de toute pièce vos menus personnels.

C'est fait ! Votre premier menu de DVD est créé. Il ne reste plus qu'à sauvegarder ce projet et à vous lancer dans la gravure du DVD en cliquant sur le bouton Créer film de Pinnacle Studio 9.

Figure 7.41 : Définissez le retour au menu principal.

Figure 7.42 : De quoi personnaliser et même créer des menus.

Chapitre 8

Faire des films avec votre PC et Premiere Elements 1.0

Dans ce chapitre :

- Capturer une vidéo dans Premiere Elements.
- Les principes du montage virtuel dans Premiere Elements.
- Ajouter des transitions.
- Fondus au noir.
- Titre et générique.
- Les effets spéciaux.
- Enregistrement d'un montage sur bande.
- Création d'un DVD.

La société Adobe est réputée pour ses programmes professionnels de retouche d'image (Photoshop CS) et de montage virtuel (Premiere Pro). Toutefois, cherchant à séduire le grand public, ces deux logiciels phares de cet éditeur ont été déclinés en versions dites Elements.

Je vous propose donc de découvrir la capture, le montage, le titrage, les effets spéciaux, la création du film, et celle d'un DVD avec un programme de montage virtuel d'entrée gamme séduisant et nouveau venu sur le marché, j'ai nommé : Premiere Elements.

Dès l'ouverture du programme, Premiere Elements vous prend en charge. Comme le montre la Figure 8.1, l'écran de bienvenue permet d'entrer immédiatement dans le vif du sujet. Comme nous l'avons vu avec Pinnacle Studio 9, un projet commence par la capture des éléments vidéo qui vont constituer le film. Vous pourriez cliquer sur Acquisition vidéo, mais je préfère que vous cliquiez sur Nouveau projet pour découvrir l'interface de Premiere Elements, et bien apprécier la philosophie du travail réalisé dans ce programme.

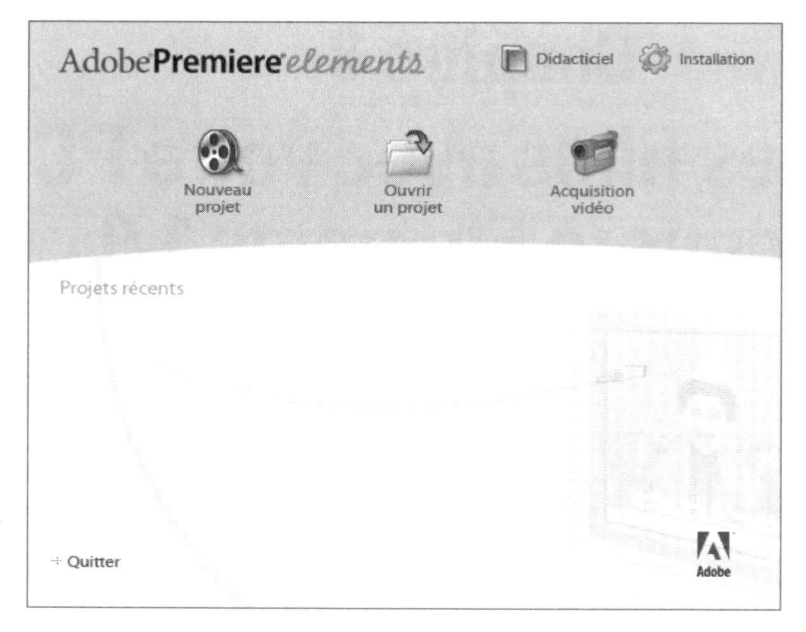

Figure 8.1 : L'écran de bienvenue de Premiere Elements permet, entre autres, de lancer une procédure de capture.

Donc, cliquez sur Nouveau Projet. Renseignez les divers champs de la boîte de dialogue qui apparaît. Donnez un nom au projet, et indiquez son emplacement de stockage en cliquant sur le bouton Parcourir. Dans la boîte de dialogue qui s'ouvre, naviguez parmi vos disques durs et dossiers comme vous avez maintenant l'habitude de le faire avec l'Explorateur Windows. Validez l'ensemble par un clic sur OK. Vous voici dans l'interface de Premiere Elements (Figure 8.2).

Regardez bien sa partie supérieure droite. Sans véritablement reprendre le système de guidage de Studio 9, Premiere Elements organise logiquement les tâches de création d'un projet vidéo en proposant une série de boutons dénommés de gauche à droite : Acquisition, Modifier, Effets, Titres, DVD, et Exportation. Si vous respectez cet ordre, vous conduisez un projet dans toute la logique de son organisation traditionnelle. Commençons par la phase de capture.

La capture avec Premiere Elements

Adobe ne parle pas de capture mais d'acquisition. Sachez qu'il s'agit de la même chose : transférer sur votre disque dur des séquences vidéo provenant de votre caméscope numérique ou analogique. Ici, nous allons limiter notre propos à la capture d'images provenant d'un matériel MiniDV.

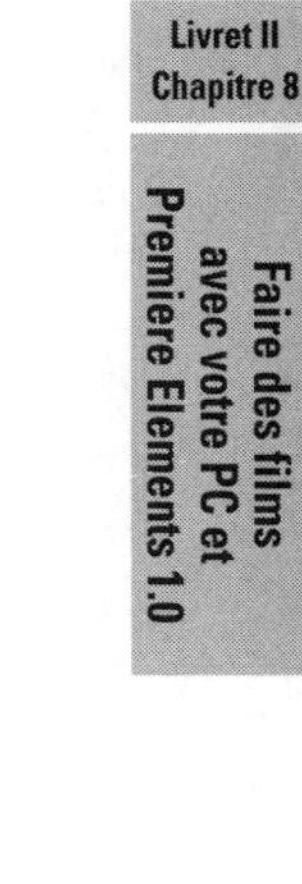

Livret II
Chapitre 8
Faire des films avec votre PC et Premiere Elements 1.0

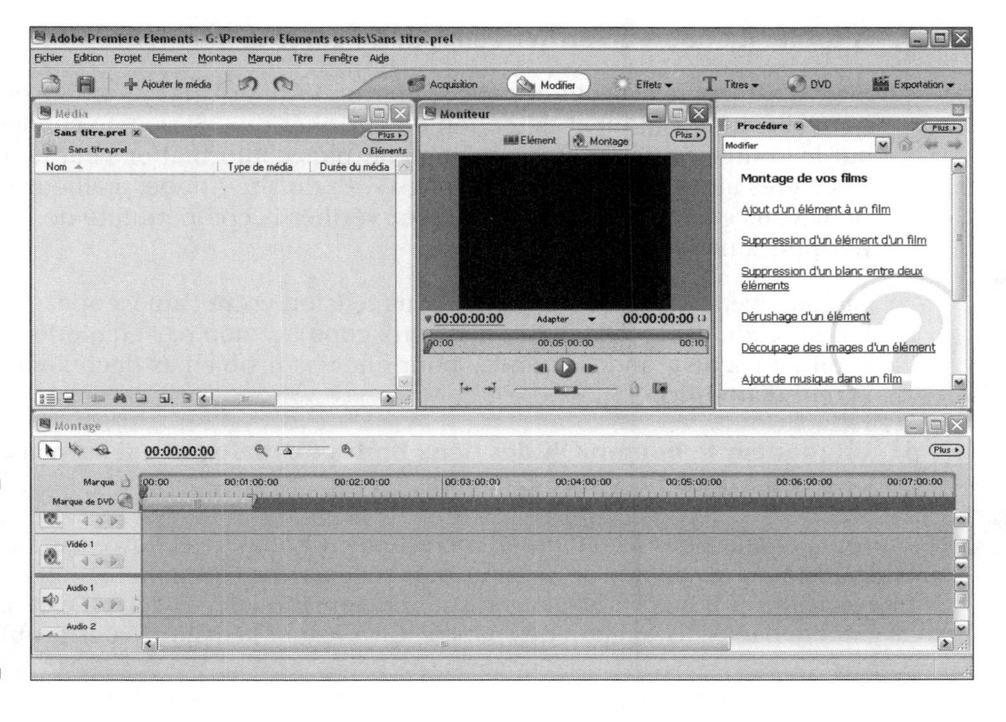

Figure 8.2 : L'interface de Premiere Elements au démarrage d'un nouveau projet.

Pour capturer avec ce logiciel, nous supposons les choses suivantes :

- ✦ Vous possédez Premiere Elements 1.0.
- ✦ Vous possédez une carte d'acquisition avec entrée/sortie numérique (port IEE1394 dit FireWire ou encore Ilink).
- ✦ Les pilotes de la carte sont correctement installés et celle-ci est parfaitement reconnue par les utilitaires livrés par son constructeur (logiciel de capture, testeur de la rapidité des disques, etc.).
- ✦ Votre caméscope MiniDV ou votre magnétoscope numérique est connecté au port DV de la carte.
- ✦ La carte apparaît parmi les périphériques vidéo pilotés par Premiere Elements.

ATTENTION !

Vous ne savez pas si votre carte est un périphérique que peut piloter Premiere ? Pas de panique ! Suivez ces quelques étapes de vérification :

1. **Cliquez sur Edition/Préférences/Pilotage de matériel.**
2. **Dans la boîte de dialogue Préférences, cliquez sur le bouton Options.**

3. **A droite du bouton Vérifier l'état, doit figurer la mention Online.**

   Si ce n'est pas le cas, cliquez sur le bouton Vérifier l'état pour lancer une nouvelle initialisation et détection du périphérique. Si rien ne change, cliquez sur le bouton Se connecter pour obtenir plus d'informations sur le matériel. Vous êtes alors envoyé vers une page Web du site Adobe, malheureusement pour vous en anglais. Là, vous pouvez vérifier la compatibilité de vos divers périphériques vidéo.

   Au fait, avez-vous pensé à mettre sous tension votre caméscope, et à le basculer en mode VCR (c'est-à-dire magnétoscope), et non pas en mode Caméra ? Si "non", il y a de grandes chances pour que vos problèmes découlent de cette erreur d'attention.

4. **Cliquez sur le bouton OK des deux boîtes de dialogue qui se succèdent pour retourner dans Premiere Elements.**

Si vous ne parvenez pas à configurer correctement Premiere et votre carte d'acquisition, désinstallez les pilotes de la carte, puis redémarrez l'ordinateur. Sous Windows 95/98 et Windows XP, la carte sera automatiquement détectée et un assistant vous guidera dans l'installation des pilotes. Cela résout la majorité des problèmes.

Sauf indication contraire du constructeur de votre carte d'acquisition, installez toujours Premiere Elements avant la carte, sinon les pilotes ne trouveront jamais le programme de montage virtuel. Si vous avez installé la carte avant Premiere, procédez à la désinstallation des pilotes et redémarrez l'ordinateur. Une nouvelle procédure d'installation commencera, validant ainsi les pilotes pour le logiciel Premiere.

Préparation d'une acquisition

Avant de lancer une capture, vous devez configurer votre environnement de travail. Ainsi, il faut indiquer à Premiere Elements où seront stockées les séquences capturées.

Suivez ces quelques étapes :

1. **Cliquez sur Edition/Préférences/Disque de travail.**

   Vous accédez à la boîte de dialogue représentée Figure 8.3. Elle est impressionnante pour le néophyte. Pourtant, elle ne renferme pas de grands mystères.

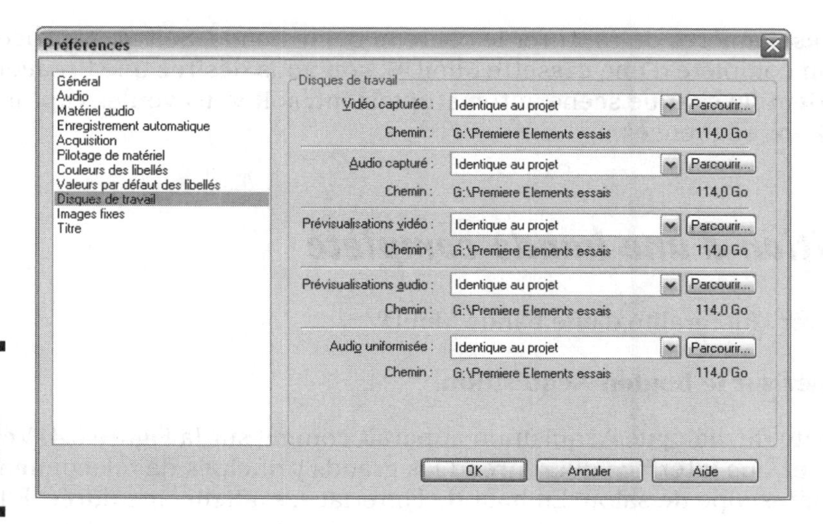

Figure 8.3 : Définissez les disques durs de travail du projet en cours.

2. **Soit vous laissez le réglage par défaut, c'est-à-dire Identique au projet, soit vous indiquez à Premiere Elements un autre disque dur de travail sous chacune des rubriques affichées dans la boîte de dialogue.**

   Vous pouvez personnaliser le stockage des différents éléments capturés, ainsi que les prévisualisations. Il suffit de cliquer sur le bouton Parcourir pour choisir un autre lecteur et/ou dossier de votre système informatique.

   Pour des raisons pratiques, et à votre niveau de connaissance, je vous conseille de laisser Identique au projet. En effet, avec cette option, la vidéo, l'audio, les prévisualisations, et l'audio uniformisé, c'est-à-dire tout ce qui contribue à la réussite d'un projet se trouvera sur le même disque dur et dans le même dossier de projet. Vous êtes alors certain qu'à la prochaine session de travail sur le projet en cours, Premiere Elements retrouvera tous les fichiers dont il a besoin.

   Veillez toujours à créer un projet sur un disque dur rapide entièrement dédié à la vidéo. Je déconseille fortement de faire du montage virtuel sur le disque dur du système C:. Ce disque n'est là que pour stocker Windows et vos applications ! Si vous ne possédez qu'un seul disque dur, allez immédiatement en acheter un second d'au moins 160 Go chez votre revendeur habituel. L'installation n'est pas complexe. En cas de peur bleue, faites-le installer par ledit revendeur.

3. **Validez vos réglages par un clic sur OK.**

Maintenant que le chemin d'accès aux différents fichiers de votre projet est défini, nous pouvons passer à la phase de capture.

Il existe trois manières de capturer le contenu d'une bande. Soit vous procédez à l'acquisition complète d'une cassette MiniDV, soit vous désirez que Premiere Elements identifie chaque scène automatiquement, soit vous voulez capturer manuellement vos séquences.

Acquisition d'une bande complète

Pour capturer l'intégralité d'une bande MiniDV :

1. **Cliquez sur le bouton Acquisition.**

   La boîte de dialogue Acquisition apparaît comme sur la Figure 8.4. Vous découvrez une interface qui reprend les grands principes de télécommande d'un magnétoscope de salon. En haut de l'interface, s'affiche une durée. Elle indique le nombre d'heures de capture possible sur le disque de travail sélectionné (voir la précédente section).

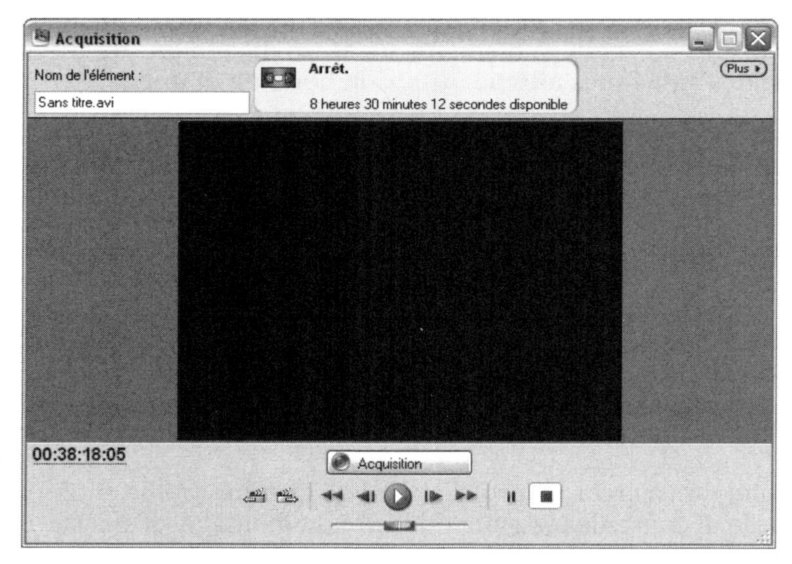

Figure 8.4 : La boîte de dialogue de capture vidéo.

2. **Cliquez sur le bouton Plus.**
3. **Dans le menu local qui apparaît, décochez l'option Détection de scène.**
4. **Cliquez sur le bouton de rembobinage pour bien vous positionner en début de bande.**
5. **Cliquez sur le bouton Acquisition.**

La capture commence. Ne faites plus rien sur votre ordinateur sous peine d'entraîner des pertes d'images !

Dès que la fin de la bande est atteinte, Premiere Elements arrête la capture. L'élément capturé, c'est-à-dire la totalité de la bande vidéo, s'affiche dans les fenêtres Média et Montage.

6. **Quittez la procédure d'acquisition en cliquant sur le bouton de fermeture de la boîte de dialogue (X).**

Lorsque vous lancez une capture intégrale sans détection des scènes, vous n'êtes pas obligé d'aller jusqu'à la fin de la bande. Si, en cours d'acquisition, vous désirez l'interrompre, cliquez sur Arrêter l'acquisition. Premiere Elements conservera les données vidéo capturées jusqu'à ce que vous cliquiez sur ce bouton.

Capture avec détection des scènes

Pour que Premiere Elements détecte lui-même les séquences tout au long de la procédure de capture :

1. **Dans la boîte de dialogue Acquisition, cliquez sur le bouton Plus.**
2. **Dans le menu local, activez l'option Détection de scène.**
3. **Rembobinez votre bande pour commencer depuis le début.**
4. **Cliquez sur le bouton Acquisition.**

   La capture démarre. A chaque changement de plan, c'est-à-dire à chaque fois que vous avez, lors du tournage, appuyé sur le bouton Enregistrement/Pause de votre caméscope, Premiere Elements détecte une scène. Il en crée une vignette qui s'affiche dans les fenêtres Média et Montage.

La détection des scènes est une sorte de dérushage séquence par séquence destiné à faciliter l'organisation des clips vidéo dans le montage final. Cependant, Premiere Elements n'est guère subtil. En effet, au sens cinématographique, une scène est un ensemble de plans correspondant à une unité de temps et de lieu. Cela sous-entend que, dans ce même lieu, vous avez pu appuyer 100 fois sur Enregistrement/Pause. Pour vous, il n'y a qu'une seule séquence, alors que pour Premiere, il y en aura 100.

Cette réflexion plaide en faveur d'une capture manuelle.

Capture manuelle

Pour capturer manuellement vos séquences :

1. **Cliquez sur le bouton Acquisition.**

   La boîte de dialogue Acquisition vidéo apparaît.

2. **Dans le menu Plus, désactivez Détection de scène.**

3. **Avec les boutons de retour et d'avance rapide, placez-vous quelques secondes avant le début de la séquence à capturer.**

4. **Cliquez sur le bouton Pause.**

5. **Aidez-vous des boutons En arrière et En avant pour vous positionner un peu plus précisément.**

   Comme leur utilisation est pénible, appuyez plutôt sur les flèches gauche et droite pour avancer et reculer d'une image, ou image par image si vous laissez constamment votre doigt appuyé.

6. **Dès que vous considérez être en bonne position, cliquez sur le bouton Acquisition.**

   Suivez le déroulement de la capture dans la fenêtre Acquisition.

7. **Dès que vous atteignez (ou dépassez) la dernière image de la séquence à capturer, cliquez sur le bouton Arrêter l'acquisition, ou appuyez sur la touche Echap.**

Pour voir le contenu des séquences quelle que soit la méthode de capture, double-cliquez sur leur vignette dans la fenêtre Média. La première image de la séquence s'affiche dans le Moniteur. Cliquez sur son bouton Lecture/Pause. Les images capturées défilent comme si vous utilisiez un magnétoscope.

En fonction de votre carte graphique, la lecture des images peut vous sembler altérer. Ceci n'est qu'un problème d'incrustation matérielle. Il n'en paraîtra rien sur le film final enregistré sur bande ou gravé sur DVD.

Une fois que les séquences sont capturées, il faut les monter. Étudions cette phase dans une nouvelle section.

Le montage avec Premiere Elements

L'acquisition ne sert qu'à une seule chose : capturer des séquences vidéo sur le disque dur pour les assembler, les couper, les coller, les triturer afin d'obtenir un montage qui satisfait à vos besoins familiaux, documentaires ou artistiques.

Vous remarquez que toutes les séquences capturées sont centralisées dans les fenêtres Média et Montage de Premiere Elements. Pour prévisualiser une séquence capturée, double-cliquez dessus. Elle s'affiche dans le Moniteur. Cliquez sur son bouton Lecture/Pause.

Voyons les principes de base qui régissent le montage dans Premiere Elements.

Principes du montage dans Premiere Elements

Le montage se passe principalement, mais pas uniquement, dans la fenêtre Montage (quelle surprise !). Voici comment la mettre à contribution.

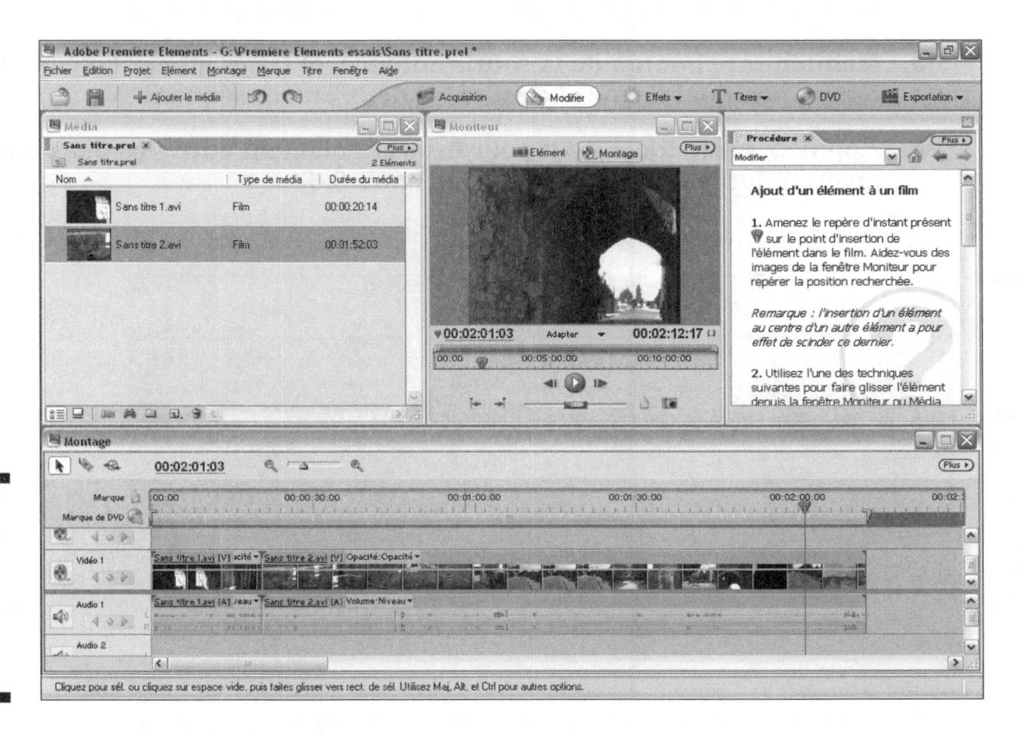

Figure 8.5 : Les fenêtres Média et Montage affichent les éléments vidéo dans l'ordre de leur capture.

Lors de capture, vous avez pu remarquer que Premiere Elements plaçait les séquences aussi bien dans la fenêtre Média que dans la fenêtre Montage. Donc, après une session de capture, la fenêtre Montage propose un *prémontage* des clips chronologiquement capturés. Toutefois, cette chronologie ne correspond qu'à celle de vos captures. Ces captures ont pu être faites dans n'importe quel ordre. Par exemple, vous avez commencé par capturer des séquences au milieu de la bande, puis vers la fin, êtes revenu au début, pour repartir vers la fin. Si l'événement filmé répondait à une chronologie d'événements, le prémontage ne la respecte pas puisqu'il se base sur vos différentes acquisitions, comme le montre la Figure 8.5.

Réorganisation des séquences dans la fenêtre Montage

Pour replacer vos séquences dans le bon ordre :

1. **Cliquez sur le bouton Modifier.**

   Vous basculez en mode montage, avec une aide qui s'affiche dans la fenêtre Procédure.

2. **Dans la fenêtre montage, cliquez sur les images de la séquence à déplacer.**

3. **Maintenez le bouton de la souris enfoncé, et faites glisser l'élément à la bonne position, même si c'est entre deux autres séquences.**

4. **Appuyez sur la touche Alt pour insérer l'élément entre les deux autres sans en modifier la durée, comme à la Figure 8.6.**

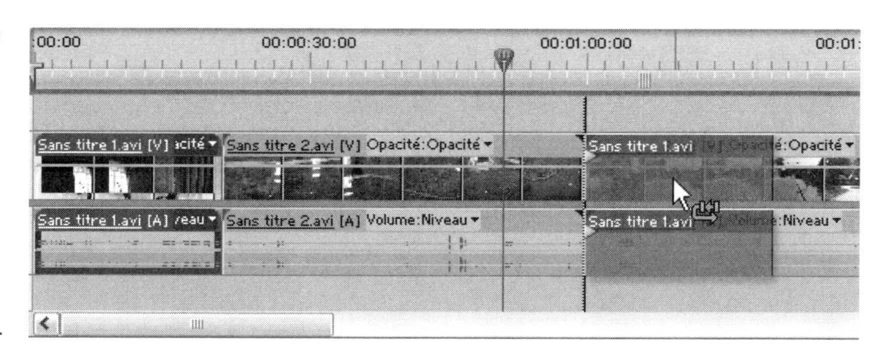

Figure 8.6 : Réorganisation des séquences par simple glisser-déposer en maintenant la touche Alt enfoncée pour ne pas créer d'espace vide dans le montage.

5. **Relâchez d'abord le bouton de la souris, puis la touche Alt.**

Voilà ! L'élément a changé de place. Par exemple, si vous déplacez la séquence qui se trouve en début de montage, le fait d'appuyer sur la touche Alt va décaler l'ensemble des clips vers la gauche de manière à ne pas laisser un vide au début du montage dont la durée serait égale à celle de l'élément déplacé.

Répétez cette opération avec tous les clips à réorganiser dans le montage.

Dérusher les séquences capturées dans la fenêtre Montage

Lors de la numérisation des séquences, c'est-à-dire de leur capture sur disque dur, vous n'avez pas sélectionné précisément les images à conserver et celles à éliminer. En d'autres termes, il reste de nombreux plans inutiles. Ce dégrossissement va se faire dans Premiere via la fenêtre Montage.

Dans notre exemple, j'ai capturé des séquences tournées dans une cité médiévale, lieu historique et artistique par excellence. Les séquences d'un voyage ou d'une visite sont mal organisées. On y mélange visiteurs et monuments, plans fixes et en mouvement, voire tremblements de la caméra. Il faut donc couper dans la masse des séquences initialement acquises. Suivez cette procédure :

1. **Dans la fenêtre Montage, déplacez l'indicateur temporel en début ou en fin des séquences pour y repérer des images inutiles.**

2. **Dès que vous repérez une image (en début ou en fin de séquence) à éliminer, placez le pointeur de la souris sur le bord de la séquence.**

   Comme le montre la Figure 8.7, le pointeur prend la forme d'une énorme double flèche avec un crochet définissant ici ce que l'on appelle un *point d'entrée*.

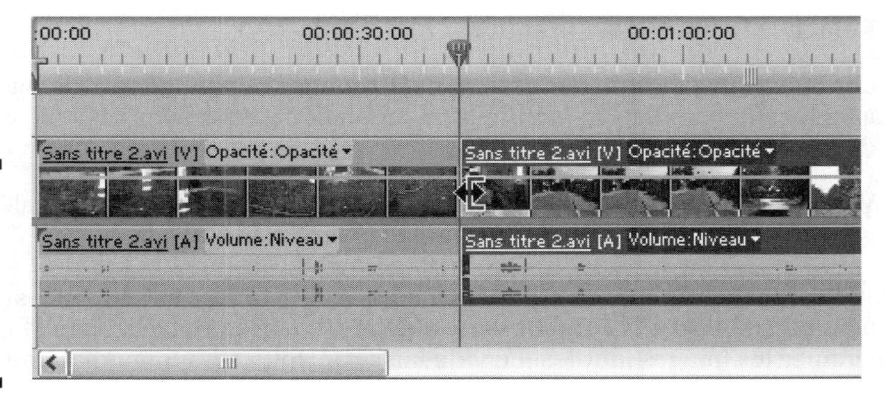

Figure 8.7 : Définition du point d'entrée d'une séquence par élimination des images inutiles.

3. **Cliquez et faites glisser le curseur vers la droite pour éliminer les images inutiles.**

   Comme vous le voyez à la Figure 8.8, la fenêtre Moniteur affiche immédiatement deux petites images. Celle de gauche montre le contenu de la séquence qui sera supprimée, et celle de droite permet de définir précisément le point d'entrée de la séquence, point d'entrée à partir duquel toutes les images sont conservées.

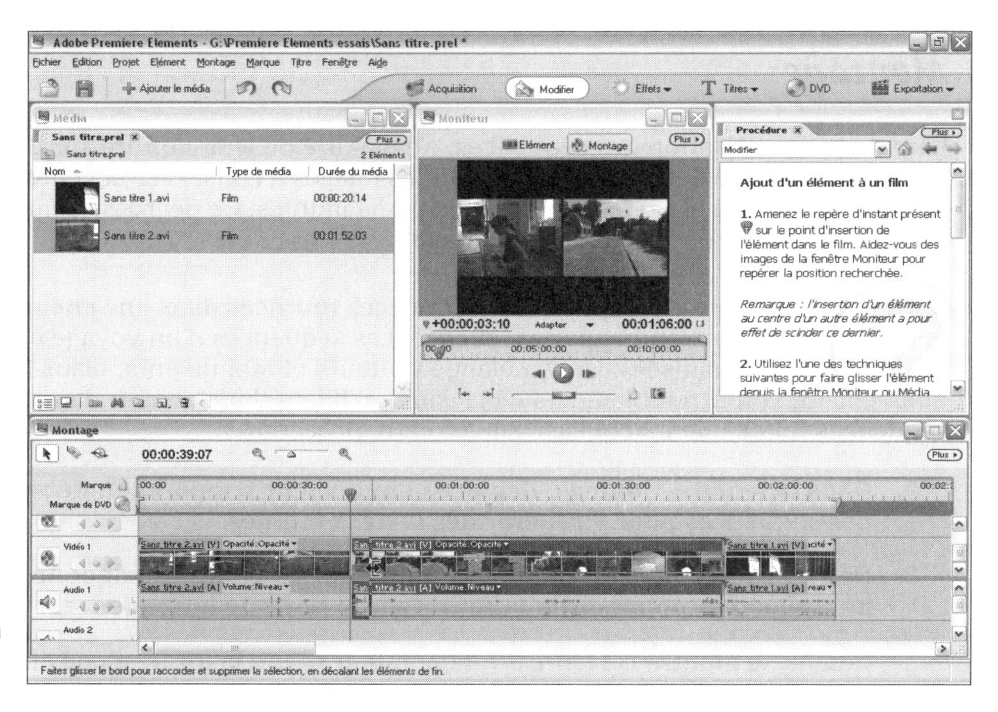

Figure 8.8 : A l'aide du Moniteur déterminez la première image de la séquence à conserver.

4. **Relâchez le bouton de la souris.**

   Les images inutiles disparaissent, et la séquence commence à l'image de gauche affichée dans le Moniteur au moment où vous avez relâché le bouton de la souris.

   Vous constatez que toutes les séquences situées à droite sont décalées vers la gauche pour ne pas laisser de vide dans le montage.

Bien évidemment, cette procédure peut s'appliquer à la fin des séquences. Cette fois, au lieu de déplacer le curseur vers la droite, vous le déplacez vers la gauche pour éliminer les images inutiles. Le vide laissé à droite sera immédiatement comblé

par la séquence de droite, dès que vous relâcherez le bouton de la souris. On appelle cela *raccorder*.

Cette technique est utilisable pour réduire la durée d'une séquence que vous jugez trop longue. Soit vous éliminez des images au début, à la fin, ou aux deux.

Lorsque vous réduisez ainsi la durée d'un clip, les images éliminées ne sont jamais perdues. Donc, en cas d'erreur ou de changement d'idées, vous pouvez les récupérer. Il suffit de placer le pointeur de la souris sur un des bords d'une séquence, de cliquer, et de déplacer le curseur vers la gauche si vous êtes en début de séquence, et vers la droite si vous êtes en fin de séquence. La fenêtre Moniteur montre les images que vous récupérez au fur et à mesure que vous déplacez le curseur. N'oubliez jamais que nous travaillons en virtuel. Que vous réduisiez ainsi la durée d'un clip, ou que vous le coupiez comme nous allons le voir dans la prochaine section, vos images ne sont jamais radicalement effacées.

Couper dans une séquence

Nous avons vu comment réorganiser les séquences capturées, et comment supprimer des images inutiles, voire réduire la durée d'une séquence. Mais qu'en est-il si le plan que vous désirez supprimer se trouve ni au début, ni à la fin d'une séquence capturée, mais dans la séquence elle-même. En d'autres termes, vous désirez supprimer un plan dans une séquence. Par exemple, lors de ma promenade médiévale, j'ai filmé un panneau que je ne souhaite pas conserver dans mon montage final :

1. **Placez l'indicateur temporel sur la première image du panneau.**

   Pour cela, aidez-vous du Moniteur et des flèches gauche-droite du pavé directionnel.

2. **Cliquez sur l'outil Cutter de la fenêtre Montage, ou appuyez sur C pour l'activer.**

3. **Pour bien couper, augmentez le zoom pour que chaque image du Montage représente une durée d'une image.**

   Pour que chaque petite image ait une durée d'une image, déplacez le curseur du zoom au maximum vers la droite comme à la Figure 8.9.

4. **Avec l'outil Cutter, cliquez sur la première image du plan à éliminer.**

   Vous venez d'effectuer une première coupe.

5. **Réduisez le facteur de zoom et placez l'indicateur temporel sur la dernière image du plan à supprimer de votre montage.**

Il est important de réduire ce facteur sinon vous serez obligé de vous déplacer image par image, ce qui risque de vous demander beaucoup de temps si le plan est long.

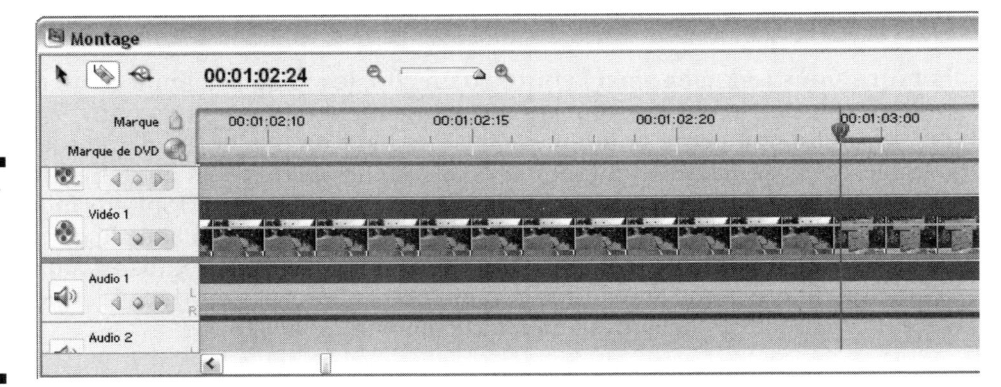

Figure 8.9 : Pour effectuer un découpage précis, il est recommandé d'appliquer un zoom maximal.

6. Une fois l'indicateur temporel en place, augmentez de nouveau le facteur de zoom à son maximum.

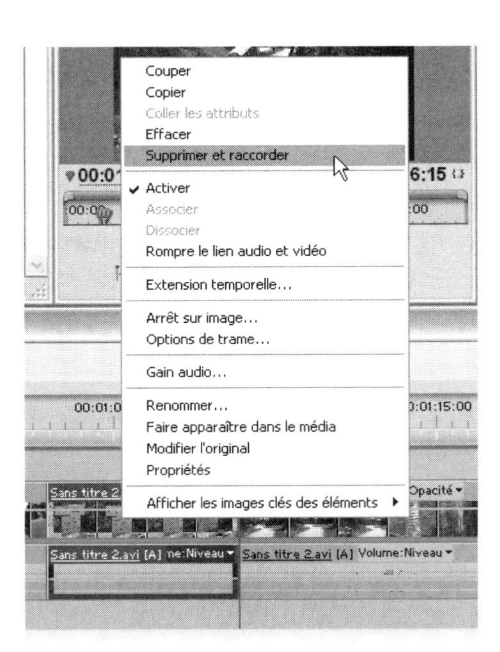

Figure 8.10 : Supprimez le plan inutile sans laisser de vide dans le montage.

7. **L'outil Cutter étant actif, cliquez sur la dernière image du plan à éliminer.**

   Voilà ! Vous avez défini deux coupes qui isolent un plan dans une séquence. Il faut maintenant le supprimer sans laisser de vide dans le montage.

8. **Avec le bouton droit de la souris, cliquez sur l'élément à supprimer.**

9. **Dans le menu contextuel, cliquez sur Supprimer et raccorder comme à la Figure 8.10.**

   Dès l'exécution de cette commande, l'élément disparaît du montage et les clips situés à droite sont décalés vers la gauche pour éviter de laisser un vide dans le montage.

Cette technique de découpe dans une séquence permet de supprimer des plans, mais aussi de créer une *brèche* dans une séquence pour y insérer un autre plan comme au cinéma. Vous effectuez alors un montage dit *par insertion.*

Montage par insertion dans Premiere Elements

Le rythme d'un film dépend uniquement du montage. Il n'est pas rare de voir une scène coupée très brièvement par une autre, pour revenir à la séquence initiale. Par exemple, une personne évoque un événement. Pendant ce monologue, les images d'une autre séquence s'insèrent dans la narration. Une fois arrivé à la fin de l'évocation, on retrouve le personnage en train de parler. On peut même imaginer plusieurs insertions dans cette même séquence. Dans ce cas, le spectateur voit la personne en train de parler, puis ce dont elle parle, puis de nouveau l'acteur parlant, suivi d'une autre scène d'évocation, pour finir sur un retour au personnage. Pour schématiser, vous disposez d'une séquence A et d'une séquence B. Vous placez la totalité de la séquence A dans le montage (par exemple en la faisant glisser-déposer depuis la fenêtre Média). Ensuite, vous procédez à deux coupes. Ces coupes représentent des points d'insertion. Dans chacune de ces coupes vous placerez un élément de la séquence B. Au montage vous aurez la succession suivante A-B-A-B-A.

Cette insertion de la séquence B peut, bien évidemment, se faire en préservant la piste audio de la séquence A.

Pour effectuer un montage par insertion :

1. **Placez l'indicateur temporel sur l'image d'une séquence à partir de laquelle vous désirez insérer une autre séquence.**

2. **Activez l'outil Cutter (C), et cliquez sur l'image en question.**

   Vous venez de créer une coupe dans laquelle vous allez insérer un autre plan.

3. **Dans la fenêtre Média, cliquez sur la séquence à insérer.**

4. **Sans relâcher le bouton de la souris, faites-la glisser jusqu'au point de coupe, c'est-à-dire notre point d'insertion.**

   Dès que la séquence à insérer se trouve bien positionnée, une ligne verticale crantée apparaît. La direction des crans indique que les séquences qui se trouvent après le point d'insertion vont être décalées vers la droite pour maintenir la durée de votre film, et ainsi en conserver tous les éléments. (Voir la Figure 8.11.)

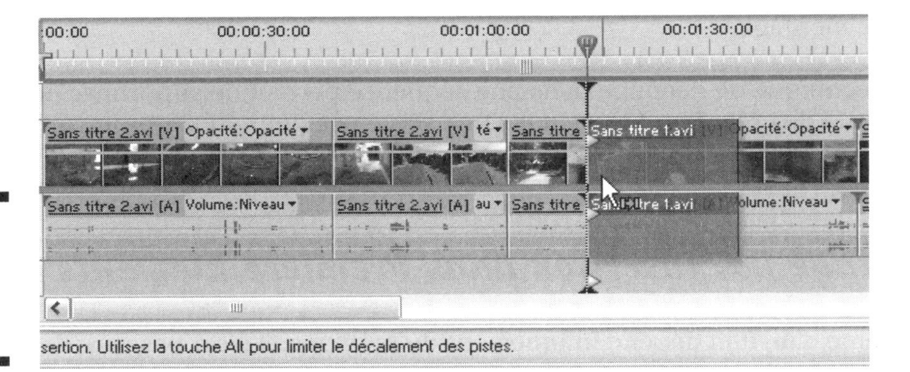

Figure 8.11 : Insertion d'une séquence dans un clip préalablement coupé.

5. **Relâchez le bouton de la souris. La séquence est insérée.**

6. **Si la séquence insérée est trop longue, réduisez sa durée en plaçant le pointeur de la souris à l'une de ses extrémités. Quand il prend la forme de l'icône de raccord (double flèche avec crochet rouge), cliquez et réduisez à votre convenance.**

Imaginez toutes les possibilités offertes par ce système de montage. Bien évidemment, Premiere Elements permet beaucoup d'autres choses, comme l'insertion d'un élément remplaçant les images de la séquence en place, l'extension temporelle, et des dizaines de fonctions de gestion de votre interface. Comme cet ouvrage n'est pas consacré à ce logiciel, il est difficile de faire le tour de toutes ses possibilités. Je ne peux que vous indiquer quelques bases de son fonctionnement pour vous donner envie d'aller plus loin en testant ce produit.

Ajouter des transitions avec Premiere Elements

Transitions est un terme tout à fait approprié. Elles permettent de passer d'une séquence à une autre de manière progressive. La transition typique est le fondu enchaîné durant lequel la séquence A disparaît progressivement alors que la séquence B apparaît tout aussi progressivement. Mal aimé des cinéastes professionnels, le fondu enchaîné ravit les vidéastes amateurs.

La procédure de détermination d'une transition est une opération à la fois simple et logique. Dans cette section, nous allons voir comment créer un fondu enchaîné et un fondu au noir en ouverture et en fermeture.

Ajout d'un fondu enchaîné entre deux séquences

Partons de l'hypothèse que votre montage est terminé, mais que le passage de certaines séquences à d'autres est trop brutal. Voici comment réaliser un fondu enchaîné entre deux séquences pour marquer l'écoulement d'une durée de temps ou simplement un changement de lieu.

Pour l'apprentissage de ce principe, restreignons-nous à la piste Vidéo 1 :

1. **Cliquez sur le bouton Effets.**

   Cette action ouvre une nouvelle fenêtre Effets qui contient l'ensemble des transitions et des effets audio et vidéo de Premiere Elements. (Voir la Figure 8.12.)

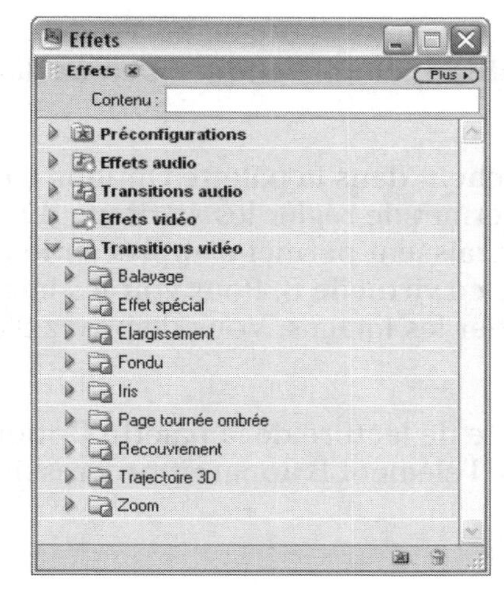

Figure 8.12 : La fenêtre Effets concentre tous les effets audio et vidéo du programme, notamment les transitions.

2. **Le cas échéant, cliquez sur le triangle situé à gauche de Transitions vidéo pour en afficher le contenu.**

3. **Dans la fenêtre Montage, repérez les deux séquences devant être enchaînées par une transition.**

4. **Ouvrez le dossier Fondu.**

5. **Glissez-déposez l'icône du Fondu enchaîné de la palette Effet entre les deux séquences à enchaîner sur la piste Vidéo 1.**

   Comme l'illustre la Figure 8.13, l'élément de transition se trouve à la fin de la première séquence. Cela signifie que Premiere Elements va effectuer un savant calcul pour superposer intelligemment les images des deux séquences et effectuer un fondu enchaîné parfait.

   Le petit trait rouge qui apparaît au-dessus de la transition indique qu'il faut effectuer une prévisualisation de cette zone pour que la transition soit fluide. La prévisualisation se lance en appuyant sur la touche Entrée.

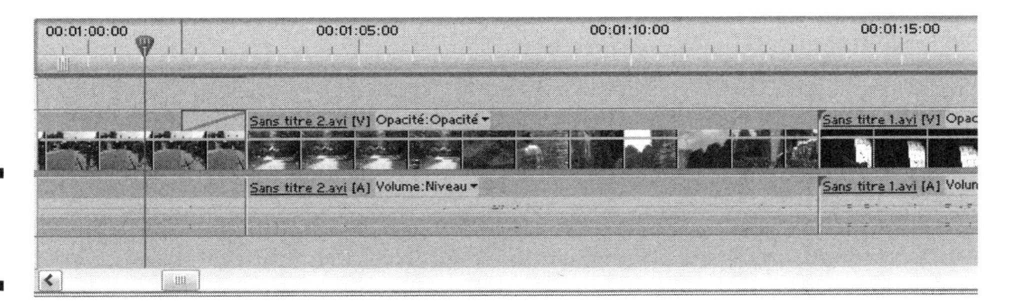

Figure 8.13 : La transition est en place.

6. **Pour régler et prévisualiser la transition, double-cliquez dessus dans la fenêtre Montage.**

   Les paramètres de la transition s'affichent dans la palette Options d'effet comme l'illustre la Figure 8.14. Elle permet de régler les attributs du fondu enchaîné. Le fait que des lettres apparaissent permet d'apprécier le passage de la séquence virtuelle A à la séquence virtuelle B. Pour voir les images de vos séquences, activez l'option Afficher les images. Vous disposez d'un aperçu comme sur la Figure 8.15.

   Pour prévisualiser, faites glisser la tête de lecture de la palette Options d'effet ou de la fenêtre Montage. La vidéo de l'élément B apparaît progressivement.

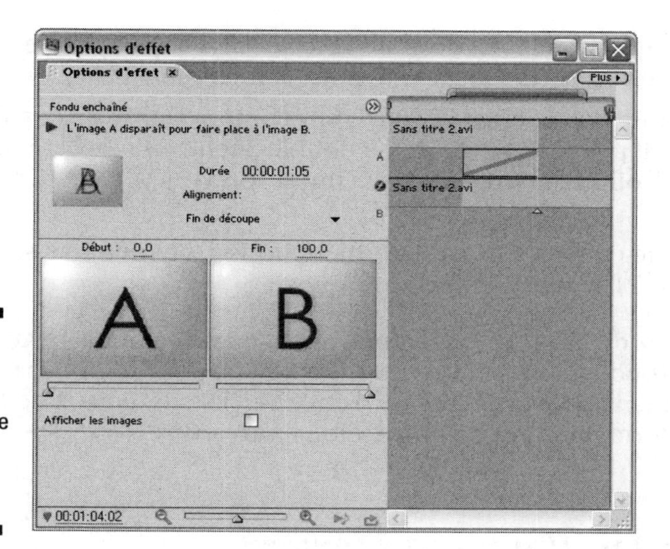

Figure 8.14 : Contenu par défaut de la boîte de dialogue de réglage des attributs de transition.

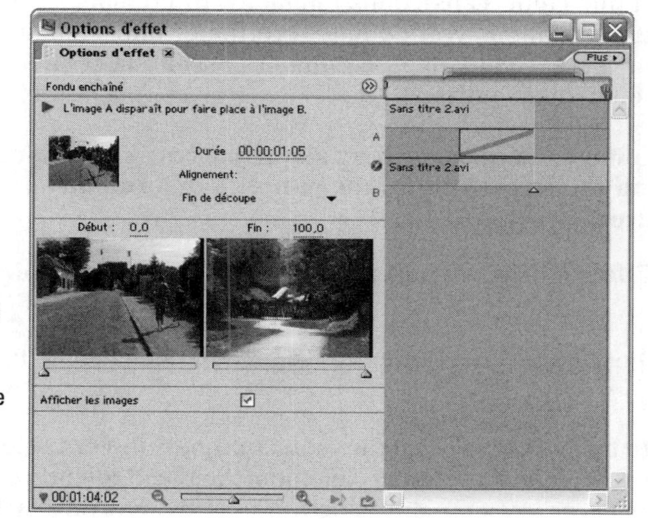

Figure 8.15 : Cette même boîte de dialogue affichant les images des séquences.

La petite animation située dans le coin supérieur gauche de la palette Options d'effet permet d'apprécier la transition. Si cette dernière n'a pas besoin d'être calculée, vous la verrez en temps réel sans saccade dans le moniteur de Premiere Elements.

7. **Pour modifier la durée de la transition :**

- Soit vous faites glisser le bord droit de la transition vers la droite pour augmenter sa durée, et vers la gauche pour la diminuer.
- Soit vous placez le pointeur de la souris sur l'option Durée de la palette Options d'effet. Il prend la forme d'une double flèche. Cliquez et faites-la glisser vers la droite pour augmenter la durée, ou vers la gauche pour la diminuer.
- Soit, vous double-cliquez sur cette dernière option, et vous saisissez directement la durée à l'image près.

Félicitations ! Vous venez de faire un fondu enchaîné comme aux plus beaux jours des productions hollywoodiennes romantiques. Toutefois, pour marquer une ellipse importante, un changement radical de lieu ou d'époque, il est judicieux de faire un fondu au noir, dit à la "fermeture", et un autre, dit à l'"ouverture".

Fondu au noir avec Premiere Elements

Le fondu au noir est une astuce, une variante du fondu enchaîné. Vous constaterez qu'il est tout aussi intuitif que celui réalisé dans Pinnacle Studio mais en revanche totalement paramétrable. Nous allons voir comment terminer une séquence par une image noire qui apparaît progressivement, et comment passer à la séquence suivante à partir de cette même image noire.

1. **Dans la fenêtre Montage, coupez les deux séquences qui s'enchaînent en *cut* de manière à définir facilement un fondu au noir à la fermeture et un fondu au noir à l'ouverture.**

2. **Depuis la palette Effets, glissez-déposez la transition Fondu au noir à la fin de l'élément A.**

   Vous obtenez une configuration de montage équivalente à celle de la Figure 8.16.

   Si vous laissez cette transition telle quelle, vous obtenez un véritable fondu au noir à la fermeture et à l'ouverture entre l'élément A et la séquence qui suit. Mais, comment conserver la même durée de fondu et d'ouverture au noir tout en ayant un noir plus long sans altérer les images de la séquence ?

3. **Pour que la durée du noir soit plus longue, décalez la séquence B vers la droite. Le vide sera interprété comme un élément noir. La durée de la transition au noir est donc défini intuitivement par l'écart qui sépare la fin de la séquence A du début de la séquence B.**

Figure 8.16 : L'élément A se termine par un fondu enchaîné !

4. **Placez un fondu au noir à la fin de la séquence A et un autre au début de la séquence B.**

   La Figure 8.17 montre comment réaliser un fondu au noir à la fermeture et un à l'ouverture en augmentant la durée du noir entre les deux.

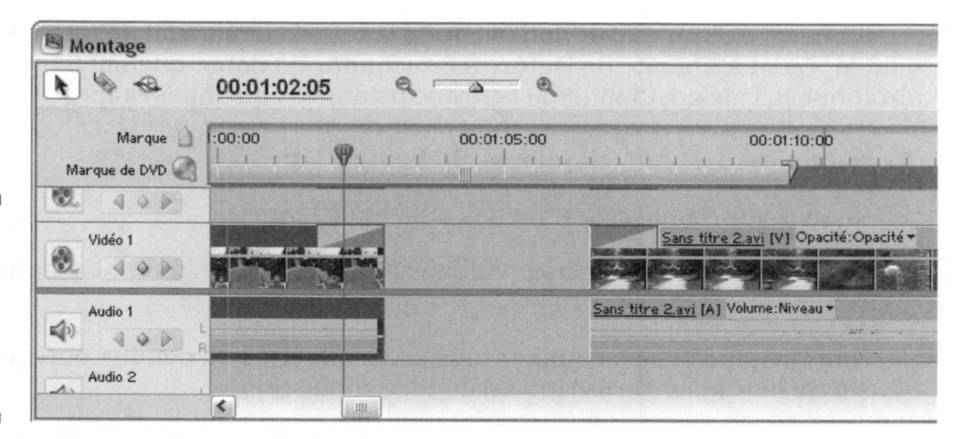

Figure 8.17 : Fondu au noir à la fermeture et à l'ouverture avec gestion de la durée du noir entre les deux.

Vous voyez qu'en quelques étapes et un peu de logique d'organisation, vous placez votre vidéo dans un contexte professionnel d'édition. Une fois que vos transitions sont définies, n'hésitez pas à tester les dizaines que vous propose Premiere Elements.

Maintenant que vous connaissez les principes de base du montage et des transitions, voyons comment finaliser un projet en ajoutant un titre et un générique de fin déroulant, comme au cinéma.

Création de titres et de génériques dans Premiere Elements

Premiere Elements dispose d'un module de titrage relativement simple à utiliser. Nous allons voir comment ajouter un titre en surimpression et créer un générique de fin sur fond noir. Mais avant toute chose, cliquez sur le bouton Titres.

Premiere Elements ouvre la boîte de dialogue Modèles. Passez outre en cliquant sur Annuler.

Titre en surimpression

La *surimpression* induit l'affichage du titre sur l'image vidéo. Notre exemple est basé sur une visite d'une ville médiévale. Après quelques secondes de vidéo, nous allons faire apparaître le titre : Provins.

Tout commence par un positionnement de la tête de lecture au début de la fenêtre Montage. J'ai placé la tête de lecture à 2 secondes du début du film. C'est à cet endroit que je vais positionner le titre en suivant ces quelques étapes :

1. **Si ce n'est déjà fait, cliquez sur le bouton Titres.**

   Cliquez sur Annuler pour ne pas utiliser de modèles.

   La fenêtre Module de titrage Adobe apparaît avec ses multiples options comme sur la Figure 8.18.

   Nous ne pouvons pas étudier tous les paramètres en détail. Contentez-vous de suivre les étapes de création d'un titre sophistiqué.

2. **Comme l'outil Texte est sélectionné, cliquez à un endroit quelconque de la fenêtre affichant l'image où se trouve la tête de lecture.**

   Un point d'insertion clignote sur l'image. Il indique que vous pouvez saisir un titre au clavier.

3. **Saisissez le titre, en l'occurrence *Provins*.**

   Vous obtenez un titre semblable à celui de la Figure 8.19.

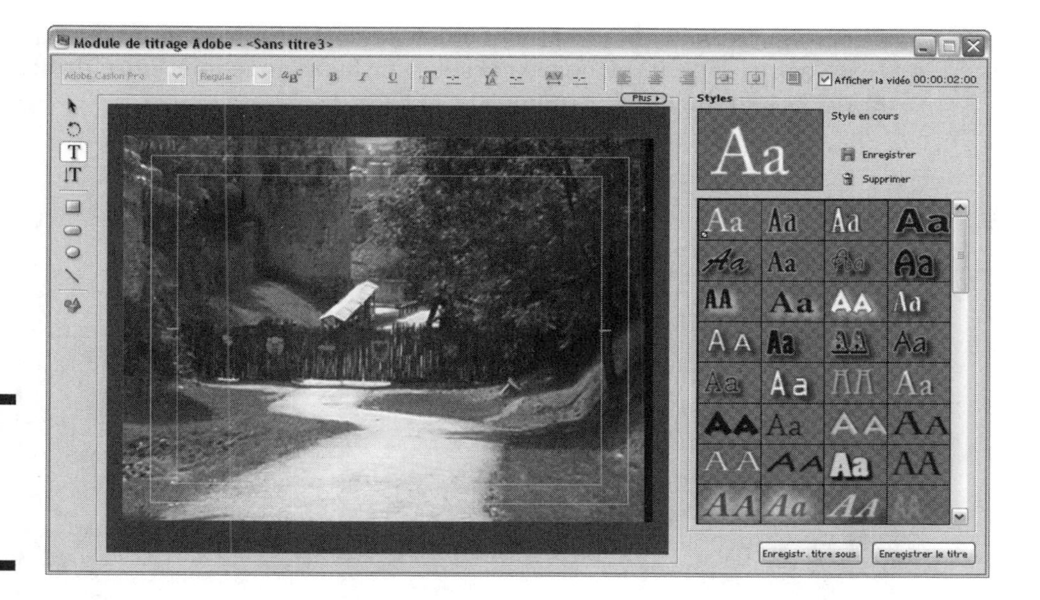

Figure 8.18 : Le module de titrage de Premiere Elements.

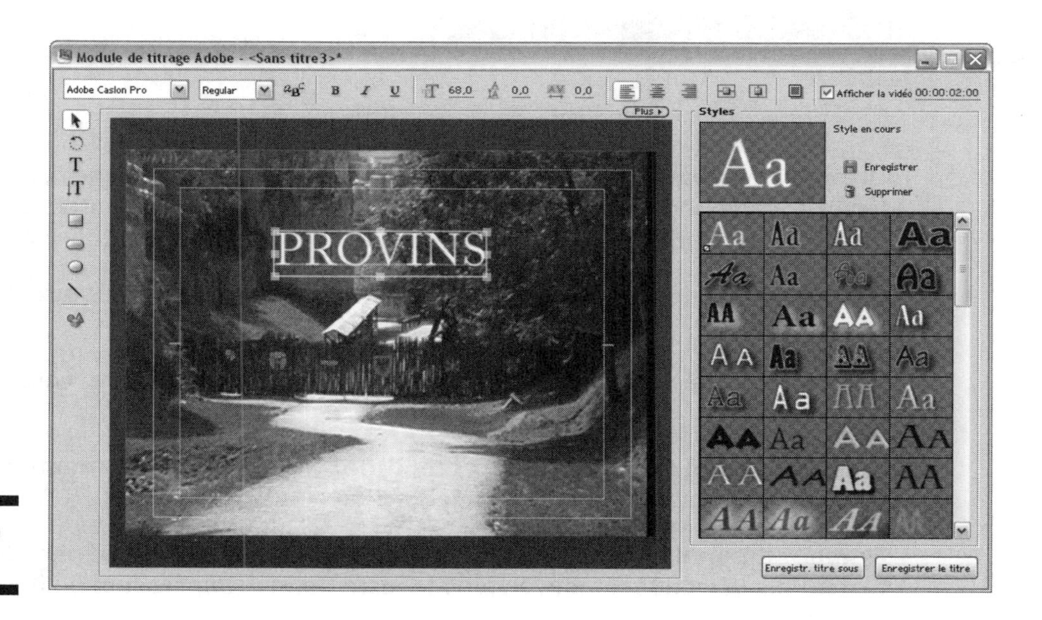

Figure 8.19 : Le titre saisi.

A partir de là, vous allez pouvoir modifier de nombreux paramètres.

4. **Cliquez sur l'outil Sélection (la flèche).**

Des poignées entourent le texte. Elles permettent de le redimensionner. Si le texte est trop petit, placez le curseur sur la poignée inférieure droite, cliquez, et tirez-la en diagonale comme sur la Figure 8.20.

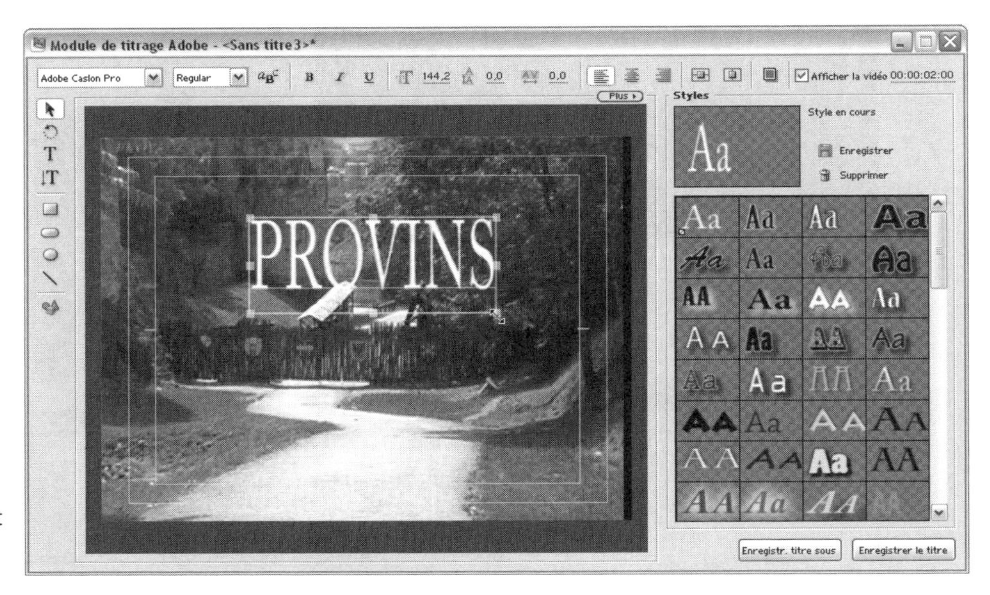

Figure 8.20 : Redimensionnement intuitif du texte.

De nombreux paramètres sont à votre disposition dans la partie droite de la fenêtre. Vous pouvez changer de police, modifier sa taille, ajouter un contour, définir une ombre, etc. Nous allons simplement ajouter une ombre au texte.

5. **Dans le coin supérieur droit du Module de titrage Adobe, cliquez sur le carré rouge.**

   Vous accédez aux paramètres de couleur de texte et d'ombre, comme sur la Figure 8.21.

6. **Cochez l'option Ombre portée, et modifiez les valeurs des paramètres Distance, Adoucissement, et Angle.**

   Distance détermine la distance à laquelle va se trouver l'ombre par rapport au texte. Plus la valeur est élevée plus le texte donne l'impression de flotter sur l'image.

   Adoucissement permet d'adoucir les contours de l'ombre, c'est-à-dire les rendre flous et diffus.

   Angle permet d'indiquer la position de l'ombre par rapport au texte.

Profitez également de cette boîte de dialogue pour modifier la couleur du texte en définissant une teinte dans le vaste nuancier situé dans la partie supérieure, ou en saisissant directement des valeurs RVB à droite des paramètres R, V, et B.

Figure 8.21 : Paramétrer une ombre.

La Figure 8.22 montre l'aspect d'un titre bénéficiant d'une nouvelle couleur et d'une ombre portée.

7. **Pour valider et conserver ce titre, cliquez sur le bouton Enregistrer titre sous.**

   Dans la boîte de dialogue, le format des titres est sélectionné. Vous n'avez qu'à lui attribuer un nom comme Titre_Provins, et à cliquer sur Enregistrer.

8. **Fermez la fenêtre de titrage en cliquant sur son bouton de fermeture situé dans le coin supérieur droit.**

   Le titre se trouve dans la fenêtre Média. Il faut le placer dans le montage.

9. **Glissez-déposez le titre sur la piste Vidéo 2.**

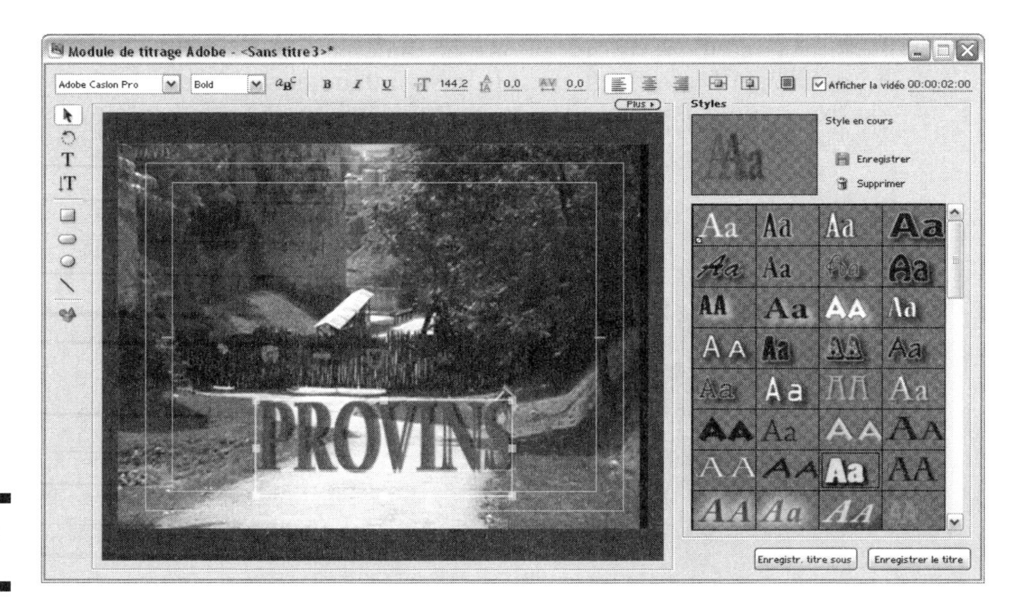

Figure 8.22 : Un titre ombré !

10. **Avec les techniques étudiées précédemment, déplacez le titre en bonne position et réduisez sa durée, c'est-à-dire sa longueur dans la fenêtre Montage.**

    Une durée de trois secondes pour un titre d'une seule ligne semble suffisante. Une bonne configuration de piste est représentée sur la Figure 8.23.

Figure 8.23 : Une durée et un positionnement corrects d'un titre.

11. **Placez la tête de lecture avant le titre et appuyez sur la barre d'espace.**

    La prévisualisation commence. Le titre apparaît et disparaît brutalement. Cela peut être un effet voulu, mais il est possible de le faire apparaître et disparaître progressivement en définissant des points de contrôle. Les étapes suivantes expliquent comment procéder.

12. **Cliquez sur Fenêtre/Options d'effet.**

13. **Dans cette palette, cliquez sur la flèche du paramètre Opacité.**

    Vous affichez les valeurs d'opacité de la piste Vidéo 2, c'est-à-dire du titre. Par défaut, cette valeur est égale à 100.

14. **Fixez la valeur d'opacité à 0, c'est-à-dire que le contenu de la piste Vidéo 2 doit être totalement transparent (invisible).**

    Double-cliquez sur la valeur, saisissez 0.0, et appuyez sur Entrée. Vous constatez qu'un demi-losange est apparu dans la partie droite de la palette Options d'effet. Vous venez de définir une *image-clé* dont la valeur d'opacité est égale à 0.

15. **Dans la fenêtre Montage, placez la tête de lecture sur 3:00, c'est-à-dire à la durée 3 secondes.**

16. **Dans la palette Options d'effet, saisissez maintenant une valeur d'opacité de 100 %.**

    Un losange apparaît. Il détermine l'image-clé de fin. Cela signifie que de la durée 3 secondes à la durée 4 secondes, l'opacité du titre va passer progressivement de 0 à 100 %, c'est-à-dire de l'invisibilité à la visibilité.

17. **Placez la tête de lecture à la durée 4:00.**

    Cette fois vous souhaitez que pendant une seconde, c'est-à-dire entre la durée 4:00 et 5:00, l'opacité ne change plus.

18. **Dans la palette Options d'effet, cliquez sur le bouton Ajouter/Supprimer une image clé situé à droite du paramètre Opacité. Il s'agit d'un petit losange comme le montre la Figure 8.24.**

19. **Placez la tête de lecture à la durée 6:00, en vérifiant que vous êtes bien sur la dernière image du titre.**

20. **Dans la palette Options d'effet, fixez l'opacité à 0%.**

    Ceci crée une dernière image clé. Vous comprenez alors qu'en quatre images clés, il a été possible de définir un titre qui apparaît progressivement pendant une seconde, qui s'affiche une seconde, et qui disparaît en une seconde.

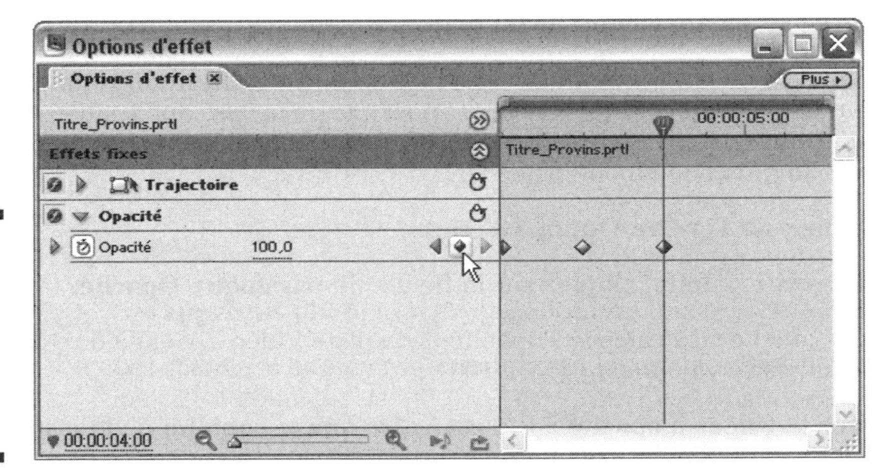

Figure 8.24 : Premiere Elements utilise des images clés pour déterminer l'opacité des pistes de transparence.

21. **Placez la tête de lecture avant l'apparition du titre et lancez la lecture du montage.**

    Opération réussie ! Le titre apparaît, reste fixe, et disparaît !

Votre montage est presque terminé. Vous y trouvez un titre, des transitions, il ne reste plus qu'à ajouter un générique de fin avant d'envisager quelques effets spéciaux.

Générique

Tout film se doit de rendre hommage à ceux qui y ont participé. Ces diverses informations et remerciements sont consignés dans un générique très traditionnel qui consiste à faire défiler du texte sur un fond noir. Voici comment créer un générique digne des grands studios de postproduction vidéo et cinéma :

1. **Cliquez sur le bouton Titre.**

   Cliquez sur Annuler pour fermer la boîte de dialogue des modèles. Le Module de titrage Adobe apparaît. Ici, ne vous souciez pas de l'image de fond.

2. **Cliquez sur le bouton Plus. Exécutez la commande Options de déroulement à la verticale/horizontale.**

3. **Dans la boîte de dialogue qui apparaît, déroulez la liste Trajectoire, et sélectionnez Déroulement à la verticale, comme à la Figure 8.25.**

4. **Ne touchez pas aux autres options, et cliquez sur OK.**

Figure 8.25 : Votre générique doit se dérouler verticalement.

5. **Comme l'outil Texte est actif, saisissez le texte de votre générique de fin.**

   Toutes les options de police, de taille, de couleur, etc. sont accessibles dans la partie supérieure de l'interface, et via le bouton Propriétés de couleur (carré rouge). Définissez-les de préférence avant de saisir le texte.

   Rien ne vous empêche de créer un paragraphe avec telle police et telle couleur, puis de cliquer avec l'outil texte dans une autre portion de la fenêtre de titrage pour définir un nouveau bloc de texte ayant des propriétés totalement différentes du précédent.

6. **Une fois le ou les textes saisis dans cette seule fenêtre, cliquez sur le bouton Plus, puis sur Options de déroulement à la verticale/horizontale.**

7. **Activez les options Début hors de l'écran et Fin hors de l'écran.**

   C'est à cette seule condition que vous obtiendrez un générique qui défile de bas en haut.

8. **Cliquez sur OK.**

9. **Cliquez sur Enregistrer titre sous.**

10. **Donnez un nom au titre comme générique fin, et cliquez sur Enregistrer.**

11. **Fermer la fenêtre de titrage.**

12. **Faites glisser ce nouveau titre de la fenêtre Projet à la fin du montage, sur la piste Vidéo 1.**

13. **Placez l'indicateur temporel avant le début du générique.**

14. **Appuyez sur la barre d'espace pour lancer sa prévisualisation.**

15. **Arrêtez la lecture en appuyant sur la barre d'espace.**

La prévisualisation d'un générique déroulant est souvent heurtée. Nous vous conseillons de créer une véritable prévisualisation. Pour cela, définissez une zone de travail qui englobe le générique de fin, et appuyez sur la touche Entrée (surtout pas sur Enter du pavé numérique). Premiere lance alors le calcul d'une vraie prévisualisation depuis le disque dur et non plus depuis le logiciel lui-même. La durée du calcul dépend du nombre d'images et de la puissance de votre ordinateur. Une fois le calcul terminé, la lecture démarre. Si le générique est trop rapide, augmentez sa durée en l'étirant directement dans la fenêtre Montage. S'il est trop lent, réduisez sa durée identiquement. Ces deux techniques sont expliquées dans la section consacrée aux transitions.

Vous venez de faire vos premiers pas dans l'univers du montage virtuel. Une vidéo mal filmée devient facilement une œuvre d'art ou un documentaire partisan. De la vie de famille à la fiction il n'y a qu'un pas que vous aurez sans doute envie de franchir dès que vous maîtriserez les techniques du montage virtuel. L'application de filtres et la superposition de couches permettent de créer des effets spéciaux qui se rapprochent de ceux réalisés sur des stations vidéo professionnelles. C'est un aspect créatif que je vous propose de voir dans la prochaine section.

Effets spéciaux

Les effets spéciaux sont le nerf de la guerre artistique. Ce sont eux qui donnent une âme, un sens, une esthétique à votre travail. Même s'ils sont souvent réservés aux artistes vidéo, à la publicité et aux effets spéciaux de cinéma, un logiciel comme Premiere Elements permet toutefois à l'amateur de rivaliser dans certains domaines avec les professionnels.

Les effets spéciaux de Premiere Elements se résument à trois techniques essentielles que l'on peut, et je dirais même, que l'on doit conjuguer :

- Les filtres vidéo et audio.
- La trajectoire.
- La transparence.

Intéressons-nous aux deux premières techniques.

Les filtres de Premiere Elements

Les filtres permettent des effets spéciaux sur les images mais aussi des corrections pour en améliorer la qualité.

Avant toute chose, comprenez les principes qui régissent l'utilisation des filtres de Première.

Principes d'utilisation

Les filtres sont regroupés dans la palette Effets de la fenêtre Média. Ils sont répartis dans des catégories au nom générique comme Flou, Image ou encore Pixellisation.

Un filtre s'applique directement sur une séquence de la table de montage. Il suffit de le glisser-déposer de la palette Effets sur la séquence à traiter. Par exemple, pour produire un effet très graphique, ouvrez le dossier Esthétique des Effets vidéo et glissez-déposez sur une séquence le filtre Détection des contours. Votre image se transforme immédiatement comme celle de la Figure 8.26.

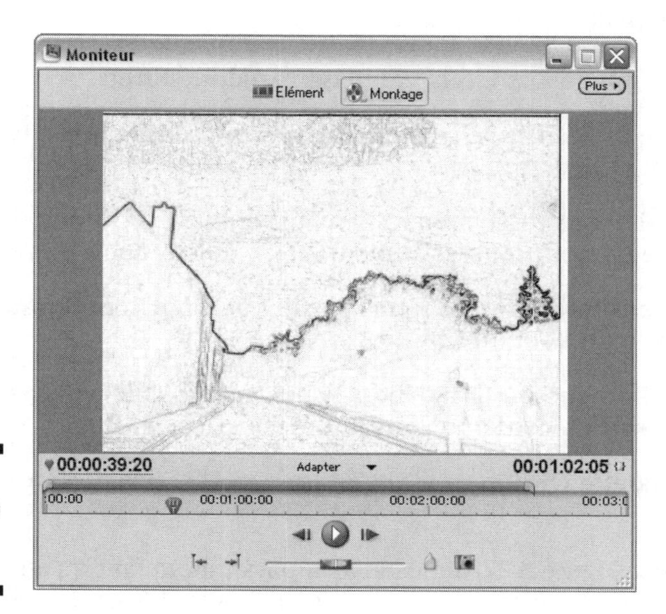

Figure 8.26 : Application d'un filtre vidéo sur une séquence.

On peut alors se dire que l'application d'un filtre est simple et ne revêt pas beaucoup d'intérêt. Intrinsèquement parlant, vous avez raison, sauf que les filtres peuvent se superposer et surtout, leurs paramètres sont gérés dans la palette Options d'effets. Non seulement vous voyez immédiatement le nom des filtres appliqués sur une séquence, mais vous pouvez en modifier l'intensité. Cerise sur le gâteau, vous pouvez faire évoluer l'intensité d'un filtre dans le temps en définissant des images clés comme vous l'avez fait pour l'opacité des titres. C'est ce que l'on appelle une *interpolation*.

Pour résumer :

1. **Glissez-déposez, sur une séquence de la fenêtre Montage, un filtre du dossier Effets vidéo de la palette Effets.**

2. **Gérez les effets du filtre dans le temps grâce à la palette Options d'effets, et aux images clés.**

Pour mieux comprendre cela, voyons comment utiliser l'arme secrète des filtres dans Premiere Elements ; j'ai nommé la palette Options d'effets.

Options d'effets

Pour bien comprendre l'utilisation de la palette Options d'effets, nous allons voir comment une séquence peut passer progressivement de la couleur au noir et blanc :

1. **Ouvrez le dossier Image des Effets vidéo de la palette Effets.**

2. **Glissez-déposez le filtre Filtre chromatique sur une séquence de la fenêtre Montage.**

   Dans le Moniteur, l'image vidéo apparaît en noir et blanc. Pourtant, ce filtre va nous permettre de passer progressivement de la couleur au noir et blanc.

3. **Dans la palette Options d'effets, cliquez sur le bouton de configuration de l'effet situé à droite du nom du filtre.**

4. **Dans la boîte de dialogue du filtre, fixez le paramètre Tolérance sur 100 pour que l'image soit en couleur. Validez par un clic sur OK.**

5. **Revenu dans la palette Options d'effet, cliquez sur le chronomètre du paramètre Tolérance.**

   Comme le montre la Figure 8.27, un losange apparaît indiquant qu'une image clé vient d'être définie. Cette dernière conserve en mémoire les valeurs des paramètres actuellement affichés pour le filtre Filtre chromatique, c'est-à-dire 100.

6. **Placez la tête de lecture quelques secondes plus loin.**

7. **Dans la palette Options d'effet, faites glisser le curseur Tolérance du Filtre chromatique pour obtenir une image en noir et blanc.**

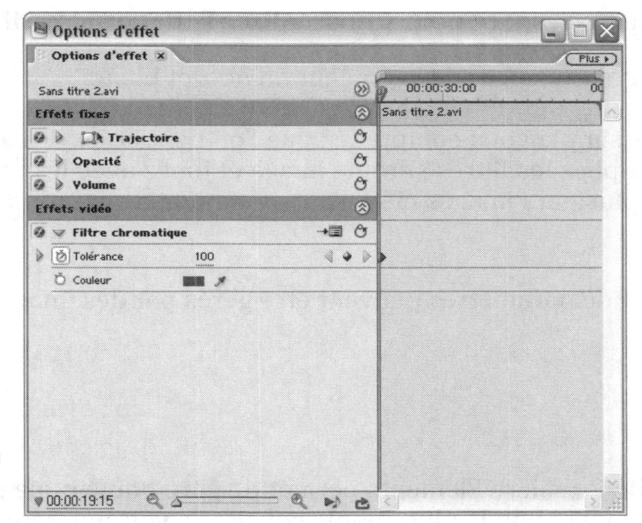

Figure 8.27 : Grâce aux images clés définies dans la palette Effets, vous pouvez gérer l'évolution d'un filtre dans le temps.

Une valeur de 0 supprime toute trace de couleur.

Vous observez qu'une seconde image-clé apparaît à l'emplacement de la tête de lecture dans la palette Options d'effet, comme à la Figure 8.28.

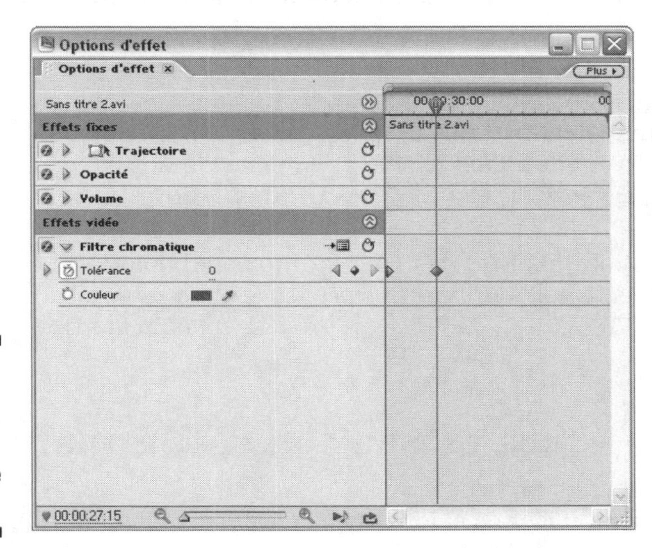

Figure 8.28 : Les deux images clés définissent la progression de l'effet dans le temps.

Par conséquent, la séquence va progressivement passer de la couleur au noir et blanc entre ces deux images clés.

8. **Appuyez sur la barre d'espace pour prévisualiser l'effet progressif du filtre.**

   L'image passe progressivement de la couleur au noir et blanc.

Grâce à cet exemple très simple vous comprenez que l'on peut créer des atmosphères extraordinaires. Multipliez les filtres sur une image et jouez avec les valeurs des paramètres en ajoutant plusieurs images clés. Tout un monde de création s'offre à vous.

Seuls les filtres disposant de paramètres peuvent être gérés par des images clés.

Trajectoire

La fonction Trajectoire de Premiere Elements permet de faire bouger une image dans un espace 2D. Son application la plus simple consiste à voir une séquence traverser l'écran de gauche à droite. Un exemple ? Rien de plus facile :

1. **Dans la fenêtre Montage, cliquez sur une séquence.**

   Cette action la sélectionne.

2. **Dans la palette Options d'effet, cliquez sur le mot Trajectoire pour le sélectionner, puis ouvrez tous les paramètres de trajectoire comme à la Figure 8.29.**

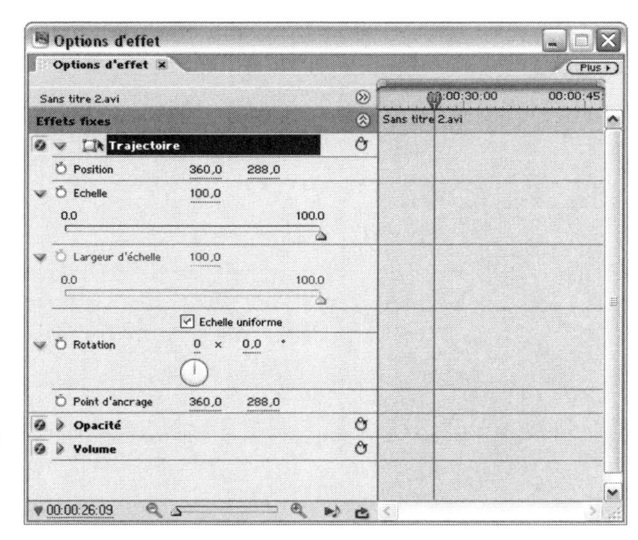

Figure 8.29 : La boîte de dialogue de configuration d'une trajectoire.

Premiere Elements gère les trajectoires avec un système d'images clés.

La trajectoire permet d'obtenir des transitions personnalisées avec déformation d'une image animée.

3. **Définissez les valeurs des paramètres de la trajectoire, puis cliquez sur les chronomètres pour définir des images clés.**

   Regardez les valeurs et la position de l'image sur la Figure 8.30.

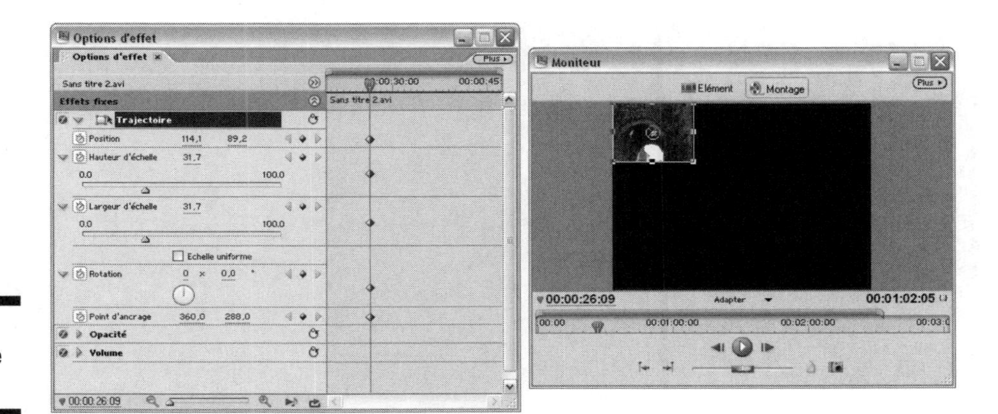

Figure 8.30 : Création d'une trajectoire.

4. **Ensuite, déplacez la tête de lecture pour placer l'image à un nouvel endroit du moniteur, et modifiez les paramètres.**

   Le fait de saisir de nouvelles valeurs crée automatiquement des images clés.

Il y a, bien évidemment, de nombreuses choses à réaliser avec les déformations et les trajectoires, notamment en superposant des pistes. Entrer dans le détail impose l'écriture d'un ouvrage complet sur Premiere Elements, étude qui dépasse le cadre d'un livre générique sur la vidéo numérique sous Windows XP.

Quels que soient les traitements que vous faites subir à vos séquences, il en résulte un montage d'images qu'il va falloir enregistrer sur une bande vidéo (entre autres supports de sortie).

Enregistrement d'un montage sur bande

La méthode la plus simple consiste à raccorder le périphérique DV à l'ordinateur par la prise IEEE 1394. Ensuite :

1. **Cliquez le bouton Exportation/Sur bande.**

   Vous ouvrez la boîte de dialogue Exportation sur bande illustrée à la Figure 8.31.

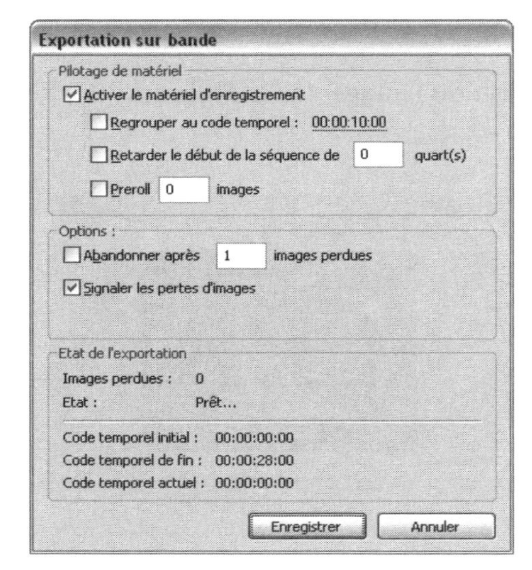

Figure 8.31 : Exportation d'un montage sur bande MiniDV.

2. **Comme vous exportez vers un matériel DV, veillez à ce que la case Activer le matériel d'enregistrement soit bien cochée.**

3. **Cliquez sur le bouton Enregistrer.**

   Premiere Elements effectue tous les rendus nécessaires. Une fois cette tâche accomplie, il bascule le caméscope en mode enregistrement, et lance la lecture du montage.

   Arrivé en fin de lecture de tout le contenu de la fenêtre Montage, Premiere Elements arrête la lecture et l'enregistrement. Rembobinez votre bande pour admirer votre travail.

Notre étude sommaire de Premiere Elements se termine ici. Ses multiples fonctions le rendent un peu plus difficile à maîtriser qu'un programme comme Studio 9, car l'interface est très complexe. Il y a des fenêtres un peu partout. Je dirais qu'il faut s'attaquer à Premiere Elements quand on ne parvient pas à se satisfaire d'un autre programme de montage virtuel simple, et que l'on désire aller plus loin dans ses expérimentations.

Il nous reste un dernier aspect à envisager. Exporter un film sur bande est bien, mais aujourd'hui, le support numérique de prédilection se nomme *DVD*. Si Premiere

Elements ne disposait pas d'un module de création et d'exportation sur DVD, il ne serait pas à la hauteur de ses concurrents.

Création d'un DVD avec Premiere Elements

Créer un DVD avec Premiere Elements est une tâche assez simple. Toutefois, elle mérite une attention particulière car l'utilisateur risque de se perdre dans la procédure.

Nous allons envisager ici le cas classique d'une vidéo contenant plusieurs séquences qui doivent apparaître dans un chapitrage. Ainsi, la procédure de création du DVD à partir de la fenêtre montage va consister à :

- Définir des marques pour le chapitrage.
- Créer l'interface du menu.
- Graver le DVD.

Marquer le montage pour créer un DVD

Je me répète, mais votre montage est fait de nombreuses séquences réduites, découpées, et insérées. Chaque séquence d'un film mérite une attention particulière. Le problème d'une exportation sur bande tient au fait qu'il n'est pas possible de passer instantanément à une séquence spécifique. Même si vous avez eu la possibilité d'insérer des index, il y a toujours un temps incompressible de rembobinage de la cassette.

Avec un DVD, en revanche, vous pouvez, en une pression sur la télécommande, accéder directement à un chapitre spécifique, c'est-à-dire à une marque identifiée en tant que telle par votre lecteur.

Donc, voyons comment, à partir de la fenêtre Montage, insérer des marques de DVD qui permettront de définir un menu de chapitres :

1. **Placez la tête de lecture (Indicateur temporel) en début de montage.**
2. **Dans cette même fenêtre Montage, cliquez sur le bouton Marque de DVD comme à la Figure 8.32.**

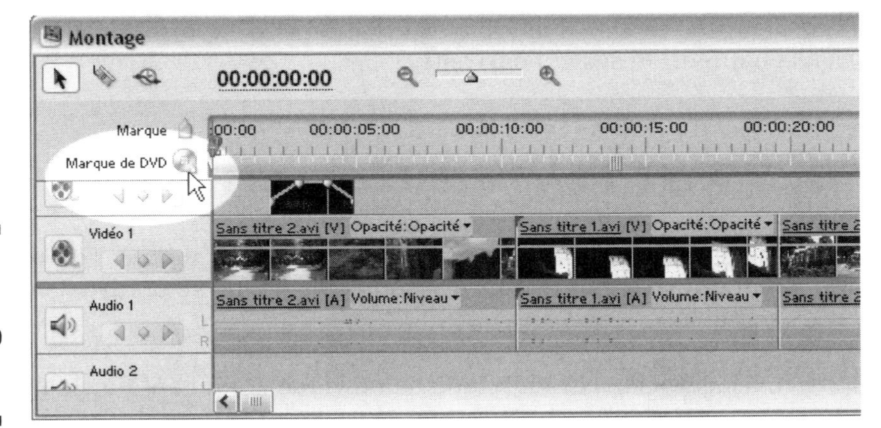

Figure 8.32 : Ce bouton permet de créer des marques de DVD tout au long du film.

3. **Dans la boîte de dialogue Marque de DVD, donnez un nom à cette première marque, puis sélectionnez un Type de marque. Comme nous définissons les marques de chapitrage, optez pour Marque de scène, comme à la Figure 8.33.**

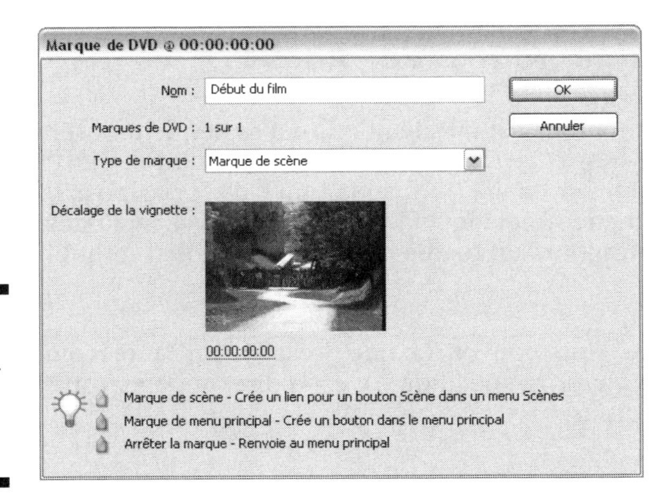

Figure 8.33 : Définissez les marques et leur type dans cette boîte de dialogue.

La vignette affichée dans la boîte de dialogue montre l'image qui apparaîtra dans le menu du DVD. Si vous désirez en choisir une qui identifie mieux le contenu de la scène, placez le pointeur de la souris sur les chiffres du code temporel. Il prend la forme d'une main avec deux flèches. Cliquez et faites glisser le curseur pour sélectionner une autre image.

4. **Validez la marque par un clic sur OK.**

5. **Revenu dans la fenêtre Montage, placez l'indicateur temporel à une nouvelle durée identifiant une nouvelle séquence à marquer comme scène, et répétez les étapes 3 et 4.**

   Répétez les étapes 3, 4, et 5 autant de fois que cela est nécessaire. En cas d'erreur, double-cliquez sur une marque. Dans la boîte de dialogue Marque de DVD, cliquez sur le bouton Supprimer.

   Si une marque n'est pas bien positionnée dans le montage, faites-la glisser à un autre emplacement sur le montage.

6. **Sur la dernière image du film, ajoutez une marque de DVD. Mais cette fois, attribuez-lui le type Marque de menu principal.**

   En effet, à la fin de la lecture du DVD, le menu principal s'affichera de nouveau, vous permettant ainsi de revoir des chapitres ou l'intégralité du film.

Vous venez de préparer le Montage à la création d'un DVD. Voyons maintenant de quoi il retourne dans la prochaine section.

Créer le menu

Comme le montage est chapitré, nous devons créer le menu en lui-même. Voici comment procéder :

1. **Cliquez sur le bouton DVD.**
2. **Dans la boîte de dialogue Modèles de DVD, activez l'option Appliquer un modèle pour un DVD avec menus.**
3. **Dans la liste Thème, sélectionnez Loisirs (par exemple).**
4. **Optez (par exemple) pour le modèle Compte à rebours.**
5. **Cliquez sur OK.**

   Vous accédez à l'interface de Disposition d'un DVD illustrée à la Figure 8.34.

6. **La magie s'opère maintenant ! Cliquez sur Aperçu du DVD.**

   La fenêtre Aperçu du DVD s'affiche. Elle reprend, en plus simple, les fonctions d'une télécommande d'un lecteur de DVD de salon.

7. **Placez le pointeur de la souris sur l'image, puis sur les différents menus.**
8. **Cliquez sur Sélection de scène.**

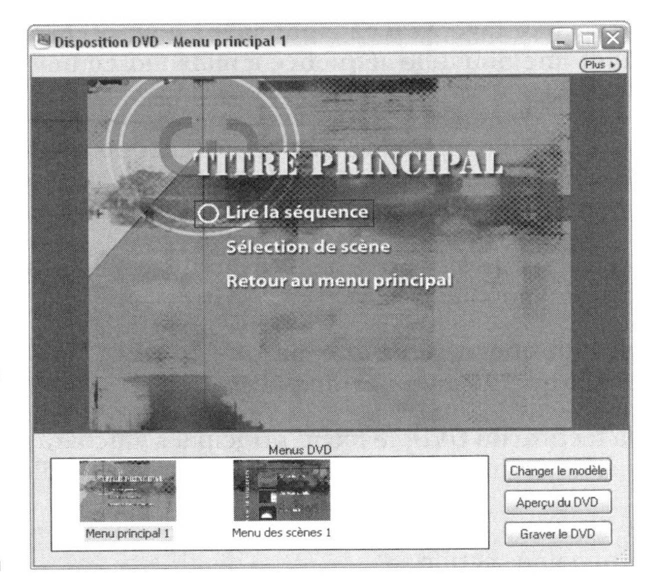

Figure 8.34 : L'interface d'authoring d'un DVD sous Premiere Elements.

9. Comme le montre la Figure 8.35, le menu de chapitrage est déjà créé à partir des marques mises en place dans la fenêtre Montage.

Figure 8.35 : Les marques de DVD permettent de créer automatiquement le menu de chapitrage.

10. **Testez un chapitre, par exemple le troisième, en cliquant sur son icône.**

    Vous accédez immédiatement à la séquence correspondante.

    TRUC

    Si la lecture est saccadée, ne vous formalisez pas. Il n'en sera rien sur le DVD. Cela tient au fait que le mode Lecture DV n'est pas toujours bien contrôlé par les cartes d'acquisition vidéo et les cartes graphiques. Je répète que c'est sans incidence sur le résultat final.

11. **Testez tous les autres chapitres.**

    Il n'y a aucune raison pour que ça ne fonctionne pas.

12. **Quittez l'aperçu en cliquant sur son bouton de fermeture (X).**

Voilà une affaire rondement menée. Il ne reste plus qu'à modifier les divers titres des menus. Voici comment procéder :

1. **Dans la section Menus DVD de la boîte de dialogue Disposition DVD, cliquez sur Menu Principal 1.**
2. **Double-cliquez sur Titre Principal.**
3. **Dans la boîte de dialogue Modifier le texte, saisissez votre titre, et cliquez sur OK.**
4. **Faites de même avec les autres éléments textuels.**
5. **Une fois les titres redéfinis, cliquez sur Menus des scènes 1 de la section Menus DVD.**
6. **Répétez les étapes 2 et 3.**

Vous venez de personnaliser un modèle de DVD. Maintenant que tout semble bien établi, il faut graver le DVD pour admirer votre travail sur un lecteur de DVD de salon.

Graver un DVD avec Premiere Elements

C'est certainement la phase la plus simple. Elle requiert malgré tout un graveur de DVD dans votre PC. Si cette condition est remplie, voici la procédure à suivre :

1. **Insérez un DVD vierge dans votre graveur.**
2. **Comme nous sommes toujours dans l'interface de disposition d'un DVD, cliquez sur Graver le DVD.**

3. **Pour graver directement sur le DVD, laissez l'option Disque active.**

4. **Ne touchez pas au réglage de la qualité.**

   En effet Premiere Elements définit ce réglage en fonction de la durée du film et de la capacité du DVD.

5. **Comme nous sommes en Europe, veillez à sélectionner cette option en tant que Standard TV.**

6. **Cliquez sur le bouton Graver.**

   La boîte de dialogue de progression de la gravure s'affiche comme à la Figure 8.36. Elle commence par l'encodage MPEG II des données vidéo, c'est-à-dire de votre montage.

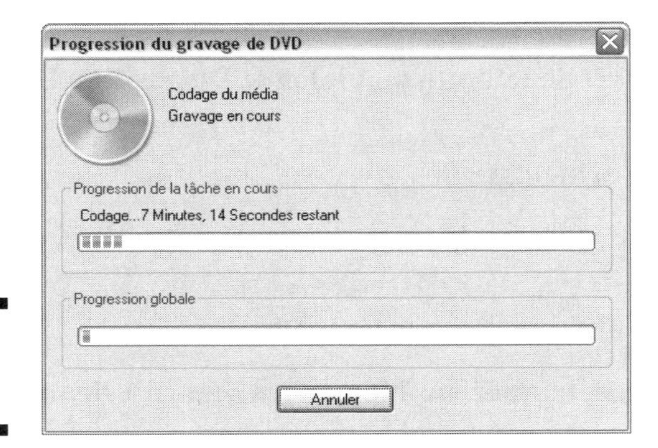

Figure 8.36 : Progression de la gravure.

   L'ensemble est compilé dans un fichier temporaire que Premiere Elements gravera ensuite sur le DVD. Allez faire un tour car, en fonction du film, la procédure peut durer un bon moment.

   Une fois la gravure finie, la boîte de dialogue indique que l'exportation est terminée, et le DVD est éjecté.

7. **Insérez le DVD dans votre lecteur de salon. Génial !**

La découverte de Premiere Elements ne saurait s'arrêter ici. Toutefois, le logiciel est tellement riche que vous devez bien lire la documentation fournie, ou consulter un ouvrage consacré à ce logiciel de montage virtuel d'entrée de gamme.

Chapitre 9
Quand faire évoluer son PC ?

Dans ce chapitre :

- Sentir à quel moment changer votre CPU et la carte mère.
- Apprécier l'instant où l'ajout de mémoire est nécessaire.
- Déterminer si vous avez besoin de ports supplémentaires.
- Envisager le changement ou l'ajout d'un disque dur.
- Evaluer la nécessité d'acheter un graveur de CD/DVD ou un système de sauvegarde sur bande.
- Décider d'améliorer les performances audio et vidéo.

Comme le disait toujours mon père : "Mon garçon, n'entame jamais un long voyage sans une carte en main." Pour cette raison, le grenier de notre maison croule sous les documents de tout type.

Considérez ce chapitre comme la carte routière qui conduit à l'évolution de votre PC : quoi que vous envisagiez de faire sur votre ordinateur, il faut débroussailler le chemin d'une jungle pas si luxuriante que cela. Une fois que vous connaîtrez les mises à jour possibles, vous saurez mieux appréhender les éléments matériels que vous devez impérativement faire évoluer. Dès ce moment, vous consulterez directement le chapitre approprié du Livret II, et étudierez quelques spécificités dans la troisième partie de cet ouvrage.

Avant toute chose, voici ce dont vous avez besoin pour faire évoluer votre ordinateur :

- ✦ Le courage de retirer le couvercle du boîtier.
- ✦ La capacité à respecter les étapes d'une procédure.
- ✦ Une connaissance du tournevis.

Avec ces impératifs à l'esprit, commencez par évaluer les besoins de votre ordinateur.

Améliorer la performance : CPU, carte mère, et mémoire

Les premières mises à niveau que j'envisage portent sur l'amélioration des performances de votre machine. Elles ont une influence indéniable sur l'exécution de vos programmes, y compris Windows XP.

Changer votre CPU et votre carte mère

Un CPU (ou *Central Processing Unit*) est le cerveau du PC. Sa mise à niveau consiste à le changer pour un processeur plus rapide. Par exemple, vous décidez de changer le Pentium III de votre ordinateur contre un Pentium 4. Dans ce cas, il faudra également changer la carte mère car les chipsets, c'est-à-dire l'ensemble des jeux d'instructions, ne sont pas compatibles entre ces deux types de CPU. En d'autres termes, les cartes des Pentium III ne peuvent pas recevoir de Pentium 4 et réciproquement.

La *carte mère* est une plaque contenant des milliers de circuits électroniques. La mettre à jour est certainement la chose la plus complexe à réaliser pour le profane.

Naturellement, quand vous remplacez un CPU de l'ancienne génération par un de la nouvelle, vous améliorez les performances de votre système informatique. Ce gain de rapidité dépend de la fréquence de la puce, fréquence qui s'exprime en mégahertz (MHz) ou en gigahertz (GHz). Voici deux exemples :

- Passer d'un Pentium 4 à 1,5 GHz à un Pentium 4 à 1,7 GHz augmentera la vitesse de traitement de vos données. Toutefois, comme la génération de puce est la même, vous pourrez certainement garder votre carte mère actuelle. Cependant, comme la différence de cadence n'est pas énorme, ne vous attendez pas à passer le mur du son. Je dirais même que dans de nombreux programmes vous ne sentirez même pas la différence.
- Si vous passez d'un Pentium III 800 MHz à un Pentium 4 à 1,7 GHz, vous noterez une très nette amélioration des performances. En effet, non seulement vous augmentez grandement la cadence du CPU, mais en plus vous changez carrément de technologie. Cette fois, la différence sera appréciée à sa juste valeur.

Comprenez bien que faire évoluer un CPU doit en valoir la peine. Sinon, vous perdrez du temps et de l'énergie.

Ajouter de la mémoire

Honnêtement, ajouter de la mémoire est l'une de mes mises à niveau préférées. Je vous conseille d'en faire de même. En voici les raisons :

- **L'ajout de mémoire améliore la performance.** Ajouter de la mémoire suffit très souvent à obtenir des performances étonnantes à un prix relativement faible comparé au changement de CPU/Carte mère. Vous gagnerez en vitesse à bien des niveaux.
- **La mémoire est bon marché.** Oui ! La mémoire ne coûte plus très cher. De nombreux utilisateurs ont désormais les moyens d'ajouter autant de mémoire que peut en gérer leur carte mère. Consultez la documentation de celle-ci pour connaître la capacité maximale de mémoire (et son type) qu'elle supporte.
- **La mémoire s'installe sans problème.** L'ajout de mémoire est un jeu d'enfant à côté de la mise à niveau du couple CPU/Carte mère. Avant de décider de changer ces deux éléments, commencez par ajouter de la mémoire. Le gain de performance vous suffira dans bien des cas.

Ajouter des extensions : USB 2.0 et FireWire

Sur un ancien ordinateur, il est souvent judicieux d'envisager l'ajout de ports par l'intermédiaire d'une carte qui s'insère dans un connecteur PCI de votre machine. L'ajout de port n'améliore pas les performances de la machine, mais développe son potentiel.

Comme pour la mise à niveau de la mémoire RAM, doter votre PC de ports USB et/ou FireWire est une tâche facile à exécuter. Le plus difficile, car beaucoup ont peur de franchir le pas, consiste à ouvrir le monstre. Une fois l'ouverture pratiquée avec un simple tournevis, l'insertion dans un connecteur d'extension PCI est relativement facile à réaliser.

Le fait d'ajouter ces deux types de ports à un PC permet d'utiliser plus aisément des périphériques modernes, et bien souvent de faire de la vidéo.

Comme nous avons étudié ces deux ports au Chapitre 3 du Livret II, voici un rapide exposé de leurs différences majeures :

- **USB 2.0 :** C'est la version la plus rapide de l'USB. Elle reste compatible avec la norme USB 1.*x*. Sauf si vous utilisez un lecteur FireWire externe, un appareil photo numérique, ou une caméra MiniDV, l'USB 2.0 est le meilleur moyen pour connecter à votre ordinateur des périphériques modernes comme des scanners, des lecteurs externes, des graveurs de CD/DVD, des télécopieurs, des imprimantes, etc.

✦ **FireWire :** Si vous souhaitez mettre à niveau votre PC pour faire de la vidéo – ou pour y connecter un graveur de DVD ou un disque dur externe très rapide – le port FireWire est le choix du roi. Les périphériques FireWire se partagent généralement avec les ordinateurs Macintosh (vérifiez quand même l'existence de drivers pour les graveurs) qui sont dotés, en standard, de ce type de port.

Si votre PC possède déjà un port USB et FireWire occupé, il n'est pas nécessaire d'ajouter une carte d'extension USB et/ou FireWire. En effet, investissez dans un concentrateur ou hub USB et/ou FireWire proposant de nombreux ports libres. Ce concentrateur s'insère dans un port USB ou FireWire de votre PC. Aux prises du concentrateur, vous connectez tous vos autres périphériques. Sachez qu'un concentrateur puise sa source électrique sur le secteur. Vous devrez donc y raccorder son bloc d'alimentation.

Augmenter les capacités de stockage : lecteurs internes et externes

Pourquoi restez-vous limité au disque dur installé dans votre machine, et dont la solitude risque de vous causer bien des soucis en cas de panne ? Il existe des solutions plus sûres que le disque dur pour conserver vos données.

Remarquons une première choses : Les disques durs et les graveurs ont énormément baissé de prix. C'est une bonne chose car les systèmes d'exploitation et les applications ont besoin de plus en plus d'espace disque pour fonctionner. Il est donc recommandé d'ajouter un second disque dur à son système. Pourquoi ? Car il y a un grand principe à respecter : on ne stocke jamais des données (images, fichiers de traitement de texte, vidéo, audio) sur le disque dur où est installé Windows XP ! Il faut disposer d'un disque dur dédié à vos données. Si vous pouvez en avoir deux c'est encore mieux. L'un contiendra les fichiers originaux, et l'autre des copies. Vous travaillerez ainsi en toute sécurité.

Ajouter un disque dur

La grande majorité des cartes mères actuelles proposent le fameux contrôleur de disque IDE (Integrated Drive Electronics). Il accepte jusqu'à quatre périphériques de type IDE (que l'on vous vend sous le nom de Ultra DMA). Par conséquent, comme la plupart des PC possèdent en standard un disque dur et un lecteur et/ou graveur, vous pouvez ajouter encore deux autres disques durs. Si vous ne souhaitez pas intervenir à l'intérieur de votre machine, ajoutez un disque dur externe de type USB ou FireWire.

Voici comment choisir le bon périphérique :

- **Interne :** Optez pour un périphérique interne si vous ne craignez pas d'ouvrir votre PC et d'installer le disque dur. Les disques durs internes sont meilleur marché que leurs homologues externes, et dans bien des cas plus rapides que des lecteurs USB 2.0 ou FireWire. De plus, vous libérez de l'espace sur votre bureau.
- **Externe :** Choisissez un périphérique externe si vous avez peur d'ouvrir votre PC, ou si vous n'avez plus de connecteurs IDE de libre, voire plus de baies de disponibles. (Ne riez pas ! Je possède 6 disques durs ! Il m'a fallu ajouter une carte IDE interne acceptant jusqu'à 4 disques durs supplémentaires.) L'avantage d'un disque dur externe est qu'il peut être partagé avec beaucoup d'autres machines. Il suffit de le déconnecter de sa prise USB ou FireWire sans éteindre l'ordinateur, pour le brancher sur une autre machine, comme un Macintosh. Alors, vous récupérez les données qui y sont sauvegardées.

Ajouter un graveur ou un lecteur de bande

Les graveurs de CD/DVD et les systèmes de sauvegarde sur bande existent depuis des années. Aujourd'hui, vous les trouvez sous la forme USB et FireWire.

Ces deux ports magiques offrent de grandes possibilités aux utilisateurs. Ainsi, lors de l'achat d'un graveur ou d'un système de sauvegarde sur bande, vous avez toujours le choix entre la solution interne et la solution externe.

Un dernier mot sur les systèmes de sauvegarde sur bande actuels : l'avènement des DVD 4,7 Go, et des récents double couche à 9,4 Go tend à faire disparaître ces matériels de sauvegarde. En effet, ils sont lents, coûteux, pas très souples, et non polyvalents. Donc, avant de vous lancer dans l'achat d'un système DAT (Digital Audio Tape), réfléchissez sur vos besoins réels, et envisagez l'achat d'un graveur de DVD réinscriptible dont le prix laisse rêveur.

Améliorer les capacités audio et vidéo : cartes son et cartes graphiques

Pour terminer mon tour d'horizon des mises à niveau d'un PC, envisagez l'acquisition du dernier cri en matière audio et vidéo. Voici quelques arguments qui plaident en faveur d'une pareille évolution : par exemple, vous désirez faire entrer votre PC dans l'ère du Dolby Surround, ou encore pouvoir capturer les images vidéo de votre caméscope. A l'instar de l'USB et du FireWire, ces mises à niveau sont simples à réaliser : ouvrez votre PC (en retirant le boîtier à l'aide d'un tournevis, et non pas d'un ouvre-boîte). Ensuite, retirez la carte son ou graphique actuelle, et remplacez-la par la nouvelle.

Autant en emporte le SCSI...

Officiellement, l'acronyme SCSI signifie Small Computer Systems Interface, mais reste synonyme de cauchemar pour bon nombre d'utilisateurs. Avant l'arrivée de l'USB et du FireWire, seule une carte SCSI permettait d'augmenter le potentiel d'un ordinateur en matière de stockage et d'utilisation d'applications exigeant des transferts de données ultra rapides, comme la vidéo. Sur une seule carte SCSI, vous pouviez raccorder jusqu'à 15 périphériques de ce type : disque dur, scanner, graveurs. Chaque périphérique devait recevoir une adresse pour être reconnu par la chaîne SCSI, chaîne qui elle-même devait se terminer par un *terminateur*. Ce terminateur indiquait au contrôleur SCSI qu'il n'y avait plus d'autres périphériques à chercher que ceux actuellement identifiés. Croyez-moi, cette configuration pouvait devenir cauchemardesque, et se terminer par une valse de coups de pied dans vos divers périphériques. En effet, pour simplifier les choses, cette norme n'a jamais cessé d'évoluer, rendant les périphériques incompatibles les uns avec les autres. C'était souvent là la source de nos diverses crises de nerfs.

Aujourd'hui, le SCSI reste un domaine respectable par la qualité de ses périphériques. Par exemple, un disque dur SCSI sera toujours de meilleure qualité qu'un disque dur IDE (ou USB ou FireWire). De même, certains disques durs SCSI estampillés audio/vidéo assurent un débit constant des données qui ne conduira jamais à des captures et des restitutions d'images avec pertes. Toutefois, le coût financier et d'opportunité de ce système plaide largement en faveur d'un chaînage USB ou FireWire.

Avant de parler de ces cartes, je dois vous avertir que de plus en plus de cartes mères embarquent une puce audio (et/ou graphique). Vous pouvez utiliser leurs fonctionnalités qui, malgré tout, restent assez rudimentaires. A cela s'ajoute le fait que certains jeux refusent de fonctionner quand vous utilisez le chipset audio de la carte mère. Par conséquent, et pour éviter tout conflit, vous devez généralement désactiver ces chipsets audio et vidéo dans le BIOS de la carte mère avant d'installer une nouvelle carte son et/ou graphique. Reportez-vous au manuel d'utilisation de la carte mère.

Les cartes son

Un certain nombre de cartes son sont disponibles. Considérez ces petits bijoux :

- **Carte MP3 :** Le gros avantage d'une carte son dite MP3 est qu'elle va procéder à un encodage/décodage matériel de vos données audio. Ceci accélère l'extraction audio numérique (rippage), et en améliore la qualité. En effet, l'encodage matériel bannit tout clic audio numérique que l'on rencontre parfois lors d'un encodage logiciel. Avec ce type de carte, vous pouvez encoder les albums des Talking Heads ou de Minamata, pendant que vous travaillez sur de gros fichiers Photoshop. La qualité du son restera impeccable.
- **Carte 24 bits :** Pour une parfaite reproduction du son, une carte comme l'Audigy 2 de Creative Labs peut reproduire le son en 24 bits 192 KHz, ce qui est largement supérieur à la qualité du CD audio qui plafonne à 16 bits, 44,1 KHz. L'intérêt de ces cartes est qu'elles gèrent aussi l'audio des DVD, et qu'elles embarquent souvent un port FireWire. Je tiens malgré tout à préciser que ce type de carte, peu onéreux au regard de leurs performances, s'adresse à un public amateur. Les professionnels du son, ou du moins ceux qui désirent créer de la musique assistée par ordinateur, se tourneront vers des solutions bien plus chères, c'est-à-dire vers des cartes son coûtant au minimum 1 000 euros.
- **Carte Surround.** Ces cartes sont dédiées aux environnements audio dits en 3D (ce qui à mon sens ne veut pas dire grand-chose). En d'autres termes, elles gèrent le son Surround pour reproduire les DVD 5.1. Vous êtes comme au cinéma.

Choisir la carte graphique qui vous convient

Lorsque vous envisagez de changer une carte graphique, ne le faites pas – oui, vous avez bien entendu, ne le faites pas ! Pensez avec l'esprit du joueur invétéré. En effet, un certain nombre de cartes graphiques n'ont rien à voir avec les jeux. D'ailleurs, on parle alors de carte vidéo, et non pas de carte graphique. Voici ce que le marché propose :

- **Les cartes pour jouer :** Plus les jeux 3D temps réel évoluent, plus les cartes graphiques doivent embarquer une grande quantité de mémoire. En effet, refaire la Seconde Guerre mondiale pour bouter les nazis hors d'Europe n'est pas une mince affaire. Les cartes les plus puissantes coûtent aussi cher qu'une console de jeu dernière génération… ça laisse rêveur.

  Le prix de ces cartes se justifie par le fait qu'elles sont un petit ordinateur à elles toutes seules. Elles disposent d'un chipset qui calcule la 3D en temps réel, et d'un ventilateur qui refroidit la puce. Si vous installez ce type de carte dans un vieux PC, je vous conseille d'ajouter un second ventilateur pour extraire la chaleur dégagée par ces cartes.

- **Une carte MPEG :** Il s'agit de cartes conçues pour encoder/décoder la vidéo MPEG, et bien souvent pour réaliser vos montages vidéo. Le processeur de la carte soulage celui du PC du calcul de l'encodage. L'encodage étant matériel, il est de meilleure qualité qu'un encodage logiciel.

- **Carte d'acquisition :** Ce type de carte est devenu très populaire. Elle permet de capturer le signal vidéo sortant de votre caméscope, donc de faire du montage virtuel. Les cartes de bonne facture disposent d'un boîtier auquel vous pouvez raccorder vos anciens appareils analogiques. Certaines permettent aussi de diffuser la télévision sur l'écran de votre PC, et une sortie composite ou YC autorise également une diffusion sur votre téléviseur.

Chapitre 10
Ajouter de la mémoire RAM

Dans ce chapitre :

- Déterminer le type de mémoire dont vous avez besoin.
- Que cache la mention "RAM minimum".
- Ajouter de la mémoire.

En matière de mise à jour de la mémoire, la procédure est bien plus simple que de changer le processeur. De plus, bien souvent l'ajout de mémoire permet d'améliorer considérablement les performances de votre ordinateur. La mémoire se présente sous forme de modules appelés *barrettes*. Elles s'insèrent dans un connecteur spécifique de la carte mère. Plus vous ajoutez de la mémoire vive, également appelée mémoire RAM, meilleures seront les performances de Windows XP et des applications que vous exécutez sous ce système d'exploitation.

Face à une telle facilité prétendue, vous vous dites qu'il y a certainement anguille sous roche. Vous avez raison. Le problème est qu'il existe différents types de mémoire RAM. Vous devez impérativement lire ce chapitre avant d'acheter des barrettes qui pourraient s'avérer inexploitables par votre ordinateur.

Identifier et trouver la mémoire nécessaire

Avant toute chose, passons en revue les différents types de mémoire RAM disponibles sur PC depuis ces cinq dernières années.

Tout d'abord, un petit conseil : si vous envisagez d'installer une nouvelle carte mère et un nouveau processeur dans un ancien PC, vous devez doublement vérifier la compatibilité de vos barrettes de mémoire RAM actuelles avec la nouvelle carte mère. (Cette vérification se fera sur le site Web du constructeur de la carte mère. Comparez les spécificités techniques de votre carte mère actuelle avec celles de la nouvelle, ou bien reportez-vous à la documentation de ces deux matériels.) Si vous n'êtes pas attentif aux problèmes de compatibilité, vous devrez certainement acheter de nouvelles barrettes de mémoire RAM pour les installer sur la nouvelle carte mère. Ainsi, les barrettes de mémoire vive installées sur un Pentium III ne fonctionneront pas sur une carte mère faite pour un Pentium 4. Dans un cas comme celui-ci, je conseille d'acheter une carte mère avec tous les slots de mémoire remplis de barrettes.

Voici les différents types de mémoire RAM utilisables sur PC :

- **RDRAM (Rambus dynamic random access memory).** Ces modules de mémoire sont très chers. Ce sont également les plus rapides. Leur vitesse d'accès est supérieure à 1200 MHz. Si votre PC est déjà équipé de RDRAM, inutile de la mettre à jour. La seule chose à faire est, éventuellement, d'ajouter de nouvelles barrettes ou d'en remplacer certaines pour des barrettes de capacité supérieure.
- **DDR (Double Data Rate).** Ces modules de mémoire sont les barrettes standard de type DIMM les plus rapides composées de 168 broches. On les rencontre aujourd'hui sur des ordinateurs de type Pentium 4 et Athlon qui exécutent Windows XP. Le terme *double* dans DDR signifie une vitesse deux fois supérieure à celle des traditionnelles DRAM ou SDRAM. Dans sa dénomination, ce type de barrette indique également sa fréquence, donc sa vitesse : DDR266 ou PC2100 (pour la version à 133 MHz), et la DDR333 ou PC2700 (pour la version à 166 MHz). Comme vous le devinez, plus la fréquence est élevée, meilleures sont les performances. Le choix de la fréquence est dicté par les possibilités de votre carte mère.
- **SDRAM (parfois appelée *SyncDRAM*) :** Ces modules prennent la forme de barrettes DIMM 168 broches standard. Ils équipent la plupart des Pentium III et les premiers Pentium 4. La SDRAM est cadencée à 133 MHz, et représente le type de mémoire le plus répandu dans l'univers du PC.
- **EDO (Extended Data Output) :** Ces modules de 72 broches sont également connus sous le nom de barrettes SIMM (Single Inline Memory Modules). On ne les trouve que sur les très vieux Pentium. Ces barrettes ne peuvent êtres installées que par paires.

  Si vous envisagez d'ajouter de la mémoire sur une carte mère utilisant des barrettes EDO, vous devrez changer les trois composants majeurs – CPU, carte mère, et mémoire. Je ne cherche pas du tout à vous offenser, mais les possesseurs d'une carte mère acceptant ce type de barrettes utilisent encore un dinosaure de l'informatique. A cela s'ajoute le fait que les barrettes de mémoire EDO sont très difficiles à trouver.

Voici deux méthodes qui permettent de déterminer le type de modules de mémoire actuellement utilisé par votre carte mère, et les vitesses qu'elle peut gérer :

- **Vérifiez les spécifications :** Consultez le manuel de votre carte mère. Si vous avez acheté un ordinateur prêt à l'emploi, reportez-vous à la documentation livrée avec votre machine. Si vous ne possédez aucun manuel, visitez le site Web du fabricant pour connaître les compatibilités et les spécifications de la mémoire acceptée par votre carte mère. Personnellement, c'est la méthode que je préfère. En revanche, elle risque de dérouter de nombreux utilisateurs qui ne comprennent pas l'anglais, car les sites des constructeurs n'ont pas toujours d'équivalent français.

- **Vérifiez les barrettes existantes :** Si vous ne trouvez aucune documentation, spécifications, ou informations sur le Web à propos des barrettes de mémoire de votre PC, vous devez ouvrir la bête. (Pour savoir comment retirer le couvercle de votre ordinateur, reportez-vous aux instructions à la fin de ce chapitre.) Recherchez les connecteurs de mémoire de votre carte mère (que l'on appelle également des slots). Une barrette de mémoire DDR ressemble à celle de la Figure 10.1. (***Note* :** Il se peut que plusieurs barrettes soient déjà installées dans votre PC.) Sur certaines barrettes de mémoire RAM, une petite étiquette en donne la description, ce qui permet de connaître son type et sa vitesse. Cependant, comme ce type d'indication reste exceptionnel, il y a de grandes chances pour que vous soyez obligé d'apporter la barrette au revendeur informatique de votre quartier. Comme c'est un professionnel, il identifiera sans aucun problème sa nature. Pour retirer une barrette de mémoire, suivez les instructions indiquées un peu plus loin dans ce chapitre. Ensuite, protégez la barrette en la plaçant dans le boîtier cristal vide d'un CD-ROM. Profitez de ce boîtier pour noter le type de barrette qu'il contient.

Figure 10.1 : Une barrette de mémoire DDR.

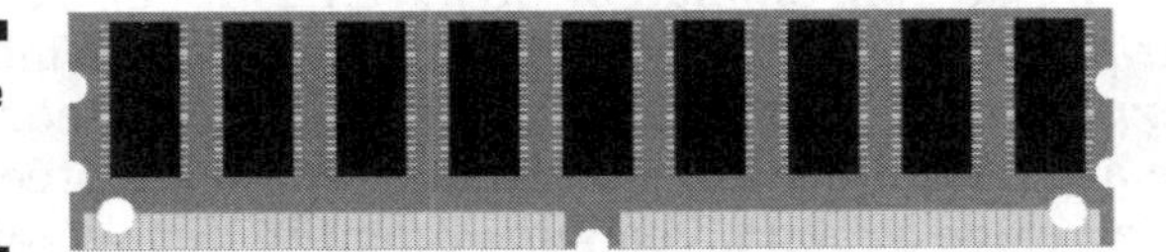

Quelle est la capacité de mémoire nécessaire ?

Chaque carte mère accepte une capacité de mémoire maximale. Par conséquent, vous pouvez remplir tous les slots de mémoire de la carte mère du moment que vous utilisez les bonnes barrettes. Si possible, achetez des modules de mémoire de la même marque, au même moment, et chez le même vendeur.

Procédez de la sorte évince tous problèmes de compatibilité lors de l'installation des barrettes. (Théoriquement, les barrettes de mémoire RAM du même type, et qui ne sont pas de la même marque, cohabitent sans aucun problème. Toutefois, il me reste des réflexes et des réminiscences des premières heures du PC où la mixité n'était pas de mise, entraînant des erreurs et des blocages informatiques insupportables.)

Malgré des prix tout à fait abordables, tout le monde n'a pas les moyens de remplir son PC avec des barrettes de mémoire. De plus, force est de constater que tout le monde n'a pas besoin de la même capacité de mémoire vive. Tout dépend de ce que vous faites avec votre PC. Par conséquent, dans le tableau suivant, j'indique la quantité de mémoire RAM minimale à installer dans votre PC en fonction du système d'exploitation utilisé. (J'ai basé ce tableau sur une hypothèse assez simple qui suppose que vous exécutez une application comme Microsoft Word. Cela permet de disposer d'une quantité de mémoire suffisante pour travailler sans trop de problème. En revanche, si vous mettez en œuvre des applications aussi gourmandes que Adobe Photoshop, il faudra largement augmenter la quantité de mémoire embarquée dans votre ordinateur.)

Windows 89	Windows NT	Windows Me	Windows 2000	Windows XP
64 Mo	64 Mo	128 Mo	128 Mo	256 Mo

Vous noterez que mes recommandations ne sont pas du tout celles de notre ami Bill Gates. En effet, comment pourrait-il en être autrement dans la mesure où, chez Microsoft, il est préférable de dire au consommateur qu'il n'a besoin que d'un nombre minimal de mémoire pour pouvoir travailler en informatique. A titre indicatif, je vais vous faire part de mon expérience personnelle. En tant que traducteur de cet ouvrage, je suis également un artiste qui travaille le son et la vidéo assistée par ordinateur. Le confort de travail exige à mon niveau une quantité de mémoire de 2 Go. En effet, il m'arrive de travailler sous Photoshop avec des images comportant plus de 200 calques produisant une image d'environ 400 Mo. Vous comprenez que, dans de telles circonstances de travail, la préconisation de 128 Mo me poserait bien des problèmes.

Installer des barrettes de mémoire RAM

Prêt à installer de nouvelles barrettes ? Alors, suivez ces étapes lorsqu'elles sont de type SDRAM ou DDR :

1. **Recouvrez votre surface de travail avec plusieurs feuilles de papier journal (pour protéger votre boîtier).**

2. **Débranchez l'alimentation électrique de votre PC, et placez-le sur le journal.**

3. **Retirez le boîtier du PC.**

   La plupart des boîtiers sont très faciles à démonter. Il suffit d'enlever deux ou trois vis. Certains boîtiers luxueux peuvent s'ouvrir en dévissant à la main deux petites molettes. (Une fois les vis retirées, placez-les dans un endroit sûr.) Certains boîtiers sont fermés par un verrou. Par conséquent, ouvrez le loquet, et retirez doucement le boîtier de votre PC.

4. **Touchez le châssis métallique du boîtier pour débarrasser votre corps de toute électricité statique.**

   Une charge électrique peut en effet détruire une barrette de mémoire RAM.

5. **Sur la carte mère, localisez les slots de mémoire.**

   Comme vous n'êtes pas un connaisseur, je vous conseille d'ouvrir le manuel de votre carte mère. Vous y trouverez un schéma identifiant chaque composant. En règle générale, les slots de mémoire se trouvent à proximité du processeur, au centre ou dans le coin supérieur droit de la carte mère.

6. **Faites pivoter le châssis du PC de manière à placer les slots de mémoire face à vous (comme la Figure 10.2), et vérifiez bien que les deux petits leviers situés aux extrémités du slot sont ouverts.**

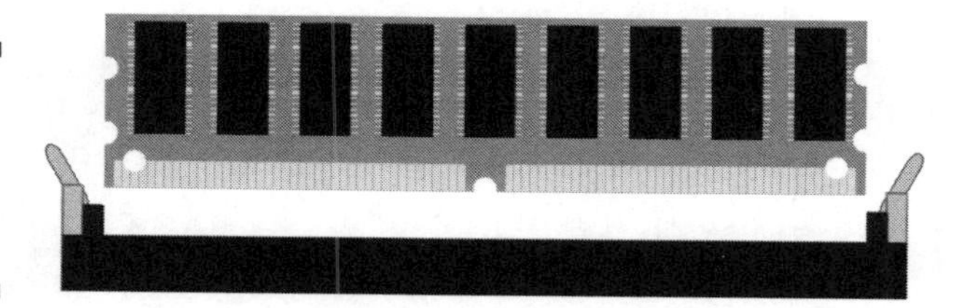

Figure 10.2 : Alignez le module de mémoire sur le slot.

   Notez que les barrettes de mémoire sont faites de telle manière qu'il est impossible de les insérer dans le mauvais sens. En effet, une encoche sert de détrompeur.

7. **Alignez les connecteurs dorés ou argentés de la barrette de mémoire sur le slot lui-même. Exercez une légère pression sur le bord de la barrette pour l'insérer complètement dans son support.**

8. **Au fur et à mesure de la pression exercée, les deux leviers se redressent, comme à la Figure 10.3. Dès que vous entendez deux clics, vous savez que la barrette de mémoire est parfaitement insérée dans le slot.**

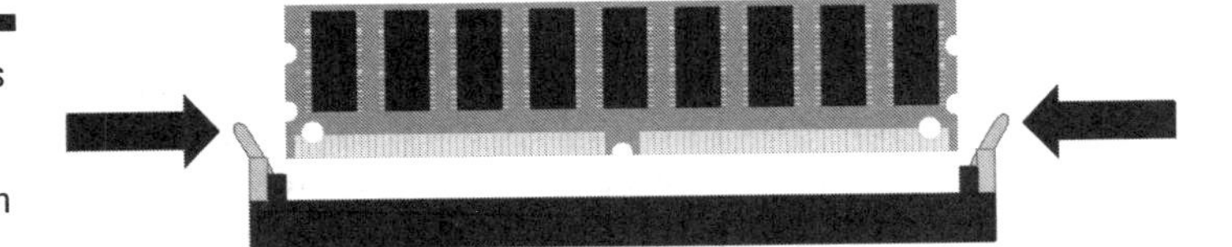

Figure 10.3 : Les deux leviers assurent une parfaite mise en place de la barrette.

Les deux petits leviers entrent dans les encoches latérales de la barrette pour en assurer le maintien.

9. **Replacez le couvercle de votre PC et vissez-le.**

10. **Remettez le PC à sa place, et connectez son alimentation électrique.**

11. **Redémarrez votre ordinateur, et préparez-vous à connaître les joies d'un PC plus rapide !**

Chapitre 11

Plus de puissance SVP !

Dans ce chapitre :

- Evaluer les besoins de changer de CPU et de carte mère.
- A la recherche du matériel.
- Installer une carte mère et un CPU.

Changer le couple CPU/Carte mère est l'opération de mise à niveau d'un ordinateur la plus délicate à exécuter. Dans ce chapitre, j'indique les points essentiels qui motivent le changement de ces deux composants.

Si vous envisagez d'effectuer une mise à niveau, mettez-y tout votre cœur. La suite de ce chapitre vous guide avec des instructions détaillées.

Eh ! Devez-vous vraiment faire ça ?

Avant d'entreprendre quoi que ce soit, rappelez-vous ceci : retardez autant que faire se peut le changement de carte mère et de processeur (CPU). Cette injonction semble bizarre quand on sait que le reste du chapitre est consacré à cette mise à niveau. Toutefois, mon conseil s'appuie sur quatre excellents arguments :

- **Un ensemble CPU/Carte mère représente la mise à jour la plus chère que l'on puisse faire dans un PC.** Envisagez d'abord la mise à jour de votre mémoire vive (RAM), et de votre carte graphique. En ajoutant de la mémoire et une carte plus rapide, vous améliorerez les performances de votre PC pour une somme bien plus modeste que celle à débourser lors du changement d'un CPU et d'une carte mère. En fonction du type d'application que vous exécutez régulièrement, l'ajout de mémoire et d'une carte graphique plus puissante comblera la majorité de vos besoins. (Plus vous retarderez la mise à niveau du couple CPU/Carte mère, plus vous aurez la possibilité d'installer des composants performants. En effet, tout va très vite en informatique.)

✦ **Le couple CPU/Carte mère est la mise à niveau la plus complexe à réaliser.** Pour faciliter cette installation, vous devez retirer toutes les cartes d'extension, tous les câbles, et même démonter votre boîtier. Ensuite, il faudra réaliser les opérations inverses. C'est ce que l'on appelle l'*assemblage*.

Que choisir : Intel ou AMD ?

Intel et AMD sont les deux leaders en matière de CPU pour PC. Avouons que le Pentium d'Intel et l'Athlon d'AMD sont deux excellents processeurs. Par conséquent, seuls le prix et la vitesse seront vos juges de paix. Vérifiez prioritairement que votre carte mère accepte le processeur que vous envisagez d'installer. En effet, il existe des cartes mères pour Pentium et d'autres pour Athlon, les deux ne pouvant pas supporter un autre type de processeur. En règle générale, les processeurs AMD sont moins chers que ceux d'Intel pour des performances équivalentes.

✦ **Un ensemble CPU/Carte mère a des dépendances.** Humm... terminologie étrange qu'il me faut expliquer. La rapidité de l'ensemble dépend en effet des matériels que vous allez y installer. De plus, certaines cartes d'extension ne parviennent pas à se configurer sur certaines cartes mères. Lorsque vous envisagez une mise à niveau de ces deux composants vérifiez, par exemple, que votre carte d'acquisition vidéo fonctionnera sans problème. Idem pour certaines cartes graphique 3D. Si la compatibilité n'est pas certifiée, vous risquez de voir vos jeux 3D être aussi rapides que votre tante Berthe sur un VTT, et dans certains cas ne pas pouvoir utiliser votre matériel.

✦ **Vous serez peut-être obligé de changer vos barrettes de mémoire.** Certaines cartes mères imposeront un type de barrettes spécifique, ou bien elles disposeront de moins de slots mémoire. Vous devrez opter pour des barrettes de plus grande capacité pour avoir l'équivalent de ce qui était installé dans votre précédent PC. Que faire de vos anciennes barrettes ? Vendez-les sur eBay !

Considérez ces arguments, et mettez à niveau quand vous n'avez pas d'autres solutions. Je le répète, mais bien souvent l'ajout de mémoire suffit à améliorer les performances d'un ordinateur, amélioration apportée à moindres frais. Je ne dis pas que le remplacement de la carte mère et du CPU est à proscrire, mais simplement que c'est la mise à niveau à envisager en dernier recours.

Choisir une nouvelle carte mère

Voici les points à considérer lorsque vous choisissez une nouvelle carte mère pour y installer le CPU de vos rêves :

- **Identifiez le type de carte mère qui peut s'installer dans votre boîtier.** Normalement, tous les fabricants de PC de ces dernières années mettent sur le marché des boîtiers et des cartes mères ATX. Malgré tout, mieux vaut le vérifier. D'anciens boîtiers seront de type AT ou Baby AT. Seules les cartes à ce format pourront y être insérées. Si vous ne savez pas dans quelle catégorie entre votre carte mère, apportez-la chez votre revendeur habituel qui saura l'identifier au premier coup d'œil.
- **FSB signifie Front Side Bus.** Vous ne pourrez pas prétendre qu'on ne vous en n'a pas parlé… et vous êtes bien avancé maintenant. Sachez simplement que plus le FSB de votre carte mère est élevé, meilleures seront ses performances – et plus cher vous payerez vos barrettes de mémoire. (Avec une vitesse de bus élevée, davantage de données sont envoyées simultanément au CPU, et surtout, elles y arrivent plus vite. C'est un point important à prendre en compte lorsque vous souhaitez la meilleure performance.) La majorité des CPU peuvent fonctionner sur une plage de vitesse de bus relativement large.
- **Achetez les meilleurs contrôleurs.** Aujourd'hui, les cartes mères embarquent des contrôleurs de disques aux performances très variables. Par conséquent, vérifiez toujours que les vitesses des contrôleurs gèreront sans problème vos disques durs, et surtout que le disque que l'on vous propose pourra être contrôlé par votre carte mère. Par exemple, si on vous vante les mérites des disques durs Serial ATA, optez pour ceux-ci uniquement si votre carte mère dispose d'un contrôleur Serial ATA.
- **Considérez l'existence de ports FireWire, USB, et réseau.** Pourquoi vous embêter à ajouter des ports supplémentaires lorsque vous pouvez acheter une carte mère qui dispose des siens. Je conseille donc de choisir un modèle proposant des ports FireWire, USB 2.0, et un adaptateur réseau de type Ethernet.
- **Ne négligez pas la capacité de mémoire.** Vérifiez le type de mémoire RAM et la capacité maximale supportée par votre carte mère.

Je recommande d'acheter un kit de mise à jour prêt à l'emploi. Il comprend la carte mère et le CPU installé dessus. Vous n'avez plus qu'à visser la carte mère dans le boîtier, ce qui vous soulage de bien des soucis.

Installer une carte mère et un CPU

Avant de procéder au changement de ces deux composants, allez dans votre salle de bains, regardez-vous dans la glace, et posez la question suivante : "Tu peux le faire ? Si tu crois que tu peux le faire, as-tu envie de le faire ?"

Si, honnêtement, vous répondez "Oui", commencez la procédure de mise à niveau de votre PC.

Si, en revanche, vous hésitez, ne prenez pas de risque. Allez chez votre revendeur avec votre boîtier, et demandez-lui de tout désinstaller et de tout réinstaller à votre place.

Supposons que vous êtes sûr de vous. Alors, au travail !

Installer un processeur Athlon XP ou Pentium 4

Si vous n'achetez pas une carte mère sur laquelle le processeur est déjà installé, suivez ces quelques étapes :

1. **Touchez une surface métallique.**

   L'électricité statique peut endommager vos composants.

2. **Localisez l'emplacement du CPU sur la carte mère. C'est le plus gros carré, appelé socket de ce composant.**

   Jetez un œil sur la documentation de votre carte mère. Sincèrement, je ne vois pas où vous pourriez placer le CPU autre part qu'à cet endroit précis.

   Le support du CPU est aussi appelé *ZIF*, c'est-à-dire *Zero Insertion Force*. Cela sous-entend que le CPU peut s'installer et s'enlever sans effort (mon œil !). Certes, des petits leviers permettent le positionnement, mais il ne faut vraiment pas avoir peur d'appuyer dessus.

   Faites très attention à la position de l'encoche qui sert de détrompeur. En d'autres termes, l'encoche évite de placer le CPU dans le mauvais sens. La Figure 11.1 montre plusieurs types d'encoches que l'on retrouve à la fois sur la carte mère et sur le CPU. Donc, partez en quête d'un trou, ou d'une encoche placée dans un angle. Si vous ne la voyez pas, vous trouverez un schéma explicatif dans le guide d'installation et d'utilisation de votre carte mère.

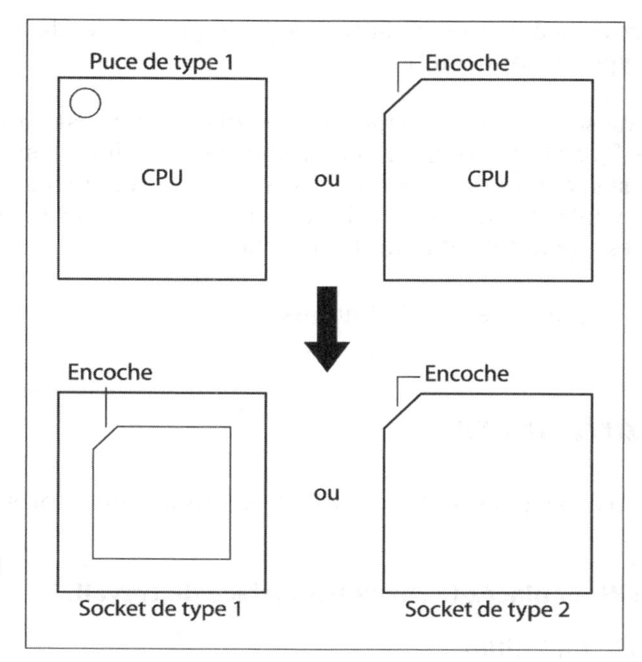

Figure 11.1 : Les encoches permettant d'installer le CPU dans le bon sens.

3. **Levez le levier placé sur un des bords du socket pour le déverrouiller.**

4. **Alignez la puce du CPU sur le socket. Faites bien coïncider les angles, et vérifiez que les minuscules broches se trouvent dans l'alignement des trous du socket.**

5. **Avec vos doigts, exercez une légère pression sur les bords du processeur.**

   Le CPU sera fixé quand plus aucune broche ne sera visible.

   N'appuyez pas comme un forcené sur le CPU. S'il est mal positionné, vous risquez de tordre les broches et donc de perdre beaucoup d'argent.

6. **Une fois le CPU en position, fixez-le définitivement en abaissant le levier.**

7. **Installez maintenant le ventilateur du processeur.**

   ***Note :* Parfois, vous devrez appliquer de la pâte thermique entre le processeur et le dissipateur qui accueille le ventilateur pour refroidir uniformément le CPU.**

8. **Si le ventilateur de votre CPU dispose d'un câble d'alimentation séparé, insérez-le dans le bon connecteur de la carte mère.**

Là encore, reportez-vous à la nomenclature des composants de la carte mère pour identifier ce type de connecteur.

Aussi étrange que cela puisse paraître, l'installation du dissipateur est l'opération la plus complexe. Pourquoi ? Car bien souvent, il faut appuyer très fort dessus pour pouvoir abaisser son ou ses leviers de fixation. C'est une sorte d'immense radiateur sur lequel prend place le ventilateur. Cela est difficile à imaginer, mais sans pression très forte, le dissipateur est bien délicat à mettre en place.

Détendez-vous, respirez profondément. Félicitations !

Installer votre carte mère

Il est temps d'installer votre carte mère dans le PC. A vos tournevis… prêt ?… partez !

1. **Débranchez votre PC et placez-le sur votre surface de travail.**
2. **Enlevez le couvercle du boîtier.**

   Naturellement, utilisez le bon tournevis !
3. **Touchez une pièce métallique du PC pour vous débarrasser de toute électricité statique.**
4. **Dévissez et retirez toutes les cartes d'extension (carte graphique, vidéo, son, etc.). Placez-les en sécurité sur une feuille de papier journal.**
5. **Déconnectez tous les câbles accrochés à la carte mère.**

   Note : Vous devrez retirer d'autres parties du boîtier ainsi que des périphériques internes comme vos disques durs, lecteur/graveurs de CD/DVD, et le lecteur de disquettes. Comme tous les boîtiers ne sont pas conçus de la même manière, une investigation des lieux s'impose.
6. **Une fois la carte mère libérée de toutes ses entraves, enlevez les vis et les rondelles isolantes qui maintiennent la carte sur le châssis du boîtier. Placez ces petites pièces dans un bol vide, en prenant soin de ne pas les mélanger avec d'autres vis et rondelles.**

   Notez précisément sur quels trous étaient les vis, ainsi que la position des entretoises plastiques qui sécurisaient l'ancienne carte mère. Cette prise de note vous fera gagner du temps. Si besoin, faites un plan sommaire où vous indiquez les trous sur lesquels doit être fixée la carte mère.
7. **Plongez dans le boîtier, et libérez la carte mère.**

Faites bien attention de ne pas rayer la surface de votre carte mère sur des pièces métalliques ou des bords coupants. La moindre entaille peut endommager les circuits imprimés.

8. **Une fois l'ancienne carte mère libérée, placez-la dans la pochette antistatique qui protège la nouvelle carte, et demandez-vous qui va bien vouloir l'acheter.**

9. **Prenez délicatement la nouvelle carte mère par les bords sans toucher la surface remplie de circuits et de composants électroniques. Insérez-la doucement dans le boîtier du PC. Ayez toujours le processeur et le CPU face à vous. Veillez à aligner les connecteurs d'extension (AGP et PCI) sur les sorties arrière du boîtier, comme à la Figure 11.2.**

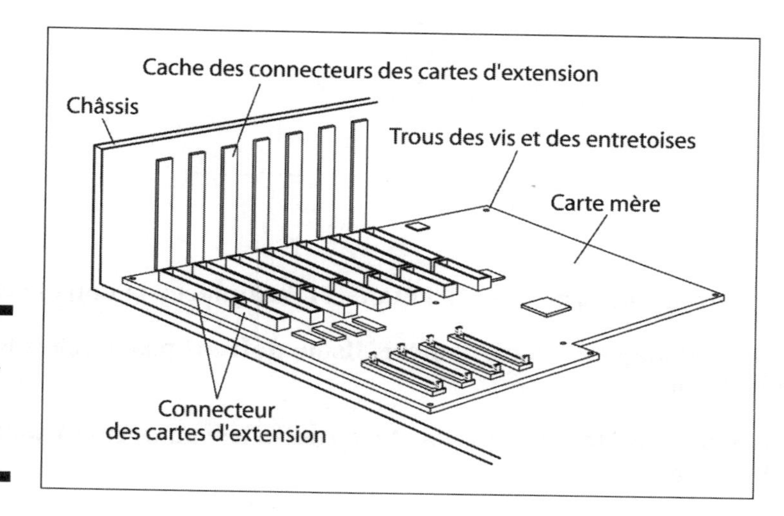

Figure 11.2 : Alignez correctement la nouvelle carte mère.

10. **Déterminez les supports des vis de la carte mère qui doivent s'aligner sur ceux du châssis du boîtier.**

    Notez que votre châssis comporte de nombreux supports de vis, mais que trois ou quatre seulement seront utilisés pour fixer la carte mère. En général, ces supports sont surmontés d'une petite entretoise qui isole la carte mère du châssis pour éviter tout choc électrique.

11. **Si vous avez besoin d'ajouter des entretoises, enlevez la nouvelle carte mère du châssis, et insérez-les dans les trous prévus de manière à séparer et à aligner la carte mère, comme à la Figure 11.3.**

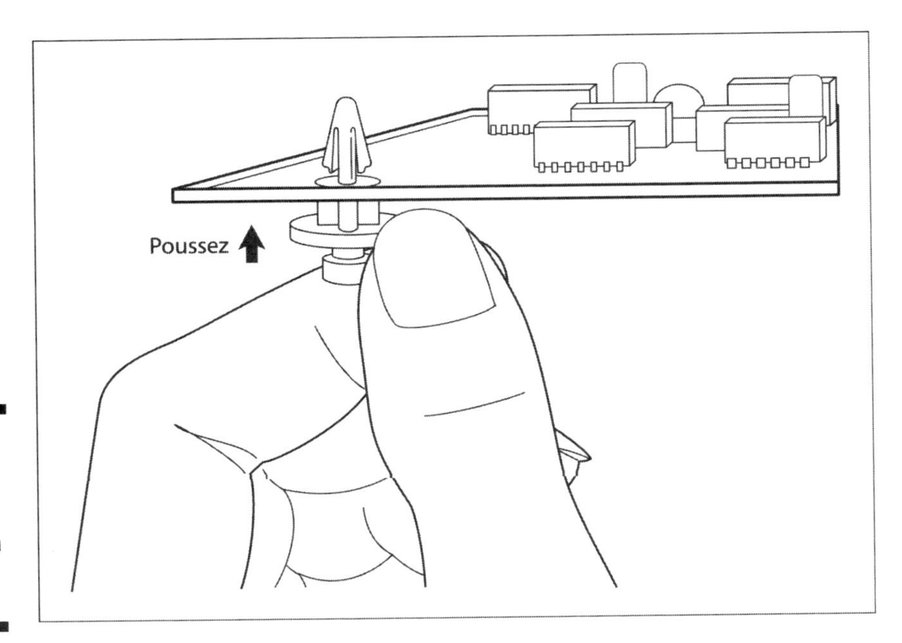

Figure 11.3 : Si besoin, ajoutez des entretoises pour fixer correctement la nouvelle carte mère.

12. **Si vous avez retiré la carte mère à l'étape 11, remplacez-la dans le châssis.**
13. **Vérifiez chaque angle de la carte mère. Ils ne doivent pas toucher le châssis métallique du boîtier.**
14. **Sécurisez la carte mère avec les vis et les rondelles, en prenant soin de ne pas trop les serrer.**
15. **Raccordez les câbles d'alimentation, rebranchez les disques durs, les câbles du lecteurs de disquettes, et ceux du boîtier sur la nouvelle carte mère.**

    Comme chaque carte mère est différente, reportez-vous au manuel de la vôtre pour identifier tous ces branchements.
16. **Réinstallez tous les lecteurs et/ou toutes les parties du châssis que vous avez démonté à l'étape 5.**
17. **Réinstallez vos cartes d'extension, et les câbles nécessaires.**
18. **Après avoir vérifié chaque connexion, replacez le couvercle du boîtier.**
19. **Remettez votre PC à sa place d'origine.**

    C'est le moment de réserver un séjour au Futuroscope.

Chapitre 12

Ajouter un disque dur à votre système

Dans ce chapitre :

- Comprendre la notion de mémoire virtuelle.
- Choisir le disque dur approprié.
- Opter pour un disque interne ou externe.
- Ajouter un second disque dur interne.

Croyez-moi, dès que vous entrez dans l'univers informatique, le disque dur le plus volumineux se trouvera un jour bel et bien rempli. Comme vous le découvrirez dans ce chapitre, même Windows XP s'octroie un espace disque relativement conséquent aussi bien lorsque vous l'installez que lorsque vous l'utilisez.

Je vais maintenant parler d'un temps que les moins de 20 ans ne peuvent pas connaître. Celui de l'apparition des premiers disques durs affichant fièrement une capacité de 1 Go. C'était encore à l'époque des francs, il y a environ 10 ans. Ces modèles coûtaient la bagatelle de 10 000 francs, et personne ne pensait que la technologie permettrait de trouver aujourd'hui sur le marché des disques durs de plus de 500 Go.

L'augmentation des capacités de stockage des disques durs a des avantages et des inconvénients. D'ailleurs, se sont des avantages que découlent les inconvénients. En effet, à l'époque des disques durs affichant de 15 à 35 Go de capacité de stockage, nous étions obligés de trier sur le volet les données que nous souhaitions conserver. Désormais, l'utilisateur ne sent plus de limites. Il amasse, que dis-je, il entasse, des données en veux-tu en voilà, que ce soit des images, de la vidéo, du son, j'en passe des pires et des meilleures. Sans faire de nettoyage régulier, les disques durs voient progressivement leur espace libre diminuer.

Heureusement, il est très facile d'augmenter les capacités de stockage d'un PC en lui ajoutant un disque dur interne ou externe. Ce chapitre vous conduit sur la voie de l'espace disque. (Ou la "voix"... en effet, en matière de disque, c'est le terme qui s'impose.)

La légende de la mémoire virtuelle

Je sens que vous ne comprenez pas très bien de quoi je veux parler dans la mesure où nous sommes dans un chapitre qui traite des disques durs, et je me permets de vous parler de mémoire virtuelle. Qu'est-ce que c'est que ce truc-là ! Eh bien, il s'agit d'un type de mémoire qui s'appuie non pas sur les barrettes installées dans les slots de votre carte mère, mais sur l'espace disque libre de vos différents lecteurs.

Maintenant que vous êtes dans la confusion la plus totale, je vais vous donner quelques explications : aujourd'hui, les systèmes d'exploitation modernes (c'est-à-dire Windows XP et Windows 2000, Mac OS 9 et OS X, Unix, et Linux) utilisent tous de la mémoire virtuelle. Il s'agit d'un tour de passe-passe bien facile à comprendre. Pour permettre aux applications d'être plus efficaces, notamment les programmes qui ont besoin d'énormément de mémoire pour traiter des fichiers, le système d'exploitation va puiser des ressources dans l'espace libre des divers disques durs installés sur votre PC. Supposons que votre ordinateur dispose de 64 Mo de mémoire RAM. Malgré cette faible capacité, vous voulez modifier une image de 30 Mo dans Photoshop. Si Windows XP se limitait à la mémoire vive physique présente sur la carte mère, vous auriez bien du mal à travailler sur cette image. En effet, entre la mémoire accaparée par Windows XP, et celle que s'octroie Photoshop, je ne suis même pas certain que vous pourriez charger l'image à modifier.

Comme vous pouvez le constater sur la Figure 12.1, Windows utilise votre disque dur pour venir à votre secours. Il s'octroie une partie de l'espace vide de votre disque pour y stocker temporairement des données, libérant ainsi la mémoire de votre ordinateur. Par conséquent, sur des systèmes informatiques faiblement pourvus en mémoire vive, il est possible de traiter des fichiers très volumineux. En général, la mémoire virtuelle est d'une capacité équivalente à la mémoire vive disponible. En d'autres termes, si vous disposez de 64 Mo de mémoire vive, vous bénéficierez de 64 Mo de mémoire virtuelle supplémentaire. Au total, votre système informatique peut compter sur 128 Mo de mémoire physique.

Maintenant que vous comprenez comment fonctionne la mémoire virtuelle, vous déduisez qu'il faut toujours laisser de l'espace disque vide pour que Windows puisse le convertir en mémoire physique.

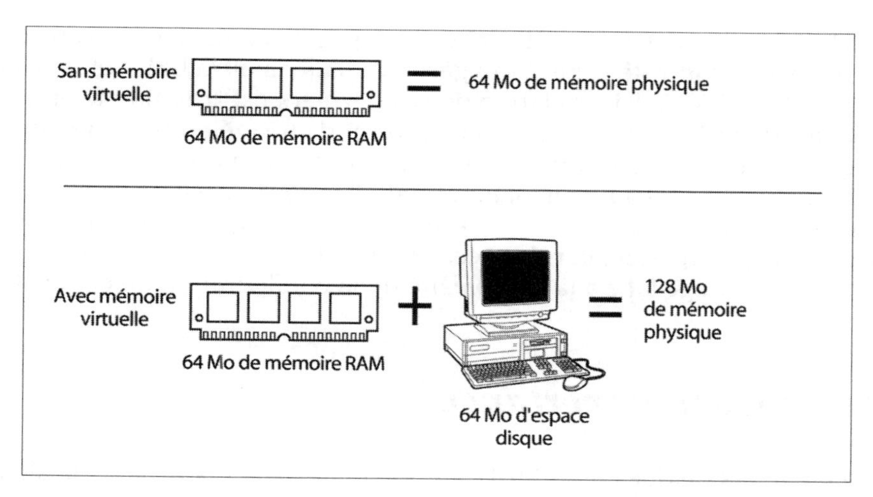

Figure 12.1 : Windows XP utilise une partie de l'espace disque libre pour augmenter la mémoire physique de votre ordinateur.

Cette affirmation soulève une question. Quelle quantité d'espace disque libre dois-je laisser ? personnellement, j'essaie toujours de laisser 1 ou 2 Go d'espace libre sur le lecteur C. Un PC qui ne dispose pas de mémoire virtuelle peut créer beaucoup de problèmes. Les applications commencent à planter, vous risquez de perdre des modifications apportées à des fichiers ouverts, et Windows se met à jeter des messages d'erreur à votre figure comme des confettis. Dans bien des cas, vous devrez fermer un maximum d'applications, et peut-être même redémarrer Windows.

Je dois attirer votre attention sur un fait très important. La mémoire virtuelle est bien plus lente que la mémoire physique. En effet, les données sont écrites et lues depuis le disque dur et non pas depuis les barrettes de mémoires ultrarapides. Pour cette raison, je préconise toujours l'ajout de barrettes de mémoires RAM pour éviter de recourir systématiquement à la mémoire virtuelle.

Certains techniciens informatiques nomment l'utilisation de la mémoire virtuelle le *raclage du disque*. Pourquoi ? Parce que Windows doit constamment écrire, lire, et supprimer des données depuis votre disque dur. De ce fait, vous entendez le disque tourner à longueur de journée (surtout si vous êtes faiblement pourvu en mémoire RAM). Or, l'accès à un disque émet une espèce de bruit de raclement.

A la recherche du disque dur parfait

Lorsque vous décidez d'augmenter votre espace de stockage, il est impératif de lire les sections suivantes pour vous aider à acheter un disque dur répondant à des spécifications qui combleront vos besoins.

Aujourd'hui, les disques durs utilisent deux types de contrôleurs. D'un côté, nous avons l'ancestral contrôleur EIDE qui gère les disques ultra DMA, et de l'autre les contrôleurs Serial ATA. L'installation de ces derniers est très simple et, en règle générale, les disques durs Serial ATA disposent d'une mémoire cache plus importante que leurs homologues EIDE. Seul petit problème : votre carte mère doit disposer de connecteurs et d'un contrôleur Serial ATA pour accepter ce type de disques. A côté de ces deux standards, vous trouverez encore des disques durs SCSI. Comme nous l'avons déjà expliqué, la robustesse et le débit constant de flux de données perdent leur avantage face à la complexité de la configuration de ces systèmes.

La taille a son importance

Normalement, les disques durs EIDE ont une taille de 3,5 pouces. Cela signifie qu'ils peuvent s'insérer dans une baie identique à celle du lecteur de disquettes. Le gros problème est que les mini-tours ne proposent qu'une ou deux baies 3,5 pouces.

Par conséquent, vous devrez envisager d'insérer des lecteurs 3,5 pouces dans des baies de $5^{1/4}$ pouces, c'est-à-dire dans des espaces généralement réservés à des lecteurs et des graveurs de CD ou de DVD. De ce fait, pour installer un disque dur dans un espace beaucoup plus grand que lui, vous devez acheter un boîtier spécial. Vous y placerez le disque dur, puis vous insérerez ce boîtier dans la baie $5^{1/4}$ de votre PC.

Quelle est la vitesse d'accès ?

La vitesse d'accès d'un disque dur est la vitesse à laquelle il lit et écrit des données. Cette vitesse est mesurée en millisecondes. Un bon disque dur affiche un temps d'accès inférieur à 10 ms avec une vitesse de rotation de l'ordre de 7 200 tr/min.

Que signifie rpm ?

Il s'agit de l'acronyme anglais de *revolution per minute*. En France, nous parlerons tout simplement de nombre de tours par minute. Plus la vitesse de rotation est élevée, plus le disque dur est rapide.

Aujourd'hui, deux rotations par minute se sont imposées dans le monde des disques durs IDE :

- **5 400 rpm :** Ces disques durs équipent principalement les anciens PC et les ordinateurs portables. Ils font un travail honorable, mais ne comptez pas les utiliser pour des applications nécessitant des vitesses beaucoup plus rapides comme le son ou la vidéo.

✦ **7 200 rpm :** Ces disques très rapides équipent la majorité des PC. Vous pouvez les utiliser pour des applications audio et vidéo.

Lorsque vous effectuez la mise à niveau d'un ordinateur, je vous conseille d'investir dans un disque dur affichant une vitesse de rotation de 7 200 tr/min.

Il faut savoir que dans le domaine du SCSI, vous trouverez des disques durs dont la vitesse de rotation atteint les 10 000 tours.

Stockage interne et externe

Tout au long de cet ouvrage, je n'ai cessé de parler des périphériques internes et externes. Je ne vais pas de nouveau m'étendre sur le sujet. Il me suffit de conseiller l'installation d'un disque dur interne chaque fois que :

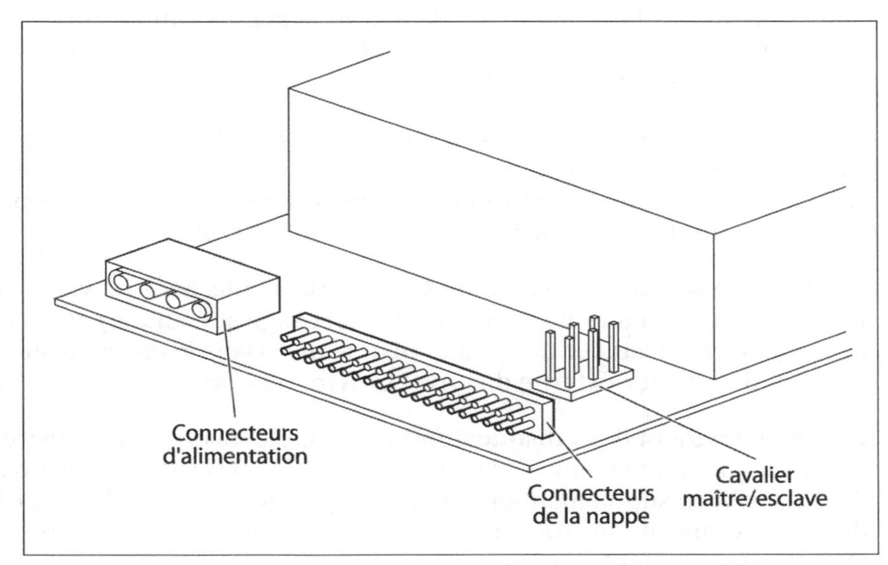

Figure 12.2 : Tous les connecteurs situés à l'arrière d'un disque dur EIDE doivent être utilisés.

✦ **Vous n'avez pas besoin de partager le disque entre plusieurs ordinateurs, ou que vous ne désirez pas l'emporter avec vous.**

✦ **Votre PC dispose d'une baie libre, ou que vous voulez changer le disque dur actuel.**

- **Vous souhaitez économiser de l'argent.**

Pour moi, de tels critères plaident en faveur de l'installation d'un disque dur interne. La Figure 12.2 montre l'arrière d'un disque typique.

Ne me faites pas dire ce que je n'ai pas dit. Les disques durs externes sont tout à fait valables. Toutefois, ils sont beaucoup plus chers que leurs homologues internes. De plus, ils doivent prendre place sur votre bureau, ce qui présente un encombrement supplémentaire. La plupart des disques externes ont un cordon d'alimentation. Cela signifie que vous devez le connecter à une prise murale. Par conséquent, lorsque vous envisagez l'achat d'un lecteur externe tout en voulant limiter l'encombrement, optez pour un modèle qui tire son alimentation de la prise USB ou FireWire.

Je déconseille fortement l'achat d'un disque dur de type USB 1.*x*. Cette première génération est ridiculement lente.

Ajouter un second disque dur interne

Pour la majorité des utilisateurs de PC, la méthode la plus simple pour augmenter l'espace disque est d'installer un second disque dur interne. Voici quelques bonnes raisons de souscrire à cette affirmation :

- **Il n'y a aucune sauvegarde à effectuer.** Bien sûr, rien ne vous empêche de sauvegarder le contenu du disque dur actuel. Si vous ajoutez un disque dur en remplacement du disque système C, vous devrez y restaurer le contenu de ce disque. Ce n'est pas toujours une chose simple à réaliser.
- **Les PC ont au moins une baie de libre.** Sauf si vous avez un vieux coucou, ou un shuttle (c'est-à-dire un PC minuscule à l'usage spécifique), vous devriez avoir la place d'installer un second disque dur. Dans le cas contraire, optez pour un disque dur externe de type FireWire ou USB 2.0.
- **En remplacement d'un disque à faible capacité.** Sauf si vous désirez remplacer le disque dur système C de 30 Go par un de 60 Go et ainsi disposer de 30 Go d'espace supplémentaire, je trouve plus judicieux de laisser en place le disque système, et de stocker vos données sur un nouveau disque dur de 60 Go que vous ajoutez au premier.

Prêt pour le combat ? Alors suivez cette procédure pour ajouter un second disque dur interne à votre système informatique :

1. **Couvrez votre surface de travail avec plusieurs feuilles de papier journal.**
2. **Débranchez votre PC, et placez-le sur le papier journal.**

3. **Enlevez le couvercle du boîtier, et placez les vis dans un récipient vide et sûr.**

   Si vous ne savez pas comment retirer le couvercle, c'est-à-dire le panneau latéral du boîtier, consultez le manuel de votre ordinateur.

4. **Touchez le châssis métallique de l'ordinateur pour vous décharger de toute électricité statique.**

5. **Vérifiez la position des cavaliers à l'arrière de votre disque dur d'origine, comme à la Figure 12.3. Si nécessaire, déplacez-les si vous établissez un rapport maître/esclave entre les deux disques, c'est-à-dire que le second disque est raccordé au second connecteur de la nappe IDE de votre premier disque.**

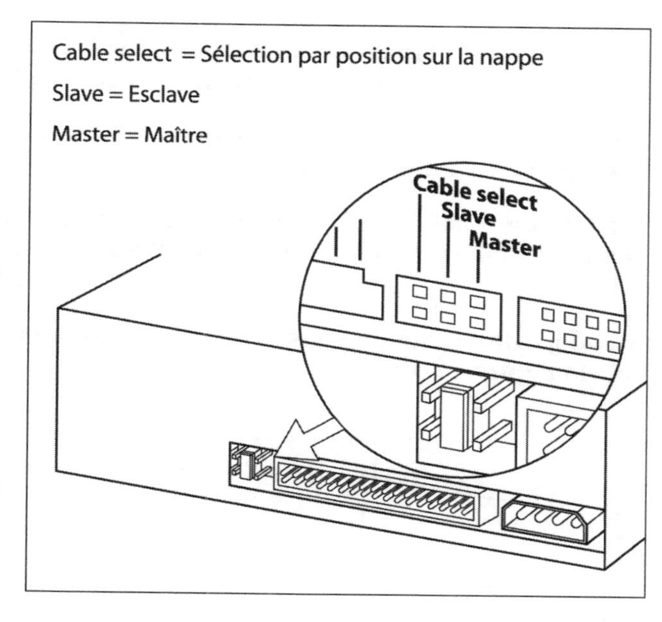

Figure 12.3 : Lorsque vous installez un second disque dur sur la même nappe que le premier, vous devez modifier la position des cavaliers des deux disques.

Si vous n'avez jamais vu de jumpers ou cavaliers, il s'agit de petits morceaux de plastique et de métal qui établissent ou non un contact électrique permettant au contrôleur de disque de la carte mère d'identifier la position du périphérique sur la nappe et de le rendre ainsi opérationnel.

La configuration de votre cavalier sera sans doute différente de celle de la Figure 12.3. Cette position est généralement indiquée directement sur le disque dur. Si le paramétrage ne figure pas sur le disque, lisez le manuel fourni, ou rendez-vous sur le site Web de son fabricant. Si la terminologie est un peu sado-maso, sachez qu'elle est sans risque. *Master* signifie primaire, c'est-à-dire qu'un disque maître se trouve en première position sur la nappe IDE. On positionne le cavalier sur ce paramètre quand un second disque est connecté au second connecteur de la nappe IDE. Dans ce cas, pour respecter la cohérence de cette reconnaissance par le contrôleur de disque, le second disque dur doit être configuré sur *slave* c'est-à-dire *secondaire* (ou *esclave*). Parfois, quand un disque est seul sur une nappe, aucun cavalier n'est requis.

6. **Configurez les cavaliers situés à l'arrière du nouveau disque dur. Si vous le placez sur la même nappe que le disque dur C, paramétrez-le en esclave. (Le disque C étant le maître (master).)**

7. **Si le nouveau disque nécessite un adaptateur 5$^{1/4}$ pouces pour s'insérer dans une baie à ce format, vissez-le sur ce petit boîtier, puis faites glisser ce boîtier sur les rails de la baie pour que le disque dur prenne correctement position.**

Pour plus d'informations sur les adaptateurs de baies, reportez-vous à la section "La taille a son importance", un peu plus haut dans ce chapitre.

8. **Placez le disque dans l'adaptateur, puis glissez-le dans la baie, connecteurs vers l'arrière (c'est-à-dire vers l'intérieur du PC).**

9. **Alignez les vis de l'adaptateur sur les trous des rails de la baie. A l'aide des vis fournies, fixez ce petit boîtier de manière à ce qu'il reste solidement en place.**

10. **Fixez le disque sur l'adaptateur comme vous avez fixé l'adaptateur sur les rails de la baie. (Voir la Figure 12.4.)**

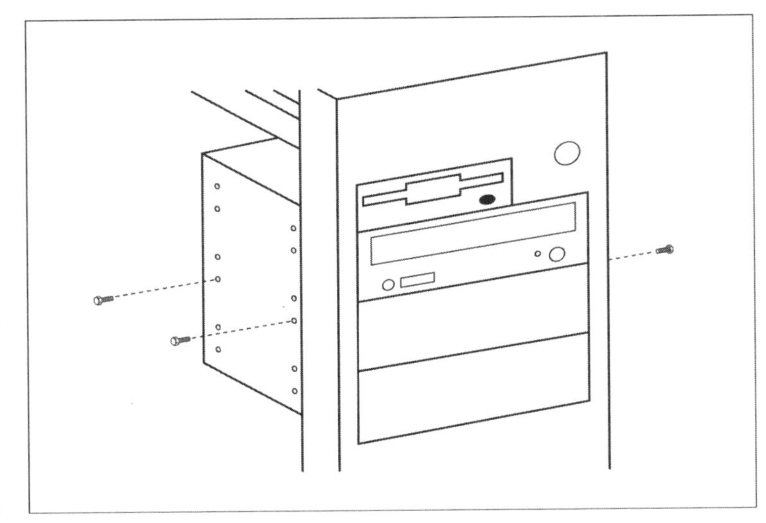

Figure 12.4 : Fixez correctement le disque dur dans son nouvel emplacement.

11. Prenez un connecteur d'alimentation, et insérez-le dans la prise adéquate du disque dur (voir la Figure 12.5).

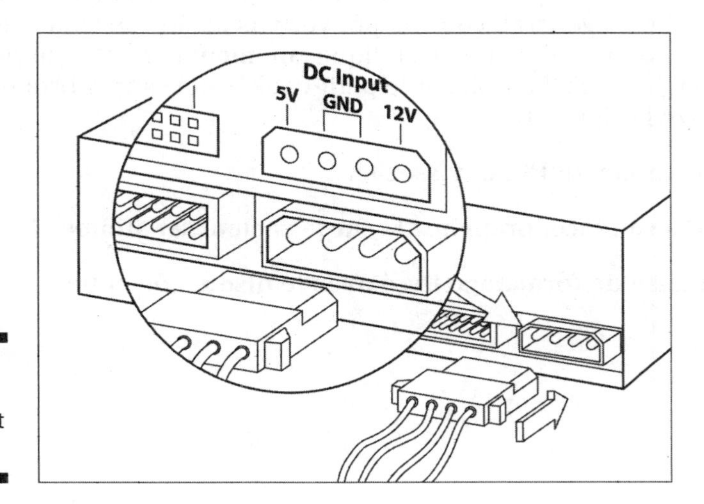

Figure 12.5 : Un disque dur non alimenté ne sert à rien.

12. Prenez la nappe IDE et insérez-la fermement dans le connecteur du disque dur.

Comme je l'ai déjà dit, les deux disques utiliseront la même nappe dans un rapport maître/esclave.

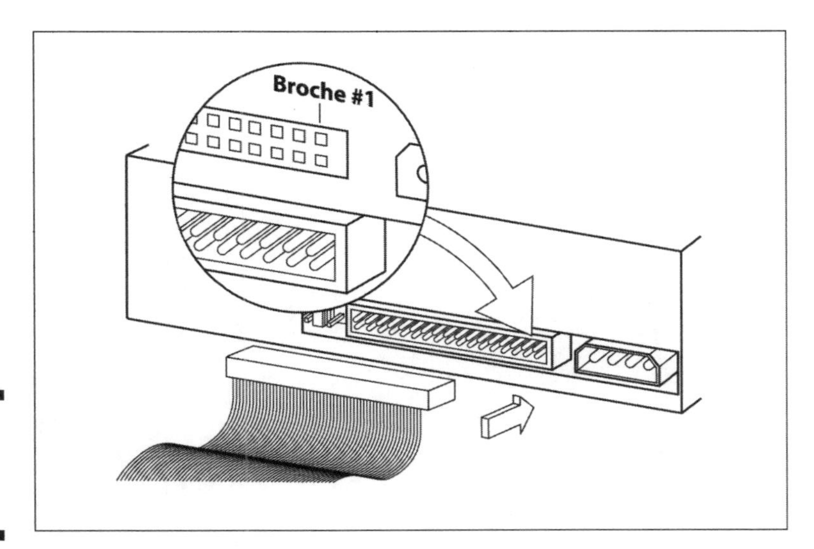

Figure 12.6 : Connexion de la nappe IDE au disque dur.

Sur le disque dur, vous remarquerez un grand connecteur peu épais rempli de broches. Alignez les trous du connecteur IDE sur les broches du disque dur. Faites très attention de ne pas tordre une des broches sous peine de rendre le disque inutilisable. En général, vous ne pouvez pas insérer le connecteur à l'envers car, là aussi, un détrompeur indique comment le mettre en place. En cas de doute, sachez qu'il faut placer le petit câble rouge sur la broche 1, comme le montre la Figure 12.6.

13. **Replacez le couvercle du PC, et vissez-le.**

14. **Remettez le PC à sa place, branchez-le sur le secteur, et allumez-le.**

15. **Exécutez l'utilitaire de formatage livré avec le disque, ou celui de Windows XP.**

Chapitre 13

Faire la fête avec l'USB, le FireWire, et les hubs

Dans ce chapitre :

- Comparaison entre USB 1.*x* et USB 2.0.
- Utiliser le FireWire pour les plaisirs de haute volée.
- Etendre votre système avec un hub (ou concentrateur).
- Ajouter une carte USB ou FireWire.

Au début de l'IBM PC, pratiquement tous les périphériques étaient internes. A l'extérieur, le port parallèle attendait une imprimante (si vous aviez les moyens d'en acheter une), et le port série un modem quand celui-ci prit de l'importance pour consulter non pas Internet, mais les BBS.

Aujourd'hui, les boîtiers de PC ont une fâcheuse tendance à rétrécir. Or, plus la taille d'un boîtier diminue, plus cela augmente le nombre de périphériques externes qui vont encombrer votre espace de travail. Les jours du PC sous forme de monolithe sont révolus.

Les deux vedettes incontestées de l'informatique moderne sont l'USB (Universal Serial Bus) et le FireWire. Ils sont plug and play, et se configurent sans prise de tête. Vantons donc les mérites de ces deux technologies tout au long des sections qui suivent.

Comparer les ports USB

Vous croyez que tous les ports USB sont identiques ! Erreur ! Au début, il y avait le port USB 1.*x*. C'était déjà un super port avec tous les avantages que nous lui connaissons. Son seul inconvénient résidait dans une vitesse de transfert des données limitée. Quasiment à la même époque, le FireWire enterrait l'USB dans le domaine de la rapidité. Il y a deux ou trois ans, les périphériques nécessitant un débit de 400 Mo/s s'arrêtaient aux caméscopes DV, et aux disques durs AV (audio/vidéo) utilisés par les professionnels de l'audiovisuel. Aujourd'hui, la liste est bien plus importante.

Pour mémoire :

- **Les appareils photo numériques** dont les images sont de plus en plus lourdes.
- **Les scanners haute résolution** qui sont capables de générer des images contenant 200 Mo de pixels.
- **Les graveurs de CD et de DVD externes qui exigent une connexion à haute vitesse.** Les graveurs de CD USB 1.*x* ne pouvaient graver qu'en 4x au maximum.
- **Les lecteurs MP3**, y compris mon petit préféré l'iPod, qui fut le premier lecteur MP3 à intégrer une connexion FireWire.

Le Tableau 13.1 montre les vitesses de connexion des différents ports, et leurs années d'apparition donc d'utilisation.

Tableau 13.1 : Comparaison des vitesses des ports les plus populaires.

Port	Année d'apparition sur PC	Vitesse de transfert (en mégaoctets/secondes)
Série	1981	inférieure à 1 Mo/s
Parallèle	1981	1 Mo/s
USB 1.1	1996	12 Mo/s
FireWire 400 (version A)	1996	400 Mo/s
USB 2.0	2001	480 Mo/s
FireWire 800 (version B)	2003	800 Mo/s

Les spécifications de l'USB 2.0 sont assez remarquables. Sa vitesse dépasse celle du premier port FireWire, et il assure une compatibilité descendante avec les périphériques USB 1.1. En d'autres termes, l'USB 2.0 gère aussi bien les matériels USB 2.0 que USB 1.1. Bien entendu, seuls les périphériques USB 2.0 profitent du taux de transfert de 480 Mo/s.

Je milite pour le FireWire

Même avec les nouvelles spécifications USB 2.0, je préfère le FireWire, et pas uniquement à cause de son nom. Voici les vraies raisons :

- **Support des périphériques :** Le FireWire existe sur les équipements vidéo numériques depuis 1996. De son côté, l'USB 2.0 n'existe que depuis 4 ans. Vous ne pourrez pas en profiter avec vos anciens matériels.
- **Contrôle sur la connexion :** Oubliez le blabla technique. Un port FireWire est capable de contrôler les périphériques FireWire comme les caméscopes numériques. Par exemple, avec une application d'acquisition vidéo, vous pilotez le caméscope par le biais des boutons de contrôle du logiciel. Cliquez sur le bouton Lecture du programme pour lancer celle du caméscope. L'USB n'a que des possibilités limitées dans ce domaine. Au mieux, vous pourrez effacer le contenu de la carte mémoire d'un appareil photo numérique.

"Hé mon pote ! Le disque dur externe que j'ai connecté en USB n'a pas d'autre alimentation électrique… ça t'en bouche un coin !" Non ! Je sais ! Dans ce domaine, je prône la méfiance. Certains ports USB ne sont pas capables de fournir l'alimentation électrique suffisante car ils se cantonnent à alimenter une souris ou un clavier. En cas de problème, connectez le périphérique dans un autre port USB du PC pour voir si ça le réveille.

Et si j'avais simplement besoin d'un hub ?

Si votre PC dispose déjà d'un port USB et FireWire occupé par un périphérique, il n'est pas obligatoire d'insérer une carte d'extension PCI dans votre PC.

La solution se trouve dans un périphérique magique que l'on appelle un *hub* ou *concentrateur*. Il se connecte à un port USB ou FireWire, et propose plusieurs prises USB ou FireWire. Ainsi, en occupant un seul port, il vous en offre quatre, six, ou huit. Cerise sur le gâteau : les hubs sont plug and play.

N'oubliez jamais de vérifier si vos périphérique USB ou FireWire disposent également d'une prise de ce type permettant de chaîner d'autres matériels à ces normes. Par exemple, il existe des claviers USB disposant de deux ports USB. Vous y connecterez une souris, ou tout autre périphérique répondant à la norme USB des connecteurs du clavier. Il en va de même pour certains moniteurs. Lorsque le chaînage de périphériques est possible, vous n'êtes pas obligé d'acheter un hub.

Avec cette méthode, vous pouvez théoriquement connecter jusqu'à 63 périphériques en FireWire et 127 en USB. Même James Bond n'a pas un gadget aussi puissant.

Installer une carte d'extension de ports

Vous allez apprécier l'architecture IBM PC. En effet, si votre ordinateur ne possède pas de port USB ou FireWire, vous pouvez y insérer une carte d'extension dans un connecteur PCI. Cette carte, dotée des ports absents, vous ouvre de nouveaux horizons. Une carte dite combo USB/FireWire, c'est-à-dire qui propose les deux types de port, coûte aux alentours de 90 euros. Voici comment l'installer :

1. **Couvrez votre surface de travail avec plusieurs feuilles de papier journal.**
2. **Débranchez votre PC, et placez-le sur le papier journal.**
3. **Enlevez le couvercle du boîtier, et placez les vis dans un récipient vide et sûr.**

   Si vous ne savez pas comment retirer le couvercle, c'est-à-dire le panneau latéral du boîtier, consultez le manuel de votre ordinateur.

4. **Touchez le châssis métallique de l'ordinateur pour vous décharger de toute électricité statique.**
5. **Localisez un connecteur de carte d'extension libre. Pour ce genre de périphérique il est généralement de couleur beige.**

   Les cartes d'extension se connectent sur des slots PCI.

6. **A l'arrière du PC, dévissez et retirez la petite plaquette qui protège l'accès au connecteur PCI, comme le montre la Figure 13.1.**

   Comme vous n'en aurez plus besoin, rangez-les avec vos autres fournitures.

7. **Prenez la carte d'extension par un de ses angles, et alignez ses connecteurs sur ceux du slot PCI de la carte mère. Une encoche sert de détrompeur.**

   Le support métallique de la carte doit parfaitement s'insérer dans l'espace libéré par la plaquette à l'arrière du PC.

   Ne forcez jamais l'insertion d'une carte d'extension ! Vous risquez d'endommager un slot, et si vous courbez la carte, ses circuits intégrés ne le supporteront pas.

8. **Une fois le connecteur parfaitement aligné (comme le montre la Figure 13.2), appliquez une pression égale sur le bord de la carte et poussez-la jusqu'à insertion complète dans le connecteur PCI.**
9. **Replacez les vis de manière à fixer la plaquette métallique de la carte sur le châssis du PC.**

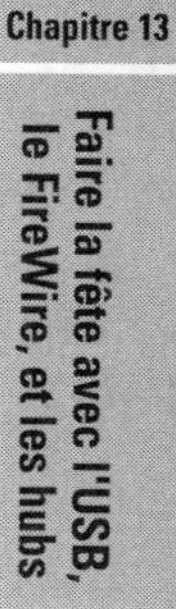

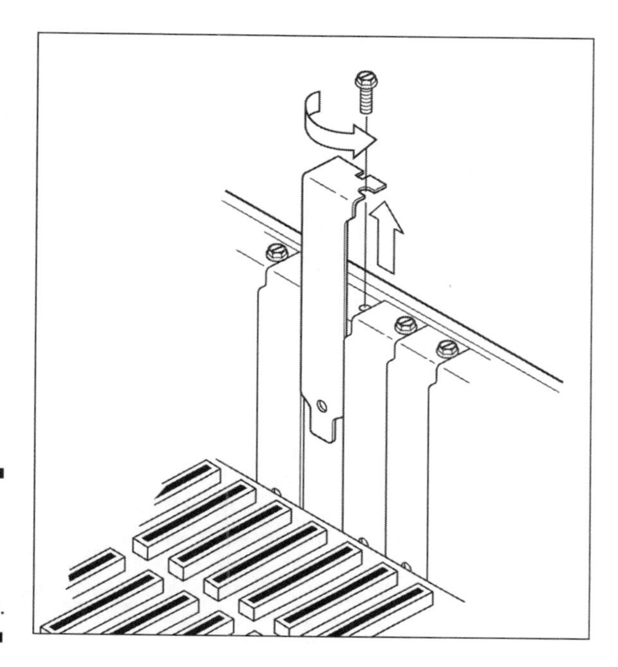

Figure 13.1 : Retirez la plaquette de protection pour installer la carte.

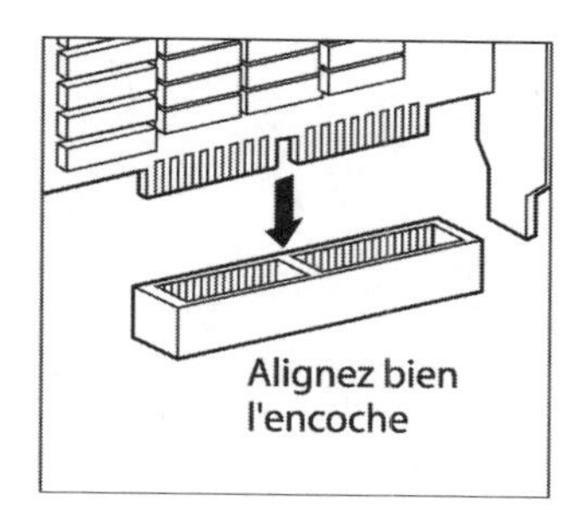

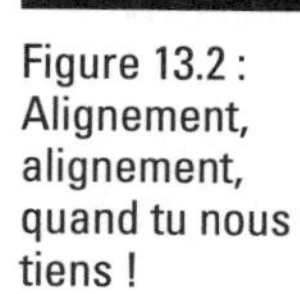

Figure 13.2 : Alignement, alignement, quand tu nous tiens !

10. Replacez le couvercle du PC, et vissez-le.

11. Remettez le PC à sa place, branchez-le sur le secteur, et allumez-le.

12. Lancez le disque d'installation livré avec votre carte d'extension ou chargez, à la demande de Windows XP, le CD contenant le pilote.

Chapitre 14
Booster le son et la vidéo

Dans ce chapitre :

- Choisir une carte son.
- Changer de carte graphique.
- Installer vos nouveaux matériels.

La technologie a atteint un tel niveau de performance que les ordinateurs personnels entrent de plain-pied dans le domaine des loisirs. L'idée est de faire de votre PC un centre multimédia complet. Dans l'absolu, vous pouvez y jouer, y écouter de la musique, regarder la télévision, et lire des DVD.

Pour qu'un ordinateur devienne le centre de vie de vos loisirs numériques, vous devez correctement l'équiper. Avec l'informatique, vous mettez les pieds dans un univers en constante expansion. En d'autres termes, la carte son que vous avez achetée il y a trois ans est sans doute obsolète. Idem pour les cartes graphiques. L'évolution permanente des jeux en 3D temps réel exige une mise à niveau permanente de votre matériel.

Vous voici donc confronté à deux options : soit vous investissez dans un nouvel ordinateur avec tous les périphériques les plus modernes, soit vous mettez à niveau votre ancien PC.

Les fonctionnalités des cartes son

Commencez par envisager la mise à niveau du système audio de votre PC. Pour acheter correctement, il suffit de lire les quelques sections qui suivent.

Spatialisation ou le son en 3D

De nombreux possesseurs d'ordinateurs pensent que le son 3D est réservé aux joueurs. Il est évident qu'avec ce type de matériel audio, les joueurs ressentent des émotions qui leur étaient inconnues jusqu'à présent. Cependant, la spatialisation audio est une fonction non négligeable pour l'écoute de CD audio ou la lecture des fichiers audionumériques de votre disque dur. Vous transformez ainsi votre maison en un véritable auditorium ou salle de concert.

Le son Surround

Avec une carte son de ce type et les haut-parleurs appropriés, votre ordinateur peut délivrer un son Dolby Surround lorsque vous écoutez des CD audio, ou quand vous regardez des DVD sur votre PC. (Personnellement, le plus gros problème n'est pas le prix de la carte son de mon PC, mais de trouver un espace suffisant pour placer correctement les haut-parleurs sur un bureau déjà largement encombré.)

Les cartes Dolby Surround de bonne facture comme l'Audigy 2 ZS Platinium Pro de Creative Labs (SoundBlaster) délivrent un son 7.1 (excusez du peu), en 24 bits, 192 KHz. La version interne de ce matériel coûte environ 150 euros, et la version externe 230. Cette carte dispose d'un panneau frontal rempli de connecteurs audio que vous pouvez insérer dans une baie $5^{1/4}$ pouces de votre PC.

La Figure 14.1 montre un des meilleurs amis de notre public audiophile, je veux parler du *caisson de basse*. Il amplifie les basses fréquences pour donner encore plus de profondeur au son de vos CD et de vos jeux. Gare à vos voisins !

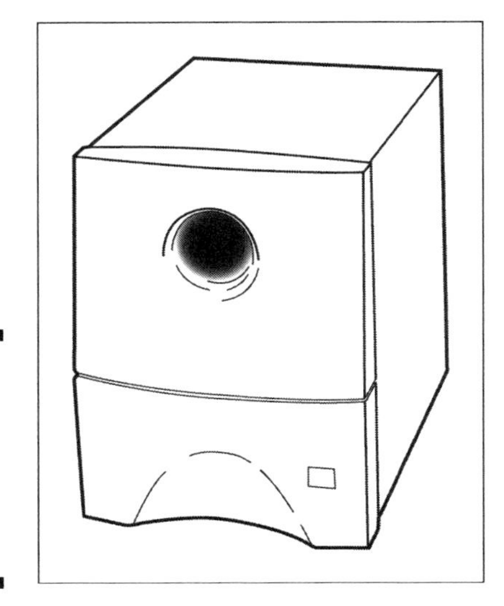

Figure 14.1 : Le caisson de basse est vite devenu l'empereur d'un système audio informatique.

Encodage/décodage MP3 matériel

Bien que les fichiers MP3 aient été détaillés au Chapitre 6 du Livret II, je tiens de nouveau à en parler. Tout le monde connaît aujourd'hui l'importance des fichiers audio numériques MP3. Ils peuvent être créés de deux manières : soit par l'encodage logiciel de fichiers audio traditionnels, soit par leur encodage matériel. Dans ce dernier cas, vous devez posséder une carte son spécifique. Elle dispose d'une petite puce qui va prendre en charge l'encodage et le décodage des fichiers MP3. Ainsi, le processeur de votre PC est totalement déchargé de cette tâche. De ce fait, vous pouvez travailler dans une application aussi gourmande que Photoshop tout en rippant des fichiers audio en les convertissant au format MP3. Avec une carte audio dite MP3, l'encodage des fichiers est bien plus rapide que lorsqu'il est pris en charge par un logiciel.

La majorité des cartes son MP3 reproduit également la spatialisation sonore attendue par de nombreux auditeurs.

Ports jeu et FireWire

De nombreuses cartes son disposent d'équipements supplémentaires : un port FireWire, ou un port jeu IBM comme le montre la Figure 14.2. Toutefois, force est de constater que les manettes modernes se connectent généralement à un port USB. Malgré cela, si vous possédez un ancien joystick ne pouvant se brancher que sur un port jeu, il est préférable d'opter pour une carte son disposant d'une telle connectique. (Le Chapitre 13 du Livret II donne des informations sur le FireWire.)

Ports MIDI

Avant de poursuivre, je vais m'adresser aux musiciens qui utilisent des instruments répondant à la norme MIDI. MIDI est l'acronyme de Musical Instrument Digital Interface. Il s'agit d'un protocole de transfert de données musicales envoyées par un instrument de type synthétiseur, boîte à rythme, ou clavier, à un logiciel appelé *séquenceur*. L'ensemble est capable d'enregistrer toutes les informations mélodiques, y compris le type d'instrument utilisé dans la banque de sons du matériel MIDI, et de les reproduire en fonction des informations MIDI lues par le séquenceur de votre ordinateur.

Il est à noter que si vous respectez la norme GM, c'est-à-dire General MIDI, il y a de fortes chances pour que la table d'ondes de votre carte son puisse reproduire vos arrangements musicaux sans instruments externes. Dans ce cas, seule la qualité et le réalisme des instruments risquent d'en souffrir.

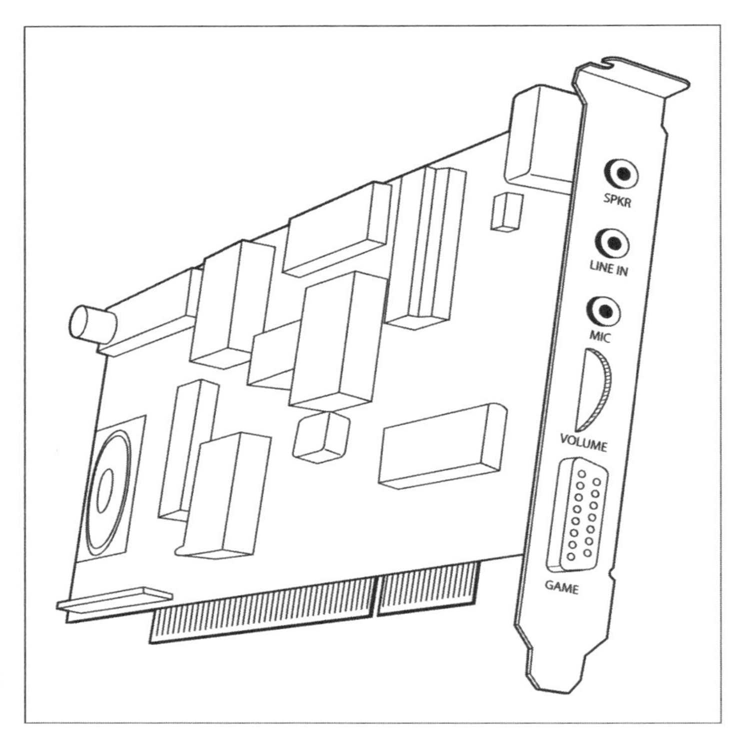

Figure 14.2 : Une carte son possède souvent un port jeu.

Il existe des ports MIDI disponibles sur des cartes d'extension PCI, mais la majorité se connecte désormais sur une prise USB. Votre carte son comporte certainement un connecteur MIDI. Sachez aussi qu'une prise MIDI peut se connecter au port jeu de la carte son.

Acheter un monstre graphique

Il existe aujourd'hui des cartes graphiques monstrueuses. Cette monstruosité ne s'applique pas uniquement au domaine des jeux 3D. En effet, l'architecture de ces cartes permet d'améliorer l'affichage vidéo. Dans cette section, je vous donne quelques indices pour opérer une mise à jour correcte de votre carte graphique.

Identifier le bon connecteur

Aujourd'hui, les cartes graphiques ressemblent à n'importe quelle carte d'extension. Toutefois, toutes ne s'insèrent pas dans le même slot de la carte mère :

✦ **AGP (Accelerated Graphic Port) :** Il s'agit du connecteur vidéo le plus rapide présent sur les ordinateurs Athlon et Pentium 4. Aucune autre carte d'extension ne peut s'insérer dans ce connecteur. (Pour identifier le port AGP de votre carte mère, consultez son manuel d'utilisation.) Les cartes graphiques AGP affichent des performances extraordinaires. De ce fait, elles sont beaucoup plus chères que les cartes graphiques de type PCI.

✦ **PCI :** Ces cartes graphiques s'insèrent dans un connecteur PCI standard. De ce fait, elles peuvent s'installer sur n'importe quelle carte mère. Toutefois, au regard de leur modeste performance, si votre ordinateur dispose d'un port AGP, je vous conseille d'investir dans une carte graphique AGP.

Vous pouvez connaître les performances d'une carte graphique en lisant ses spécificités sur son emballage, ou sur le site Web de son constructeur. Vous pouvez également comparer les cartes sur des sites spécifiques. Elles y ont subi des tests établissant une mesure de performance exprimée en *benchmark*. Une autre méthode de comparaison consiste à faire tourner un jeu très gourmand en ressources comme Quake III ou Unreal Tournament 2004. Vous verrez le nombre d'images affichées par seconde. Plus ce nombre est élevé, meilleure est la carte.

Les différents chipsets

Aujourd'hui, la différence entre les chipsets qui équipent les cartes graphiques n'est pas très marquée. Le chipset est une puce qui gère la 3D en lieu et place du processeur de votre ordinateur. Deux types de cartes graphiques jouent un rôle majeur dans l'univers PC :

✦ **NVIDIA :** Les cartes graphiques architecturées autour du chipset NVIDIA (`www.nvidia.fr`) présentent des performances tout à fait remarquables. La puce GeForce 6 est assommante ! Malgré cela, peu de jeux 3D poussent cette puce dans ses derniers retranchements. Si vous investissez dans une carte graphique au chipset de type GeForce 3, 5, ou encore dans les solutions 6800, vous devriez y trouver une réelle satisfaction.

✦ **ATI :** ATI Technologies (`http://ati.com/fr`) est devenu très populaire avec son chipset Rage. Désormais, ATI propose des cartes aussi puissantes que NVIDIA. Elles sont architecturées autour du chipset RADEON. La nouvelle RADEON X850 est l'une des plus performantes du marché.

Le problème de l'informatique et des cartes graphiques est que la technologie offre bien plus de possibilités que les utilisateurs ont de besoins. De ce fait, les derniers modèles disposent de fonctions qu'aucun jeu n'exploite encore. Comme ces cartes coûtent excessivement cher, mesurez bien vos besoins avant de vous suréquiper pour rien !

Autres fonctions qui pourraient vous intéresser

Naturellement, le chipset et les connecteurs ne sont pas les seuls arguments d'achat des cartes graphiques. Voici quelques fonctions et spécifications à considérer avant l'achat.

La mémoire RAM embarquée sur la carte : Les performances d'une carte graphique ne s'arrêtent pas à la vélocité de son chipset. En effet, pour tirer profit de cette rapidité, la carte doit disposer d'une quantité de mémoire suffisante. Aujourd'hui, il paraît difficile d'investir dans une carte graphique proposant moins de 128 Mo de mémoire. Cette mémoire permet de stocker à l'avance les éléments 3D à calculer. Ainsi, la rapidité du transfert des données graphiques entre la mémoire et le processeur de la carte permet d'afficher de nombreuses images par seconde donnant à vos jeux une fluidité inégalée. D'autre part, plus la carte graphique contient de mémoire, plus vous pouvez afficher votre bureau et vos jeux en haute résolution, et en millions de couleurs.

La gestion des pilotes et d'autres standards : Il est important qu'une carte graphique destinée à un PC supporte les standards vidéo Microsoft DirectX. Actuellement, nous en sommes à la version 9. Les joueurs invétérés apprécieront également la gestion *OpenGL* (un standard vidéo open qui devient de plus en plus populaire dans les jeux d'action 3D). La prise en charge de ces différents standards est indiquée sur la boîte de la carte graphique.

La résolution maximale : Plus une carte peut produire une résolution élevée, plus vous pouvez afficher d'éléments sur votre moniteur. Il ne s'agit pas uniquement de vos jeux, mais également de vos documents, de vos photos numériques, et du bureau de Windows. Par exemple, lorsque j'écris un ouvrage, j'aime travailler dans une résolution de 1152 x 864, au lieu de la traditionnelle 1024 x 768. En effet, il est agréable d'afficher les pages Word sans être obligé d'agir sur les barres de défilement. Aujourd'hui, les cartes peuvent atteindre des résolutions phénoménales telles que 2048 x 1536. Personnellement, je ne monte jamais aussi haut car mes yeux auraient bien du mal à voir les minuscules icônes et textes affichés à l'écran.

La résolution d'affichage dépend également de votre moniteur. En fonction de sa diagonale, exprimée en pouces, et de sa fréquence de rafraîchissement, vous risquez d'être limité. Cependant, tous les moniteurs acceptent au moins une résolution de 1204 x 768.

Acquisition vidéo et sortie TV : Avec une carte graphique disposant de ces fonctionnalités, vous pouvez faire plusieurs choses très intéressantes. Par exemple, vous pouvez capturer un signal TV analogique sur votre disque dur. Le signal audiovisuel sera diffusé en temps réel sur votre moniteur, mais aussi sur votre téléviseur lorsque vous branchez le cordon composite ou YC sur votre carte graphique et sur l'entrée idoine de votre TV. Vous pouvez également capturer les signaux vidéo provenant d'un magnétoscope ou d'un caméscope. En revanche, pour travailler la vidéo numérique dans toute sa splendeur, c'est-à-dire créer des films que vous enregistrerez sur bandes VHS ou MiniDV, voire créer des VCD, SVCD ou des DVD, vous devrez investir dans une carte vidéo dite *d'acquisition*.

Tuner TV : Une carte graphique disposant d'un tuner TV transforme votre PC en téléviseur. Comme l'ordinateur possède un disque dur, vous pouvez regarder la télévision, effectuer des pauses, rembobiner le programme, reprendre le direct, et faire de nombreuses autres manipulations exactement comme avec certains décodeurs et graveurs de DVD de salon. Vous pouvez utiliser une antenne hertzienne, ou un système câblé ou satellitaire.

Support de plusieurs moniteurs : La plupart des cartes graphiques actuelles permettent de connecter deux écrans. Ceci est très pratique pour afficher le bureau de Windows d'un côté, et vos applications de l'autre.

Gestion MPEG matérielle : Enfin, n'oublions pas que nous sommes dans l'ère de la vidéo numérique. Aujourd'hui, tout le monde parle de vidéo MPEG (sans bien savoir de quoi il s'agit). Sur PC, les trois plus grands formats vidéo rencontrés sont AVI, MPEG, et MOV (je mets le DivX à part car il s'agit davantage d'une déclinaison du DVD que d'un pur format vidéo). En fait, le MPEG serait un peu à la vidéo ce que le MP3 est à l'audio. C'est-à-dire que vous partez d'un fichier vidéo AVI, qui est le standard vidéographique sur PC, et vous l'encodez en MPEG pour une diffusion sur PC, ou une préparation de fichier pour DVD. Lorsque l'encodage est de type logiciel, cela peut durer très longtemps. Il n'est pas rare que 1h30 de vidéo demande 4 à 5 heures d'encodage. Avec des cartes graphiques ou des cartes d'acquisition dites *temps réel*, vous procédez à un encodage MPEG en temps réel. Dans ce cas, 1h30 de vidéo mettra 1h30 à s'encoder. En règle générale, les cartes qui prennent en charge cet encodage coûtent très cher.

Installer une carte son ou graphique

Installer ces deux types de cartes revient à installer n'importe quelle carte d'extension :

1. **Couvrez votre surface de travail avec plusieurs feuilles de papier journal.**
2. **Débranchez votre PC, et placez-le sur le papier journal.**
3. **Enlevez le couvercle du boîtier, et placez les vis dans un récipient vide et sûr.**
4. **Touchez le châssis métallique de l'ordinateur pour vous décharger de toute électricité statique.**

5. **Si vous installez une nouvelle carte son, connectez les petites prises audio aux connecteurs idoines du lecteur de CD-ROM ou de DVD-ROM.**

6. **Si vous remplacez une ancienne carte, dévissez-la et retirez-la du connecteur PCI.**

   N'oubliez jamais de placer les vis dans un bol à l'écart des mauvaises manipulations. Pensez à stocker l'ancienne carte dans le sachet antistatique de la nouvelle. (Rien ne se perd en informatique, tout se recycle.)

   Certains slots AGP ont des taquets en plastique qui verrouillent la carte sur le connecteur. Par conséquent, si vous changez votre carte graphique, commencez par déverrouiller ces taquets pour retirer la carte et insérer la nouvelle.

7. **Localisez un connecteur de carte d'extension libre.**

   Une carte graphique AGP ne peut s'insérer que dans un connecteur AGP, et une carte PCI que dans un slot PCI. Bien sûr, si l'ancienne et la nouvelle carte sont du même type, opérez une simple substitution en réutilisant le même connecteur.

8. **Prenez la carte d'extension par un de ses angles, et alignez ses connecteurs sur ceux du slot de la carte mère. Une encoche sert de détrompeur.**

   Le support métallique de la carte doit parfaitement s'insérer dans l'espace libéré par la plaquette à l'arrière du PC.

9. **Une fois le connecteur parfaitement aligné, exercez une pression égale sur le bord de la carte et poussez-la jusqu'à insertion complète dans le connecteur.**

10. **Replacez les vis de manière à fixer la plaquette métallique de la carte sur le châssis du PC.**

11. **Si vous installez une carte son, connectez bien les petites prises audio en lieu et place de celles de l'ancienne carte.**

    Consultez le manuel de la carte pour localiser le connecteur audio du CD/DVD.

12. **Replacez le couvercle du PC, et vissez-le.**

13. **Remettez le PC à sa place, branchez-le sur le secteur, et allumez-le.**

14. **Lancez le disque d'installation livré avec votre carte son et/ou graphique ou chargez, à la demande de Windows XP, le CD contenant le pilote.**

Chapitre 15
Avez-vous besoin d'un réseau ?

Dans ce chapitre :

- Evaluer les avantages d'un réseau.
- Connecter d'autres ordinateurs et périphériques.
- Sélectionner le matériel et le logiciel qui vous convient.

Le réseau est une organisation nette et précise : il permet de copier, de consulter, et de modifier des documents qui se trouvent sur un autre ordinateur.

Tout le monde n'a pas plusieurs ordinateurs, et même ceux qui en possèdent plusieurs n'ont pas obligatoirement envie de les mettre en réseau. C'est ce que nous allons vous aider à déterminer. Je vais tenter de vous montrer en quoi un réseau peut vous être utile, le matériel et les logiciels dont vous aurez besoin, et la masse de travail que la configuration d'un réseau implique.

Les avantages d'un réseau

Si vous n'avez jamais utilisé un réseau sur lequel communiquent plusieurs ordinateurs, vous ne pouvez pas imaginer les services qu'il rend. Voici une petite liste des tâches les plus communément exécutées sur un réseau.

Transfert de fichiers

Le réseau est le moyen le plus rapide pour échanger des fichiers d'un ordinateur à un autre. Le transfert de fichiers sur un réseau est transparent pour celui qui l'effectue. Cela signifie qu'il n'y a rien de spécial à faire. Pour simplifier, nous dirons que copier un fichier depuis un ordinateur du réseau vers un autre ordinateur du réseau, c'est comme copier d'un disque dur à un autre. Sous Windows XP, soit vous utilisez l'Explorateur Windows dans lequel vous affichez les Favoris réseau, soit vous utilisez une application comme Total Commander illustrée à la Figure 15.1, et dont vous pouvez télécharger une version d'évaluation sur le site `www.ghisler.com/accueil.htm`. L'intérêt est de pouvoir facilement afficher le contenu des divers lecteurs partagés sur le réseau, et d'effectuer des copies et des déplacements par simple glissement des fichiers.

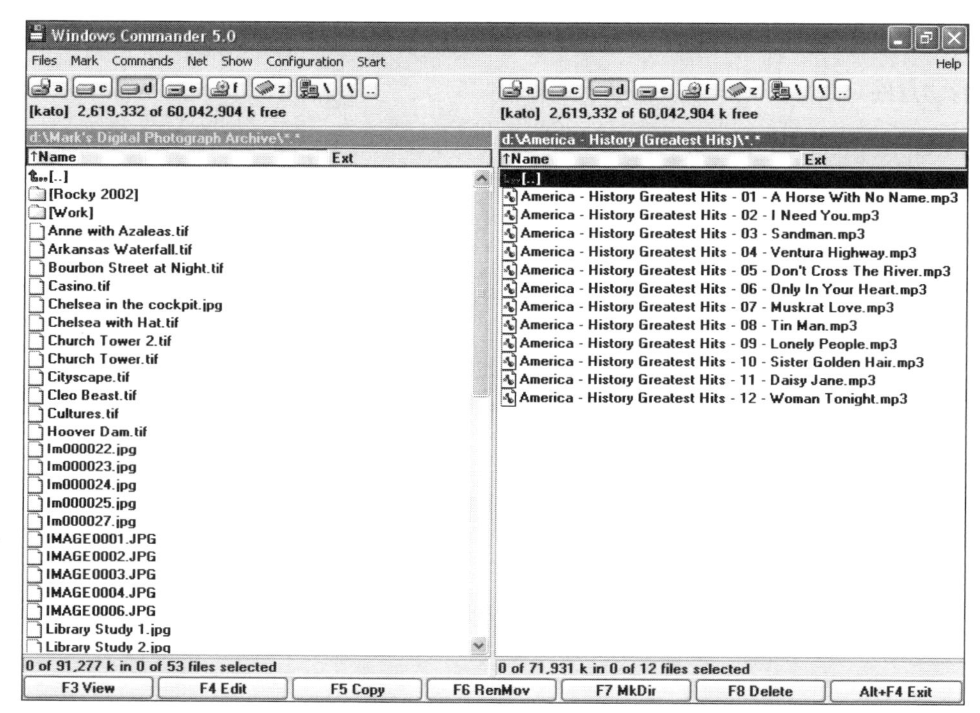

Figure 15.1 : Pour gérer les fichiers des ordinateurs du réseau, j'utilise Total Commander.

Je sens monter en vous un vent de panique. Certes, un réseau permet de pareils transferts, mais alors tout le monde peut venir faire ce qu'il veut sur mon PC ? Que nenni ! Windows XP sécurise les réseaux pour éviter les débordements, les pillages, et les maladresses.

Partager une seule connexion Internet

Un autre avantage du réseau est la possibilité de partager une seule connexion Internet entre plusieurs ordinateurs. Ceci fonctionne très bien avec une connexion ADSL ou câble, et reste tout à fait possible à configurer avec une connexion RTC classique.

Voici les deux méthodes de partage d'une connexion Internet :

- **Via un logiciel :** Vous utilisez alors la fonction de partage de connexion Internet de Windows XP.
- **Via un matériel :** Cette fois, le modem est connecté à un routeur, voire le modem lui-même fait office de routeur, ce qui est encore mieux. L'intérêt d'un routeur est qu'il joue souvent le rôle de pare-feu matériel, c'est-à-dire de filtre des tentatives d'intrusions extérieures dans votre réseau.

Je traite de ces deux méthodes au Chapitre 18 du Livret II.

Un mot sur les jeux

Vous en avez assez de jouer toujours et encore contre l'ordinateur ? Vous connaissez par cœur les stratégies des programmes de jeux ? Eh bien, foncez dans l'univers des jeux en réseau, comme à la Figure 15.2.

Figure 15.2 : Un de mes jeux en réseau préféré : Creatures de Microsoft.

Le réseau permet de jouer à plusieurs. Il suffit de connecter plusieurs machines entre elles, et de configurer les jeux qui le permettent en fonctions multi-joueurs, pour vous affronter dans des parties haletantes qui vous mèneront jusqu'au bout de la nuit, comme le fabuleux voyage de Louis-Ferdinand Céline. En règle générale, pour jouer en réseau, j'emmène mon ordinateur portable chez mes amis, ce qui me demande un moindre effort.

Partager des documents et des applications

Bien sûr, il n'y a pas que le réseau qui permette de partager des documents. On peut le faire d'un ordinateur à un autre avec une disquette, un CD, une clé USB, ou un disque dur externe. Toutefois, cela demande des manipulations supplémentaires, et le travail sur un même document prend plus de temps car il faut à chaque fois le charger, le modifier, l'enregistrer sur un support que vous devez envoyer à votre collègue, ou par e-mail.

Sur un réseau, tout se passe comme si les lecteurs autorisés d'un autre ordinateur étaient vos propres disques durs. Vous y piochez des documents que vous modifiez et enregistrez au même emplacement.

Par exemple, si vous partagez un même document Word avec d'autres utilisateurs du réseau, vous ouvrez ce document depuis le dossier où il se trouve (ce peut être sur un disque dur d'un autre ordinateur du réseau), vous le modifiez, et vous l'enregistrez dans ce même dossier. Tout s'est déroulé comme s'il s'agissait d'un document de votre disque dur.

Et si cela ne suffisait pas, imaginez que Robert utilise une application que vous n'avez pas sur votre machine. Si elle a été conçue pour être partagée sur le réseau, vous pouvez l'exécuter à distance via le réseau.

Lisez le Chapitre 16 du Livret II pour plus d'informations sur les documents et les applications partagés.

Que puis-je connecter sur un réseau ?

Un nombre impressionnant d'objets peuvent être partagés sur un réseau avec ou sans fil. Voici une liste de ce que l'on y rencontre le plus :

✦ **D'autres PC :** C'est la connexion la plus commune. Le réseau partage des PC, et ce qu'il y a dedans. Dans certaines configurations, surtout auprès des entreprises, un ordinateur central joue le rôle de *serveur.* C'est là que les autres ordinateurs du réseau vont chercher des documents, et placer les leurs. Dans un répertoire partagé, les utilisateurs du réseau récupèrent et échangent des informations.

- **Des Mac et des ordinateurs tournant sous Linux :** Votre réseau ne se limite pas à Windows ! Regardez-moi ! (Enfin non, pas moi, mais mon environnement informatique). Depuis peu, j'ai investi dans un Macintosh que j'ai mis en réseau avec mes deux PC via un routeur/modem ADSL. Tout ce beau monde cohabite sans aucun souci. Ainsi, lorsque je traduis des ouvrages sur Mac, je sauvegarde mes fichiers également sur PC. Mes trois ordinateurs partagent le même modem ADSL. Ainsi, trois utilisateurs peuvent se connecter simultanément à Internet en haut débit. Elle est pas belle la vie ?!
- **Des assistants personnels (PDA) :** Si vous disposez du bon adaptateur, votre Palm Pilot ou votre Pocket PC pourront participer à la fiesta.
- **Des matériels partagés sur le réseau :** Certains matériels se trouvent dans les ordinateurs du réseau, et d'autres sur le réseau lui-même. Ils peuvent alors être partagés entre les ordinateurs du réseau.
- **Des imprimantes réseau :** Enfin, l'imprimante est l'un des périphériques les plus partagés sur un réseau. Soit elle est connectée à un des ordinateurs du réseau, soit elle est connectée au routeur, c'est-à-dire au périphérique qui fait communiquer tous les ordinateurs ensemble. Dans ce dernier cas, il faut que l'imprimante dispose de son propre adaptateur réseau. Aujourd'hui, il existe des imprimantes wi-fi destinées aux réseaux sans fil.

Bien sûr, cette liste n'est pas exhaustive, mais elle suffit à montrer les très gros avantages que procure un réseau.

Quels sont les matériels nécessaires ?

Voici ce dont vous avez besoin pour créer un réseau :

- **Une carte réseau interne ou un adaptateur wi-fi externe :** Chaque ordinateur du réseau doit être équipé d'une carte, appelée adaptateur réseau ou carte réseau, qui lui permettra d'être identifié comme membre du réseau. Ces adaptateurs sont soit internes, soit externes. Ils sont reliés à un routeur soit par un câble Ethernet, soit par la très populaire connexion sans fil wi-fi.
- **Un concentrateur (hub) et répartiteur réseau :** J'en parle plus en détail au Chapitre 16 du présent Livret. Pour le moment, sachez qu'il s'agit d'un matériel doté de prises Ethernet qui vont permettre de connecter des PC et d'autres périphériques au réseau. Certains concentrateurs et répartiteurs sont sans fil, ce qui évite bien des problèmes de câblage.

- **Des câbles :** Si vous n'optez pas pour le wi-fi, il faudra tirer des câbles Ethernet pour chaque ordinateur devant se connecter au réseau. Là encore, je vous enjoint à lire le prochain chapitre.

Le matériel présenté ici est destiné à une connexion réseau Ethernet. Sachez qu'il existe d'autres types de réseau. Certains utilisent les prises électriques de votre appartement, d'autres des jacks téléphoniques. Vous pouvez aussi mettre en réseau deux ordinateurs avec un câble USB ou FireWire spécial. Dans ce cas, vous ne disposerez pas de la même polyvalence qu'avec un réseau Ethernet ou wi-fi. Vous vous contenterez d'échanger des fichiers.

L'ensemble du matériel nécessaire se vend en kit. Dans ce cas, vous avez le routeur, les concentrateurs, les répartiteurs, et les adaptateurs, plus une documentation pas très souvent bien faite.

De quels programmes ai-je besoin ?

En fait, si chaque PC tourne sous Windows 98 ou supérieur, vous disposez de tout ce qu'il faut pour créer un réseau domestique. Toutefois, vous pourriez avoir besoin de :

- **Pilotes pour les cartes réseau ou les PC Card (PCMCIA) :** En général, les pilotes sont livrés avec les adaptateurs. Consultez régulièrement le site du fabricant pour trouver des drivers récents.

- **Un programme de gestion du réseau :** Bien que ce ne soit pas nécessaire, cela est vivement recommandé. Si votre réseau est de grande taille, il est impératif de disposer d'un programme qui contrôle toute l'activité du réseau, et en optimise le trafic.

- **Des applications conçues pour le réseau :** Les applications conçues pour le réseau peuvent comprendre des suites bureautiques comme Microsoft Office, des programmes de télécopies, et des applications pour des groupes de travail comme Lotus Notes qui fournit un calendrier et un système d'e-mail pour tous.

Créer un réseau ou ne pas créer un réseau...

Voici une réponse logique : si vous avez plusieurs ordinateurs avec lesquels vous échangez régulièrement des fichiers, partagez des applications et une connexion Internet, investissez dans un kit qui vous coûtera entre 60 et 150 euros.

Si, en revanche, vous possédez deux ordinateurs qui n'échangent des données que tous les 36 du mois, une simple connexion USB ou FireWire suffira à votre bonheur.

Chapitre 16

Ethernet à la rescousse

Dans ce chapitre :

- Comprendre le fonctionnement d'Ethernet.
- Rassembler les divers matériels.
- Configurer Windows XP pour créer un réseau.
- Partager des dossiers.
- Configurer une imprimante réseau.
- Connecter un hub à Internet.
- Maux et remèdes de votre réseau.

Nous y sommes les amis ! Voici le chapitre qui explique comment créer un réseau domestique ou d'entreprise avec Windows XP. La mise en œuvre d'un réseau peut faire économiser pas mal d'argent car certains périphériques seront partagés sur le réseau. Par exemple, une seule imprimante profitera à tous les ordinateurs du réseau. Bien sûr, et c'est une des raisons majeures de la création d'un réseau, vous échangerez et modifierez des fichiers entre les machines connectées.

Aujourd'hui, la création d'un réseau n'est plus affaire de spécialiste. Il suffit d'être vigilant, pour que cela devienne aussi simple à monter qu'une mayonnaise. Toutefois, si vous rencontrez quelques difficultés je regroupe, à la fin de chapitre, un ensemble de problèmes communs faciles à résoudre.

Une fois le réseau opérationnel, vous ferez partie de cette race des seigneurs enviés de toute la planète informatique, je veux parler des *administrateurs réseau*.

Un tour d'horizon de l'Ethernet

Ne fermez pas ce livre ! De toutes les technologies permettant de créer un réseau, Ethernet est la plus facile à maîtriser. Windows XP a amplement simplifié cette tâche qui s'avérait être une spécialité de gourous avertis de l'informatique quand nous n'avions sous la main que les systèmes d'exploitation DOS et Windows 3.1.

Ethernet est une technologie bon marché. Sa mise en œuvre et sa maintenance se faisant à moindre coût. De plus, elle est directement gérée par tous les composants de Windows XP.

Comment Ethernet fonctionne-t-il ? D'une manière très simple. Un PC connecté au réseau diffuse ses données aux autres ordinateurs de ce même réseau constitué de câbles qui relient toutes les machines entre elles. Ces données traversent le réseau sous forme de *paquets*. Chaque paquet est identifié par l'adresse – un peu comme un message électronique qui est envoyé à une adresse e-mail – de son destinataire.

Lorsque le PC auquel correspond cette adresse reçoit le paquet, il le traite. Les autres ordinateurs du réseau ignorent tous les paquets qui ne correspondent pas à leur propre adresse. La Figure 16.1 montre une configuration Ethernet classique.

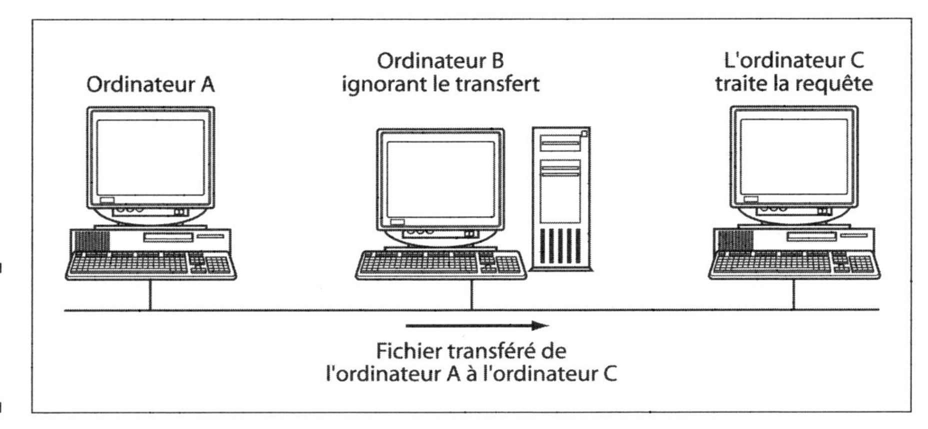

Figure 16.1 : Une structure Ethernet traditionnelle.

Toute cette procédure semble parfaitement huilée. Mais, il y a un mais ! En effet, que se passe-t-il lorsque deux ordinateurs demandent simultanément le même paquet ? Une *collision* réseau survient. Tout s'arrête jusqu'à ce que l'un des ordinateurs ait obtenu les données. De facto, une collision ralentit le transfert des données. Ceci explique la lenteur proverbiale des réseaux Ethernet. (Bien évidemment, si vous créez un réseau de trois ou quatre machines, vous ne subirez pas beaucoup les affres de cette lenteur. Tout est plus problématique lorsque vous mettez en réseau 25 PC qui tentent de communiquer entre eux sans arrêt. Le trafic est alors considérablement ralenti.)

La première chose à faire lors de la création d'un réseau est de prendre une feuille et un crayon. Dessinez l'organigramme de votre réseau en notant les distances qui séparent les différentes machines qui doivent y être raccordées. Il ne m'est pas possible de traiter en détail du câblage d'un réseau. Pour cela, je vous renvoie à des ouvrages spécialisés dont l'excellent *Réseaux pour les nuls 7eme Edition* paru aux éditions First Interactive.

Le matériel nécessaire

L'autre avantage des réseaux Ethernet est leur simplicité. Inutile d'être un spécialiste de l'informatique pour les mettre en place. Un kit Ethernet complet ne devrait pas vous coûter plus de 75 euros.

Dans cette section, je présente les matériels indispensables à la mise en place d'un petit réseau Ethernet.

Câbles

Il existe deux types différents de câblage Ethernet :

- **Le câble coaxial (coax) :** C'est le même type de câble que vous utilisez pour raccorder l'antenne de votre télévision au boîtier de raccordement à l'antenne collective de votre appartement. Ce câble est assez épais, donc difficile à dissimuler dans une infrastructure. Chaque extrémité du câble coaxial Ethernet doit disposer d'un terminateur qui indique la fin du réseau, et qui est souvent une source de tracas.
- **Un câble paire torsadé :** Le câble paire torsadé ressemble à un câble téléphonique qui connecte votre modem à votre prise RTC. Il est plus facile à dissimuler et à tirer. La Figure 16.2 montre un connecteur RJ-45 typique. L'inconvénient d'un câble paire torsadé Ethernet est que vous devez utiliser un *hub* (*concentrateur*) qui agit comme une espèce de centrale de regroupement des ordinateurs du réseau comme le montre la Figure 16.3. Cet inconvénient n'est pas rédhibitoire dans la mesure où ces hubs sont devenus bon marché, et que les câbles paires torsadés sont bien meilleurs marchés que les coaxiaux.

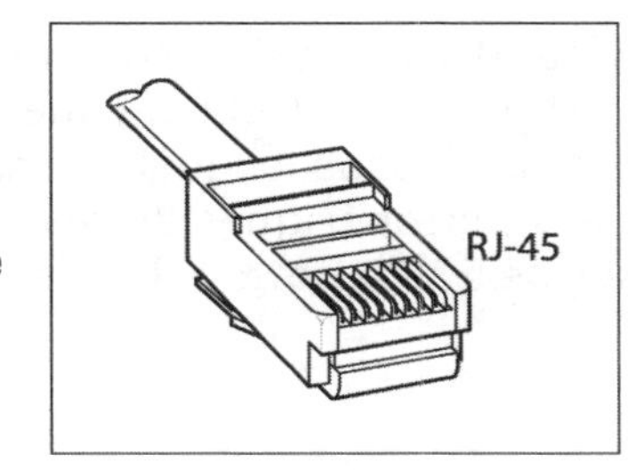

Figure 16.2 : Le câble Ethernet le plus utilisé, avec son connecteur RJ-45.

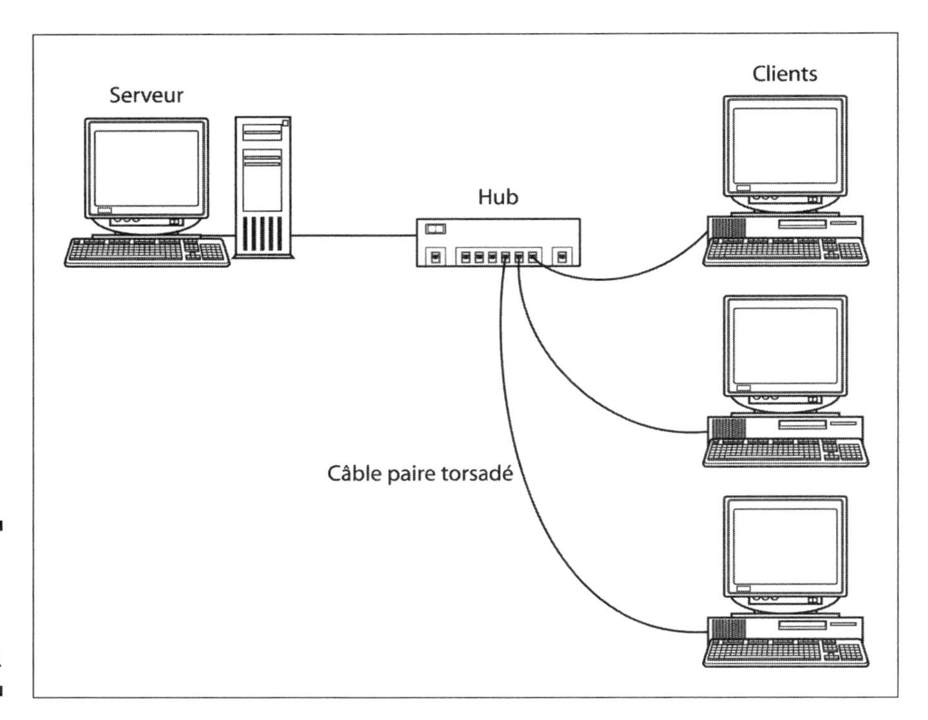

Figure 16.3 : Le câble paire torsadé, le nec plus ultra d'un réseau Ethernet.

A votre niveau, je pense qu'il est plus réaliste d'établir vos connexions avec des câbles paires torsadés. C'est d'ailleurs le câblage le plus populaire.

Si vous ne désirez pas tirer de câbles pour mettre en réseau vos machines, envisagez la création d'un réseau sans fil. Légèrement moins rapide, vous bénéficiez d'une liberté de mouvement inenvisageable dans une architecture câblée. (Certains réseaux peuvent utiliser les prises téléphoniques de votre maison ou de votre bureau, ainsi que les lignes d'alimentation électriques.) Je traite des solutions sans fil (ou presque) au Chapitre 17 du Livret II.

Hub (concentrateur)

Un *hub* ou *concentrateur* est un boîtier qui relie (par des câbles) chaque ordinateur du réseau à toutes les autres machines et aux périphériques (telle qu'une imprimante). Le hub dispose de plusieurs connecteurs RJ-45 dans lesquels viennent s'enficher les câbles idoines des ordinateurs et des périphériques du réseau. Un hub vous coûtera entre 30 et 250 euros pour disposer de 5 à 24 ports Ethernet.

NIC

Chaque ordinateur à connecter au réseau doit disposer d'un *NIC,* c'est-à-dire d'une *network adapter card*, ce qui signifie en français une *carte réseau* ou *adaptateur réseau*. Si votre PC ne dispose pas d'une carte réseau intégrée (notamment à la carte mère), il est indispensable d'en installer une sous forme d'une carte d'extension PCI. Dans certains cas, vous pourrez l'acheter sous forme de carte PCMCIA, surtout s'il s'agit de connecter un portable au réseau. Il existe des adaptateurs réseau qui se branchent sur un port USB. Toutefois, lisez attentivement le descriptif de votre carte mère. Je serais étonné que votre PC ne dispose pas d'un port Ethernet 10/100 intégré qui évite l'achat et l'installation d'une carte réseau.

Les adaptateurs réseau sont évalués en fonction de leur vitesse. La plupart des réseaux domestiques utilisent des cartes *10/100.* Cela signifie que votre réseau peut fonctionner en 10 ou 100 Mo/s. La troisième vitesse s'exprime en *gigaoctet.* Toutefois, je doute que vous ayez réellement besoin d'une telle rapidité. En effet, ces réseaux sont très coûteux, ce qui est une bonne raison de revoir ses ambitions à la baisse.

Lorsque vous achetez une carte réseau, visitez le site Web de son constructeur pour y télécharger les derniers pilotes. Vérifiez que la carte fonctionne sous Windows 98, Me, NT, 2000, et XP. Regardez également à quelle vitesse évolue la mise à jour des pilotes. S'ils sont vieux de deux ans, ce n'est pas bon signe.

Switch (répartiteur) ou commutateur

Un *switch* est une sorte de super hub. Visuellement, il est aussi agréable à regarder qu'une boîte à chaussures. L'intérêt d'un switch est de maintenir les performances du réseau en évitant les collisions évoquées un peu plus haut dans ce chapitre. Comme il limite la distribution d'un paquet au PC qui en a besoin, il fait preuve de beaucoup plus d'intelligence qu'un hub.

Le switch est nécessaire lorsque vous montez un réseau comprenant plus de quatre PC, ou lorsqu'ils échangent constamment des données.

Achetez un kit !

A tous ceux qui partent de rien, je conseille d'acheter un kit d'installation. Il offre tous les composants décrits précédemment. L'avantage d'un kit est d'assurer une parfaite compatibilité de ses divers matériels.

Un kit standard comprend :

- Deux ou quatre adaptateurs.
- Des câbles.
- Un hub ou un switch.
- Les pilotes des adaptateurs.
- Un guide de montage complet, un programme d'installation, et un logiciel de diagnostic.

Comme kit de démarrage complet et efficace, je recommande D-Link. Il comprend deux adaptateurs réseau, un hub quatre ports, des câbles, des pilotes, et même quelques jeux à tester en réseau.

La valse des câbles

Il y a toujours quelques soucis quand on installe un réseau avec des câbles paires torsadés. Voici quelques recommandations pour éviter bien des problèmes :

- **Travaillez à deux.** Il est toujours plus facile de câbler une maison ou un bureau quand on est deux. (Ah, je sais, les amis ne sont plus ce qu'ils étaient.)

- **Utilisez toujours des câbles prêts à l'emploi.** Monter vous-même le câble, c'est un peu comme si vous vouliez tailler un diamant avec vos propres outils. Comme vous n'y connaissez pas grand-chose, vous pensez avoir correctement monté le câble, mais au final, il ne fonctionne pas. Donc, faites comme moi. Allez chez votre revendeur informatique ou sur un magasin de vente en ligne, et achetez des câbles tout faits.
- **Achetez toujours plus de câble que ce dont vous pensez avoir besoin.** Il est préférable d'avoir de la réserve. Achetez toujours un mètre de câble en plus.
- **Testez toujours le câble avant de l'installer.** Vous pouvez acheter un testeur de câble, mais pour ceux qui ont une vie en dehors du réseau, contentez-vous de connecter le câble entre votre hub et votre ordinateur portable. La vérification sera parfaite.
- **Pensez aux animaux !** Bien étrange préoccupation. Oui, mais voilà ! Un chat, des souris, un chien, et tout ce que l'on peut envisager de gentil compagnon, peut s'amuser à grignoter vos câbles ! Par conséquent, fixez parfaitement les câbles sur des plinthes ou les murs de manière à ce que les animaux n'aient pas envie ou ne puissent pas mordre dedans (deux dents ah !). Ne laissez jamais courir un câble sous votre bureau ou au niveau du sol.

- **Ne laissez pas traîner vos câbles.** Qui vous dit que personne ne se prendra les pieds dedans avec toutes les conséquences que cela implique. Tirer sur des connecteurs, ou les mettre en contact avec une surface bourrée d'électricité statique les détruira à coup sûr.

N'oubliez jamais que votre hub ou votre switch sont des périphériques alimentés en électricité. Ils doivent donc se trouver à proximité d'une prise secteur.

Configurer Windows XP pour le réseau

Une fois les adaptateurs installés, le câblage opérationnel, et les connecteurs insérés dans les bonnes prises, vous allez donner vie au réseau comme le Dr Frankenstein donna vie à sa créature. Un coup de Windows XP et c'est parti !

Ce cher DHCP

Le monde informatique ne communique que par acronymes. DHCP signifie *Dynamic Host Configuration Protocol.*

DHCP a été développé pour assigner automatiquement une adresse IP (Internet Protocol) aux ordinateurs d'un réseau. L'*adresse IP* d'un ordinateur est l'adresse à laquelle les données sont envoyées. Sans elle, l'ordinateur n'est pas identifié sur le réseau.

Jadis, la configuration d'un réseau exigeait la connaissance parfaite des adresses IP assignées aux différents ordinateurs du réseau. Si une adresse était assignée deux fois, un conflit d'identification empêchait la reconnaissance des ordinateurs concernés sur le réseau. Avec le DHCP, chaque machine reçoit une adresse unique.

Si vous disposez d'un périphérique de partage de connexion Internet (comme un modem câble ou un routeur/modem ADSL proposant DHCP), ou d'un switch qui gère DHCP, et d'un port pour y connecter le modem, suivez le manuel d'utilisation fourni avec votre matériel. Ceci s'explique par le fait que vous n'avez pas besoin d'un PC agissant comme hôte DHCP de votre réseau. Je traite du partage de connexion Internet au Chapitre 18 du Livret II.

Configurer l'hôte

Pour configurer un réseau sous Windows XP en utilisant DHCP et une connexion Internet partagée – où le modem RTC ou câble/ADSL est connecté directement au PC – vous devez lancer l'Assistant Configuration du réseau.

Si votre PC hôte utilise un adaptateur réseau pour se connecter à un modem câble ou ADSL, et que le hub n'accepte pas une connexion directe à votre modem, vous devez installer un second adaptateur sur cet ordinateur. C'est grâce à lui qu'il se connectera au hub ! (Faites une pause et lisez la section "Utiliser un hub standard avec un modem câble ou ADSL" vers la fin de ce chapitre. Les choses vous sembleront plus claires.)

Prêt ? Go :

1. **Cliquez sur Démarrer/Tous les programmes/Accessoires/Communications/ Assistant Configuration réseau. L'assistant fait son apparition.**

2. **Connectez-vous à l'Internet (si vous n'avez pas de connexion haut débit permanente), puis cliquez sur Suivant.**

   L'assistant affiche un message vous invitant à vérifier un certain nombre de choses. Vous saurez alors si toutes les conditions sont réunies pour créer le réseau.

3. **Cliquez sur Suivant.**

   L'assistant affiche un écran identique à celui de la Figure 16.4. Choisissez votre méthode de connexion à Internet.

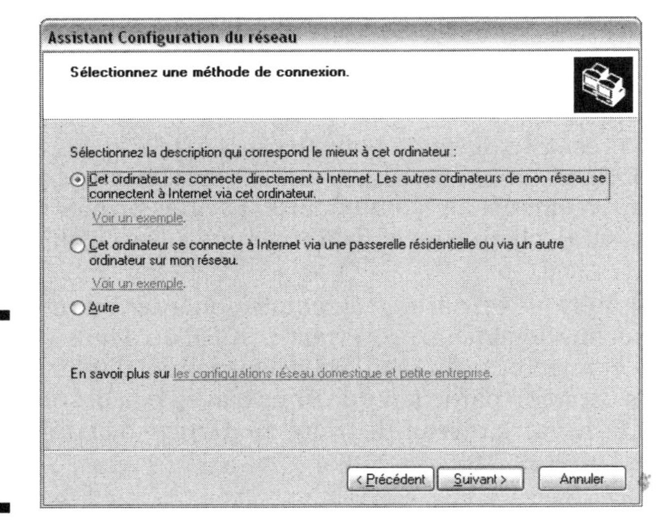

Figure 16.4 : Sélectionnez la manière dont l'ordinateur se connecte à Internet.

En fonction des périphériques installés, il se peut qu'un écran intermédiaire dresse la liste de périphériques non connectés. En règle générale, activez l'option Ignorer, et cliquez sur Suivant.

4. **Ici, j'ai choisi la première option car l'ordinateur sur lequel j'ai lancé l'assistant se connecte directement à Internet par le modem installé. Ensuite, cliquez sur Suivant.**

5. **Une liste de connexions s'affiche. Par défaut, l'assistant sélectionne la connexion qui lui semble opérationnelle. Sur la Figure 16.5, il s'agit de mon modem/routeur FreeBox USB. Cliquez sur Suivant.**

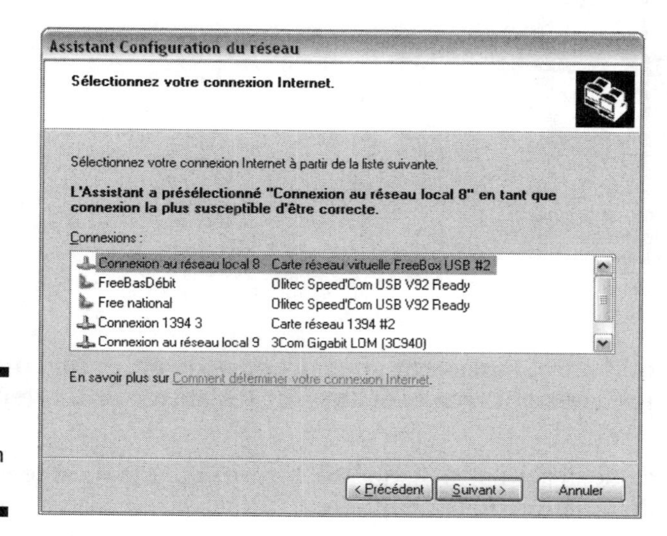

Figure 16.5 : Sélectionnez votre connexion Internet.

Notez que si votre PC dispose de ports FireWire, ils sont listés en tant que connexion réseau IEEE 1394. C'est normal, car un port FireWire permet de configurer un réseau quand on utilise le matériel adéquat.

6. **Donnez un nom identifiant le PC hôte, et une description comme à la Figure 16.6, puis cliquez sur Suivant.**

7. **Nommez votre réseau, c'est-à-dire le groupe de travail, puis cliquez sur Suivant.**

   Je vous conseille de saisir quelque chose d'unique. Notez ce nom sur un carnet car il vous sera utile pour la suite.

   C'est presque fini. L'assistant affiche un écran récapitulant tous les paramètres.

8. **Cliquez sur Suivant, et attendez que Windows XP finisse son travail.**

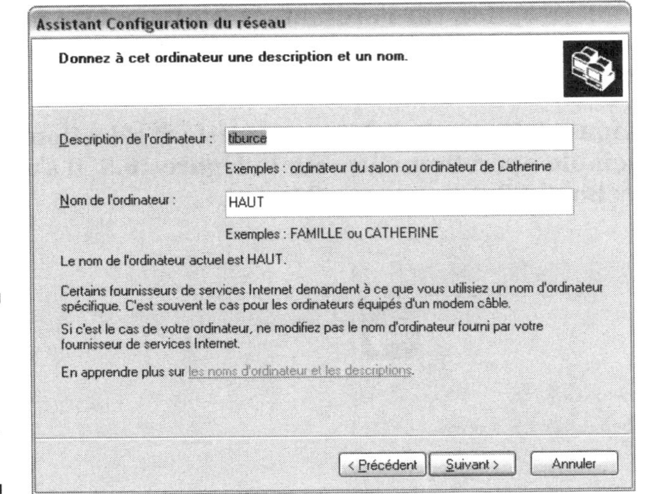

Figure 16.6 : Votre nouveau réseau a besoin de connaître le nom de l'ordinateur hôte.

9. **A la fin de cette procédure, l'assistant vous propose de créer une disquette de configuration que vous pourrez exécuter sur les autres ordinateurs du réseau.**
   - Si vous choisissez de créer cette disquette, insérez-en une dans le lecteur, et activez l'option de création de la disquette.
   - Si vous ne désirez pas copier la configuration sur disquette, choisissez l'option qui va vous permettre de quitter l'assistant et cliquez sur Suivant.
10. **Cliquez sur Terminer pour quitter l'assistant.**

Configurer les clients

Dès que l'hôte est configuré, il attend les autres ordinateurs du réseau. Pour que ceux-ci soient identifiés, vous devez les configurer en tant que clients. Pour cela, vous utiliserez de nouveau votre grand ami l'Assistant Configuration réseau.

Vérifiez bien que l'ordinateur hôte est connecté à l'Internet. Ensuite, appliquez cette procédure sur chaque PC tournant sous Windows XP et que vous désirez exploiter sur le réseau :

1. **Cliquez sur Démarrer/Tous les programmes/Accessoires/Communications/ Assistant Configuration réseau.**

Si le PC client utilise une ancienne version de Windows, utilisez la disquette créée précédemment. Ouvrez l'Explorateur Windows, affichez le contenu de la disquette, et double-cliquez sur le fichier `NETSETUP.EXE`. Suivez les instructions qui s'affichent à l'écran.

Un nouvel écran vous avertit des conséquences d'une mauvaise connexion de vos matériels. Par conséquent, allumez tout, et connectez-vous à l'Internet depuis le PC hôte.

2. **Comme tout est déjà vérifié mille et mille fois, cliquez sur Suivant.**

3. **Sélectionnez l'adaptateur réseau qui va permettre au client de se connecter au réseau, puis cliquez sur Suivant.**

   Comme la plupart des clients ont un seul port Ethernet, l'assistant l'aura certainement sélectionné par défaut.

4. **Donnez un nom à ce client, et décrivez-le. Ensuite, cliquez sur Suivant.**

5. **C'est maintenant que vous devez reporter le nom du groupe de travail saisi à l'étape 7 de la précédente procédure. Ne commettez aucune faute de frappe, et cliquez sur Suivant.**

   L'assistant récapitule tous les paramètres.

6. **Cliquez sur Suivant pour que Windows XP lance la configuration de l'ordinateur client.**

7. **Activez l'option indiquant que vous en avez terminé avec l'assistant, puis cliquez sur Suivant.**

8. **Cliquez sur Terminer pour quitter l'assistant, et laissez Windows XP redémarrer votre machine.**

   Dès que le PC redémarre, il devient client de votre réseau.

Le voisinage réseau

Une fois le réseau configuré, il est facile de voir les autres PC accessibles. Pour cela, cliquez sur Démarrer/Favoris réseau. Ensuite, cliquez sur Voir les ordinateurs du groupe de travail. Chaque PC du réseau y apparaît comme à la Figure 16.7.

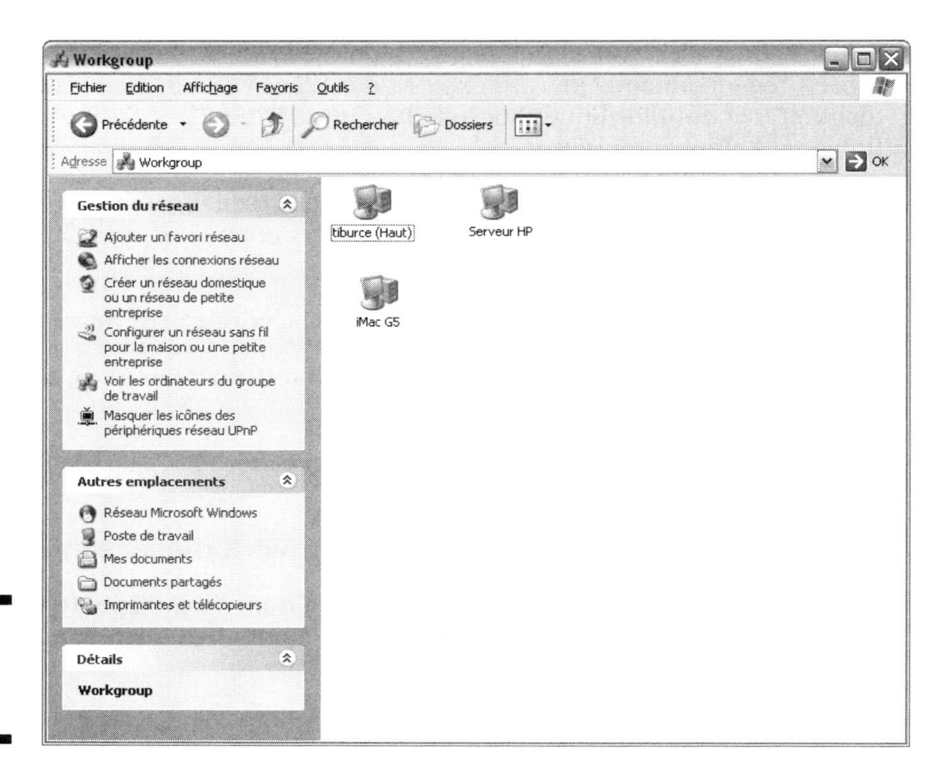

Figure 16.7 : La fenêtre Favoris réseau de Windows XP.

Quoi ? Que voyez-vous ? un iMac fait partie du réseau ! Oui ! Avec un câble Ethernet, vous pouvez connecter un Mac à un réseau Windows XP du moment que le protocole DHCP est géré sur les deux machines.

Si un client a été éteint après avoir ouvert les Favoris réseau, son icône est toujours présente. Toutefois, vous ne pouvez pas accéder à son contenu. Pour éviter toute erreur et/ou angoisse, cliquez sur Affichage/Actualiser. Toutes les cartes du réseau sont de nouveau initialisées pour actualiser le contenu de la fenêtre Favoris réseau.

Pour afficher le contenu de chaque ordinateur, double-cliquez sur leur icône. Dans certains cas, une boîte de connexion s'ouvre. Elle vous invite à saisir le nom d'utilisateur et le mot de passe de l'ordinateur. Exécutez-vous ! (C'est généralement ce qui se passe lorsque vous sécurisez un Mac. De ce fait, notez bien le nom sous lequel vous avez enregistré votre Mac, et le mot de passe.)

Windows XP ajoute automatiquement des dossiers partagés et des imprimantes qu'il affiche dans la fenêtre Favoris réseau. Malgré cela, il est possible d'en ajouter manuellement. Dans la section Gestion du réseau de la fenêtre Favoris réseau (si vous ne voyez pas cette section, cliquez sur le bouton Dossiers de la barre d'outils Standard), cliquez sur Ajouter un Favoris réseau. Un assistant vous guide pas à pas.

Vous pouvez également créer un raccourci en glissant-déposant un dossier du réseau ou une adresse URL dans la fenêtre Favoris réseau.

Partager des dossiers et des documents

Pour contrôler ce qui est ou non visible sur le réseau, vous devez entrer dans la zone de partage. C'est une dimension limitée dans le temps et l'espace. Inquiet ? Ne le soyez pas. Il s'agit simplement d'indiquer ce qui est partagé sur le réseau, et la manière dont se fait ce partage.

Partager signifie mettre des éléments à la disposition des autres utilisateurs du réseau. Seuls les éléments partagés apparaîtront lorsque vous explorerez le réseau.

Par défaut, Windows XP joue la prudence : Rien n'est partagé sur le réseau. Voici donc comment partager un dossier et son contenu :

1. **Double-cliquez sur l'icône du Poste de travail pour ouvrir l'Explorateur Windows. Naviguez jusqu'au dossier à partager.**

2. **Cliquez dessus avec le bouton droit de la souris, et choisissez Partage et sécurité dans le menu contextuel. Vous ouvrez la boîte de dialogue représentée à la Figure 16.8.**

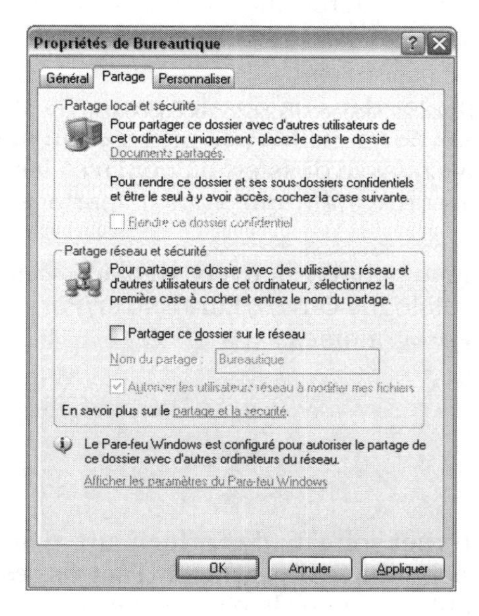

Figure 16.8 : Sélectionnez un dossier à partager sur le réseau.

3. **Cochez l'option Partager ce dossier sur le réseau.**

   Windows XP donne à ce dossier un nom par défaut. Rien ne vous empêche d'en saisir un autre dans le champ Nom du partage. Généralement, j'ajoute au nom par défaut celui de l'ordinateur du réseau auquel appartient ce dossier.

   Voici une astuce indispensable : pour qu'un dossiers du réseau soit accessible à des PC fonctionnant sous Windows 98/Me/NT, le nom du partage doit contenir 12 caractères au plus. Les points et les points d'exclamation sont des signes autorisés.

4. **Décidez ou non de permettre aux autres utilisateurs du réseau de modifier le contenu de vos dossiers.**

   Pour le permettre, cochez l'option Autoriser les utilisateurs réseau à modifier mes fichiers. Si vous ne cochez pas cette case, les autres utilisateurs ne pourront que consulter les documents et les fichiers du dossier sans y apporter la moindre modification.

5. **Cliquez sur OK pour fermer la boîte de dialogue.**

   Une icône d'un dossier partagé diffère de celle d'un dossier standard. Une main porte le dossier comme sur un plateau.

Avec ce même principe, vous pouvez partager l'intégralité d'un disque dur. Mais Windows XP vous avertit des dangers. Croyez-moi, il est préférable de limiter le partage à des dossiers et à des sous-dossiers plutôt que d'autoriser l'accès à l'intégralité d'un lecteur.

N'oubliez jamais que tout ce que vous placez dans un dossier partagé sera accessible sur le réseau. Par conséquent, si vous ne souhaitez pas partager un document ou un sous-dossier de ce dossier, ne partagez pas le dossier, ou déplacez les éléments à ne pas partager dans un dossier de votre ordinateur que vous ne partagerez pas.

Dès qu'un dossier est partagé, son contenu peut être ouvert, déplacé, copié avec l'Explorateur Windows ou les boîtes de dialogue Ouvrir/Enregistrer/Parcourir que l'on rencontre sans arrêt dans XP et les programmes.

Imprimer depuis le réseau

Bien que le partage d'une connexion Internet soit l'un des principaux avantages d'un réseau, profitez de l'occasion qui vous est donnée de partager d'autres ressources, et notamment une imprimante. (Pour tout savoir sur le partage de connexion Internet, consultez le Chapitre 18 du Livret II.) Sachez que toute imprimante directement connectée à un ordinateur du réseau peut être partagée sur le réseau. Ceci est très pratique dans une petite société puisqu'une seule imprimante profite à tous les utilisateurs.

Voici les quatre manières d'imprimer depuis le réseau :

- ✦ **Connectez l'imprimante à un PC qui agira comme serveur d'impression :** Tant que vous n'utilisez pas l'imprimante de manière intensive, cette solution est parfaite.
- ✦ **Configurez un PC spécialement dédié au service d'impression :** C'est la solution traditionnellement adoptée dans une infrastructure où l'imprimante est beaucoup sollicitée. Le PC ne sert qu'à contrôler les travaux d'impression en attente. Cette solution est chère mais efficace.
- ✦ **Achetez un boîtier serveur d'impression :** Il s'agit d'un périphérique autonome essentiellement composé de cartes Ethernet dotées d'un cerveau un peu plus intelligent que les autres. Ce périphérique joue le rôle de serveur d'impression auquel sont physiquement raccordées une ou plusieurs imprimantes.
- ✦ **Achetez une imprimante réseau :** Il s'agit d'une vraie imprimante disposant d'un port Ethernet. Vous la connectez à un port Ethernet du hub ou du switch, et elle devient accessible à tous les ordinateurs du réseau. C'est la plus élégante de toutes ces solutions.

Si vous optez pour l'une des deux dernières techniques, vous devez vous conformer aux instructions du constructeur pour configurer votre système d'impression réseau. En revanche, si vous envisagez d'utiliser un PC comme serveur d'impression, suivez ces étapes pour le configurer sous Windows XP :

1. **Sur l'ordinateur où l'imprimante est connectée, installez les pilotes, et vérifiez son bon fonctionnement.**
2. **Cliquez sur Démarrer/Imprimantes et télécopieurs, pour ouvrir la fenêtre représentée à la Figure 16.9.**
3. **Cliquez sur l'icône de l'imprimante avec le bouton droit de la souris. Dans le menu contextuel, choisissez Propriétés. Dans la boîte de dialogue du même nom, cliquez sur l'onglet Partage (Figure 16.10).**
4. **Activez l'option Partager cette imprimante.**

   Windows XP assigne un nom de partage par défaut que vous pouvez modifier.
5. **Windows XP offre une fonction d'ajout de pilotes pour les autres PC du réseau tournant sous une autre version de Windows.**

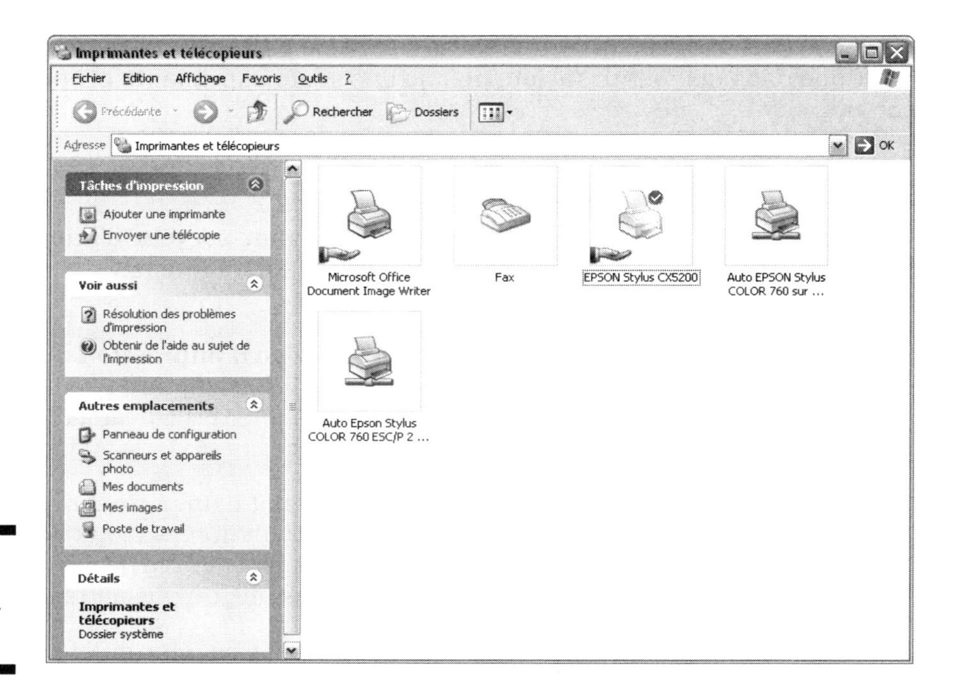

Figure 16.9 : Partager une imprimante sur le réseau.

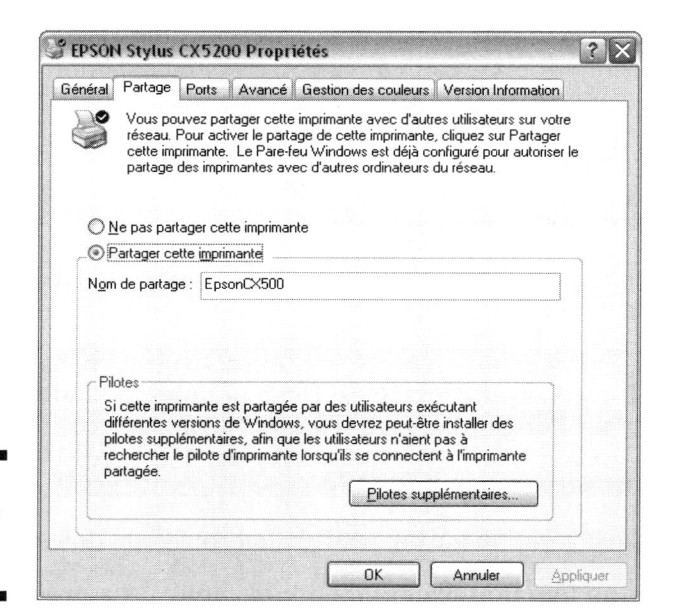

Figure 16.10 : Partage de mon imprimante Epson CX5200.

a. **Pour rendre disponibles les pilotes d'impression à ces utilisateurs, cliquez sur le bouton Pilotes supplémentaires. Vous ouvrez une boîte de dialogue identique à celle de la Figure 16.11.**

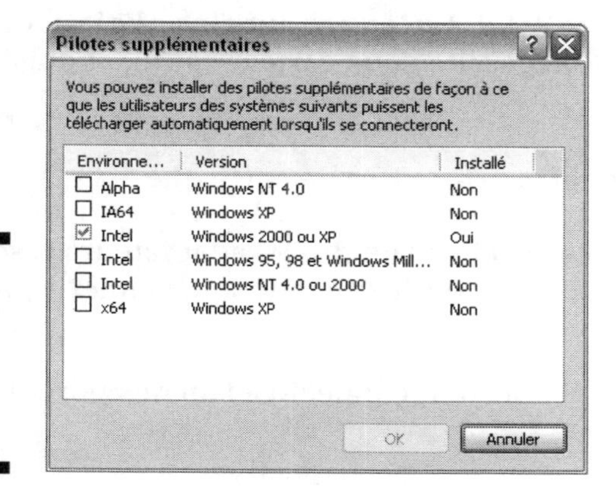

Figure 16.11 : Grâce aux pilotes supplémentaires, tout le monde peut imprimer.

b. **Cochez les cases correspondant aux systèmes d'exploitation pour lesquels vous désirez ajouter les pilotes, et cliquez sur OK.**

Bien évidemment, vous devez disposer du CD-ROM d'installation des pilotes. Si vous ne les avez pas, téléchargez-les sur le site Web du constructeur.

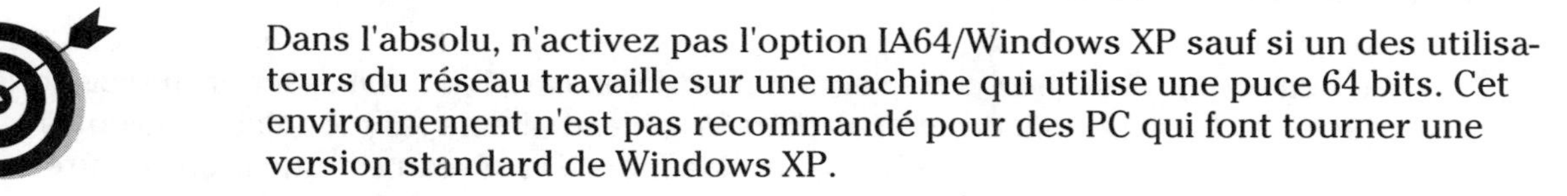

Dans l'absolu, n'activez pas l'option IA64/Windows XP sauf si un des utilisateurs du réseau travaille sur une machine qui utilise une puce 64 bits. Cet environnement n'est pas recommandé pour des PC qui font tourner une version standard de Windows XP.

6. **Cliquez sur OK pour fermer la boîte de dialogue.**

L'icône d'une imprimante partagée apparaît.

Désormais, chaque ordinateur du réseau peut imprimer à partir de cette imprimante. Pour cela, vous devez l'ajouter à chaque client. Il suffit d'exécuter l'Assistant Ajout d'imprimante. Lorsqu'il vous demande d'indiquer le type d'imprimante utilisé, activez l'option Une imprimante réseau, ou une imprimante connectée à un autre ordinateur. Laissez Windows XP chercher l'imprimante partagée sur le réseau.

Utiliser un hub standard avec un modem câble ou ADSL

J'ai parlé, un peu plus haut dans ce chapitre, du partage des périphériques Internet, discussion approfondie au Chapitre 18 du Livret II. Nombre d'entre eux ont des hubs ou des switchs intégrés qui gèrent le protocole DHCP. Ils disposent également de ports qui permettent une connexion directe à votre modem câble ou ADSL. C'est génial à tous les points de vue. Dans l'absolu, ce cas de figure n'exige pas de PC hôte.

Mais, qu'en est-il quand votre hub n'a pas de point de connexion pour un modem câble ou ADSL ? (Vous utilisez un port WAN, également appelé *uplink*.) C'est le cas évoqué un peu plus haut où votre PC nécessite deux cartes réseau, et qui doit être configuré en tant qu'ordinateur hôte.

Pour ce faire, connectez votre matériel et vos câbles de sorte que :

- Le modem câble ou ADSL soit connecté à l'un de ces adaptateurs réseau sur le PC hôte. (Il devra déjà être configuré pour cette fonction, sinon rien ne fonctionnera.)
- L'autre adaptateur réseau du PC hôte soit connecté à l'un des ports Ethernet du hub.
- Les PC clients du réseau soient connectés au hub.

Maintenant, suivez la procédure décrite plus haut pour configurer le PC hôte et les PC clients.

Dépanner votre réseau

Je pense que vous lirez cette section pour le plaisir. Toutefois, sachez que dès que quelque chose ne fonctionne pas dans un réseau, même les techniciens les plus avertis se jettent parfois la tête contre les murs. Un réseau est une architecture structurée autour de matériels, logiciels, et données aussi disparates les uns que les autres. Pourtant, il faut que tout cet amalgame fonctionne sans problème.

Windows XP fait tout ce qu'il peut pour installer et configurer le réseau. Si, en plus, vous avez acheté un kit d'installation réseau, vous êtes certain que tous les matériels sont compatibles. Cependant, il suffit d'un mauvais câble ou d'un pilote d'adaptateur réseau obsolète pour que les ennuis commencent.

Dans cette section, je donne les solutions les plus communes aux problèmes les plus souvent rencontrés.

Windows XP ne reconnaît pas mon adaptateur réseau

Ah ça commence bien ! Quelle déveine ! Bon, voici d'où peut venir le problème.

- **Pilote incompatible :** Les pilotes des cartes réseau sont réputés pour leur manque de constance. Contrairement à certaines imprimantes qui utilisent le même driver sous Windows 98 et 2000, ou sous 2000 et XP, une carte réseau nécessite un driver unique qui fonctionne correctement. Commencez par réinstaller le pilote du constructeur, en veillant à sélectionner le bon système d'exploitation. Si ça ne marche toujours pas, téléchargez la dernière version du pilote sur le site Web du fabricant. Désinstallez les anciens pilotes et réinstallez les nouveaux. Bonne chance.
- **La carte réseau est défectueuse :** C'est une hypothèse que les utilisateurs envisagent rarement. Testez une autre carte réseau pour voir si l'environnement fonctionne. Si c'est le cas, faites remplacer l'adaptateur défaillant, et tout rentrera dans l'ordre.
- **Conflit de matériel :** C'est un cas très rare sous Windows XP, mais qui reste envisageable sur des clients tournant sous Windows 98 ou Me. Aidez-vous du Gestionnaire de périphériques pour identifier le conflit et y apporter, si possible, une solution.

Aucune lumière ne s'allume sur ma carte réseau ou mon hub

C'est un cas classique. Une absence de lumières indique une absence de signal, ce qui laisse supposer les problèmes matériels suivants :

- **Votre câble est défectueux.** Un câble mal confectionné empêche le fonctionnement du réseau. Si les autres PC clients ont un adaptateur réseau qui s'éclaire, c'est que le câble de celui qui refuse de s'allumer est bel et bien défectueux. (Si votre revendeur informatique vous a vendu un câble croisé, échangez-le contre un câble paire torsadé. Les câbles croisés sont faits pour connecter directement deux ordinateurs par leur port réseau et non pas sur le réseau lui-même. Il est très difficile de voir la différence entre un câble croisé et un câble paire torsadé.)
- **Votre adaptateur réseau ou votre hub est défectueux.** Vous devez remplacer l'appareil en panne. Pour l'identifier, testez des adaptateurs qui fonctionnent sur d'autres PC.
- **Votre hub n'est pas alimenté en électricité.** Vous devez brancher l'adaptateur secteur du hub sur une prise de courant mural.
- **Vous utilisez le port WAN/uplink.** Il s'agit d'un port spécial de votre hub, comme je l'explique plus haut, à la section "Utiliser un hub standard avec un modem câble ou ADSL". Il ne peut pas fonctionner sur un client du réseau.

Rien n'apparaît quand je parcours le réseau

Si tout semble bien configuré et que rien n'apparaît quand vous affichez les Favoris réseau, voici quelques pistes de réflexion :

- **Les PC clients sont éteints. Simple mais vrai.** Dans ce cas, allumez les PC clients, et cliquez sur Affichage/Actualiser de la fenêtre Favoris réseau. Les clients apparaîtront.
- **Un élément matériel est défectueux.** J'utilise ce terme car n'importe quel élément matériel de votre réseau peut tomber en panne. Vérifiez si les cartes réseau et le hub ont un témoin en activité.
- **Aucune ressource du réseau n'est partagée.** Rappelez-vous que Windows XP ne partage rien par défaut. C'est une volonté affichée de votre part que de partager des documents, des dossiers, du matériel, et des lecteurs. Toutefois, allez faire un tour dans le groupe de travail pour voir si les clients sont affichés (ou dans les favoris réseau pour voir si les liens vers les clients sont accessibles).
- **Les noms de groupe de travail sont incorrects.** Si vous n'assignez pas à tous les ordinateurs du réseau le même nom de groupe de travail, ils ne seront pas identifiés sur le réseau. Par conséquent, aucun échange n'est possible puisque le réseau ne sait pas où envoyer les paquets.

Je ne peux pas me connecter (ou imprimer) à une imprimante partagée

J'ai gardé le meilleur pour la fin. C'est certainement le problème le plus facile à résoudre. Essayez ceci :

- **L'imprimante est éteinte.** Combien de fois ai-je tenté d'imprimer sans succès sur l'imprimante de Fred, avant de m'apercevoir que Fred n'était pas dans son bureau, et que son imprimante était éteinte. La solution ? Allumez l'imprimante !
- **L'imprimante n'est pas partagée.** En voilà une hypothèse qu'elle est bonne... vérifiez que l'imprimante est bien partagée.
- **Vous utilisez des câbles ou des adaptateurs réseau défectueux.** Là encore, vérifiez la carte réseau du PC auquel est connectée l'imprimante. La meilleure méthode consiste à vérifier si vous pouvez parcourir ou travailler avec des fichiers partagés depuis ce PC. Si ce n'est pas le cas, il y a de grandes chances pour que le câble paire torsadé, ou que la carte réseau ait des problèmes.

- **L'imprimante a été placée hors connexion.** Certaines anciennes imprimantes laser on un bouton online/offline. Si une imprimante de ce type est sur offline, c'est-à-dire *déconnexion*, elle ne répond pas à votre requête.

TESTÉ ET APPROUVÉ

Trouver l'adresse IP de votre ordinateur

Souvent, vous ne connaissez pas les adresses IP des ordinateurs du réseau. Vous pouvez aller sur chaque ordinateur (physiquement je veux dire), et cliquer sur Démarrer/Connexions/Afficher toutes les connexions. Dans la boîte de dialogue qui apparaît, cliquez sur la connexion réseau. Dans le coin inférieur gauche du volet d'exploration de cette boîte de dialogue, lisez l'adresse IP de la machine. Cette méthode fonctionne mais s'avère fastidieuse si vous désirez contrôler l'adresse IP de plusieurs dizaines de machines. Voici une technique bien plus simple pour vérifier ces fameuses adresses :

1. **Cliquez sur Démarrer/Tous les programmes/ Accessoires/Invite de commandes.**

   Vous affichez une fenêtre d'invite DOS.

2. **A l'invite C:, saisissez ping et le nom de l'ordinateur (par exemple, ping thinkpad).**

Si tout se déroule bien, l'adresse IP de l'ordinateur en question s'affiche. Vous pouvez effectuer un ping sur votre propre machine. C'est la méthode la plus rapide et la plus simple pour connaître l'adresse IP d'une machine.

Chapitre 17
Sans fil !

Dans ce chapitre

- Réseau avec et sans fil.
- Les différents standards sans fil.
- Utiliser un câblage téléphonique ou électrique.
- Sécuriser un réseau sans fil.
- Créer une connexion sans fil sous Windows XP.

Bienvenue dans le futur : un monde où tous vos PC peuvent communiquer les uns avec les autres sans aucun câblage même si plus de 30 mètres les séparent. Rapide, souple, confortable, et presque aussi sûr que des réseaux filaires, la technologie sans fil commence à s'appliquer sur d'autres périphériques comme les imprimantes et les disques durs externes. Est-ce, enfin, l'avènement de l'informatique débarrassée de tous ses câbles qui ne cessent de s'emmêler, de prendre de la place, et de nuire à l'esthétique générale de votre environnement de travail ?

Constatons que les solutions sans fil ont pris une belle part du marché des réseaux domestiques et d'entreprises. Même les grandes sociétés qui ont un réseau câblé mettent des points d'accès sans fil un peu partout pour les PC portables de leurs employés.

Dans ce chapitre, je vous explique le fonctionnement des réseaux sans fil, ce qu'il est aujourd'hui possible de faire, et comment les configurer sous Windows XP.

Fonctionnement d'un réseau sans fil

Dans un certain sens, le réseau sans fil n'est pas aussi révolutionnaire que vous le pensez. Dans l'absolu son fonctionnement est identique à celui d'un réseau Ethernet (c'est-à-dire à câble). L'ensemble de la configuration est similaire, le transfert des paquets de données reste le même avec ses collisions, et toutes les histoires sordides que vous avez pu entendre sur les réseaux. La seule différence, mais non des moindres, est que les paquets ne transitent pas à travers des câbles, mais par des ondes radio.

Les différences entre un réseau avec et sans fil

En dehors de la méthode de transmission, trois différences majeures existent entre un réseau sans fil et un réseau filaire :

- **Les connexions sans fil sont plus lentes.** C'est un handicap qui fait que les grandes entreprises se tournent systématiquement vers les réseaux câblés de type Ethernet. Les technologies sans fil les plus rapides ne dépassent pas, à ce jour, un taux de transfert supérieur à 54 Mo/s. Or, le plus minable des réseaux avec fil affiche un taux de transfert de 100 Mo/s. Les plus rapides vont même jusqu'à 1 Go/s. Grâce à la fibre optique, les réseaux filaires atteignent des vitesses exceptionnelles. Récemment, des chercheurs ont transféré, par fibre optique, le contenu de 2 films DVD en moins de 60 secondes.
- **Le matériel sans fil est meilleur marché.** Il faut dépenser au minimum deux fois plus dans un réseau sans fil que dans son homologue avec fil, pour un débit limité à 10/100 Mo/s.
- **Les réseaux sans fil n'ont pas besoin de hub ou de switch.** La plupart des stations d'accueil sans fil ou sur courant porteur assurent la connexion simultanée de 253 utilisateurs. Comparé à un réseau avec fil, vous connectez plein de PC en déployant moins de moyens matériels pour gérer le même nombre d'ordinateurs.

Figure 17.1 : Un WAP typique pour un LAN (réseau local).

Naturellement, il est possible d'ajouter des points d'accès sans fil à un réseau Ethernet. Il suffit d'y placer un périphérique *WAN* comme celui représenté à la Figure 17.1. Il apporte une connexion sans fil de type 802.11b à un réseau câblé existant. La majorité des unités WAP actuelles nécessitent deux connexions physiques : une pour votre réseau Ethernet, et une connexion USB à l'ordinateur qu'elle contrôlera. Vous pouvez aussi partager une connexion Internet en utilisant un routeur spécial qui intègre les technologies avec et sans fil. (Voir le Chapitre 18 du Livret II.)

Les standards

Comme toute technologie informatique, celle du sans fil est confrontée à la concurrence entre plusieurs standards. Certains sont compatibles les uns avec les autres, et d'autres non.

Dans cette section, je tente de présenter simplement les standards pour que vous choisissiez le vôtre en toute connaissance de cause.

Le standard le plus répandu : 802.11b

Plus communément appelé Wi-Fi (abréviation de *Wireless Fidelity*), la borne sans fil (nommée Airport) a été introduite par Apple Computer en 1999. Le Wi-Fi assure un débit de données de 11 Mo/s, ce qui est à peine plus rapide que les pires connexions Ethernet à 10 Mo/s.

Bien sûr, dans l'univers du sans fil, les distances jouent un grand rôle. Les périphériques 802.11b fonctionnent à une distance maximales de 100 mètres de la borne Wi-Fi. Sachez que cette distance est très théorique. Par expérience, je peux vous dire que pour garder une vitesse et un débit suffisant, la borne doit se trouver à moins de 50 mètres, et qu'aucun obstacle ne se dresse entre les divers appareils.

Je ne dois pas oublier de vous parler des interférences. Les réseaux 802.11b utilisent le spectre de radiodiffusion 2,4 GHz qui, malheureusement, est utilisé par de nombreux matériels comme les téléphones mobiles, les téléphones sans fil, les périphériques Bluetooth, et même les fours à micro-ondes. Lorsque des interférences surviennent, la rapidité des réseaux 802.11b chute significativement. Jamais le réseau sera totalement à genoux, mais en revanche vous saurez rapidement si votre fille est en train de téléphoner avec le sans fil.

Un mot sur les connexions USB sans fil

Vous pouvez connecter un PC à un réseau sans fil sans installer de carte réseau interne. Il suffit d'insérer un *adaptateur USB sans fil* dans un port USB de votre ordinateur. Avec une simple *clé* de ce type, un PC fait rapidement partie d'un réseau sans fil.

Comme vous pouvez le lire au Chapitre 4 du Livret 13, les ports USB 1.1 peuvent transférer 12 Mo/s. Cela suffit au standard 802.11b. Cependant, si vous utilisez un adaptateur sans fil FireWire ou USB 2.0, vous pourrez atteindre des transferts de l'ordre de 54 Mo/s avec une connexion de type 802.11a ou 802.11g.

Un adaptateur USB sans fil est une méthode simple et efficace pour connecter un PC à un réseau Wi-Fi. Certains de ces adaptateurs peuvent être connectés à une imprimante qui deviendra le serveur d'impression de tous les ordinateurs du réseau.

L'asocial : 802.11a

Pourquoi le 802.11a est moins apprécié que le 802.11b ? Voici quelques éléments de réponse :

- **Son appellation est mauvaise.** Malgré sa lettre "a", ce standard est plus récent que le 802.11b. Pourquoi ? Je n'en sais absolument rien.
- **Sa plage est plus courte.** Bien qu'il puisse gérer des distances de 50 mètres, il fonctionne bien lorsque les périphériques ne sont pas éloignés à plus de 20 mètres. Votre monde sans fil se recroqueville.
- **Il n'est pas compatible avec les autres.** Le 802.11a est totalement incompatible avec le 802.11b et le 802.11g. Vous êtes limité aux matériels 802.11a.

Pourquoi a-t-on développé le 802.11a ? Car il présente deux avantages :

- **Sa vitesse.** Le 802.11a est le premier protocole sans fil à atteindre les 54 Mo/s, c'est-à-dire une vitesse cinq fois supérieure à celle du 802.11b.
- **Il utilise un spectre de radio diffusion différent.** Le 802.11a utilise le spectre 5 GHz, d'où l'incompatibilité avec le 802.11b. Comme peu de matériels émettent sur cette fréquence, les interférences sont très faibles, ce qui améliore le fonctionnement de ce type de réseau.

NOTE TECHNIQUE

Le réseau 802.11b utilise un schéma de modulation appelé *Direct Sequence Spread Spectrum* (DSSS). De son côté, les réseaux 802.11a utilisent le schéma *Orthogonal Frequency Division Multiplexing* (OFDM). Pourquoi est-ce si important ? Le DSSS utilise moins de puissance que le OFDM. Il en résulte qu'un réseau 802.11b est moins gourmand en alimentation qu'un réseau 802.11a. Ceci est fondamental sur les ordinateurs portables.

L'enfant chéri : 802.11g

C'est un standard qui est compatible avec le 802.11b et qui affiche les performances du 802.11a. Si votre entreprise a investi dans des matériels 802.11b, elle peut acquérir des 802.11g. Bien évidemment la vitesse de 54 Mo/s des 802.11g ne sera soutenue qu'entre périphériques à cette norme. Avec les autres, vous aurez une vitesse de 11 Mo/s.

L'inconvénient est que vous retombez sur le spectre de 2,4 GHz avec les problèmes de fréquences qui perturbent les performances du réseau.

Le bizarrement baptisé : Bluetooth

A la différence des trois autres standards, le Bluetooth n'est pas fait pour intégrer un réseau Ethernet. Il a été développé en 1995 pour des connexions sans fil courte distance : téléphones mobiles, assistants personnels, ordinateurs portables, ordinateurs de poche, imprimantes, et autres périphériques externes. La portée maximale du Bluetooth est de 10 mètres.

L'onde Bluetooth est surtout faite pour satisfaire des applications domestiques, comme la TV, et votre système Hi-Fi.

Contrairement à tous les autres standards présentés ici, le Bluetooth consomme peu d'énergie. Il est très lent comparé au 802.11b – seulement 1 Mo/s – ce qui ne devrait pas nuire au trafic très limité des périphériques PC à cette norme. Aucune borne n'est requise pour que deux périphériques Bluetooth communiquent ensemble. Par exemple, dès que votre ordinateur portable se trouve dans un rayon de 10 mètres, il pourra communiquer avec votre téléphone mobile. Il sera alors facile de télécharger son répertoire.

Le Bluetooth utilise aussi la fréquence 2,4 GHz. Il peut donc entrer en conflit avec les réseaux 802.11b et g !

Le Tableau 18.1 dresse la liste des standards réseau et leur vitesse.

Tableau 17.1 : La grande parade des standards sans fil.

Standard	Vitesse de transfert	Distance maxi	Compatibilité
802.11b	11 Mo/s	100 mètres	802.11g
802.11a	54 Mo/s	50 mètres	Aucune
802.11g	54 Mo/s	50 mètres	802.11b
Bluetooth	1 Mo/s	10 mètres	Aucune

Sachez que vous pouvez amplifier votre signal 802.11b avec une antenne qui étend la zone de réception de votre réseau sans fil. Ce type d'antenne est très utile dans les constructions aux multiples étages et recoins qui ont tendance à nuire à la transmission des ondes radio.

Réseau sur ligne téléphonique et courant porteur

A côté du réseau sans fil, il existe une autre alternative : le réseau téléphonique, et le courant porteur de votre maison.

Si le transfert de paquets de données via les lignes électriques semble dangereux, rassurez-vous. Ces deux réseaux sont bien antérieurs au Wi-Fi, et sont absolument sans danger. Même si vous les utilisez pour créer un réseau domestique ou d'entreprise, sachez que vous pourrez toujours téléphoner, et alimenter vos divers appareils électriques comme si rien n'avait changé. Voici les avantages de ces technologies :

- ✦ **Pas de câbles :** En effet, votre maison ou votre bureau sont déjà pourvus du câblage nécessaire. Il y a bien des prises de courant dans chaque pièce !
- ✦ **Meilleure sécurisation qu'un réseau sans fil :** Bien qu'il soit facile de sécuriser un réseau sans fil – ce dont je traite dans la prochaine section – vous émettez tout de même un signal qui peut être détourné avec n'importe quel ordinateur portable qui traîne dans votre quartier. En revanche, un transfert sur courant porteur ou ligne téléphonique ne sort pas de vos murs. Il est pratiquement impossible de les détourner de l'extérieur.
- ✦ **Installation facile :** Un réseau sans fil est la technologie la plus simple à installer, mais un réseau sur ligne téléphonique ou courant porteur se configure plus aisément qu'un réseau traditionnel câblé.

Face à tous ces avantages, pourquoi ces deux types de réseau ne sont pas plus populaires ? Car ces solutions laissent encore à désirer :

- **Elles sont plus lentes qu'un réseau sans fil.** Elles ne débitent qu'environ 10 Mo/s.

- **Elles sont moins pratiques.** Bien que vous n'ayez pas besoin de tirer des câbles comme dans un réseau Ethernet, vos PC mis en réseau et certains périphériques ont besoin d'un raccordement (ne serait-ce qu'un fil téléphonique). Une connexion sans fil fonctionne du moment que les matériels restent dans la zone de tolérance de la radio diffusion Wi-Fi.

- **Vous connectez moins d'ordinateurs.** Les réseaux sans fil acceptent deux fois plus d'utilisateurs qu'une ligne téléphonique ou qu'un réseau sur courant porteur.

Chaque fois qu'un lecteur me demande vers quelle solution réseau se tourner, je recommande presque à chaque fois la bonne vieille méthode du réseau Ethernet câblé. Ceci pour des raisons de rapidité et de sécurité. Les utilisateurs souhaitant une mise en œuvre plus simple s'orienteront vers le Wi-Fi, conscients du faible débit et des contraintes liées à l'émission des radios qui permettent aux adaptateurs Wi-Fi de communiquer avec le routeur Wi-Fi. A terme, je pense que les inconvénients des réseaux sur courant porteur ou ligne téléphonique conduiront à la disparition de ces solutions.

Sécuriser votre réseau sans fil

Si vous configurez un réseau sans fil domestique ou d'entreprise, la sécurité doit être une de vos principales préoccupations avant de commencer à envoyer des paquets dans les airs. Pour tous ceux qui vont partir, cœur vaillant et haleine fraîche, à la recherche des matériels composant un réseau sans fil, voici une liste de périphériques qui guidera vos achats :

- **Optez pour WEP.** WEP est l'acronyme de *Wired Equivalency Privacy*. Il s'agit d'une clé de cryptage qui protège contre les intrusions extérieures, comme le montre la Figure 17.2. Sans la clé appropriée, c'est-à-dire une sorte de mot de passe hyper complexe, un hacker (ou pirate) reste comme deux ronds de flanc. Il doit alors entreprendre un travail de décodage qui risque de ne pas aboutir, donc de lui faire perdre du temps pour rien. Ceci dit en passant, un hacker qui veut casser votre clé peut le faire. Il dispose de suffisamment d'applications en la matière pour y parvenir. Le protocole WEP est supporté par les matériels sans fil à plusieurs niveaux de défense, allant d'un encryptage 40 bits à un encryptage sur 256 bits. Le standard s'établit cependant à 128 bits. Par conséquent, choisissez toujours un matériel capable d'encrypter sur 128 bits, et vérifiez que la fonction WEP est bien activée.

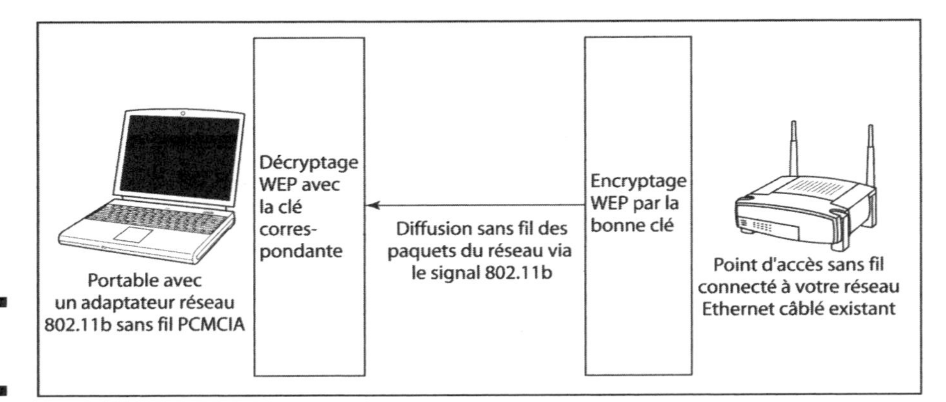

Figure 17.2 : Le WEP en action.

Utilisez toujours une clé WEP, et rendez-la aussi difficile à identifier que n'importe quel mot de passe Internet. Les clés doivent être totalement aléatoires. Evitez les poncifs du genre numéro de sécurité sociale, nom du chat, du chien, numéro de tatouage. N'oubliez jamais que pour être efficace, une clé WEP doit mélanger chiffres et lettres.

✦ **La sécurité LEAP.** LEAP ou *Ligthweight Extensible Authentification Protocol* est également un protocole d'encryptage. Cependant, à la différence du WEP, la clé change automatiquement et périodiquement durant la connexion. Le piratage devient impossible. Vous spécifiez la périodicité du renouvellement de la clé. Revers de la médaille d'une pareille technologie : les matériels sont très chers. Ils sont toutefois indispensables à ceux qui veulent assurer la sécurité optimale de leur réseau sans fil.

Une fois votre réseau sans fil configuré, voici quelques recommandations sécuritaires à respecter :

✦ **Améliorez la sécurité avec un VPN ou Réseau privé virtuel.** Comme vous le lirez dans le prochain livret, les VPN sont très difficiles à pénétrer. (Voir la démonstration au Chapitre 18 du Livret II.)

✦ **Sécurisez votre SSID.** Acronyme de *Service Set Identifier*, c'est-à-dire le nom de votre WAP ou de votre borne Wi-Fi. Dès que vous avez installé la borne du réseau sans fil ou le point d'accès, changez son SSID. Vérifiez également que la configuration est telle que le SSID ne sera pas connu du monde entier. Ceci induit que vous avez configuré manuellement vos connexions sans fil. Déterminer le SSID est la première chose que fait un hacker.

✦ **Changez le mot de passe du point d'accès ou de la borne.** Naturellement, personne ne doit pouvoir trouver le mot de passe qui sécurise votre point d'accès sans fil ou votre borne. Par conséquent, choisissez un mot de passe unique, très difficile à découvrir.

Il existe un type de piratage qui se répand de plus en plus, et que l'on connaît sous la terminologie anglaise de *war driving*. On pourrait littéralement la traduire par *piratage au volant*. Il s'agit d'un acte de piratage qui se fait dans une voiture. Imaginez un hacker qui se balade dans les rues avec un ordinateur portable muni d'un antenne omnidirectionnelle. Au volant de sa voiture, il cherche un réseau sans fil. Dès qu'il en trouve un qui est mal sécurisé, il y pénètre et fait ce que bon lui semble. Par exemple, il utilisera votre connexion Internet haut débit, ou pire, il fera une copie de tous vos fichiers et documents de travail.

Utiliser un matériel sans fil sous Windows XP

Une fois votre station sans fil ou votre WAP installé, vous êtes prêt à configurer votre PC pour l'utiliser sur le réseau.

Préparer l'installation

Avant d'installer une carte réseau interne, vérifiez les points suivants :

- **Vous devez lire le manuel.** Même si vous avez déjà installé une carte réseau dans votre PC, consultez la documentation de la carte achetée.
- **Vous avez sous la main les quatre éléments majeurs.** Un tournevis, un bol en plastique, un bon éclairage, et une surface couverte de papier journal pour travailler sans électricité statique.
- **Vous êtes vous-même parfaitement isolé.** Je ne veux pas dire ici qu'il faut travailler seul, mais que vous devez libérer votre corps de l'électricité statique qui y séjourne. Il suffit de poser les mains sur le châssis de l'ordinateur.

Les conseils d'installation

Tous les fabricants d'adaptateurs réseau sans fil pour les ordinateurs de bureau, et de Carte PC (ou carte PCMCIA) pour les portables, fournissent leur propre programme d'installation et de configuration. Sous Windows XP, ce programme crée automatiquement les connexions sans fil nécessaires. Malgré cette assistance séduisante, je tiens à vous donner quelques conseils d'installation valables pour tout type de carte réseau :

- **Choisir entre le mode ad hoc ou le mode infrastructure.** Vous pourrez être invité à choisir entre le mode ad hoc et infrastructure. Dans la plupart des cas, vous opterez pour le mode *infrastructure*. En effet, c'est le mode de connexion fondé sur une station ou un point d'accès sans fil. En mode *ad hoc*, les périphériques communiquent directement les uns avec les autres sur un canal spécifique que vous déterminez à l'avance, un peu comme la cibi du début des années 80. Les Figures 17.3 et 17.4 montrent le fonctionnement de ces deux structures. *Note :* Si vous tentez de connecter votre périphérique sans fil à votre réseau câblé existant, vous devez utiliser le mode infrastructure.

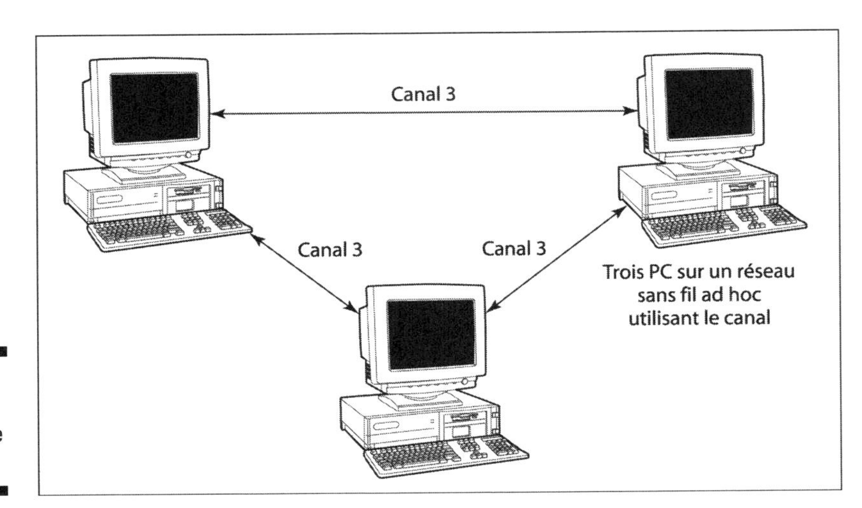

Figure 17.3 : Schéma de réseau en mode ad hoc.

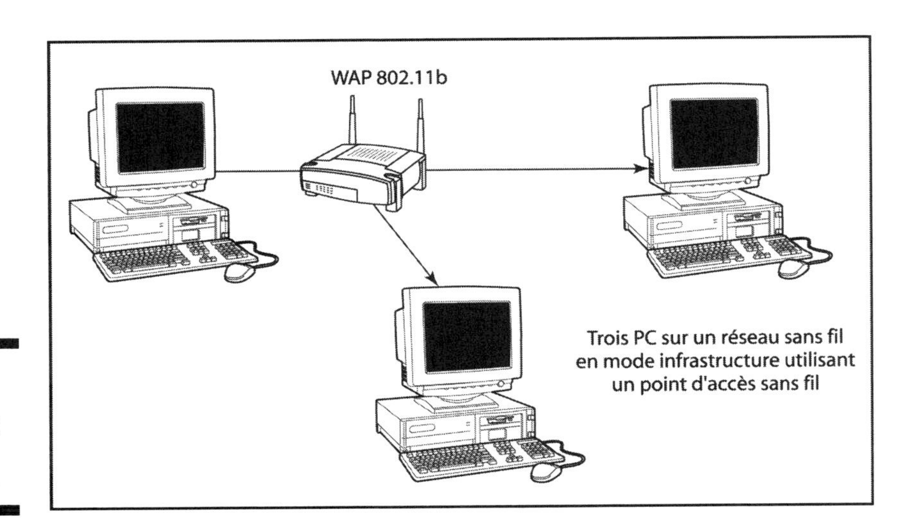

Figure 17.4 : Connexion réseau sans fil en mode infrastructure.

- **Vérifiez votre encryptage WEP.** Lorsque vous êtes invité à définir la clé WEP, choisissez systématiquement le plus haut niveau de sécurité supporté par votre carte.
- **Vérifiez votre SSID.** Vous avez besoin d'un SSID qui corresponde à celui de votre station ou de votre WAP. *Souvenez-vous :* Changez-la pour une valeur unique que vous utiliserez sur votre station ou votre WAP. Pour des raisons évidentes de sécurité, n'utilisez pas le SSID par défaut.
- **Mettez à jour vos pilotes :** Je sais que vous entendez toujours dire cela, mais c'est vraiment indispensable. Connectez-vous au site Web des constructeurs pour vérifier la présence de nouvelles versions des drivers.

Etablir la connexion

Il y a deux méthodes pour se connecter à votre réseau sans fil en mode infrastructure : la plus simple (où votre station ou votre WAP radio diffuse sont SSID pour un usage public), et la plus complexe (où vous désactivez la radio diffusion pour améliorer la sécurité, comme je l'ai dit un peu plus haut dans ce chapitre).

La plus simple ? Insérez votre carte réseau sans fil dans votre ordinateur portable, et Windows XP effectuera toutes les recherches nécessaires pour vous connecter au réseau. Avec un ordinateur de bureau, la procédure est identique lorsque vous vous connectez à Windows XP. Ce dernier affiche une icône dans la zone de notification de la Barre des tâches, montrant ainsi que la connexion est réalisée, et indiquant la force du signal.

Si vous faites preuve d'intelligence en conservant bien précieusement votre SSID, suivez ces étapes :

1. **Cliquez sur Démarrer/Connexions. Avec le bouton droit de la souris, cliquez sur Connexion réseau sans fil. Dans le menu contextuel, choisissez Afficher les réseaux sans fil disponibles.**

   Windows XP affiche la boîte de dialogue des connexions sans fil.

2. **Dans le volet d'exploration, cliquez sur Modifier les paramètres avancés.**
3. **Dans la boîte de dialogue Propriétés, cliquez sur l'onglet Configuration réseaux sans fil.**
4. **Cliquez sur le bouton Ajouter.**
5. **Dans le champ Nom réseau, saisissez la valeur SSID correspondante (c'est-à-dire celle de votre station ou du WAP), puis cochez la case Cryptage des données (WEP affiché par défaut) si cela est nécessaire.**

Si vous avez défini vous-même la clé WEP, activez l'option qui vous permet de la saisir, puis tapez-la dans le champ correspondant. Dans la liste des longueurs de clé, sélectionnez celle correspondant à la vôtre.

6. **Vérifiez que l'option Ceci est un réseau d'égal à égal (ad hoc) n'est pas cochée.**

   Sinon décochez-la.

7. **Cliquez sur OK pour fermer la boîte de dialogue.**

   Ceci ajoute le réseau à la liste des réseaux favoris.

8. **Cliquez sur OK pour revenir au bureau de Windows XP qui va initialiser la connexion.**

Chapitre 18
Partager votre connexion Internet

Dans ce chapitre :

- Comprendre les avantages d'un partage de connexion.
- Partager votre connexion avec Windows XP.
- Utiliser un périphérique de partage câblé.
- Utiliser un périphérique de partage sans fil.
- Associer une translation d'adresse (NAT).
- Configurer un réseau privé virtuel (VPN) sous Windows XP.

Une connexion Internet haut débit est la panacée surtout quand plusieurs ordinateurs d'une même maison ou d'un même bureau peuvent la partager. Dès que votre réseau est configuré et fonctionne normalement, envisagez le partage matériel et logiciel de votre connexion Internet. Plus que jamais dans ce domaine, la sécurité est à l'ordre du jour.

Dans ce chapitre, je traite de toutes les possibilités – y compris du réseau privé virtuel – et vous montre comment partager une connexion Internet sous Windows XP.

Pourquoi partager votre connexion Internet ?

Lorsque l'on configure un réseau, la connexion Internet principale peut servir à tous les ordinateurs du réseau. Par conséquent, pourquoi investir dans d'autres modems et abonnements quand on peut surfer sur le Net sans dépenser un sou de plus ?!

Il est possible d'utiliser la fonction de Windows XP qui permet de partager une connexion RTC, c'est-à-dire bas débit. Mais je ne crois pas que vous en serez satisfait. Par conséquent, et je m'en excuse auprès des utilisateurs d'un modem traditionnel, j'envisage le partage d'une connexion Internet par câble ou ADSL.

Voici une petite liste qui présente les avantages d'un partage de connexion Internet :

- **La gratuité.** Tant que la connexion peut être partagée entre plusieurs utilisateurs, il serait idiot de s'en priver puisque cela ne coûte pas un centime de plus. En d'autres termes, tous les PC du réseau, bien configurés, accèdent au Web à partir du seul et unique modem partagé sur le réseau.
- **L'aspect pratique.** Avec une connexion Internet partagée, d'autres PC du réseau sont faciles à configurer. Chaque PC se comporte comme s'il était directement connecté au modem câble ou ADSL.
- **Centralisation de la sécurité.** Avec un *pare-feu* opérationnel – soit sur le PC, soit sur le périphérique de partage lui-même – vous protégez l'activité Internet de tous les PC qui accèdent simultanément au réseau.
- **Efficacité.** Beaucoup de personnes sont étonnées de voir que les performances de la connexion faiblissent peu malgré le nombre d'utilisateurs surfant, en même temps, sur Internet.

Une connexion partagée par l'intermédiaire d'un périphérique dédié est bien plus rapide qu'un partage par logiciel. N'oubliez jamais cela.

Pour parler pratique et efficacité, je dois mentionner l'existence de matériels de partage qui jouent également le rôle de hub ou de switch Ethernet. Ceci permet d'organiser un réseau complet autour du même appareil. C'est bien plus simple que de raccorder chaque PC à un hub, et d'exécuter un programme de partage.

Partager avec un logiciel sous Windows XP

Si vous décidez d'utiliser la fonction intégrée de partage de connexion Internet de Windows XP, vérifiez plutôt deux fois qu'une que vous disposez de :

- **Un réseau Ethernet opérationnel.**
- **Une connexion Internet haut débit opérationnelle sur l'un des PC du réseau.** Bien sûr, vous pouvez utiliser la fonction de partage de connexion Internet sur un modem RTC, mais tout est bien plus simple et rapide avec un modem câble ou ADSL.

- **Une copie de Windows XP installée sur l'ordinateur du réseau qui se connecte directement à Internet.** Ce PC nécessite deux cartes réseau. L'une raccordée au hub du réseau, et l'autre au modem. Comme la gamme des cartes réseau est très vaste, suivez les instructions d'installation fournies par le constructeur des vôtres pour les configurer correctement.

Tout semble opérationnel ? Parfait ! Suivez ces quelques étapes :

1. **Cliquez sur Démarrer/Connexion. Ensuite, cliquez avec le bouton droit de la souris sur la connexion à partager. Dans le menu contextuel, choisissez Propriétés.**

   Une boîte de dialogue apparaît.

2. **Cliquez sur son onglet Avancé (Figure 18.1).**

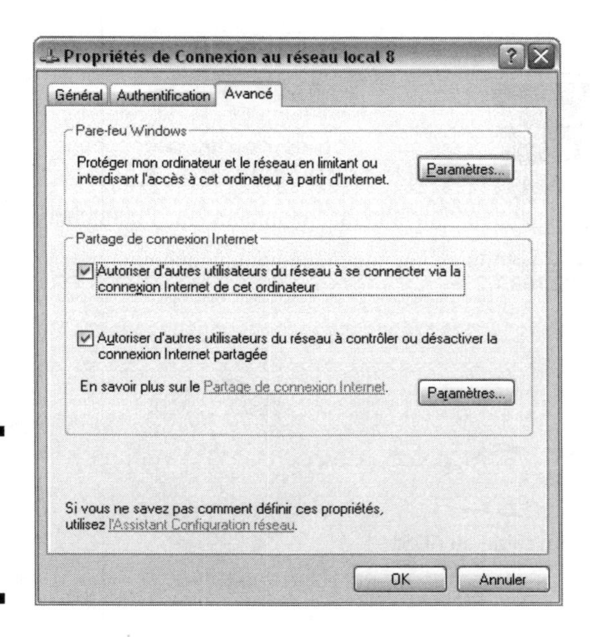

Figure 18.1 : Partager une connexion Internet sous Windows XP.

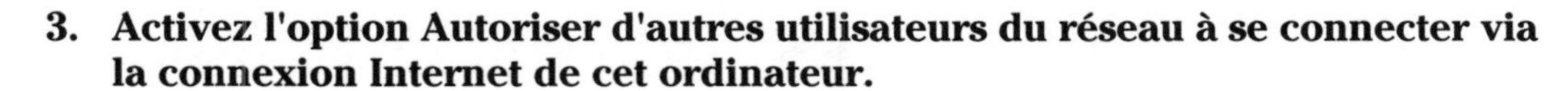

3. **Activez l'option Autoriser d'autres utilisateurs du réseau à se connecter via la connexion Internet de cet ordinateur.**

   - Si vous partagez une connexion d'accès à distance, c'est-à-dire RTC classique, je recommande d'activer la fonction de numérotation automatique.
   - Pour permettre à d'autres utilisateurs du réseau de contrôler la connexion partagée – comme la possibilité de déconnecter – activez l'option Autoriser d'autres utilisateurs du réseau à connecter ou désactiver la connexion Internet partagée.

4. **Cliquez sur OK pour valider vos modifications, et revenir au bureau de Windows XP.**

   Windows XP indique le partage de connexion en ajoutant une main sous l'icône de la connexion en question.

La Figure 18.2 montre comment les choses se déroulent. Bien sûr, votre adresse IP sera différente de celle de cette figure, mais globalement, vous comprendrez bien les événements.

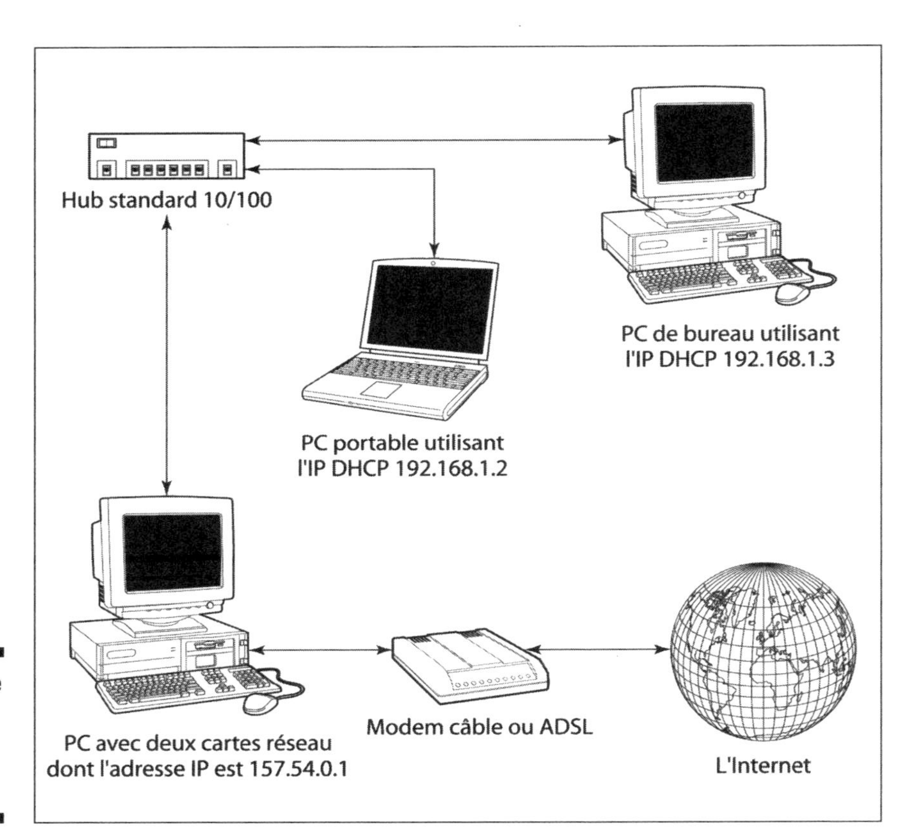

Figure 18.2 : Une connexion Internet partagée par logiciel.

Partage par matériel

Comme je l'ai déjà dit, je pense que le partage de connexion Internet par le biais d'un matériel est préférable à celui réalisé par logiciel. Par exemple, avec une solution logicielle :

- Au moins un PC doit rester allumé si un autre veut se connecter à Internet.
- Lorsque plusieurs personnes se connectent simultanément, vous sentez faiblir les performances de la connexion sur le PC de partage.
- Vous avez besoin d'un hub, d'un switch, ou d'une station sans fil.

Avec un appareil externe, tous les PC sont autonomes. Aucun n'est utilisé comme serveur de connexion.

Dans cette section, je vous présente deux types de matériels qui permettent de partager une connexion Internet.

Les périphériques de partage câblés

Pour ceux qui ont un réseau Ethernet câblé, un matériel qui combine les fonctions de switch, de pare-feu, de DHCP, de serveur, et de partage – comme à la Figure 18.3 – est la solution parfaite. (*Dynamic Host Configuration Protocol*, c'est-à-dire DHCP, est une fonction qui permet à votre matériel de partage d'attribuer automatiquement des adresses IP sur le réseau. Si vous ne comprenez rien, consultez le Chapitre 16 du Livret II, qui parle avec beaucoup d'enthousiasme de DHCP.)

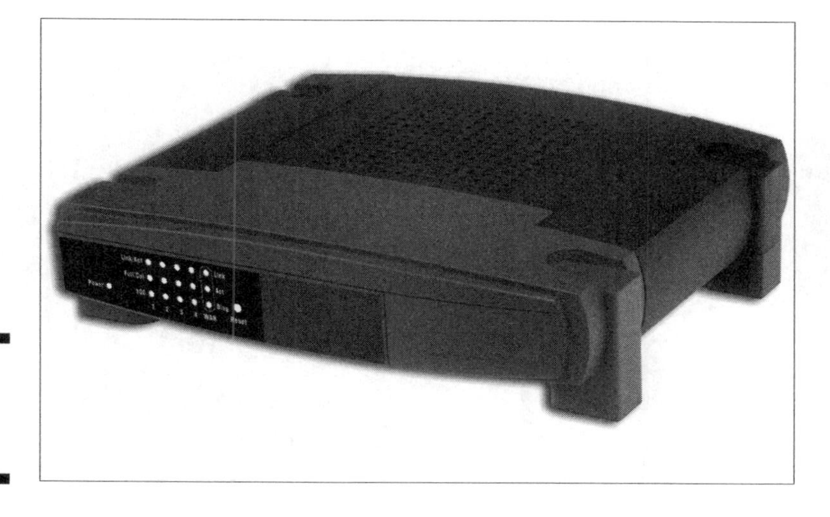

Figure 18.3 : Un routeur de connexion Internet.

La Figure 18.3 montre un routeur/modem disposant de quatre ports. Voici les raisons de sa popularité :

- ✦ C'est un switch à quatre ports Ethernet 10/100 dans lesquels vous pouvez donc connecter jusqu'à quatre PC. L'accès au réseau est alors immédiat.
- ✦ Un port de connexion pour votre modem câble ou ADSL qui peut également être utilisé comme une connexion réseau WAN pour connecter le périphérique à un réseau externe existant.
- ✦ Un serveur DHCP qui configure automatiquement les PC raccordés au routeur/modem.
- ✦ La possibilité de bloquer certains trafics Internet, et d'interdire l'accès Internet à des PC du réseau.
- ✦ Un écran de configuration simple et convivial qui peut être utilisé sur n'importe quel PC connecté au routeur. La Figure 18.4 montre la configuration Web de mon routeur.
- ✦ Fonctionnalité NAT intégrée.

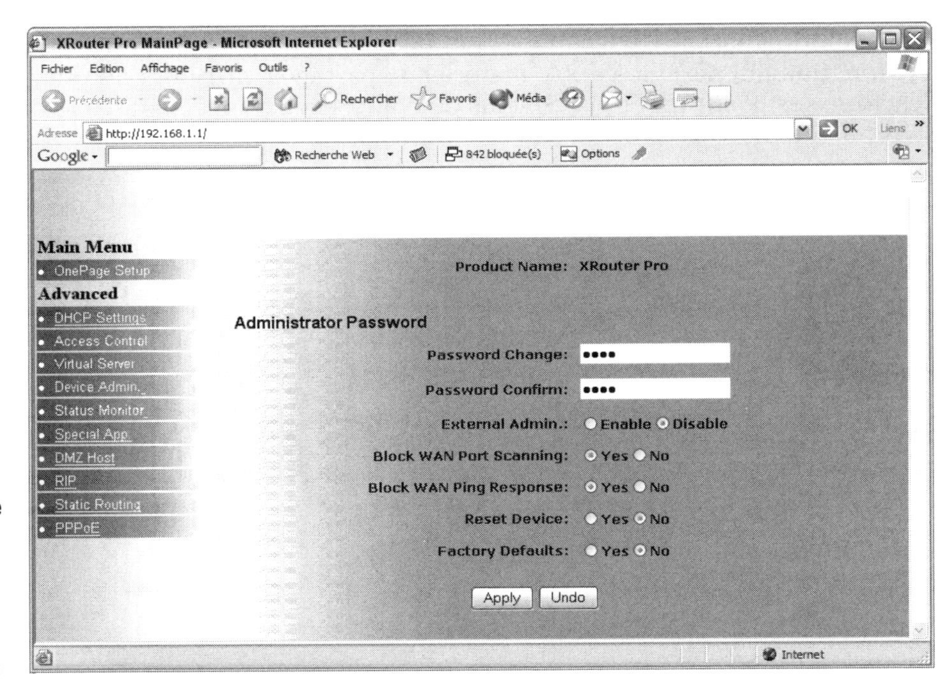

Figure 18.4 : La plupart des périphériques de partage Internet peuvent être configurés avec un navigateur Web.

Ce périphérique fonctionne main dans la main avec votre modem câble ou ADSL existant. Généralement, ce dernier est fourni par le FAI (fournisseur d'accès Internet) lorsque vous souscrivez votre abonnement.

Un type de périphérique se développe de plus en plus. Il œuvre en qualité de routeur/modem. C'est un choix appréciable lorsque la location du modem est en sus de l'abonnement. Sinon, optez pour le modem du FAI.

La procédure de configuration varie en fonction du périphérique. Mais, en règle générale, voici comment cela se déroule :

1. **Si vous utilisez un hub ou un switch, débranchez tous les périphériques qui y sont raccordés, et connectez-les au nouveau matériel. Vous pouvez également connecter le port WAN d'un hub existant dans un des ports du périphérique de partage de connexion Internet.**

   Le manuel d'utilisation du périphérique vous indique comment mener à bien cette dernière configuration.

   Si vous configurez un nouveau réseau, connectez chaque câble Ethernet directement dans le périphérique de partage.

2. **Branchez l'alimentation électrique du matériel à une prise secteur.**
3. **Configurez un des PC du réseau avec les paramètres par défaut indiqués par le constructeur du périphérique.**
4. **Exécutez Internet Explorer sur le PC configuré, et utilisez l'utilitaire de configuration Web pour terminer la procédure.**

Si vous configurez un réseau domestique ou de petite entreprise, vous conserverez les paramètres par défaut pour tous les équipements du réseau. Pour apprécier toute la puissance des fonctionnalités de ce périphérique, lisez l'encadré "Qu'est-ce que c'est que ces trucs ?" un peu plus loin.

Les périphériques de partage sans fil

Certains prétendent que la configuration d'un partage de connexion Internet sur un réseau sans fil est plus difficile que celle réalisée sur un réseau câblé – et qu'à cela s'ajoute une sécurité bien plus précaire. J'ai le plaisir de vous dire que tout ceci n'est que calomnie ! Un partage de connexion sans fil est aussi simple (ou difficile) à réaliser qu'un partage de connexion sur réseau filaire. Ces réseaux restent très difficiles à pirater.

Qu'est-ce que c'est que ces trucs ?

Lorsque vous achetez un périphérique de connexion Internet avec ou sans fil, son emballage mentionne un certain nombre de fonctions de sécurité qui ne sont pas faciles à décrypter pour le profane. Je vais tenter de jouer les Champollion du Wi-Fi :

Routage statique : Fonction qui permet de configurer un chemin du réseau entre le périphérique et un hôte Internet. Il s'agit en général d'un réseau externe. Sans routage statique vous ne pourriez pas utiliser de réseau privé virtuel (VPN) dont je parle en fin de chapitre.

Routage dynamique : L'inverse du routage statique. C'est une fonction idéale pour ceux qui déconnectent sans cesse les PC, les serveurs, et les périphériques réseau, pour les brancher dans un autre endroit. Grâce au routage dynamique, le périphérique de partage compense et ajuste automatiquement les modifications apportées à votre réseau.

Port d'acheminement : Si vous utilisez un serveur de mails, Web, ou FTP, sur le réseau, vous pouvez configurer le routeur pour qu'il achemine n'importe quel trafic entrant de ce type – HTTP (HyperText Transfer Protocol) pour le serveur Web – directement au PC serveur.

Filtrage IP : Voici la fonction qui permet d'interdire à certains utilisateurs ou PC d'accéder à Internet. Elle excelle dans la mise en œuvre d'un réseau privé virtuel (VPN).

Verrouillage WAN : Cette fonction évite à certains PC d'Internet d'effectuer un *ping* (analyse) sur le réseau. Il est donc judicieux d'activer cette fonction. En effet, il est préférable d'être invisible aux autres ordinateurs d'Internet.

DMZ (Demilitarized Zone) : Voici une fonction destinée aux joueurs : vous pouvez configurer votre routeur de manière à ce qu'il ne soit perçu que par certaines machines connectées à Internet, et ceci lorsque vous-même êtes connecté à un serveur de jeu (ou si vous hébergez votre propre serveur). Sans DMZ, le pare-feu de votre routeur NAT bloquerait votre ordinateur contre toute tentative de communication avec l'extérieur. Vous ne pourriez pas rejoindre ce jeu sur la Seconde Guerre mondiale, et libérer notre monde de l'invasion nazie.

La Figure 18.5 montre un joli spécimen qui fait absolument tout sans fil : routeur, modem, pare-feu, concentrateur Ethernet.

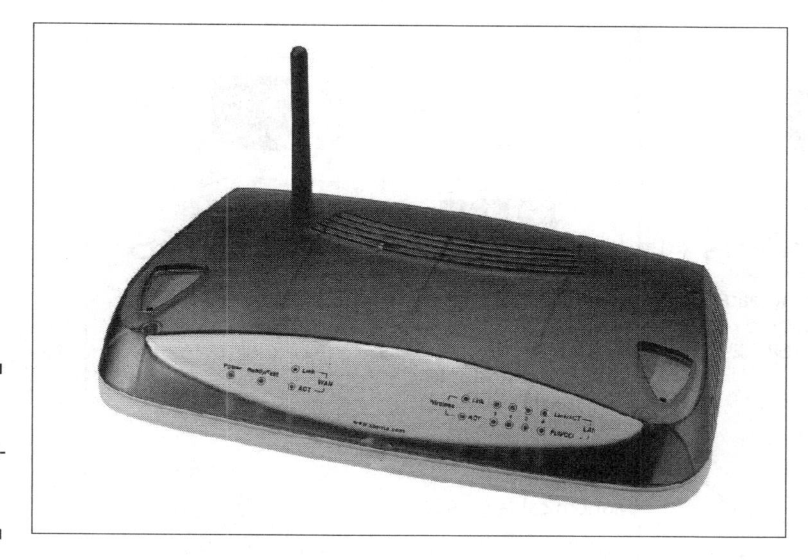

Figure 18.5 : Avec ou sans fil ? Ce périphérique de partage fait les deux !

Comme vous vous en doutez, le prix de ce jouet est bien plus élevé que celui d'un périphérique câblé. Si vous désirez ajouter de la vitesse en choisissant le protocole 802.11g, il faudra débourser davantage. De même les adaptateurs sans fil (y compris les USB) sont plus onéreux que les cartes réseau PCI.

Comme je l'indique au Chapitre 17 du Livret II, n'oubliez pas de demander un périphérique de partage sans fil qui offre un encryptage WEP sur 128 bits. Sans cela, vous exposez davantage votre réseau aux risques du piratage.

Les raisons d'être du NAT

Je vous parle du NAT depuis un bon moment. Mais en avez-vous réellement apprécié l'importance ? Regardez la Figure 18.6. Si votre périphérique de partage de connexion Internet gère la translation d'adresse (NAT), un certain nombre de PC – possédant chacun son adresse IP – sont cachés derrière la seule adresse IP fournie par votre FAI à votre modem câble ou ADSL. Ainsi, personne ne peut déceler les adresses IP affectées derrière votre périphérique NAT.

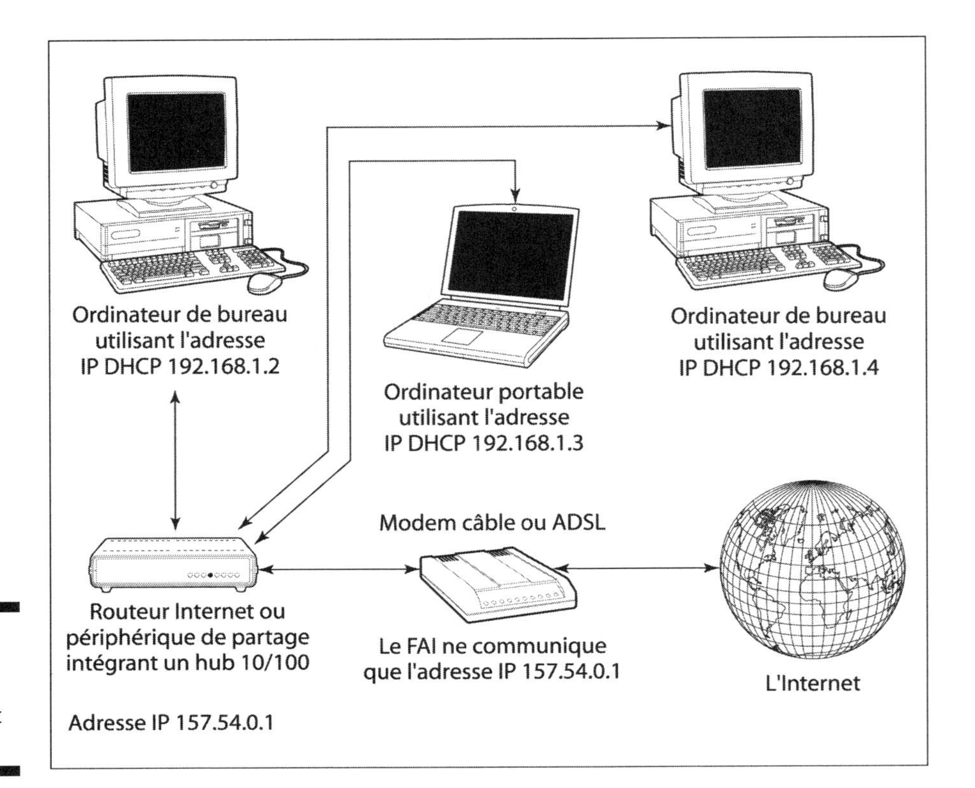

Figure 18.6 : Avec NAT, les PC de votre réseau restent invisibles.

Pour qu'un pirate venant d'Internet puisse pénétrer votre système, il doit connaître l'adresse IP de chaque ordinateur du réseau. Or, la translation d'adresse prévient cette possibilité. La seule adresse IP visible est celle du modem/routeur partagé. En plus, un NAT bloque la plupart des armes utilisées par les hackers, dont les sniffers de port qui cherchent les ports ouverts sur les machines pour mieux investir le réseau.

Notez que la technologie NAT n'est pas un pare-feu. Donc, si vous ajoutez un pare-feu logiciel ou matériel à ce système, comme Norton Personal Firewall, Zone Alarm, etc., vous fermez la quasi-totalité des portes dans lesquelles aiment à s'engouffrer les pirates.

Le pare-feu intégré de Windows XP dispose de la fonction NAT.

La magie du réseau privé virtuel (VPN)

Imaginez que vous puissiez pousser encore plus loin votre réseau. Plutôt que de créer un réseau avec ou sans fil, que diriez-vous de créer une connexion réseau sécurisée sur Internet au sein même de votre réseau privé ? Vous pourriez alors profiter de votre réseau partout dans le monde.

C'est ce que permet un VPN ou réseau privé virtuel. Dans une telle configuration, se pose encore le problème de la sécurité des données. Ici, elles sont protégées par cryptage dès qu'elles transitent sur Internet. Par conséquent, votre connexion est aussi bien protégée que lorsque vous configurez correctement un réseau sans fil.

Un VPN vous place dans une infrastructure de type client/serveur. Ici, le *client* du réseau privé virtuel est le PC que vous utilisez à distance, et le *serveur* est l'ordinateur du réseau auquel vous vous connectez. (Si vous ne savez pas si le réseau de votre entreprise est configuré en VPN, demandez à l'administrateur réseau.)

Dans cette section, j'explique comment configurer un ordinateur portable (ou un ordinateur de bureau distant) en tant que client d'un VPN sous Windows XP. Je présume ceci :

✦ Vous utilisez soit

  • Une connexion Internet haut débit.

  soit

  • La connexion Internet réseau d'une autre société.

  Utiliser un VPN avec une connexion bas débit est synonyme d'*immense frustration*. Je le déconseille vivement.

✦ Votre administrateur réseau vous a communiqué l'adresse IP du serveur VPN.

✦ Vous utiliserez votre nom d'utilisateur et votre mot de passe réseau habituels.

Suivez ces étapes pour créer et utiliser une connexion VPN :

1. **Cliquez sur Démarrer/Tous les programmes/Accessoires/Communications/Assistant nouvelle connexion. Cliquez sur le bouton Suivant.**

   Vous accédez aux options de la Figure 18.7.

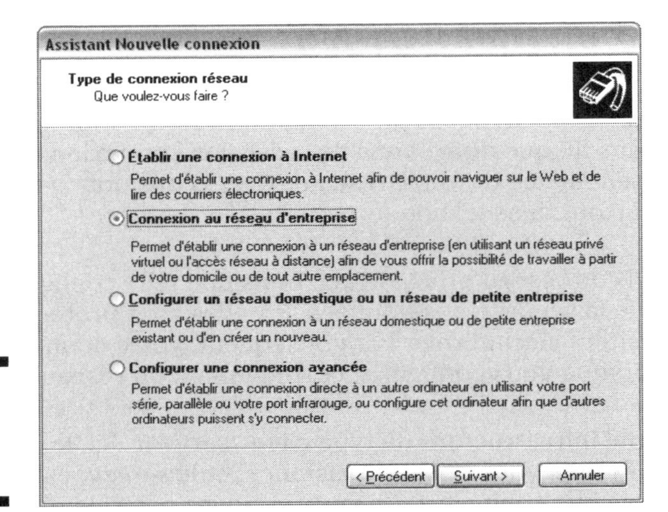

Figure 18.7 : Définir le client de réseau privé virtuel.

2. **Activez l'option Connexion au réseau d'entreprise, et cliquez sur Suivant.**

3. **Dans cette nouvelle étape, optez pour Connexion réseau privé virtuel, et cliquez sur Suivant.**

4. **Donnez un nom significatif à cette connexion, comme *Portable client VPN.* Cliquez sur Suivant.**

5 **Indiquez, comme à la Figure 18.8, l'adresse du serveur VPN que vous aura gentiment procuré l'administrateur réseau (comme 157.54.0.1). Cliquez sur Suivant.**

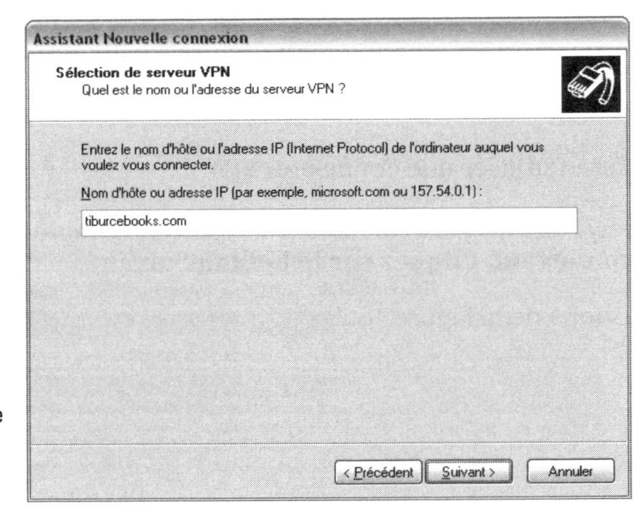

Figure 18.8 : Saisissez l'adresse IP ou le nom d'hôte du serveur du VPN.

6. **Si vous désirez ajouter un raccourci clavier de cette connexion, cochez l'option Ajouter un raccourci vers cette connexion sur mon Bureau.**

7. **Cliquez sur le bouton Terminer.**

   Windows XP crée la connexion.

Pour modifier les attributs d'une connexion à un VPN – notamment pour indiquer la nouvelle adresse IP spécifiée par l'administrateur du réseau – cliquez sur Démarrer/Connexions. Avec le bouton droit de la souris, cliquez sur le nom de la connexion au VPN. Dans le menu contextuel, choisissez Propriétés. Dans la boîte de dialogue qui apparaît, effectuez toutes les modifications nécessaires.

Dès que vous êtes prêt à utiliser votre connexion au réseau privé virtuel, double-cliquez sur le raccourci de la connexion présent sur votre bureau, ou choisissez Démarrer/Connexions, et choisissez l'icône du VPN.

Windows XP vous invite à saisir votre nom d'utilisateur et votre mot de passe dans une boîte de dialogue semblable à celle de la Figure 18.9. Comme je suis paranoïaque, je déconseille de cocher l'option Enregistrer ce nom d'utilisateur et ce mot de passe pour les utilisateurs suivants. Une fois les informations saisies, cliquez sur Numéroter (ou Connecter en fonction du type de connexion), pour démarrer la session du VPN. Vous pourrez alors accéder à toutes les ressources du réseau comme si vous étiez à votre bureau. C'est pas beau l'informatique !

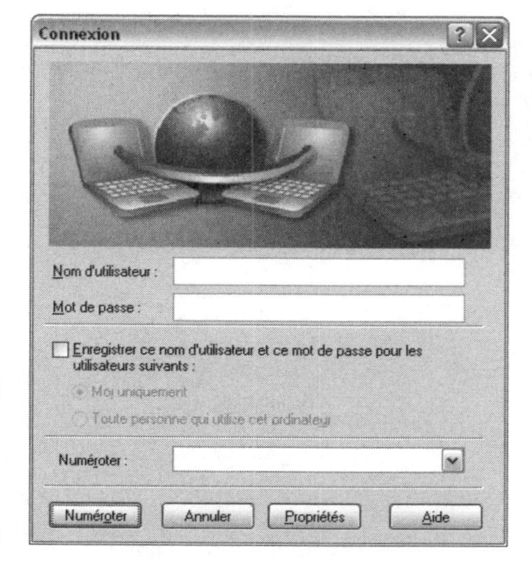

Figure 18.9 : Etablir la connexion au VPN.

Livret III

Internet

Livret III : Internet

Chapitre 1
Trouver le bon FAI

Dans ce chapitre :

- Choisir un fournisseur d'accès Internet.
- Connexion standard ou haut débit ?
- Choisir un FAI pour héberger un site Internet.

Le court chapitre est destiné à celles et ceux qui meurent d'envie de rejoindre le monde d'Internet, mais qui n'ont pas encore choisi de *FAI*. C'est quoi un FAI ? Tout simplement un fournisseur d'accès Internet. Il vous en faut un pour pouvoir surfer sur le Web et échanger des courriers électroniques (entre autres choses). Ce chapitre vous explique également la différence entre connexions classiques et haut débit. Nous y verrons enfin comment rechercher un *hébergeur* si l'envie vous prend de créer votre propre site Web (ou plus simplement une page personnelle).

Sélectionner un fournisseur d'accès Internet (FAI)

Si vous voulez surfer sur Internet, envoyer et recevoir des messages, créer votre site Web et ainsi de suite, la première chose à faire, c'est de choisir un fournisseur d'accès (le fameux FAI). Son rôle est de vous proposer une connexion à l'Internet, de gérer vos courriers et le plus souvent d'héberger vos pages Web. Vous avez plus que probablement entendu parler de ces FAI dont les noms hantent écrans et publicités : Wanadoo, AOL, Free (pour ne prendre que quelques exemples). Mais il en existe des centaines, y compris implantés très localement. Comment choisir celui qui va vous convenir le mieux ?

Voici quelques éléments à prendre en considération avant de faire un choix :

- ✦ **Quel est le prix mensuel de l'abonnement ?** Cela peut aller de rien jusqu'à une trentaine d'euros pour une connexion téléphonique classique, voire une cinquantaine d'euros si vous avez la chance qu'une connexion très haut débit frappe à votre porte. Nous reviendrons un peu plus loin sur les vitesses que vous pouvez espérer atteindre selon le type de connexion.

- **Quel est le prix de la mise en service ?** Souvent aucun, parfois un peu, si n'est qu'il vous faut au moins un modem ! Soit vous l'achetez vous-même (à moins qu'il ne soit livré avec votre ordinateur), soit le fournisseur d'accès peut vous le proposer. C'est couramment le cas pour les connexions ADSL. Le modem peut alors être "offert" avec l'abonnement ou proposé pour quelques dizaines d'euros.

- **Appel local ou longue distance ?** Une connexion par modem s'opère en appelant les ordinateurs du FAI via le réseau téléphonique. Imaginez que le numéro à appeler se trouve à l'autre bout de la France. Vous risqueriez très vite de déchanter en voyant votre première facture de téléphone. Mais rassurez-vous : aucun fournisseur d'accès sérieux ne s'amuserait de nos jours à procéder de cette façon. Autant mettre tout de suite la clé sous le paillasson ! Le numéro d'appel du FAI est soit local soit "spécial", mais le prix de l'heure doit être le même. Essayez tout de même de vous renseigner sur ce point. Il est décisif.

- **Combien d'heures de connexion dans votre forfait mensuel ?** La plupart des abonnements sont facturés pour un nombre limité d'heures de connexion dans le mois. D'autres FAI offrent un service illimité (votre facture de téléphone l'étant alors aussi). Certains enfin proposent un forfait tout compris : abonnement et communications sont alors inclus (la durée peut être ou non limitée). Vous savez alors exactement combien vous coûte Internet.

- **Quel est l'espace dont je dispose pour stocker les pages Web que je veux poster sur Internet ?** Pratiquement tous les FAI réservent pour leurs abonnés quelques mégaoctets destinés à y enregistrer des pages Web ou encore des fichiers personnels. Rares sont ceux qui font payer ce service en plus. Tout cela est très bien pour débuter ou si vos envies sont limitées. Pour créer un site conséquent, il vous faudra vous tourner vers des solutions plus professionnelles.

- **Etes-vous protégé contre les virus et les publicités indésirables ?** Certains FAI sont équipés de logiciels qui filtrent les publicités non sollicitées, les fameux *spams*. Certains aussi (en théorie, tous...) analysent l'ensemble des fichiers qui transitent chez eux pour détecter la présence de virus. Si le blocage des spams ne peut que nous réjouir dans le principe, certains utilitaires manquent de sophistication et éliminent trop de fichiers (soit parce qu'il s'agit de programmes exécutables, soit que leur taille semble abusive). Si cela vous gêne pour votre travail, il est préférable de désactiver ces outils. Notez qu'à l'inverse vous pouvez considérer comme *spam* ce qui est pour votre FAI une publicité *amie*. Qu'évidemment il ne bloquera pas !

- **Est-ce que le FAI vous impose une durée minimale d'abonnement ?** Vous avez un téléphone portable, et vous savez donc combien peut être ennuyeuse cette clause qui vous oblige à rester abonné pendant un ou deux ans pour pouvoir bénéficier d'un prix intéressant sur le matériel. Si le service ne vous convient pas, vous devez alors payer un dédit pour le quitter. Il en va de même avec un certain nombre de FAI. C'est un point à vérifier en priorité avant de signer en bas de la page, ou de cliquer sans réfléchir sur le dernier bouton d'inscription.

✦ **Et l'assistance technique ?** Un FAI qui propose des abonnements à bon prix et qui ne dispose pas d'une implantation massive va vraisemblablement offrir une assistance technique très limitée à ses utilisateurs. En tout état de cause, essayez d'obtenir des informations suffisamment précises. Combien de temps met généralement le service à vous répondre ? Est-il compétent ? Quelles sont les heures d'ouverture ? Peut-il y avoir un surcoût ? Autant de questions importantes. Essayez aussi de demander à d'autres abonnés de votre connaissance s'ils sont satisfaits de leur FAI. Bien entendu, n'appelez pas l'assistance technique de votre opérateur si vous voyez des flammes sortir du modem ! Téléphonez aux pompiers : ils viendront bien plus vite qu'un technicien...

Classique ou large bande ?

On appelle connexion *large bande* une connexion Internet qui peut rester active en permanence et qui est capable de transmettre des données très rapidement. Exemples : le câble, un réseau interne ou sans fil, ou bien encore une liaison téléphonique ADSL. Avec une connexion classique, vous demandez à votre programme (ou à Windows) de composer un numéro de téléphone chaque fois que vous voulez accéder à Internet. En théorie, cette méthode devrait revenir moins cher qu'une connexion large bande. En pratique, ce n'est plus vrai et la seule question qui vaille est généralement : "Puis-je avoir accès à l'ADSL ?" Et si oui, avec quel débit (512 K, 1024, 2048, plus encore ?). Une fois que l'on a goûté aux connexions large bande, il est vraiment difficile de revenir en arrière. D'autant que l'on peut téléphoner tout en restant connecté à Internet. Plus besoin de payer une seconde ligne pour cela !

Le territoire français est encore loin d'être totalement couvert en ADSL. Du moins du point de vue géographique. France Télécom s'est engagé à investir lourdement pour rattraper l'essentiel du retard d'ici à 2006. A suivre ! D'autre part, le *dégroupage* des lignes (qui permet à d'autres opérateurs de les utiliser directement) offre une perspective de débits encore supérieurs (et d'usages variés du réseau, tel que la transmission des chaînes télévisées). Mais cela ne concerne pour l'instant qu'un certain nombre de centres urbains importants.

Un *modem* (mot qui signifie modulateur/démodulateur) est un périphérique matériel qui permet de connecter votre ordinateur à Internet. Le débit des données est mesuré en kilobits par seconde (ou *Kbps*), voire, si vous avez de la chance, en mégabits par seconde (ou *Mbps*). Le Tableau 1.1 résume l'état des lieux dans ce domaine.

Les trois premières lignes correspondent à des connexions "classiques", les deux dernières à des connexions large bande.

Tableau 1.1 : Les principales connexions Internet actuelles.

Modem	Vitesse	Description
Interne	56 Kbps	Le modem est inséré dans un connecteur sur la carte mère de l'ordinateur. Il suffit de brancher un câble téléphonique dans la prise qui se trouve à l'arrière de la carte.
Externe	56 Kbps	Le modem est relié d'un côté à un *port* de votre ordinateur (série, parallèle et essentiellement USB de nos jours) et de l'autre à une prise de téléphone.
Numéris	64 ou 128 Kbps	Nécessite l'installation d'un boîtier Numéris sur votre installation téléphonique et la présence d'un modem adapté. Vous pouvez alors disposer de deux lignes simultanées (données/voix ou données/données). Cette technique reflue rapidement face à l'ADSL.
Câble	1,5 Mbps	Le câble peut être associé à un modem spécifique, de type interne ou externe. Si le réseau câble passe chez vous, cela peut représenter une excellente solution, à condition du moins qu'un opérateur Internet s'y soit intéressé.
ADSL	Jusqu'à 5 Mbps	Le plus souvent encore en 512 Kbps ou en 1024 Kbps, c'est devenu le cri de ralliement des internautes d'aujourd'hui. L'ADSL nécessite à la fois un central téléphonique adapté et pas trop loin de chez vous, des lignes téléphoniques en bon état, et un adaptateur particulier (pouvant être interne ou externe).

Est-ce qu'un modem est déjà installé sur votre ordinateur ? Pour le savoir, ouvrez le menu Démarrer puis le Panneau de configuration. En supposant que vous avez conservé le mode d'affichage sous forme de catégories, choisissez alors le lien Connexions réseau et Internet. Dans la rubrique Voir aussi, à gauche de la fenêtre, cliquez maintenant sur Options de modems et de téléphonie. Dans la boîte de dialogue qui va s'afficher, activez l'onglet Modems. Il doit vous montrer le voire les modems connectés à votre machine. Il est possible qu'aucun modem n'apparaisse ici si vous disposez de l'ADSL (cela signifie simplement que vous êtes "en réseau" avec Internet – Esprit, es-tu là ?).

Héberger votre site Web

Si vous décidez de faire le grand plongeon et de créer un site Web, il vous faut un *hébergeur* pour abriter votre petit bijou. Héberger, cela signifie simplement placer des sites sur un serveur Web afin que tout un chacun puisse y accéder. Vous pouvez créer tous les sites Web que vous voulez chez vous, mais si vous ne disposez pas d'une adresse Internet personnelle, cela ne fera plaisir qu'à vous-même.

En fait, tous les FAI proposent à leurs abonnés d'héberger leur "site" Web (ou plus prosaïquement une suite de pages Web personnelles). La plupart du temps, l'espace qui vous est réservé sur le serveur du FAI est tout à fait suffisant. Le seul point un peu ennuyeux, c'est que l'adresse Web qui permettra de consulter votre production va ressembler à ceci :

```
http://www.monfai.com/pagespersodesabonnés/mapageàmoi.html
```

Il est clair qu'il faut tomber par hasard sur cette adresse pour savoir que vous avez quelque chose d'important à dire au monde entier.

Pour des sites plus ambitieux, ou qui comportent des tas de graphismes, des formulaires sophistiqués, des bases de données, il faudra vous tourner vers un prestataire spécialisé, et évidemment payant. Certes, il n'est pas impossible de trouver un hébergeur gratuit (l'astuce, c'est généralement que vous acceptez de transformer votre site en vitrine publicitaire). Mais ce type de solution reste limité, et de surcroît trop souvent lent. Pas vraiment de quoi motiver les internautes.

Si vous avez des besoins importants, et les moyens de payer tous les mois un hébergement qui vous procurera une adresse Internet fixe, il est préférable de faire appel à un vrai spécialiste. Plus s'il le faut à une société de services qui réalisera votre site à votre place. Mais nous sommes déjà dans un autre monde. En attendant, vous pouvez toujours essayer de vous faire la main avec l'espace alloué par votre FAI pour y stocker des pages personnelles.

Vous cherchez un hébergeur pour votre site ? Où le trouver, si ce n'est sur Internet ! Tapez par exemple *hébergeur* (ou *hébergeur gratuit*) dans le champ d'adresse de votre navigateur. Laissez-vous ensuite guider !

Chapitre 2
Gérer votre sécurité en ligne

Dans ce chapitre :

- Empêcher les virus d'infecter votre PC.
- Vous, Internet, vos enfants et leur sécurité.

Trop de personnes l'oublient. Lorsque vous vous connectez à Internet, Internet est aussi connecté avec vous. Et, soudain, votre ordinateur risque d'être contaminé par des virus. Des images, des trucs bizarres apparaissent d'un coup. Votre disque dur se met à cracher des bruits inquiétants. Stop ! Chassons le cauchemar. Dans ce chapitre, nous allons voir comment éviter à votre ordinateur d'être atteint par un virus, mais aussi comment vous assurer que vos enfants pourront surfer sans souci sur Internet. Sécurité et comportement avisé vont de pair !

Empêcher des virus d'infecter votre ordinateur

Un virus informatique, c'est un programme malveillant qui infecte les ordinateurs sans que leurs utilisateurs ne s'en aperçoivent. Certains virus se contentent d'afficher un message (leur auteur veut simplement prouver sa puissance, phénomène bien connu des psychiatres). Mais d'autres sont bien plus virulents et peuvent détruire des fichiers importants. Pour s'installer quelque part et s'exécuter, un virus doit voyager en s'accrochant aux basques d'un autre programme ou d'un document. De nos jours, le moyen de transport préféré des virus est le courrier électronique. Mais ils adorent aussi se répandre via de bonnes vieilles disquettes passant de main en main !

Si vous échangez couramment des fichiers avec d'autres personnes, vous vous devez à vous-même (comme d'ailleurs aux autres) de posséder un logiciel antivirus. Les deux plus connus, et sans doute les meilleurs, sont Norton Antivirus (de Symantec) et VirusScan (de MacAfee). Tous les deux font un excellent travail pour protéger votre ordinateur contre les attaques de virus (et même pour piétiner la sale bête si elle s'est déjà infiltrée). La Figure 2.1 montre Norton Antivirus au travail.

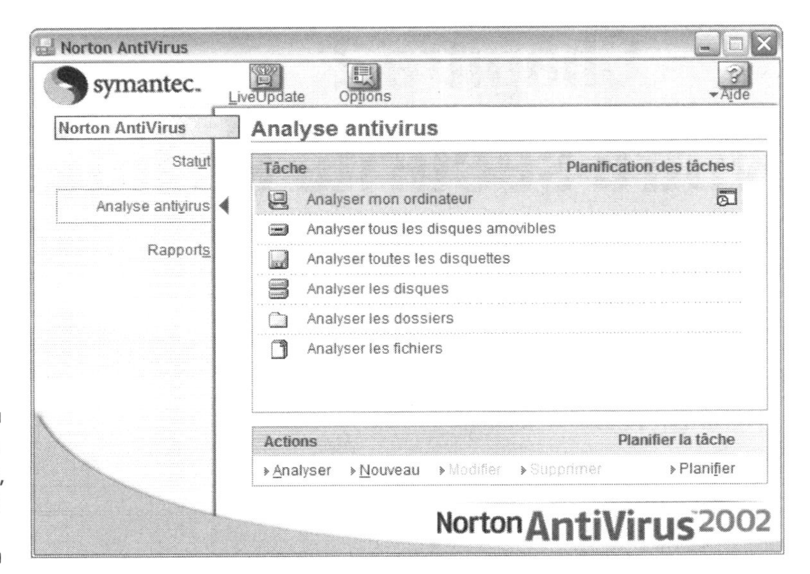

Figure 2.1 : Avec Norton Antivirus, je ne crains plus les attaques !

Voyons les deux points les plus importants concernant l'action des antivirus :

- **Analyse en temps réel :** Quel que soit le fichier que vous chargez ou que vous exécutez, le programme d'antivirus doit être capable de l'analyser avant que le PC ne soit exposé. Avec cette action en temps réel, il suffit de demander un contrôle complet du système tous les deux ou trois mois. Dans le cas contraire, il est conseillé de faire cette vérification toutes les semaines.

- **Mises à jour régulières et automatiques :** De nouveaux virus sont inventés tous les jours. De ce fait, un antivirus qui n'est pas mis à jour régulièrement ne sert à rien. Norton Antivirus comme VirusScan proposent dans leur abonnement une ou deux mises à jour mensuelles qui s'effectuent automatiquement sur Internet.

Si vous pensez que votre ordinateur a été infecté par un virus, vous pouvez par exemple visiter le site d'assistance de Microsoft (`http://office.microsoft.com/fr-fr/assistance/default.aspx`). Tapez *virus* dans la barre de recherche et validez. Un autre point de départ intéressant (pour les gens curieux) est la recherche de sites traitant des *hoaxes* (ou canulars, qui sont des virus ne provoquant normalement aucun dégât, juste de quoi s'énerver). Tapez simplement *hoax* dans la barre d'adresse de votre navigateur, et laissez-vous guider ! Je touche du bois : jusqu'ici, tous les supposés virus que j'ai reçus se sont révélés être des canulars. Faux messages, fausses rumeurs. Evitez de vous faire berner !

Vous, Internet, vos enfants et leur sécurité

Un PC est un "ami des enfants" (ou des jeunes gens) s'il leur permet de surfer en toute tranquillité sans faire de rencontres choquantes, illicites, voire dangereuses. Ce n'est pas un secret. Il est bien trop facile de tomber sur des sites Web à vocation pornographique, pédophile, violente, raciste, et ainsi de suite. Y compris en effectuant d'innocentes recherches. Ces pages vous expliquent comment prendre des mesures pour limiter les risques quand vos enfants se promènent sur Internet (sachant que les deux "accidents" les plus fréquents restent 1) la facture abusive de téléphone et 2) le relevé sanglant de carte de crédit qui vous apprendra à ne plus laisser traîner votre code à portée de main du petit dernier).

Un voyage familial

La meilleure manière d'éviter que votre enfant ne se laisse entraîner vers des recoins sombres du Web, c'est de le ou la surveiller (adroitement si possible) pendant qu'il ou elle navigue sur le Web. Placez votre ordinateur dans une pièce commune à toute la famille (votre salon par exemple). De cette façon, vous pourrez discrètement jeter un coup d'œil sur l'écran. Je vous conseille vivement de ne pas céder devant les suppliques de votre enfant : avoir Internet dans sa chambre, c'est le pire des choix. Non seulement vous n'aurez aucune maîtrise sur les contenus visités, mais c'est de plus une attitude qui favorise le repli sur soi, la dégradation des liens familiaux et sociaux, sans même parler du travail scolaire !

Utiliser un logiciel de filtrage

Il existe des logiciels dont la vocation est de filtrer (ou bloquer) l'accès à certains types de contenus. Vous pourrez par exemple découvrir une liste d'outils gratuits (ou presque) à l'adresse :

```
http://telecharger.01net.com/windows/Internet/cont_parentale/
```

D'autre part, certains services en ligne disposent de ce type de filtrage. C'est par exemple le cas d'AOL. Pour en apprendre plus sur le sujet, il suffit d'entrer dans la barre d'adresse le mot clé *contrôle parental* et de valider.

Filtrer le Web avec le Gestionnaire d'accès

Internet Explorer (le navigateur maison de Microsoft) possède une fonctionnalité qui évite (en théorie) que des contenus douteux arrivent jusqu'à votre PC via Internet. Cette fonction s'appelle le *Gestionnaire d'accès*. Voici son principe : les auteurs de sites Web attribuent une note de 0 à 4 à leurs pages. La signification de cette échelle est décrite dans le Tableau 2.1. De votre côté, vous vous servez de la même cotation pour indiquer à Internet Explorer le genre de site que vous ne voulez pas voir s'afficher sur votre écran. Le problème est que tout cela repose à la fois sur la bonne volonté des développeurs de sites (on ne peut tout de même pas demander aux névropathes de se soigner eux-mêmes...) et sur la valeur de leur jugement. Bien entendu, tout le monde n'adhère pas à cette démarche ! Pour autant, le Gestionnaire d'accès mérite qu'on s'y attarde. Le configurer et l'utiliser n'offre en effet aucune difficulté particulière, ainsi que nous allons le voir.

Tableau 2.1 : Niveaux de contrôle du Gestionnaire d'accès.

Niveau	Langage	Nudité	Sexe	Violence
0	Argot inoffensif	Aucun	Aucun	Aucune
1	Jurons très modérés	Tenue révélatrice	Baisers passionnés	Combats
2	Jurons modérés	Nudité partielle	Attouchements sexuels sans nudité	Tueries
3	Gestes obscènes	Nudité de face	Attouchements sexuels non explicites	Tueries sanglantes et détails choquants
4	Langage grossier ou explicite	Nudité de face provocatrice	Activité sexuelle explicite	Violence gratuite et cruelle

Définir un mot de passe et activer le Gestionnaire d'accès

Pour activer et configurer le Gestionnaire d'accès, vous devez définir un mot de passe qui va vous transformer en *superviseur*. Si vous voulez utiliser cette fonction, essayez de trouver un mot de passe difficile à deviner ou à reconstituer. La meilleure méthode consiste à imaginer une série totalement aléatoire de lettres, de chiffres et de caractères spéciaux (comme &, # et ainsi de suite).

Ne perdez *jamais* votre mot de passe. Vous en avez besoin pour activer, désactiver ou reconfigurer le Gestionnaire d'accès, et y compris pour changer de mot de passe. Mémorisez-le et/ou écrivez-le sur un papier. Bien entendu, celui-ci devra être rangé dans un endroit extrêmement sûr (par exemple un coffre). Glisser ses mots de passe sous le clavier, c'est une très mauvaise idée. De même, utiliser toujours le même code d'accès, sous prétexte qu'il est difficile à trouver, est une faute grave. Autant donner les clés de toute la maison au cambrioleur !

Vous avez choisi votre mot de passe ? Parfait. Voyons alors comment travailler avec le Gestionnaire d'accès.

1. **Dans Internet Explorer, ouvrez le menu Outils puis cliquez sur Options Internet. Dans la boîte de dialogue qui s'affiche, activez l'onglet Contenu (voir la Figure 2.2).**

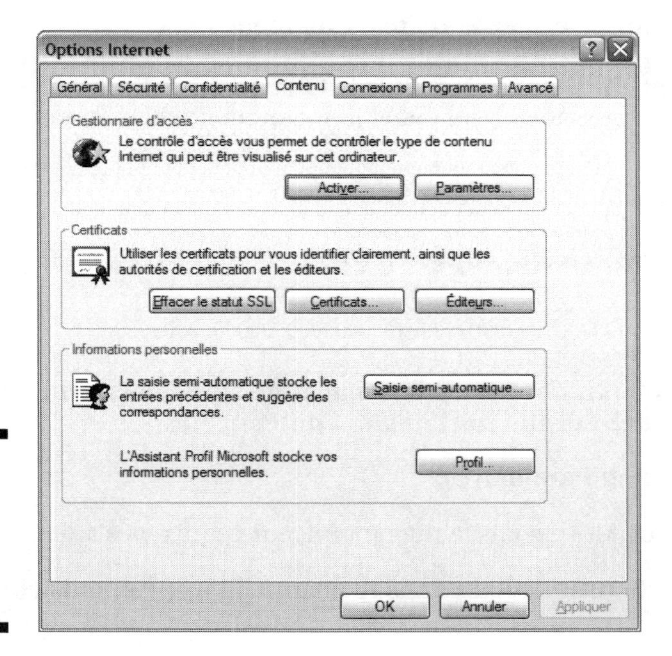

Figure 2.2 : Cliquez sur le bouton Activer pour ouvrir le Gestionnaire d'accès.

2. **Cliquez sur le bouton Activer.**

   La première fois que vous effectuez cette action, le Gestionnaire d'accès va vous demander de créer un mot de passe pour le superviseur. Sinon, il vous suffit d'entrer le code que vous avez déjà utilisé.

3. **Dans la fenêtre du Gestionnaire d'accès, cliquez sur l'onglet Général.**

4. **Vous voyez en haut une section intitulée Options de l'utilisateur. Sélectionnez l'une des deux options suivantes (voire les deux à la fois) :**

- **Le superviseur peut entrer un mot de passe pour permettre aux utilisateurs de visualiser le contenu de pages à accès limité :** Cochez cette case si vous voulez utiliser par défaut le mot de passe du superviseur.
- **Les utilisateurs peuvent visiter les sites sans contrôle d'accès :** Si vous cochez cette option, toutes les pages Web qui ne sont pas cotées par leurs auteurs seront accessibles sans aucun contrôle. Dans le cas contraire, le mot de passe du superviseur sera nécessaire pour y accéder.

De nouveau, il est essentiel de bien mémoriser votre mot de passe. Internet Explorer vous le demandera chaque fois que vous voudrez modifier vos options, et plus encore pour accéder quand même à un certain nombre de sites.

5. **Cliquez sur OK pour refermer la boîte de dialogue.**

Vous pouvez maintenant commencer à utiliser le Gestionnaire d'accès avec ses réglages par défaut. Nous verrons un peu plus loin comment changer cette configuration.

Modifier le mot de passe du superviseur

Pour modifier le mot de passe du superviseur, suivez ces étapes :

1. **Dans Internet Explorer, choisissez la commande Options Internet dans le menu Outils. Cliquez ensuite sur l'onglet Contenu.**
2. **Cliquez sur le bouton Paramètres.**

   La boîte de dialogue Mot de passe du superviseur requis va s'afficher.
3. **Entrez votre mot de passe actuel dans le champ approprié, puis cliquez sur OK.**
4. **Activez l'onglet Général. Cliquez ensuite sur le bouton Modifier le mot de passe, au milieu de la fenêtre.**
5. **Tapez votre mot de passe actuel dans le champ Ancien. Entrez ensuite un code dans le champ Nouveau. Entrez une seconde fois cette séquence dans le champ Confirmer.**
6. **Si vous le souhaitez, entrez une description ou un conseil pour votre nouveau mot de passe (par exemple quelque chose de très personnel qui pourrait vous aider à le retrouver en cas d'oubli). Cliquez deux fois sur OK pour quitter le paramétrage du Gestionnaire d'accès.**

Modifier le niveau de contrôle du Gestionnaire d'accès

Lorsque le Gestionnaire d'accès est activé pour la première fois, le niveau de contrôle est placé sur le seuil d'alerte maximal dans les quatre catégories concernées (Langue, Nudité, Sexe et Violence). A ce niveau est affectée la valeur 0 (4 représentant le comportement le plus permissif, comme l'indique le Tableau 2.1).

Pour changer cette configuration (en donc en l'occurrence pour la rendre moins stricte), procédez de la façon suivante :

1. **Dans Internet Explorer, choisissez la commande Options Internet dans le menu Outils. Cliquez ensuite sur l'onglet Contenu.**

2. **Cliquez sur le bouton Paramètres. Entrez votre mot de passe dans le champ approprié, puis cliquez sur OK.**

   La boîte de dialogue du Gestionnaire d'accès va s'afficher. Le premier onglet, Contrôle d'accès, vous est proposé par défaut. Cliquez dans la liste du haut sur la catégorie dont vous voulez redéfinir le niveau de contrôle.

3. **Une fois la catégorie voulue activée, faites glisser le curseur central afin de changer le niveau de contrôle des sites pour ce type de contenu.**

4. **Répétez cette procédure pour personnaliser le fonctionnement de chacune des catégories. Quand vous avez terminé, cliquez sur le bouton Appliquer. N'oubliez pas au passage de consulter les informations affichées en bas de la fenêtre.**

5. **Quand vous êtes satisfait du résultat, cliquez sur OK.**

La boîte de dialogue du Gestionnaire d'accès va se refermer. Vos choix prennent effet immédiatement.

Désactiver le Gestionnaire d'accès

Un jour vous voudrez peut-être vous passer du Gestionnaire d'accès (après tout, les enfants grandissent et finissent par quitter le giron familial). Souvenez-vous simplement que le bouton Activer de la fenêtre Contenu se transforme automatiquement en Désactiver. Dans le premier cas, cela signifie que le Gestionnaire d'accès est inactif (puisqu'Internet Explorer vous propose de l'activer). Dans le second cas, eh bien c'est l'inverse...

1. **Pour ranger dans sa boîte (électronique) votre cyber patrouille de police, ouvrez la boîte de dialogue Options Internet, activez l'onglet Contenu, puis cliquez sur le bouton Désactiver.**

2. **Entrez votre mot de passe et validez. C'est tout.**

Le bouton redevient Activer. Et l'histoire continue.

Un mot de passe peut être changé à tout moment. Par contre, il n'est pas possible de le supprimer.

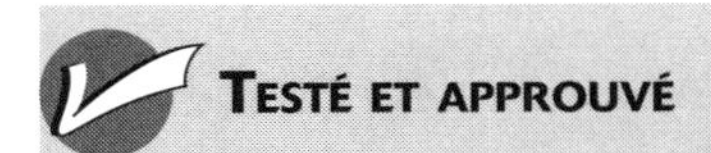

Quels sites Web avez-vous visités ?

Si vous voulez savoir sur quels océans du Web vos enfants ont surfé, il vous suffit de regarder la liste des sites visités récemment. Dans Internet Explorer, cliquez sur le bouton Historique ou appuyez sur Ctrl+H. Sous Netscape Navigator, l'historique se trouve dans le menu Communicator, mais Ctrl+H fonctionne aussi.

Chapitre 3
AOL (America Online)

Dans ce chapitre :

- Installer AOL et s'y connecter.
- Lire son courrier et recevoir des fichiers.
- Organiser et archiver ses messages.
- Envoyer des messages et des fichiers.
- Gérer son carnet d'adresses.
- Surfer sur le Web avec AOL.

America Online est bien plus connu par son diminutif : AOL. Pourquoi le prendre en exemple ici ? Parce que de nombreux utilisateurs (dont moi) y sont abonnés, parce que c'est non seulement un FAI classique, mais aussi un fournisseur de contenus et de services dans un grand nombre de domaines, parce que ses connexions sont de bonne qualité, parce qu'AOL propose de nombreuses formules d'abonnement à un prix raisonnable, et parce que c'est mon choix.

Certes, AOL a de nombreux partisans, et aussi de nombreux détracteurs. En général, les débutants apprécient AOL parce qu'il propose une interface spécifique (on dit propriétaire) dans laquelle il est facile de circuler (vous pouvez consulter votre messagerie, aller sur Internet, vous intéresser aux dernières nouvelles ou à la météo locale, envoyer un SMS et plein d'autres choses encore, le tout sans jamais changer de fenêtre). Ses mots clés permettent de visiter certains sites Web sans avoir à taper des adresses compliquées. Dans ce chapitre, nous allons voir comment surfer sur Internet et comment gérer son courrier électronique avec AOL.

Nous reviendrons longuement dans les prochains chapitres sur Internet Explorer et Outlook Express. Signalons simplement qu'AOL étant *aussi* un FAI, il vous permet sans aucun problème de préférer les programmes Made in Microsoft.

Installer AOL

Peut-être AOL est-il déjà installé sur votre ordinateur. Auquel cas, il vous suffit de souscrire un abonnement et de suivre la démarche qui vous est indiquée pour activer votre connexion. Sinon, il est fort probable que vous pourrez récupérer un CD d'installation dans une revue (ou même dans votre boîte à lettres). Dans le pire des cas, trouvez un point d'accès à Internet et inscrivez-vous en ligne sur le site `www.aol.fr`.

Si vous rencontrez des problèmes d'installation ou de connexion avec AOL, vous disposez d'un service clientèle en appelant le 0 892 02 03 04. Bien entendu, tout abonnement peut être arrêté à votre demande (ce que les fournisseurs d'accès n'apprécient généralement pas). N'oubliez pas de lire ce à quoi vous vous êtes engagé en tapant le mot *contrat* dans la barre d'adresse.

Se connecter à AOL

Vous devez vous connecter à AOL chaque fois que vous lancez le programme. Pour cela, faites un double clic sur l'icône d'AOL (elle devrait se trouver sur votre bureau ou dans la barre des tâches), ou bien ouvrez le menu Démarrer puis le groupe de programmes AOL. La fenêtre de connexion est illustrée sur la Figure 3.1. Vous devez choisir votre pseudonyme (si vous en avez défini plusieurs), saisir votre mot de passe personnel, puis cliquer sur le bouton Connexion.

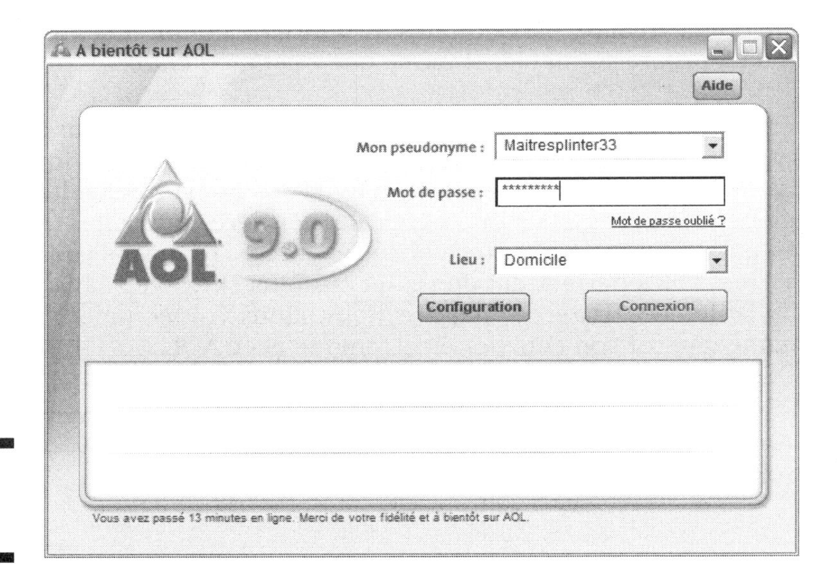

Figure 3.1 : Connexion à AOL.

Changer mots de passe et pseudonymes

Avec AOL, il est facile de modifier ou de supprimer des pseudonymes et des mots de passe (mais qui a vraiment besoin de personnalités multiples pour voyager sur Internet ?). Jusqu'à 7 noms différents peuvent être définis pour un même abonnement, ce qui devrait laisser de la marge même si toute la famille s'y met. Voici comment gérer ces pseudonymes et ces mots de passe :

1. Cliquez dans la barre d'adresse, en haut de la fenêtre, et tapez le mot clé pseudos. Cliquez sur le bouton OK ou appuyez sur Entrée.
2. Dans la fenêtre qui s'affiche, cliquez sur le lien approprié (par exemple Créer un pseudonyme). Répondez aux quelques questions qui vous sont ensuite posées. Rassurez-vous, tout cela est très simple !

Petite leçon de géographie sur AOL-land

Lorsque vous vous connectez sur AOL, vous voyez une fenêtre semblable à celle qui est illustrée sur la Figure 3.2. Les menus et la barre d'outils qui se trouvent tout en haut de cette fenêtre n'ont rien de spécialement ésotériques (d'ailleurs, les légendes parlent d'elles-mêmes) : on retrouve ce système dans la plupart des programmes actuels. Mais juste en dessous, vous voyez une série d'objets plus spécifiques :

Accueil AOL

- **Accueil AOL :** L'écran d'accueil (celui qui apparaît en premier lorsque la connexion est établie) vous permet d'accéder directement à de multiples services. Si vous cliquez sur sa case de fermeture, cet écran vient se ranger dans un coin de la fenêtre. Cliquez sur ce bouton pour le faire réapparaître.
- **Boutons Précédent/Suivant :** Cliquez sur ces boutons pour circuler entre les fenêtres visitées récemment sur AOL ou sur Internet.
- **Boutons Stop/Actualiser/Page de démarrage :** Les trois boutons qui suivent servent respectivement à annuler le chargement en cours d'une page Web, à recharger la page active (si vous pensez que son contenu a changé) et enfin à afficher une page de démarrage (en fait, celle qui est définie dans Internet Explorer).

OK

- **Champ d'adresse :** Entrez ici une adresse Web ou un mot clé AOL, puis cliquez sur le bouton OK pour ouvrir ce lien. La petite flèche qui précède le bouton OK donne accès à l'historique des pages visitées récemment, ce qui vous permet d'y revenir directement.

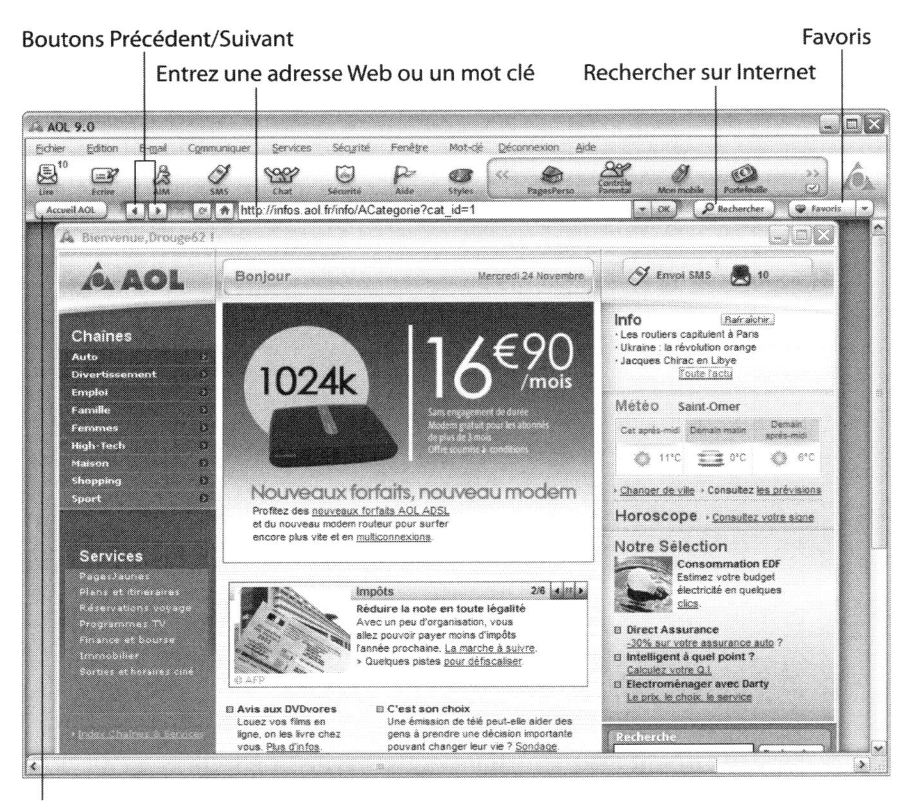

Figure 3.2 : L'écran d'AOL.

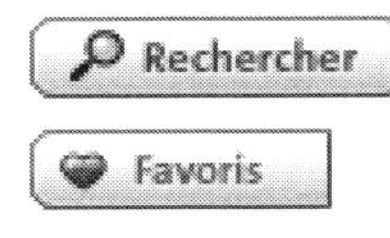

- **Bouton Rechercher :** Ouvre le moteur de recherche Internet d'AOL.
- **Favoris :** Ce bouton (et la petite flèche qui le suit) sert à accéder rapidement à des sites que vous consultez régulièrement et que vous avez enregistrés dans cette liste.

Le contenu de la barre des chaînes et des icônes, à gauche de l'écran d'accueil, est défini pour partie par défaut, et pour une autre part en fonction des choix que vous opérez lors de l'installation d'AOL. Pour modifier ces listes, cliquez tout en bas de la fenêtre sur le bouton Personnaliser cet écran. Vous pourrez alors définir vos thèmes préférés en quelques étapes.

Gérer le courrier que vous recevez

Mark Twain disait que rien n'était certain, si ce n'est la mort et les impôts. Il avait tort. Une autre chose est certaine : toute personne qui possède une adresse de messagerie recevra un nombre sans cesse croissant de mèls, mails et autres e-mails. En plus de lire les missives qui atterrissent dans votre boîte, vous devez savoir vous organiser et définir des stratégies pour trier et archiver cette masse de messages. Attelons-nous à cette tâche.

Lire le courrier

Lorsque que quelqu'un vous expédie un message, et pour peu que vos haut-parleurs soient allumés, une charmante voix féminine vous en prévient, tandis que l'icône Lire de la barre d'outils affiche le nombre de courriers qui vous attendent. Si vous placez le pointeur de la souris au-dessus de cette icône, une petite fenêtre va surgir et afficher la liste des expéditeurs et le sujet des messages. Pour ouvrir votre boîte aux lettres, cliquez sur l'icône. Une fenêtre semblable à celle de la Figure 3.3 va s'afficher.

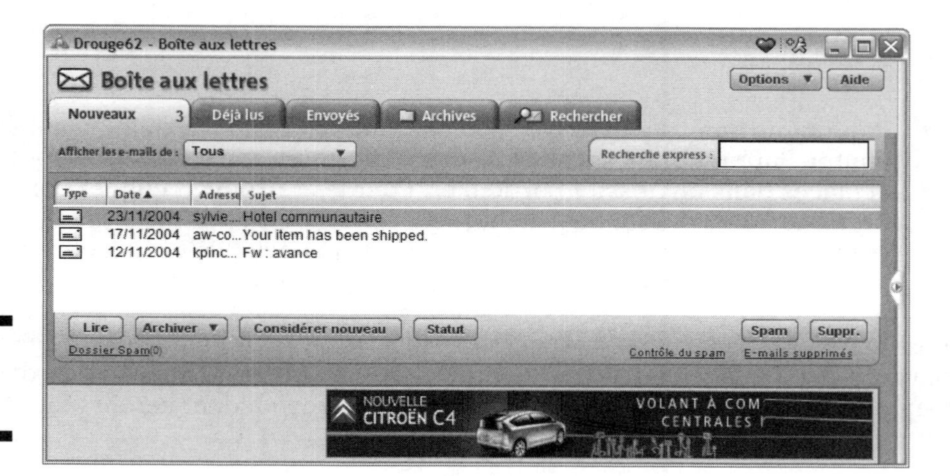

Figure 3.3 : Ouvrez la boîte aux lettres.

✦ **Pour lire un message :** Faites un double clic sur la ligne correspondante (vous pouvez aussi vous servir du bouton Lire). Le message s'affiche dans sa propre fenêtre (voir la Figure 3.4). Lorsque vous avez fini votre lecture, refermez cette fenêtre. Le courrier est alors automatiquement transféré dans la liste des messages *Déjà lus*. Cliquez sur onglet pour accéder à cette liste. Vous pouvez alors relire tranquillement vos courriers, et même rétablir leur statut d'origine en cliquant sur le bouton *Considérer nouveau*.

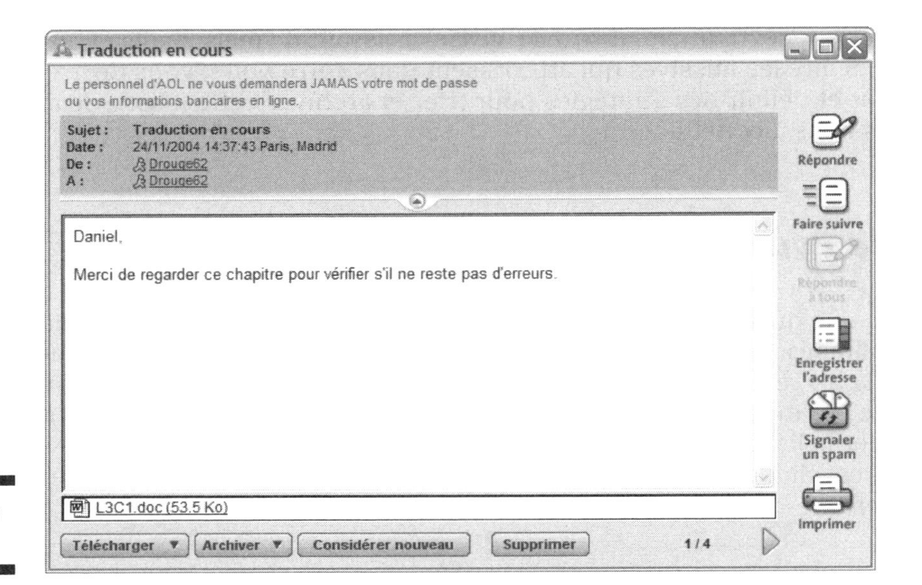

Figure 3.4 : Lire son courrier.

✦ **Pour supprimer un message :** Sélectionnez-le et cliquez simplement sur le bouton Suppr. Les messages que vous "détruisez" de cette façon sont en fait déplacés dans un dossier particulier. Pour les retrouver, cliquez sur l'onglet Archives. Dans la liste de gauche, activez la ligne Supprimés. Ouf ! Vous pouvez alors lire les messages signalés dans le panneau de droite, et si nécessaire les récupérer en cliquant sur le bouton Considérer nouveau.

Vous n'arrivez plus à trouver un message, mais vous vous souvenez d'une partie du nom de son expéditeur ou de son sujet ? Tapez cette bribe d'information dans le champ Recherche express. Seuls les messages correspondant seront affichés.

Recevoir un fichier

Vous pouvez savoir si quelqu'un vous a envoyé un fichier en regardant l'icône qui s'affiche à gauche de la ligne du message : une petite feuille est cachée derrière le dessin de l'enveloppe. Lorsque vous ouvrez le message, le nom de cette *pièce jointe* apparaît en bas de la fenêtre (comme l'illustre la Figure 3.4).

✦ Pour charger maintenant ce fichier, faites un double clic sur son nom. Cliquez ensuite sur Oui quand AOL vous demande de confirmer votre décision. Sélectionnez alors le dossier dans lequel vous voulez enregistrer le fichier.

✦ Si vous n'avez pas le temps de transférer ce fichier tout de suite, cliquez sur le bouton Télécharger, puis choisissez l'option Télécharger plus tard. Quand vous voulez réaliser l'opération, ouvrez le menu Fichier puis sélectionnez la commande Gestionnaire de téléchargement. Dans la fenêtre qui va s'ouvrir, cliquez sur le nom du fichier que vous voulez ouvrir, puis sur le bouton Finir le téléchargement. Par défaut, le document sera placé dans votre dossier *Mes documents*.

Gérer votre courrier électronique

Si vous recevez des e-mails provenant de correspondants aussi nombreux que variés, je vous conseille vivement de créer des dossiers dans lesquels vous conserverez cette correspondance. Si vous voulez par la suite retrouver un message reçu d'une certaine personne, vous perdrez de cette façon un minimum de temps. Voyons donc comment créer une telle structure et comment l'utiliser.

Créer un dossier pour archiver des messages

Pour créer un nouveau dossier destiné à la conservation de certains messages, ouvrez votre boîte à lettres. Activez alors l'onglet Archives. Le panneau de gauche va montrer une série de dossiers et de sous-dossiers (cela ressemble donc à l'Explorateur Windows). Pour personnaliser ces archives :

1. **Cliquez sur le dossier appelé Archivés sur mon PC.**

   Les nouveaux dossiers viendront s'insérer sous cette branche. Ils en seront donc des sous-dossiers.

2. **Cliquez sur le bouton Organiser, sous le panneau de gauche, puis choisissez l'option Créer un dossier.**

3. **Dans la fenêtre Créer un nouveau dossier, entrez un nom de votre choix. Cliquez ensuite sur Enregistrer.**

   Choisissez un nom compréhensible, descriptif. Votre nouveau dossier va apparaître dans la liste générale *Archivés sur mon PC.*

Archiver des messages dans des dossiers

Pour déplacer un message vers un certain dossier, procédez de la manière suivante :

1. **Commencez par sélectionner votre message.**

2. **Cliquez sur le bouton Archiver, en bas de la boîte aux lettres. Cliquez alors sur l'option intitulée Sur mon PC.**

   Une liste de noms de dossiers va apparaître.

3. **Sélectionnez le nom du dossier dans lequel vous voulez archiver le message.**

Composer et envoyer un message

Pour être invité chez les autres, vous devez vous aussi savoir recevoir, et donc envoyer des invitations. De même, c'est en envoyant des messages que vous en recevrez vous aussi. Dans cette section, vous trouverez des instructions pour composer vos courriers, envoyer des fichiers et répondre aux e-mails que vous recevez.

Ecrire un message

Pour rédiger et envoyer un message, procédez de la manière suivante :

1. **Cliquez dans la barre d'outils sur le bouton Ecrire (ou appuyez sur Ctrl+R).**

   La fenêtre Ecrire un e-mail va apparaître (voir la Figure 3.5).

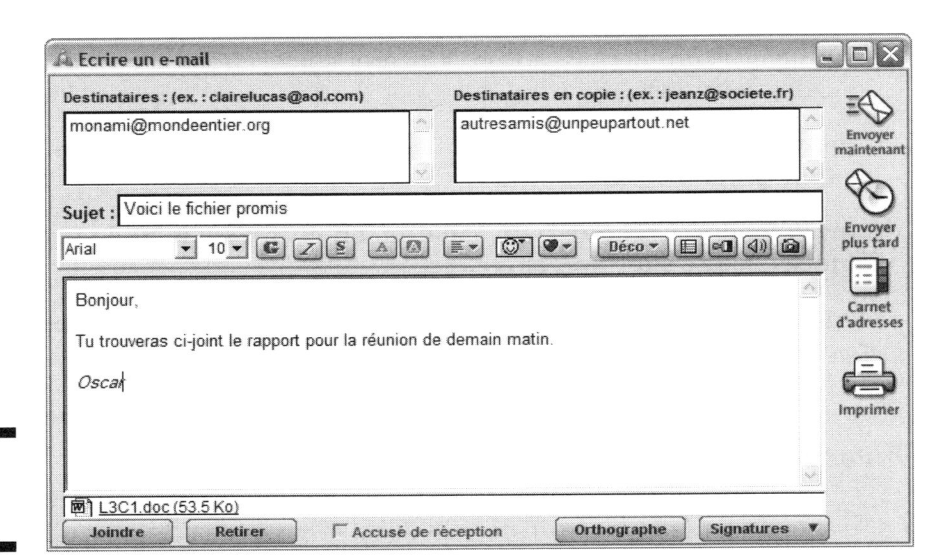

Figure 3.5 : Rédiger un message.

2. **Dans le champ Destinataires, entrez l'adresse de messagerie de la personne à laquelle vous écrivez.**

   Si le correspondant est déjà enregistré dans votre carnet d'adresses, il vous suffira de taper les deux ou trois premières lettres. Aussitôt, une liste de suggestions vous sera proposée. Il vous suffit alors de cliquer dans cette liste sur le nom voulu.

   Pour envoyer le même courrier à plusieurs correspondants, restez dans le champ Destinataires et appuyez sur Entrée pour séparer leurs adresses.

   Si vous voulez envoyer un double (ce que l'on appelle parfois une copie carbone), entrez de la même façon la ou les adresses voulues dans le champ Destinataires en copie.

3. **Passez maintenant au champ Sujet pour y saisir un commentaire décrivant l'objet du message.**

4. **Activez le champ de saisie principal pour y taper le contenu de votre message.**

   Vous pouvez mettre en forme le texte en vous servant de la barre d'outils située sous la ligne Sujet. Cependant, seules les personnes dont le logiciel de messagerie est adapté ou configuré pour des présentations plus raffinées qu'un texte pur et dur seront à même d'en profiter.

5. **Il ne vous reste plus qu'à cliquer sur le bouton Envoyer maintenant, et c'est parti !**

   Vous disposez aussi d'un bouton Envoyer plus tard. Il vous permet de grouper vos envois. Cliquez sur le bouton Sessions Express afin de programmer la levée du courrier. Si vous préférez procéder manuellement, contentez-vous de cliquer sur OK. Lorsque vous êtes prêt, ouvrez votre boîte aux lettres, puis activez l'onglet Archives. Dans le panneau de droite, cliquez sur le dossier Courrier à envoyer (dans le groupe Archivés sur mon PC). Il vous suffit alors de sélectionner le message puis de cliquer sur le bouton Envoyer.

Répondre aux messages

Répondre à un message (ou l'expédier vers un autre correspondant) ne pose aucun problème. Tout ce que vous avez à faire, c'est de cliquer sur le bouton Répondre à tous (reportez-vous à la Figure 3.4). Immédiatement, une fenêtre de rédaction de message va s'ouvrir. L'adresse du destinataire ainsi que le champ Sujet sont automatiquement remplis. Entrez votre texte, mettez-le en forme si vous le souhaitez, puis cliquez sur l'un des boutons Répondre ou Faire suivre.

Envoyer un fichier

Voici comment envoyer un fichier à un correspondant :

1. **Rédigez votre message tout à fait normalement.**
2. **Cliquez sur le bouton Joindre, en bas et à gauche de la fenêtre Ecrire un e-mail.**

   La boîte de dialogue Joindre des fichiers va apparaître.

3. **Sélectionnez le ou les fichiers que vous voulez envoyer, puis cliquez sur le bouton Ouvrir.**

   Utilisez la combinaison Ctrl+clic pour sélectionner plusieurs fichiers à la fois.

   Le nom du ou des fichiers à envoyer apparaît en bas de la fenêtre Ecrire un e-mail. Si vous changez d'avis entre-temps, sélectionnez le fichier en trop puis cliquez sur le bouton Retirer. Validez votre décision.

4. **Cliquez sur l'un des boutons Envoyer maintenant ou Envoyer plus tard.**

Gérer le carnet d'adresses

Le carnet d'adresses d'AOL vous permet d'enregistrer et de gérer noms, adresses, numéros de téléphone et messageries. Le fait d'enregistrer les coordonnées de vos correspondants vous évitera de devoir saisir leur adresse chaque fois que vous leur écrirez. Il vous suffira de taper un ou deux caractères pour les retrouver.

Choisissez la commande Carnet d'adresses dans le menu E-mail ou appuyez sur Ctrl+H. La fenêtre qui s'ouvre vous offre de nombreuses possibilités.

- ✦ **Entrer une nouvelle adresse :** Cliquez sur le bouton Ajouter. La fenêtre Nouveau contact s'affiche. Elle est illustrée sur la Figure 3.6. Remplissez les informations dont vous disposez (ou qui vous intéressent) en activant les différents onglets de la boîte de dialogue. Cliquez sur Enregistrer lorsque vous avez terminé.
- ✦ **Modifier une adresse :** Sélectionnez un nom dans le carnet, puis cliquez sur le bouton Modifier. La boîte de dialogue qui s'affiche est la même que sur la Figure 3.6. Modifiez les informations qui doivent l'être puis cliquez sur Enregistrer.
- ✦ **Effacer une entrée :** Sélectionnez un nom dans le carnet d'adresses puis cliquez sur le bouton Supprimer.

Envoyer des e-mails à des groupes

Si vous voulez envoyer un message à votre tribu, le mieux est de créer un groupe de correspondants dans votre carnet d'adresses. Si vous êtes par exemple le capitaine d'une équipe de football, vous pouvez rédiger et expédier à tous vos joueurs un message concernant le match de dimanche prochain. Un texte au lieu de onze, que de temps gagné !

Voici comment gérer un ensemble de correspondants :

- **Créer un groupe :** Dans le carnet d'adresses, cliquez sur le bouton Options Groupes. Dans la liste qui s'affiche, choisissez l'option Ajouter un groupe. La boîte de dialogue Création ou modification d'un groupe apparaît. Entrez un nom pour le groupe dans le champ du haut. Cliquez dans la liste Ajouter des contacts sur les noms des correspondants à intégrer dans la tribu (vous pouvez sélectionner plusieurs noms à la fois en appuyant sur la touche Ctrl). Cliquez ensuite sur le bouton Ajouter. Quand vous avez terminé, cliquez sur Enregistrer.
- **Changer la liste des membres d'un groupe :** Dans votre carnet d'adresses, les membres d'un groupe sont montrés en caractères gras. Pour le modifier, activez-le dans la liste des groupes. Cliquez sur le bouton Options Groupes. Choisissez l'option Modifier le groupe. Vous revenez à la boîte de dialogue que nous venez de décrire. Sélectionnez des noms dans les listes Contacts et/ou Groupe. Servez-vous des boutons Ajouter et Retirer pour modifier le contenu du groupe. Cliquez sur Enregistrer quand vous avez terminé.
- **Envoyer un message aux membres d'un groupe :** Sélectionnez le groupe voulu dans le carnet d'adresses. Cliquez sur le bouton Options Groupes. Choisissez alors dans le menu déroulant l'option Envoyer un e-mail. La boîte de dialogue Ecrire s'affiche. Le champ Destinataires est automatiquement rempli par tous les noms des membres du groupe.
- **Supprimer un groupe :** Sélectionnez le nom du groupe à effacer, puis cliquez sur Options Groupes et enfin sur Supprimer le groupe. Confirmez.

Figure 3.6 : Définir un nouveau correspondant dans le carnet d'adresses.

Exploration Internet sous AOL

Les mots clés d'AOL vous permettent d'accéder aux services offerts, mais aussi à Internet. Au lieu d'entrer une longue adresse, difficile à mémoriser, les mots clés servent à accéder directement à des "chaînes" proposées par AOL. Ces chaînes sont en fait des pages Web qui contiennent des informations et des liens concernant le sujet traité. Par exemple, le mot clé *auto* va vous renvoyer vers un site Web particulier qui traite des voitures en général (les nouveaux modèles, les essais, l'achat de véhicules neufs ou d'occasion, et ainsi de suite).

Parcourir la galaxie Internet à l'aide de mots clés n'est en réalité pas quelque chose de déterminant. Après tout, Internet est devenu bien plus facile à utiliser depuis l'époque où AOL a imaginé son système de mots clés. Les abonnés ont la possibilité de travailler avec Internet Explorer ou Netscape Communicator pour effectuer des recherches sur Internet. A mon avis, mais ce n'est qu'un avis, la puissance et la simplicité d'Internet Explorer et de Netscape Communicator ont fait beaucoup de tort à l'interface propriétaire d'AOL. Mais ce n'est qu'une opinion, et je dois reconnaître que les chaînes d'AOL offrent des informations variées (quoique limitées) et d'un accès immédiat.

Mais votre opinion vous appartient et vous avez le droit de vous faire votre propre jugement. Voyons donc comment explorer Internet à partir d'AOL :

- **Mot clé :** Entrez un mot clé dans le champ d'adresses. Si ce terme est associé à une page AOL, vous accédez directement à ce contenu thématique. Pour consulter la liste de toutes les formules prédéfinies d'AOL, saisissez *mot clé* dans le champ d'adresse et validez. Vous n'imaginez pas tout ce que la fenêtre qui va apparaître est capable de vous offrir !

- **Surfer sur l'Internet :** Entrez une adresse Web dans le champ de saisie, sous la barre d'outils d'AOL, puis validez. Vous êtes en route vers Internet (en réalité le navigateur qui vous est proposé n'est autre qu'Internet Explorer).

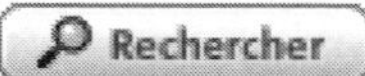

- **Rechercher :** Cliquez sur ce bouton pour accéder au propre moteur de recherche Internet géré par AOL. Avouons que ce n'est en aucun cas le meilleur dans sa catégorie. Google, pour ne prendre que cet exemple, est bien plus efficace. Nous y reviendrons dans le Chapitre 18 de ce livret.

- **Sites Web favoris :** Lorsque vous visitez un site Web et qu'il semble mériter d'y revenir, vous pouvez l'ajouter à vos favoris. Il vous suffit pour cela de cliquer dans la barre de titre de la fenêtre sur l'icône en forme de cœur. Demandez alors à insérer ce lien dans vos favoris (ou dans la barre d'outils, dans un e-mail ou encore dans un message instantané). Il vous suffira par la suite de cliquer sur le bouton Favoris et de sélectionner dans votre liste personnalisée le nom voulu.

N'oubliez pas les boutons Précédent et Suivant pour circuler entre les pages des sites Web que vous visitez.

Chapitre 4
Navigateurs en haute mer

Dans ce chapitre :

- Comprendre les concepts de base du Web.
- Trouver sa route sur le Web.
- Naviguer sur le Web avec Internet Explorer.
- Mémoriser vos sites Web préférés.

On dit le Web, mais le nom entier est *World Wide Web* (ou WWW). En clair, la toile d'araignée mondiale. C'est un système qui utilise l'Internet pour diffuser et connecter d'immenses quantités d'informations à l'échelle planétaire. Le Web peut faire penser à la fois à une bibliothèque, un journal, un panneau d'affichage et un annuaire téléphonique, mais le tout à une échelle globale. L'inventeur du Web, Tim Berners-Lee, disait : "La vision que j'ai du Web, c'est que toute chose peut potentiellement être reliée à n'importe quelle autre." Toujours en développement, le Web a pour vocation d'être le réceptacle essentiel de la culture humaine.

Ce chapitre vous explique tout ce que vous avez besoin de savoir pour naviguer sur le Web et y trouver votre voie. Vous verrez comment lancer Internet Explorer, reconnaître les éléments de sa fenêtre, et comment aussi l'utiliser pour commencer à tracer votre sillon sur le Web. A vous les chevauchées infinies dans le cyberespace !

L'abc du Web

Pour rejoindre le World Wide Web, vous avez uniquement besoin d'une connexion Internet et d'un programme appelé un navigateur Web. Les deux exemples les plus connus sont Internet Explorer et Netscape Communicator. Un *navigateur* Web affiche sous forme de pages individuelles les divers types d'informations que vous rencontrez sur le Web et il vous permet de suivre les fils (ou *liens hypertexte*) que vous trouvez dans ces pages.

Voici quelques concepts de base qu'il vous faut connaître :

- **Hypertexte :** C'est un type de document électronique qui contient des pointeurs, ou des *liens*, vers d'autres documents. Les liens (on dit aussi *hyperliens*) apparaissent généralement dans une couleur différente ou sont mis en surbrillance lorsque votre navigateur affiche le document. Quand vous cliquez sur un lien hypertexte, votre navigateur va chercher et afficher la page vers laquelle ce lien pointe (à condition bien sûr qu'elle soit disponible).
- **URL :** C'est l'abréviation de Uniform Resource Locator (mais ce n'est pas grave), et surtout le format standard utilisé pour les liens hypertexte. Exemple classique : http://www.efirst.com.
- **Site Web :** Une collection de pages Web traitant d'un sujet donné, ou produites par une certaine organisation.
- **Webmaster :** C'est la personne qui est responsable de la gestion d'un site Web.
- **Surfer :** L'art, la manière et le vice de sauter de page Web en page Web pour rechercher (normalement) quelque chose.

Plus de 9 surfeurs sur 10 utilisent Internet Explorer, autrement dit le navigateur Web fourni avec Windows.

Les navigateurs Web sont capables de gérer la plupart des informations disponibles sur le Net. Mais pas toutes. Des programmes permettent généralement de leur ajouter des compléments (appelés plug-ins ou contrôles ActiveX) afin d'étendre leurs capacités.

Les URL ont des ailes

Les URL sont l'une des avancées majeures que le Web a apportées à l'Internet. Elles permettent de décrire d'une façon unique et standardisée pratiquement tous les types d'informations disponibles dans le cyberespace. Une URL peut vous dire quelle est la nature d'un objet (par exemple une page Web ou un fichier FTP), sur quel ordinateur il se trouve, et comment accéder à ce dernier.

Une adresse URL est typiquement une chaîne de caractères plutôt longue et qui se décompose en trois parties :

- Le type d'accès au document, suivi d'un double point et de deux barres obliques (//).
- Le nom d'hôte de l'ordinateur sur lequel l'information est enregistrée.
- Le chemin d'accès sur cet ordinateur au fichier qui contient les informations.

Le Tableau 4.1 décrit les composantes de l'adresse URL suivante :

```
http://www.microsoft.com/windows/ie/newuser.default.asp
```

Tableau 4.1 : Les éléments d'une adresse URL.

Exemple	Indique...
`http://`	Qu'il s'agit d'un document hypertexte (une page Web).
`www.microsoft.com`	Le nom de l'ordinateur hôte dans lequel se trouve la page Web (les lettres www signalent que le site appartient au World Wide Web).
`/windows/ie/newuser.default.asp`	Le chemin d'accès à la page et le nom du fichier correspondant.

Nombre d'adresses URL comportent aussi une quatrième partie, parfois très longue. Elle sert à décrire un certain nombre d'options et de renseignements qui seront analysés par le site que vous contactez.

Les types d'accès les plus courants sont les suivants :

- **http :** Transfert hypertexte (le Web, quoi).
- **https :** Le même, mais sécurisé.
- **ftp :** Protocole pour le transfert de fichiers.
- **mailto :** Pour les adresses e-mail.

Il en existe d'autres, mais très franchement vous ne risquez guère de les rencontrer dans la vie de tous les jours.

Et voici quelques autres notations mystérieuses que vous pouvez voir dans des URL :

- **.html** ou **.htm :** C'est l'extension du nom de fichier d'un document hypertexte. HTML est un langage servant à gérer informations et liens hypertexte à l'aide de *balises* (d'où son nom anglo-saxon : Hypertext Markup Language). HTML est de loin le plus répandu, mais ce n'est le seul. Vous pouvez aussi rencontrer des pages qui se terminent par une extension .asp, ou .php, et ainsi de suite.
- **index.html** ou **default.html :** C'est généralement la page principale d'un site Web, celle qui s'affiche quand on ne précise rien. Mais le nom exact dépend du serveur.

- **.txt :** C'est bêtement du texte pur, sans aucune mise en forme et sans aucun lien.
- **.gif, .jpg, .jpeg, .mpg, .mpeg, .png, .avi :** Des images, des graphiques et de la vidéo.
- **.mp3, .mid, .wav, .snd, .au :** Du son et de la musique. Ah, se balader en MP3 !
- **.zip, .sit, .hqx, .rar, .gz, .tar :** Ces extensions signalent des fichiers qui ont été compressés pour prendre moins de place et pour pouvoir être téléchargés plus rapidement.
- **.class :** Une "applette" Java (un petit programme dédié à une certaine tâche).
- **~georges :** Signale probablement un utilisateur d'Unix ou de Linux (sans doute un ennemi de Microsoft) dont le prénom est Georges.
- **www :** C'est le World Wide Web !

Trouver son chemin sur le Web

Le Web affiche des pages d'informations contenant des liens hypertexte qui vous conduisent à d'autres pages. En règle générale, les navigateurs affichent ces liens dans une couleur différente et en les soulignant afin qu'ils soient plus faciles à reconnaître. Par défaut, le bleu signale un lien que vous n'avez pas encore suivi. Si vous revenez à la page précédente après avoir cliqué sur un lien hypertexte, sa couleur change pour afficher une sorte de pourpre (le Chapitre 5 du Livre 3 vous explique comment personnaliser ces couleurs si elles ne vous conviennent pas).

Certains liens sont simplement des parties d'images ou de photographies sur lesquelles vous pouvez cliquer pour accéder à un nouvel univers. Mais comment le savoir ? Tout simplement en promenant le pointeur de votre souris au-dessus de l'image : s'il prend la forme d'une main dont l'index pointe vers le haut, c'est bon (voir la Figure 4.1).

Pour suivre un lien, il suffit de cliquer dessus. Mais il existe d'autres manières de naviguer vers une page Web :

- Vous pouvez sélectionner une page dans la liste de vos *favoris*.
- Vous pouvez taper une adresse URL dans l'écran de votre navigateur Web et appuyer sur la touche Entrée.
- Si une page Web est déjà enregistrée sur votre propre disque dur (ou sur un CD-ROM), vous pouvez la lire directement en passant par la commande Ouvrir du menu Fichier (ou quelque chose d'équivalent).

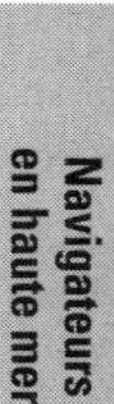

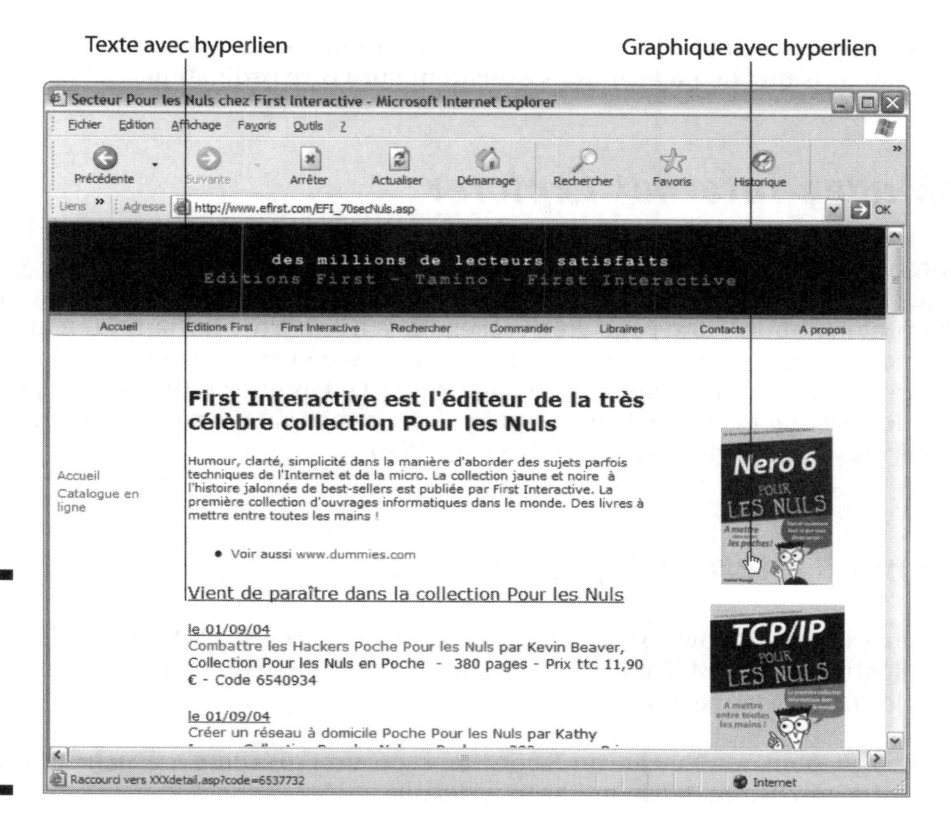

Figure 4.1 : La plupart des pages utilisent des liens hypertexte textuels et graphiques.

D'autres éléments apparaissant dans des pages Web peuvent avoir une fonction différente. Par exemple :

✦ **Fichier contenant du texte, des images, des séquences vidéo ou de la musique :** Si votre navigateur Web sait gérer ce type de fichier, il affichera ou jouera le contenu correspondant. Sinon, il se contentera de montrer un lien ou un avertissement quelconque. Si quelque chose manque dans la page, le navigateur montrera à la place une icône figurant un lien brisé.

✦ **Recherche à l'aide de mots clés :** Entrez une expression dans le champ qui vous est proposé et cliquez sur le bouton Envoi (ou son équivalent). Le résultat de la recherche sera affiché dans une nouvelle page.

✦ **Formulaires :** Il est courant de rencontrer des formulaires qui vous demandent une série de renseignements (ne communiquez jamais rien de secret !). Vos réponses sont envoyées sous la forme d'une très longue chaîne URL lorsque vous cliquez sur le bouton Soumettre, Envoyer, Terminer ou quoi que soit de comparable.

- **Applettes Java :** Ce sont de petits programmes que vous téléchargez en même temps qu'une page et qui s'exécutent sur votre ordinateur.

Sur le Web avec Internet Explorer

Internet Explorer fonde son existence sur un type unique de document : *la page Web* (que l'on appelle aussi document HTML, même si cette dénomination est inexacte). Au premier abord, une page Web ressemble à n'importe quel autre document mis en forme, avec plein de texte et de jolis graphismes. Qu'est-ce qui fait la différence entre un document normal et une page Web ? Le fait que cette dernière peut contenir des *hyperliens* (textuels ou graphiques). Quand vous cliquez sur un hyperlien, vous êtes transporté vers une autre page Web.

Lancer Internet Explorer

Le bureau de Windows propose plusieurs portes d'accès à Internet Explorer, ce qu'illustre la Figure 4.2. Inutile de se lancer dans une quête approfondie. Les méthodes les plus utiles se limitent à trois :

- Faites un double clic sur l'icône de raccourci présente à gauche et vers le haut de votre bureau (du moins, par défaut).
- Cliquez sur le bouton du menu Démarrer, et choisissez successivement Tous les programmes, puis Internet Explorer.
- Cliquez dans la zone de lancement rapide sur l'icône en forme de *e* qui représente Internet Explorer. Si cette zone n'est pas visible, cliquez avec le bouton droit de la souris sur le fond de la barre des tâches. Choisissez ensuite la commande Propriétés, puis activez l'option Afficher la zone de Lancement rapide.

Accéder à un site Web

Une fois Internet Explorer lancé, vous pouvez lui indiquer vers quel site Web vous voudriez voyager. Si vous n'avez pas enregistré cette adresse dans vos favoris (nous verrons un peu plus loin comment faire), vous devez saisir l'URL de ce site dans la barre d'adresse. Appuyez ensuite sur la touche Entrée ou cliquez sur le bouton OK.

La petite flèche qui suit le champ Adresse affiche la liste des sites visités récemment. Il vous suffit alors de cliquer sur le nom qui vous intéresse pour démarrer la navigation.

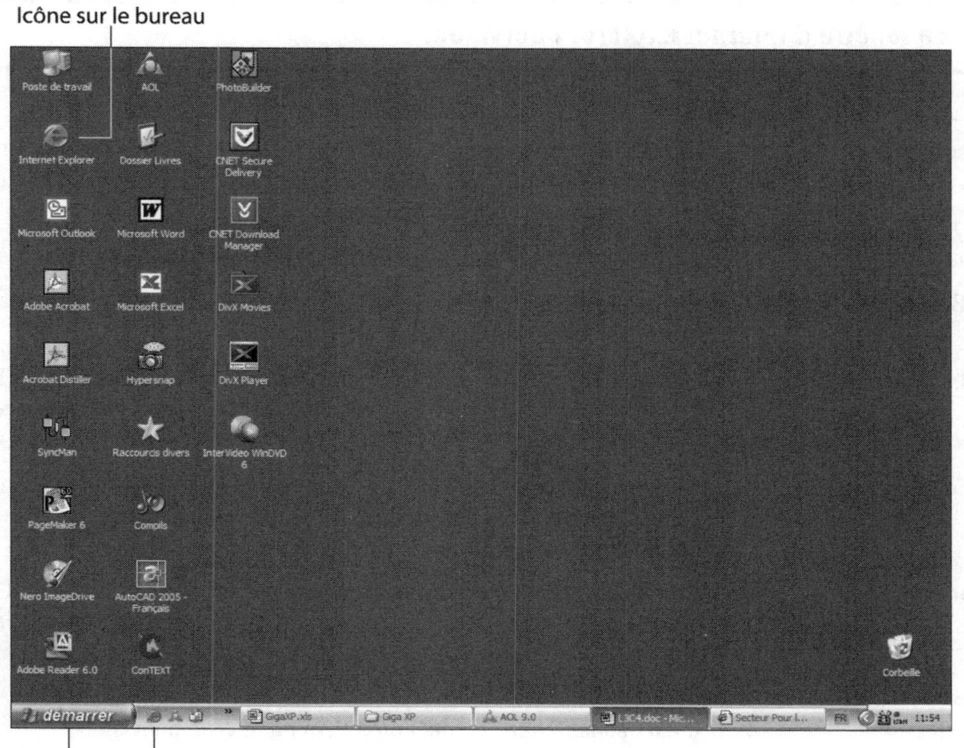

Figure 4.2 : Internet Explorer peut se lancer de plusieurs manières.

Une autre façon de procéder consiste à ouvrir le menu Fichier et à y choisir la commande Ouvrir. Entrez alors l'URL (ou sélectionnez-la dans la liste), puis cliquez sur OK. C'est vous qui voyez.

Internet Explorer et sa fenêtre

Quelle que soit la méthode de lancement que vous choisissez, la fenêtre d'Internet Explorer va s'ouvrir. Elle est illustrée sur la Figure 4.3. Le Tableau 4.2 décrit plus en détail les différentes composantes de cette fenêtre.

Tableau 4.2 : La fenêtre d'Internet Explorer décryptée.

Elément	Description
Barre d'adresse	Champ de texte qui affiche l'URL (adresse Web) de la page courante. Vous pouvez y taper l'URL que vous voulez visiter. La flèche qui suit ce champ affiche la liste de toutes les URL récemment visitées.
Barre de menus	On y retrouve les menus standards de Windows, plus le menu Favoris.
Barre d'outils Boutons standards	Ensemble d'outils servant à naviguer sur le Web et donnant accès à certains des outils les plus utilisés d'Internet Explorer.
Barre d'outils Liens	Elle contient notamment des boutons associés à certaines pages Web du site de Microsoft. Vous pouvez la personnaliser en y faisant glisser des liens à partir d'une page Web.
Barre des tâches Windows	La barre des tâches de Windows contient le bouton du menu Démarrer, la zone de lancement rapide, les icônes des programmes ouverts ainsi que la zone de notification.
Zone Lancement rapide	Il s'agit d'outils qui sont en particulier ajoutés automatiquement à la barre des tâches de Windows lors de l'installation d'Internet Explorer (ou d'autres applications). Le lancement des applications dont le raccourci figure ici se fait avec un simple clic.
Fenêtre de navigation	C'est l'espace dans lequel apparaît la page Web courante.
Barre d'état	Elle fournit des informations sur le mode employé pour se déplacer sur le Web ainsi que sur le statut d'Internet Explorer.

Le volet d'exploration

Le volet d'exploration est un panneau qui apparaît sur le côté gauche de la fenêtre d'Internet Explorer lorsque vous voulez effectuer une recherche, travailler avec vos favoris, ou encore afficher toutes les pages Web qui ont été visitées récemment. Il vous suffit de cliquer sur l'un des boutons Rechercher, Favoris ou encore Historique pour activer ce volet. Le contenu de la page Web courante sera déplacé vers la partie droite de la fenêtre principale.

Par défaut, le volet d'exploration est associé à trois fonctionnalités (mais d'autres programmes compagnons d'Internet Explorer peuvent venir s'insérer dans ce dispositif) :

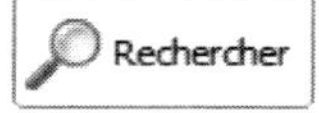

- **Rechercher :** Ce volet donne accès à un ensemble de moteurs de recherche vous permettant de parcourir le World Wide Web afin d'y trouver un certaine information. Cliquez simplement sur le bouton Rechercher, ou encore ouvrez successivement les menus Affichage puis Volet d'exploration et sélectionnez alors l'option Rechercher. Si vous êtes très pressé, appuyez simplement sur Ctrl+E.

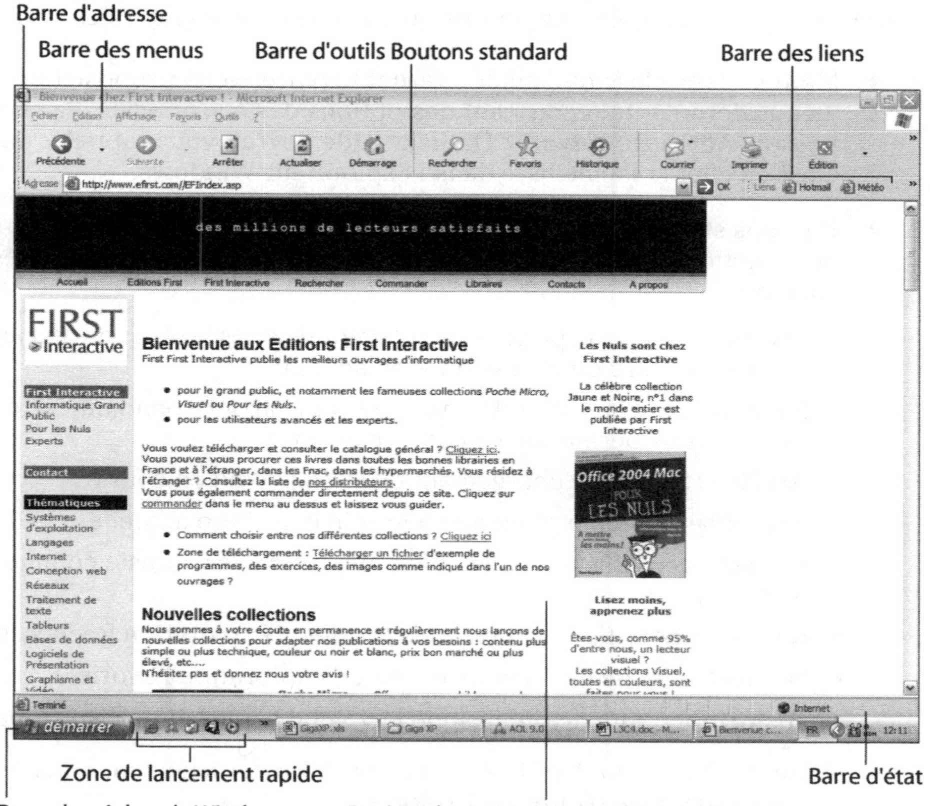

Figure 4.3 : Les principaux éléments de la fenêtre d'Internet Explorer.

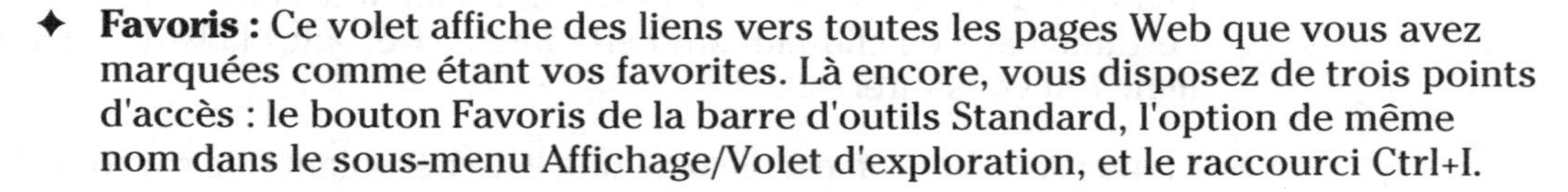

✦ **Favoris :** Ce volet affiche des liens vers toutes les pages Web que vous avez marquées comme étant vos favorites. Là encore, vous disposez de trois points d'accès : le bouton Favoris de la barre d'outils Standard, l'option de même nom dans le sous-menu Affichage/Volet d'exploration, et le raccourci Ctrl+I.

✦ **Historique :** Ce volet affiche toutes les pages Web que vous avez visitées au cours des trois dernières semaines. Vous disposez toujours de trois points d'accès : le bouton Historique de la barre d'outils Standard, l'option de même nom dans le sous-menu Affichage/Volet d'exploration, et le raccourci Ctrl+H.

Pour masquer le volet d'exploration, il vous suffit de cliquer sur sa case de fermeture (la croix qui se trouve à droite de sa barre de titre).

Les barres d'outils

Internet Explorer propose une gamme de barres d'outils qui ont pour vocation de vous aider à accomplir rapidement telle ou telle tâche. En vous reportant si nécessaire à la Figure 4.3, apprenez tout ce qu'il vous faut savoir sur ces barres :

- **Menus :** Très classiquement, Internet Explorer vous propose une barre de menus déroulants recouvrant des options des sous-menus. La série Fichier, Edition, Affichage, Favoris, Outils et Aide devrait vous rappeler quelque chose. C'est en effet la même liste dans l'Explorateur Windows.
- **Boutons standards :** Cette barre d'outils propose des accès directs vers certaines fonctions de navigation très courantes. Il s'agit notamment des boutons suivants :
  - **Précédente :** Vous permet de revenir aux sites Web que vous avez déjà visités au cours de la session Web actuelle.
  - **Suivante :** Si vous avez déjà voyagé vers l'arrière pendant cette session, ce bouton vous permet de repartir en avant.
  - **Arrêter :** Stoppe le chargement de la page Web en cours.
  - **Actualiser :** Recharge ou met à jour la page Web actuelle.
  - **Démarrage :** Affiche la page Web que vous avez choisie comme écran d'accueil.
  - **Rechercher :** Affiche ou masque le volet d'exploration Rechercher.
  - **Favoris :** Affiche ou masque le volet d'exploration Favoris.
  - **Historique :** Affiche ou masque le volet d'exploration Historique.
- **Adresse :** Vous montre l'URL de la page Web actuellement affichée dans la fenêtre principale d'Internet Explorer.

  Au fur et à mesure que vous visitez de nouvelles pages Web, Internet Explorer ajoute leur URL à la liste qui est attachée à la petite flèche située à droite du champ d'adresse. Vous pouvez à tout moment accéder directement à une certaine page en cliquant sur cette flèche. Déroulez la liste et cliquez sur la ligne qui vous intéresse.
- **Liens :** A ce bouton est associé une liste déroulante de raccourcis vers diverses pages Web de Microsoft (et autres). Si cette liste est cachée par la barre d'adresse, faites un double clic sur son nom pour la révéler. Vous pouvez parfaitement personnaliser cette barre en fonction de vos propres besoins.

  Pour ajouter à la liste des liens la page Web qui est affichée dans la fenêtre d'Internet Explorer, faites glisser son icône (elle se trouve à gauche de l'URL dans le champ d'adresse) sur la barre Liens, à l'emplacement souhaité. Inversement, vous pouvez effacer un lien en cliquant dessus avec le bouton droit de la souris. Choisissez alors l'option Supprimer dans le menu qui apparaît.

- **Discuter :** Lorsque vous cliquez sur le bouton Discuter, une nouvelle barre d'outils s'affiche en bas de la fenêtre de navigation. Vous y trouverez des boutons pour prendre part à des discussions en ligne. Dans ce cas, il vous sera possible d'ajouter des commentaires personnels et de répondre à ceux émis par d'autres participants. Mais attention : ces groupes de discussion sont associés à la page Web actuellement affichée.
- **Lancement rapide :** Cette zone fournit un accès immédiat à Internet Explorer ainsi qu'à d'autres applications. Un clic suffit... Cette barre d'outils apparaît dans la barre des tâches, juste à droite du menu Démarrer. Son contenu dépend des programmes installés sur votre ordinateur ainsi que de vos préférences.

TRUC

Vous pouvez facilement et rapidement afficher ou masquer une barre d'outils en cliquant avec le bouton droit de la souris sur le fond d'une barre quelconque. Les barres actives sont signalées par une marque, à gauche de leur nom. Un clic inverse leur statut.

Des recherches sur le Web

Le World Wide Web contient une gigantesque quantité d'informations. Pratiquement tout le savoir humain y est rassemblé ! Tout le problème est donc de savoir comment accéder aux données dont vous avez besoin. Pour aider les internautes à s'y retrouver dans cette immense bibliothèque, des développeurs ont créé ce que l'on appelle des *moteurs de recherche*. Chaque moteur de recherche est basé sur une technologie qui lui est propre, et donc le traitement des pages Web varie de l'un à l'autre (et par conséquent les réponses fournies à une certaine question). Les informations sont actualisées en permanence grâce à des programmes automatisés que l'on appelle souvent *crawlers*, *spiders* ou encore *robots*.

Lancer une recherche

Le panneau Rechercher d'Internet Explorer vous donne accès par défaut au moteur de Microsoft (MSN Search), ce qui ne veut pas dire que vous soyez limité à cette seule solution. Pour ouvrir ce panneau, vous pouvez :

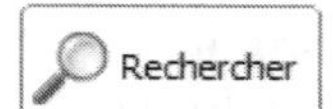

- Cliquer sur le bouton Rechercher dans la barre d'outils Standard.
- Choisir la commande Rechercher dans le menu Affichage/Volet d'exploration.
- Appuyer sur la combinaison de touches Ctrl+E.

Dans ce volet, vous allez trouver un champ de texte dans lequel vous pouvez saisir un ou plusieurs mots décrivant le type de page Web que vous souhaitez retrouver (c'est ce que les technogourous appellent un *critère de recherche*). Bien entendu, la plus grande difficulté consiste à formuler correctement ce critère. Quand vous avez fini d'écrire, vous n'avez plus qu'à cliquer sur le bouton Rechercher.

Internet Explorer va alors s'efforcer de retrouver les pages Web susceptibles de correspondre à votre définition. Il se sert pour cela du moteur de recherche défini par défaut. S'il ne trouve rien, il fait appel au moteur suivant (s'il y en a un de disponible).

Le volet d'exploration va proposer les dix premiers liens trouvés. Cliquez sur une ligne pour afficher la page correspondante. Ces liens sont suivis d'un bouton Suivant qui vous permet de poursuivre l'exploration (si vous le souhaitez). Avec certains moteurs de recherche, la liste des résultats apparaît en bas de la fenêtre principale sous la forme de numéros de pages qu'il est possible de parcourir directement.

Lorsqu'une recherche vous a donné (ou non) satisfaction, vous pouvez passer à une autre en entrant un nouveau critère dans le volet d'exploration.

Google est un moteur de recherche très répandu (et très efficace). Vous pouvez en quelques instants charger et installer à partir du site `www.google.fr` une barre d'outils qui vous permettra d'effectuer des recherches poussées sans avoir besoin de faire appel au volet d'exploration.

Limiter vos recherches

Pour éviter d'avoir à faire face à des milliers et des milliers de pages de résultats n'ayant qu'un rapport lointain (pour rester gentil) avec votre sujet de préoccupation, une méthode possible consiste à demander au moteur de se limiter aux sites contenant *tous* les mots de votre critère. Prenons un exemple. Vous vous intéressez aux sabres des Samouraïs japonais (pourquoi pas). Vous tapez les deux mots *sabre katana* pour définir votre critère, et vous commencez alors à paniquer légèrement. En effet, le moteur va renvoyer des liens vers tous les sites qu'il trouve et qui contiennent au moins l'un des deux mots *sabre* ou *katana*. Soit quelques petites dizaines de milliers de références. Le problème est que le moteur de recherche travaille par défaut en appliquant à une série de mots la conjonction "ou" : sabre *ou* katana.

La manière la plus simple de demander à rechercher une phrase précise, contenant donc tout les mots de votre critère, consiste à la placer entre guillemets, comme dans *"sabre katana"*. Vous obtiendrez alors beaucoup moins de réponses (quelques centaines pour cet exemple). Mais celles-ci seront très vraisemblablement beaucoup mieux adaptées à ce que vous recherchez. Une autre variation classique consiste à placer un signe moins devant un mot que l'on veut exclure de la recherche. Exemple : *"sabre de combat" –yatagan* demandera à trouver des pages contenant le texte exact *sabre de combat*, mais pas le nom *yatagan*.

Naviguer en mode plein écran

Surfer sur le Web peut être pénible lorsque vous rencontrez des pages trop longues et qu'il faut faire longuement défiler pour lire leur contenu. Pour vous aider au mieux, Internet Explorer propose un mode plein écran qui minimise automatiquement l'espace occupé les diverses barres (menus, outils, etc.). Dans ce mode, seule une version réduite des barres d'outils apparaît en haut de l'écran, comme l'illustre la Figure 4.4.

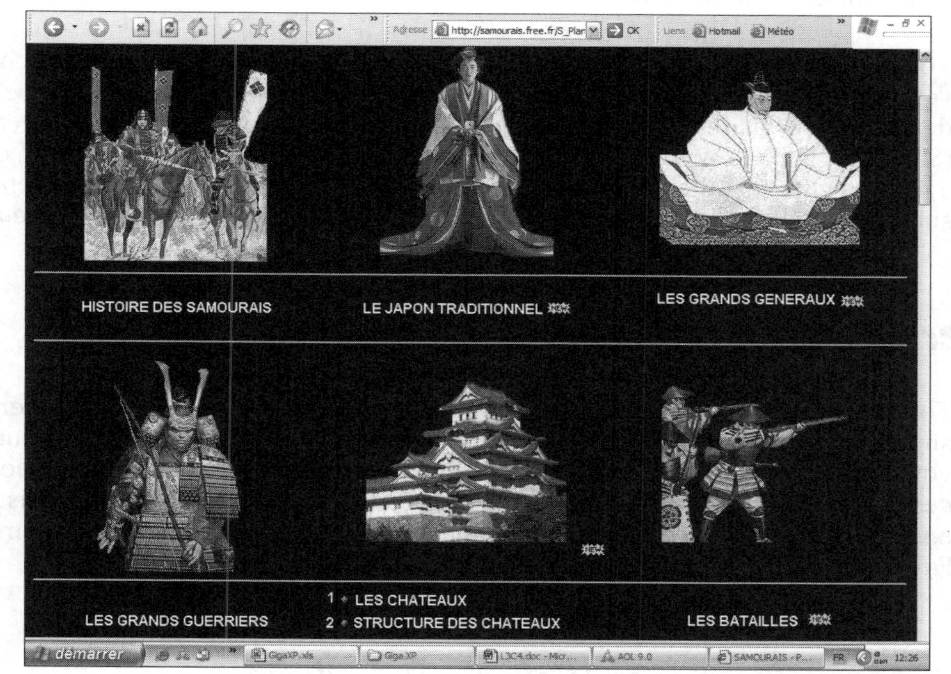

Figure 4.4 : Une jolie page consacrée au Japon ancien et aux Samouraïs. Elle mérite d'être affichée en mode plein écran.

Pour activer le mode plein écran, appuyez sur la touche F11 ou choisissez la commande portant ce nom dans le menu Affichage. Pour revenir à une fenêtre plus classique, appuyez de nouveau sur F11 ou cliquez sur la case Restaurer, en haut et à droite de l'écran.

Afficher les pages déjà visitées

Lorsque vous visitez une succession de pages Web, Internet Explorer mémorise en continu votre progression. Vous pouvez alors utiliser les boutons Précédente et

Suivante de la barre d'outils (ou les commandes équivalentes du menu Affichage/ Atteindre) pour circuler entre les pages consultées au cours de la session active.

Le bouton Précédente affiche la dernière page visitée auparavant lors de votre session. Laissez le pointeur de la souris quelques instants au-dessus de ce bouton pour afficher le nom de cette page.

Le bouton Suivante affiche la page visitée juste avant que vous ne cliquiez sur Précédente. Laissez le pointeur de la souris quelques instants au-dessus de ce bouton pour afficher le nom de cette page.

Vous pouvez remarquer que ces deux boutons sont suivis d'une petite flèche dirigée vers le bas. Celle-ci affiche une liste déroulante (dans l'ordre chronologique) des neuf derniers liens visités au cours de la session actuelle avant (Précédente) ou après (Suivante) la page Web visible à l'écran. Cela vous procure un accès direct qui vous évite des clics fastidieux (dites "précédent, précédent, précédent, précédent, suivant, suivant" plusieurs fois de suite, et vous comprendrez tout l'intérêt de cette aide).

Mémoriser vos sites Web favoris

Tous les sites ne sont pas intéressants. Mais certains vont vous passionner (ou simplement vous être très utiles) et vous aurez envie d'y revenir facilement. Pour vous simplifier l'existence, Internet Explorer vous propose d'enregistrer des références à (donc des raccourcis vers) ces pages dans un dossier appelé Favoris. Il est ensuite facile d'y accéder en sélectionnant le titre correspondant dans le menu Favoris (ou dans le volet d'exploration de même nom).

Ajouter des pages Web à vos Favoris

Pour ajouter une page Web à votre dossier Favoris, procédez de la façon suivante :

1. **Commencez par afficher la page Web que vous voudriez mémoriser.**

2. **Choisissez alors dans le menu Favoris la commande Ajouter au Favoris.**

   La boîte de dialogue Ajout de favoris va s'afficher. Le champ Nom montre automatiquement l'URL de la page, ou mieux encore un titre (le même que celui qui apparaît en haut de la fenêtre d'Internet Explorer).

3. **(Facultatif) Vous pouvez, si vous le souhaitez, éditer l'intitulé proposé dans le champ Nom (Internet Explorer mémorisera de toute façon la bonne URL).**

Sachez rester bref tout en donnant à la page un nom aussi explicite que possible (sinon, vous finirez par oublier de quoi il s'agit).

4. **(Facultatif) Si vous voulez que la page soit enregistrée sur votre ordinateur, vous pouvez cocher l'option Rendre disponible hors connexion. Dans ce cas, servez-vous du bouton Personnaliser pour indiquer notamment à Internet Explorer s'il doit actualiser lui-même le contenu de la page lors de la prochaine connexion, ou si vous vous en chargerez vous-même.**

5. **(Facultatif) Pour ajouter la référence à votre page dans un sous-dossier, faites un double clic (dans la zone Créer dans) sur le bouton Favoris afin d'afficher les emplacements disponibles (si la liste n'est pas déjà déroulée). Cliquez ensuite sur l'icône du sous-dossier approprié (voir la Figure 4.5).**

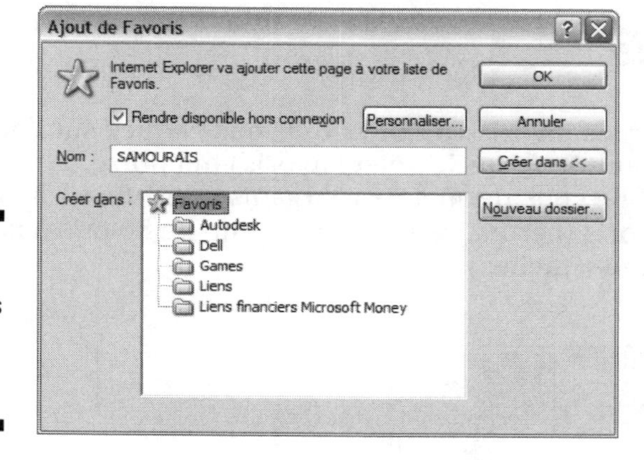

Figure 4.5 : Placez vos pages préférées dans un sous-dossiers de vos favoris.

Le bouton Nouveau dossier vous permet de personnaliser cette structure en regroupant des pages par centre d'intérêt.

6. **Cliquez sur OK pour terminer le travail. La page Web est ajoutée à vos favoris.**

Vous pourrez retrouver à tout moment cette page en cliquant sur son nom dans le menu Favoris (ou dans le volet d'exploration de même nom).

Afficher des pages à partir des favoris

Votre dossier Favoris contient les hyperliens vers toutes les pages Web que vous avez marquées au cours de vos longues chevauchées sur le World Wide Web (de même sans doute que certaines "chaînes" multimédias et des fichiers auxquels vous devez accéder fréquemment). Le menu Favoris vous permet d'ouvrir les pages que vous voulez revoir (ou de charger dans leur application d'origine vos fichiers de travail).

Pour afficher les liens de votre dossier Favoris, vous pouvez au choix les sélectionner à partir du menu de même nom ou du volet d'exploration correspondant (il s'ouvre en cliquant sur l'icône en forme d'étoile dans la barre des outils standards ou en appuyant sur Ctrl+I). Ce volet se trouve à gauche de la fenêtre d'Internet Explorer et il vous montre la liste des dossiers et sous-dossiers enregistrés dans vos favoris. Un clic suffit alors à ouvrir l'élément voulu (un sous-dossier, une page Web ou encore un fichier).

Essayez, vous l'adopterez tellement tout cela est facile !

Organiser vos favoris

La boîte de dialogue Organiser les favoris va s'ouvrir si vous cliquez sur l'option (dans le menu Favoris) ou le bouton (dans le volet Favoris) qui porte ce nom. Elle est illustrée sur la Figure 4.6. Elle vous permet de réorganiser les divers liens enregistrés dans votre dossier Favoris (certes, cela fait beaucoup de favoris à la fois, mais pas de quoi défriser les moustaches).

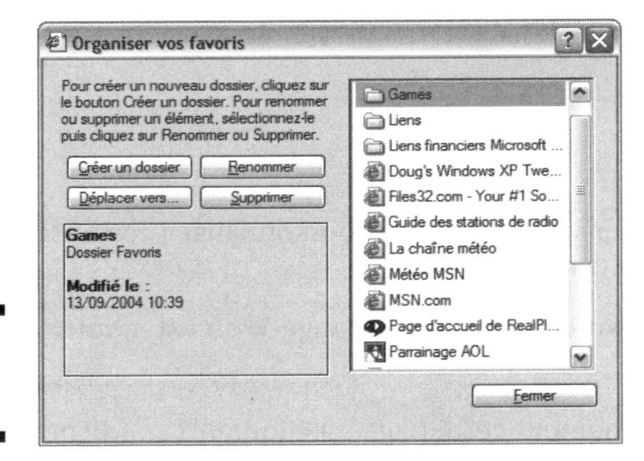

Figure 4.6 : Organisez vos liens.

Organiser liens et favoris dans des dossiers

L'une des meilleures méthodes qui soit pour gérer vos favoris consiste à les grouper en dossiers (voire en sous-dossiers). Lorsque votre structure est au point, il vous suffit de déplacer les liens vers vos pages Web préférées vers ces dossiers (en les renommant éventuellement).

Utilisez les options suivantes de la boîte de dialogue Organiser les favoris pour regrouper et gérer vos liens :

- ✦ Pour ajouter un nouveau dossier, cliquez sur le bouton Créer un dossier. Tapez un nom à votre convenance et appuyez sur Entrée.
- ✦ Pour déplacer un lien, cliquez sur son icône afin de le mettre en surbrillance. Cliquez ensuite sur le bouton Déplacer vers. La boîte de dialogue Rechercher un dossier va apparaître. Sélectionnez l'emplacement de destination puis validez.
- ✦ Pour personnaliser l'intitulé d'un lien, mettez son icône en surbrillance. Cliquez sur le bouton Renommer. Editez la description et appuyez sur Entrée.
- ✦ Pour enlever un lien de la liste, mettez son icône en surbrillance (en ouvrant si nécessaire le dossier dans lequel il se trouve). Cliquez ensuite sur le bouton Supprimer. Confirmez votre décision.

Vous ne devez pas renommer ou supprimer le dossier Liens dans la boîte de dialogue Organiser. Internet Explorer en a besoin pour savoir ce qu'il doit afficher comme boutons dans la barre d'outils Liens.

Utiliser le glisser et déposer

Une autre méthode pour mieux organiser vos favoris et vos liens consiste à procéder par "glisser et déposer". Rien de plus simple en fait :

- ✦ Pour ouvrir un dossier de favoris afin de visualiser son contenu, il vous suffit d'ouvrir le volet Favoris et de cliquer sur le nom de ce dossier. Internet Explorer va montrer la liste de tous les liens qu'il contient. Cliquez de nouveau sur l'icône du dossier pour le refermer.
- ✦ Pour déplacer une icône vers une nouvelle position, cliquez dessus puis faites-la glisser (en maintenant enfoncé le bouton gauche de la souris) vers un nouvel emplacement. Internet Explorer montre la position à laquelle l'icône sera insérée en affichant un trait horizontal épais. Si le pointeur prend la forme d'un cercle barré, c'est que le déplacement n'est pas possible.
- ✦ Pour déplacer une icône vers un autre dossier (existant), faites-la glisser sur le nom de ce dossier. Quand celui-ci est mis à son tour en surbrillance, relâchez le bouton de la souris.

Ces techniques s'appliquent également à la boîte de dialogue Organiser les favoris.

Visualiser les pages de l'historique

Le dossier Historique contient une liste de liens vers les pages Web que vous avez visitées au cours des trois dernières semaines (à moins que vous n'ayez modifié ce réglage dans vos options Internet). Ces hyperliens sont organisés dans l'ordre chronologique, du plus ancien au plus récent. Pour la semaine en cours, ils sont groupés par jour, puis par semaine au-delà.

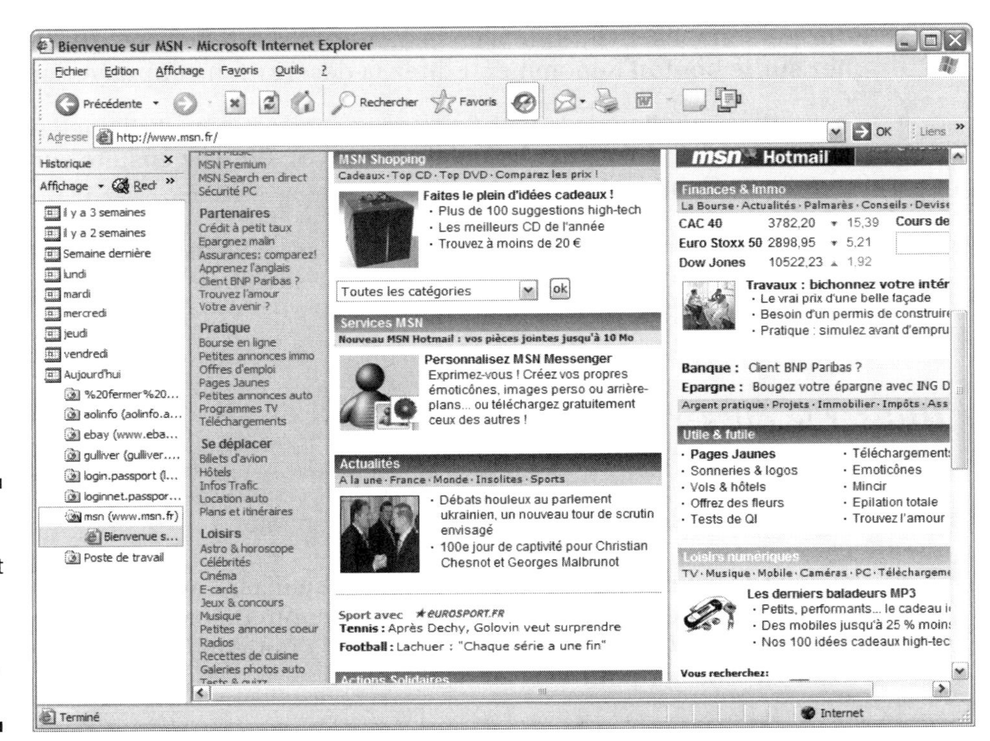

Figure 4.7 : Le dossier Historique vous permet de revenir rapidement aux pages que vous avez consultées récemment.

Pour afficher la liste des pages Web visitées, cliquez sur le bouton Historique de la barre standard (vous pouvez aussi appuyer sur la combinaison Ctrl+H). Internet Explorer ouvre alors un nouveau volet à gauche de la fenêtre. Vous y trouvez plusieurs dossiers contenant les hyperliens visités les jours précédents ou quelques semaines auparavant.

Pour revoir telle ou telle page, cliquez dans le volet Historique sur l'icône du dossier que vous voulez développer (ou à l'inverse refermer). Cliquez ensuite sur le lien de la page vers laquelle vous voulez reprendre votre voyage (voir la Figure 4.7).

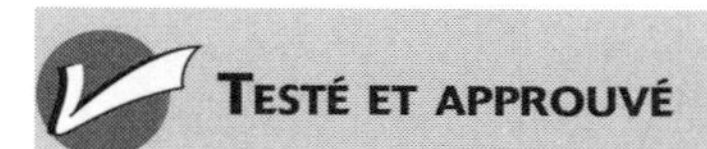

Les principaux raccourcis clavier d'Internet Explorer.

Voici trois combinaisons de touches que l'utilisateur d'Internet Explorer devrait connaître par cœur :

- **Ctrl+Entrée : Si vous tapez la partie centrale du nom d'un hyperlien dans le champ de la barre d'adresse et que vous appuyez sur Ctrl+Entrée, Internet Explorer ajoute immédiatement le préfixe** `htpp://www.` **et le suffixe** `.com`**. Essayez par exemple avec le mot** `efirst`**. Internet Explorer comprendra que vous voulez visiter le site des éditions First.**
- **Ctrl+F5 : Vous pensez que l'affichage actuel ne reflète pas la réalité de la page Web actuelle (peut-être parce qu'Internet Explorer a lu son contenu à partir du cache conservé sur le disque dur de votre ordinateur). Appuyez sur Ctrl+F5, afin de forcer le programme à rechercher la version la plus récente de cette page sur Internet. En théorie, le navigateur devrait même être capable de remonter au-delà des copies conservées dans la mémoire cache de votre fournisseur d'accès (ce qui peut être un vrai problème si celui-ci ne met pas à jour ses caches de façon régulière : vous croyez alors voir la vraie page, alors qu'il ne s'agit que d'une image déjà périmée).**
- **Maj+Clic : Lorsque vous cliquez sur un lien, il arrive que la nouvelle page vienne remplacer la précédente, ou bien qu'elle apparaisse dans sa propre fenêtre. Normalement, c'est la personne qui a créé la page Web qui décide de la règle du jeu. Mais vous pouvez intervenir dans la démarche : en appuyant sur la touche Majuscule tout en cliquant sur le lien, vous forcez l'affichage de la page à ouvrir dans une fenêtre séparée.**

Vous devriez coller une note de rappel sur le coin de votre moniteur jusqu'à ce que ces raccourcis soient gravés au plus profond des petites cellules grises de vos doigts.

Chapitre 5
Personnaliser votre navigateur

Dans ce chapitre :

- Choisir une page de démarrage.
- Changer l'aspect des pages Web.
- Les fichiers Internet temporaires et leur cache.
- Ajuster l'historique.
- Accélérer la navigation.
- Synchroniser les pages Web.
- Utiliser la saisie semi-automatique.

Vous aurez peut-être à apporter quelques petits réglages au vaisseau amiral Internet Explorer pour mieux préparer vos voyages intensifs sur le World Wide Web. Ce chapitre concerne donc ce que vous avez besoin de savoir pour modifier la façon dont les pages Web sont affichées à l'écran et pour améliorer les performances de votre navigateur. Surfer, oui. Plonger, non !

Changer votre page de démarrage

Chaque fois que vous lancez Internet Explorer, il ouvre automatiquement une page Web prédéfinie, appelée la *page de démarrage* (ou encore la *page d'accueil*). Vous obtenez le même résultat lorsque vous cliquez sur le bouton Démarrage de la barre d'outils.

Si votre ordinateur n'est pas connecté à l'Internet à cet instant, Internet Explorer essaie d'ouvrir cette page à partir de son cache (et très probablement, il tentera d'ouvrir une connexion). Le *cache* est une section du disque dur de votre PC dans lequel les données récemment chargées sont stockées afin de pouvoir les réafficher rapidement. Si les éléments qui constituent la page ne sont pas disponibles dans le cache (sans doute parce que vous les avez effacés, ou parce qu'ils sont jugés trop anciens pour être viables), Internet Explorer va afficher un message d'erreur et afficher une page vierge appelée *about:blank*. Pour revenir à une situation normale, il faut que vous vous connectiez à l'Internet et que vous cliquiez sur le bouton Démarrage (la touche F5 convient également puisqu'elle demande à relire la page actuelle).

Voici comment changer votre page de démarrage (par exemple pour revenir à votre site ou portail préféré dans le cas où un petit malin aurait insidieusement mis son adresse à la place de la vôtre, chose qui arrive de temps à autre).

1. **Lancez Internet Explorer. Ouvrez la page Web que vous voulez utiliser comme adresse de démarrage.**

2. **Ouvrez le menu Outils et choisissez la commande Options Internet.**

   La boîte de dialogue Options Internet apparaît. Cliquez sur l'onglet Général s'il n'est pas déjà sélectionné.

3. **Dans la section Page de démarrage (en haut de la fenêtre), Cliquez sur le bouton Page actuelle. C'est parti !**

   Vous pouvez aussi taper dans le champ Adresse l'URL d'une certaine page dont vous connaissez l'emplacement.

4. **Cliquez sur OK pour refermer la boîte de dialogue Options Internet.**

A partir de maintenant, vous pourrez revenir à votre page d'accueil quand vous le voulez en cliquant sur le bouton Démarrage.

Si, pour aller plus vite, vous préférez ne pas définir une page de démarrage, il vous suffit de cliquer sur le bouton Page vierge dans la boîte de dialogue Options Internet. Quand à Page par défaut, il rétablit une URL prédéfinie sur votre système (par exemple le site du constructeur). Enfin, n'oubliez pas que vous pouvez cliquer sur Arrêter dès que Internet Explorer commence à charger votre page de démarrage afin de passer tout de suite à autre chose.

Changer l'aspect des pages Web

L'aspect que prend une page Web peut changer selon la configuration de l'ordinateur, selon la langue qu'elle utilise, selon un choix de style et/ou de caractères, etc. C'est la combinaison de la conception même des pages et des réglages du navigateur Internet qui détermine la façon dont ces pages apparaissent sur votre écran.

La configuration d'Internet Explorer ne joue que sur l'apparence des pages Web. Elle n'a aucune incidence sur leur contenu. Pas d'inquiétude à avoir de ce côté !

Modifier la taille du texte

Quelques problèmes de vision ? Il vous suffit d'agrandir la taille des caractères pour lire plus facilement le contenu des pages Web. A l'inverse, plus le corps du texte est petit, et plus vous pouvez afficher de choses en même temps. Voyons comment procéder :

1. **Ouvrez le menu Affichage, puis choisissez la commande Taille du texte.**

   Un sous-menu apparaît. Il vous propose une série d'options : La plus grande, Plus grande, Moyenne, Plus petite, La plus petite. Ces appellations font toutes référence à une taille dite moyenne (celle qui est utilisée par défaut par Internet Explorer).

2. **Choisissez une taille plus petite ou plus grande, selon ce que vous recherchez.**

Le résultat exact dépend de la programmation effectuée par les créateurs des sites Web. Il se peut très bien que l'impact de ce réglage soit très limité, sinon nul.

Choisir une autre police de caractères

De nombreuses pages Web n'imposent aucune règle particulière pour le style d'affichage du texte (les fameuses polices de caractères). Dans ce cas, Internet Explorer doit se débrouiller seul. Par défaut, il utilise la police Times New Roman pour le texte à espacement proportionnel et Courier New pour le texte à espacement fixe. Si vous voulez modifier ces paramètres, il vous suffit de suivre la procédure décrite ci-dessous :

1. **Ouvrez le menu Outils. Choisissez la commande Options Internet.**

   Si nécessaire, activez l'onglet Général de la boîte de dialogue Options Internet.

2. **Cliquez sur le bouton Polices.**

   Vous voyez s'afficher la boîte de dialogue Polices (voir la Figure 5.1).

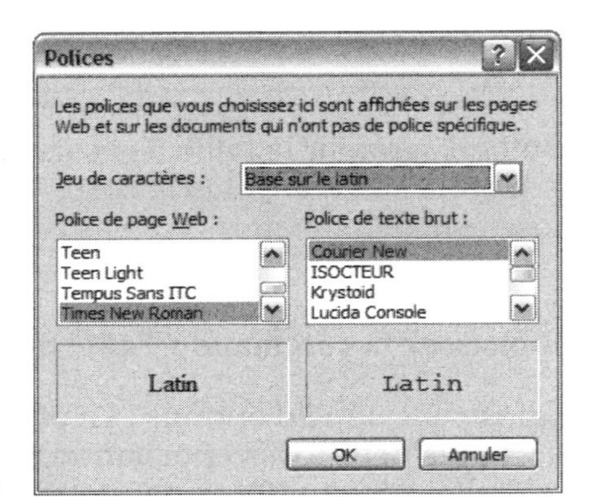

Figure 5.1 : Comment changer les polices de caractères par défaut.

3. **Sélectionnez un nom dans la liste Police de page Web (pour les textes à espacement proportionnel).**

   Le contenu de cette liste dépend des polices de caractères installées sur votre ordinateur.

4. **Sélectionnez de même un nom dans la liste Police de texte brut (pour les textes à espacement fixe).**

5. **Cliquez une fois sur OK pour valider vos choix, puis une seconde fois pour refermer la boîte de dialogue Options Internet.**

Personnaliser la couleur du texte et du fond

Il peut arriver qu'un texte placé sur un fond uni soit difficile à lire (le ton sur ton peut faire un bel effet en décoration, plus rarement sur un écran d'ordinateur). Cela peut être un choix de l'auteur de la page. Ou simplement l'effet d'un réglage déficient si ledit auteur ne s'est pas soucié de cette question. Par défaut, Internet Explorer utilise le noir pour les textes et une sorte de gris "camouflage de cuirassé" pour la couleur du fond. Tout cela peut être personnalisé en quelques clics de souris :

1. **Ouvrez le menu Outils. Choisissez la commande Options Internet.**

   Si nécessaire, activez l'onglet Général de la boîte de dialogue Options Internet.

2. **Cliquez sur le bouton Couleurs.**

   Vous voyez s'afficher la boîte de dialogue Couleurs (voir la Figure 5.2). Elle vous permet de personnaliser la couleur du texte et de l'arrière-plan, de même que celle des liens visités et non visités.

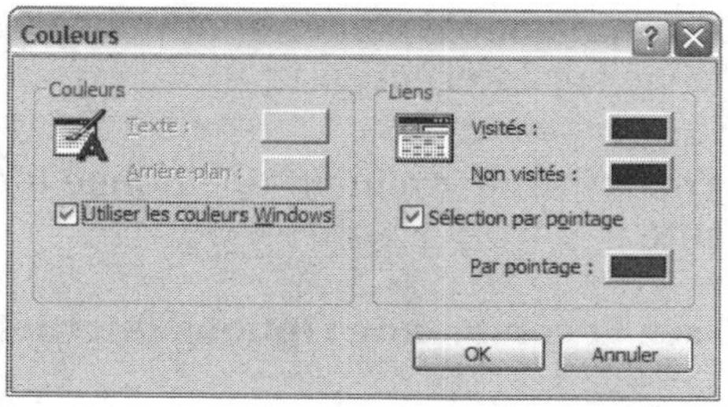

Figure 5.2 : Comment changer les couleurs par défaut.

3. **Dans la section Couleurs, cliquez sur la case Utiliser les couleurs Windows (afin de la désactiver).**

4. **Pour personnaliser la couleur du texte, cliquez sur le "godet" correspondant, à droite de l'option. Ceci ouvre la boîte de dialogue standard Couleurs. Choisissez une nouvelle teinte de base (ou personnalisée). Cliquez ensuite sur OK.**

5. **Recommencez la procédure de l'étape 4, cette fois pour changer la couleur d'arrière-plan.**

6. **Si vous le souhaitez, vous pouvez aussi changer la couleur des liens.**

7. **Lorsque vous avez terminé, cliquez une première fois sur OK pour refermer la boîte de dialogue Couleurs, puis une seconde fois pour quitter les options Internet.**

Si votre page Web actuelle ne contient pas d'indications internes explicites concernant la couleur du texte et du fond, ce sont vos nouveaux réglages qui vont s'appliquer immédiatement. Dans le cas contraire, vous ne constaterez aucun changement (du moins pour cette page), car la configuration d'une page Web a toujours priorité sur celle d'Internet Explorer.

Changer le style d'affichage des hyperliens

Les *hyperliens* (ou liens hypertexte) sont des objets particuliers qui renvoient à une autre partie de la page, ou à une page Web totalement différente, lorsque l'on clique dessus. Ils peuvent être associés à une image (ou une partie d'image), ou bien encore à un pan de texte.

La tradition veut qu'un lien hypertexte sur lequel vous n'avez pas encore cliqué (ou pas encore *suivi*, selon l'expression consacrée) apparaisse en bleu et soit souligné. Lorsque vous avez suivi un lien, puis que vous revenez à la page d'origine, Internet Explorer vous le signale en réaffichant ce lien dans une teinte pourpre. En résumé, les liens hypertexte sont soulignés. Ceux qui ont été visités sont pourpres. Et les liens non visités sont bleus. Ainsi va la vie sur Internet.

Si vous voulez changer les traditions (mais est-ce vraiment une bonne idée ?), il vous suffit de procéder de la manière suivante :

1. **Ouvrez le menu Outils. Choisissez la commande Options Internet.**

   Si nécessaire, activez l'onglet Général de la boîte de dialogue Options Internet.

2. **Cliquez sur le bouton Couleurs.**

   Vous voyez s'afficher la boîte de dialogue *Couleurs*.

3. **Dans la section Liens, cliquez sur le "godet" Visités, à droite de cette option. Ceci ouvre la boîte de dialogue standard Couleurs. Choisissez une nouvelle teinte de base (ou personnalisée). Cliquez ensuite sur OK.**

4. **Recommencez l'étape 3 pour changer la couleur des liens non visités.**

   Vous pouvez aussi affecter une couleur de *pointage* (celle que prend un lien hypertexte lorsque vous placez le pointeur de la souris sur lui).

5. **Si vous voulez que les liens hypertexte prennent une teinte particulière lorsqu'ils sont survolés par le pointeur de la souris, cochez la case Sélection par pointage. Pour modifier éventuellement cette couleur (du rouge par défaut), servez-vous du godet qui se trouve à droite de l'option *Par pointage*.**

6. **Lorsque vous avez terminé, cliquez une première fois sur OK pour refermer la boîte de dialogue Couleurs, puis une seconde fois pour quitter les options Internet.**

Personnaliser les barres d'outils

Internet Explorer contient plusieurs barres d'outils. Vous pouvez les personnaliser à votre convenance pour changer leur taille, les cacher ou encore y ajouter (ou retirer) des boutons. Reportez-vous au Chapitre 4 de ce livret pour plus de détails sur ces barres d'outils.

Changer la taille des barres d'outils

Vous pouvez minimiser l'espace occupé par les barres d'outils en plaçant Internet Explorer en mode plein écran. Pour cela, choisissez la commande qui porte ce nom dans le menu Affichage ou appuyez sur F11. Les barres d'outils sont alors réduites à leur plus simple expression et vous disposez d'un espace maximal pour consulter vos pages Web.

Lorsque vous êtes en mode plein écran, Internet Explorer ajoute une commande Masquer automatiquement au menu contextuel qui apparaît si vous cliquez avec le bouton droit de la souris sur le fond de la barre Standard. Si vous activez cette option, tout disparaît ! Mais comme par magie (quoique temporairement), la barre réapparaît lorsque le pointeur de la souris est placé quelques instants tout en haut de l'écran.

Vous pouvez alors cliquer une nouvelle fois avec le bouton droit de la souris et désactiver l'option Masquer automatiquement. Vous revenez alors à une situation plus stable (du moins si l'absence totale de boutons vous perturbe). Il est aussi possible de quitter le mode plein écran en appuyant à nouveau sur la touche F11.

Cacher et révéler une barre d'outils

Chacune des barres d'outils (Boutons standard, Barre d'adresses, Liens, et autres objets éventuellement ajoutés là par diverses applications) peut être masquée ou affichée à volonté. Pour cela, ouvrez le menu Affichage et choisissez la ligne Barre d'outils.

Dans le sous-menu qui apparaît, cliquez sur une ligne précédée d'une marque pour masquer la barre d'outils correspondante. Une autre méthode possible consiste à cliquer sur le fond d'une barre quelconque avec le bouton droit de la souris. Vous voyez alors apparaître la même liste que dans le menu Affichage.

Il vous suffit d'appliquer cette procédure sur une ligne qui n'est pas cochée pour faire réapparaître une barre d'outils.

Ajouter un bouton à la barre d'outils

Vous pouvez ajouter de nouveaux outils à la barre de boutons standard afin d'accéder plus rapidement à certaines commandes. Pour cela :

1. **Ouvrez le menu Affichage, puis le sous-menu Barres d'outils. Choisissez alors l'option Personnaliser. Vous retrouvez aussi cette commande lorsque vous cliquez sur le fond d'une barre avec le bouton droit de la souris.**
2. **Dans la boîte de dialogue Personnalisation de la barre d'outils, cliquez dans la liste de gauche (Boutons disponibles) sur la ligne qui correspond à la**

commande que vous voulez insérer dans la barre. Cliquez ensuite sur le bouton Ajouter.

Internet Explorer place le nouveau bouton en fin de liste dans la zone de droite (Boutons de la barre d'outils).

3. **(Facultatif) Pour réorganiser l'ordre dans lequel les boutons sont disposés, cliquez dans la liste de droite. Servez-vous ensuite des boutons Monter et Descendre afin de disposer le bouton actif à votre convenance.**

4. **Cliquez sur Fermer pour quitter la boîte de dialogue et juger du résultat.**

Histoires d'Historique

Lorsque vous découvrez une page sensationnelle, vous pouvez mémoriser son URL dans votre liste de favoris ou créer un raccourci pour y revenir facilement (voyez à ce sujet le Chapitre 4 du Livret III). Mais que faire si vous avez oublié de sauvegarder cette référence essentielle à votre avenir ? Rien ! Vous pouvez la retrouver tout aussi facilement (du moins dans des délais raisonnables) en consultant les liens enregistrés dans votre Historique.

Par défaut, Internet Explorer retient les liens des pages que vous avez visitées au cours de 21 derniers jours. Mais vous pouvez parfaitement redéfinir la durée de cette mémoire interne, le plus souvent pour l'augmenter afin de bénéficier plus longtemps de cette facilité, ou à l'inverse, pour la réduire si vous commencez à manquer de place sur votre disque dur. Il est aussi possible de purger les liens du dossier Historique afin de libérer de l'espace et/ou de réinitialiser l'état visité ou non visité de vos hyperliens.

Pour modifier le comportement de l'Historique, procédez de la manière suivante :

1. **Ouvrez le menu Outils. Choisissez la commande Options Internet.**

   Si nécessaire, activez l'onglet Général de la boîte de dialogue Options Internet.

2. **Dans la section Historique, entrez une nouvelle valeur dans le champ intitulé Jours pendant lesquels ces pages sont conservées. Vous pouvez aussi cliquer sur les petites flèches qui suivent ce champ pour faire défiler les valeurs.**

3. **Cliquez sur OK.**

Pour vider le contenu du dossier Historique :

1. **Ouvrez le menu Outils. Choisissez la commande Options Internet.**

Si nécessaire, activez l'onglet Général de la boîte de dialogue Options Internet.

2. **Dans la rubrique Historique, cliquez sur le bouton Effacer l'historique.**
3. **Un message vous demande de confirmer votre décision. Cliquez sur Oui (ou sur Non si vous avez fait une erreur de manipulation).**
4. **Cliquez sur OK pour refermer la boîte de dialogue Options Internet.**

Quels programmes pour le courrier, les discussions, etc.

Internet Explorer peut travailler avec d'autres programmes pour vous faire profiter de leurs fonctionnalités. Microsoft a créé des applications destinées à collaborer si étroitement avec Internet Explorer qu'il y fait référence comme à des membres de la *suite Internet Explorer*.

La présence de programmes auxiliaires présents sur votre système et appartenant à cette suite dépend du type de l'installation choisie pour Internet Explorer :

✦ **Personnalisée :** C'est vous qui choisissez les outils compagnons à installer aux côtés d'Internet Explorer et de Outlook Express.

✦ **Minimale :** En plus d'Internet Explorer, vous devrez vous contenter de l'assistant de connexion Internet.

✦ **Typique :** Vous avez le navigateur, plus Outlook Express, Windows Media Player, ainsi que quelques compagnons multimédias.

Le plus utile et le plus connu de tous ces programmes est sans doute aucun Outlook Express, l'agent de base pour votre messagerie et les groupes de discussion. Si vous (ou quelque d'autre) avez opté pour une installation typique et que votre ordinateur est équipé d'une carte son et d'un matériel adapté (micro et webcam par exemple) vous pouvez en plus faire appel à NetMeeting pour participer à des réunions et des conférences de groupe via Internet. Et même si ce niveau d'équipement vous dépasse encore, NetMeeting vous permettra quand même de vous insérer dans des débats en ligne (les célèbres *chats*, ou bavardages en bon français – inutile donc de miauler pour signaler que vous êtes branché).

Pour voir avec quels programmes Internet Explorer est disposé à collaborer, et si nécessaire pour en changer, procédez de la manière suivante :

1. **Ouvrez le menu Outils. Choisissez la commande Options Internet. Activez alors l'onglet Programmes (voir la Figure 5.3).**

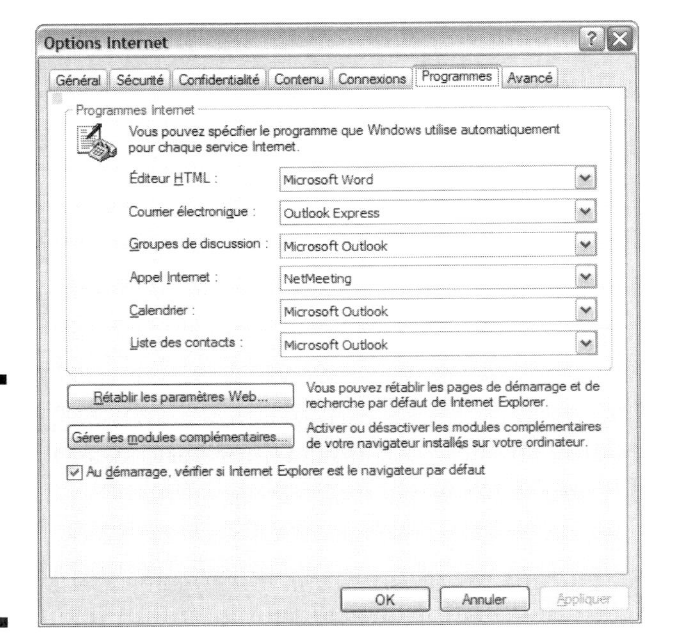

Figure 5.3 : L'onglet Programme montre les applications utilisées avec Internet Explorer.

2. **Vérifiez ce qu'affiche la fenêtre (si certains champs ne vous évoquent rien, c'est tout simplement que vous n'en pas vraiment l'utilité). Pour changer une définition, cliquez sur la fenêtre qui suit la ligne voulue et sélectionnez un autre programme.**

3. **Lorsque vous avez fini de reconfigurer la liste des programmes, cliquez sur OK.**

Si vous avez installé un autre navigateur Web (par exemple Netscape Communicator) *après* Internet Explorer, vous pouvez cliquer sur l'option Rétablir les paramètres Web de cette boîte de dialogue afin de restaurer les URL par défaut de votre page de démarrage ou encore de votre moteur de recherche préféré. Notez également la case qui indique : Au démarrage, vérifier si Internet Explorer est le navigateur par défaut. Si vous la cochez, Internet Explorer vous suppliera d'éliminer son concurrent chaque fois que vous le lancerez.

Vous pouvez jeter un coup d'œil sur la liste des modules complémentaires. Si c'est trop compliqué pour vous, laissez tomber : c'est plutôt une affaire de technogourou. Si vous pensez qu'un petit malin n'a rien à faire ici, sélectionnez-le puis cliquez sur la case Désactiver. Validez, refermez puis relancez Internet Explorer.

Accélérer l'affichage des pages Web

Vous pouvez accélérer l'affichage des pages Web sur votre ordinateur. Première solution : changer de type de connexion. Prenez un modem plus performant, passez à l'ADSL ou au câble. Deuxième solution : enregistrez le plus de contenu possible sur votre disque dur. Evidemment, vous risquez de saturer un jour celui-ci. Troisième solution : diminuez la quantité de données à lire en désactivant l'affichage des images, des animations, des vidéos et des sons. Drastique, mais très efficace. Voici comment procéder :

1. **Ouvrez la boîte de dialogue Options Internet, puis activez l'onglet Avancé.**

2. **Dans la section Multimédia de la liste Paramètres, cliquez devant toutes les options que vous voulez désactiver de façon à ce que la marque située en début de ligne disparaisse.**

   Parmi les fioritures les plus gourmandes, vous trouvez bien entendu les vidéos, les animations et les images (et le tramage intelligent de celles-ci).

3. **Cliquez sur OK pour valider vos choix. Refermez ensuite la boîte de dialogue Options Internet.**

Lorsque vous allez maintenant ouvrir des pages Web, des icônes génériques (certes laides mais ultra rapides à afficher) vont remplacer tous les contenus multimédias que vous avez désactivés. Si vous continuez à voir des graphiques dans les pages que vous visitez, cliquez sur le bouton Actualiser afin de les supprimer.

Lorsque vous avez désactivé l'affichage des images et des vidéos, il est encore possible de faire machine arrière au cas par cas. Cliquez avec le bouton droit de la souris sur l'icône de substitution afin d'ouvrir le menu contextuel d'Internet Explorer. Choisissez alors la commande Afficher l'image. Internet Explorer va télécharger le graphisme ou la vidéo que vous venez de sélectionner.

Pour rétablir la situation antérieure, la procédure à suivre est exactement la même. Vous ouvrez la boîte de dialogue Options Internet, puis l'onglet Avancé. Vous cliquez ensuite sur les éléments à activer (la marque doit réapparaître en début de ligne). Vous cliquez sur OK, puis enfin sur le bouton Actualiser de la barre d'outils. C'est tout : le multimédia est de retour chez vous.

Synchroniser les pages Web hors connexion

Pour être certain de disposer des données les plus récentes d'un de vos favoris que vous avez choisi de rendre disponible hors connexion, vous devez demander à ce que le contenu de votre cache soit régulièrement tenu à jour. C'est ce que l'on appelle la *synchronisation*.

Pour que des pages Web que vous voulez consulter hors connexion soient correctement actualisées, procédez de la manière suivante :

1. **Ouvrez le menu Outils, puis choisissez la commande Synchroniser.**

   La boîte de dialogue Eléments à synchroniser apparaît.

2. **Dans la liste intitulée Sélectionnez les cases à cocher correspondant aux éléments à synchroniser, cliquez sur les lignes des pages que vous voulez mettre à jour (ou dont vous souhaitez désactiver la synchronisation).**

3. **Cliquez enfin sur le bouton Synchroniser.**

Internet Explorer va se connecter à l'Internet et commencer le processus de synchronisation. Autrement dit, il va comparer le contenu actuel du site avec ce qui est enregistré sur votre ordinateur et charger dans le cache de votre ordinateur les données les plus récentes. Vous disposez ainsi à partir de votre menu Favoris d'un affichage actualisé pour consulter tranquillement, hors ligne, les pages Web qui ont été synchronisées.

Si votre connexion Internet passe par un réseau local, un modem câble ou une liaison ADSL, elle est capable de fonctionner en permanence. Il peut alors être intéressant de spécifier quand et dans quelles conditions telle ou telle page Web doit être synchronisée. Dans la boîte de dialogue Eléments à synchroniser, cliquez sur le bouton Configurer.

Internet Explorer va ouvrir une nouvelle boîte de dialogue comprenant trois onglets :

- **Ouverture/Fermeture de session :** Spécifiez ici les pages Web que vous voulez synchroniser lorsque vous ouvrez une connexion réseau. Cochez les noms voulus, puis activez la case Lorsque je connecte mon ordinateur.

- **Période d'inactivité :** Sélectionnez ici les pages que vous voulez synchroniser lorsque votre ordinateur n'a rien de mieux à faire. Cochez les noms voulus, puis activez la case Synchroniser quand mon ordinateur est inactif. Le bouton Avancé vous permet de définir ce que vous-même entendez par "période d'inactivité" et "périodicité de la mise à jour".

- **Planification :** Vous pouvez enfin planifier les moments auxquels les pages Web disponibles hors connexion doivent être synchronisées par Internet Explorer. Pour créer un nouvel *agenda*, cliquez sur le bouton Ajouter. Un assistant appelé Synchronisation planifiée va vous guider pas à pas. Il vous suffira d'indiquer les pages concernées, les jours et heure de la synchronisation automatique, et enfin de donner un nom à cette configuration. Pour éditer ensuite ces définitions, cliquez sur la ligne correspondante puis sur le bouton

Modifier (les paramètres qui vous sont alors proposés dépendent de la formule de synchronisation que vous avez choisie). Et si tout cela finit par vous agacer, cliquez sur Supprimer, confirmez et refermez la pile de boîtes de dialogue.

Personnaliser la saisie semi-automatique

La saisie semi-automatique vous accompagne pour remplir plus rapidement adresses, formulaires (et même mots de passe) en vous proposant une liste de suggestions au fur et à mesure que vous entrez des caractères. Tout cela est basé sur vos frappes passées qu'Internet Explorer a astucieusement mémorisées. Comme il vaut tout de même mieux rester maître de ses actes et de son destin, Internet Explorer vous autorise à personnaliser le comportement de cette fonctionnalité.

1. **Ouvrez comme d'habitude la boîte de dialogue Options Internet et activez l'onglet Contenu.**

2. **Cliquez sur le bouton Saisie semi-automatique.**

   Vous voyez s'afficher la boîte de dialogue Paramètres de saisie semi-automatique.

3. **Cochez les cases correspondant aux options pour lesquelles vous souhaitez être aidé par la saisie semi-automatique.**

   Par exemple, sélectionnez Adresse Web si vous voulez qu'Internet Explorer vous suggère des URL de pages déjà visitées. Cochez Formulaires pour obtenir des propositions afin de remplir automatiquement certains champs de données. Sélectionnez Noms d'utilisateur et mots de passe sur les formulaires pour demander à Internet Explorer de conserver dans son cache ces informations confidentielles (avec tous les risques que cela peut comporter !).

4. **(Facultatif) Pour supprimer les informations que la fonction de saisie semi-automatique a déjà mémorisées, cliquez sur l'un, l'autre ou les deux boutons Effacer les formulaires et Effacer les mots de passe.**

   Pour supprimer la liste des adresses Web conservées par la saisie semi-automatique, vous devez revenir à l'onglet Général de la boîte de dialogue Options Internet, puis cliquer sur le bouton Effacer l'historique.

5. **Cliquez deux fois sur OK pour refermer toutes les boîtes de dialogue.**

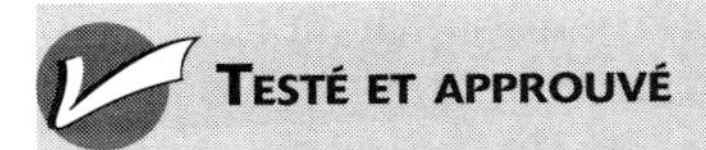

Testé et approuvé

Stoppez les scripts abusifs !

Combien de fois avez-vous vu s'afficher un message d'alerte vous demandant si vous voulez *déboguer* une page Web ? Reconnaissons que c'est l'une des "fonctions" les plus ennuyeuses d'Internet Explorer. Si la personne qui a conçu une page Web a commis des erreurs de programmation, ce n'est quand même pas à vous de les réparer ! Vous n'êtes ni responsable, ni coupable. Relax ! Ces messages surgissent parce qu'Internet Explorer est incapable d'interpréter correctement le contenu de la page Web. C'est l'auteur de celle-ci qui s'est trompé. Pas vous.

Heureusement, il n'est pas bien difficile de désactiver définitivement ces avertissements gênants et culpabilisants.

1. **Lancez Internet Explorer.**
2. **Ouvrez le menu Outils, puis choisissez la commande Options Internet. Activez l'onglet Avancé.**
3. **Faites défiler vers le bas la liste des paramètres, jusqu'à ce que vous trouviez la rubrique Navigation. Localisez alors la ligne Désactivez le débogage des scripts (en fait, il existe deux lignes portant ce nom, l'une pour Internet Explorer et la seconde pour les autres applications).**

   Si ces options ne sont pas cochées, il n'est pas étonnant que des messages d'erreur surgissent.
4. **Désélectionnez également l'option Afficher une notification de chaque erreur de script.**

   Il est probable que c'est déjà fait, mais autant s'en assurer.
5. **Cliquez sur OK.**

   Internet Explorer ne vous demandera plus jamais si vous voulez réparer les bêtises des autres.

Chapitre 6

Impression et enregistrement d'informations Web

Dans ce chapitre :

- Imprimer le contenu d'une page Web.
- Enregistrer une page ou un graphisme sur votre disque dur.
- Copier un graphique Web.
- Afficher le contenu HTML d'une page Web.
- Transformer une image Web en papier peint.

Avec Internet Explorer, vous pouvez imprimer et enregistrer tout ou partie de vos pages Web favorites. Il est aussi possible de sauvegarder des images ou des photographies intéressantes et de les afficher sur le fond de votre bureau Windows. Pour comprendre comment tout cela se passe, il est intéressant d'aller jeter un coup d'œil dans les coulisses pour examiner le code HTML utilisé pour créer la page Web. Dans ce chapitre, vous allez donc apprendre comment mémoriser et réutiliser les informations que vous glanez au cours de votre navigation avec Internet Explorer.

Imprimer une page Web

Nous allons très bientôt apprendre à sauvegarder la page Web que vous consultez sur le disque dur. Mais peut-être voulez-vous simplement imprimer son contenu. Internet Explorer vous permet de le faire très facilement. Simplement, n'oubliez pas qu'une seule "page" Web peut se traduire par l'émission d'un joli petit paquet de feuilles : tout dépend de la quantité d'informations qu'elle contient !

Lorsque vous voulez imprimer le contenu de la page Web qui est affichée dans la fenêtre d'Internet Explorer, plusieurs méthodes s'offrent à vous :

- Cliquez sur le bouton Imprimer de la barre d'outils standard.
- Choisissez dans le menu Fichier la commande Imprimer, ou bien appuyez sur la combinaison de touches Ctrl+P. Dans la boîte de dialogue qui apparaît, choisissez votre imprimante et vos options puis cliquez sur Imprimer (voir la Figure 6.1).

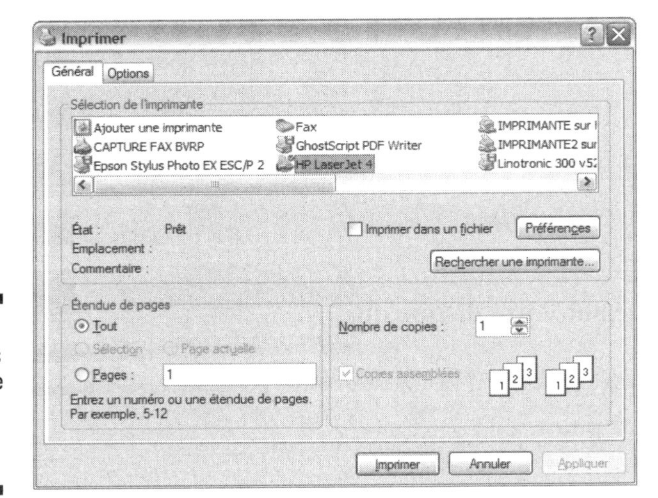

Figure 6.1 : Sélectionnez les options de sortie dans la boîte de dialogue Imprimer.

Mais avant d'envoyer la page vers l'imprimante, vous devriez contrôler la configuration de la mise en page. Choisissez pour cela la commande Mise en page (dans le menu Fichier). La boîte de dialogue correspondante est illustrée sur la Figure 6.2.

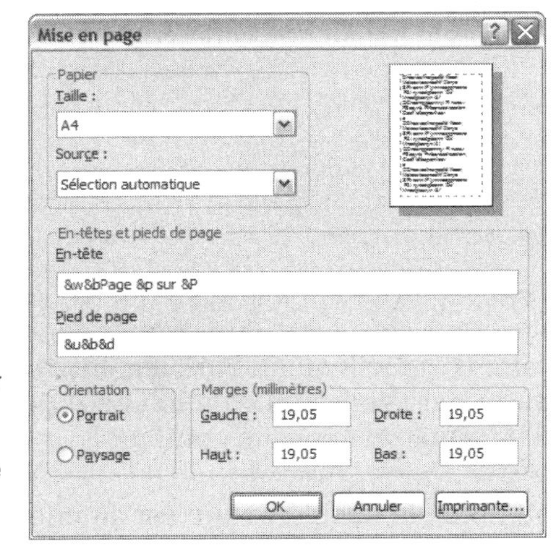

Figure 6.2 : Ajustez la configuration par défaut de votre page dans la boîte de dialogue Mise en page.

Pour modifier le format de papier, sélectionnez une option dans la liste déroulante Taille. Pour changer l'orientation de l'impression, cliquez sur Portrait (disposition verticale) ou Paysage (disposition horizontale). Pour redéfinir les marges, entrez de nouvelles valeurs (en millimètres) dans les champs Gauche, Droite, Haut et Bas.

Pour personnaliser les informations qui sont ajoutées en haut (En-tête) et en bas (Pied de page) de chaque feuille, vous devez éditer les codes qui apparaissent dans ces champs. Les codes d'impression débutent par le caractère & suivi d'une seule lettre. Pour vous simplifier le travail, ces codes sont décrits dans le Tableau 6.1.

Tableau 6.1 : Codes d'impression.

Tapez	Pour imprimer les informations suivantes
`&w`	Le titre de la fenêtre.
`&u`	L'adresse (URL) de la page.
`&d`	La date au format abrégé (comme indiqué dans les Paramètres régionaux du Panneau de configuration). Exemple : 31/03/2005.
`&D`	La date au format long (comme indiqué dans les Paramètres régionaux du Panneau de configuration). Exemple : Jeudi 31 Mars 2005.
`&t`	L'heure au format spécifié dans les Paramètres régionaux du Panneau de configuration. Exemple : 13:40:45.
`&T`	L'heure au format 24 heures.
`&p`	Le numéro de la page en cours.
`&P`	Le nombre total de pages.
`&&`	Et commercial (&) simple.
`&b`	Texte centré immédiatement après ces caractères.
`&b&b`	Texte centré immédiatement après le premier `&b` et texte aligné à droite après le second `&b`.

Les codes décrits dans le tableau peuvent être mélangés avec des chaînes de caractères tout à fait normales. Supposons par exemple que vous vouliez préciser en pied de page le numéro du feuillet courant et le nombre total de feuilles nécessaires à l'impression. Il vous suffit alors d'entrer dans ce champ :

```
Page &p sur &P
```

Ce qu'Internet Explorer interprétera ensuite de la façon suivante :

`Page 2 sur 3`

Le contenu des champs En-tête et Pied de page (codes et texte normal) sont par défaut justifiés à gauche. Pour centrer un titre, tapez le code `&b` juste avant le texte voulu (et les codes de mise en forme éventuellement associés). Pour justifier une information à droite de la page, doublez ce symbole en entrant `&b&b`.

Si vous voulez imprimer uniquement votre page Web, sans aucune indication en haut ou en bas des feuilles, il vous suffit d'effacer le contenu des champs En-tête et Pied de page dans la boîte de dialogue Mise en page.

Sauvegarder une page Web sur le disque dur

Vous pouvez sauvegarder toutes les pages Web que vous visitez sur le disque dur de votre ordinateur. Vous pourrez ensuite les consulter hors connexion dans Internet Explorer. La procédure à suivre est on ne peut plus simple :

1. **Affichez dans Internet Explorer la page Web que vous voulez mémoriser. Lorsque son chargement est terminé, ouvrez le menu Fichier et choisissez la commande Enregistrer sous.**

   La boîte de dialogue Enregistrer la page Web va s'afficher.

2. **Sélectionnez le dossier de votre disque dur dans lequel vous voulez enregistrer la page Web (exactement comme vous le feriez pour un document de travail).**

   Le nom du dossier apparaît dans la liste déroulante Enregistrer dans.

3. **(Facultatif) Si vous voulez donner à la page un autre intitulé que son titre par défaut (ou pour raccourcir celui-ci), éditez simplement le champ Nom du fichier.**

4. **Cliquez sur le bouton Enregistrer. L'opération ne prend ensuite que quelques instants.**

   Si la page n'est pas encore entièrement téléchargée, Internet Explorer va rechercher les éléments manquants. La sauvegarde sera alors un peu plus longue.

Une fois la page Web enregistrée sur votre disque dur, vous pouvez la consulter sans être sur Internet. Activez l'option Travailler hors connexion (dans le menu Fichier). Chargez ensuite votre page dans Internet Explorer à partir de la barre d'adresse ou de la commande Ouvrir du menu Fichier (son raccourci est Ctrl+O).

Sauvegarder une image du Web

Toutes les images graphiques présentes dans les pages Web peuvent être enregistrées sur votre disque dur, à la condition du moins qu'elles soient au format GIF ou JPEG (soit la presque totalité des cas). Nous verrons un peu plus loin comment transformer en plus une image en fond d'écran.

Pour enregistrer sur votre ordinateur un graphisme ou une photographie, procédez de la manière suivante :

1. **Ouvrez dans Internet Explorer une page Web supposée contenir le graphisme que vous voulez sauvegarder.**
2. **Placez le pointeur sur l'image voulue et cliquez avec le bouton droit de la souris. Ceci ouvre un menu contextuel. Choisissez-y l'option Enregistrer l'image sous.**

   La boîte de dialogue Enregistrer l'image va s'afficher.
3. **Utilisez la liste Enregistrer dans pour spécifier le dossier dans lequel vous voulez sauvegarder le graphisme.**
4. **(Facultatif) Il est parfaitement possible de donner à l'image un autre nom que celui qui lui est attribué dans la page Web. Editez pour cela le contenu du champ Nom du fichier.**
5. **(Facultatif) Par défaut, Internet Explorer sauvegarde le fichier d'image au format GIF ou JPEG (tout dépend du format interne à la page, tel qu'il a été défini par son créateur). La liste Type vous permet cependant d'opter pour l'enregistrement du graphisme au format BMP.**

   Windows se sert du format BMP de façon assez intensive (par exemple pour dessiner des boutons ou pour le papier peint). Il peut donc être intéressant de stocker des images dans ce format.
6. **Cliquez enfin sur Enregistrer pour sauvegarder l'image.**

Internet Explorer va charger et enregistrer le graphisme Web (voire plus prosaïquement le lire dans le cache, ce qui vous donnera deux fichiers pour une seule image).

Le fait de conserver des illustrations et des photographies sur votre disque dur ne vous donne aucun droit particulier à leur égard. Les droits d'auteur continuent à s'exercer et, sans précision contraire, il vous est interdit d'en faire un usage professionnel ou commercial !

Copier des informations à partir d'une page Web

Lorsque vous surfez sur Internet, vous trouvez fréquemment des sites Web qui contiennent des informations intéressantes, utiles à consulter plus tard hors connexion, mais qui ne nécessitent peut-être pas un enregistrement ou une impression de la page tout entière. Dans ce cas, vous disposez des classiques fonctions Copier et Coller pour incorporer telle ou telle section du texte dans un document quelconque.

Pour copier du texte d'une page Web vers un document local, suivez la procédure décrite ci-dessous :

1. **La page Web étant affichée dans la fenêtre d'Internet Explorer, placez le pointeur de la souris au début du texte que vous voulez copier (il doit prendre la forme d'un *I* majuscule). Cliquez. Tout en maintenant enfoncé le bouton gauche de la souris, faites glisser le pointeur au-dessus du texte qui vous intéresse. Continuez ainsi jusqu'à ce que toute la zone voulue soit mise en surbrillance.**

   Lorsque vous faites glisser votre pointeur, tous les graphiques qui apparaissent à l'intérieur des paragraphes sélectionnés (ou sur leur bord) sont également mis en surbrillance. Ils seront donc copiés en même temps. Si vous voulez éviter cela, vous devrez procéder en plusieurs étapes : copier/coller le texte qui se trouve *avant* un graphisme, puis copier/coller ce qui se trouve *après* le graphisme (à moins de transférer votre sélection vers une application qui ne connaît absolument rien aux images, par exemple le bloc-notes de Windows).

   Pour récupérer d'un seul coup tout le contenu d'une page Web, il vous suffit d'appuyer sur Ctrl+A (ou de choisir dans le menu Edition la commande Sélectionner tout). Vous n'avez plus qu'à copier la page dans le presse-papiers !

2. **Choisissez la commande Copier dans le menu Edition, ou plus simplement appuyez sur la combinaison Ctrl+C.**

   Le texte sélectionné est transféré vers le presse-papiers de Windows.

3. **Activez votre traitement de texte (disons, au hasard, Microsoft Word) ou bien votre éditeur (WordPad, le bloc-notes, etc.), ou encore votre logiciel de messagerie (Outlook Express ou un autre). Le document ou le message de destination étant ouvert, il ne va plus vous rester qu'à coller le contenu du presse-papiers.**

   Vous pouvez aussi refermer Internet Explorer et lancer le traitement de texte, l'éditeur ou le logiciel de messagerie. La destination peut être un document ou un message sur lequel vous travaillez déjà, ou bien un tout nouveau document.

4. **Cliquez là où vous voulez insérer le texte que vous avez sélectionné. Il vous suffit maintenant d'activer la commande Coller dans le menu Edition ou d'appuyer sur Ctrl+V.**

Nous avons vu un peu plus haut comment copier directement des graphismes sans le texte environnant.

Selon les capacités dont dispose le programme dans lequel vous collez le texte Web copié, celui-ci peut ou non conserver partiellement la mise en forme provenant de la page Web (éventuellement, cette copie peut être parfaite, mais c'est rarement le cas). Par exemple, si vous copiez une section de texte codé en HTML et qui se présente sous la forme d'une liste avec des puces, puis que vous collez le tout dans Word, les puces seront conservées et les paragraphes seront correctement indentés.

En sélectionnant du texte à partir d'une page Web, il est courant de copier en même temps des hyperliens placés là par l'auteur. Certains traitements de texte (dont Word) et certains programmes de messagerie (comme Outlook Express) savent conserver ces liens dans le document de destination. Cependant, vous n'êtes pas toujours assuré que ces hyperliens continuent à réagir correctement lorsque vous cliquez dessus. Le plus souvent, ce problème se pose quand vous n'avez pas enregistré sur votre disque dur (et au bon emplacement !) un double des pages Web ainsi pointées. D'autre part, le copier/coller de code HTML peut également entraîner l'apparition de sauts de ligne ou d'espaces supplémentaires (ceci provenant du formatage HTML lui-même).

Lorsque vous copiez des informations à partir d'un tableau inclus dans une page Web, vous pouvez conserver le format des tabulations en collant les lignes entières dans Word 2003, dans Outlook 2003 ou encore dans Outlook Express. Le meilleur résultat est obtenu si vous collez le tableau tout entier dans Word 2003 ou dans Outlook. De plus, il est possible de transférer des données d'un tableau Web vers un classeur Excel 2003 simplement en faisant glisser ce tableau vers des cellules vierges d'une feuille de calcul.

Afficher le code source HTML d'une page Web

Une page Web est un type particulier de document texte qui fait un usage extrêmement intensif de balises HTML (HyperText Markup Language) pour mettre en forme son contenu. Si vous concevez des pages Web (ou ce travail vous fait envie), vous pouvez en apprendre beaucoup sur ce langage en regardant le contenu HTML des pages que vous visitez.

Pour voir le code HTML dissimulé derrière la page qui est affichée dans la fenêtre de navigation d'Internet Explorer, choisissez simplement la commande Source dans le menu Affichage. Internet Explorer va alors lancer le bloc-notes de Windows et y copier le code HTML source de la page (toutes les balises, les scripts, les liens, le texte normal, etc.). C'est ce qu'illustre la Figure 6.3.

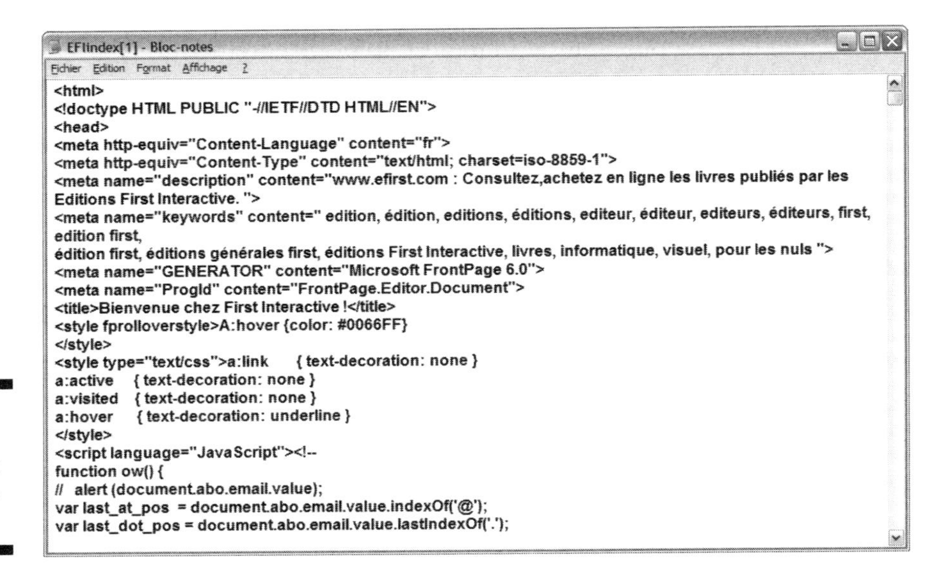


```
<html>
<!doctype HTML PUBLIC "-//IETF//DTD HTML//EN">
<head>
<meta http-equiv="Content-Language" content="fr">
<meta http-equiv="Content-Type" content="text/html; charset=iso-8859-1">
<meta name="description" content="www.efirst.com : Consultez,achetez en ligne les livres publiés par les
Editions First Interactive. ">
<meta name="keywords" content=" edition, édition, editions, éditions, editeur, éditeur, editeurs, éditeurs, first,
edition first,
édition first, éditions générales first, éditions First Interactive, livres, informatique, visuel, pour les nuls ">
<meta name="GENERATOR" content="Microsoft FrontPage 6.0">
<meta name="ProgId" content="FrontPage.Editor.Document">
<title>Bienvenue chez First Interactive !</title>
<style fprolloverstyle>A:hover {color: #0066FF}
</style>
<style type="text/css">a:link      { text-decoration: none }
a:active    { text-decoration: none }
a:visited   { text-decoration: none }
a:hover     { text-decoration: underline }
</style>
<script language="JavaScript"><!--
function ow() {
//   alert (document.abo.email.value);
var last_at_pos  = document.abo.email.value.indexOf('@');
var last_dot_pos = document.abo.email.value.lastIndexOf('.');
```

Figure 6.3 : Le code source HTML apparaît dans la fenêtre du bloc-notes.

Vous pouvez ensuite facilement imprimer le code HTML de la page Web à partir du bloc-notes.

Afficher un graphisme Web sur le bureau

Internet Explorer vous permet très facilement d'afficher comme papier peint de votre bureau n'importe quelle image provenant d'une page Web. Pour cela :

1. **Utilisez Internet Explorer pour accéder à la page Web qui contient l'image ou la photographie que vous voulez transformer en papier peint.**

2. **Cliquez sur le graphisme avec le bouton droit de la souris. Dans le menu contextuel qui apparaît, sélectionnez la commande Etablir en tant qu'élément d'arrière-plan.**

Dès que vous avez cliqué sur cette commande, Internet Explorer copie le fichier correspondant sur votre disque dur (dans le dossier Windows) et il affiche l'image sur l'arrière-plan de votre bureau. Par défaut, le nom sous lequel il enregistre le graphisme est *Papier peint de Internet Explorer.bmp*.

Pour supprimer ce papier peint (ou pour en changer), cliquez sur le fond du bureau Windows avec le bouton droit de la souris. Sélectionnez ensuite Propriétés dans le menu qui apparaît. La boîte de dialogue Propriétés de Affichage va s'afficher. Activez l'onglet Bureau. Servez-vous de la liste Arrière-plan (et si nécessaire du bouton Parcourir) pour changer l'image de fond. Si rien ne vous tente, il vous suffit de prendre comme arrière-plan *(Aucun)* !

Chapitre 7
Les bases des mèls

Dans ce chapitre :

- Les bases du courrier électronique en trois secondes.
- Comprendre les adresses e-mail.

Le courrier électronique, appelé couramment *e-mail*, ou plutôt *mèl* si l'on suit les recommandations académiques officielles, est sans aucun doute le plus utilisé de tous les services Internet. La messagerie d'Internet est connectée à tous les autres systèmes correspondants, y compris la messagerie de votre entreprise. Autrement dit, il vous suffit de maîtriser les bases de la messagerie Internet pour être capable de communiquer avec des personnes qui possèdent elles aussi une adresse de messagerie, et cela qu'elles se trouvent dans une entreprise, une institution, ou simplement chez elles. Dans ce chapitre, nous allons aborder les notions qu'il est indispensable de connaître pour être branché sur le monde, comme par exemple interpréter acronymes et emoticons, décrypter votre adresse e-mail et autres amusements communicatifs.

Choisir un programme pour votre courrier électronique

A tous les coups ou presque, vous avez le choix entre deux programmes de messagerie, tous deux créés par notre ami à tous, j'ai cité Microsoft. L'un est Outlook (traité dans les Chapitres 7 à 9 du Livret IV) et l'autre est Outlook Express (que nous allons étudier dans les Chapitres 8 et 9 de ce livret).

Ces programmes sont comparables dans le sens où ils gèrent de la même façon le courrier que vous recevez. Vos messages sont enregistrés dans des dossiers, et vous pouvez définir une structure personnalisée pour ranger toutes vos missives. Par contre, Outlook est une application beaucoup plus sophistiquée que son petit frère. Vous pouvez par exemple y gérer votre emploi du temps et y programmer à l'avance tâches et rendez-vous.

A moins que vous n'utilisiez avec un taux de satisfaction sans partage Netscape Mail ou Eudora, reconnaissons qu'ils sont aujourd'hui un peu dépassés et qu'il est préférable de passer à Outlook ou Outlook Express. Ces derniers sont beaucoup plus efficaces pour filtrer et organiser la multitude de messages qui nous arrivent chaque jour.

Abréviations et acronymes

Les utilisateurs de messageries électroniques *aiment* les abréviations. Que ce soit dans les mèls, les messages instantanés, les salons de discussion et bien sur les SMS, gagner du temps (et donc de la saisie) est devenu un sport quasi olympique. Les abréviations ou acronymes proposés dans le Tableau 7.1 sont, quoiqu'anglo-saxons, largement usités (même s'il y en a bien d'autres, dont le si classique A+).

Tableau 7.1 : Abréviations et acronymes pour messages branchés.

Abréviation	Mis à la place de	Signifie en bon français
AFAIK	As Far As I Know	Pour autant que je sache
AFK	Away From the Keyboard	Absent du clavier
AKA	Also Known As	Egalement connu sous le nom de
ASAP	As Soon As Possible	Dès que possible
B4	Before	Avant
BAK	Back At Keyboard	De retour au clavier
BBL	Be Back Later	Je reviens plus tard
BFN	Bye For Now	A plus, Au revoir et à la prochaine, Salut
BION	Believe It Or Not	Aussi incroyable que ça puisse paraître
BRB	Be Right Back	Je reviens de suite
BS	Big Smile	Grand sourire
BST	But Seriously Though	Blague à part
BTW	By The Way	Au fait
CUL	See You Later	A plus tard
CYA	See ya	Ciao
DND	Do Not Disturb	Ne pas déranger
EOD	End Of Discussion	Fin de la discussion
FB	Furrowed Brow	Je reste perplexe

Tableau 7.1 : Abréviations et acronymes pour messages branchés.

Abréviation	Mis à la place de	Signifie en bon français
FWIW	For What It's Worth	Pour ce que cela vaut, sans garantie de ma part
GGN	Gotta Go Now	Il faut que j'y aille
GMTA	Great Minds Think Alike	Les grands esprits se rencontrent
IAC	In Any Case	En tout cas, quoi qu'il en soit
IDTS	I Don't Think So	Je ne pense pas
IME	In My Experience	Autant que je puisse dire
IMHO	In My Humble Opinion	A mon humble avis
IMNSHO	In My Not So Humble Opinion	A mon avis pas si humble que ça
JAM	Just A Minute	Un moment
JK	Just Kidding	Je plaisante
L8R	Later	Plus tard
LOL	Laughing Out Loud	Crise de rire
MOMPL	A moment, PLease	Un moment, s'il te plaît
NBD	No Big Deal!	Ce n'est pas grave
NRN	No Reply Necessary	Inutile de répondre
OIC	Oh, I See	Ah oui, je vois
OO	Over and Out	Terminé
OTF	On The Floor	A se rouler par terre
OTOH	On The Other Hand	D'un autre côté, par contre
PB	Problem	Problème
POV	Point Of View	Point de vue
ROFL	Rolling On The Floor Laughing	A se rouler par terre de rire
RSN	Real Soon Now	Sans doute jamais
RTM!	Read The Manual!	Regarde dans le mode d'emploi !
S	Smile	Sourire
SOL	Sooner Or Later	Tôt ou tard
SYL	See you later	À tout à l'heure
TA	Thanks Again	Encore merci
TIA	Thanks In Advance	Merci d'avance

Tableau 7.1 : Abréviations et acronymes pour messages branchés.

Abréviation	Mis à la place de	Signifie en bon français
TTFN	Ta-Ta For Now!	À plus !
TY	Thank You	Merci
TYA	Thank You All	Merci à tous
WRT	With Regard To	En ce qui concerne
YIU	Yes, I understand	Oui, j'ai compris
YOOL	You're Out Of Luck	Vous n'avez pas de chance
YW	You're Welcome	Vous êtes le bienvenu

Adresses e-mail

Pour envoyer un message à quelqu'un, vous devez connaître son adresse e-mail. Pour schématiser, une telle adresse contient les éléments suivants :

- **Le nom de la boîte aux lettres :** Il s'agit généralement du nom du compte de la personne.
- **@ :** Le signe *at* (qui sert de séparateur).
- **Le nom d'hôte :** Celui de l'ordinateur hôte (nous y reviendrons un peu plus loin).

Exemple : `gourou@efirst.com`. Ici, `gourou` est le nom de la personne (ou plus exactement celui de son compte), tandis que `efirst.com` est celui de l'hôte (l'entreprise qui héberge notre ami gourou).

Les noms des boîtes aux lettres Internet ne devraient jamais contenir de virgules, d'espace ou encore de parenthèses. Ils peuvent comporter des lettres, des chiffres et certains caractères de ponctuation (points, tirets ou traits des soulignement). Normalement, les lettres peuvent être écrites en majuscules ou en minuscules. Ceci n'a aucune incidence (c'est d'ailleurs pourquoi on n'emploie généralement que des minuscules).

Certains utilisateurs d'AOL glissent des espaces dans leur pseudonyme. Il vous suffit de supprimer ceux-ci quand vous leur envoyez un message. Si, pour une raison mystérieuse, vous devez écrire à quelqu'un dont l'adresse de messagerie contient une virgule, un espace ou des parenthèses, placez l'adresse entière entre guillemets.

Mon adresse décodée

Si vous vous connectez à l'Internet via un fournisseur d'accès, votre adresse a certainement la forme suivante :

```
Mon_nom_d'utilisateur@nom_d'hôte_de_mon_FAI
```

Si vous connectez à partir d'un réseau (d'entreprise, ou encore d'école), votre adresse e-mail se présente vraisemblablement comme ceci :

```
Mon_nom_d'utilisateur@nom_d'hôte_de_mon_ordinateur
```

Un nom d'hôte peut ne correspondre qu'à une seule société, voire à un département à l'intérieur de celle-ci. Si votre nom d'utilisateur est `louis` et que votre ordinateur s'appelle `bureau.conseil.gourou.com`, votre adresse e-mail peut se présenter sous l'une des formes suivantes :

```
louis@bureau.conseil.gourou.com
louis@conseil.gourou.com
louis@gourou.com
```

ou même ainsi :

```
louis.quatorze@bureau.conseil.gourou.com
```

Noms d'hôtes et noms de domaines

Les *hôtes* sont des ordinateurs qui sont directement reliés à l'Internet. Les noms d'hôtes se présentent souvent sous la forme de plusieurs mots attachés par des points, comme dans :

```
maitre.dumonde.com
```

Pour décoder un nom d'hôte, vous devez le lire de droite à gauche :

- ✦ La partie la plus à droite est le domaine de premier niveau, c'est-à-dire en bon français *TLD* (pour Top Level Domain). Dans l'exemple ci-dessus, il s'agit de `.com`. Voyez à ce sujet la page suivante.

- Le second en venant de la droite représente le nom de l'entreprise (ou de l'organisation, de l'administration, et ainsi de suite). Soit ici : `.dumonde`.
- A gauche enfin, vous trouvez le nom d'un ordinateur particulier à l'intérieur de cette organisation (`maitre`).

Dans des organisations très importantes, les noms d'hôtes peuvent encore se diviser en sites et en départements. Dans tous les cas, les deux dernières parties du nom constituent un *domaine*. Ainsi, dans le nom `finances.gouv.fr` (qui a quelque rapport avec vos impôts), `finances` appartient au domaine `.gouv.fr`, et donc `.gouv.fr` est un *nom de domaine*.

L'organisme de gestion des noms de domaines français s'appelle l'AFNIC. Pour le trouver en même temps que de nombreux autres liens officiels consacrés aux noms de domaines, vous pouvez par exemple débuter votre recherche par la page suivante :

```
http://www.gouvernance-internet.com.fr/nouvelles/2002/news-gtlds.html
```

Un fournisseur d'accès Internet pourra vous aider si vous voulez disposer de votre propre nom de domaine et créer votre site. Bien entendu, tout cela n'est pas gratuit. Et peut même avoir un coût assez important selon le niveau de vos besoins et de vos exigences. Faites jouer la concurrence !

Adresses IP et DNS

Les logiciels réseau se servent de ce que l'on appelle une *adresse IP* (une sorte de numéro de téléphone, si vous voulez) pour identifier l'hôte. Une adresse IP se présente sous la forme d'une série de quatre nombres séparés par des points, comme dans :

```
208.31.42.77
```

Un système dénommé *DNS* (Domain Name Server, soit serveur de nom de domaine) est chargé de mettre en correspondance adresse IP (voire adresse IP pour les hôtes d'importance) et nom d'hôte. En général, un ordinateur est défini par une adresse IP et un nom d'hôte, même si ce n'est pas toujours vrai. Par exemple, un portail Internet de la dimension de Yahoo! doit disposer de multiples points d'accès (et donc d'autant d'adresses IP), qui doivent tous être accessible à partir du même nom d'hôte.

Les adresses IP les plus importantes à connaître sont généralement celles des ordinateurs de votre fournisseur d'accès Internet. Vous pouvez avoir besoin de cette information pour configurer correctement tel ou tel logiciel de votre ordinateur (autrefois, c'était même indispensable, mais les choses ont évolué vers plus de simplicité). Ce type de renseignement pourrait peut-être servir un jour à votre technogourou préféré pour rétablir votre connexion Internet.

Les TLD

Le *domaine de premier niveau* (le TLD, parfois appelé aussi *zone*) correspond à la partie la plus à droite du nom d'hôte (la plus connue est la zone commerciale : `com`, comme dans `jevendstout.com`). Les TLD se présentent pour l'essentiel sous deux catégories :

- Organisationnelle
- Géographique

Si le nom du domaine de premier niveau contient trois lettres ou plus, il s'agit d'un nom d'organisation (au sens très large). Le Tableau 7.2 en donne les principaux exemples.

Tableau 7.2 : TLD et organisations.

TLD	Description
`com`	Organisation commerciale
`edu`	Institution éducative
`gov`	Ce qui relève du gouvernement des USA
`int`	Certaines organisations internationales
`mil`	Certainement un site militaire américain
`net`	Des réseaux divers
`org`	Tout ce qui ne rentre pas dans une autre boîte (essentiellement des organisations à but non lucratif)

Vous avez sans doute remarqué la connotation très américaine des TLD. Il y a à cela une excellente raison : tout le système vient de là-bas ! N'oublions pas que l'Internet a été inventé là-bas à la fin des années 60 (pour des buts essentiellement militaires), et qu'il s'appelait à l'origine ARPAnet…

Le domaine de premier niveau le plus prestigieux est incontestablement `com`. Il est employé par l'ensemble du monde commercial et industriel, ainsi que par d'autres acteurs économiques. Mais comme tout cela commence à se trouver un peu à l'étroit, des réflexions et discussions continuent de se mener pour créer de nouveaux TLD.

Si le nom de domaine de premier niveau ne contient que deux lettres, il s'agit d'un secteur *géographique* (`fr` pour la France, `us` pour les Etats-Unis, `uk` pour la Grande-Bretagne, `jp` pour le Japon, et ainsi de suite). Ce qui est placé juste avant le TLD est spécifique à chaque pays, par exemple `gouv` pour les sites officiels du gouvernement français, `edu` s'il s'agit d'éducation, `co` pour un site marchand, etc.

Bien entendu, rien n'interdit d'ajouter d'autres étages à la fusée, et ce jusqu'à ce que la pointe soit atteinte (en d'autres termes, le nom d'un ordinateur sur le réseau).

Numéros de ports

Les ordinateurs connectés à l'Internet peuvent exécuter de nombreux programmes en même temps. Ils sont donc susceptibles de dialoguer simultanément avec des foules d'autres ordinateurs localisés n'importe où dans le monde. Pour que chaque type d'application soit à même de frayer son chemin dans cette toile d'araignée, il lui est affecté un canal spécifique, ce que l'on appelle un *numéro de port*. Par exemple :

✦ Les transferts de fichiers (FTP) utilisent le port 21.

✦ Le courrier électronique se sert du port 25.

✦ Le World Wide Web se voit réserver le port 80.

Normalement, votre programme de messagerie, de FTP ou encore de *newsgroup* sélectionne automatiquement le bon port. Vous n'avez donc pas à vous en soucier (sauf éventuellement si vous constatez qu'un intrus tente de pénétrer dans votre ordinateur). Il arrive aussi qu'un numéro de port fasse partie intégrante d'une URL.

Adresse URL et adresse e-mail

Les URL (rappelons qu'il s'agit de l'abréviation de Uniform Resource Locator) contiennent les informations dont votre navigateur a besoin pour accéder à des pages sur le World Wide Web. Elles ressemblent aux adresses e-mail, puisque toutes deux sont basées sur un nom de domaine. Mais il existe un moyen très simple de les différencier : on trouve toujours le caractère @ dans les adresses e-mail, jamais dans les URL.

Si vous voyez quelque part une URL écrite avec un tiret en fin de ligne, l'adresse se poursuivant sur la ligne du dessous, il s'agit vraisemblablement d'un problème de mise en page. Essayez de supprimer le tiret si vous voulez saisir cette URL dans votre navigateur (bien entendu, une URL a le droit de contenir un tiret !).

En règle générale, les adresses e-mail ne font pas la différence entre majuscules et minuscules. Par contre, les URL *sont* sensibles à la façon dont les lettres sont tapées. Entrez toujours une URL exactement comme elle est écrite, donc en respectant majuscules comme minuscules.

Chapitre 8

Envoyer et recevoir du courrier avec Outlook Express

Dans ce chapitre :

- Ramasser votre courrier.
- Gérer vos messages.
- Envoyer un mèl (maintenant ou plus tard).
- Imprimer des messages.

Si vous utilisez Internet Explorer, vous avez Outlook Express, le programme de messagerie grand public de Microsoft. Si vous ne savez pas trop comment fonctionne Outlook Express, ne vous désespérez pas. Ce chapitre va vous expliquer tout ce que vous avez besoin de savoir pour tirer le meilleur profit de ce programme, rapidement et efficacement. Vous allez y apprendre à rédiger et envoyer des messages, à leur ajouter si vous le souhaitez couleurs et images. Vous y verrez également comment répondre à vos e-mails et comment les imprimer.

Relever sa boîte aux lettres

Dès que vous aurez commencé à envoyer des messages et à communiquer votre adresse personnelle, votre boîte aux lettres va avoir tendance à enfler rapidement. Vous devez donc être capable non seulement d'accéder à votre courrier, mais aussi de répondre à vos correspondants (quoique, parfois...).

Configurer Outlook Express pour récupérer votre courrier

Normalement, Outlook Express ne vous dit pas automatiquement si du nouveau courrier est arrivé dans votre boîte aux lettres. Vous devez alors cliquer sur le bouton Envoyer/Recevoir. Mais il est possible de le configurer pour qu'il s'occupe de cette tâche domestique chaque fois que vous le lancez.

Si vous ordinateur n'est pas connecté à l'Internet, Outlook Express va composer le numéro d'appel de votre FAI, se connecter, et récupérer de lui-même vos messages.

Voyons ce qu'il faut faire pour dresser Outlook Express :

1. **Ouvrez Outlook Express à partir de la zone de lancement rapide, vers la droite de la barre des tâches, ou à partir du menu Démarrer (l'icône peut se trouver en haut de la fenêtre, ou à défaut dans la liste Tous les programmes).**

   Il est nécessaire de lancer Outlook Express de cette manière, car il n'est pas possible de modifier les réglages du programme à partir d'une fenêtre Nouveau message.

2. **Une fois Outlook Express, chargé, ouvrez le menu Outils et choisissez la commande Options.**

   La boîte de dialogue Options va s'afficher. L'onglet Général devrait être activé par défaut.

3. **Cochez la case qui indique Vérifiez l'arrivée de messages toutes les 30 minutes. Dans le champ de saisie correspondant, remplacez la valeur *30* par une durée en minutes à votre convenance (vous pouvez aussi vous servir des petites flèches pour faire défiler le temps).**

4. **Cochez aussi l'option Envoyer et recevoir les messages au démarrage.**

   De cette façon, Outlook Express consultera votre messagerie chaque fois que vous le lancerez, et il continuera à le faire au bout de chaque période de *x* minutes définie ici.

5. **(Facultatif) Si vous voulez en plus être averti de l'arrivée de nouveaux e-mails par un signal audio, cochez la case Emettre un son lors de la réception des nouveaux messages.**

6. **Cliquez sur Appliquer.**

7. **Cliquez sur OK.**

La boîte de dialogue se referme, vous revenez à la fenêtre principale d'Outlook Express, et la récupération automatique du courrier se met en route.

Lorsqu'un message arrive, Outlook Express vous en prévient en affichant le dessin d'une enveloppe dans sa barre d'état (et éventuellement en vous "buzzant" si vous avez activé l'option Emettre un son). Il indique aussi le nombre de courriers reçus.

Tout cela est parfait si vous êtes dans une phase de travail intensif sous Outlook Express. Mais ne vous attendez pas à recevoir ce type d'indication lorsque vous naviguez sur le Web avec Internet Explorer. Il vous faudra alors cliquer sur le bouton Courrier de sa barre d'outils, puis choisir dans le menu qui s'affiche la commande Lire le courrier.

Lire ses messages

Les messages que vous recevez sous Outlook Express sont placés dans un dossier appelé Boîte de réception. Pour ouvrir cette boîte et consulter votre courrier, procédez de la manière suivante :

1. **Ouvrez Outlook Express à partir de la zone de lancement rapide ou du menu Démarrer.**

   Si vous êtes sous Internet Explorer, vous pouvez également cliquer sur l'icône Courrier de la barre d'outils, puis choisir dans le menu correspondant la commande Lire le courrier. A condition qu'il soit bien votre programme de messagerie par défaut, Outlook Express va ouvrir votre boîte de réception.

2. **Cliquez sur le bouton Envoyer/Recevoir dans la barre d'outils d'Outlook Express.**

   Dès que vous cliquez sur ce bouton, Outlook Express ouvre une connexion vers votre serveur de messagerie. Il y recherche et charge tous les nouveaux messages pour l'ensemble des comptes de l'ordinateur. Une fois récupérés, ces messages sont placés dans votre boîte de réception.

   La ligne de description des courriers apparaît dans le panneau supérieur de la boîte de réception. Celui-ci est divisé en six colonnes : Priorité (signalée par un point d'exclamation rouge), Pièce(s) jointe(s) (marquées par un trombone), Marquer (c'est le petit drapeau), De (le nom ou l'adresse de l'expéditeur), Objet (la description du message) et Reçu (la date et l'heure associées au message).

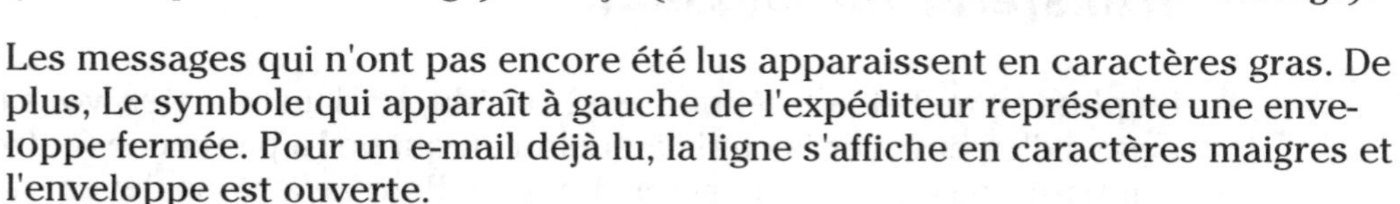

   Les messages qui n'ont pas encore été lus apparaissent en caractères gras. De plus, Le symbole qui apparaît à gauche de l'expéditeur représente une enveloppe fermée. Pour un e-mail déjà lu, la ligne s'affiche en caractères maigres et l'enveloppe est ouverte.

3. **Pour lire un message, cliquez sur la ligne correspondante dans le panneau de la boîte de réception.**

   Le pointeur peut se trouver sur n'importe quelle colonne, cela ne change rien.

Le message va s'ouvrir et son contenu s'affiche dans le panneau du bas. Le nom de l'expéditeur et le sujet du courrier sont indiqués dans le bandeau qui sépare les deux volets.

Pour ouvrir un message dans une fenêtre séparée, faites un double clic sur sa ligne de définition.

4. **Quand vous avez terminé la lecture de votre courrier, vous pouvez réduire la fenêtre d'Outlook Express ou la refermer jusqu'à la prochaine fois.**

La partie inférieure du panneau (le *volet de visualisation*) montre le contenu du message sélectionné dans la boîte de réception. Autrement dit, le simple fait de cliquer sur une ligne dans la boîte de réception *ouvre* le message correspondant. Les virus apprécient ! Je vous conseille donc de masquer ce volet. Pour cela, ouvrez le menu Affichage et choisissez la commande Disposition. Désactivez alors l'option Afficher le volet de visualisation. Validez. Pour lire vos messages, vous devrez maintenant faire volontairement un double clic sur leur titre. Mais c'est tout de même peu de chose.

Répondre à un message

Bien souvent, vous avez besoin (ou simplement envie) de répondre tout de suite à un message. Surtout s'il est signalé par un symbole de priorité élevée (!). Pour cela :

1. **Pour écrire à l'auteur du message que vous consultez, cliquez sur le bouton Répondre. Pour expédier votre missive à la fois à l'auteur et à toutes les personnes qui sont destinataires d'une copie, cliquez sur Répondre à tous.**

2. **Dans la fenêtre de composition, saisissez votre réponse au-dessus du texte original. Il ne vous reste plus ensuite qu'à cliquer sur le bouton Envoyer.**

Transférer un message

En plus, ou au lieu, de répondre à l'expéditeur d'un courrier, vous pouvez avoir besoin d'en envoyer la copie à quelqu'un qui ne l'a pas reçue (autrement dit, qui n'apparaît pas dans les champs *A* et *Cc:*). Pour cela, vous devez transférer un double du message vers le(s) destinataire(s) de votre choix. Outlook Express va automatiquement recopier le sujet et le contenu d'origine, à charge pour vous de saisir l'adresse et de cliquer sur Envoyer.

1. **Le message à communiquer étant ouvert, cliquez dans la barre d'outils d'Outlook Express sur le bouton Transférer.**

2. **Remplissez le champ *A:* avec l'adresse e-mail du destinataire (et éventuellement *Cc:* si vous souhaitez transmettre à d'autres personnes une copie de la copie).**

3. **(Facultatif) Complétez le texte du message si vous le souhaitez.**

4. **Cliquez sur Envoyer.**

Rédiger son courrier électronique

Avec Outlook Express, il est très facile de rédiger et d'expédier des e-mails vers toute personne qui possède une adresse de messagerie.

Créer un message

Pour créer un nouveau message, vous pouvez procéder de la manière suivante :

1. **Outlook Express étant ouvert, cliquez dans la barre d'outils sur le bouton Créer un message.**

   Si vous êtes sous Internet Explorer, il est également possible de cliquer sur le bouton Courrier, puis de choisir dans le menu qui apparaît la commande Nouveau message. Quelle que soit la méthode employée, la fenêtre Nouveau Message va s'afficher.

2. **Entrez l'adresse e-mail du destinataire dans le champ de texte *A:*.**

   Si votre correspondant a déjà été enregistré dans votre carnet d'adresses, vous pouvez aussi cliquer sur le symbole placé devant le champ *A:*. La boîte de dialogue Sélectionner les destinataires va s'afficher. Cliquez sur le nom voulu, puis sur le bouton *A:->*. Il est possible de définir d'autres destinataires de la même façon. Sinon, vous pouvez tout de suite cliquer sur OK.

3. **(Facultatif) Pour expédier une copie du message à d'autres personnes, cliquez dans le champ *Cc:*. Entrez une ou plusieurs adresses e-mail. Le point-virgule sert de séparateur.**

   Lorsque vous rédigez un nouveau message, vous pouvez en envoyer un double à autant de destinataires que vous le souhaitez (en restant tout de même dans les limites du raisonnable). C'est à cela que sert le champ *Cc:* (qui signifie tout simplement Copie carbone). Si vous voulez cacher le nom de ces correspondants aux autres (sauf au destinataire principal), cliquez sur l'icône placée devant la ligne *Cc:*. Définissez ensuite les adresses voulues en cliquant sur le bouton *Cci:->* (Copie carbone invisible).

4. **Cliquez n'importe où dans le champ *Objet:*, puis tapez une description aussi courte et explicite afin que votre correspondant comprenne de quoi il s'agit.**

   Lorsque votre message est délivré, c'est cette description qui est montrée dans la colonne Objet de la boîte de réception. Quand vous recevez votre courrier, vous voulez comprendre d'un coup d'œil qui l'a envoyé et pourquoi. Les autres sont comme vous, ne l'oubliez pas.

5. **(Facultatif) Pour changer le niveau de priorité (virtuelle) associé au message, cliquez sur le bouton correspondant, à droite de la barre d'outils. Dans le menu qui s'affiche, choisissez l'une des trois options Haute, Normale ou Basse.**

   Lorsque vous indiquez que la priorité du message est haute ou basse, Outlook Express attache une icône au message afin d'indiquer son importance relative (mais le fait que vos destinataires voient ou non cette icône dépend totalement du programme de messagerie qu'ils utilisent !). Une priorité élevée sera signalée par un point d'exclamation. Une priorité basse sera indiquée par une flèche pointant vers le bas. Après quoi, c'est celui qui lit le courrier qui juge la chose de son point de vue !

6. **Placez le curseur dans le corps du message (il occupe bien sûr la majeure partie de la fenêtre). Entrez alors le texte de votre courrier comme vous le feriez dans n'importe quel éditeur ou traitement de texte. Pour terminer un paragraphe ou raccourcir une ligne, il vous suffit d'appuyer sur la touche Entrée.**

   N'oubliez pas ce faisant que vous avez la possibilité d'insérer directement du texte à partir d'un autre document (en vous servant de ce bon vieux copier/coller). Il est aussi possible de récupérer un contenu existant à l'aide de la commande Texte du fichier (dans le menu Insertion). Les choix dont vous disposez alors dépendent de vos options d'envoi du courrier (sous forme HTML ou comme texte brut).

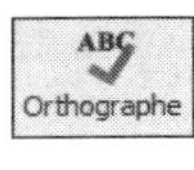

7. **(Facultatif) Des soucis avec la langue de Molière ? Placez le curseur au début du message, puis cliquez dans la barre d'outils sur le bouton Orthographe.**

   Le correcteur orthographique d'Outlook Express fonctionne comme celui d'un traitement de texte quelconque. Lorsqu'il trouve un mot qu'il ne connaît pas, il le met en surbrillance et affiche une boîte de dialogue vous proposant un ou plusieurs termes de remplacement.

   - Pour changer le mot inconnu par celui qui est proposé dans le champ *Remplacer par:*, cliquez simplement sur le bouton Modifier (ou sur Modifier tout si vous avez l'habitude de faire la même erreur).
   - Si vous pensez avoir raison, cliquez sur Ignorer (ou Ignorer tout, car vous venez peut-être de créer un nouveau mot). Le correcteur orthographique va s'incliner et poursuivre son analyse de texte.

8. **Quand vous avez terminé, il ne vous reste plus qu'à cliquer à gauche de la barre d'outils sur le bouton Envoyer.**

Joindre un fichier à un message

Outlook Express vous permet de joindre à vos e-mails des fichiers qui serviront à transmettre des informations que vous ne pouvez (ou ne voulez) pas incorporer dans le corps du message. Exemple type : l'envoi à un(e) collègue d'un document Word ou d'un classeur Excel.

Voici comment attacher un fichier à un message :

1. **Commencez à créer normalement votre message sous Outlook Express (ou du bouton Courrier d'Internet Explorer).**
2. **Dans la fenêtre Nouveau message, définissez toutes les informations dont vous avez besoin : destinataire(s), copies éventuelles, sujet, corps du message précisant qu'il y a une ou plusieurs pièces jointes et expliquant de quoi il s'agit.**

3. **Cliquez dans la barre d'outils de la fenêtre sur le bouton Joindre. La boîte de dialogue Insérer une pièce jointe va s'afficher.**
4. **Servez-vous de la liste déroulante Regarder dans pour sélectionner le dossier dans lequel se trouve le fichier à attacher. Cliquez ensuite sur le nom voulu dans la liste principale. Cliquez enfin sur le bouton Joindre.**

   Outlook Express va ajouter sous le champ *Objet:* une ligne *Joindre:* qui va afficher l'icône d'application et le nom du fichier, ainsi que la taille de celui-ci.

   Vous pouvez parfaitement joindre plusieurs pièces d'un coup à partir du dossier choisi. Il vous suffit pour cela de cliquer sur les noms voulus tout en appuyant sur la touche Ctrl.

5. **Cliquez sur le bouton Envoyer pour expédier le message et la ou les pièces jointes.**

   Si vous avez fait tout ce travail en partant d'Internet Explorer, la fenêtre d'Outlook Express va se refermer une fois l'envoi terminé.

Ajouter une image à votre message

On dit qu'une image vaut parfois mieux que mille mots. Pourquoi vous en priver ?

Pour insérer un graphisme dans le message que vous êtes en train de rédiger, choisissez dans le menu Insertion la commande Image. Utilisez ensuite le bouton Parcourir de la boîte de dialogue qui va apparaître pour localiser le fichier graphique voulu. Il est aussi possible d'améliorer l'ordinaire en intégrant une légende, des marges ou encore un encadrement. Cliquez sur OK quand vous avez terminé.

Si la commande Image n'est pas accessible dans le menu Insertion, c'est que vous composez un message en texte brut. Désolé ! Vous insistez ? Ouvrez le menu Format et sélectionnez-y la commande Texte enrichi (HTML).

A fond la forme pour vos messages

Vous voudriez envoyer à votre famille ou vos collègues l'un des messages dont on reparlera longtemps (ou du moins dont ils s'apercevront de la présence) ? Dans ce cas, vous devriez vous intéresser à la barre d'outils de mise en forme. Elle vient s'insérer entre l'en-tête et le corps du message et est active dès que vous cliquez quelque part dans ce dernier. Les boutons de la barre permettent alors de *formater* le texte de votre e-mail.

Si vous n'arrivez pas à voir cette barre d'outils, c'est que vous (ou un plaisantin) avez modifié le format d'envoi par défaut dans les options d'Outlook Express. Lisez ce qui suit pour en apprendre davantage sur cette question.

Messages HTML ou texte brut ?

Outlook Express propose deux formats de fichiers pour la composition des e-mails. Le texte *enrichi* (HTML) est capable d'afficher tout ce que vous voyez dans les pages Web que vous visitez (y compris les images). Le texte *brut*, eh bien, il est brut ! Rien d'autre qu'une étendue de caractères (comme dans le bloc-notes de Windows).

Lorsque vous installez Outlook Express, il prend comme format d'envoi par défaut le texte enrichi (HTML). C'est une excellente initiative, du moins à la condition que les programmes de messagerie dont se servent vos correspondants soient capables de lire ce format. (Vous devez savoir que tout le monde n'a pas Outlook Express, et que certains outils de messagerie sous Unix ne connaissent même pas le HTML.)

Lorsque vous envoyez un message au format HTML et que le logiciel de votre correspondant(e) ne sait pas le lire, il apparaît chez lui sous le forme de texte brut auquel est attaché le fichier HTML correspondant sous la forme d'une pièce jointe. Il (ou elle) lui suffira alors d'enregistrer la pièce jointe, puis de l'ouvrir dans son navigateur pour apprécier toute la beauté du message.

Si vous voulez travailler par défaut dans le format Texte brut, quelques clics y pourvoiront :

1. **Lancez Outlook Express si ne c'est déjà fait.**
2. **Ouvrez le menu Outils et choisissez la commande Options.**
3. **Dans la boîte de dialogue qui apparaît, activez l'onglet Envois. Cochez-y la case Texte brut (dans la rubrique Format d'envoi du courrier).**

   Si vous ne voulez pas que les lignes du texte original soient précédées d'un crochet (<) lorsque vous répondez à votre courrier ou que vous le transférez vers quelqu'un d'autre, cliquez sur le bouton Paramètres de texte brut. Désactivez alors la case Mettre en retrait le texte d'origine (en bas de la boîte de dialogue). Vous pouvez aussi changer de symbole en sélectionnant dans la liste déroulante un trait vertical ou un double point.

4. **Cliquez deux fois sur OK pour refermer les boîtes de dialogue et confirmer vos choix. Ils s'appliquent immédiatement.**

Vous pouvez à tout moment changer d'avis lorsque vous rédigez un message. Il vous suffit pour cela d'ouvrir le menu Format et d'y sélectionner soit Texte enrichi (HTML), soit Texte brut.

Couleur, gras, italique et autres effets de texte

Dans la fenêtre Nouveau message d'Outlook Express, la barre d'outils Mise en forme simplifie l'ajout de fioritures HTML (simples) à vos messages. Vous pouvez par exemple sélectionner à la souris la partie du texte que vous voulez personnaliser, puis cliquer sur l'un des boutons Gras, Italique ou encore Souligné (ou sur tous).

En plus de ces modes très classiques, il vous est aussi possible de modifier la couleur du texte pour le rendre un peu plus attirant. Pour cela, vous n'avez qu'à en sélectionner une portion (cliquez, glissez, relâchez !). Cliquez ensuite sur le bouton Couleur de la police de la barre de mise en forme. Choisissez une teinte dans le menu qui s'affiche, et c'est tout !

Changer le style et la taille du texte

Soyez encore plus créatif : utilisez une police de caractères personnelle et agrandissez la taille du texte. Là encore, il vous suffit de sélectionner un groupe de caractères, ou bien une ligne, ou encore un paragraphe entier. Choisissez ensuite une police et une taille dans les deux listes déroulantes qui se trouvent à gauche de la barre d'outils Mise en forme.

Evitez les polices trop exotiques. Vos correspondant(e)s risqueraient de ne pas les posséder sur leur ordinateur, et donc d'être incapables de profiter de vos efforts.

Poster le courrier

Dès que vous avez fini de rédiger un message (sans oublier de vérifier son orthographe) vous pouvez l'expédier. A condition bien entendu d'être connecté. Cliquez simplement dans la fenêtre Nouveau message sur le bouton Envoyer (vous disposez aussi de deux combinaisons de touches : Ctrl+Entrée et Alt+S). Et voilà votre message parti dans le cyberespace (le temps éventuellement qu'Outlook Express se connecte sur l'Internet).

Si vous avez un ordinateur portable et que vous vous trouvez dans le train ou dans l'avion, il est probable que tout cela ne marchera pas, simplement parce que votre matériel n'est pas à la hauteur de l'enjeu...

Quand il n'est pas possible de transmettre immédiatement sa prose (illustrée ou non), il faut enregistrer le message dans un dossier temporaire. Pour cela, ouvrez le menu Fichier et choisissez la commande Envoyer plus tard. Outlook Express va afficher une fenêtre d'alerte indiquant que le message sera placé dans un dossier appelé Boîte d'envoi, et qu'il sera expédié la prochaine fois que la commande Envoyer/Recevoir sera exécutée.

Cliquez sur OK. Le message est placé dans votre boîte d'envoi. Quand vous le pouvez, connectez-vous. Si Outlook Express n'est pas programmé pour lire et expédier automatiquement le courrier, cliquez sur le bouton Envoyer/Recevoir. C'est tout.

Imprimer un message

Vous voulez montrer un message à quelqu'un qui n'a pas d'ordinateur ? Vous avez besoin d'en archiver une copie sur papier ? Une seule solution : l'imprimer.

Votre message étant ouvert, choisissez dans le menu Fichier la commande Imprimer. Sélectionnez l'imprimante de destination ainsi que le nombre de copies (et toutes les autres options que vous jugerez utiles).

Il ne vous reste plus qu'à cliquer sur le bouton Imprimer, et c'est parti !

Testé et approuvé

Outlook Express et son bureau

Outlook Express se débrouille plutôt bien pour cacher les parties plus inutiles (pardon, flamboyantes) de son interface. Pour redisposer, afficher ou masquer divers volets de la fenêtre, ouvrez le menu Affichage et choisissez la commande Disposition. Dans la boîte de dialogue qui s'affiche, cochez ou désactivez chaque élément selon ce que vous voulez voir sur votre bureau :

- **Contacts : Activez cette option pour débuter un nouveau message à partir d'un contact préenregistré en faisant un double clic sur un nom dans votre carnet d'adresses. Par contre, si votre carnet est copieusement rempli, il vaudrait mieux désactiver cette option.**
- **Barre de dossiers : Désélectionnez cette option si vous ne voulez pas que cette barre prenne toute la place disponible.**
- **Liste des dossiers : L'affichage de cette liste facilite la circulation dans Outlook Express.**
- **Barre Outlook : Ne vaut même pas la place qu'elle occupe sur l'écran.**
- **Barre d'état : Placée tout en bas de la fenêtre, elle peut afficher des informations pratiques.**
- **Barre d'outils : Ce sont les icônes affichées en haut de la fenêtre. Vous en avez besoin.**
- **Barre d'affichage : Liste déroulante utile si vous voulez utiliser des affichages personnalisés.**

Chapitre 9

Organiser vos adresses e-mail et vos messages

Dans ce chapitre :

- Organiser vos messages à l'aide de dossiers.
- Gérer famille, amis et collègues grâce au carnet d'adresses.

Pouvoir récupérer son courrier électronique, c'est magnifique, mais vous risquez d'être très vite débordé par les événements. Si vous n'y faites pas attention, votre boîte de réception Outlook Express va se remplir de centaines de messages, totalement mélangés, et dont certains ne sont peut-être même pas encore lus ! Ce chapitre va donc vous expliquer comment organiser votre messagerie.

L'une des premières choses à faire est d'ajouter les noms des personnes avec qui vous correspondez régulièrement à votre carnet d'adresses Outlook Express. Ceci vous permettra de taper simplement le nom voulu lorsque vous écrivez à quelqu'un, au lieu de devoir mémoriser des adresses e-mail compliquées. Nous verrons également comment gérer votre carnet d'adresses dans Outlook Express.

Organiser vos messages à l'aide de dossiers

Outlook Express vous propose différentes méthodes pour organiser votre *courriel*, y compris un assistant très pratique pour vous aider à faire automatiquement le tri dans les messages que vous recevez à l'aide de règles personnelles.

Pensez-y. La méthode de base pour organiser vos messages consiste à les trier dans la boîte de réception (comme d'ailleurs dans n'importe quel dossier Outlook Express). Il vous suffit pour cela de cliquer sur l'en-tête d'une des colonnes. Vous pouvez par exemple classer les e-mails reçus selon leur objet en cliquant sur cet intitulé tout en haut de la liste. Vous pouvez tout aussi bien les ordonner en fonction de la date et de l'heure d'enregistrement.

Si vous cliquez une fois sur l'en-tête de la colonne Reçu, vous triez les messages dans l'ordre ascendant (du plus ancien au plus récent). Si vous cliquez une fois sur l'en-tête de cette colonne, vous les classez dans l'ordre inverse (du plus récent au plus ancien).

Créer un nouveau dossier

Créer un nouveau dossier est très facile. Il suffit de cliquer avec le bouton droit de la souris dans la liste Dossiers et de choisir dans le menu qui apparaît la commande Nouveau dossier.

Dans la boîte de dialogue qui apparaît, entrez un nom dans le champ Nom du dossier. Dans la liste affichée en bas de la fenêtre, choisissez le futur dossier parent (Dossiers locaux pour ajouter une branche au même niveau que la boîte de réception, ou encore cette dernière si vous voulez lui associer des sous-dossiers). Cliquez sur OK pour terminer l'opération.

Déplacer des messages vers un dossier

Outlook Express vous permet de réorganiser facilement votre courrier électronique dans différents dossiers. Pour envoyer tout un tas de courriers dans un dossier de votre choix, procédez de la manière suivante :

Boîte de réception

1. **Ouvrez votre boîte de réception Outlook Express (si vous êtes sous Internet Explorer, cliquez sur le bouton Courrier dans la barre d'outils, puis choisissez la commande Lire le courrier).**

2. **Sélectionnez tous les messages que vous voulez regrouper dans un même dossier.**

   Pour activer un message, cliquez sur la ligne correspondante. Pour sélectionner une série continue de messages, cliquez sur le nom du premier, appuyez sur la touche Majuscule, puis cliquez sur le dernier. Pour obtenir une sélection discontinue, servez-vous de la classique combinaison Ctrl+clic.

3. **Quand vous avez terminé la sélection des messages à déplacer, ouvrez le menu Edition et choisissez la commande Déplacer vers un dossier.**

4. **Dans la boîte de dialogue qui s'affiche, mettez en surbrillance le nom du dossier (ou du sous-dossier de destination). Vous devrez peut-être cliquer**

sur les signes plus ou moins qui apparaissent devant certaines lignes afin d'ouvrir ou de refermer l'arborescence correspondante.

5. **Quand vous êtes prêt, cliquez sur OK. C'est tout : vos messages sont immédiatement déplacés vers le dossier que vous avez choisi.**

Vous n'avez plus qu'à vérifier le bon déroulement du transfert en ouvrant le dossier (ou le sous-dossier) défini lors de l'étape 4.

Organiser votre courrier grâce à l'éditeur de règles

L'éditeur de règles peut automatiser l'organisation de votre courrier en s'appuyant sur des "lois" que vous aurez définies au préalable. Outlook Express s'appuie ensuite sur ces règles pour diriger les courriers qui arrivent vers tel ou tel dossier.

Voici comment créer une nouvelle règle de message :

1. **Lancez Outlook Express.**
2. **Ouvrez le menu Outils. Choisissez l'option Règle de message, puis la commande Courrier.**
3. **Si des règles existent déjà dans votre copie d'Outlook Express, la boîte de dialogue Règles de message va apparaître. Elle vous permet notamment d'activer ou de désactiver des règles et de gérer celles-ci comme tout autre objet. Cliquez simplement sur le bouton Nouveau pour créer une règle supplémentaire.**

   Sinon, vous allez accéder directement à la boîte de dialogue Nouvelle règle de courrier.
4. **Dans la liste du haut, vous choisissez la ou les conditions que devra vérifier le courrier entrant pour que la règle s'y applique. Cochez pour cela une ou plusieurs cases.**
5. **Dans la section centrale, vous allez indiquer une ou plusieurs actions à réaliser lorsqu'un message vérifie la ou les conditions posées lors de l'étape précédente.**
6. **Dans la troisième section, cliquez chacun des liens jusqu'à ce que vous ayez fourni toutes les informations nécessaires au bon fonctionnement de la règle.**

   Les informations qui vous sont demandées (et donc la disposition des diverses boîtes de dialogue que vous pouvez rencontrer) dépendent bien entendu des options définies lors des étapes 4 et 5.

Supposons par exemple que vous avez sélectionné dans la rubrique 1 la règle Lorsque la ligne De contient des personnes, et dans la rubrique 2 l'action Le déplacer vers le dossier spécifié. Dans ce cas, il vous faudra cliquer dans la rubrique 3 sur le lien *contient des personnes*. Ceci va ouvrir la boîte de dialogue Sélectionner des personnes. Saisissez ici le nom de l'expéditeur auquel la règle doit s'appliquer. Cliquez sur Ajouter (vous pouvez recommencer plusieurs fois pour définir un groupe de correspondants, et vous servir du bouton Options pour préciser comment Outlook Express doit interpréter vos désirs : contient ou ne contient pas la totalité des noms ou un seul d'entre eux). Cliquez sur OK quand vous avez fini. Passez maintenant, toujours dans la rubrique 3, au lien qui indique *spécifié*. Dans la boîte de dialogue Déplacer, sélectionnez le dossier de destination (ou créez-le avec le bouton Nouveau dossier). Validez.

7. **(Facultatif) Activez le champ de saisie situé en bas de la fenêtre et donnez un nom personnalisé à votre nouvelle règle.**

8. **Cliquez sur OK.**

   La fenêtre Nouvelle règle de courrier se referme et vous voyez s'afficher la boîte de dialogue Règles de message.

9. **Cliquez sur le bouton Appliquer. Outlook Express vous propose alors d'appliquer les règles de courrier maintenant. Choisissez le dossier qui sera concerné par la nouvelle règle. Il s'agit par défaut de la boîte de réception, choix d'ailleurs tout à fait logique.**

10. **Cliquez sur Fermer, puis sur OK pour quitter toutes les boîtes de dialogue et revenir à l'interface principale d'Outlook Express.**

Vous pouvez parfaitement définir toute une série de règles pour le courrier qui arrive dans votre boîte de réception. Cependant, vous devrez tenir compte du fait qu'Outlook Express les applique dans l'ordre où elles apparaissent dans la fenêtre Règles de message. Si vous voulez modifier l'ordonnancement des priorités, servez-vous simplement des boutons Monter et Descendre.

Supprimer et compacter votre courrier

Quand votre boîte de réception sera bien remplie, vous devrez penser à regagner de la place sur votre disque dur en compactant les messages qu'elle contient. Et si vous avez organisé vos e-mails dans un système de dossiers personnels, vous aurez aussi intérêt à compacter de temps à autre tout ce joli monde.

Éléments supprimés

Pour supprimer des messages dans votre boîte de réception sans les détruire définitivement, sélectionnez-les et appuyez sur la touche Suppr. Ils sont alors simplement déplacés vers le dossier appelé Eléments supprimés. Si vous avez besoin de les relire, vous n'avez qu'à ouvrir ce dossier à partir du panneau de gauche d'Outlook Express.

Quand vous voulez effacer des messages de façon définitive (soit qu'ils sont réellement périmés, soit encore qu'ils proviennent d'expéditeurs déclarés indésirables), ouvrez le dossier Eléments supprimés. Sélectionnez les lignes à gommer, puis appuyez sur Suppr (ou passez dans le menu Edition par l'une des commandes Supprimer ou encore Vider le dossier Eléments supprimés). Il vous suffit alors de confirmer votre décision dans la fenêtre de message qui va s'afficher.

Lorsque vous effacez des messages dans votre boîte de réception, vous pouvez les détruire directement en utilisant la combinaison Majuscule+Suppr. Validez, et c'est brûlé !

Normalement, Outlook Express efface tout le courrier lu sur votre serveur de messagerie une fois le téléchargement terminé. Mais vous pouvez aussi souhaiter laisser les originaux sur le serveur, par exemple pour disposer à bon compte d'une sauvegarde, ou encore pour être capable de relire vos messages à partir d'un autre ordinateur. Voici comment modifier ce comportement :

1. **Lancez Outlook Express.**
2. **Ouvrez le menu Outils et sélectionnez la commande Comptes. Cliquez ensuite sur le nom de votre compte, puis sur le bouton Propriétés.**
3. **Activez l'onglet Avancé. Dans la section Remise, cochez la case intitulée Conservez une copie des messages sur le serveur.**

   La prochaine fois que vous chargerez vos messages, ces copies seront lues en même temps que les nouveaux e-mails. Pour les différencier des images déjà présentes dans votre boîte de réception, Outlook Express ajoutera un numéro d'ordre à leur nom.

4. **(Facultatif) Pour stocker le courrier sur le serveur pendant une certaine durée, cochez la case Supprimer du serveur après. Entrez un nombre de jours dans le champ qui suit (ou servez-vous des petites flèches si le pavé numérique vous démoralise).**
5. **(Facultatif) Pour détruire d'un seul coup un groupe de messages préalablement sélectionnés (avec le raccourci Ctrl+D), cochez la case joliment intitulée Supprimer du serveur après suppression des 'Eléments supprimés' (ouf !).**

Supprimer et renommer des dossiers

Si vous décidez qu'un dossier ne vous sert plus à rien, vous n'avez qu'à le supprimer. Cliquez sur son nom, appuyez sur la touche Suppr, et c'est parti.

Si vous voulez simplement changer le nom d'un dossier, mettez-le en surbrillance. Attendez un instant puis cliquez à nouveau (vous pouvez aussi utiliser la touche F2). Editez le nom à votre convenance et validez.

Les dossiers système créés par Outlook Express (comme votre boîte de réception) ne peuvent être ni renommés ni effacés. Et c'est heureux !

Ajouter des entrées dans votre carnet d'adresses

Bonne nouvelle ! Si vous utilisiez autrefois un autre programme de messagerie (par exemple celui qui est fourni avec Netscape Navigator) dans lequel vous aviez déjà créé un carnet d'adresses, vous pouvez importer celui-ci dans Outlook Express. Voilà une bonne dose de travail et d'énervement en moins. Mais auparavant, voyons comment créer une nouvelle adresse.

Créer une nouvelle adresse

Pour simplifier la rédaction de votre courrier, il est indispensable d'ajouter vos correspondants réguliers au carnet d'adresses. Cela ne pose aucun problème particulier :

1. **Ouvrez Outlook Express et choisissez dans le menu Outils la commande Carnet d'adresses. Vous pouvez aussi cliquer dans la barre d'outils sur le bouton Adresses.**

   Si vous travaillez sous Internet Explorer, vous disposez d'une autre méthode : menu Fichier, puis Nouveau, et enfin Contact.

2. **Cliquez sur le bouton Nouveau, puis sur la ligne Nouveau contact.**

   La boîte de dialogue Propriétés apparaît (voir la Figure 9.1).

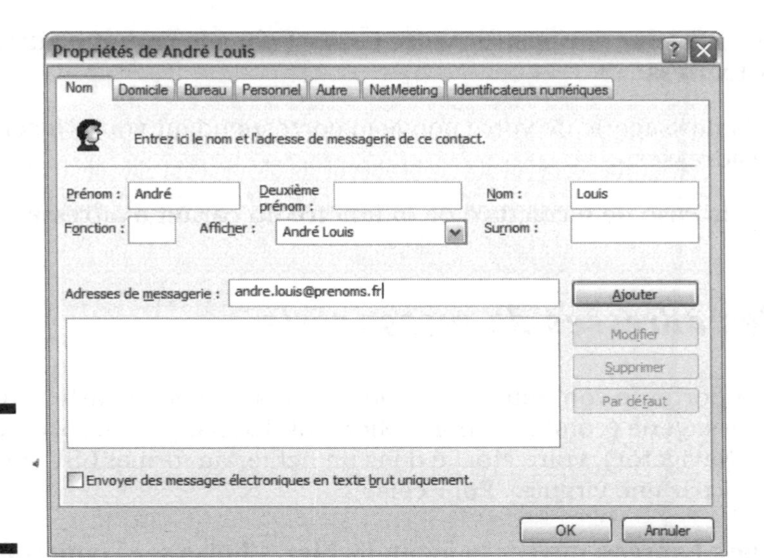

Figure 9.1 : Ajouter un nouveau contact.

3. **Saisissez dans les champs du haut les informations qui décrivent votre correspondant (nom, prénom, etc.). Dans le champ Adresses de messagerie, entrez l'adresse e-mail de la personne, puis cliquez sur le bouton Ajouter.**

   L'adresse va apparaître dans la liste du bas. C'est elle qui sera utilisée par défaut lorsque vous enverrez un courrier à ce correspondant.

   Si cette personne possède plusieurs adresses (une au travail, une autre à la maison, une troisième en déplacement, et ainsi de suite), il est parfaitement possible de les entrer successivement dans le champ Adresses de messagerie. Cliquez à chaque fois sur le bouton Ajouter.

4. **(Facultatif) Répétez l'étape 3 jusqu'à ce que toutes les adresses de votre correspondant soient définies.**

   Pour changer l'adresse par défaut (autrement dit, celle dont Outlook Express va se servir quand vous composerez un message), il suffit de la sélectionner dans la liste du bas puis de cliquer sur le bouton Par défaut.

5. **(Facultatif) Si vous le souhaitez, servez-vous des autres onglets de la fenêtre pour fournir des renseignements plus complets sur votre contact.**

   L'onglet Domicile vous permet par exemple d'ajouter l'adresse postale et le numéro de téléphone personnel de votre correspondant. L'onglet Bureau facilitera vos contacts professionnels, tandis que Personnel vous évitera peut-être d'oublier anniversaires ou prénoms des enfants…

6. **Cliquez sur OK pour enregistrer votre contact dans le carnet d'adresses d'Outlook Express.**

   Le nom et la messagerie de votre nouveau correspondant vont s'insérer dans le carnet d'adresses.

7. **Cliquez sur la case de fermeture de la fenêtre du carnet d'adresses.**

Importer des adresses de messagerie

Il est possible d'importer le contenu d'un carnet d'adresses géré à partir d'un autre programme de messagerie (comme Eudora, Microsoft Exchange, Microsoft Internet Mail ou Netscape Navigator), voire stocké dans un fichier au format CSV (données textuelles séparées par une virgule). Pour cela :

1. **Dans Outlook Express, ouvrez le menu Fichier. Choisissez l'option Importer, puis Autre Carnet d'adresses.**

   La boîte de dialogue illustrée sur la Figure 9.2 va apparaître.

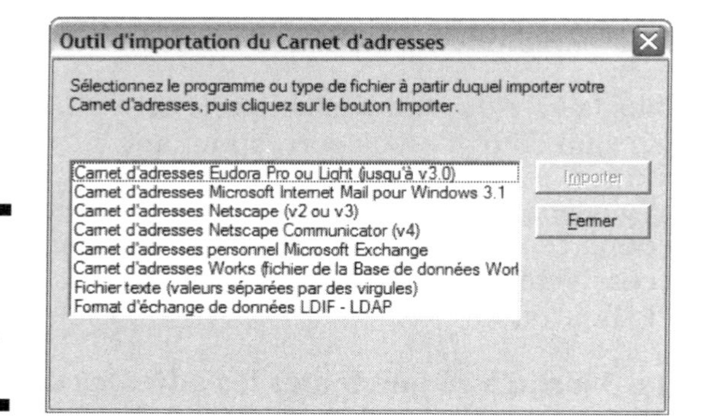

Figure 9.2 : Comment importer un carnet d'adresses.

2. **Cliquez dans la liste sur le type du carnet d'adresses que vous voulez ouvrir, puis sur le bouton Importer.**

   Selon le cas, ou bien Outlook Express sera capable de trouver automatiquement le fichier correspondant, ou bien il vous demandera de le sélectionner manuellement.

3. **Une fois toutes les informations importées, cliquez sur Fermer.**

   Vous revenez alors à la fenêtre habituelle du carnet d'adresses d'Outlook Express. Vos nouveaux contacts devraient y apparaître.

4. **(Facultatif) Pour trier la liste de vos contacts, cliquez sur un en-tête de colonne (Nom, Adresse de messagerie, etc.).**

5. **Refermez la fenêtre du carnet d'adresses.**

Trouver une adresse de messagerie

Il peut arriver que vous ayez besoin de correspondre avec une personne dont vous connaissez le nom, mais que vous avez oublié son adresse de messagerie. Ou que vous souhaitez obtenir d'autres informations (si c'est possible *et* légal).

Outlook vous propose à cet effet une fonction de recherche de personnes via des *services d'annuaire*, ou encore directement dans votre carnet d'adresses pour le cas (bien improbable) où celui-ci serait tellement rempli qu'il deviendrait presque impossible d'y retrouver quoi que ce soit.

Voyons donc comment procéder.

Les explications qui suivent sont fournies avec les plus extrêmes réserves, à la fois quant au fonctionnement des services d'annuaire sous Outlook Express et quant aux résultats qu'il est possible (ou non) d'obtenir.

1. **Dans Outlook Express, cliquez dans la barre d'outils sur le bouton Rechercher. Choisissez ensuite l'option Personnes.**

   La boîte de dialogue Rechercher des personnes va apparaître (voir la Figure 9.3).

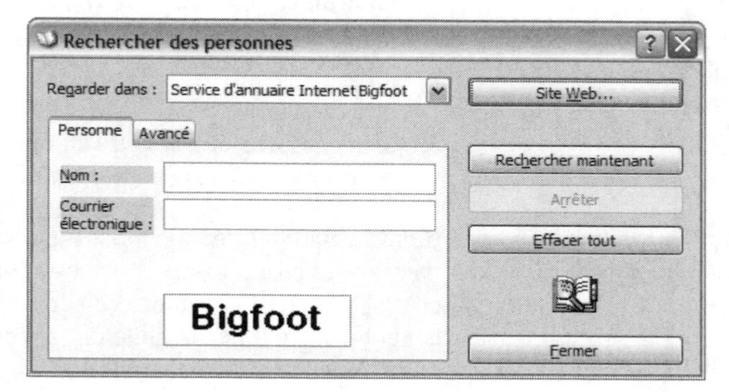

Figure 9.3 : La boîte de dialogue Rechercher des personnes.

2. **Sélectionnez dans la liste du haut le service d'annuaire que vous voulez (tenter d') utiliser.**

3. **Tapez le nom de la personne dont vous recherchez l'adresse de messagerie. Cliquez ensuite sur le bouton Rechercher maintenant.**

   Si tout se passe bien, Outlook Express va appeler le service sélectionné et récupérer une liste de correspondants potentiels. Sinon, vous pouvez essayer de contourner la difficulté en cliquant sur le bouton Site Web. Mieux vaut peut-être alors rechercher une personne outre-atlantique…

4. **En admettant que la situation ne soit pas bloquée, sélectionnez dans la liste du bas la ligne qui vous semble correspondre à ce que vous recherchiez (il faut bien sûr que le nom soit suivi d'une adresse de messagerie !). Cliquez alors sur le bouton Ajouter au Carnet d'adresses.**

5. **Quand vous avez terminé, cliquez sur Fermer.**

Ce type de service ne doit pas être confondu avec les pages jaunes ou blanches disponibles par exemple sur Wanadoo, Yahoo! et ainsi de suite. Il s'agit dans ce cas d'un classique annuaire disponible. Une autre solution consiste à passer par un moteur de recherche spécialisé, tel que par exemple l'excellent Copernic Agent (`http://www.copernic.com.fr/`).

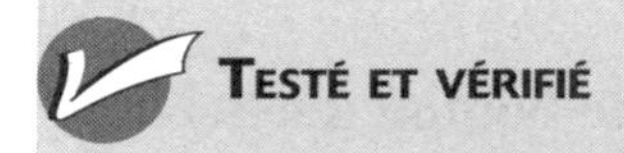

Comment réduire les risques d'obésité

Outlook Express a un côté très paternaliste. Chaque fois que vous écrivez à quelqu'un (même s'il ne s'agit que d'une réponse à un message reçu), il ajoute par défaut et automatiquement ce correspondant à votre liste de contacts. Il pousse même la sollicitude jusqu'à récupérer le nom des personnes avec qui vous êtes en train de dialoguer sous Windows Messenger.

Pour gagner en indépendance et expliquer à Outlook Express qu'il ne doit pas faire grossir sans cesse votre liste de contacts :

1. **Cliquez sur la commande Options dans le menu Outils.**

2. **Dans la boîte de dialogue Options, activez l'onglet Envois. Décochez la ligne qui indique Toujours placer les destinataires de mes messages dans mon Carnet d'adresses.**

3. **Cliquez sur OK.**

4. **Si nécessaire, ouvrez votre carnet d'adresses et supprimez tous les contacts inutiles.**

Quand vous voudrez ajouter l'expéditeur d'un message à votre carnet d'adresses, vous n'aurez qu'à cliquer avec le bouton droit de la souris sur la ligne voulue (dans la boîte de réception ou à partir du champ De dans une fenêtre de message). Choisissez alors la commande Ajouter au Carnet d'adresses. Complétez les champs voulus et validez.

Chapitre 10
Listes de diffusion

Dans ce chapitre :

- Trouver une liste de diffusion.
- S'abonner et se désabonner.
- Envoyer des messages à une liste de diffusion.
- Recevoir les messages d'une liste.
- Utiliser des filtres.
- Lancer votre propre liste de diffusion.

Une *liste de diffusion* par e-mail permet à des gens de partager des centres d'intérêt communs, de s'envoyer des messages et de dialoguer en groupe. Ces listes diffèrent de ce que l'on appelle les *groupes de discussions* (ou *newsgroups*), puisqu'une copie de tous les messages est envoyée à chaque abonné. Ces listes sont généralement plus petites et plus intimes que les groupes de discussion. Elles peuvent ne concerner que des sujets très spécifiques, tendent à être moins empesées, et surtout sont moins infestées par les terribles spams.

Imaginez une liste de diffusion qui vous permettrait de participer aux derniers développements dans votre domaine d'activité, ou encore d'échanger vos points de vue avec des personnes qui partagent les mêmes passions que vous. Il est possible qu'une telle liste existe déjà. Le tout est de la trouver, de s'y inscrire et d'y participer. Ce chapitre va essayer de vous y aider.

Les listes et leurs adresses

Chaque liste de diffusion possède une adresse e-mail qui lui est spécifique. La plupart du temps, tout ce qui est envoyé à cette adresse est réexpédié vers tous les abonnés. Ceux-ci peuvent répondre aux messages, et créer de cette manière une conversation toujours active. Certaines listes sont modérées, ce qui signifie que quelqu'un (le *modérateur*) filtre les messages, élimine tout ce qui ne correspond pas à l'esprit de la liste, et transmet le restant.

En fait, une liste de diffusion possède *deux* adresses de messagerie :

- **Adresse de la liste :** Les messages envoyés à cette adresse sont expédiés aux membres ayant souscrit à la liste.
- **Adresse administrative :** Seul le propriétaire de la liste peut lire les messages envoyés à cette adresse. Elle ne devrait normalement vous servir que pour vous abonner ou vous désabonner. Les courriers envoyés à cette adresse sont le plus souvent traités automatiquement par un ordinateur, appelé *serveur de liste de diffusion* (ou plus simplement serveur de liste). Dans ce cas, vous devez utiliser un format spécifique pour taper votre message (voir plus loin).

Pour ouvrir ou fermer un abonnement à une liste, vous devez toujours envoyer un message à l'adresse d'administration, jamais à celle de la liste de diffusion elle-même. Dans ce cas, en effet, tout le monde pourrait voir votre message, *sauf* la personne ou l'ordinateur qui peut faire quelque chose pour vous. Bien utiliser l'adresse administrative est ce qu'il y a de plus important à savoir sur les listes de diffusion.

A partir de l'adresse de la liste de diffusion, il est généralement assez facile de déterminer l'adresse administrative :

- **Listes gérées manuellement :** Ajoutez le mot *request* à l'adresse de la liste. Si celle-ci se présente par exemple sous la forme `mondiliste@alternatives.com`, l'adresse de l'administrateur prendra vraisemblablement la forme `mondiliste-request@alternatives.com`.
- **Listes gérées automatiquement :** L'adresse administrative se déduit normalement du type de serveur utilisé pour gérer la liste de diffusion. Essayez de trouver le nom de ce serveur dans l'en-tête d'un message. Les programmes de ce type les plus employés s'appellent ListProc, LISTSERV, Mailbase, Lyris ou encore Majordomo.
- **Listes Web :** Diverses sociétés hébergent des sites Web en offrant gratuitement la gestion de listes de diffusion (la contrepartie de cette gratuité est généralement l'ajout de bandeaux publicitaires dans les messages). Ces prestataires acceptent des requêtes administratives vers leur site Web, et vous permettent parfois de lire directement des messages et de consulter des archives. Parmi les plus connus des serveurs de listes internationaux, vous trouverez notamment les groupes Yahoo!, le site de Topica ou encore Coollist (ajoutez juste trois *w* devant et *.com* derrière).

Certains serveurs de listes de diffusion ne s'intéressent pas à la présence des majuscules et des minuscules dans les requêtes. D'autres font la différence. En règle générale, l'usage exclusif de majuscules permet de régler le problème.

Trouver une liste de diffusion

Dans la plupart des cas, la meilleure façon de trouver une liste de diffusion intéressante consiste à s'informer auprès de collègues et d'amis qui partagent les mêmes centres d'intérêt que vous. Il existe de nombreuses listes gérées de façon informelle et qui ne sont répertoriées nulle part.

Souscrire avec le sourire

La méthode d'abonnement (ou d'annulation de celui-ci) dépend de la manière dont la liste est gérée. Contrairement aux revues traditionnelles, ce genre d'abonnement est pratiquement toujours gratuit.

Listes gérées manuellement

Envoyez un message à l'adresse administrative. Celui-ci peut se présenter sous la forme :

```
Merci de m'abonner à la liste Mondiliste
```

Ou à l'inverse :

```
Merci de retirer mon adresse de la liste Mondiliste
```

N'oubliez pas ceci :

- Précisez votre véritable nom et votre adresse de messagerie complète pour éviter au responsable de la liste de perdre son temps en cherchant à la loupe ces informations.
- Puisque ce sont des êtes humains qui lisent ce genre de message, il n'y a pas de syntaxe particulière à suivre.
- Soyez patient(e). La personne qui gère la liste est probablement un bénévole et elle a une vie personnelle (du moins, elle essaie d'en avoir une).

Listes gérées automatiquement

Pour vous abonner à une telle liste, envoyez un message à l'adresse d'administration sans préciser de sujet et en indiquant comme corps du texte quelque chose comme :

```
SUBSCRIBE nom_liste votre_nom
```

Remplacez *nom_liste* par le nom de la liste de diffusion et *votre_nom* par votre nom réel (bravo !). Il n'est pas utile d'y ajouter votre adresse e-mail, puisque cette dernière apparaît forcément comme adresse de réponse au message. Exemple :

```
SUBSCRIBE Maitre_du_monde Georges W. Bush
```

- Pour des listes Mailbase, remplacez `SUBSCRIBE` par `JOIN`.
- Pour des listes Majordomo, ne précisez pas votre nom.

Pour vous désabonner d'une liste, la procédure est identique, si ce n'est que le corps du message va ressembler à ceci :

```
UNSUBSCRIBE nom_liste
```

- Vous pouvez aussi utiliser le mot `SIGNOFF` avec la plupart des listes de diffusion.
- Pour des listes Mailbase, remplacez `UNSUBSCRIBE` par `LEAVE`.

Lorsque vous souscrivez un abonnement, faites bien attention à envoyer le courrier à partir de l'adresse à laquelle vous voulez que les messages vous parviennent. C'est en effet cette adresse qui sera enregistrée dans la base de données de la liste de diffusion.

Lorsque vous vous abonnez à une liste, vous recevez généralement en retour un e-mail de bienvenue. Conservez-le soigneusement ! Il vous indique généralement quel est le type du serveur utilisé et comment annuler votre abonnement.

De nombreux serveurs de listes vous demandent de confirmer votre requête par un second message. Si vous envisagez de vous désabonner de multiples listes avant de partir en vacances (ce qui est généralement une bonne idée pour éviter à votre boîte aux lettres d'exploser), il vaut mieux s'y prendre un peu à l'avance afin de disposer de suffisamment de temps pour renvoyer les requêtes de confirmation.

Listes Web

Dans ce type de liste, vous devez normalement accéder au site Web du diffuseur, puis entrer votre adresse e-mail et cliquer sur un bouton de validation. A moins que vous ne deviez ajouter le mot `-subscribe` ou `-unsubscribe` au nom de la liste. Dans tous les cas, la démarche à suivre devrait être clairement expliquée sur le site.

Envoyer des messages à une liste de diffusion

Pour poster un message dans une liste de diffusion, il vous suffit d'envoyer un message à l'adresse de la liste. Celui-ci est automatiquement distribué aux membres inscrits.

Si vous répondez à un message en cliquant sur le bouton Répondre de votre programme de courrier électronique, commencez par vérifier (avant de cliquer sur Envoyer) que l'adresse de destination est bien celle de la liste, et non celle de l'auteur.

Certaines listes sont dites *modérées* (en d'autres termes, c'est un humain comme vous et moi qui regarde et filtre les messages avant de les réexpédier vers d'autres personnes). Ce travail peut fréquemment prendre une ou deux journées. Les serveurs de messagerie vous retournent généralement des copies de vos propres messages pour confirmer leur bonne réception.

Requêtes spéciales

Selon la manière dont le serveur gère une liste donnée, diverses autres commandes peuvent ou non être disponibles. A vous de vérifier ce point liste par liste.

Archives

De nombreuses listes de diffusion enregistrent leurs messages pour pouvoir les retrouver plus tard. Pour trouver l'emplacement de ces archives, envoyez un message comme celui-ci à l'administrateur de la liste :

```
INDEX nom_liste
```

Certaines listes mettent leurs archives à disposition sur un site Web. Pour en savoir plus, lisez le message qui vous a été envoyé lors de votre abonnement.

Liste des abonnés

Pour obtenir des abonnés à une liste (ou du moins de la plupart d'entre eux), vous pouvez envoyer un message à l'adresse de l'administrateur. Le contenu de ce message dépend du type de serveur employé. Le Tableau 10.1 décrit la plupart des situations possibles.

Tableau 10.1 : Trouver la liste des abonnés.

Serveur	Message
ListProc	RECIPENTS *nom_liste*
LISTSERV	REVIEW *nom_liste*
Mailbase	REVIEW *nom_liste*
Mailserv	SEND/LIST *nom_liste*
Majordomo	WHO *nom_liste*

Vie publique, vie privée

Les serveurs de listes ListProc et LISTSERV ne communiquent pas nécessairement votre nom lors d'une requête à l'adresse administrative. Le Tableau 10.2 vous montre comment masquer ou révéler votre nom.

Tableau 10.2 : Protéger votre vie privée.

Action	Serveur	Message
Masquer votre nom	ListProc	SET *nom_liste* CONCEAL YES
	LISTSERV	SET *nom_liste* CONCEAL
Afficher votre nom	ListProc	SET *nom_liste* CONCEAL NO
	LISTSERV	SET *nom_liste* NOCONCEAL

Enfin les vacances !

Si vous souscrivez à une liste de diffusion particulièrement active, vous ne souhaitez probablement pas que votre boîte de réception soit saturée pendant que êtes parti en vacances. Pour arrêter provisoirement le flux des messages qui vous arrivent, tout en vous donnant la possibilité de reprendre votre place en rentrant, reportez-vous au Tableau 10.3.

Tableau 10.3 : Gérer les messages en votre absence.

Action	Serveur	Message
Stopper les messages provisoirement	ListProc	SET *nom_liste* MAIL POSTPONE
	LISTSERV	SET *nom_liste* NOMAIL
Reprendre la réception des messages	ListProc	SET *nom_liste* MAIL ACK ou
		SET *nom_liste* MAIL NOACK ou
		SET *nom_liste* MAIL DIGEST
	LISTSERV	SET *nom_liste* MAIL

Ouvrir et fermer des listes de diffusion

La plupart des listes de diffusion sont dites *ouvertes*, ce qui signifie que n'importe qui peut y envoyer un message. Par contre, certaines sont *fermées* et n'acceptent que la participation de leurs abonnés. Enfin, quelques-unes fonctionnement uniquement par invitations.

Si vous participez à une liste fermée et que votre adresse e-mail change, vous devrez le faire savoir à l'administrateur de la liste afin qu'il puisse modifier sa base de données.

Des listes, oui, mais résumées

Dès que vous vous abonnez à une liste, vous recevez automatiquement tous les messages que celle-ci émet. Ces participations d'autres membres viennent s'ajouter à votre courrier habituel.

Certaines listes sont disponibles dans un format abrégé qui n'expédie que la série des interventions du jour combinée avec une liste de leur contenu. Pour ne recevoir que cette variante résumée, envoyez un message à l'adresse de l'administrateur sans spécifier d'objet et en respectant le style de texte précisé dans le Tableau 10.4. Ce tableau vous indique également comment annuler cette version abrégée.

Tableau 10.4 : Listes en résumé.

Action	Serveur	Message
Passer en mode résumé	ListProc	SET *nom_liste* MAIL DIGEST
	LISTSERV	SET *nom_liste* DIGEST
	Majordomo	SUBSCRIBE *nom_liste*-digest UNSUBSCRIBE *nom_liste*
Quitter le mode résumé	ListProc	SET *nom_liste* MAIL ACK
	LISTSERV	SET *nom_liste* MAIL
	Majordomo	UNSUBSCRIBE *nom_liste*-digest SUBSCRIBE *nom_liste*

Utiliser des filtres

Rejoindre ne fût-ce qu'une liste de diffusion peut parfois saturer votre boîte de réception. Certains programmes de messagerie sont capables de trier votre courrier et d'enregistrer le contenu de vos listes dans des dossiers spéciaux que vous pouvez consulter lorsque vous avez le temps.

Comme il y a plus de neuf chances sur dix que vous utilisiez Outlook Express, vous savez maintenant que vous disposez d'un éditeur de règles qui vous permet d'organiser comme vous l'entendez les messages que vous recevez. Reportez-vous au Chapitre 9 du Livret III pour plus d'informations sur ce sujet.

Créer votre propre liste de diffusion

Peut-être avez-vous du temps à perdre (tant mieux pour vous !). Et peut-être aussi avez-vous envie de vous lancer dans un nouveau passe-temps. A moins que vous ne vouliez assurer la promotion de votre groupe de rock, gérer les problèmes de votre association, ou encore développer votre activité professionnelle en recherchant de nouveaux contacts. Quel que soit votre but, créer une liste de diffusion peut être la solution à votre questionnement.

Dans ce cas, je vous propose quelques conseils qui pourront vous être utiles :

✦ Avant de lancer une nouvelle liste, commencez par rechercher s'il n'existe pas déjà quelque chose qui correspond à vos besoins (voyez le début de ce chapitre).

✦ Vous pouvez vous lancer dans la diffusion d'une liste manuelle avec seulement un programme de messagerie adapté (ce qui est le cas d'Outlook Express, de Netscape Messenger ou encore d'Eudora). Lorsqu'un message vous parvient, il vous suffit de le renvoyer vers la liste de diffusion.

• Placez les adresses des destinataires de votre liste manuelle dans le champ *CCi:* afin que vos abonnés ne voient pas les noms de tous les autres participants dans l'en-tête des messages. Si vous le souhaitez, vous pouvez laisser votre propre adresse dans le champ *De:*.

✦ L'administration manuelle de votre liste vous lassera rapidement. Certains fournisseurs d'accès Internet vous permettent d'utiliser leur serveur de listes, à moins que vous ne choisissiez de faire appel à un service Web basé sur l'ajout de publicités dans les correspondances. Voyez à ce sujet `fr.groups.yahoo.com`, `www.coollist.com` ou encore `www.topica.com`. Si vous ou quelqu'un de votre entourage avez des entrées dans le monde universitaire, c'est peut-être une bonne piste pour bénéficier de prestations gratuites.

✦ Créer une page Web pour votre liste facilitera son repérage par les moteurs de recherche Internet.

✦ Pour créer une liste publique, informez de votre existence les sites Web spécialisés dans les listes de diffusion que vous pouvez repérer (voir le début de ce chapitre). Ce genre de site dispose d'instructions pour ajouter de nouvelles listes à leurs collections.

Chapitre 11
Bavardages en ligne

Dans ce chapitre :

- Bavarder en ligne.
- Utiliser IRC (Internet Relay Chat).

Avec Internet, vous pouvez communiquer avec d'autres personnes de façon plus directe, plus immédiate qu'en envoyant du courrier électronique dont vous pouvez attendre la réponse pendant des heures, parfois des jours, parfois jamais. Avec le *chat* (littéralement le bavardage), vous tapez quelque chose, vous appuyez sur Entrée et vous obtenez une réponse dans les instants qui suivent. Ces discussions se mènent généralement en groupe. Et vous ne savez probablement rien des personnes avec qui vous bavardez. Essayons donc de déblayer le terrain.

Ce chapitre est vraiment destiné aux mordus, fondus et autres accros de l'Internet et du bavardage en ligne. IRC n'est en effet pas très utilisé chez nous, mais ce concept est la base des messageries instantanées plus modernes dont nous reparlerons dans le prochain chapitre.

Bavarder en ligne

Le *chat*, le bavardage en ligne, vous permet de communiquer directement avec d'autres personnes, exactement comme si vous étiez au téléphone. Si ce n'est que vous tapez ce que vous voulez dire, et que vous lisez sur l'écran ce que les autres vous disent. Voici quelques notions de base sur le chat :

- La conversation en cours est affichée dans une fenêtre. Vous saisissez votre message dans une autre fenêtre pour l'envoyer au groupe à un individu. Lorsque vous appuyez sur Entrée (ou que vous cliquez sur un quelconque bouton Envoyer), votre intervention vient s'insérer à son tour dans la fenêtre de conversation.

- La grande différence entre chat et e-mail, c'est que vous n'avez pas besoin ici d'adresse particulière à laquelle envoyer un message et que la réponse ne se fait pas attendre. Même s'il peut parfois y avoir un léger temps d'attente, la communication est virtuellement instantanée, même à l'autre bout du monde !
- Au cours d'un échange, vous êtes limité à une ou deux phrases courtes. La messagerie instantanée (dont nous reparlerons dans le prochain chapitre) autorise des expressions plus longues.
- Vous pouvez sélectionner un groupe ou une seule personne avec qui vous souhaitez discuter. Inversement, quelqu'un peut demander à initier un dialogue privé avec vous. Il existe de nombreux outils pour les "rendez-vous avec nous" sur le Net, qu'il s'agisse d'IRC (Internet Chat Relay), des salons AOL (réservés aux abonnés) ou encore de systèmes de messagerie instantanés comme ICQ ou AIM (AOL Instant Messenger).
- De jour comme de nuit, des dizaines de milliers de personnes sont en train de bavarder (vous ne les entendez pas de chez vous ?). Pour arriver à s'entendre, ces discussions sont divisées en groupes qu'AOL et ICQ appellent des *salons*, ou encore *canaux* dans le langage d'IRC.
- Les groupes de discussions proposés par les fournisseurs de services à valeur ajoutée sont accessibles uniquement à leurs abonnés.
- Les gens qui bavardent sur Internet sont parfois sans loi ni règles. Pour ne pas dire pire. Les salons ou groupes proposés par les fournisseurs de services en ligne sont souvent un peu plus policés car les conversations peuvent être supervisées.
- Vous pouvez sélectionner un nom de scène pour bavarder en ligne (autrement dit un pseudonyme ou un surnom – *nickname*). Choisissez quelque chose qui ne ressemble pas à votre nom d'utilisateur ou à votre adresse e-mail.

Même si le surnom que vous choisissez vous donne une certaine dose de confidentialité en ligne, cela ne veut pas dire que vous êtes à l'abri de tout. Sans sombrer dans la paranoïa, la prudence est bonne conseillère !

Suivre des conversations de groupe

Avant de vous lancer dans le bavardage en ligne, je vous conseille de passer un peu de temps à "écouter" ce que disent les autres et à comprendre comment ils le disent. Le chat est un monde particulier. Pour en obtenir la citoyenneté, il faut en avoir envie et en apprendre la langue.

Contentons-nous donc de quelques conseils :

- Lorsque vous entrez dans un groupe, la conversation se poursuit généralement depuis un certain temps. Vous ne pouvez pas savoir ce qui s'est passé avant votre arrivée.
- Attendez une minute ou deux pour voir ce qui défile sur votre écran. Cela vous aidera à mieux comprendre le contexte, le fil et le ton des échanges, et donc à déterminer avec qui vous voulez converser et qui vous préférez ignorer.
- Commencez par suivre ce que dit une seule personne en surveillant son pseudo. Intéressez-vous ensuite aux gens dont parle cette personne, ou qui lui répondent. Ignorez tout le reste (sinon, vous tomberez probablement sur des réponses à des messages envoyés avant votre arrivée, ce qui ne vous aidera pas beaucoup).
- Bien souvent, la conversation est dominée par quelques habitués.
- Les vraies actions se mènent généralement en privé, dans des discussions en tête à tête, qu'évidemment vous ne pouvez pas voir à l'écran.

Apprenez à bavarder en toute sécurité

Voici quelques conseils et observations qui vous aideront à bavarder sans illusions peut-être, mais sainement et en toute sécurité.

- De très nombreux participants à des groupes de discussions font preuve de la plus totale malhonnêteté sur eux-mêmes. Ils mentent sur leur métier, leur âge, leur ville et même sur leur sexe ! Certains le font pour s'amuser, d'autres pour explorer leurs fantasmes, et certains sont même franchement malades.
- Vous comprenez donc qu'il vaut mieux éviter (et ce n'est pas tricher) de révéler quoi que ce soit de trop personnel : numéro de téléphone, adresse de messagerie, écoles fréquentées par vos enfants, etc.

- Choisissez un pseudo vraiment différent de votre nom d'utilisateur Internet. Sinon, vous êtes pratiquement certain de voir atterrir dans votre boîte aux lettres des paquets de messages dont même votre poubelle ne voudrait pas.
- Ne communiquez *jamais* votre mot de passe. Même si la personne dit qu'elle travaille pour votre fournisseur d'accès Internet, la compagnie du téléphone, la DST, la DGSE, la CIA ou les éditions First. JAMAIS !
- Si le service offre un système de profils et qu'une personne qui n'en possède pas essaie de vous contacter directement, soyez extrêmement prudent.
- Si votre enfant dialogue en ligne, songez que des gens pas forcément bien intentionnés peuvent tenter de le rencontrer. Avant toute chose, prenez le

temps d'en discuter tranquillement avec lui (ou avec elle) et de lui expliquer les règles à suivre.

Internet Relay Chat (IRC)

IRC est le service de bavardage en ligne d'Internet lui-même. Il est disponible auprès de la plupart des fournisseurs d'accès (ou de contenu) Internet, même s'il s'agit d'une entité parfaitement autonome. Tout ce dont vous avez besoin, c'est d'un programme particulier que l'on appelle un *client IRC*. C'est la même chose que pour surfer (il vous faut un navigateur) ou pour gérer votre courrier (rien à faire sans logiciel de messagerie). Il existe de nombreux clients IRC en freeware ou en shareware. Deux des meilleurs sont mIRC (pour Windows) et Ircle (pour Macintosh). Les systèmes sous Unix, eux, sont le plus souvent dotés d'origine d'un client IRC.

Vous pouvez charger ces programmes (ou des mises à jour) et obtenir des informations détaillées sur leur installation en consultant le site `www.irchelp.org`. Vous les trouverez également sur tous les sites qui proposent le téléchargement massif de sharewares et de freewares. Windows XP est fourni avec Windows Messenger. Si nécessaire, vous pouvez aussi le télécharger gratuitement sur le site de Microsoft. Voyez l'adresse :

```
http://www.microsoft.com/france/internet/telechargements/default.mspx
```

Il y a essentiellement deux manières d'utiliser IRC :

- **Connexion directe :** C'est comme une conversation privée.
- **Canaux :** C'est comparable à un séminaire dans lequel se retrouve une foule de gens. Lorsque vous rejoignez un canal, vous pouvez lire sur votre écran ce que disent les participants, puis ajouter vos propres commentaires (vous saisissez ce que vous avez à dire, en faisant bref, et vous appuyez sur Entrée).

Lancer IRC

Pour lancer IRC, suivez les étapes ci-dessous :

1. **Connectez-vous à l'Internet et lancez votre client IRC.**

   S'il s'agit d'un service à valeur ajoutée (comme AOL), suivez ses instructions pour vous connecter.

2. **Connectez-vous à un serveur IRC.**

Voyez à ce sujet la section ci-dessous.

3. **Rejoignez un canal.**

   Vous êtes prêt à bavarder ! Nous reviendrons un peu plus loin sur les "canaux" IRC.

Trouver un serveur

Pour utiliser IRC, vous devez connecter votre client à un *serveur IRC*. Il s'agit d'un ordinateur hôte qui sert de répartiteur pour les conversations en cours. Il existe des dizaines de serveurs IRC, mais il faut savoir que bon nombre sont saturés en permanence et qu'ils peuvent refuser votre demande de connexion. Vous devrez donc vraisemblablement essayer plusieurs serveurs, ou tenter de vous connecter sur le même en faisant de multiples tentatives. Essayez en tout état de cause de trouver un serveur géographiquement proche pour minimiser les délais de réponse.

Pour vous connecter à un serveur IRC sous mIRC, ouvrez le menu File et choisissez la commande Options (ou appuyez sur Alt+O). Cliquez ensuite sur la flèche IRC Servers pour afficher une liste déroulante. Faites un double clic sur le nom d'un serveur pour tenter de vous y connecter. Vous pouvez également demander à mIRC d'en choisir un au hasard (option All).

Exécuter des commandes IRC

IRC dispose de commandes qui vous servent à contrôler ce qui se passe au cours d'une session. Toutes ces commandes débutent par une barre oblique (/). Comme IRC ne se sent pas concerné par les problèmes de minuscules et de majuscules, vous pouvez saisir les mots clés comme vous l'entendez. La commande la plus importante à connaître est celle qui vous déconnecte d'IRC :

```
/QUIT
```

Vient ensuite celle qui vous donne un résumé en ligne du jeu de commandes IRC :

```
/HELP
```

Vous trouverez dans le Tableau 11.1 quelques-unes des commandes IRC les plus utiles.

Tableau 11.1 : Commandes IRC utiles.

Commande	Ce qu'elle fait
`/ADMIN serveur`	Affiche des informations administratives à propos d'un serveur.
`/AWAY`	Permet de signaler votre absence. Dans ce cas, toute personne essayant de vous contacter se verra répondre que vous êtes *away*.
`/CLEAR`	Efface votre écran.
`/JOIN canal`	Ouvre la porte du canal spécifié pour participer à la discussion.
`/PART`	Quitte le canal courant.
`/LIST`	Liste tous les canaux disponibles.
`/NICK nom`	Vous permet de spécifier votre pseudonyme.
`/QUERY pseudo`	Débute une conversation privée sous le nom *pseudo*.
`/TIME`	Affiche la date et l'heure si vous n'arrivez pas à décoller vos yeux de l'écran.
`/TOPIC sujet`	Change le thème du canal courant (si vous avez initié une discussion).
`/WHO canal`	Liste toutes les personnes présentes sur le canal. La syntaxe `/WHO *` donne la liste des gens qui sont connectés au canal courant.

Si vous utilisez mIRC ou Ircle, vous pouvez obtenir pratiquement le même résultat en choisissant des options dans le système de menus ou en cliquant sur des boutons de la barre d'outils. Bien entendu, il reste possible de saisir directement ces commandes (d'ailleurs, certains clients IRC n'ont ni menus ni barres d'outils).

Canaux IRC

Le mode d'utilisation le plus courant d'IRC consiste à se connecter à des *canaux*. La plupart des canaux ont un nom qui commence par le caractère #. Certains ont une appellation numérique (auquel cas, le caractère # ne doit pas utilisé). Minuscules et majuscules ne sont pas différenciées.

Il existe des milliers de canaux IRC. Certains des plus connus peuvent être découverts en visitant la page ci-dessous (les canaux listés étant associés à un lien renvoyant à une page d'accueil Web) :

```
http://www.funet.fi/~irc/channels.html
```

Types de canaux

Il existe trois types de canaux IRC :

- **Publics :** Tout le monde peut les voir, et tout le monde peut y participer.
- **Privés :** Tout le monde peut les voir, mais seuls les invités ont le droit d'y participer.
- **Secrets :** Ils n'apparaissent pas quand vous tapez la commande `/LIST`, et vous ne pouvez y participer que si vous êtes invité.

Dans le cas d'un canal privé ou secret, vous pouvez inviter une autre personne en tapant la commande :

```
/INVITE pseudo
```

Si c'est vous qui venez d'être invité dans un canal privé ou secret et que vous voulez accepter la proposition, tapez simplement :

```
/JOIN -INVITE
```

Il y a des gens qui aiment écrire des programmes qui ajoutent automatiquement des commentaires dans des canaux IRC. Ces programmes sont appelés des *bots* (abréviation de robots). Certains trouvent cela sympathique. Bon. Contentez-vous de les ignorer.

Ouvrir son canal

Chaque canal possède un opérateur (que l'on appelle *chanop*). Celui-ci peut contrôler (dans certaines limites) ce qui se passe dans son canal. Vous pouvez ouvrir un canal personnel dont vous serez évidemment l'opérateur en entrant la commande :

```
/JOIN #nom_canal_non_utilisé
```

Comme pour les pseudonymes, le premier à se servir d'un nouveau nom en a l'exclusivité. Vous pouvez le conserver tant que vous êtes connecté en tant qu'opérateur. Il est possible de laisser cette place à une autre personne, à condition bien sûr de pouvoir lui faire confiance. Un canal existe tant que quelqu'un s'y trouve. Une fois la dernière personne partie, le canal termine son existence éphémère.

Comment se plaindre

S'il existe une loi sur la planète IRC, c'est plutôt celle de la jungle. Il y existe très peu de règles, sinon aucune. Si les choses tournent mal, vous pouvez essayer de retrouver la personne qui vous a offensé en cherchant son adresse de messagerie. Vous disposez pour cela de la commande /WHOIS suivie du pseudo à retrouver. Par exemple :

```
/WHOIS meat
```

Ce qui pourrait donner :

```
meat@sophia-13.tel.fr
```

Partant de là, vous pouvez envoyer un message au *postmaster* du système hôte trouvé pour signaler le problème. Avec l'exemple précédent, l'adresse du responsable pourrait être :

```
postmaster@sophia-13.tel.fr
```

Mais n'attendez tout de même pas trop d'aide de ce côté-là.

Pour en savoir plus

Il existe des myriades des ressources Internet concernant IRC. En dehors des sites français consacrés à ce sujet, vous trouverez des informations sérieuses (mais en anglais) aux adresses suivantes :

✦ La page d'accueil officielle d'IRC (c'est là qu'il a été inventé) :

```
irchelp.org
```

✦ La page des nouveaux utilisateurs d'IRC :

```
www.newircusers.com
```

✦ Le newsgroup Usenet consacré à ce sujet :

```
alt.irc
```

Chapitre 12
Messagerie instantanée

Dans ce chapitre :

- AOL Instant Messenger.
- Utiliser Yahoo! Messenger.
- Utiliser MSN Messenger.

Si vous avez des enfants adolescents, vous savez probablement déjà ce qu'est une messagerie instantanée (sans même parler des SMS !). Ce système se situe quelque part entre le bavardage en ligne et la messagerie classique. Ce qui rend si populaire la messagerie instantanée, c'est la possibilité de savoir si vos amis sont en ligne en même temps que vous et de pouvoir communiquer directement et collectivement avec eux. Ces réunions à distance entre amis, dans la famille ou pour des raisons plus professionnelles font tout le charme de la chose.

Les programmes de messagerie instantanée offrent tous une liste de contacts, c'est-à-dire une boîte qui vous montre si les personnes dont le nom est enregistré sont en ligne. Dès qu'un contact avec lequel vous voulez communiquer est signalé comme étant présent, la partie peut commencer. Dans ce chapitre, nous allons nous intéresser aux trois programmes de messagerie instantanée les plus populaires : AOL Instant Messenger, Yahoo! Messenger et MSN Messenger.

AOL Instant Messenger

Tous les abonnés à AOL possèdent de fait ce programme, plus couramment appelé AIM. Si vous n'êtes pas abonné, il vous suffit de savoir qu'il s'agit d'un outil que vous ne lâcherez plus au bout de cinq minutes. AIM offre des fonctionnalités réellement agréables. Il vous annonce l'arrivée en ligne de vos contacts, avant même qu'ils ne vous envoient un petit bonjour. Et si un ami s'en va, vous en êtes également prévenu. Non seulement ce programme est facile à utiliser, mais de surcroît il est gratuit pour tous, même pour celles et ceux qui ne sont pas abonné(e)s à AOL.

Comment devenir un membre enregistré

Avant de pouvoir dialoguer en direct avec une autre personne, vous devez installer le logiciel AIM et vous enregistrer sous un pseudonyme (qui évidemment ne doit pas être déjà utilisé). Pour cela, rendez-vous sur le site Web :

```
http://aim.aol.fr/
```

Téléchargez le programme et fournissez les renseignements demandés (juste de quoi définir votre personnalité AIM).

Une fois l'enregistrement terminé, le programme chargé et installé, il ne vous reste plus qu'à lancer celui-ci d'un double clic sur son icône (sur votre bureau ou dans votre menu Démarrer/Tous les programmes). Vous devriez également voir une icône représentant un petit personnage jaune dans la zone de notification (à droite de la barre des tâches, près de l'horloge).

Dans la fenêtre qui va apparaître, entre le pseudonyme que vous avez choisi lors de l'inscription, entrez votre mot de passe puis cliquez sur le bouton de connexion. Vous allez voir s'afficher la fenêtre d'AIM, avec une liste de contacts prête à être remplie (voir la Figure 12.1).

Figure 12.1 : La liste des contacts apparaît une fois la connexion établie.

Pour éviter de retaper votre mot de passe lors de chaque connexion, vous pouvez demander à ce qu'il soit enregistré. La case Connexion automatique vous permet également de démarrer AIM chaque fois que vous vous connectez sur Internet.

Engager la conversation

Pour initier une session, faites un double clic sur le nom d'une personne dans votre liste de contacts ou cliquez sur le bouton Envoyer un message. Dans la fenêtre Message, entrez (si ce n'est déjà fait) le pseudonyme du correspondant avec lequel vous voulez discuter.

Si la personne choisie est elle aussi connectée, elle va voir instantanément votre invite sur son écran. La fenêtre de dialogue va se partager en deux parties. Entrez votre texte dans la fenêtre du bas et cliquez sur Envoyer.

Pour terminer la conversation, cliquez sur la case de fermeture de la fenêtre Message, en haut et à droite de la barre de titre. Vous pouvez aussi appuyer sur la touche Echap.

Pour savoir qui est actuellement en ligne, il suffit de jeter un coup d'œil sur la liste des contacts dans la fenêtre d'AIM. Vos amis branchés sont indiqués en caractères gras ou normaux. Les autres apparaissent en caractères grisés dans la rubrique Hors connexion.

Ajouter et supprimer des contacts

La liste des contacts, c'est l'équivalent de votre répertoire de téléphone, à ceci près qu'elle contient des pseudonymes et que vous pouvez la modifier à n'importe quel moment. Voici comment ajouter un nouveau contact :

1. **Cliquez sur le bouton Définir, en bas et à droite de la liste de contacts.**
2. **Cliquez sur un nom de dossier pour choisir dans quelle catégorie vous allez ranger votre correspondant(e).**
3. **Cliquez sur le bouton Contact. Ceci va créer une nouvelle entrée dans la liste.**
4. **Tapez le pseudonyme de la personne et appuyez sur Entrée.**
5. **Cliquez sur Fermer pour revenir à la fenêtre principale d'AIM.**

Pour enlever le nom d'un contact, sélectionnez le pseudonyme à effacer puis cliquez sur l'icône Supprimer.

Yahoo! Messenger

Tout le monde semble vouloir s'y mettre. Yahoo! Messenger est le programme de messagerie instantanée proposé par Yahoo! Il fonctionne pour l'essentiel comme AIM ou MSN Messenger. Le Net serait-il un gigantesque photocopieur ? Pour utiliser Yahoo! Messenger, vous devez posséder une identité Yahoo! et bien sûr avoir chargé et installé le programme.

- Pour obtenir un identifiant Yahoo!, vous pouvez ouvrir le site :

```
http://fr.messenger.yahoo.com/
```

  Cliquez sur le lien Inscrivez-vous, tout en haut de la fenêtre. Suivez pas à pas la procédure afin de créer votre pseudonyme.

- Pour télécharger Messenger, revenez à la page Web ci-dessus, puis cliquez sur le bouton Téléchargez ici.

Connexion à Yahoo! Messenger

Pour lancer Yahoo! Messenger, faites un double clic sur l'icône du programme dans la zone de notification (à droite de la barre des tâches, près de l'horloge), ou retrouvez cette icône dans votre menu Démarrer.

Lorsque la fenêtre de connexion apparaît, entrez votre nom d'utilisateur et votre mot de passe.

Ajouter des amis

Pour remplir votre liste de contacts, cliquez sur le bouton Ajouter. Vous avez alors la possibilité de rechercher des personnes en partant de leur pseudonyme Yahoo!, de leur adresse e-mail ou de leur nom. Lorsque vous avez trouvé un(e) ami(e), vous n'avez plus qu'à l'ajouter à votre liste.

Engager la discussion

Lancer une conversation est très simple. Faites un double clic sur un nom dans votre liste d'amis. Ceci ouvre une fenêtre de composition de message instantané. Entrez votre message, cliquez sur Envoyer, et c'est parti pour un tour du monde !

MSN Messenger

La messagerie instantanée version Microsoft réclame deux choses : Windows XP et un passeport .NET. Vous devez avoir Windows XP, car il est fourni avec le logiciel Windows Messenger. Et vous avez besoin d'un passeport .NET pour vous identifier sur MSN lorsque vous voulez communiquer avec d'autres personnes. Pour obtenir ce passeport, vous pouvez vous connecter à l'adresse suivante :

```
http://register.passport.com
```

Suivez la procédure indiquée pour créer votre nom d'utilisateur et votre mot de passe. Comme il se doit, l'utilisation de MSN Messenger est gratuite.

Connexion au messager

Pour accéder à la messagerie instantanée version Microsoft, faites un double clic sur son icône à droite de la barre des tâches (près de l'horloge). Vous pouvez à défaut ouvrir les programmes du menu Démarrer pour la retrouver.

Comme il se doit, vous devrez entrer votre adresse de messagerie MSN, votre mot de passe et valider. La fenêtre de Messenger est illustrée sur la Figure 12.2.

Engager le dialogue

Le nom des personnes de votre liste de contacts qui sont actuellement connectées apparaît en gras. Il suffit de faire un double clic sur un nom pour lancer une possible conversation. Entrez votre "Bonjour!" dans la fenêtre de composition de message qui va s'ouvrir.

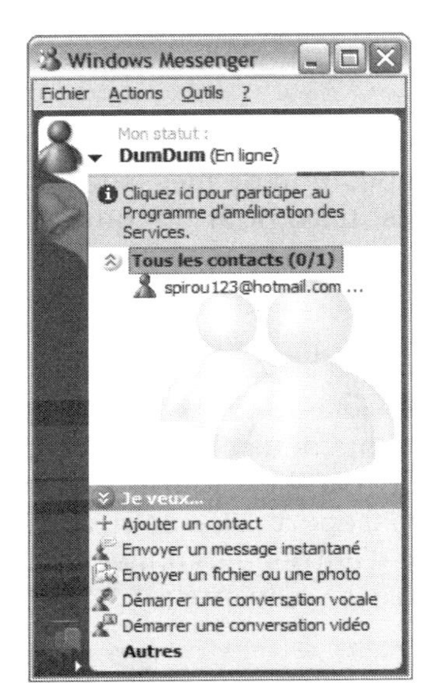

Figure 12.2 : Windows a son messager !

Pour défendre votre vie privée et éviter que tout un chacun sache que vous êtes en ligne, ouvrez dans la fenêtre de Messenger le menu Fichier. Choisissez l'option Mon statut. Dans la liste qui s'affiche, cliquez sur Apparaître hors ligne. Vos amis (et les autres) penseront que vous n'êtes pas là et votre tranquillité sera préservée.

Ajouter des contacts

Pour compléter votre liste d'amis, cliquez sur le bouton Ajouter un contact. Dans l'assistant qui va vous accompagner, sélectionnez un nom à retrouver sur le service NET Messenger, ou plus simplement entrez l'adresse e-mail de votre futur correspondant.

Tout est gratuit dans le domaine de la messagerie instantanée, mais cela ne veut pas dire *partagé*. Chaque programme permet d'entrer en contact uniquement avec des personnes qui sont enregistrées sur le même système (AIM avec AIM, passeport .NET avec passeport .NET, etc.). Chaque monde ignore les autres !

Chapitre 13
A jour avec les news

Dans ce chapitre :

- Comprendre les Newsgroups.
- Poster un article.
- Les dernières nouvelles avec Google.
- Participer à des groupes de discussion avec Outlook Express.

L'Internet est une galaxie pleine d'informations. L'essentiel est de savoir comment y accéder. Pour vous tenir au courant des dernières nouvelles dans vos domaines de prédilection, les newsgroups constituent un passage qui peut être déterminant.

Un *groupe de discussion* (une sorte de forum ou d'agora, généralement désigné sous son nom d'origine, *newsgroup*) est un "endroit" sur Internet où des gens se rassemblent pour discuter d'un thème qui leur est commun. Un tel groupe ressemble à un panneau d'affichage électronique sur lequel des personnes punaisent des questions ou des commentaires. D'autres y ajoutent leurs réponses à ces question et/ou commentaires. D'autres encore répondent aux réponses, et ainsi de suite jusqu'à ce qu'une chaîne de discussions (un *fil*, ou *thread*) émerge. A un instant donné, tout un faisceau de débats variés peut ainsi avancer dans un même groupe de discussion.

Le système qui alimente en informations les groupes de discussion s'appelle *Usenet*. Les utilisateurs d'Internet à travers le monde soumettent des messages Usenet à des dizaines de milliers de groupes de discussion portant des noms un peu exotiques, comme `rec.gardens.orchids` (pour les amateurs d'orchidées) ou bien `fr.sci.techniques.domotique` (si vous voulez partager votre passion des réseaux domestiques). Au bout d'un ou deux jours, les messages sont délivrés à pratiquement tous les hôtes Internet qui acceptent de faire profiter tout le monde de ces informations.

Comprendre les Newsgroups

Usenet, c'est l'histoire de l'aiguille dans la meule de foin, ou comment vouloir boire une petite gorgée d'eau avec une lance d'incendie (au choix). Usenet comprend plus de 68 000 groupes différents (du moins, le mois dernier). Voici donc quelques conseils pour ne pas y perdre la raison :

- ✦ N'entrez pas dans une guerre verbale. Sinon, laissez l'autre type avoir le dernier mot.
- ✦ Ne croyez pas tout ce que vous lisez sur Usenet.

Pour lire les messages postés dans les groupes de discussion, vous pouvez utiliser un lecteur spécialisé, ou consulter dans votre navigateur ce que Google, par exemple, peut vous proposer dans ce domaine. Pour configurer votre lecteur Usenet, rapprochez-vous de votre fournisseur d'accès Internet pour connaître le nom de son serveur (l'outil qui enregistre le contenu des newsgroups et qui vous permet de charger groupes, fils et messages).

La Netiquette

Discussion, contacts, échanges, tout cela nécessite quelques règles de vie commune, ce que l'on appelle la "Net étiquette", ou plus simplement *netiquette*. Voici quelques suggestions à ce sujet :

- ✦ N'écrivez pas au groupe tout entier si vous voulez simplement répondre à l'auteur de l'article original. Il vaut mieux lui envoyer un e-mail.
- ✦ Assurez-vous avant de poster un article qu'il répond bien au centre d'intérêt autour duquel le groupe s'est constitué.
- ✦ Ne postez pas de message qui en dénonce un autre (par exemple un spam) comme étant inapproprié. Celui qui l'a mis là le sait certainement et il s'en moque. Le premier message a fait perdre du temps à tout le monde, et le vôtre en ferait perdre encore plus. La meilleure réponse, c'est le silence.
- ✦ Ne critiquez jamais l'orthographe ou la grammaire d'une autre personne.
- ✦ Votre ligne de sujet doit être aussi explicite que possible. Si vous réponse dévie un peu du sens de l'article auquel vous répondez, changez le sujet pour expliciter votre démarche.
- ✦ N'oubliez pas d'ajouter un point d'interrogation lorsque vous posez une question :

```
Sujet : Quel est le sens de la vie ?
```

- Ne postez pas une réponse en deux lignes qui reproduit ensuite l'article de trois pages qui constitue le débat. Ne copiez que l'essentiel du texte d'origine.
- Sauf à avoir une excellente raison pour le faire, ne postez pas le même article à plusieurs newsgroups. Les réponses risqueraient aussi de se croiser, et vous finiriez par créer une nouvelle toile d'araignée sur le Web.
- Faites attention aux *trolls*, qui sont des messages calculés pour provoquer une tempête de réponses. La bêtise ne mérite pas que l'on s'en soucie.
- La plupart des groupes postent régulièrement une *FAQ* (c'est-à-dire une liste des questions fréquemment posées). Lisez-la avant de poser à votre tour une question : pourquoi réinventer la roue ?

Les noms des newsgroups

Les groupes Usenet ont un nom composé de plusieurs parties séparées par un point (par exemple : `comp.dcom.fax`, qui est un groupe de discussion s'intéressant aux télécopieurs). La racine `comp.dcom` désigne des groupes concernés par la communication de données. La première partie du nom (ici `comp`, pour computers) est appelée sa *hiérarchie*. Dans les adresses e-mail ou Web, le nom du domaine principal est placé à droite. Dans les newsgroups, c'est le contraire.

Le Tableau 13.1 décrit les hiérarchies Usenet les plus populaires.

Tableau 13.1 : Les principales hiérarchies de newsgroups.

Newsgroup	Description
`comp`	Matériel, logiciels, tendances...
`humanities`	Littérature, beaux-arts, philosophie...
`misc`	Emploi, santé, vie quotidienne...
`news`	Infos sur Usenet lui-même.
`rec`	Sports, jeux, loisirs...
`sci`	Toutes les sciences...
`soc`	Culture, problèmes sociaux...
`talk`	Événements, débats, opinions...
`alt`	Tous sujets, plus ou moins alternatifs, non traités dans les précédents.

Vous pouvez trouver d'autres hiérarchies utiles, généralement réparties par pays ou par régions. Ainsi, les groupes de discussions français ont un nom qui commence par `fr`. Exemple :

```
fr.comp.applications.bureautique
```

est un groupe qui s'intéresse aux logiciels de bureautique. Les préfixes des newsgroups nationaux sont normalement identiques au suffixe des adresses Web de même type (`fr` pour la France, `uk` pour la Grande-Bretagne, `de` pour l'Allemagne, etc.).

De nouvelles hiérarchies apparaissent en permanence. Pour vous en faire une idée, je vous conseille de visiter par exemple le site suivant :

```
http://www.magma.ca/~leisen/mlnh/
```

Les FAQ

De nombreux newsgroups postent périodiquement une liste de questions fréquemment posées et leurs réponses, ce que l'on appelle des FAQ. Les responsables espèrent que vous lirez la FAQ avant d'envoyer un message sur un sujet auquel il a été répondu des douzaines de fois. Et c'est ce vous devriez faire.

Le MIT collecte des FAQ sur l'ensemble de Usenet, créant ainsi une véritable encyclopédie en ligne offrant des informations récentes sur un très grand nombre de sujets. Vous pouvez accéder à cette base de données à partir de votre navigateur Web ou d'un logiciel de FTP. Voyez l'adresse :

```
ftp://rtfm.mit.edu/pub/usenet-by-hierarchy/
```

Les FAQ sont généralement bien organisées, mais il peut aussi s'agir simplement de l'opinion du contributeur. Faites attention en les lisant !

Poster des articles dans des newsgroups

Le dogme de la maison Usenet veut que l'on passe quelques semaines à lire les articles d'un groupe avant de poster quoi que soit. Le conseil est bon, même si cette patience met souvent à rude épreuve les nerfs des nouveaux venus. Voici quelques remarques et suggestions à méditer avant d'envoyer votre première contribution :

- Limitez-vous à quelques groupes de discussion qui vous intéressent *vraiment*, ou faites appel à un service d'indexation comme Google (nous allons y revenir dans ce chapitre).
- Soyez tolérant envers les nombreux messages idiots et les publicités plus ou moins cachées (les redoutables spams) qui infestent un grand nombre de groupes.
- Si vous pensez que vous devez *absolument* répondre à un commentaire, sauvegardez le message et allez vous coucher. Si, après une bonne nuit de sommeil, la chose vous paraît toujours aussi urgente, voyez plus loin comment vous y prendre pour poster des articles dans un newsgroup. Sinon, passez à autre chose.
- Tant qu'à participer, choisissez plutôt un groupe de discussion dont le thème vous est familier.
- Lisez les FAQ (résumé des questions les plus courantes) avant de poster un message.
- Répondez à un article en fournissant des informations dont vous êtes sûr (ou en citant des références précises) et qui concernent effectivement le sujet en débat.
- Lisez l'ensemble du fil (c'est-à-dire la suite de réponses à l'article d'origine et les réponses à ces réponses) : ce qui vous brûle les doigts a peut-être été déjà répété cent fois !
- Ne conservez dans votre message que des citations indispensables de l'article original. L'encombrement tue le dialogue et énerve tout le monde !
- Rédigez des réponses brèves, claires, sans déborder du sujet.
- Allez directement aux faits. Votre opinion est peut-être passionnante, mais cela ne veut pas dire qu'elle fera avancer le débat.
- Surveillez votre grammaire et votre orthographe.
- Restez calme. Evitez tout langage agressif, choquant, blessant ou insultant.
- Evitez les raccourcis habituels dans les *chats* (du style ROFL – je me tords de rire par terre). Préférez si nécessaire l'emploi d'emoticons (ou smileys :-).
- Utilisez une hiérarchie locale pour des sujets dont l'intérêt reste local. Le reste de la planète se moque de savoir que votre université va bientôt organiser un séminaire sur le thème de la protection des arbres fruitiers dans les zones de moyenne montagne.
- Enregistrez votre message et prenez le temps de le relire *avant* de le poster.

Certains groupes de discussions sont dits *modérés*. En d'autres termes :

- Les articles ne sont pas envoyés directement aux personnes du groupe. Ils sont d'abord expédiés sous forme de courrier électronique à une personne (ou à un programme spécialisé) qui va juger si le contenu est approprié et mérite d'être publié.
- Les modérateurs sont des bénévoles. Ils ont donc autre chose à faire qu'à vous lire toute la journée. Le suivi des messages peut donc prendre un ou deux jours.
- Si vous postez un article dans un groupe modéré, le logiciel qui gère les messages va transmettre directement votre prose au modérateur.
- Si votre article n'apparaît pas et que vous n'en comprenez pas la raison, envoyez une requête au même groupe (en faisant preuve de la plus exquise politesse, comme il se doit).

Usenet est un forum public. Ne l'oubliez jamais. Tout ce que vous y dites peut être lu par n'importe qui, n'importe où dans le monde. Pire : chaque mot est soigneusement indexé et archivé. Il est cependant possible d'éviter cet archivage avec Google si vous tapez **X-No-archive: yes** dans l'en-tête ou sur la première ligne du message. A défaut, Google dispose également d'un outil de suppression automatique auquel vous pouvez faire appel si vous ne voulez pas laisser des traces de votre passage.

Lire les dernières nouvelles avec Google

Les *groupes* de Google sont la zone de ce site qui vous permet d'accéder à de nombreux newsgroups. C'est un endroit idéal pour trouver par exemple des réponses à vos problèmes d'ordinateur et de logiciel (y compris pour des matériels et des programmes totalement périmés de nos jours).

Google, groupes et Usenet

Usenet existe depuis le début de l'Internet et son âge se sent. Les groupes Google représentent un gros effort pour transporter Usenet dans le monde moderne, celui du Web. Vous pouvez utiliser les groupes Google pour :

- Effectuer une recherche par mot clé pour retrouver des articles.
- Rechercher des newsgroups à partir de vos centres d'intérêt.
- Lire les articles de newsgroups.

- Envoyer un e-mail à l'auteur d'un article.
- Poster un article en réponse à quelque chose que vous avez lu.
- Poster un article sur un nouveau sujet.

Faites attention à ce que vous postez dans des groupes de discussion Usenet, car n'importe qui peut ensuite retrouver ces informations à l'aide de Google. Une simple recherche portant sur votre nom affichera votre adresse e-mail et la liste de tous les messages que vous avez expédiés (il est possible de remonter le temps jusqu'en 1981 !). Si vous avez eu la folie de communiquer quelque part votre adresse personnelle, votre numéro de téléphone, les noms de vos enfants, vos opinions politiques, les anniversaires de toute la famille, vos fantasmes sexuels, et ainsi de suite, sachez que cette information peut être facilement retrouvée, comme si vous l'aviez étalée sur la place publique. Vous aurez été prévenu !

Rechercher des groupes Google

La manière traditionnelle de consulter Usenet consiste à accéder à un groupe de discussion pour y lire les messages postés récemment. Mais avec l'existence de dizaines de milliers de groupes, cette méthode est devenue inefficace. Les groupes de Google vous permettent d'effectuer des recherches par contenu dans *tous* les newsgroups. Pour cela, suivez les étapes décrites ci-dessous :

1. **Ouvrez votre navigateur et dirigez-vous vers le site :**

```
http://groups.google.com/
```

   Google a la gentillesse de comprendre que votre langue maternelle est le français, et il affiche une liste de catégories.

2. **Cliquez sur le lien d'une catégorie ou tapez un mot clé dans le champ de saisie affiché en haut de page. Cliquez alors sur le bouton Recherche Google.**

   En très peu de temps, Google va afficher les résultats de sa recherche. Il indique en haut et à gauche de la fenêtre la liste des groupes concernés. En dessous, vous voyez le début de la liste des messages et articles qui ont été trouvés. Sont indiqués le groupe, la date de la contribution, le nom de l'auteur et le nombre d'articles dans l'arborescence de ce fil. A droite, Google vous propose une série de liens "commerciaux" jugés pertinents par rapport à votre requête.

3. **Cliquez sur un nom de groupe pour voir une liste d'articles récents ou cliquez sur le lien d'un article.**

Pour afficher davantage de résultats, cliquez sur le lien qui indique Fils suivants (25).

4. **Pour sauvegarder un article, servez-vous de la commande Enregistrer sous du navigateur (dans le menu Fichier).**

Si vous n'avez pas trouvé ce que vous cherchiez, essayez de préciser votre critère et cliquez sur Rechercher.

Pour affiner votre démarche, cliquez sur le lien Groupes – Recherche avancée. Cette fenêtre vous permet d'effectuer une recherche par groupe de discussion, sujet, auteur, identificateur, langue et/ou date, le tout en entrant une expression complexe. Si avec cela vous n'avez pas satisfaction, c'est que vous y mettez de la mauvaise volonté !

Répondre à un article

Vous pouvez répondre à un article de deux manières : en envoyant un courrier électronique directement à l'auteur, ou en postant un message au groupe entier. Avec la première solution, il vous suffit normalement de cliquer sur l'adresse e-mail de l'auteur (dans l'en-tête de l'article) pour ouvrir une fenêtre de message dans Outlook Express (ou votre programme de messagerie par défaut). A défaut, copiez cette adresse dans le presse-papiers, puis collez-la dans le champ *De:* de votre message. Soyez attentif que de nombreuses personnes ajoutent une mention comme *nospam* à la fin de leur adresse de messagerie pour réduire le nombre de publicités non sollicitées dans leur boîte aux lettres. Retirez ce texte pour que votre message puisse effectivement atteindre son destinataire.

Pour envoyer un article en réaction à un autre, cliquez sur le lien Poster une réaction en réponse à ce message. Si ce n'est pas encore fait, créez un compte Google (la procédure est simple, gratuite et sans douleur, elle ressemble d'ailleurs beaucoup à la création d'un compte de messagerie instantanée). Dans la page de composition de message, éditez l'article cité (en ne retenant que l'essentiel), et ajoutez votre propre commentaire. Il est aussi possible de s'adresser à plusieurs groupes en même temps en séparant leur nom par une virgule (mais cette façon de faire est déconseillée). Pour juger du résultat, cliquez sur le bouton Preview Message. Vous pouvez alors modifier votre prose (Edit message), la transmettre (Post message) ou tout annuler (Cancel message).

Si vous ne vous êtes pas encore enregistré sur Google, vous devrez le faire la première fois que vous voudrez poster un message. Il vous suffira de saisir adresse e-mail et mot de passe. Vous recevrez ensuite un message de confirmation auquel vous devrez répondre. Et c'est tout.

Poster un nouvel article

Pour poster un nouvel article dans un groupe de discussion, placez-vous au début de la liste des fils, puis cliquez sur le lien Poster un message à l'intention du groupe. Dans la page qui suit, saisissez le sujet de l'article, puis son contenu. Lorsque vous avez terminé, demandez un envoi immédiat ou un aperçu du message (que vous pourrez alors éditer ou annuler).

Lire les newsgroups avec Outlook Express

Outlook Express est le programme de messagerie fourni avec Windows et Internet Explorer (voir à ce sujet les Chapitres 8 et 9 du Livret III). Mais il peut aussi servir de lecteur de news. Vous pouvez vous abonner à des groupes et recevoir des copies de tous les messages provenant des participants à ce forum. Mais avant cela, il vous faudra configurer un compte de news.

Vous pouvez créer et supprimer plusieurs comptes pour différents serveurs de news, ou encore choisir un compte par défaut. Pour cela, choisissez la commande Options dans le menu Outils, puis activez l'onglet News. La procédure est pratiquement la même que pour gérer vos comptes de messagerie. En cas de doute, adressez-vous à votre fournisseur d'accès Internet.

Lire des news

Si vous voulez accéder à des groupes de discussion à partir d'Internet Explorer et Outlook Express, procédez de la manière suivante :

1. **Dans Internet Explorer, cliquez sur le bouton Courrier de la barre d'outils. Dans le menu qui apparaît, choisissez l'option Lire les news.**

   Ceci vous renvoie au lecteur de news d'Outlook Express (que vous auriez aussi pu lancer directement – appuyez simplement sur Ctrl+W pour activer le lecteur). Normalement, la fenêtre devrait afficher le volet des groupes de discussion. Cependant, vous avez peut-être besoin de charger la liste des groupes disponibles sur le serveur si cela n'a pas encore été fait.

2. **Si Outlook Express vous propose de télécharger les groupes de discussion, cliquez sur Oui.**

   Ce processus peut prendre plusieurs minutes si votre connexion est lente.

3. **La boîte de dialogue Abonnements aux groupes de discussion vous propose une longue liste de newsgroups. Servez-vous du champ *Afficher les groupes de discussion qui contiennent* pour localiser le nom qui vous intéresse.**

   En définissant un masque (c'est-à-dire un ou plusieurs mots) dans le champ Afficher les groupes, vous limitez la liste à une série de noms, ce qui facilite votre démarche. Toute la difficulté consiste à définir correctement l'objectif que vous poursuivez.

4. **Sélectionnez un ou plusieurs groupes dans la liste Groupe de discussion (sous l'onglet Tout). Cliquez ensuite sur le bouton Atteindre.**

   Les 300 derniers messages (par défaut) de chaque groupe vont être téléchargés. Vous pouvez ensuite les lire exactement comme votre courrier électronique habituel. Appuyez simplement sur la barre d'espace pour charger le contenu du message sélectionné.

5. **(Facultatif) Si vous voulez répondre à un message particulier, commencez par le sélectionner, puis cliquez dans la barre d'outils sur le bouton Répondre. Si vous voulez vous adresser à tout le monde, cliquez sur le bouton Répondre au groupe.**

6. **Pour revenir à la liste des groupes disponibles sur votre serveur de news, cliquez dans la barre d'outils sur le bouton Groupes de discussion.**

7. **Quand vous avez terminé votre promenade dans le monde des newsgroups, cliquez sur OK pour refermer la fenêtre Abonnements aux groupes de discussion. Vous pouvez quitter Outlook Express si vous le souhaitez.**

S'abonner à un groupe de discussion

Quand vous trouvez un groupe de discussion auquel vous voudriez participer de façon régulière, il ne vous reste plus qu'à vous abonner :

1. **A partir d'Internet Explorer, cliquez sur le bouton Courrier, puis choisissez l'option Lire les News.**

2. **Si vous voyez un message vous avertissant que vous ne vous êtes pas encore abonné à un groupe, cliquez sur Oui.**

   Vous voyez s'afficher la boîte de dialogue Abonnements aux groupes de discussion.

3. **Dans la liste de l'onglet Tout, cliquez sur le nom du groupe auquel vous voulez vous abonner.**

4. **Cliquez sur le bouton S'abonner.**

Outlook Express va ajouter une icône devant le nom du groupe pour indiquer que vous y êtes abonné. De plus, il ajoute ce nom dans l'onglet Abonné de la boîte de dialogue.

5. **Répétez les étapes 3 et 4 pour tous les groupes qui vous intéressent.**

6. **Cliquez sur OK lorsque vous avez terminé.**

   Vous revenez à la fenêtre d'Outlook Express. Dans le volet Dossiers, vous pouvez voir la liste de tous les groupes auxquels vous êtes abonné.

7. **Pour voir les messages d'un groupe donné, cliquez simplement sur son nom dans le volet Dossiers. Pour actualiser tous vos messages d'un seul coup, ouvrez le menu Outils et choisissez la commande Synchroniser les groupes de discussion.**

8. **Dans la boîte de dialogue qui apparaît, cliquez sur l'option Obtenir les éléments suivants. Sélectionnez ensuite l'une des options Tous les messages, Nouveaux messages uniquement ou En-têtes uniquement. Cliquez ensuite sur OK.**

   Une fois les messages chargés, vous pouvez vous déconnecter d'Internet et parcourir vos news à loisir.

9. **(Facultatif) Lisez vos messages et répondez si vous le souhaitez à certains d'entre eux. Pour afficher un article dans le panneau en bas et à droite, cliquez sur la ligne voulue dans le volet du haut et appuyez sur la barre d'espace si le texte n'est pas encore chargé. Vous pouvez alors vous servir des boutons Répondre (pour écrire à l'auteur) ou Répondre à tous (pour répondre au groupe entier).**

10. **Lorsque vous avez terminé votre consultation, cliquez sur la case de fermeture de la fenêtre d'Outlook Express.**

Quand vous êtes abonné à un groupe, vous pouvez cliquer sur le bouton Courrier de la barre d'outils d'Internet Explorer et choisir l'option Lire les news. Vous allez revenir dans Outlook Express à la liste des groupes de discussion auxquels vous êtes abonné. Cliquez alors sur le titre d'un groupe pour télécharger les nouveaux messages.

Se désabonner d'un groupe de discussion

Si vous décidez de ne plus participer à un groupe auquel vous êtes abonné, il vous suffit de suivre la procédure ci-dessous :

1. **Dans la barre d'outils d'Outlook Express, cliquez sur le bouton Groupes de discussion.**

   La boîte de dialogue Abonnements aux groupes de discussion apparaît.

2. **Activez l'onglet Abonné. Cliquez ensuite sur le nom du groupe dont vous voulez vous retirer.**

3. **Cliquez sur le bouton Annuler l'abonnement.**

C'est tout !

Chapitre 14
Publier sur le Web

Dans ce chapitre :

- Créer un site Web.
- Que vais-je mettre dans mon site Web ?
- Trouver de l'espace pour votre site.

Ce chapitre présente diverses informations de base pour vous aider à construire votre propre site Web. Vous y découvrirez les étapes de base pour créer un site, ce que celui-ci devrait inclure (comme d'ailleurs toutes ses pages), comment organiser les pages, et où trouver de l'espace pour le publier. Vous y trouverez également quelques règles et recommandations pour créer un site Web réussi.

Les secrets d'un site Web réussi

Tout en travaillant au contenu, à la présentation et à la structure de votre site Web, tenez compte des directives suivantes si vous voulez réellement que vos visiteurs aient envie de venir le voir régulièrement :

- **Présentez quelque chose d'utile sur chaque page.** Trop de sites Web sont comme remplis de duvet : ça a l'air agréable à première vue, mais on n'y trouve rien de consistant. Evitez d'ajouter des pages qui ne font que conduire aux informations vraiment intéressantes. Arrangez-vous plutôt pour inclure sur chaque page des choses utiles, susceptibles d'attirer l'attention de vos visiteurs.

- **Allez voir du côté de la concurrence.** Regardez ce que proposent d'autres sites Web comparables au vôtre. A quoi bon créer un site "moi aussi" n'offrant rien de plus que ce que l'on peut trouver partout ailleurs ! Essayez de communiquer des informations originales, que l'on ne verra que sur votre site Web.

- **Faites attention à la présentation.** Même si votre site Web propose d'excellentes informations, personne n'aura envie de s'y arrêter si vous avez bâclé en dix minutes sa conception visuelle et son organisation. Certes, la substantifique moelle est plus importante que le style. Mais un site Web laid ne donnera pas envie de le visiter, alors qu'un site bien conçu et agréable à voir attirera toujours du monde.

- **Vérifiez, vérifiez, vérifiez.** Si vous faites une faute d'orthographe tous les trois mots, les gens en déduiront vraisemblablement que le contenu de votre site doit être à la hauteur de votre écriture. Si votre éditeur HTML possède un correcteur orthographique, n'hésitez pas à y faire appel. Il vous aidera à déblayer les erreurs les plus grosses. Cela ne doit pas vous empêcher ensuite de (faire) relire le tout avant de poster votre enfant chéri sur le Web. L'idéal est de se faire aider par une autre personne, qui jettera un regard neuf sur votre création et trouvera certainement des erreurs qui vous avaient échappé.

- **Fournissez des liens vers d'autres sites.** Certaines des meilleures pages de l'Internet sont des liens vers d'autres sites Web qui offrent des informations sur un sujet particulier. En fait, la plupart des raccourcis que j'ai placés dans mes favoris correspondent uniquement à des pages de liens vers des centres d'intérêts aussi variés que l'électronique grand public, la randonnée ou la photographie aérienne. Le temps passé à créer une liste de liens vers d'autres sites qui offrent des informations complémentaires au vôtre n'est jamais du temps perdu.

- **Actualisez votre site.** Si votre site n'est pas mis à jour suffisamment souvent, les surfeurs trouveront que la vague est retombée et ils ne viendront plus chez vous. Vos pages Web doivent toujours contenir des informations récentes. Evidemment, certaines pages ont besoin d'être actualisées plus souvent que d'autres. Si vous consacrez par exemple une partie de votre énergie à promouvoir l'équipe locale de football, il serait bon de mettre ses résultats à jour après chaque match. Par contre, une page consacrée aux romans médiévaux du 12ème siècle ou à l'histoire du shintoïsme au cours de l'ère Edo n'aura pas besoin d'être mise à jour aussi souvent.

- **Faites-vous connaître.** Certes, quelques personnes peuvent découvrir vos pages par le plus grand des hasards. Mais si vous voulez vraiment que votre site soit visité, vous devez en faire la promotion. Assurez-vous qu'il sera listé dans les principaux moteurs de recherche, comme Yahoo! ou Google. Vous pouvez aussi faire votre propre publicité en affichant partout l'adresse du site : cartes de visites, lettres, e-mails, stylos publicitaires, affichettes, et ainsi de suite. Voyez à ce sujet le Chapitre 17 du Livret III.

Créer un site Web, les étapes de base

Vous n'avez pas besoin d'être un obsédé de la méthode pour créer un site Web. Mais un minimum d'organisation est tout de même indispensable et vous devez au moins suivre les trois étapes de base décrites dans cette section.

Etape 1 : Concevez la structure du site

Commencez par faire un plan. Bien sûr, ce n'est pas indispensable si votre but est simplement de réaliser une unique page d'accueil : "Coucou, c'est moi !" Pour un site plus élaboré, par contre, il est indispensable de travailler sur sa structure *avant* de créer quelque page que ce soit.

Une bonne méthode consiste à tracer sur le papier un diagramme (simple, tout de même) qui montrera les diverses pages que vous voulez créer, avec des flèches montrant les liens entre celles-ci. Vous pouvez aussi créer un plan représentant l'ensemble du site. A ce stade, les choses n'ont pas forcément besoin d'être déjà très détaillées.

Etape 2 : Créer vos pages Web

Plusieurs approches sont possibles pour la création des pages Web qui vont constituer votre site. Si le mot "programmation" vous donne des nausées, un éditeur de pages Web simple devrait vous suffire. Internet Explorer, par exemple, est fourni avec quelques outils de base pour réaliser des pages Web sans programmation (certains travaillent même avec Word). Vous pouvez également faire l'achat d'un logiciel bon marché qui vous aidera à créer un site Web entier. L'un des programmes de développement de site les plus connus est certainement Microsoft FrontPage.

Etape 3 : Publier vos pages Web

Lorsque vos pages sont composées, il est temps de les publier sur le Web. Vous devez d'abord trouver un serveur pour les héberger. Nous y reviendrons un peu plus loin. Ensuite, il faut évidemment copier les pages sur ce serveur. Enfin, vous vous lancerez dans la promotion de votre site afin qu'il soit référencé sur les principaux moteurs de recherche. Reportez-vous à ce propos au Chapitre 17 du Livret III.

Ce que tout site Web devrait inclure

Chaque site Web est différent. Mais la plupart contiennent certains éléments qui leur sont communs. Essayons de nous y retrouver dans ce dédale.

La page d'accueil

Tout site devrait posséder une page d'accueil qui en constitue le point d'entrée. Cette page est normalement la première que les utilisateurs voient lorsqu'ils visitent votre site (il est aussi possible de créer une *page de couverture* qui affiche une présentation très générale et un lien pour "entrer" dans le site). Vous devez donc dépenser beaucoup de temps et d'énergie pour faire en sorte que cette page d'accueil fasse d'emblée bonne impression au visiteur. Placez en haut de page un titre attractif. N'oubliez pas que la plupart des utilisateurs devront faire défiler le contenu de la page pour la voir en entier. Ce qui apparaît en premier, c'est le haut de celle-ci. Le titre doit donc être immédiatement visible et accrocheur afin d'attirer l'attention.

Incluez ensuite un menu qui permettra au visiteur d'accéder directement au contenu proposé par votre site Web. Il peut s'agir simplement de liens textuels, ou de graphismes sophistiqués qui renvoient à différentes pages lorsque l'on clique sur telle ou telle partie de l'image. Si vous utilisez ce type de menu (que l'on appelle parfois *carte image*), fournissez en même temps une version alternative sous forme de texte : certains utilisateurs désactivent le chargement des images, et beaucoup n'ont pas la patience d'attendre que tous les graphismes soient téléchargés !

Evitez de surcharger votre page d'accueil de graphismes démesurés. N'oubliez jamais que votre page d'accueil est la première que voient les personnes qui accèdent à votre site. Si le chargement de cette page prend plus de 10 secondes, les visiteurs perdent patience et vont voir vers d'autres cieux.

Plan du site

Si votre site comprend un grand nombre de pages, vous devriez en publier le plan. Il s'agit d'un menu détaillé (une table des matières si vous voulez) qui fournit un lien vers chacune des pages du site. Cette méthode permet à l'utilisateur d'accéder directement aux pages qui l'intéressent sans devoir circuler au milieu des menus intermédiaires.

Contact !

Votre site doit offrir un moyen de vous contacter (ou de contacter votre société). Vous pouvez facilement inclure un lien vers votre adresse de messagerie dans la page d'accueil. Lorsque l'on clique sur ce lien, une fenêtre de composition de message s'ouvre automatiquement (par exemple dans Outlook Express), et le champ *De:* est déjà rempli avec votre adresse (enfin, c'est ce qui devrait se passer).

Si vous voulez inclure des informations plus complètes sur vous (adresse postale, téléphone, fax, etc.), sur votre société ou encore proposer une liste de contacts, il est préférable de regrouper tout cela dans une page spécifique que l'on pourra activer directement depuis la page d'accueil.

FAQ

Les pages de *FAQ* (Frequently Asked Questions, c'est-à-dire questions fréquemment posées) font partie des sources d'informations les plus populaires sur Internet. Vous pouvez créer et organiser votre propre page de FAQ à partir de n'importe quel sujet à votre convenance. Listez simplement une série de questions en fournissant les réponses adéquates. Ou sollicitez la participation de vos visiteurs.

Liens utiles

Sur certains sites, la page la plus consultée est celle qui fournit une série de liens vers d'autres sites utiles. En tant que créateur de votre propre page de liens, vous pouvez proposer des choses que même les moteurs de recherche les plus puissants ne savent pas faire : conduire le visiteur vers des sites réellement intéressants en y ajoutant des informations et des commentaires personnels.

A inclure dans chaque page !

Tout site Web devrait proposer un contenu utile et original. Mais toute page Web digne de ce nom devrait aussi contenir les trois éléments suivants.

Titre

Placez un titre en haut de chaque page. Ce titre aura pour fonction d'identifier non seulement le contenu de la page, mais aussi votre site Web lui-même. Cette démarche est importante, car il peut arriver que des visiteurs découvrent votre site autrement que via la page d'accueil. Tout dépend de ce qu'ils ont saisi dans le champ d'adresse du navigateur, ou du lien proposé dans un autre site qui fait référence à l'une de vos pages.

Liens de navigation

Chaque page doit comporter un ensemble cohérent de liens pour la navigation. Au minimum, il faut fournir un lien permettant de revenir à la page d'accueil de votre site. Si vous avez choisi une méthode de consultation séquentielle, il est aussi nécessaire d'inclure des liens servant à revenir à la page précédente et à avancer vers la page suivante.

Informations sur l'auteur et copyright

Chaque page devrait aussi donner des informations sur son auteur (les *crédits*) et rappeler ses droits (le fameux copyright). Puisque le point d'entrée dans votre site peut varier, insérer ces renseignements uniquement sur votre page d'accueil n'est pas suffisant.

Organiser le contenu

Les sections qui suivent décrivent plusieurs méthodes courantes pour organiser le contenu de votre site Web.

Organisation séquentielle

Dans ce cas, toutes les pages se suivent simplement en file indienne (ou comme dans un livre). C'est ce qu'illustre la Figure 14.1. Chaque page doit contenir des liens permettant respectivement à l'utilisateur d'accéder à la page précédente, à la page suivante ou à la page d'accueil.

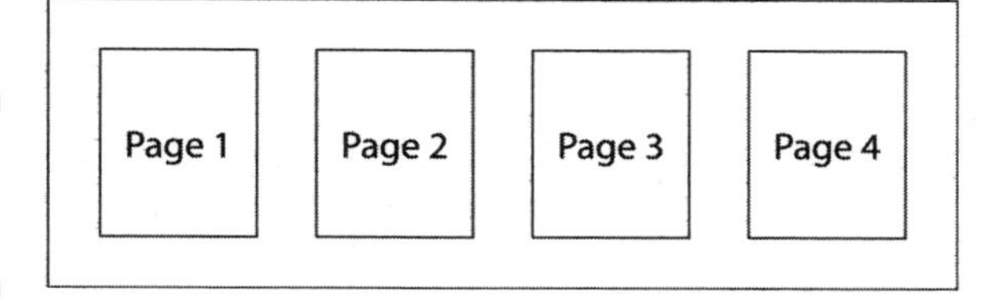

Figure 14.1 : Organisation séquentielle.

Organisation hiérarchique

Avec cette technique, vous organisez vos pages Web en une hiérarchie, chaque page y étant classée en fonction de son contenu. La page principale sert de menu permettant aux utilisateurs d'accéder aux autres pages du site (voir la Figure 14.2). Chaque page doit contenir un lien qui permet de revenir directement au menu.

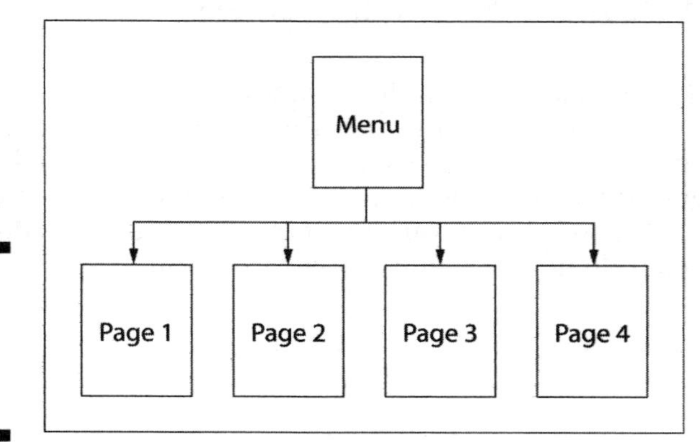

Figure 14.2 : Organisation hiérarchique avec un niveau de menu.

Bien entendu, rien n'interdit d'imbriquer les menus sur plusieurs niveaux, comme l'illustre la Figure 14.3. Evitez cependant tout abus. Trop de menus nuit et déroute la plupart des utilisateurs, surtout s'il n'y a à chaque fois que deux ou trois renvois. Par contre, si un menu comporte plus d'une dizaine de choix, il devient préférable de le partager en deux sous-menus distincts.

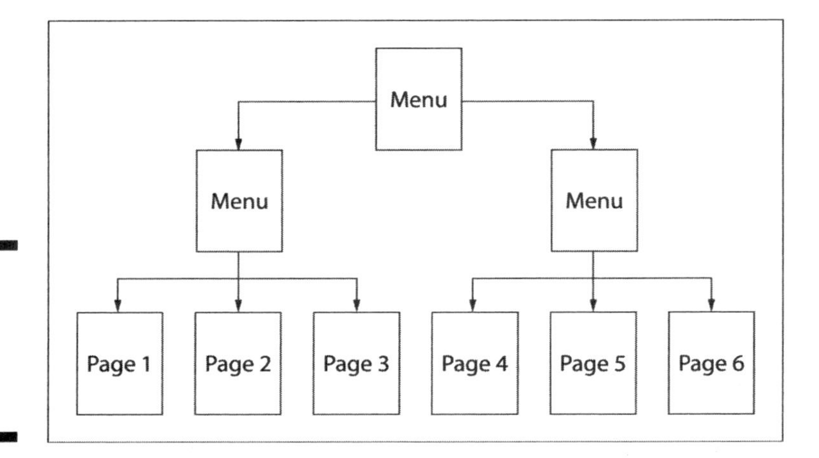

Figure 14.3 : Organisation hiérarchique avec plusieurs niveaux de menus.

Organisation hiérarchique et séquentielle

De nombreux sites Web sont organisés en combinant méthode hiérarchique et méthode séquentielle. Dans ce cas, un menu permet d'accéder à des pages de contenu qui comportent des liens séquentiels entre elles (voir la Figure 14.4). Dans ce style d'organisation, les pages contiennent un lien vers celles qui les suivent, et un autre pour revenir au menu principal. A son tour, ce dernier contient des liens vers des pages qui marquent le point de départ d'une nouvelle section.

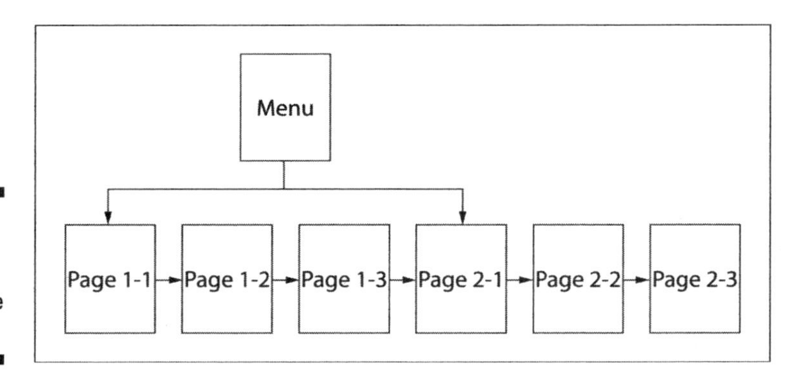

Figure 14.4 : Combinaison entre organisation séquentielle et hiérarchique.

Le Web, taille et vitesse

Les deux points qui suivent résument les aspects les plus problématiques de la création de pages Web de qualité.

- **Tailles d'écran différentes :** Certains utilisateurs en sont encore au moniteur 14 pouces configuré avec un affichage en 640x480. D'autres s'offrent le luxe d'un écran 21 pouces en 1280x1024 (ou plus). Il est évident que vos pages n'offriront pas le même aspect dans les deux cas. Une approche très courante et médiane consiste à composer les pages pour une résolution de 80x600.
- **Vitesses de connexion différentes :** Il y a les utilisateurs qui ont la chance d'avoir une ligne spécialisée, l'ADSL ou le câble. Et puis il y a les autres, les malheureux dont les 28,8 kbps se traînent comme un escargot fatigué. Pour compenser ce manque de rapidité, certains désactivent le chargement automatique des graphismes. Ne l'oubliez pas. Créez des pages qui ne soient pas trop dépendantes de l'image, et fournissez si nécessaire des liens textuels alternatifs.

Organisation en toile d'araignée

Certains sites Web ont des pages connectées par des liens qui défient les lois de la hiérarchie et de la "séquentialité". Dans des cas extrêmes, chaque page du site est liée à toutes les autres, créant ainsi une structure en toile d'araignée, donc en *web* (voir la Figure 14.5). Cette méthode est bonne si le nombre total des pages reste limité et si vous ne pouvez pas prédire l'ordre dans lequel un utilisateur *lambda* les consultera.

Trouver de l'espace pour votre site

Si vous n'avez pas de logement pour votre site Web, les sections qui suivent vous donneront quelques idées pour lui trouver de la place (ou plus exactement, de l'espace).

Fournisseurs d'accès ou de services Internet

Si vous avez accès à Internet via un fournisseur de services spécialisés (ce que doit être aussi votre FAI), il vous propose sans doute un espace réservé pour enregistrer votre page d'accueil. La plupart du temps, cet espace ne représente que quelques mégaoctets, ce qui est suffisant pour quelques pages. Il est très possible que vous puissiez louer plus de place pour un surcoût raisonnable. A moins que l'utilisation projetée ne soit commerciale, ce qui vous coûtera logiquement plus cher. Votre fournisseur de services ou d'accès Internet doit être en mesure de vous fournir des instructions détaillées concernant la copie de vos fichiers sur son serveur.

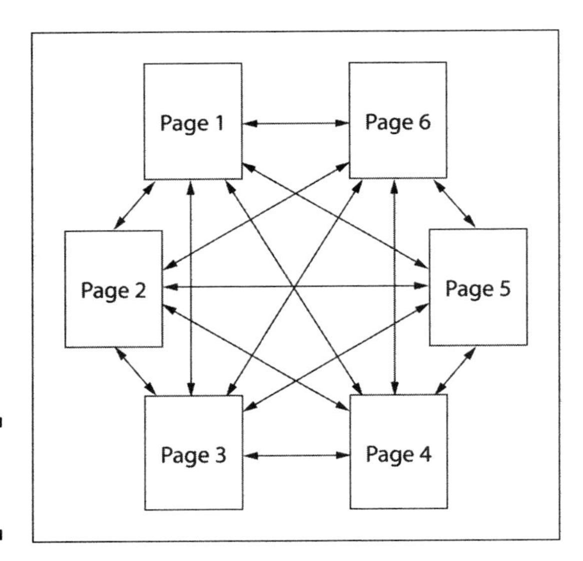

Figure 14.5 : Organisation en toile d'araignée.

Services en ligne

Les grands services en ligne vous permettent aussi de publier vos pages Web. AOL, par exemple, met une grosse dizaine de mégaoctets à la disposition de ses abonnés. Vous y accédez par l'intermédiaire d'un site dédié aux pages personnelles (`pageperso.aol.fr`). Le seul ennui est que le nom de domaine qui vous est affecté peut être assez difficile à taper ou à retenir. Copiez soigneusement ce nom dans un document texte que vous imprimerez.

Serveurs Web gratuits

C'est étonnant, mais possible. Certes, vous serez plus favorisé si vous travaillez dans une université (par exemple), ou si votre entreprise dispose d'un serveur Web adapté et qu'elle accepte de mettre un certain espace à la disposition de son personnel. En tout état de cause, vous pouvez toujours essayer de taper une requête du style *"hébergement gratuit"* dans votre navigateur ou votre moteur de recherche favori. Vous comprendrez vite qu'il faut réfléchir plus avant sur votre projet et affiner votre requête pour ne pas être débordé par les réponses trouvées ! Et le cas échéant savoir si vous acceptez d'échanger la gratuité contre l'obligation d'accepter des liens publicitaires sur vos pages.

Si vous ne trouvez pas ce que vous cherchez à la maison, vous pouvez toujours tenter votre chance à l'étranger. Par exemple, si Yahoo! ne propose pas en France ce type de service, il est devenu un hébergeur important aux Etats-Unis via sa filiale GeoCities.

Chapitre 15
Eléments pour une page Web

Dans ce chapitre :

- Découvrir les bases du HTML.
- En-têtes et formatage du texte.
- Créer des listes.
- Configurer la page et l'arrière-plan.

Ce chapitre propose quelques notions de base sur des techniques HTML qui vous permettront d'ajouter des éléments couramment utilisés à vos pages Web : en-têtes, arrière-plans, liens, tableaux et barres de navigation. N'oubliez pas en le lisant qu'il est toujours possible de créer des pages Web sans rien connaître du langage HTML. Microsoft FrontPage, Dreamweaver et bien d'autres programmes largement répandus sont capables d'insérer des commandes de mise en forme, de disposer des graphismes et de mettre du texte en forme sans que vous ayez besoin de vous transformer en programmeur. Si vous n'avez pas envie de plonger dans HTML (et, en réalité, qui en a envie ?), vous trouverez certainement sur un site Web des outils qui vous aideront à créer votre site Web sans douleur.

Quelques bases de HTML

Tous les documents HTML contiennent les éléments suivants (qui servent à définir la structure générale du document) :

```
<HTML>
<HEAD>
<TITLE>Votre titre se trouve ici</TITLE>
</HEAD>
<BODY>
Le corps du document se trouve dans cette section
</BODY>
</HTML>
```

Comme le montre l'exemple précédent, les balises HTML se promènent généralement en couple et délimitent des parties du document. La balise de début (par exemple `<BODY>`) signale le point de départ d'un formatage spécifique à une section. La balise de fin (par exemple `</BODY>`) contient une barre oblique et indique que tel ou tel formatage se termine. Voyons ces balises de plus près (en supposant acquise l'idée qu'un début doit avoir une fin) :

- `<HTML>` : Cette balise doit toujours apparaître au tout début d'un document HTML. Elle indique au navigateur qu'il s'agit d'un fichier HTML.
- `<HEAD>` et `</HEAD>` : Cette balise signale ce que l'on appelle l'*en-tête* du document. Cet en-tête contient des informations qui s'appliquent au document entier.
- `<TITLE>` et `</TITLE>` : Délimite le titre du document HTML. Tout ce qui apparaît ici est affiché dans la barre de titre du navigateur.
- `<BODY>` et `</BODY>` : C'est la partie du document HTML qui est affichée dans la fenêtre du navigateur. Bien entendu, cette section peut être extrêmement copieuse.
- `</HTML>` : Et voici la balise qui doit conclure votre document HTML.

Changer la police de caractères

A l'aube du Web, HTML ne fournissait aucun moyen permettant de contrôler avec précision l'apparence du texte dans les pages Web. De nos jours, vous disposez de plusieurs méthodes pour atteindre ce résultat.

HTML propose deux balises pour définir l'aspect des caractères. Il s'agit de `<FONT>` et `<BASEFONT>`. La première joue sur un bloc de texte donné. La seconde détermine la police par défaut employée pour l'ensemble du document. Ces deux balises sont suivies immédiatement d'un ou plusieurs *attributs* servant à préciser des informations de mise en forme spécifiques. Les attributs les plus importants de ces balises sont les suivants :

- `FACE` : Spécifie le nom de la police de caractères.
- `SIZE` : Indique la taille des caractères dans une échelle allant de 1 (le plus petit) à 7 (le plus grand). La taille par défaut est de 3.
- `COLOR` : Définit la couleur du texte.

Voici un petit exemple de code HTML qui spécifie la police de caractères, sa taille et sa couleur :

```
<BODY>
<BASEFONT SIZE="4" COLOR="BLACK" FACE="Times New Roman">
<P>Voici un paragraphe de texte normal utilisant la police définie par la balise BASEFONT.
<H1><FONT FACE="Arial">Et voici un titre</FONT></H1>
<P>Une fois le titre terminé, le texte revient aux réglages de la balise BASEFONT.
</BODY>
```

Lorsque vous voulez forcer un saut de ligne, vous pouvez insérer la balise <P>. Elle ajoute de plus une ligne vierge avant le paragraphe suivant. Si vous voulez simplement changer de paragraphe, utilisez la balise <BR>. Remarquez que, dans les deux cas, il n'existe pas de balise de fin.

La Figure 15.1 montre ce que produit le code ci-dessus lorsqu'il est affiché dans Internet Explorer.

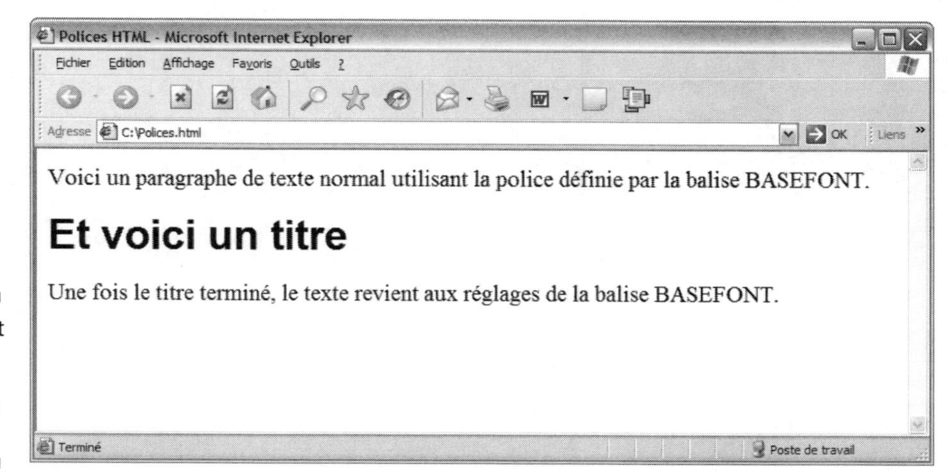

Figure 15.1 : Effet des balises HTML modifiant la mise en forme du texte.

Entrer des titres

Ne remplissez pas vos pages Web d'un flot de texte ininterrompu. Il est préférable d'organiser leur contenu en titres, sous-titres et paragraphes. HTML dispose de balises qui simplifient la création des titres. Vous avez le choix entre six niveaux de taille, chacun étant signalé par une balise <H1>, <H2>, et ainsi de suite jusqu'à <H6>. Voyons l'exemple suivant :

Quelques règles de typographie pour le Web

La typographie est un art qui va bien plus loin que le simple choix d'une police de caractères. Voici quelques conseils pour créer du texte à la fois lisible et plaisant :

- **Limitez le nombre de polices dans une page :** Deux ou trois polices de caractères sont tout à fait suffisantes.
- **Utilisez pour le texte une police avec empattement :** On appelle empattement la petite barre qui se trouve (ou non) en bas des caractères. Times New Roman est une police avec empattement. Arial est une police sans empattement. Les empattements sont plus lisibles dès lors que le texte dépasse une certaine longueur et qu'il ne s'agit pas d'un titre.
- **Pour les titres, utilisez une police sans empattement ou un style agrandi du corps du texte :** C'est un rappel du conseil précédent, mais dans l'autre sens. Une manière d'insister sur ce point, donc.

```
<H1>Voici un titre de niveau 1</H1>
<H2>Voici un titre de niveau 2</H2>
<H3>Voici un titre de niveau 3</H3>
<H4>Voici un titre de niveau 4</H4>
<H5>Voici un titre de niveau 5</H5>
<H6>Voici un titre de niveau 6</H6>
<P>Et voici un paragraphe normal.
```

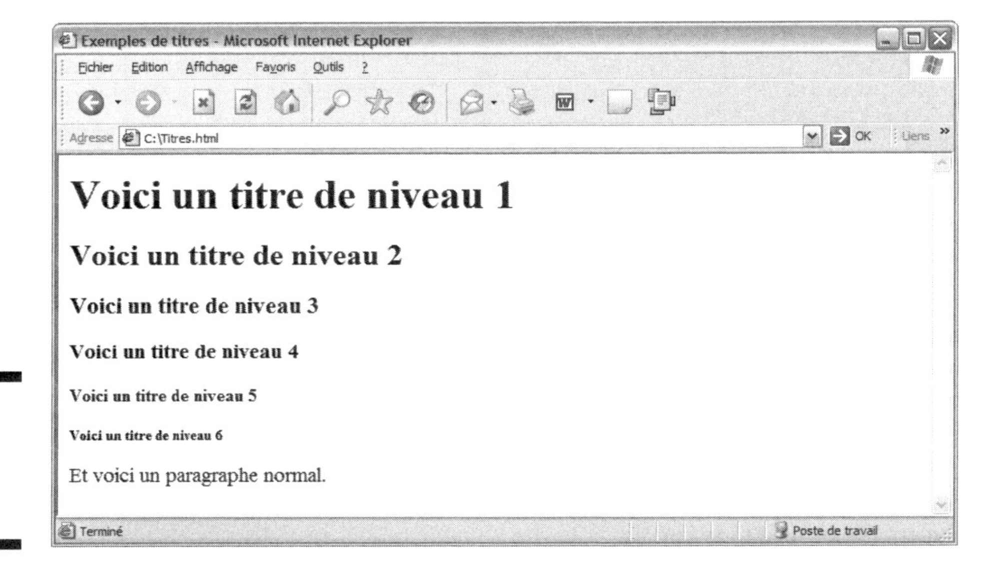

Figure 15.2 : Exemples de titres dans Internet Explorer.

La Figure 15.2 montre ce que produit l'affichage de ce code dans Internet Explorer.

Formater le texte

Les sections qui suivent vous montrent comment insérer des commandes HTML de mise en forme (ou de *formatage*) de votre texte.

Alignement

HTML ne propose que peu d'options pour aligner le texte. Par défaut, les paragraphes sont calés sur la marge gauche de la fenêtre. Mais il est aussi possible de le centrer, comme dans :

```
<CENTER>Ce texte est centré.</CENTER>
```

Gras

La balise <B> affiche le texte qui suit en caractères gras. Pour revenir à un affichage par défaut, terminez par la balise </B>. Exemple :

```
Un mot en <B> caractères gras</B> attire l'attention.
```

Utilisez ce style à bon escient. Les caractères gras doivent servir uniquement à mettre en valeur quelque chose d'important. En abuser rendrait le texte difficile à lire.

Italique

La balise <I> fonctionne exactement selon le même principe pour afficher en italique des caractères. Par exemple :

```
Les <I>citations sont souvent</I> en italiques.
```

Là encore, l'emploi de l'italique doit rester occasionnel.

Couleur

Il existe plusieurs manières de définir une couleur en HTML. Par exemple, la balise <BODY> possède un attribut BGCOLOR qui permet de spécifier une couleur pour le fond de la page. De même, l'attribut COLOR de la balise <FONT> spécifie la couleur de caractères.

La version standard de HTML reconnaît quatorze noms prédéfinis : BLACK (noir), SILVER (argenté), GRAY (gris), WHITE (blanc), MAROON (marron), PURPLE (pourpre), FUCHSIA (rose), GREEN (vert), LIME (jaune citron), OLIVE (vert olive), YELLOW (jaune), NAVY (un bleu foncé), TEAL (une teinte de vert) et AQUA (un bleu clair). Le plus simple est de se servir de ces noms. Voici par exemple comment afficher un texte jaune sur un fond de page bleu :

```
<BODY BGCOLOR="NAVY">
<FONT COLOR="YELLOW">Ce texte est en jaune.</FONT>
```

Créer des listes

HTML vous permet de créer deux types de listes dans vos pages Web :

- **Listes à puce :** Chaque élément de la liste est signalé par une *puce* (un caractère spécial, souvent un point).
- **Listes numérotées :** Chaque élément de la liste est numéroté. Les navigateurs Web sont capables de déterminer le rang d'un élément dans la liste, et donc son numéro.

Listes à puce

Une liste à puce nécessite trois balises :

- La balise <UL> marque le début de la liste.
- La balise <LI> signale un nouvel élément de la liste. Il n'existe pas de balise de fin.
- La balise </UL>, enfin, termine la liste.

Voici un morceau de code HTML qui affiche une liste à puce :

```
<H3>Quelques grandes villes de France</H3>
```

```
<UL>
<LI>Paris
<LI>Marseille
<LI>Lyon
<LI>Nantes
<LI>Bordeaux
<LI>Lille
<LI>Strasbourg
</UL>
```


Listes numérotées

Une liste numérotée (ou ordonnée) nécessite également trois balises :

- La balise `<OL>` marque le début de la liste.
- La balise `<LI>` signale un nouvel élément de la liste. Il n'existe pas de balise de fin.
- La balise `</OL>`, enfin, termine la liste.

Voici un morceau de code HTML qui affiche une liste numérotée :

```
<H3>Comment commander une pizza par correspondance :</H3>
<OL>
<LI>Prenez votre téléphone
<LI>Appelez le numéro du vendeur
<LI>Décrivez votre commande
<LI>Donnez votre adresse
<LI>Raccrochez le téléphone
<LI>Attendez le livreur
</OL>
```

Insérer des lignes horizontales

Une ligne horizontale (ou règle) vous permet de créer une rupture visuelle dans une page Web. Vous disposez à cet effet d'une balise spécifique : `<HR>` (il n'y a pas de balise de fermeture). Vous pouvez contrôler l'épaisseur, la largeur et l'alignement de la ligne en jouant sur les attributs `SIZE`, `WIDTH` et `ALIGN`. Par exemple :

```
<HR WIDTH="50%" SIZE="6" ALIGN="CENTER">
```

Ici, la ligne sera centrée sur la moitié de la fenêtre et aura une épaisseur de 6 pixels.

De nombreux créateurs n'aiment pas la balise <HR> et préfèrent utiliser des images pour placer des lignes horizontales. Du fait que le résultat produit par <HR> peut varier d'un navigateur à l'autre, une méthode graphique autorise un contrôle complet sur l'apparence de la ligne de séparation. Il faut alors procéder de la manière suivante :

1. **Au lieu de <HR>, servez-vous de la balise standard d'insertion d'image :**

```
<IMG>
```

2. **Spécifiez dans l'attribut SRC de la balise le nom du fichier image à afficher (il pourrait bien s'agir de tout autre chose qu'un trait horizontal) :**

```
<IMG SRC="traitgraph.gif">
```

3. **Ajoutez un attribut WIDTH pour spécifier le nombre de pixels qu'occupera l'image (ou un ratio exprimé sous forme de pourcentage) :**

```
<IMG SRC="traitgraph.gif" WIDTH="75%">
```

4. **Terminez le tout par une balise <BR> afin de provoquer un changement de ligne :**

```
<IMG SRC="traitgraph.gif" WIDTH="75%"><BR>
```

Mise en page

Les sections qui suivent vous expliquent l'importance d'une bonne mise en page (disposition, longueur, problèmes d'affichage) afin de contrôler l'apparence de votre site dans un navigateur Web.

Web et résolution d'écran

La plupart des utilisateurs ont l'habitude de faire défiler les pages qui sont plus hautes que leur écran en cliquant sur des ascenseurs (ou *barres de défilement*). Mais la plupart aussi n'aiment pas beaucoup faire défiler vers la droite ou vers la gauche les pages qui sont plus larges que leur fenêtre. Pour éviter de les agacer (vous avez envie qu'ils aillent voir ailleurs ?), il est important de concevoir vos pages de façon à ce qu'elles tiennent à l'intérieur d'une largeur d'écran donnée.

Si vous voulez attirer la foule des gens qui en sont encore à une résolution de 800x600 (eh oui, j'en connais beaucoup qui ont un superbe écran plat et qui ne savent même pas comment le configurer en 1024x768), vos pages ne devraient pas dépasser 780 pixels en largeur.

TRUC

Si vos pages contiennent essentiellement du texte, ce problème perd son importance car les navigateurs Web sont capables d'ajuster la taille des paragraphes en fonction de la largeur de la fenêtre. La question se pose donc lorsque vous employez des éléments qui sont susceptibles d'avoir une largeur fixe : tableaux, images ou cadres. Voyons cela de plus près :

- **Tableaux :** Définissez leur largeur globale en ajoutant à la balise `<TABLE>` l'attribut `WIDTH`. Par exemple :

```
<TABLE WIDTH="620">
```

- **Images :** Si une image est trop large (il y a trop de pixels dans la sens horizontal), vous pouvez la réduire grâce à l'attribut `WIDTH` de la balise `<IMG>` :

```
<IMG SRC="canard.gif" WIDTH="200">
```

- **Cadres :** Définissez la largeur bord à bord entre les cadres à l'aide de l'attribut `COLS` de la balise `<FRAMESET>` :

```
<FRAMESET COLS="150,*"> </FRAMESET>
```

Longueur de page

Même si la très grande majorité des utilisateurs n'est pas gênée par cela, vous devriez limiter la hauteur de vos pages. En règle générale, il est conseillé de ne pas dépasser deux ou trois fois la hauteur de l'écran (soit à peu près la quantité d'informations pouvant être imprimées sur une feuille de papier A4).

Composition de la page

Pour réaliser des sites Web efficaces, la meilleure méthode consiste à définir une grille de base sur laquelle vous placerez les éléments qui doivent apparaître de la même manière dans toutes vos pages. La Figure 15.3 illustre ce principe. La liste qui suit décrit certains des éléments que vous pouvez avoir à inclure dans votre grille. Evidemment, l'application pratique de ces conseils dépend de votre projet et du genre de site que vous voulez publier.

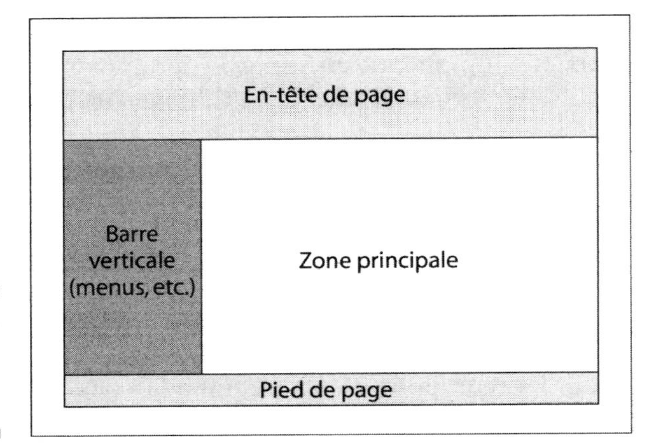

Figure 15.3 : Une disposition efficace pour vos pages Web.

- **En-tête :** Cette zone apparaît en haut de chaque page. Elle indique généralement le titre du site, celui de la page courante, le nom de la société, comprend des boutons de navigation ainsi que tous les éléments à reproduire en haut de chaque page.
- **Pied de page :** Cette zone se retrouve en bas de chaque page et présente souvent des liens pour contacter l'auteur ou la société, un copyright et des boutons de navigation.
- **Texte principal :** Cette zone contient le texte principal et les illustrations de la page.
- **Barre de côté :** Ce bandeau vertical est placé sur la gauche (parfois sur la droite) de la fenêtre. Elle contient normalement une table des matières (ou un menu pour la page d'accueil, et un sous-menu pour les autres).

Travailler avec les arrière-plans

Lorsque vous créez des pages Web, ne commettez pas l'erreur d'utiliser en arrière-plan une image voyante qui les rendrait pratiquement impossibles à lire. Si vous tenez à placer une image en toile de fond, choisissez un sujet qui n'interfère pas avec le texte et les autres éléments de la page.

Définir la couleur du fond

Voici comment on peut définir la couleur d'arrière-plan d'une page Web :

1. **Ajoutez l'attribut** BGCOLOR **à la balise** <BODY>**.**
2. **Entrez un nom de couleur à la suite de cet attribut. Par exemple :**

```
<BODY BGCOLOR="TEAL">
```

Revoyez plus haut la section Couleur pour avoir une liste des noms HTML prédéfinis (Teal n'est pas vraiment un bon choix, mais le mot est joli – en français : sarcelle).

Utiliser une image d'arrière-plan

Pour utiliser une image en arrière-plan :

1. **Ajoutez l'attribut** BACKGROUND **à la balise** <BODY>**.**
2. **Tapez le nom du fichier graphique que vous voulez afficher en fond de page, comme ceci (le fichier doit se trouver dans le même dossier que la page HTML) :**

```
<BODY BACKGROUND="apima.gif">
```

L'image est reproduite autant de fois qu'il est nécessaire pour couvrir la page. Il n'est donc pas indispensable de choisir un graphisme de grand format (au contraire, puisque sinon le temps de chargement pourrait devenir insupportable).

Ajouter des liens

Les liens font partie intégrante de toute page Web. Ils permettent à votre lecteur de voyager vers des lieux nouveaux, qu'il s'agisse d'une autre partie de la même page, d'une autre page de votre site, ou d'un site Web totalement différent et localisé n'importe où sur l'Internet. Tout ce que l'utilisateur a à faire, c'est de cliquer sur le lien.

Liens hypertexte

Un lien *hypertexte* est une partie de texte sur laquelle on peut cliquer pour se diriger vers un autre emplacement. Pour créer un tel lien, suivez ces étapes :

1. **Déterminez l'adresse de la page à laquelle le lien sera associé.**
2. **Tapez une balise** <A> **là où le lien doit apparaître.**

3. **Utilisez l'attribut `HREF` pour spécifier l'adresse de la page que vous voulez lier. Par exemple :**

```
<A HREF="http://www.efirst.com">
```

4. **A la suite de la balise `<A>`, saisissez le texte du lien tel qu'il doit apparaître dans votre document, en terminant par la balise de fin `</A>`. Comme ceci :**

```
<A HREF="http://www.efirst.com">Découvrez les éditions First</A>
```

Le texte qui apparaît entre les balises *<A>* et *</A>* est appelé l'*ancre*. L'adresse Web associée à l'attribut `HREF` est appelée la *cible*. Le texte du lien est affiché par le navigateur dans une couleur particulière (généralement du bleu) et il est souligné pour que la personne qui voit la page sache de quoi il s'agit.

Si la cible fait référence à une autre page du même site Web, il suffit d'indiquer le nom du fichier correspondant (lui aussi doit être placé entre des guillemets). Par exemple :

```
<A HREF="secrets.html">Découvrez mes secrets</A>
```

Lorsque le visiteur clique sur le lien Découvrez mes secrets, la page du site appelée `secrets.html` est chargée et affichée sur son écran.

Liens graphiques

On peut tout aussi bien utiliser une image comme lien vers un autre site, une autre page ou un autre emplacement sur la même page. La procédure est pour l'essentiel identique à ce que nous venons de voir. Mais, lors de l'étape 4 ci-dessus, vous devez remplacer le texte du lien par une balise `<IMG>` suivie de l'attribut `SRC` et du nom du fichier d'image qui va constituer le lien. Par exemple :

```
<A HREF="secrets.html"><IMG SRC="secrets.gif"</A>
```

Ici, l'image contenue dans le fichier *secrets.gif* est affichée dans le navigateur de votre visiteur. Quand il clique dessus, la page `secrets.html` est chargée et affichée sur son écran.

Liens vers la même page

Pour créer un lien qui ne fait que transporter le lecteur vers un autre emplacement de la même page, procédez de la manière suivante :

1. **Donnez un nom à la section que vous voulez lier. Pour cela, il suffit d'ajouter une balise `<A>` complétée par l'attribut `NAME` dans la première ligne HTML de cette section. Terminez par la balise de fin `</A>`.**
2. **Créez un lien (texte ou graphique) vers la section voulue en tapant dans l'attribut `HREF` son nom précédé du symbole #.**

Voici un exemple de balise qui affecte un nom à une partie d'un document HTML :

```
<A NAME="Ici"></A>
```

Et voici maintenant comment ajouter un lien dirigé vers la section appelée *Ici* :

```
<A HREF="#Ici">Rendez-vous là-bas !</A>
```

Chapitre 16
Graphiques, sons et vidéos

Dans ce chapitre :

- Comprendre le format des images, des sons et des vidéos.
- Travailler avec les images et les cartes image.
- Ajouter des sons en toile de fond à une page Web.
- Ajouter de la vidéo à une page Web.

Le chapitre présente les techniques permettant d'ajouter à vos pages Web des éléments multimédias : images, sons et vidéos. Vous y verrez comment insérer des graphismes et comment transformer des images en liens, comment lier et incorporer du son et de la vidéo, et comment jouer une musique de fond lorsque votre page Web est affichée.

Le multimédia et ses fichiers

Il existe une incroyable variété de formats de fichiers pour les images, le son, la musique et la vidéo. Mais, heureusement, seuls quelques-uns d'entre eux suffisent pour construire pratiquement n'importe quelle page Web.

Formats graphiques

Parmi des dizaines de formats graphiques, seuls deux sont largement employés dans les pages Web : GIF et JPEG.

Images GIF

GIF veut dire Graphics Interchange Format (format d'échange graphique). Il a été développé à l'origine pour le réseau en ligne CompuServe (racheté il y a quelques années par AOL) et est intensément utilisé sur l'Internet.

Les images au format GIF possèdent les caractéristiques suivantes :

- ✦ Elles peuvent contenir jusqu'à 256 couleurs.
- ✦ Les fichiers GIF sont compressés afin de réduire leur taille. La méthode utilisée n'altère pas la qualité des images.
- ✦ Une image GIF peut contenir une couleur transparente, autrement dit qui laisse apparaître le fond de la page Web dans la fenêtre du navigateur.
- ✦ Les images GIF peuvent être entrelacées, ce qui permet au navigateur d'en afficher rapidement une version grossière, puis d'en montrer progressivement le véritable contenu.
- ✦ Le format GIF supporte une technique d'animation simple qui consiste à stocker dans un même fichier une série d'images distinctes. Le navigateur Web affiche ces images les unes à la suite des autres, ce qui produit l'effet d'animation.

Le format GIF est idéal pour la plupart des images Web, qui sont créées à l'aide de programmes de dessin et ne contiennent qu'un nombre limité de couleurs. C'est notamment le cas des icônes, des boutons, des textures d'arrière-plan, des puces ou encore des traits.

Un format concurrent, appelé PNG (prononcer *ping*), a été développé il y a une dizaine d'années. Il supporte toutes les caractéristiques du GIF, tout en acceptant davantage de couleurs. Mais il n'a pas réussi à s'imposer et le format GIF reste l'une des grandes vedettes du Web.

Images JPEG

Le format JPEG (pour Joint Photographic Experts Group, groupe d'experts chargé de développer des techniques de compression efficace) a été conçu pour obtenir des images photographiques de qualité (voyez d'ailleurs ce qu'en dit votre appareil photo numérique).

Il possède les caractéristiques suivantes :

- Les images JPEG peuvent contenir jusqu'à 16,7 millions de couleurs (voire 2 milliards dans certains cas). Ceci autorise une excellente représentation des images photographiques.
- Pour réduire la taille des fichiers, JPEG utilise une méthode de compression particulière qui altère légèrement la qualité des images tout en diminuant considérablement leur poids. Dans la plupart des cas, il faut un examen attentif pour voir la différence entre l'image d'origine et sa variante compressée.
- Le format JPEG supporte un mode progressif, qui est l'équivalent de l'entrelacement du GIF.
- Par contre, il est incapable de jouer sur la transparence des couleurs.
- Enfin, il n'est pas question de créer des animations JPEG.

Inutile d'insister sur les autres formats graphiques : ils n'ont pas d'intérêt pour le Web (sauf à disposer d'un *plugin* adapté, mais on entre alors dans des champs d'applications très spécifiques).

Formats sonores

Les formats de fichiers les plus employés pour le son (le problème de la musique étant différent) sont les suivants :

- **WAV :** C'est le standard Windows pour l'enregistrement du son et de la voix. Entre nous, *wav* est l'abrégé de *wave* (vague).
- **SND :** C'est aussi un standard, cette fois pour les Macintosh (et c'est comme *sound*).
- **AU :** Toujours un standard (signifiant simplement audio), mais dans le monde Unix.
- **MID :** Les fichiers MIDI ne contiennent pas d'enregistrement sonore. Il s'agit de codes musicaux (un peu comme une partition) qui peuvent être joués par le synthétiseur de la carte son, voire par un instrument de musique externe branché sur une sortie spécifique de cette carte.

Ne confondez pas ce type de fichier avec les sons que vous pouvez écouter en temps réel sur Internet (ce que l'on appelle le *streaming audio*). Le format le plus populaire ici est certainement RealAudio. Celui-ci vous permet d'écouter un son au fur et à mesure de son chargement, ce qui fait qu'il n'est pas nécessaire d'attendre que tout le fichier soit lu (ce qui est évidemment intéressant pour écouter par exemple la radio). Avant tout, vous devez disposer du lecteur RealPlayer, largement disponible sur le Web (et chez son éditeur, `www.real.com`).

Formats vidéo

Les formats vidéo et audio les plus répandus sont en nombre limité :

- **AVI :** C'est le standard vidéo sous Windows. Notons en passant que vous pouvez aussi trouver sous cette extension des fichiers d'une nature un peu différente : les fameux DivX (mais il faut alors un lecteur adapté, et ce n'est pas typiquement un format diffusé au sein des pages Web).
- **QuickTime :** Format vidéo standard de la famille Macintosh. Les fichiers QuickTime ont normalement comme extension MOV.
- **MPEG et MP3 :** Le standard indépendant MPEG (Motion Picture Expert Group) a la même origine que le JPEG. Vous le retrouvez aussi dans les CD vidéo (MPEG 1), dans les DVD (MPEG 2) et peut-être prochainement dans votre téléviseur (MPEG 4). Le niveau 3, appelé MP3, est une adaptation utilisée pour la diffusion de la musique sur le Net (et sur de plus en plus de lecteurs de salon ou portables). Nous y reviendrons dans un autre chapitre.

Même si AVI d'un côté et QuickTime de l'autre ont pour origine des mondes incompatibles, ils sont devenus des standards sous Windows comme sur Macintosh. Microsoft Internet Explorer comme Netscape Navigator (et d'autres) sont capables de jouer des fichiers AVI, QuickTime et MPEG.

Travailler avec les graphismes

Vous avez choisi les images que vous voulez inclure dans vos pages Web. En ensuite ? Cette section vous montre comment insérer vos fichiers graphiques et comment les transformer en hyperliens. Mais voyons d'abord quelques règles de base :

- Evitez de multiplier les graphismes, ou d'inclure des images trop volumineuses. Votre page serait bien trop longue à télécharger.
- Utilisez l'attribut `ALT` de la balise `<IMG>` pour proposer un texte alternatif aux utilisateurs qui ont désactivé le chargement des images. Par exemple :

```
<IMG SRC="castor.gif" ALT="Image de castor">
```

- Utilisez les attributs `HEIGHT` et `WIDTH` de la balise `<IMG>` pour préformater vos pages avec les bonnes dimensions :

```
<IMG SRC="castor.gif" HEIGHT="100" WIDTH="50">
```

- Si vous ne voulez pas que vos images soient entourées d'un cadre, désactivez ce mode à l'aide de l'attribut BORDER :

```
<IMG SRC="castor.gif" BORDER="0">
```

- Utilisez le format GIF transparent pour donner l'impression que vos images se fondent dans l'arrière-plan (nous y reviendrons un peu plus loin dans ce chapitre).
- Si vous voulez proposer le chargement de photographies grand format sur votre site Web, affichez-en une vignette de taille réduite. De cette façon, vos visiteurs pourront se faire une idée du sujet sans perdre de temps, et ils décideront ensuite s'ils veulent télécharger l'image entière.
- N'oubliez pas que la plupart des images que vous pouvez voir sur le Web sont protégées par un droit de copyright, et que vous ne pouvez donc pas les copier et les utiliser sur votre propre site sans y être autorisé par leur auteur. Cette remarque est également valable pour toutes les photographies, dessins et autres images publiés dans les revues et les magazines. Vous n'avez pas le droit de les passer au scanner pour les publier ensuite comme s'il s'agissait de vos propres œuvres !

Insérer un graphisme

Pour insérer une image sur une page Web, suivez ces étapes :

1. **Créez ou récupérez (en toute légalité) le fichier graphique que vous voulez inclure sur votre page.**

   Si c'est nécessaire, utilisez un programme adapté afin de convertir l'original au format que vous voulez employer (essentiellement GIF ou JPEG). Enregistrez l'image dans le même dossier que le document HTML qui l'affiche. Une autre alternative consiste à placer toutes les images dont vous avez besoin pour votre site dans un sous-dossier spécifique.

2. **Dans le fichier HTML, ajoutez une balise** <IMG> **là où vous voulez que l'image apparaisse dans le document. Utilisez l'attribut** SRC **(source) pour spécifier le nom du fichier graphique, comme ceci :**

```
<IMG SRC="image1.gif">
```

3. **(Facultatif) Pour supprimer tout encadrement autour de l'image, ajoutez l'attribut** BORDER **avec une valeur nulle :**

```
<IMG SRC="image1.gif" BORDER="0">
```

4. **(Facultatif) Si vous souhaitez insérer un texte alternatif, qui sera proposé à la place de l'image aux utilisateurs ayant désactivé le chargement des graphismes, faites appel à l'attribut** `ALT` **:**

```
<IMG SRC="image1.gif" BORDER="0" ALT="Montagnes">
```

5. **(Facultatif) Pour spécifier les dimensions correctes de l'image (afin d'éviter toute mauvaise surprise), précisez ces valeurs dans les attributs** `HEIGHT` **(hauteur) et** `WIDTH` **(largeur) :**

```
<IMG SRC="image1.gif" BORDER="0" ALT="Montagnes" HEIGHT="200" WIDTH="100">
```

Hyperliens graphiques

Une *carte image* est un graphisme dans lequel certaines zones servent de lien vers telle ou telle page Web. Si vous créez par exemple un site Web dédié à un groupe de rock local, vous pourriez placer une photographie dans laquelle chaque visage de musicien renverrait vers une page décrivant sa carrière.

Pour créer une carte image, plusieurs balises HTML sont nécessaires : `<MAP>` (et sa compagne `</MAP>`), `<AREA>` et `<IMG>`. Voici la démarche à suivre :

1. **Trouvez ou créez un graphisme destiné à être transformé en carte image.**

   Cette image devrait contenir des zones clairement identifiables qui serviront par la suite de liens (ce que l'on appelle parfois des *zones cliquables*).

2. **Utilisez un programme de dessin ou de retouche pour afficher l'image. Déterminez ensuite les coordonnées (haut, bas, droite et gauche) des cadres rectangulaires qui définiront l'emplacement des liens. Notez soigneusement ces valeurs.**

La plupart des logiciels de dessin affichent ces coordonnées dans leur barre d'état lorsque vous déplacez le pointeur de la souris ou lorsque vous utilisez l'outil de sélection. La Figure 16.1 illustre ceci en montrant une sélection dans Microsoft Photo Editor.

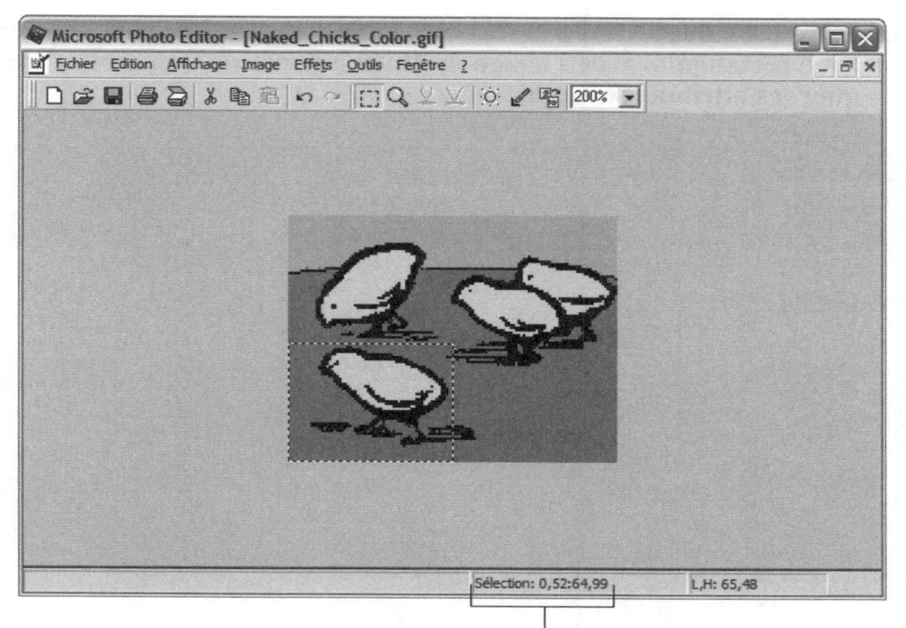

Figure 16.1 : Les coordonnées de la sélection apparaissent dans la barre d'état.

Dans cet exemple, nous voulons obtenir trois liens : deux superposés sur la gauche, et un troisième recouvrant approximativement la moitié droite de l'image. Les coordonnées choisies sont indiquées dans le Tableau 16.1.

Tableau 16.1 : Exemple de coordonnées pour une carte image.

	Gauche	Haut	Droite	Bas
R1	0	0	64	51
R2	0	52	64	99
R3	65	0	128	99

3. **Entrez un couple de balises** `<MAP>` **et** `</MAP>` **en utilisant l'attribut** `NAME` **pour donner un nom à la carte image, comme ceci :**

```
<MAP NAME="POUSSINS">
</MAP>
```

4. **Entre les balises** <MAP> **et** </MAP>**, entrez une balise** <AREA> **pour chaque zone rectangulaire de l'image destinée à servir de lien. Vous devrez y indiquer les attributs suivants :**

```
SHAPE="RECT"
COORDS="gauche, droite, haut, bas">
HREF="url"
```

Par exemple ;

```
<MAP NAME="POUSSINS">
        <AREA SHAPE="RECT"
            COORDS="0, 0, 64, 51"
            HREF="picore.html">
           <AREA SHAPE="RECT"
            COORDS="0, 52, 64, 99"
            HREF="repus.html"
            COORDS="65, 0, 128, 99"
            HREF="gourmands.html"
</MAP>
```

5. **Entrez une balise** <IMG>**. Utilisez les attributs** SRC **pour définir le fichier graphique et** USEMAP **pour faire référence à la carte image définie dans la section** <MAP>**...**</MAP>**. Soit :**

```
<IMG SRC="poussins.gif" USEMAP="#poussins">
```

Dans l'attribut USEMAP, n'oubliez pas d'insérer le caractère # avant le nom de la carte (ce caractère ne doit pas être utilisé avec l'attribut NAME).

Il n'y a plus qu'à mettre tout cela en ordre de marche dans le document HTML. Soit pour cet exemple :

```
<BODY>
<H1>Suivez les poussins !</H1>
<MAP NAME="POUSSINS">
        <AREA SHAPE="RECT"
            COORDS="0, 0, 64, 51"
            HREF="picore.html">
           <AREA SHAPE="RECT"
            COORDS="0, 52, 64, 99"
            HREF="repus.html">
           <AREA SHAPE="RECT"
            COORDS="65, 0, 128, 99"
            HREF="gourmands.html">
</MAP>
```

```
<IMG SRC="poussins.gif" USEMAP="#poussins">
</BODY>
```

La Figure 16.2 montre ce que donnerait cet exemple dans Internet Explorer.

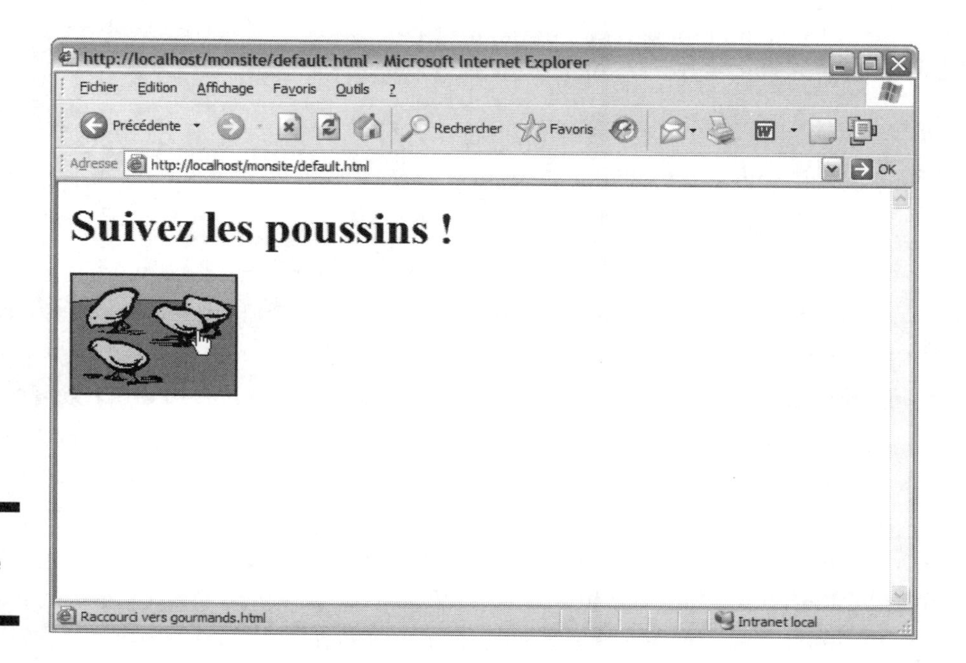

Figure 16.2 : Création d'une carte image.

Vous pouvez associer à une carte image des bulles d'information qui seront affichées lorsque le pointeur de la souris stationne quelques instants au-dessus d'un lien. Servez-vous pour cela de l'attribut TITLE :

```
<AREA SHAPE="RECT"
        COORDS="0, 0, 64, 51"
        HREF="picore.html"
        TITLE="Le poussin picore"
>
```

N'oubliez pas que certaines personnes configurent leur navigateur pour éviter le chargement et l'affichage des images. Lorsque vous créez une carte image, il est donc important de fournir des liens textuels alternatifs. Sinon, les visiteurs qui ont désactivé le chargement des graphismes seront incapables de naviguer dans votre site.

Utiliser des images GIF transparentes

La plupart des programmes graphiques sont capables de créer des images GIF dans lesquelles une couleur est définie comme étant transparente. Lorsque cette image est affichée dans la fenêtre du navigateur, l'arrière-plan de la page apparaît au travers de la zone transparente.

La procédure à suivre pour obtenir ce résultat est semblable dans la plupart des logiciels graphiques. A titre indicatif, voici comment vous pouvez procéder dans Microsoft Photo Editor, application largement diffusée avec Windows :

1. **Ouvrez le fichier GIF dans lequel vous voulez définir une couleur transparente.**
2. **Dans le menu Outils, choisissez la commande Définir la couleur de transparence. Vous pouvez aussi vous servir du bouton Couleur transparente, sur la barre d'outils.**
3. **Cliquez sur un point de l'image dont la couleur est celle que vous voulez rendre transparente.**
4. **Confirmez dans la boîte de dialogue Transparence des couleurs. Vous pouvez même ajouter une tolérance qui étendra la transparence à des couleurs proches (afin d'obtenir un effet de transition progressif).**
5. **Les parties transparentes sont montrées à l'aide d'une sorte de quadrillage. Si le résultat ne vous satisfait pas, annulez l'opération et reprenez à l'étape 2.**
6. **Sauvegardez l'image à l'aide de la commande Enregistrer sous.**

Pour utiliser correctement la transparence, l'arrière-plan de votre page Web doit être uni et défini dans une couleur qui n'apparaît pas dans l'image utilisée (sinon, le résultat serait confus). Vous devrez peut-être faire appel aux outils de votre programme de dessin pour ajuster la couleur de fond de votre image.

Bien d'autres programmes graphiques plus évolués permettent d'obtenir des transparences parfaites : Microsoft PhotoDraw, Adobe Photoshop et ImageReady, Jasc PaintShop Pro, etc.

Ajouter des sons

Vous pouvez insérer un fichier son sur une page Web sous forme de lien, d'objet incorporé ou d'élément d'arrière-plan (le son est joué automatiquement lorsque la page est chargée). A chaque méthode correspond une balise spécifique.

Insérer un lien vers un fichier son

L'avantage de cette technique est évident : le fichier n'est chargé que si le visiteur clique sur le lien correspondant. Les étapes à suivre sont simples :

1. **Localisez le fichier que vous voulez intégrer dans votre site Web et copiez-le dans le même dossier que le document HTML qui va contenir le lien.**

   Vous pouvez aussi créer un sous-dossier pour y placer tous les fichiers de même type auquel votre site Web fait référence.

2. **Ajoutez une balise `<A>`, un texte de description, et une balise finale `</A>`. Par exemple :**

```
<A HREF="son.wav">Cliquez ici pour écouter le commentaire</A>
```

N'oubliez pas le nom du fichier à jouer dans l'attribut `HREF` !

Incorporer un fichier son

Un fichier peut tout aussi bien être directement incorporé dans la page Web. Comme ceci :

```
<EMBED SRC="son.wav">
```

L'attribut `SRC` spécifie le nom du fichier à incorporer. Le navigateur Web fournira les contrôles permettant à l'utilisateur de jouer le son.

Jouer un son en arrière-plan

Dans ce cas, le son est automatiquement joué chaque fois que l'utilisateur affiche votre page Web. Pour ajouter un son en tâche de fond, procédez de la manière suivante :

1. **Localisez le fichier que vous voulez intégrer dans votre site Web et copiez-le dans le même dossier que le document HTML qui va contenir le lien.**

   Vous pouvez aussi créer un sous-dossier pour y placer tous les fichiers de même type auquel votre site Web fait référence.

2. **Ajoutez une balise** <BGSOUND> **juste après la balise** <BODY>. **Spécifiez dans l'attribut** SRC **le nom du fichier à jouer :**

```
<BODY>
<BGSOUND SRC="musique.mid">
```

3. **Si vous voulez que le son soit répété plusieurs fois, ajoutez aussi un attribut** LOOP**. Comme ceci :**

```
<BGSOUND SRC="musique.mid" LOOP="3">
```

   Le nombre de répétitions est à votre convenance. Il peut même être illimité (du moins, tant que la page est affichée) en indiquant :

```
LOOP="INFINITE"
```

Certaines personnes préféreraient entendre le crissement de la craie sur le tableau noir plutôt qu'une horrible musique de fond répétée sans cesse. Si vous voulez que votre page soit visitée plus d'une fois, évitez donc l'usage de l'option INFINITE.

Travailler avec la vidéo

Vous pouvez insérer un fichier vidéo sur une page Web sous forme de lien ou d'objet incorporé. Voyons ces deux méthodes.

Insérer un lien vers un fichier vidéo

Pour insérer un lien vers un fichier vidéo, suivez ces étapes :

1. **Localisez le fichier vidéo que vous voulez associer à votre page Web. Copiez-le dans le même dossier que votre document HTML.**

   Vous pouvez aussi créer un sous-dossier pour y placer tous les fichiers de même type auquel votre site Web fait référence.

2. **Ajoutez une balise** <A>**, un texte de description, et une balise finale** </A>**. Par exemple :**

```
<A HREF="film.avi">Cliquez ici pour charger le film</A>
```

Le nom du fichier vidéo doit être indiqué dans l'attribut HREF. Lorsque l'utilisateur clique sur le lien, son navigateur lance le chargement de la vidéo, puis il joue celle-ci.

Incorporer une vidéo

Comme pour un son, la balise <EMBED> permet d'incorporer une vidéo dans une page Web :

1. **Localisez le fichier vidéo que vous voulez associer à votre page Web. Copiez-le dans le même dossier que votre document HTML.**

   Vous pouvez aussi créer un sous-dossier pour y placer tous les fichiers de même type auquel votre site Web fait référence.

2. **Dans le document HTML de la page Web, ajoutez une balise <EMBED> en indiquant le nom du fichier à incorporer dans l'attribut SRC. Par exemple :**

```
<EMBED SRC="film.avi">
```

3. **Si vous voulez forcer la taille de la fenêtre d'affichage de la vidéo, spécifiez une hauteur et une largeur à l'aide des attributs HEIGHT et WIDTH. Par exemple :**

```
<EMBED SRC="film.avi" HEIGHT="240" WIDTH="320">
```

4. **Si vous voulez en plus que la vidéo soit automatiquement lancée dès la fin de son chargement, ajoutez un attribut AUTOSTART, comme ceci :**

```
<EMBED SRC="film.avi" AUTOSTART="TRUE">
```

Chapitre 17

Publier sur le Web

Dans ce chapitre :

- Tester ses pages Web.
- Travailler avec l'assistant de publication Web de Microsoft.
- Utiliser FTP pour poster vos fichiers.
- Faire connaître votre site au monde entier.

Ce chapitre vous présente les procédures à suivre pour rendre vos pages disponibles sur le Web. Vous y verrez comment les tester, comment les publier à l'aide d'un assistant, et comment les poster en utilisant FTP. Finalement, nous nous intéresserons à la promotion de votre site via les principaux moteurs de recherche.

Aperçu des pages Web

Avant de poster vos pages Web sur un serveur, il est hautement recommandé de les tester à la maison. Vous pouvez obtenir un aperçu des pages à partir de votre disque dur. Il suffit pour cela de saisir dans la barre d'adresse de votre navigateur l'emplacement exact de la page, sous la forme :

```
C:\Dossier\Nompage.html
```

Vous devez bien entendu remplacer les noms *Dossier* et *Nompage.html* par ceux de votre propre dossier et fichier. Ajoutez si nécessaire le ou les sous-dossiers intermédiaires.

Une autre solution consiste à ouvrir le menu Fichier du navigateur, puis à choisir la commande Ouvrir. Cliquez alors sur le bouton Parcourir pour afficher la page voulue (cette méthode est valable avec tous les navigateurs).

Quelque chose ne fonctionne pas bien dans votre page ? Neuf fois sur dix, il s'agit d'un oubli de balise, l'absence d'un crochet ou encore d'une mauvaise désignation d'un lien (vous avez par exemple déplacé une image vers un sous-dossier et oublié d'actualiser le code HTML qui l'utilise).

Utiliser l'assistant de publication de sites Web

Microsoft propose un assistant qui simplifie le transfert des fichiers de vos ordinateurs vers votre serveur Web. Cet assistant est fourni avec Internet Explorer (version 4 et plus), Windows 98 et suivants, FrontPage 2000 et suivants.

Pour configurer l'assistant de publication de sites Web et copier les fichiers de votre site vers le serveur qui les rendra disponibles pour tous, procédez de la manière suivante :

1. **Sous Windows XP, cliquez sur un document que vous voulez publier sur le Web.**

   Normalement, le fichier devrait se trouver dans le dossier Mes documents. Sinon, servez-vous de l'Explorateur Windows pour le retrouver.

2. **Dans le panneau gestion des fichiers, à gauche de la fenêtre de l'Explorateur, cliquez sur le lien Publier ce fichier sur le Web.**

   Vous pouvez parfaitement sélectionner d'un coup tous les fichiers de votre site. La commande devient alors Publie les éléments sélectionnés sur le Web. Dans tous les cas, la fenêtre de l'assistant Publication de sites Web devrait apparaître.

3. **Cliquez sur Suivant. L'assistant devrait vous demander de préciser votre sélection. Faites-le, puis cliquez sur Suivant.**

4. **L'assistant va ensuite vous demander où vous voulez publier votre site. La liste proposée dépend des informations qu'il retrouve sur votre système (voir la Figure 17.1).**

5. **Lors de l'étape suivante, choisissez le dossier dans lequel vous voulez publier vos fichiers. Il est probable que vous allez choisir la proposition par défaut, Mes documents Web.**

6. **Validez les noms de dossiers proposés pour les documents et pour les images (ou créez d'autres noms de dossiers si vous le souhaitez).**

7. **Le cas échéant, l'assistant va vous demander de saisir votre nom d'utilisateur et votre mot de passe. Faites-le puis validez.**

8. **Attendez un moment, le temps que l'assistant se connecte au serveur FTP voulu et transfère vos fichiers.**

9. **Cliquez sur OK à la fin. C'est tout.**

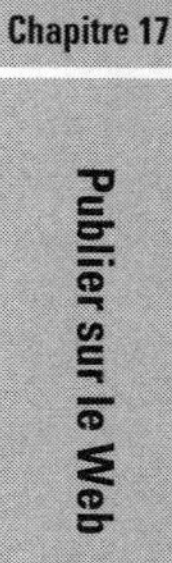

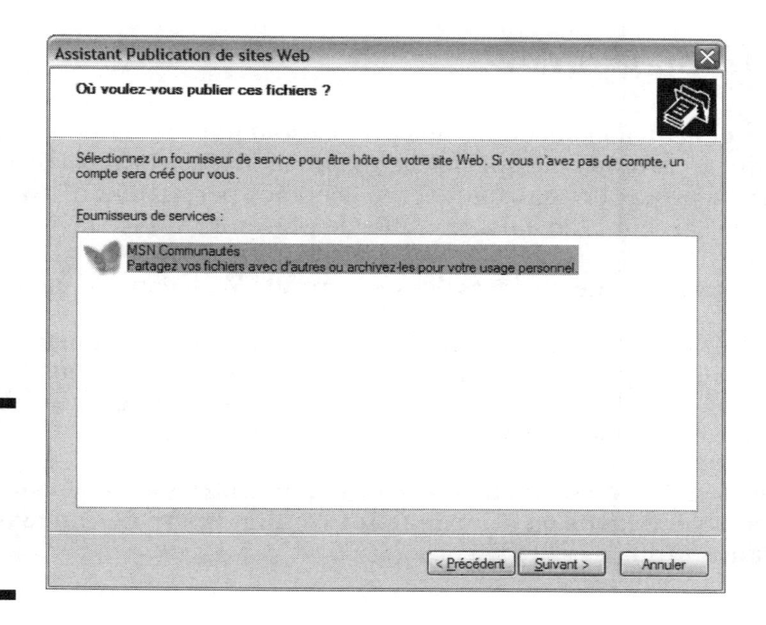

Figure 17.1 : Répondez aux questions de l'assistant Publication de sites Web.

L'assistant de publication de sites Web mémorise la plupart des informations qu'il collecte la première fois que vous l'utilisez. Ceci vous évite d'avoir à ressaisir chaque fois la même chose.

Comprendre FTP

FTP (c'est-à-dire File Transfer Protocol, ou protocole de transfert de fichier) est une technique couramment utilisée pour poster des fichiers sur un serveur Web. Mais pour cela, vous devez obtenir plusieurs informations auprès de votre fournisseur d'accès ou de services Internet (en tout état de cause, de celui qui va rendre votre site accessible) :

- **Nom d'hôte du serveur FTP :** Il commence généralement (mais pas toujours) par les lettres `ftp`. Exemple : `ftp.serveurweb.fr`.
- **Nom d'utilisateur et mot de passe :** Vous en avez besoin pour vous connecter au serveur FTP. Il s'agit probablement des mêmes données qui vous permettent de vous connecter à l'Internet, de lire votre courrier ou encore de participer à des newsgroups.
- **Nom du répertoire pour la copie des fichiers Web :** Du point de vue de FTP, un répertoire est semblable à un dossier Windows.

Le client FTP de Windows

Windows dispose déjà du logiciel dont vous avez besoin pour accéder à un serveur FTP (bien entendu, un programme spécialisé fera un meilleur travail, mais le prix sera plus élevé !). La procédure qui suit décrit les étapes permettant de transférer des fichiers vers un serveur Web à partir d'une simple fenêtre MS-DOS.

1. **Regroupez tous les fichiers nécessaires à votre site Web dans un même dossier.**

   Si vous utilisez beaucoup de fichiers (disons, au moins une cinquantaine), vous devriez décomposer votre site en un dossier principal et plusieurs sous-dossiers afin d'obtenir une bonne organisation de l'ensemble. Essayez tout de même de conserver une structure aussi simple que possible.

2. **Ouvrez une fenêtre MS-DOS en choisissant dans votre menu Démarrer le groupe Accessoires, puis en sélectionnant l'option Invite de commandes (voir la Figure 17.2).**

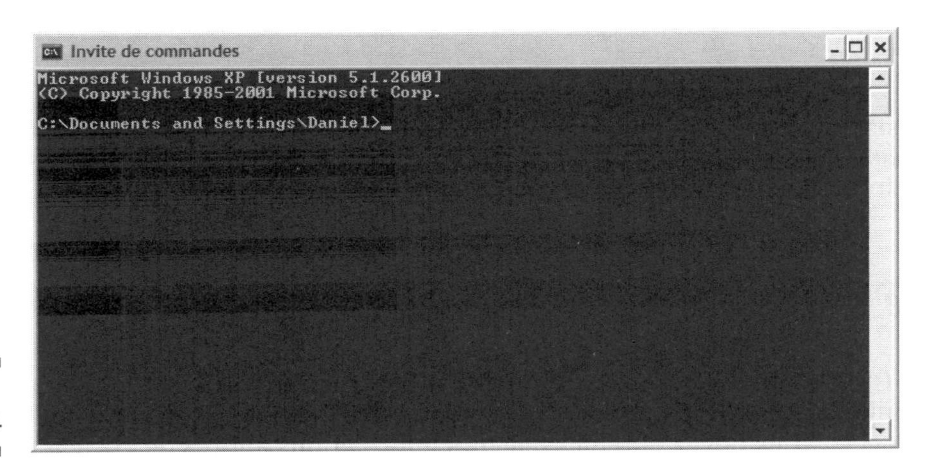

Figure 17.2 : Windows et FTP.

3. **Utilisez la commande `cd` pour changer de répertoire (*directory* en anglais) afin d'accéder au dossier qui contient les fichiers de votre futur site Web. Par exemple (en supposant que vous avez regroupé vos fichiers dans le dossier *MonWeb* à la racine de votre disque dur) :**

```
cd \MonWeb
```

4. **Tapez la commande `ftp` suivie du nom de l'hôte FTP. Comme ceci :**

```
ftp ftp.serveurweb.fr
```

5. **Une fois connecté, tapez votre nom d'utilisateur puis votre mot de passe.**

Lorsque vous êtes accepté sur l'hôte, vous allez voir s'afficher l'indicatif suivant :

```
ftp>
```

Ce message indique que vous êtes bien connecté, et que le serveur FTP (pas l'invite de commande sur votre ordinateur) attend vos ordres.

6. **Utilisez la commande `cd` pour accéder au répertoire vers lequel vous voulez copier vos fichiers. Par exemple :**

```
cd mon_répertoire_perso
```

Le serveur FTP va traiter votre commande et activer le répertoire demandé (sur son site, et non pas sur votre ordinateur). Le dossier actif sur votre disque dur est toujours celui que vous avez défini lors de l'étape 3.

7. **Utilisez maintenant la commande `MPUT` pour copier tous vos fichiers du dossier défini lors de l'étape 3 vers le répertoire actif sur le serveur FTP (celui qui a été spécifié à l'étape 6) :**

```
mput *.*
```

Pour chaque fichier à copier, une confirmation va vous être demandée. Par exemple :

```
mput accueil.html ?
```

8. **Tapez `Y` en réponse au message, et appuyez sur Entrée pour lancer la copie vers le serveur FTP. Si vous voulez passer tel ou tel fichier, il suffit de répondre par `N` à l'invite précédente.**
9. **Quand vous avez terminé, tapez la commande `Quit` pour vous déconnecter du serveur. Vous revenez à l'invite de commandes MS-DOS.**
10. **Enfin, tapez `Exit` pour refermer l'invite de commandes.**

TRUC

Windows comme le Macintosh utilisent les termes *dossiers* et *sous-dossiers*. Le même concept s'appelle *répertoires* et *sous-répertoires* dans le langage de FTP.

Si vous avez structuré votre site Web en plusieurs sous-dossiers, vous devrez copier séparément leur contenu vers le serveur FTP. Suivez simplement ces étapes :

1. **Si nécessaire, utilisez la commande `MKDIR` pour créer les sous-dossiers voulus sur le serveur FTP. Par exemple :**

```
mkdir images
```

La syntaxe ci-dessus suppose que votre dossier principal est actif sur le serveur FTP.

2. **Utilisez la commande *CD* pour passer dans le nouveau répertoire :**

```
cd images
```

3. **Copiez les fichiers voulus vers le nouveau répertoire en faisant appel à la commande** `MPUT`**.**

   Vous devez spécifier le nom du sous-dossier de votre ordinateur qui contient les fichiers à transférer, comme ceci :

```
mput images\*.*
```

4. **Procédez comme dans l'étape 8 de la procédure précédente pour procéder à la copie.**

Principales commandes FTP

Le Tableau 17.1 décrit les commandes FTP dont vous pouvez avoir besoin pour transférer vers un serveur FTP les fichiers de votre site Web.

Tableau 17.1 : Commandes FTP utiles.

Commande	Description
`quit`	Vous déconnecte du serveur FTP.
`exit`	Referme la fenêtre de l'invite de commandes.
`cd`	Change le répertoire courant sur le serveur FTP.
`del`	Supprime un fichier sur le serveur FTP.
`dir`	Affiche le nom des fichiers du répertoire courant.
`copy`	Copie un fichier unique du serveur FTP vers votre ordinateur.
`mget`	Copie un groupe de fichiers du serveur FTP vers votre ordinateur.
`mkdir`	Crée un nouveau répertoire sur le serveur FTP.
`mput`	Copie un groupe de fichiers de votre ordinateur vers le serveur FTP.
`put`	Copie un fichier unique de votre ordinateur vers le serveur FTP.
`rename`	Renomme un fichier sur le serveur FTP.
`rmdir`	Supprime un répertoire sur le serveur FTP.

Souvenez-vous que l'indicatif FTP> indique que vous êtes connecté sur le serveur FTP et que c'est lui qui traite vos commandes.

Promouvoir votre site Web

Evidemment, vous avez envie que votre site Web devienne plus célèbre que Zinedine Zidane. Et c'est possible si vous savez en assurer la promotion. Les grands moteurs de recherche, comme Google, Yahoo! et bien d'autres, parcourent sans cesse le Web pour enregistrer des informations sur les sites et leur contenu.

Tableau 17.2 : Moteurs de recherche.

Nom	Type de moteur de recherche	Adresse
Altavista	Hybride utilisant Open Directory	www.altavista.com
		fr.altavista.com
AOL	Hybride utilisant Open Directory et Google	search.aol.com
		www.aolrecherche.aol.fr
Google	Hybride utilisant Open Directory	www.google.com
		www.google.fr
Lycos	Hybride utilisant Open Directory	www.lycos.com
		www.lycos.fr
MSN	Hybride utilisant Looksmart	www.msnsearch.com
		search.msn.fr
Open Directory	Directory	www.dmoz.org
Yahoo!	Hybride utilisant Google	www.yahoo.com
		fr.yahoo.com
Voilà	Hybride	www.voila.fr

Certains outils se contentent d'indexer les titres et les en-têtes, tandis que d'autres analysent tout le contenu des pages Web. Lorsque vous conduisez une recherche sur Internet, vous consultez en réalité une gigantesque base de données gérée par le moteur. Et, évidemment encore, vous devriez faire tout votre possible pour aider ces moteurs à trouver et indexer votre site Web.

Certains moteurs vous proposent de soumettre l'adresse de votre site Web pour l'inclure dans leurs bases de données. Ceux que l'on appelle des "crawlers" se contentent de cette information. Les plus sophistiqués réclament davantage d'informations. Dans certains cas, la prestation peut ne pas être gratuite...

Le Tableau 17.2 vous propose une série de moteurs de recherche très connus et utilisés par des millions et des millions d'internautes.

N'oubliez pas non plus les "métamoteurs", qui effectuent pour vous des recherches sur tout un ensemble de moteurs. C'est par exemple le cas de l'excellent Copernic (`www.copernic.com`).

Nombre de moteurs importants s'appuient sur le système Open Directory. Gagnez du temps en vous adressant directement à lui (sur `www.dmoz.org`).

Testé et approuvé

Autres pistes pour promouvoir votre site Web

Voici quelques idées supplémentaires pour faire connaître largement votre site Web :

- **Insérez-vous dans un réseau d'échange de liens ou un anneau Web : Il s'agit de méthodes permettant d'échanger des liens avec d'autres sites Web. Toute la difficulté consiste à trouver un "anneau" qui s'intéresse au même domaine que votre site Web. Voyez par exemple *www.webring.com*, ou tentez une recherche à partir des mots *Web* et *anneau*.**
- **Postez le nom de votre site Web dans des groupes de discussion : Placez une note concernant votre page Web dans des newsgroups dont les membres pourraient être intéressés par un site Web comme le vôtre. Si vous répondez à des questions, ou si vous postez des informations utiles, les participants apprécieront votre collaboration et ils seront plus enclins à venir visiter votre site.**
- **Liez votre site à d'autres en espérant la réciprocité : Incluez une page de liens qui dirigeront le visiteur vers d'autres sites que vous jugez intéressants. Envoyez ensuite un e-mail à tous ceux dont vous faites la promotion en espérant qu'ils agiront de même avec vous.**
- **Donnez le nom de votre site en bas de tous les messages que vous envoyez : Si vous insérez un lien vers votre site dans votre courrier électronique, vous augmenterez vos chances de voir vos correspondants le visiter.**

Chapitre 18
Trouver son chemin avec Google

Dans ce chapitre :

- Recherches sur l'Internet avec Google.
- Maîtriser les techniques de recherche avancées.
- Utiliser la barre d'outils de Google.

Google est l'un des moteurs préférés des internautes (si ce n'est *leur* moteur préféré). Un *moteur de recherche*, si vous ne le savez pas encore, est un site Web à partir duquel vous essayez de trouver des informations sur Internet. Pourquoi Google est-il si populaire ? Pour une bonne raison. Sa page Web est dépouillée et facile à comprendre comme à utiliser. De plus, Google est efficace et rapide dans ses recherches. Et vous pouvez aussi y rechercher des images, des news ou encore des groupes de discussion.

Techniques de base pour la recherche

A la fin de ce chapitre, je vous expliquerai comment vous servir de Google sans passer par son site Web (en installant simplement une barre d'outils dans votre navigateur). A défaut de cette barre, il vous suffira de taper l'adresse suivante :

```
www.google.fr
```

(ou encore `www.google.com` si vous voulez visiter la maison mère). Une fois la page affichée, vous n'avez qu'à sélectionner la rubrique voulue, puis à entrer directement un critère ou à cliquer sur le lien Recherche avancée pour définir une requête plus détaillée (voir la Figure 18.1).

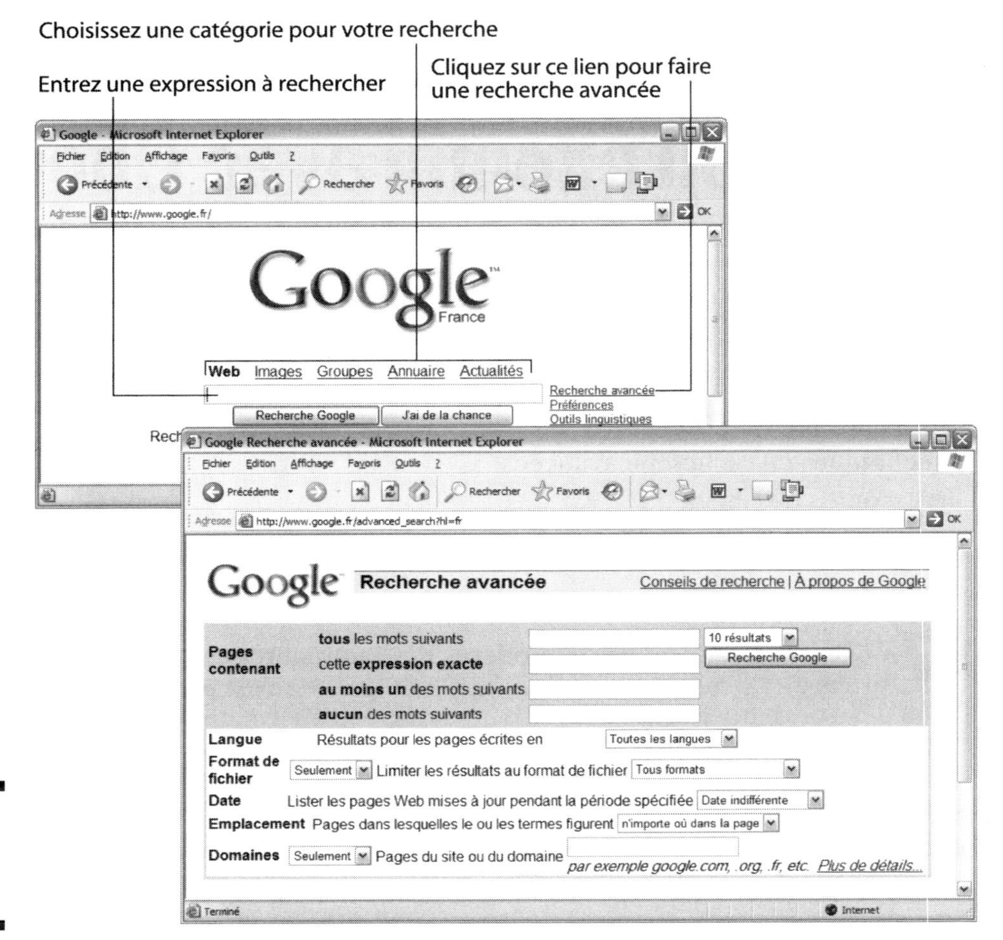

Figure 18.1 : Effectuez une recherche avec Google.

Dans tous les cas, le principe est le même : vous choisissez une rubrique, vous entrez un critère de recherche, puis vous cliquez sur le bouton Recherche Google. Voyons les différentes zones qui vous sont proposées (et que vous retrouvez parfois à l'identique dans d'autres moteurs) :

- **Web :** Recherche l'expression saisie sur le Web.
- **Images :** Recherche des fichiers graphiques sur le Web.
- **Groupes :** Recherche des groupes de discussion sur Usenet. Voyez à ce propos le Chapitre 13 du Livre 3.
- **Annuaire :** Google organise les sites Web par type de contenu dans cet annuaire. Vous pouvez y choisir une catégorie, plonger dans les rubriques de niveau inférieur, et vous rapprocher ainsi progressivement de votre objectif.

- **Actualités :** Google suit plus de 4 000 sites Web d'information. C'est donc un excellent point de départ pour rechercher les dernières nouvelles et consulter des sources multiples.

Lorsqu'une recherche est terminée, Google vous présente une liste de pages Web, chacune étant accompagnée d'un commentaire sur une ou deux lignes. Cliquez simplement sur la page que vous voulez visiter.

Pour ne pas perdre votre liste Google, cliquez avec le bouton droit de la souris sur un lien et choisissez dans le menu la commande Ouvrir dans une nouvelle fenêtre. De cette manière, la page Google restera disponible tant que vous en avez besoin.

En cliquant dans la page de résultats sur un lien En cache, vous accédez à une copie de la page Web qui a été mémorisée par Google. Cette méthode présente deux avantages. D'une part, cela peut vous permettre d'accéder à des pages qui ont été supprimées d'un site, site qui peut d'ailleurs être maintenant fermé. D'autre part, les termes de votre recherche sont mis en surbrillance dans la copie placée en cache. Il est par conséquent plus facile de retrouver ce qui vous intéresse.

Conseils pour bien chercher

La clé d'une bonne recherche réside dans la définition de votre requête. Voici quelques conseils pour mener à bien des recherches fructueuses :

- **Utilisez des termes précis :** Entrez des termes aussi précis que vous le pouvez, et du mieux que vous le pouvez. Par exemple, une recherche portant sur le nom *Triumph* ne vous donnera pas forcément ce que vous souhaitez. Par contre, *Triumph TR6* vous conduira certainement vers le but recherché.
- **Entrez d'abord les termes les plus significatifs :** Par exemple, *jardins Babylone* ne vous donnera pas exactement la même chose que *Babylone jardins*. La première expression part du mot *jardins* en général pour aboutir à ceux de Babylone, tandis que la seconde prend la ville comme point de départ, ses jardins n'en étant qu'un aspect particulier.
- **Plus votre expression comporte de termes, et plus les résultats sont spécifiques :** La meilleure façon d'aller au plus près de ce que vous voulez trouver consiste en quelque sorte à circonscrire la zone des recherches. Par exemple, *Babylone jardins suspendus Hittites* pourra satisfaire en peu de temps votre soif de connaissance sur la destruction par les Hittites des jardins suspendus de Babylone.
- **Utilisez l'opérateur OR pour demander à Google de rechercher un mot ou autre :** Parfois, ce connecteur produit de meilleurs résultats (mais le plus souvent, il multiplie les réponses). Par exemple, l'expression *jardins Babylone*

OR Paris demandera à rechercher les pages Web consacrées aux jardins de Babylone *ou* aux jardins de Paris. En mode avancé, entrez les termes dans le champ intitulé : Au moins un des mots suivants.

- **Chercher une phrase particulière :** Pour rechercher une phrase entière, placez-la entre guillemets. Dans le mode Recherche avancée, entrez votre phrase dans le champ Cette expression exacte. Par exemple, l'expression *"le sommet de la tour Eiffel"* ne souffre aucune ambiguïté.
- **Utilisez le signe plus pour inclure certains mots courants :** Des termes courants, tels que le, la, les, du, avec, vous, etc., sont ignorés (on dit qu'ils font du bruit). Pour qu'ils soient tout de même pris en compte, faites-les précéder d'un espace et d'un signe plus. L'aide de Google propose ce bel exemple : +sur +le perron +de +la femme +du boulanger +de Nevers.
- **Vous pouvez exclure des pages dans la liste des résultats :** Pour cela, placez un tiret devant le mot à exclure (en mode avancé, saisissez l'expression parasite dans le champ Aucun des mots suivants). Cette méthode est souvent indispensable pour réduire le nombre de pages Web trouvées par Google.

Ces différentes techniques peuvent être combinées. Par exemple, le critère *Babylone jardins suspendus -voyage -merveilles* ne vous laissera plus le choix qu'entre quelques centaines de pages traitant de ce sujet sur le Web français...

Vous pouvez saisir votre critère en minuscules ou en majuscules. Cela ne fait pas de différence. Pour gagner un peu de temps, utilisez uniquement les minuscules. Attention cependant aux caractères accentués. Ils ne sont normalement pas différenciés sauf s'ils sont capitalisés dans la page Web elle-même. Par exemple, le mot *education* ne fera pas la différence entre *éducation* et *Education*. Par contre, *éducation* ne reconnaîtra pas le *E* majuscule.

Techniques de recherche avancées

Dans la page de recherche avancée (montrée sur la Figure 18.1), vous pouvez préciser vos choix en sélectionnant une langue, une date d'enregistrement, un emplacement dans la page ou bien encore un domaine particulier.

Google propose également plusieurs opérateurs pour les recherches avancées. Il s'agit de termes prédéfinis suivis d'un double point puis de l'expression sur laquelle doit porter cet opérateur. Par exemple, *link:www.efirst.com* trouve les pages contenant des hyperliens vers le site des éditions First. Le Tableau 18.1 présente ces opérateurs de recherche avancés.

Tableau 18.1 : Opérateurs pour la recherche avancée sur Google.

Opérateur	Exemple	Ce qu'il fait
cache:	`cache:www.efirst.com`	Trouve une copie de page Web mémorisée par Google. Dans ce cas, les mots recherchés sont mis en surbrillance, ce qui facilite leur repérage (surtout si la page est longue).
define:	`define:osteoporose`	Fournit des définitions de mots provenant de différentes sources. C'est un excellent moyen d'en apprendre plus sur un mot.
intitle:	`intitle:Madagascar`	Trouve uniquement les pages contenant le mot cherché dans leur titre.
link:	`link:www.efirst.com`	Recherche les pages qui contiennent un lien vers l'expression indiquée. Cela permet de trouver plus facilement des sites qui traitent du même type de sujet.
related:	`related:nuls`	Recherche les pages que Google lui-même considère comme étant similaires. Sans porter de jugement sur l'efficacité de la méthode, signalons tout de même qu'aucun espace ne peut apparaître dans cet opérateur après le double point.
site:	`site:asso.fr`	Limite la recherche au seul domaine spécifié.

Utiliser la barre Google

Si vous devenez un fan de Google, vous devriez envisager d'installer sa barre d'outils (voir la Figure 18.2). Elle permet d'accéder directement au moteur de recherche sans passer par la page d'accueil de Google. Elle vient se placer en haut de la fenêtre du navigateur, avec les autres barres d'outils, et est prête en permanence à répondre à vos besoins.

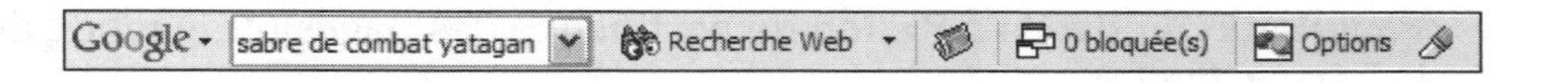

Figure 18.2 : La barre d'outils de Google.

Installer la barre d'outils Google

Pour installer la barre d'outils Google, il vous suffit de la télécharger à l'adresse suivante :

```
http://toolbar.google.com/intl/fr/download/
```

Le téléchargement débute tout de suite. Vous pouvez demander à installer tout de suite l'application. L'opération ne vous prendra que très peu de temps.

Pour désactiver la barre Google, cliquez avec le bouton droit de la souris sur un emplacement vide d'une barre d'outils quelconque. Désélectionnez l'option Google. Evidemment, la même procédure s'applique pour la rétablir. Si vous voulez désinstaller la barre Google, ouvrez le Panneau de configuration. Cliquez sur le lien Ajouter ou supprimer des programmes. Localisez la ligne qui indique Google Toolbar for Internet Explorer. Cliquez dessus, puis sur le bouton Modifier/Supprimer (pour plus d'informations sur la suppression des programmes, reportez-vous au Chapitre 9 du Livret I).

Utiliser la barre d'outils Google

Pour l'essentiel, la barre Google sert à effectuer des recherches sans avoir à afficher la page d'accueil du moteur.

- **Menu Google :** Il vous permet d'accéder à la page d'accueil de Google ainsi qu'à divers autres liens.
- **Champ de recherche :** Entrez-y votre critère.
- **Recherche Web :** Cette liste déroulante permet de rechercher des images, de parcourir les news, etc.
- **Actualités :** Cliquez sur ce bouton pour accéder aux dernières nouvelles sur Google.
- **PageRank :** Active la notation de pertinence des pages (et le mode avancé de la barre Google).

En activant cette option, vous vous mettez vous-même en danger (très relativement, en fait). En effet, vous allez ainsi autoriser Google à surveiller vos habitudes et vos comportements en ligne, et à enregistrer tout cela dans ses bases de données. Google se sert ensuite de ces informations (qui ne doivent en principe comporter aucune donnée strictement personnelle) pour ses besoins de développement et pour motiver des annonceurs.

- **Bloqué(e)s :** Cliquez sur ce bouton pour autoriser ou non l'affichage de fenêtres publicitaires (dites pop-up) lorsque vous visitez des pages. Un clic autorise, un autre interdit.
- **BlogThis! :** Vous permet de créer une entrée dans votre journal Web personnel (ou *blog*).
- **Options :** Donne accès à la boîte de dialogue Options de la barre d'outils Google.
- **Contraste des termes de recherche :** Permet de passer sur une page d'un mot de votre requête au suivant.

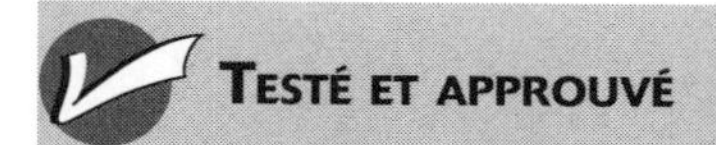

TESTÉ ET APPROUVÉ

Faire de Google votre moteur de recherche par défaut

Si vous cliquez sur le bouton Rechercher d'Internet Explorer, celui-ci va lancer par défaut une recherche sur le service MSN. Personnellement, je pense que Google est un meilleur choix et qu'il serait préférable qu'il devienne votre moteur par défaut. Si vous pensez comme moi, procédez de la manière suivante :

1. **Dans Internet Explorer, cliquez sur le bouton Rechercher afin d'ouvrir le panneau de même nom.**
2. **Cliquez sur le bouton Personnaliser.**

   Ce bouton se trouve en haut et à droite du volet Rechercher.
3. **Dans la boîte de dialogue Personnaliser les paramètres de recherche, sélectionnez l'option Utiliser un service de recherche.**
4. **Dans le menu Sélectionner le service de recherche, choisissez Google.**
5. **Cliquez sur OK.**

A partir de maintenant, Google est votre moteur de recherche par défaut dans Internet Explorer. Enfin, la plupart du temps. Microsoft n'est pas très beau joueur, et chaque fois que vous saisissez dans la barre d'adresse quelque chose qu'Internet Explorer ne reconnaît pas, il lance une recherche sur MSN.

Chapitre 19
Enchères et affaires sur eBay

Dans ce chapitre :

- Enregistrement et accès.
- Enchérir, oui, mais sur quoi ?
- Recherches, catégories et vendeurs favoris.
- Gagner les enchères.
- Terminer une transaction.

Selon votre point de vue, eBay est au choix le plus grand bazar du monde, un gigantesque marché aux puces ou bien la caverne d'Ali Baba et des quarante voleurs. A tout moment, des centaines et des centaines de milliers d'objets y sont en vente (directe ou aux enchères). Des millions et des millions de personnes peuvent y être connectées à un instant donné.

Je ne suis pas du genre "lèche vitrines", mais je visite eBay trois ou quatre fois par semaine pour le plaisir de m'y promener, et parfois pour y acheter des objets artisanaux. Je m'en suis procuré une vingtaine au cours des trois dernières années. Chemin faisant, je suis devenu plus ou moins un expert sur les masques Baoulé de Côte d'Ivoire, les bijoux des Indiens Navajo, sur les pull-overs faits main des Indiens Salish de la Colombie britannique et sur les chaussons en peau de mouton retournée de Nouvelle-Zélande. Ces recherches sont souvent amusantes, et parfois même fascinantes.

L'un des problèmes, avec eBay, c'est qu'il y a tellement d'objets mis aux enchères qu'il n'est pas facile d'en trouver qui vous intéressent vraiment. A moins de savoir *comment* mener ces recherches, ou bien de savoir *où* les mener, vous risquez d'être très vite perdu. Ce chapitre va donc essayer de vous mettre dans le droit chemin, en vous expliquant notamment comment gérer votre page personnelle (*Mon eBay*) pour y mémoriser vos recherches courantes ou encore vos vendeurs favoris. Vous y trouverez également des conseils pour mieux enchérir, et vous y découvrirez les mécanismes d'eBay (comment placer judicieusement une enchère, comment trouver des vendeurs, comment terminer une transaction).

S'enregistrer sur eBay

Avant tout, vous devez vous enregistrer sur eBay. Cela ne coûte rien. En plus d'avoir le droit de participer aux enchères, tous les membres disposent d'une page personnelle (appelée Mon eBay) pour ne pas perdre de vue les objets à surveiller ou sur lesquels une enchère a été placée. De plus, en tant que membre, vous pouvez également sauvegarder dans cette page vos recherches préférées, des catégories entières d'objets ainsi que le nom de vos vendeurs favoris.

Pour vous enregistrer, il vous suffit d'ouvrir la page principale d'eBay :

```
www.ebay.fr
```

Quand vous serez enregistré et que vous aurez acquis une certaine expérience, vous pourrez aller visiter les sites eBay d'autres pays. Revenez simplement à l'accueil et cliquez sur le lien voulu en bas de page. Vous risquez simplement de vous heurter parfois à la barrière de la langue, et éventuellement des modes de paiement...

Cliquez sur le lien S'inscrire (tout en haut de la fenêtre). Remplissez le formulaire qui vous est présenté. Indiquez les renseignements habituels : nom, prénom, adresse, téléphone, date de naissance, adresse de messagerie, etc. Vous devrez ensuite choisir votre nom d'utilisateur (votre *pseudo*) et un mot de passe. Ce dernier est essentiel, puisque vous devrez le saisir lors de chaque ouverture de session. N'utilisez pas le mot de passe qui vous sert à vous connecter sur Internet. De même, ne prenez pas comme pseudo votre adresse de messagerie. Ceci vous exposerait à recevoir des paquets d'e-mails absolument pas sollicités (voire à pire). Si vous avez besoin de modifier des informations personnelles, ouvrez la page Mon eBay et cliquez dans le menu de gauche sur le lien Coordonnées (ou sur Adresses).

Il peut arriver que vous receviez un courrier électronique qui semble venir d'eBay et qui vous demande des informations personnelles (adresse ou encore numéro de carte de crédit). Ces sollicitations sont frauduleuses ! Vous n'avez à fournir ces renseignements qu'une fois et une seule : lorsque vous vous inscrivez sur eBay. De surcroît, les données correspondant à votre carte bancaire ne sont pas enregistrées dans des fichiers "classiques". Si vous êtes confronté à un mail semblant venir d'eBay et vous demandant des informations personnelles, prévenez le centre de sécurité eBay, puis jetez le pirate à la poubelle :

```
http://pages.ebay.fr/securitycenter/
```

Ouvrir une session sur eBay

Pour entamer un voyage dans eBay, ouvrez la page :

```
www.ebay.fr
```

Cliquez en haut de la page sur le lien Ouvrir session. Entrez votre pseudo et votre mot de passe, puis cliquez sur le bouton Ouvrir une session en mode sécurité. C'est tout ! Cliquez ensuite sur le lien Mon eBay pour accéder à votre page personnelle (voir la Figure 19.1). A partir de là, vous pouvez naviguer n'importe où dans eBay. A tout moment, il est possible de revenir à vos données personnelles en cliquant sur l'onglet Mon eBay.

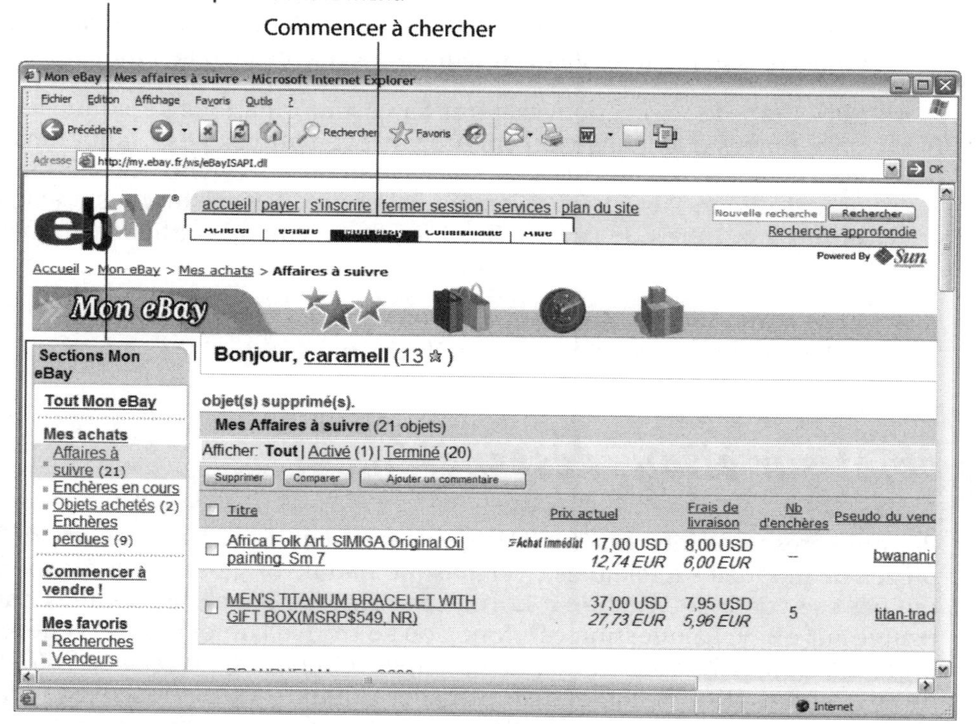

Figure 19.1 : La page Mon eBay.

La page Mon eBay offre un ensemble de menus et d'options qui vous permettent de suivre toute votre activité :

- **Mes achats :** Vous pourrez consulter ici la liste des objets sur lesquels vous avez enchéri, ceux que vous vous contentez de surveiller, et ceux que vous avez gagnés (ou achetés). Les enchères en cours servent de poste d'observation : en cliquant dessus, vous affichez la page de l'objet afin de savoir quel est son prix actuel, combien de personnes ont enchéri, et quel est le temps restant avant la fin de la transaction (à moins que celle-ci ne soit déjà terminée).

- **Commencer à vendre :** S'il y a des acheteurs, c'est qu'il y a aussi des vendeurs. Vous, peut-être ? Consultez ici la liste des objets que vous avez vendus ou dont les enchères continuent à courir. Désolé, c'est là un sujet que nous laisserons de côté dans ce livre.

- **Mes Favoris :** Vous accédez ici aux listes de recherches, de catégories et de vendeurs que vous avez sauvegardées. Quand vous avez soigneusement construit une recherche (vous collectionnez par exemple les 45 tours de tel chanteur populaire), vous pouvez mémoriser votre critère, puis relancer instantanément une nouvelle recherche à partir de la page Mon eBay. De même, il est possible d'accéder directement à une catégorie donnée, ou encore voir ce qu'un de vos vendeurs préférés offre en ce moment.

- **Mon Compte :** Vous pouvez gérer ici vos informations personnelles, vos préférences d'affichage, ou encore vos évaluations. Les évaluations sont une appréciation que vous laissez sur le vendeur après une transaction réussie (ou non, d'ailleurs), et qu'inversement le vendeur laisse sur vous. Ceci permet aux uns et aux autres de se faire une idée du niveau de confiance auquel on peut s'attendre lors d'une transaction.

- **Tout Mon eBay :** Affiche l'ensemble des informations disponibles. Pour ceux qui aiment jouer de la barre de défilement.

Cherche objet sur eBay, désespérément

Par quoi êtes-vous intéressé(e) ? Un équipement stéréo ? Un scaphandre ? Des pièces de monnaies anciennes ? Un masque Baoulé original ? Pratiquement tout ce qui peut se vendre et s'acheter, hormis des armes à feu et des organes humains, se trouve sur eBay. La question est donc : où se trouve l'objet que je recherche ? Si cet objet a un nom très spécifique (par exemple : *Canon S50 Powershot S-50*), le trouver ne devrait pas offrir de difficulté particulière. Sinon, la situation se complique. Vous ne pouvez pas vraiment vous contenter d'entrer quelque chose comme "numérique" dans le champ Rechercher, car vous risquez alors de vous retrouver devant quelques centaines, quelques milliers ou même quelques dizaines de milliers de références. Autant chercher une aiguille dans une botte de foin. A titre indicatif, je viens de saisir le mot "pantalon". Résultat : 4 680 objets trouvés. Ce n'est pas demain que je vais me rhabiller !

Les pages qui suivent vous expliquent comment conduire une recherche sur eBay. Pour vous aider à extraire un diamant de la glaise. Nous partirons de la page Mon eBay (reportez-vous à la Figure 19.1).

Recherche directe

Comme je viens de l'expliquer, cette méthode convient si vous cherchez un objet très précis. Par exemple, en entrant **Canon S50** à un instant T, j'ai trouvé 2 enchères, au lieu des 4 544 objets renvoyés par le mot **photo**.

En l'occurrence, le choix était peut-être trop limité. En cliquant dans le menu de gauche sur l'option Monde entier (qui permet d'accéder en plus à des offres provenant de l'étranger, mais dont les vendeurs sont susceptibles d'expédier l'objet en France), je suis passé à 601 réponses pour l'expression **Canon S50** et à 193 058 pour le mot **photo** !

Les pages eBay vous proposent deux méthodes pour conduire une recherche :

- **Recherche simple :** Entrez un mot ou une expression dans le champ de saisie Nouvelle recherche, puis cliquez sur le bouton Rechercher.
- **Recherche approfondie :** Cliquez sur le lien Recherche approfondie. Vous allez voir s'afficher le formulaire illustré sur la Figure 19.2. Remplissez les différents champs à votre convenance. Faites ensuite défiler la page vers le bas pour cliquer sur le bouton Rechercher. Le formulaire offre un grand nombre de critères possibles (mais pas tous indispensables) pour vous permettre de circonscrire le champ de la recherche.

Si vous voulez obtenir davantage de résultats, cochez la case Rechercher dans les titres et les descriptions. L'intitulé des titres ne correspond pas toujours exactement à la façon dont vous voyez les choses. Vous avez plus de chances de trouver les informations voulues dans la description des objets.

Si vous trouvez que la recherche approfondie est trop compliquée, vous pouvez passer à une version allégée en cliquant sur le lien Rechercher des objets, dans la page Mon eBay (ou sur le bouton Rechercher dans le bandeau de même nom sur la page Acheter, en n'indiquant aucun critère particulier).

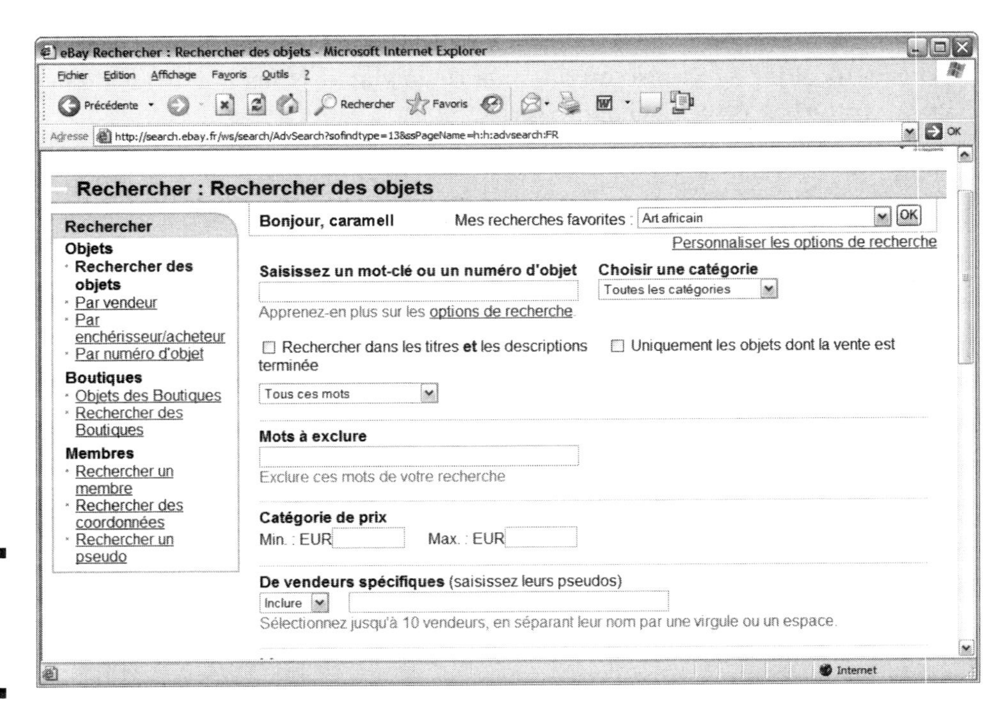

Figure 19.2 : Recherche approfondie sur eBay.

Rechercher

Toutes les catégories

Rechercher dans les titres **et** les descriptions

Rechercher | Recherche approfondie | Recherche dans les Boutiques eBay

Naviguer dans les catégories

Les enchères eBay sont classées en catégories, sous-catégories, sous-sous-catégories, et ainsi de suite. Vous pouvez donc naviguer dans cette hiérarchie pour localiser votre centre d'intérêt actuel. Vous obtenez alors une liste d'objets mis aux enchères (ou qu'il est possible d'acheter immédiatement). Cliquez simplement sur un nom pour atteindre la page de description correspondante.

Cette technique demande d'avoir du temps devant soi. Pour chaque joyau que vous allez découvrir, vous devrez en rejeter quelques dizaines (si ce n'est plus). Certes, ce voyage peut être amusant et instructif. Mais il demande de la patience et de la persévérance.

Voyons donc comment parcourir différentes catégories eBay.

1. **Si vous vous trouvez dans la page Mon eBay, le plus simple est peut-être de commencer par cliquer sur l'onglet Acheter (en haut de la page).**

   La page Acheter contient déjà une liste résumée de toutes les catégories. Pour aller plus loin :

2. **Faites défiler vers le bas la page Acheter. Vous allez voir une série de liens. Cliquez sur Catégories.**

   Vous obtenez une copieuse série de catégories et de sous-catégories (voir la Figure 19.3).

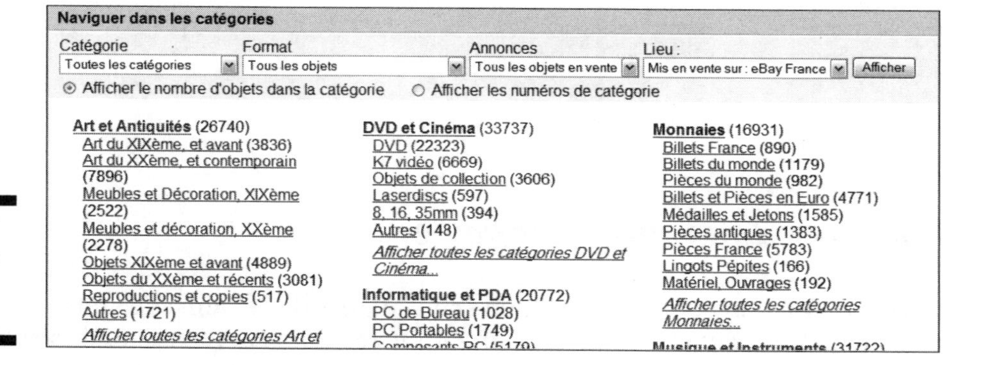

Figure 19.3 : Naviguer dans les catégories eBay.

3. **La barre Naviguer vous permet d'affiner votre recherche en sélectionnant une catégorie principale, un type de mise en vente (Format), le calendrier de mise en vente (Annonces) ou encore le lieu où se trouve l'objet (en France et/ou à l'étranger). Cliquez sur Afficher pour mettre à jour la fenêtre.**

4. **Pour atteindre une catégorie principale, cliquez sur son titre (par exemple, *Art et antiquités*).**

5. **Pour atteindre une sous-catégorie, cliquez aussi sur son nom (par exemple, *Objets XIXème et avant* dans les antiquités).**

6. **Pour pénétrer plus profondément dans la hiérarchie, cliquez sur le lien *Afficher toutes les catégories* (juste en dessous d'une catégorie principale). Choisissez alors la rubrique qui vous intéresse, par exemple les dentelles du XIXème siècle (voir la Figure 19.4).**

7. **Dans la colonne Titre de l'objet, cliquez sur les liens qui vous semblent intéressants pour suivre les enchères et y participer si vous le souhaitez.**

Figure 19.4 : Naviguer dans les catégories à la recherche de l'objet idéal.

Naviguer dans une catégorie

Une recherche dans une catégorie, une sous-catégorie (et ainsi de suite) vous permet de localiser finement le genre d'objet qui vous intéresse vraiment. Selon ma propre expérience, c'est la méthode la plus efficace pour faire d'eBay une expérience agréable, efficace et valorisante.

Figure 19.5 : Recherches dans une catégorie.

Sur la Figure 19.5, par exemple, je me suis dirigé (grâce aux techniques décrites plus haut) vers la sous-catégorie Comédie dans la liste des DVD. J'ai ensuite saisi comme mot clé **Jugnot** pour chercher ce qui pouvait correspondre à un acteur bien connu. Cette méthode m'a conduit vers neuf objets (à l'instant où cette recherche a été effectuée).

Sauvegarder recherches, catégories, vendeurs et boutiques

Chacun est comme il est. Au bout de quelque temps, vous vous apercevrez que vous visitez souvent les mêmes catégories, que vous faites les mêmes recherches, et que vous regarder souvent les objets proposés par une poignée de vendeurs et de boutiques. Plutôt que de réinventer la roue à chaque fois, vous pouvez tout simplement ajouter ces catégories, ces recherches et ces vendeurs dans la liste de vos favoris, et retrouver tout cela dans votre page Mon eBay.

Après quoi, il vous suffira d'ouvrir la page Mon eBay, puis de cliquer dans la rubrique Mes favoris du menu de gauche sur l'un des liens Recherches, Vendeurs ou Catégories. La partie principale de la page affichera alors la liste des entités que vous avez sauvegardées. Cliquez-y sur le lien qui vous intéresse, et c'est parti !

Voyons comment enregistrer des critères de recherche, des catégories entières et des vendeurs pour les retrouver ensuite en quelques clics :

- **Recherches :** Définissez une recherche simple ou approfondie, en partant d'un niveau de catégorie quelconque. Dans la page qui montre l'ensemble des objets trouvés, vous allez voir au-dessus de la liste un lien appelé Ajouter à mes recherches favorites (ou encore Ajouter à Mes favoris). Cliquez sur ce lien. Donnez un nom à votre recherche dans la page qui suit, indiquez si vous voulez être prévenu par e-mail de la mise en vente de nouveaux objets, et enfin cliquez sur Enregistrer la recherche.

  Même si une recherche ne donne rien, vous pouvez parfaitement l'enregistrer dans vos favoris. Vérité d'aujourd'hui n'est peut-être pas celle de demain, et un objet rare est par définition rarement proposé.

- **Catégories :** Vous visitez une (sous-)(sous-)catégorie et vous voulez pouvoir la retrouver quand vous le voulez. Cliquez à droite, au-dessus de la liste des objets, sur le lien Ajouter à mes catégories favorites. La nouvelle catégorie apparaît immédiatement dans votre page Mon eBay. Et c'est tout.

- **Vendeurs :** Lorsque vous ouvrez la page où un objet est décrit (et où le vendeur vous propose d'enchérir), un panneau Informations sur le vendeur s'affiche à droite de la fenêtre. Vous pouvez y voir un lien intitulé Afficher les autres objets du vendeur (et éventuellement un autre qui vous propose de visiter sa boutique). Cliquez dessus. Vous allez voir tout ce que cette personne propose actuellement. Au bout de quelque temps, vous constatez qu'il s'agit de quelqu'un de sérieux et qui met régulièrement en vente des objets intéressants (de votre point de vue, bien sûr). Dans sa page d'objets, vous pouvez voir en bas de la colonne de gauche une zone Informations sur le vendeur. Cliquez-y sur le lien Ajouter ce vendeur à mes favoris. Vous n'avez plus qu'à préciser si vous voulez ou non être prévenu par e-mail des nouveautés de ce vendeur. Cliquez sur le bouton Ajouter à mes favoris. Bingo !

Lorsque vous affichez une liste de favoris dans votre page Mon eBay, vous avez la possibilité de la trier par nom ou en fonction de la date de création du favori. Pour retirer un élément de la liste, cochez la case qui se trouve en début de ligne. Cliquez ensuite sur le bouton Supprimer (à la fin de la liste). L'affichage est remis immédiatement à jour.

Quelques règles pour bien vivre sur eBay

Avant de tenter votre chance dans des enchères, lisez les conseils qui suivent :

- **Evitez les enchères impulsives (voire compulsives).** Oui, ce siège de cornac est superbe et proposé à un bon prix. Mais avez-vous réellement besoin d'un siège de cornac ?

- **Posez-vous des questions sur le prix.** Ce n'est pas parce qu'un objet est mis aux enchères pour un prix semblant défier toute concurrence que c'est une bonne affaire. Attention : de nombreux vendeurs proposent en réalité des articles qu'ils ont achetés dans un super discount ! Dans certains cas, vous pourrez même trouver moins cher auprès d'un grossiste ou du fabricant. On trouve vraiment de tout sur Internet. Y compris des escrocs, voleurs, tricheurs, menteurs, et même quantité de gens honnêtes et sérieux. Comme dans la vraie vie, quoi.

- **Vérifiez les frais d'envoi.** C'est un truc classique. Certains vendeurs qui proposent des objets à très bas prix se rattrapent en facturant des frais d'expédition exorbitants. D'un côté, ce n'est pas bien du tout. De l'autre, c'est à vous de faire vos calculs. Cette façon de procéder peut parfois vous éviter de payer des taxes ou des frais de douane, puisque la valeur déclarée de la marchandise est faible…

- **Contactez le vendeur si vous avez besoin de précisions.** eBay facilite les contacts avec les vendeurs. Dans la page d'un objet, cliquez sur le lien Poser une question au vendeur (dans le panneau Informations sur le vendeur). Dans le formulaire qui apparaît, indiquez sur quoi porte votre question et saisissez votre texte. Cliquez sur le bouton Envoyer. La réponse vous parviendra à l'adresse de messagerie communiquée à eBay (elle n'est pas communiquée au vendeur). Ne pas obtenir de réponse dans un délai raisonnable peut être une cause de défiance (voire même éventuellement d'annulation d'enchère).

- **Surveillez de près le vendeur.** Dans la page d'un objet (notamment), cliquez sur le lien Lire les commentaires d'évaluation (toujours dans le volet Informations sur le vendeur). Vous allez voir s'afficher une page présentant les commentaires laissés par les autres ainsi qu'un profil d'évaluation chiffré (voir la Figure 19.6). Même si tout cela doit être pris avec circonspection, c'est un indicateur essentiel. Même si les bons commentaires sont parfois envoyés par les petits camarades, et même si les appréciations négatives peuvent parfois être le fait de gens de mauvaise foi... La plupart des utilisateurs considèrent qu'un taux d'évaluations positives inférieur à 98 % doit inciter à la méfiance.

Profil d'évaluation:	**15274**
Evaluations positives:	**98,4%**
Membres ayant laissé une évaluation positive:	15521
Membres ayant laissé une évaluation négative:	245
Toutes les évaluations positives reçues:	17753

Pour en savoir plus sur la signification de ces chiffres.

Evaluations récentes:

	Mois dernier	6 derniers mois	12 derniers mois
Positive	1160	6693	16533
Neutre	29	105	254
Négative	37	108	249

Rétractations d'enchères (6 derniers mois) : 0

Figure 19.6 : Analyser le profil d'un vendeur.

N'oubliez pas que les vendeurs notent aussi leurs acheteurs. Si votre propre profil n'est pas bon, vous risquez de voir refuser vos enchères par certains vendeurs !

- **Si un objet doit être monté, arriverez-vous à le faire ?** Tout le monde ne sait pas lire un schéma de montage (et certains plans sont en plus vraiment incompréhensibles). Et tout le monde n'a pas non plus suivi des études de manipulation de tournevis. Du fait que les objets achetés sont pratiquement toujours livrés à domicile, le problème de leur montage ou de leur installation se pose plus souvent qu'avec d'autres achats. Voilà un sujet sur lequel il peut être utile de questionner le vendeur.

Participer aux enchères

Lorsque vous trouvez un objet que vous voulez *réellement* avoir, il est temps de vous lancer dans les enchères. Ne soyez pas timide. Dans les sections qui suivent, nous allons voir en quoi le système d'enchères d'eBay est un peu particulier, comment enchérir et comment conclure une transaction.

Certains objets ne sont pas mis aux enchères. Ils sont vendus à prix fixe et signalés par la mention Achat immédiat. On retombe alors dans un circuit de vente par correspondance plus classique. Cela peut avoir son intérêt pour acquérir des objets exotiques ou originaux à un prix réputé être de gros (sans intermédiaire). C'est à vous de voir.

eBay et son système d'enchères

Pour chaque objet mis en vente, la page de description vous indique le temps restant jusqu'à la fin des enchères. La personne qui aura placé l'enchère la plus forte lorsque le gong va retentir (ou lorsque la bougie virtuelle s'éteindra, selon l'image que vous préférez) emportera le lot.

En fait, les choses ne sont pas tout à fait aussi simples qu'il y paraît. Vous n'êtes pas dans une salle des ventes mais sur Internet. Toutes les personnes qui ont enchéri et qui sont intéressées par l'objet ne sont pas nécessairement en ligne, avec une session eBay ouverte, lorsque le temps s'achève. C'est pourquoi il est possible de placer ce qu'eBay appelle une enchère maximum, connue uniquement de l'acheteur qui a saisi ce montant.

Tant que votre enchère maximum dépasse celle des autres parieurs, vous avez potentiellement emporté l'objet. Si vous entrez une enchère maximum, et qu'une autre personne a déjà dépassé son montant, vous n'entrez même pas dans la course. Par contre, votre prix devient le nouveau montant de l'enchère.

Cela vous semble un peu confus ? Voyons un exemple. Imaginons une enchère portant sur un miroir dans le style Art déco, d'époque bien entendu. La mise à prix est de 50 € et les mises se font par pas de 1 €.

David, le premier à se lancer, entre un montant maximum de 75 €. Mais, sur la page de l'objet, le prix reste à 50 €. David (qui est le seul à savoir la somme qu'il a entrée) a essayé d'estimer le montant que pourrait atteindre cette enchère (et éventuellement ce qu'il est prêt à débourser pour le miroir).

Claudine entre en scène. Elle entre une enchère maximum de 60 €. Cette somme est inférieure à ce qu'a mis David. Elle est prévenue par un message eBay qu'elle n'est pas la meilleure enchérisseuse. Par contre, et puisqu'elle était prête à payer ce prix, la valeur de l'objet passe à 60 €, c'est-à-dire le montant de l'enchère maximum de Claudine. Si personne n'enchérit, c'est à ce prix que David emportera le miroir (plus les frais de port, évidemment).

Claudine, qui veut vraiment le miroir, saisit alors une nouvelle enchère maximum de 65 €. Même scénario que ci-dessus. Cette fois, le prix affiché dans la page de description devient 65 €.

Claudine ne s'avoue pas vaincue. Elle en rêve, de ce miroir ! Elle entre donc une enchère plus forte, 85 €. Elle devient la gagnante potentielle et le prix de l'objet atteint maintenant 76 € (soit le montant proposé par David, donc 75 €, plus le pas d'enchère minimum, 1 €).

Bien entendu, eBay prévient David par e-mail qu'il n'est plus le meilleur sur le coup. Il ouvre sa page Mon eBay, consulte la liste des affaires à suivre et clique sur le lien du miroir. Il constate que l'enchère actuelle est de 76 €. Très motivé, il décide de porter son enchère maximum à 90 €. eBay lui dit que c'est bien lui le meilleur, mais que l'objet vaut maintenant 86 € (les 85 € de l'enchère maximum de Claudine, plus le pas de 1 €). C'est à ce niveau qu'il gagnera la vente si Claudine ne poursuit pas son effort, et si personne ne vient mettre tout le monde d'accord dans les dernières secondes.

Comme vous ne savez jamais qu'elle est l'enchère maximum placée par une autre personne, vous n'êtes pas assuré de devenir le/la meilleur(e) enchérisseur/enchérisseuse. Cette formule a pour but d'éviter de se faire dépasser naïvement dans la dernière minute par un vrai spécialiste des enchères (enfin, cela arrive tout de même fréquemment, d'où l'émotion des derniers instants !). De plus, ce système vous permet de miser sans devoir rester éveillé au milieu de la nuit, les yeux rivés sur l'écran et les doigts crispés sur la souris.

La tension monte en même temps que les enchères. Mais ce n'est pas une raison pour vous laisser emporter, et miser au-delà du raisonnable. D'autre part, il existe malheureusement des utilisateurs sans vergogne qui font monter exprès les enchères sans avoir l'intention d'acheter, juste pour embêter les autres. A moins que ce ne soit une tactique employée par un vendeur indélicat (certains ont des amis et des collections de pseudonymes qui changent régulièrement). La plus grande méfiance et une prudence de Sioux sont les meilleurs atouts pour acheter en confiance !

Savez-vous ce qu'est un *sniper* ? Vous associez peut-être ce mot à un tireur placé en embuscade. Sur eBay, c'est pareil. Un sniper est un logiciel ou un site spécialisé (mais pas gratuit) qui suit des objets et place automatiquement des enchères à votre place, notamment dans les tout derniers instants de la vente. Ce genre de procédé est très développé aux Etats-Unis, essentiellement). Pour en savoir plus, vous pouvez essayer par exemple d'envoyer dans votre moteur de recherche favori une requête contenant les mots *eBay*, *enchère*, *automatique* et/ou *sniper*.

Placer une enchère

Pour placer une enchère et déclarer le montant maximum que vous voulez payer pour un objet, cliquez sur le bouton Enchérir. Vous accédez alors à la zone illustrée sur la Figure 19.7. Entrez votre enchère maximum dans le champ de saisie puis cliquez sur le bouton Continuer. Vous accédez alors à la fenêtre Vérifier et confirmer votre enchère (n'oubliez pas ce passage obligé si vous voulez intervenir au dernier moment !). C'est là que vous pouvez exprimer vos regrets ou confirmer votre intention en cliquant sur le bouton Confirmer l'enchère.

Enchère en cours : 89,00 EUR

Votre enchère maximum : 95.50 EUR (Saisir 90,00 EUR **au minimum**)

Enchérir > La confirmation s'effectue à l'étape suivante.

eBay va surenchérir pour vous **jusqu'à ce que votre enchère maximum** soit atteinte.
En savoir plus sur les enchères.

Figure 19.7 : Placer une enchère.

Dès que vous avez confirmé, eBay vous indique si vous êtes le meilleur enchérisseur/la meilleure enchérisseuse. L'objet est alors ajouté à la section Affaires à suivre de la page Mon eBay (même si votre enchère n'est pas la plus haute). Si quelqu'un dépasse le montant que vous avez fixé, eBay vous en prévient en vous envoyant un e-mail. L'adresse utilisée est normalement celle que vous avez spécifiée lors de votre inscription, mais vous pouvez la modifier à tout moment en cliquant sur le lien Coordonnées (dans la section Mon compte).

Stratégies pour des enchères réussies

Pour réussir vos enchères, commencez par être réservé. Lorsque vous voyez un objet qui vous intéresse vraiment, ne vous précipitez pas pour enchérir. Cliquez d'abord sur le lien Suivre cet objet dans mon eBay. Vous pourrez ensuite accéder à la description de l'objet directement depuis votre page Mon eBay, et voir comment la situation évolue.

Dans l'idéal, les enchères devraient être placées à la dernière minute, mais il est facile d'oublier de le faire, de commettre une erreur de manipulation ou d'arriver une seconde trop tard. Une stratégie possible consiste à miser rapidement, mais assez bas. Chaque fois que quelqu'un enchérit sur vous, eBay vous envoie un message d'avertissement. Ce message contient un lien qui vous permet d'accéder directement à la page de l'objet.

Je viens de vous conseiller de faire preuve de réserve. Mais si vous voulez absolument un objet, il est souhaitable de placer une enchère élevée (du moins, dans les limites du raisonnable et de la valeur que vous attribuez à cet objet). De cette manière, vous ferez peur aux autres enchérisseurs et vous diminuerez le risque d'être trahi par un "sniper".

Terminer la transaction

Lorsque vous gagnez une enchère, eBay vous envoie un e-mail vous indiquant combien coûte l'objet au final, et à combien se montent les frais de port et d'emballage (mais pas les droits de douane et la TVA éventuels si vous achetez en dehors de l'Union Européenne).

A ce stade, vous devez payer l'objet au vendeur (par chèque, contre remboursement, carte de crédit ou via PayPal). Ces informations sont normalement indiquées sur la page de description de l'objet.

Lorsque la transaction est terminée et que vous avez reçu l'objet, prenez le temps de laisser une appréciation sur le vendeur. Vous pouvez le faire en cliquant sur le lien situé à droite de l'objet, dans la section Mes enchères remportées de la page Mon eBay. Entrez un texte court pour décrire la façon dont les choses se sont passées (vous pouvez vous inspirer de ce que font les autres acheteurs).

Ne laissez une appréciation neutre ou négative qu'en cas de litige avéré, et qui n'a pas pu être réglé par l'intermédiaire d'eBay. En effet, les autres acheteurs se serviront de cette information pour juger du taux de confiance que l'on peut accorder au vendeur. L'inverse est d'ailleurs vrai, puisque le vendeur se doit de porter une appréciation sur vous, l'acheteur.

PayPal

PayPal est un système de paiement sécurisé en ligne (créé par eBay) permettant d'assurer les transactions entre acheteurs et vendeurs. Vous devez définir vos coordonnées exactes une fois pour toutes. Après quoi, toutes vos transactions se feront par courrier électronique. Un grand nombre de vendeurs préfèrent ce procédé, car ils sont alors certains d'être payés. En tant qu'acheteur, je vous conseille également ce mode de règlement, même si bien des personnes hésitent encore à communiquer un numéro de carte bancaire sur Internet. Cependant, payer par chèque n'est pas plus sûr, laisse davantage de traces et ralentit souvent la fin d'une transaction. Avec PayPal, le vendeur a simplement besoin de connaître l'adresse de livraison : vous réglez la facture à PayPal, et PayPal transfère le montant au vendeur (moins les commissions diverses perçues au passage). L'emploi de PayPal est donc totalement gratuit pour les acheteurs.

Pour en savoir plus sur ce système, vous pouvez profiter des nombreux liens qui y renvoient sur eBay, ou vous connecter directement sur le site `https://www.paypal.com/fr/`.

Chapitre 20
Ecouter de la musique

Dans ce chapitre :

- Les programmes de partage de fichiers et la loi.
- Chercher des disquaires en ligne.

A moins d'avoir passé ces dernières années en orbite autour de Mars, vous savez qu'il est possible de télécharger des chansons et de la musique sur Internet (essentiellement sous la forme de fichiers MP3). Et vous savez aussi que ces chargements sont très controversés car, la plupart du temps, ils se font sans payer de droits d'auteur. Pour certains, c'est du vol. Pour d'autres, ce n'est pas plus grave que d'échanger des cassettes ou des DVD avec des amis.

Les fichiers MP3, les graveurs de CD et les lecteurs MP3 ont changé la façon dont les gens écoutent de la musique, et les modes de distribution de cette musique. Même si l'industrie du disque voulait revenir en arrière, c'est trop tard. Il est maintenant évident que les fichiers MP3 sont là pour longtemps. Si vous ne pouvez pas vaincre, faites une alliance... C'est en partant de ce constat que les *majors* du disque ont commencé à proposer leurs catalogues dans des boutiques en ligne. Vous pouvez y télécharger de la musique en toute légalité. Ce petit chapitre vous explique pourquoi les logiciels qui permettent de récupérer gratuitement des morceaux sont si controversés, et comment respecter la loi en passant sous les fourches caudines des éditeurs.

Pourquoi la musique n'est pas gratuite

D'abord parce qu'il existe un système qui s'appelle le *droit d'auteur*, qui permet aux créateurs de vivre (plus ou moins bien) de leur travail, qui les protège contre la copie illicite, et qui fait qu'ils peuvent manger (presque) tous les jours en continuant à produire ces œuvres que vous aimez tant. Entre nous, cela vaut aussi pour les auteurs de livres d'informatique...

Dans les années 90, un programme libre appelé Napster a initié la possibilité de télécharger des fichiers MP3 sans rien débourser. Napster est très vite devenu extrêmement populaire chez les fans de musique. Il a d'ailleurs été le programme le plus téléchargé de toute la brève histoire de l'Internet. Craignant pour ses profits, l'industrie du disque (qui est bien plus riche que les auteurs) a engagé poursuites sur poursuites contre Napster, pour finalement réussir à liquider cette société. Mais de nouveaux logiciels sont très vite apparus pour prendre le relais de Napster. Ils ont nom Kazaa, Morpheus, Gnutella ou encore Grokster pour ne prendre que quelques exemples.

Cette seconde génération est basée sur un modèle de partage de fichiers entre ordinateurs. Lorsque vous vous connectez sur ce type de service, le logiciel prend note de l'adresse IP de votre machine (l'*adresse IP* est un numéro unique qui identifie chaque ordinateur sur le réseau). Il compile également une liste des fichiers de musique qui se trouvent sur votre disque dur. Ce logiciel transmet alors votre adresse IP ainsi que votre liste de morceaux musicaux à d'autres ordinateurs connectés au même service. Et ainsi de suite. En très peu de temps, ces données peuvent transiter sur des millions d'autres machines.

Lorsque vous recherchez un fichier audio, le logiciel vous communique en réalité des adresses IP et des listes de chansons qui ont été récupérées sur des ordinateurs comme le vôtre. Quand vous activez le téléchargement, il vous branche sur le disque dur d'une autre personne, retrouve le fichier voulu et vous l'envoie. Bien entendu, un même morceau peut se trouver en même temps sur tout un ensemble de machines. Le téléchargement est alors réparti entre eux, ce qui diminue d'autant la durée de l'opération. Evidemment, la procédure s'applique également dans l'autre sens : vos fichiers audio sont envoyés à ceux qui en font la demande.

La question de savoir si cette technologie est légale ou non est toujours en débat. Certains tribunaux considèrent que le partage de fichiers ne constitue pas une violation du droit d'auteur. D'autres estiment que les coupables sont ceux qui conservent ces fichiers sur leur disque dur et les partagent avec d'autres sans que les ayants droit ne soient rémunérés. La jurisprudence semble évoluer rapidement dans un sens restrictif, c'est-à-dire condamnant plus systématiquement les "pirates" au profit des éditeurs et des auteurs.

Si vous chargez des fichiers de musique à l'aide d'un programme comme Kazaa (pour ne citer qu'un seul nom), vous courez le risque d'être traîné en justice. Et reconnaissons que nombreux sont ceux qui acceptent ce risque, en se fiant à la maxime "pas vu, pas pris". A tout instant, plusieurs millions de personnes sont connectées sur un service tel que Kazaa. Vos chances d'être repéré sont faibles, sauf bien sûr si vous faites dans la démesure. Cependant, vous devez être conscient non seulement du risque que vous assumez, mais aussi du tort que vous faites aux auteurs (en laissant de côté la question des maisons de disque). Et le danger peut être plus grave que vous ne le pensez :

- Avec ce type de logiciel, l'adresse IP de votre ordinateur est transmise à des millions et des millions d'autres personnes. Si des pirates informatiques (les fameux *hackers*) prennent connaissance de cette adresse, ils peuvent s'infiltrer dans votre système, ce qui pourrait leur permettre d'y trouver des données sensibles (comme votre numéro de carte de crédit) ou d'y provoquer des dommages considérables.
- Vous vous êtes déjà demandé pourquoi ces logiciels sont gratuits ? Tout simplement parce qu'en les installant vous copiez aussi d'autres programmes servant à espionner votre ordinateur ou à vous abreuver de publicités. Dans le premier cas, il s'agit de *spyware* (ou chose espionne). Il s'agit d'un logiciel qui traque votre activité sur Internet (notamment), et qui transmet ces informations à des agences de publicité (ou d'espionnage) pour mieux cibler leurs messages. Le second cas est celui des *adware* (ou chose publicitaire). Eux affichent des publicités dans la fenêtre du programme, ou ouvrent des fenêtres pop-up quand vous naviguez sur Internet. Dans les deux cas, votre ordinateur est pollué. Et vous avec. Kazaa est réputé pour cela. En plus, il ralentit sensiblement votre système.
- La qualité des fichiers audio que vous téléchargez peut être très bonne. Ou très mauvaise. Et vous n'en savez rien tant que vous n'avez pas écouté le morceau. Certains fichiers sont incomplets. D'autres ne sont que des copies de reproductions. D'autres encore ne sont pas ce qu'ils prétendent. Et c'est peut-être le pire.

Enfin, restent les problèmes éthiques posés par le téléchargement d'œuvres protégées par le droit d'auteur. Vous aimez tel compositeur, telle chanteuse ? Tel auteur ? Tous ces gens méritent votre respect et votre reconnaissance. Eux aussi ont faim, ont des enfants, ont une vie.

Bataille autour du droit

Les années qui viennent vont voir des batailles épiques entre les gens qui possèdent les droits de diffusion de la musique et de la vidéo, et ceux qui téléchargent ces titres sur Internet pour les copier sur CD et DVD. La question de savoir si vous avez ou non le droit de copier ce matériau sur votre ordinateur n'est pas vraiment tranchée : où commence et où s'arrête la notion de copie privée ? Par contre, une chose est certaine : copier des œuvres protégées pour les revendre est une violation claire et nette des lois sur le droit d'auteur. Et les sanctions peuvent être extrêmement lourdes.

Boutiques en ligne pour musique légale

Le coût du téléchargement d'un fichier audio dans un site de musique en ligne coûte généralement entre 0,80 et 0,99 €. Mais la facture peut tout de même atteindre parfois presque le double. Chaque site a sa propre gestion des achats : titres à l'unité, albums, formules d'abonnement variées, protection contre la copie illégale, et ainsi de suite. Le Tableau 20.1 propose une liste des principales boutiques en ligne disponibles en France. Vous pouvez aussi essayer de vous tourner vers l'étranger, par exemple vers Napster, qui est devenu un "chantre" de la vente légale.

Tableau 20.1 : Musique en ligne et à gogo.

Boutique	Prix unitaire	Nombre de titres	Format de fichier	Prix d'un album	Site Web
Apple iTunes	0,99 €	700 000	AAC	9,99 € et +	www.apple.com/fr/itunes
OD2 SonicSelector	0,99/1,29 €	350 000	WMA	NA	www.od2.fr
Sony Connect	0,99/&,69 €	300 000	Atrac3	?	www.connect-europe.com
VirginMega.fr	0,99/1,19 €	300 000	WMA	1,99 € et+	www.virginmega.fr
Vivendi Universal e-compil	0,90 €	100 000	WMA	?	www.ecompil.fr

Vous ne trouvez pas dans le tableau précédent le site MSN Music, accessible depuis www.msn.fr, car il est basé sur l'offre de OD2.

Certains de ces sites vous proposent d'écouter un morceau de la chanson avant de vous décider, et d'autres offrent un service dit de *streaming* qui vous permet d'entendre la musique pour un très faible prix (du genre 0,01 €), mais sans aucune possibilité de l'enregistrer. Le plus souvent, vous disposez également d'une formule d'abonnement au moins ou de prépaiement des chargements.

Vous noterez que le MP3 (trop facile à copier et trop difficile à protéger) n'a pas la faveur des sites marchands. Retenez donc que les principaux formats proposés sont le WMA (Windows Media Audio), auquel est principalement associé Windows Media Player, et AAC (Advanced Audio Coding), le chouchou d'Apple et de son désormais célèbre iTunes (voir la Figure 20.1). Bien entendu, vous devrez au préalable vous renseigner sur la compatibilité de ce petit monde avec votre baladeur audio !

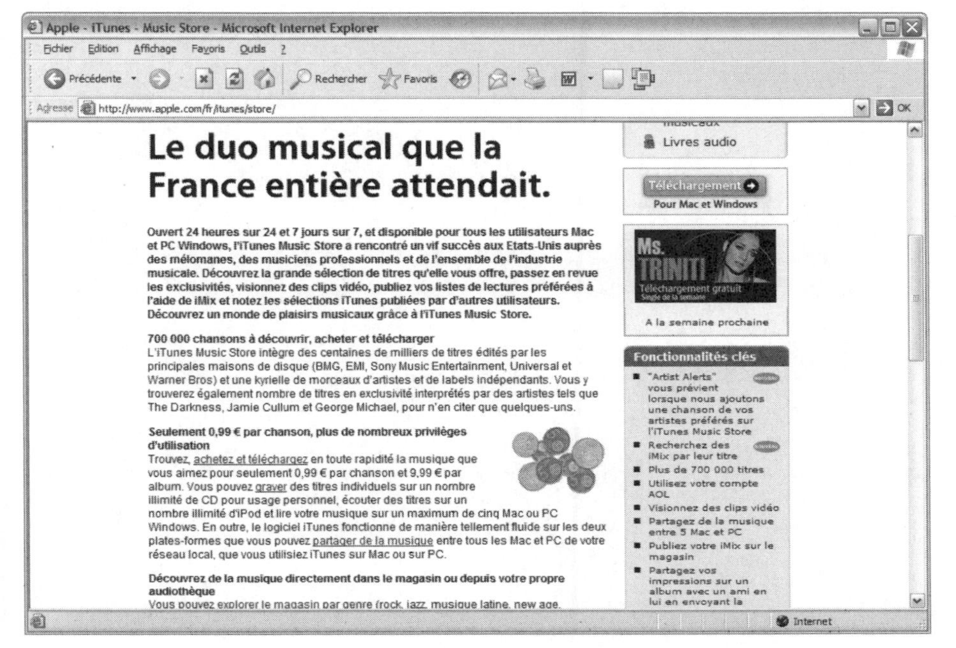

Figure 20.1 : Vous pouvez télécharger de la musique jouable sur Mac, PC ou iPod sur le site iTunes.

Bonne chance dans la quête (en toute légalité) de vos musiques préférées.

Livret IV

Office 2003

"Prépare-toi, Mona. Les Stats arrivent !"

Livret IV : Office 2003

Chapitre 1
Entrer, éditer et formater du texte

Dans ce chapitre :

- Créer de nouveaux documents.
- Ouvrir et enregistrer des documents.
- Changer la police et la taille du texte.
- Vérifier l'orthographe et la grammaire.

Dans ce premier chapitre, nous allons découvrir les bases de Microsoft Word. Ne soyez pas timide. Marchez droit jusqu'au rivage et trempez vos orteils dans l'eau. Mouillez-vous donc ! Soyez sans crainte : personne ne vous poussera dans le dos. Ce chapitre explique comment créer et ouvrir des documents, comment les enregistrer et comment enfin modifier l'aspect du texte. Si la frappe et/ou l'orthographe ne sont pas vos spécialités, vous apprendrez aussi à vérifier les fautes qui se sont glissées dans votre document.

Faisons connaissance avec Word

Lorsque l'on voit l'écran de Word pour la première fois, on pourrait se croire dans la station de métro Ikebukuro (c'est à Tokyo) à une heure de pointe. Tout cela est très intimidant. Mais en commençant à pratiquer Word, vous apprendrez vite à quoi sert tout cela. Pour vous aider à trouver la bonne ligne (dans l'esprit du métro de Tokyo), le Tableau 1.1 fournit une description des différentes parties de l'écran de Word. La Figure 1.1 précise tout cela visuellement.

Pour afficher sur deux lignes les barres d'outils Standard et Mise en forme (qui sont les plus utiles), cliquez droit sur le fond d'une des barres. Dans le menu qui apparaît, choisissez la commande Personnaliser. Activez l'onglet Options et cochez la case Afficher les barres d'outils Standard et Mise en forme sur deux lignes.

Tableau 1.1 : Word et son écran.

Partie de l'écran	Ce que c'est
Barre de titre	Tout en haut de la fenêtre, la barre de titre vous rappelle le nom du document sur lequel vous travaillez.
Menu système	Cliquez ici pour réduire, agrandir, déplacer ou bien encore refermer la fenêtre.
Boutons Réduire, Agrandir et Fermer	Ces trois boutons magiques permettent facilement de réduire la fenêtre sur la barre des tâches, d'agrandir à l'écran tout entier, ou encore de quitter le programme avec lequel vous travaillez.
Barre des menus	Vous y trouvez tous les menus et leurs commandes en partant de Fichier jusqu'à Aide (le fameux point d'interrogation).
Volet Office	Ce panneau s'affiche à droite de la fenêtre de Word. Il permet d'ouvrir des documents et d'effectuer bien d'autres tâches.
Barres d'outils	Une collection de boutons sur lesquels vous pouvez cliquer pour exécuter telle ou telle commande. Pour afficher ou masquer les barres d'outils, cliquez droit sur le fond d'une barre quelconque, puis cliquez sur le nom voulu dans le menu qui apparaît.
Barres de défilement	Ces *ascenseurs* vous permettent de vous déplacer dans un document.
Boutons des modes d'affichage	Il vous permettent de changer la manière dont votre document est affiché.
Barre d'état	Elle vous donne différentes informations sur votre position dans le document et sur ce que vous faites. Vous y voyez par exemple le numéro de la page courante, celui de la section, le nombre total de pages et la position du point d'insertion du texte.

Créer un nouveau document

Un *document*, c'est un mot générique pour désigner tout simplement une lettre, un rapport, une annonce, une proclamation, bref tout ce qui peut être écrit. Tout cela est réalisable avec Word. Lorsque vous lancez celui-ci, vous voyez s'afficher une fenêtre qui indique simplement *Document1*. Mais il existe bien d'autres méthodes pour créer un tout nouveau document :

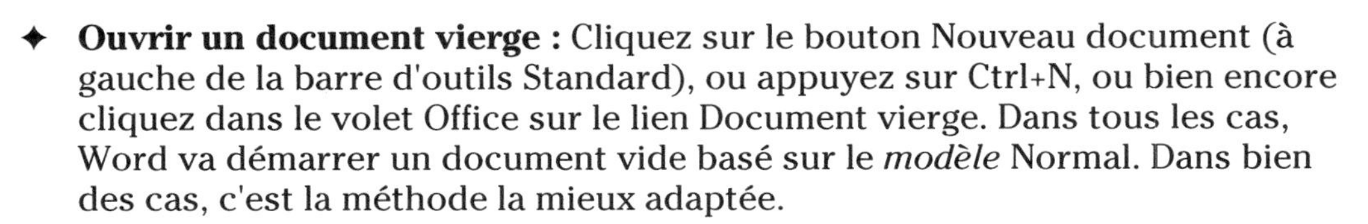

- **Ouvrir un document vierge :** Cliquez sur le bouton Nouveau document (à gauche de la barre d'outils Standard), ou appuyez sur Ctrl+N, ou bien encore cliquez dans le volet Office sur le lien Document vierge. Dans tous les cas, Word va démarrer un document vide basé sur le *modèle* Normal. Dans bien des cas, c'est la méthode la mieux adaptée.

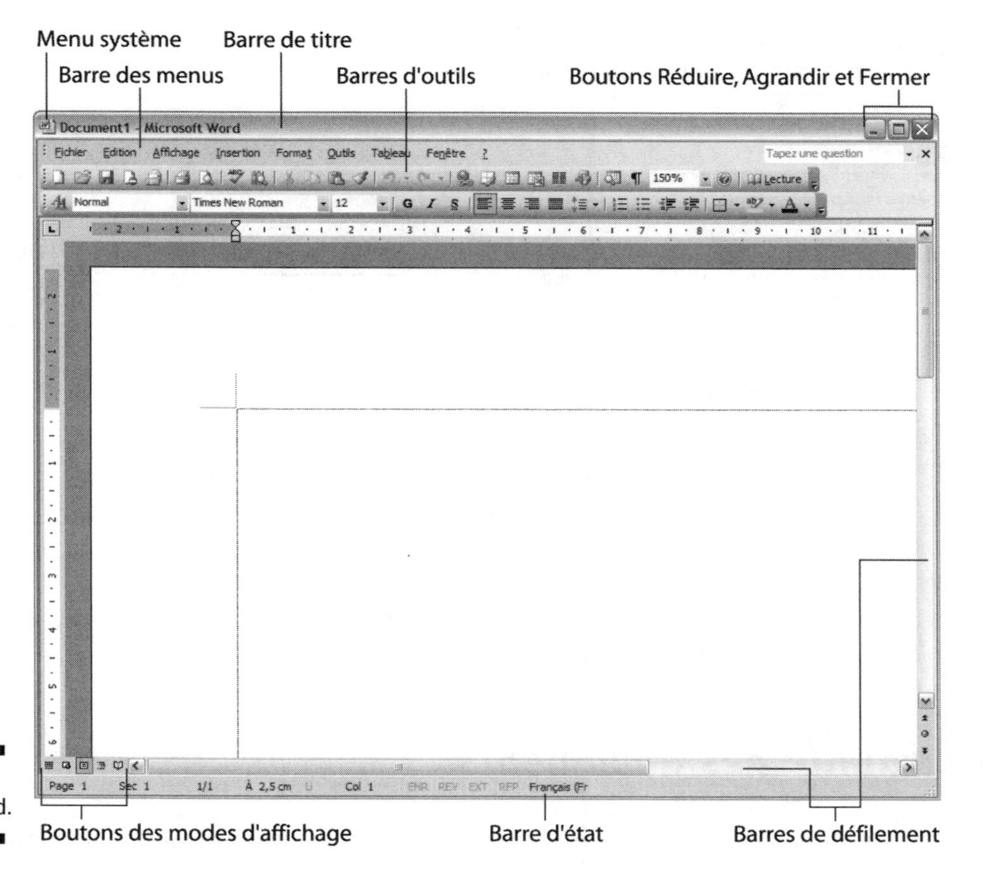

Figure 1.1 : L'écran de Word.

- **Utiliser un modèle prédéfini :** Cliquez dans le volet Office sur le lien intitulé Sur mon ordinateur (le raccourci Ctrl+F1 permet d'afficher ou de masquer ce volet, de même que la commande Volet Office dans le menu Affichage). La boîte de dialogue Modèles va apparaître (voir la Figure 1.2).

  Sélectionnez un onglet, puis un modèle ou un assistant, et cliquez enfin sur OK. Chaque modèle comporte un ensemble de styles plus ou moins sophistiqués. Grâce à cela, vous n'aurez pas besoin de réinventer la roue et de définir vous-même des mises en page compliquées (les styles sont étudiés dans le Chapitre 4 de ce livret). Un *assistant* est une suite de boîtes de dialogue dans lesquelles vous indiquez les caractéristiques du document que vous voulez créer. Ce type d'outil peut vous faire gagner beaucoup de temps puisque l'essentiel du travail de mise en forme a déjà été réalisé par les concepteurs de Word (si, bien entendu, les styles proposés vous suffisent).

- **Chercher un modèle sur le site Web de Microsoft :** Le volet Office propose aussi un lien appelé Modèles sur Office Online. Cliquez sur cette option pour accéder au site Web de Microsoft afin d'y rechercher un modèle autre que ceux qui ont été installés en même temps que le logiciel, ou que vous avez pu créer au cours de votre travail.

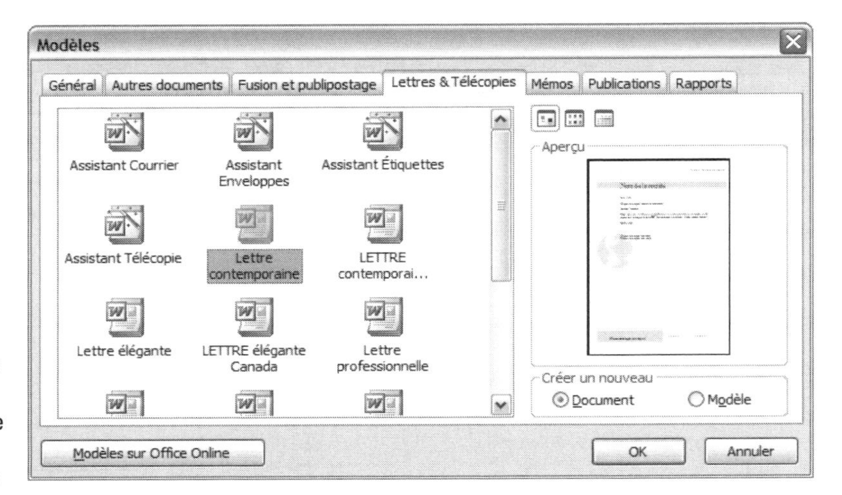

Figure 1.2 : La boîte de dialogue Modèles.

Ouverture rapide des documents

La boîte de dialogue Ouvrir, au demeurant très classique, n'est pas nécessairement très agréable ni idéalement conçue. Word vous offre donc diverses alternatives pour ouvrir un document :

- **Menu Fichier :** Si vous voulez ouvrir un document sur lequel vous avez travaillé récemment, il devrait se trouver dans le menu Fichier. Ouvrez-le, et vérifiez si le document à ouvrir apparaît en bas de ce menu. Si c'est le cas, cliquez sur la ligne correspondante (ou entrez le numéro de 1 à 4 associé à ce fichier).

- **Volet Office :** Les documents proposés dans le menu Fichier se retrouvent également en haut du volet Office (si nécessaire, cliquez tout en haut de cette fenêtre sur le bouton Accueil). Dans la rubrique Ouvrir, cliquez sur le nom d'un document pour le charger dans Word.

- **Bouton Mes documents récents :** La partie gauche de la boîte de dialogue Ouvrir vous propose un bouton appelé Mes documents récents. Il devrait révéler les noms des derniers fichiers et dossiers que vous avez ouverts. Faites un double clic sur un nom de fichier pour le charger, ou sur un nom de dossier pour voir son contenu.

- **Bouton Mes documents :** Dans la boîte de dialogue Ouvrir, le bouton Mes documents affiche le contenu du dossier de même nom. C'est un bon endroit pour y enregistrer et retrouver les documents sur lesquels vous êtes en train de travailler. Lorsque vous en avez terminé avec eux, déplacez-les vers un autre dossier afin de disposer d'une version sauvegardée.
- **Menu Mes documents récents :** Ouvrez le menu Démarrer de Windows, puis cliquez sur l'option Mes documents récents. Elle contient la liste des quinze derniers fichiers que vous avez ouverts (que ce soit dans Word ou sous un autre programme). Cliquez sur le nom voulu afin de l'ouvrir dans son application (Word pour ce qui nous intéresse ici).
- **Menu Mes documents :** Ouvrez le menu Démarrer de Windows, puis cliquez sur l'option Mes documents. Ce dossier système est l'emplacement par défaut pour l'enregistrement des fichiers avec la plupart des applications. Parcourez-le, localisez le document qui vous intéresse, puis faites un double clic sur son nom afin de l'ouvrir dans le programme qui lui est associé.

Pour afficher plus de quatre documents en bas du menu Fichier (ou dans le volet Office), choisissez la commande Options dans le menu Outils. Activez l'onglet Général. Dans le champ Derniers fichiers utilisés, entrez un nombre à votre convenance (entre 1 et 9).

Sauvegarder un document

Tout le monde (ou presque) sait comment sauvegarder un document. Tout ce que vous avez à faire, c'est d'appuyer sur Ctrl+S, de cliquer sur le bouton Enregistrer, ou bien de choisir dans le menu Fichier la commande Enregistrer. La première fois que vous sauvegardez un document, Word vous demande de lui donner un nom (aussi explicatif que possible) et de choisir le dossier dans lequel ce fichier va être placé.

Vous disposez également dans le menu Fichier de la commande Enregistrer sous qui vous permet de sauvegarder une copie de votre document sous un nouveau nom et/ ou dans un nouveau dossier.

Changer la police et la taille du texte

Le terme *police de caractères* désigne aussi bien le style du texte que sa taille. Lorsque vous changez une police, vous pouvez jouer sur l'une ou l'autre de ces caractéristiques, ou sur les deux à la fois.

Word offre une belle quantité de polices différentes. Vous pouvez voir leur nom en cliquant sur la flèche qui suit la liste déroulante Police. Pour changer le style des caractères :

1. **Sélectionnez le texte ou l'emplacement dont vous voulez modifier la police.**
2. **Cliquez sur la flèche située à droite de la liste déroulante Police (dans la barre d'outils Mise en forme).**
3. **Cliquez sur le nom d'une police dans la liste.**

   Comme le montre la Figure 1.3, chaque nom de police est affiché dans son propre style. Word place en haut de liste les noms des polices déjà utilisées dans le document, ce qui permet d'accéder plus facilement à celles que vous utilisez souvent.

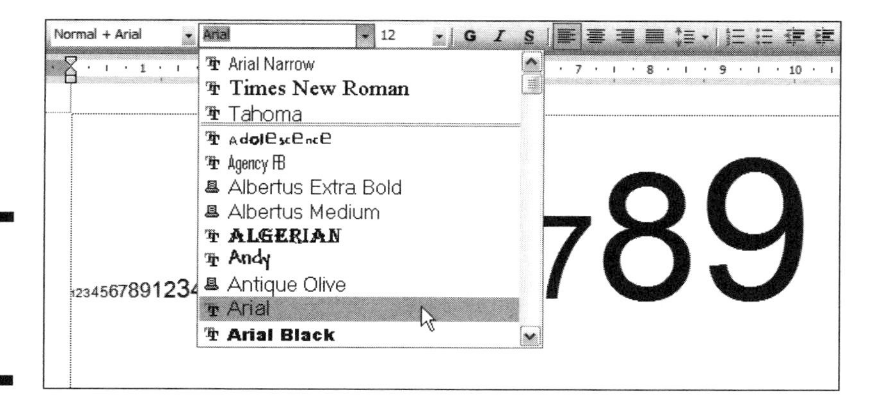

Figure 1.3 : Choisir une police et une taille de caractères.

Pour dérouler plus rapidement la liste des polices de caractères, appuyez sur une lettre de votre clavier. Par exemple, appuyez sur *S* pour atteindre directement la série de polices dont le nom commence par *S*. Les lignes précédées des signes *TT* signalent une police *TrueType*. Utilisez-les en priorité, car elles se comportent à l'écran exactement comme elles apparaîtront une fois imprimées, et ce dans toutes les tailles.

La taille des caractères se mesure en *points*. Le point typographique correspond à 1/72 de pouce. Plus il y a de points, plus les caractères sont grands. Pour changer la taille des lettres :

1. **Sélectionnez le texte ou l'emplacement dont vous voulez modifier la taille de caractères.**

2. **Cliquez sur la flèche qui suit la liste déroulante Taille de police (dans la barre d'outils Mise en forme). Choisissez une valeur.**

Vous avez aussi la possibilité d'entrer directement un nombre dans le champ de saisie de la liste.

Word propose d'autres méthodes. Ainsi, les combinaisons Ctrl+Maj+< et Ctrl+Alt+Maj+> servent respectivement à réduire et à augmenter le corps de la police en respectant les valeurs proposées dans la liste Taille. Les combinaisons Alt+Ctrl+< et Alt+Ctrl+Maj+< font de même, mais à raison d'un point à la fois. Certes, on peut légitimement penser qu'il s'agit plus d'exercices de musculation des doigts que de raccourcis réellement utilisables. Mieux vaut peut-être changer tout d'un coup en affichant la boîte de dialogue Police à partir du menu Format.

Que faire si, en regardant votre écran, vous vous apercevez que vous avez saisi des caractères en méLANgEaNt MAjUscULEs eT MinUsCUlEs ? Sélectionnez le texte fautif et appuyez sur la combinaison de touches Maj+F3 pour tout mettre en minuscules. Si nécessaire, recommencez plusieurs fois pour mettre votre sélection entièrement en majuscules, entièrement en minuscules ou avec capitalisation de la première lettre des mots. Finalisez manuellement.

Vérifier l'orthographe d'un document

Ne croyez pas tout ce que vous dit le correcteur orthographique. Il ne peut pas trouver tous les mots que vous avez mal orthographiés. Si vous vouliez par exemple écrire *gilet* et que vous avez tapé *gibet*, le correcteur ne vous fera aucune remarque, puisque *gibet* est un mot parfaitement correct (comme quoi, il est possible de jouer au pendu sous Word). Morale de l'histoire : si vous travaillez sur un courrier ou sur un document important, relisez-le soigneusement. Mieux encore : imprimez-le et faites-le relire par une autre personne. Ne vous fiez pas au *collecteur* orthographique pour trouver toutes vos *sautes* de *trappe*…

Cela étant posé, cet outil est tout de même indispensable pour corriger la grande majorité des fautes de saisie que vous pouvez commettre (car ce ne sont que des erreurs de frappe, n'est-ce pas ?). La Figure 1.4 illustre les deux méthodes de correction. Lorsque vous voyez un trait ondulé rouge sous un mot, cela signifie que Word le pense mal orthographié. Cliquez dessus avec le bouton droit de la souris. Dans le menu contextuel qui va s'afficher, choisissez le mot qui convient (du moins, s'il figure dans la liste). Sinon, vous pouvez demander à vérifier l'orthographe et la grammaire de tout le document ou uniquement de la partie sélectionnée. Pour cela :

- Cliquez dans la barre d'outils Standard sur le bouton Grammaire et orthographe.
- Choisissez dans le menu Outils la commande Grammaire et orthographe.
- Appuyez sur la touche F7.

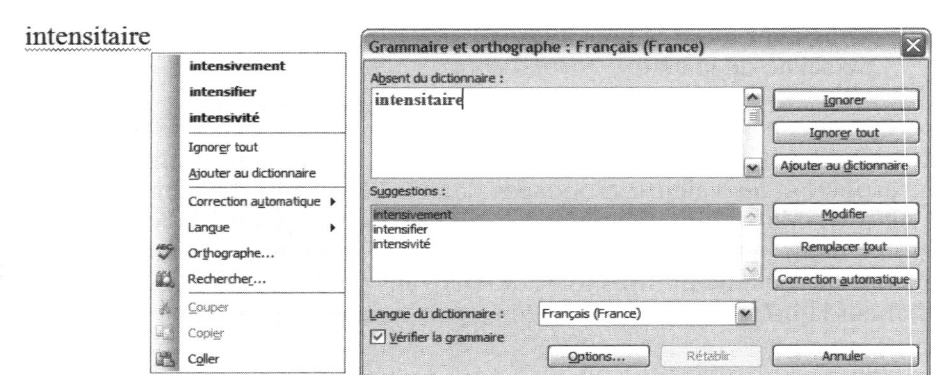

Figure 1.4 : Vous disposez de deux méthodes pour corriger vos fautes.

La boîte de dialogue Grammaire et orthographe va apparaître. Les options qu'elle propose sont assez simples à comprendre, sauf peut-être celles-ci (presque toutes en fait) :

- **Ignorer :** Ignore l'erreur, mais le correcteur s'arrêtera la prochaine fois qu'il rencontrera la même dans le document.
- **Ignorer tout :** Ignore systématiquement l'erreur (qui n'en était donc peut-être pas une) non seulement dans le document actif, mais aussi dans tous les fichiers actuellement ouverts dans Word.
- **Ajouter au dictionnaire :** Ajoute le mot en surbrillance dans la zone Absent du dictionnaire dans la liste des termes que Word considère comme étant corrects. Cliquez par exemple sur ce bouton la première fois que le correcteur rencontre votre nom de famille pour qu'il ne vous ennuie plus avec cela.
- **Remplacer tout :** Remplace dans le document actuel toutes les occurrences du mot mal orthographié par celui que vous avez choisi dans la liste Suggestions.
- **Correction automatique :** Ajoute l'orthographe suggérée à la liste des mots qui sont automatiquement corrigés lors de la saisie (voir à ce sujet le Chapitre 2 du Livret IV).
- **Annuler :** Revient sur la dernière correction en vous donnant l'opportunité de vous repentir et de changer d'avis.
- **Vérifier la grammaire :** Désactivez cette option pour corriger uniquement les fautes d'orthographe et vous désintéresser du point de vue de Word sur votre pratique de la grammaire.

Vous pouvez cliquer en dehors de la boîte de dialogue et circuler dans votre document tout à fait normalement. Dans ce cas, le bouton Ignorer devient Reprendre. Cliquez dessus pour poursuivre la correction de l'orthographe (et éventuellement de la grammaire).

Ennuyé par les lignes rouges et vertes ?

Comme vous avez pu le remarquer, les mots que le correcteur considère comme étant mal orthographiés sont marqués d'un trait de soulignement rouge et ondulé. De même, les mots et phrases dont la grammaire lui semble incorrecte sont soulignés d'un trait vert et pareillement ondulé. Vous pouvez alors cliquer à cet emplacement avec le bouton droit de la souris, puis choisir l'une des propositions qui vous sont faites dans le menu contextuel. Si ces lignes rouges et vertes vous ennuient, vous pouvez les faire disparaître de l'écran en sélectionnant dans le menu Outils la commande Options. Activez alors l'onglet Grammaire et orthographe.

- **Annuler le soulignement des fautes :** Désactivez les deux options Vérifier l'orthographe au cours de la frappe, et Vérifier la grammaire au cours de la frappe.
- **Annuler le soulignement des fautes dans le document courant :** Sélectionnez les options Masquer les fautes d'orthographe et Masquer les fautes de grammaire dans le document.

Chapitre 2
Word, techniques rapides

Dans ce chapitre :

- Changer le mode d'affichage d'un document.
- Partager l'écran.
- Sélectionner du texte.
- Annuler les erreurs.
- Se déplacer dans les documents.
- Entrer rapidement du texte.
- Trouver et remplacer du texte et des mises en forme.

Les ordinateurs sont supposés rendre votre travail plus facile et plus rapide. Et c'est vrai, du moins si vous arrivez à frayer votre chemin au milieu du jargon et du technobabillage informatique. Ce chapitre décrit les commandes et les raccourcis qui peuvent vous aider à devenir un utilisateur efficace de Word. De quoi terminer plus vite votre travail et rentrer tranquillement à la maison.

Soigner l'affichage des documents

L'écran de votre ordinateur peut devenir le pire ennemi de vos yeux, et donc de votre travail. Certes, Word ne peut pas tout résoudre, mais du moins vous permet-il de consulter un document selon différentes vues, d'agrandir ou de réduire ces vues, et même de travailler simultanément sur deux parties du même document. Démonstration.

Word et ses modes d'affichage

Avec un traitement de texte, vous avez souvent besoin de vous concentrer sur la rédaction, parfois sur la mise en page, et parfois aussi sur l'organisation de votre travail. C'est pourquoi Word met à disposition plusieurs modes d'affichage. Ils sont illustrés sur la Figure 2.1. Pour changer de vue, il vous suffit de cliquer sur un bouton ou de choisir la commande appropriée dans le menu Affichage. Voyons cela de plus près.

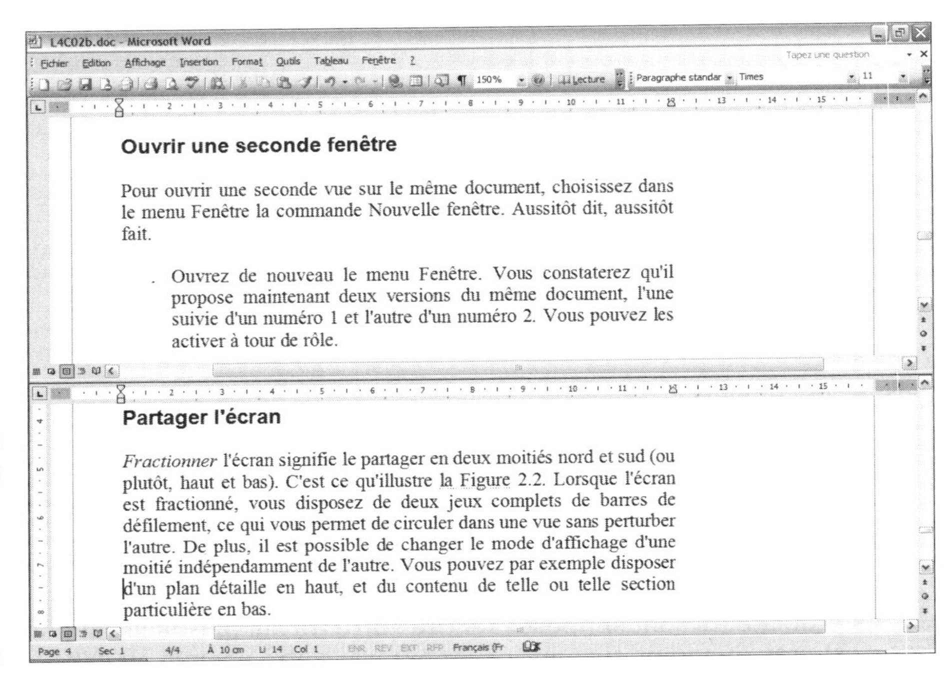

Figure 2.1 : Word et ses modes d'affichage (Normal, Web, Page, Plan, Aperçu et Lecture).

- **Affichage normal :** Cliquez sur le bouton correspondant (il se trouve à gauche de la barre de défilement inférieure). Vous pouvez aussi choisir dans le menu Affichage la commande Normal. Ce mode vous permet de vous concentrer sur le texte. Il est idéal pour un premier jet et pour la relecture du texte. Les changements de section y apparaissent clairement. Par contre, ce mode masque les images et les graphismes.

- **Mode Web :** Cliquez sur le bouton correspondant (à gauche de la barre de défilement inférieure). Vous pouvez aussi choisir dans le menu Affichage la commande Web. Ce mode vous permet de visualiser votre document comme s'il s'agissait d'une page Web. Le texte est ajusté à la largeur de la fenêtre et la couleur d'arrière-plan apparaît (si vous en avez défini une, évidemment). Vous voudriez voir précisément ce que donnerait votre document dans un navigateur Internet ? Choisissez dans le menu Fichier la commande Aperçu de la page Web. Le document va s'ouvrir dans votre navigateur par défaut (sans doute Internet Explorer).

✦ **Mode Page :** Cliquez sur le bouton correspondant (à gauche de la barre de défilement inférieure). Vous pouvez aussi choisir dans le menu Affichage la commande Page. Votre document apparaît tel qu'il devrait être mis en page et imprimé, avec y compris les en-têtes et les pieds de page, les graphismes et même les limites des marges.

✦ **Mode Plan :** Cliquez sur le bouton correspondant (à gauche de la barre de défilement inférieure). Vous pouvez aussi choisir dans le menu Affichage la commande Plan. Seuls les titres et les sous-titres du document seront affichés. Cela permet non seulement de mieux visualiser la structure de ce document, mais aussi de déplacer ou copier facilement des parties entières du texte. Nous reviendrons sur ce sujet dans le Chapitre 6 du Livret IV.

✦ **Mode Lecture :** Cliquez sur le bouton correspondant (à gauche de la barre de défilement inférieure). Vous pouvez aussi choisir dans le menu Affichage la commande Lecture. L'affichage change et des barres d'outils particulières apparaissent (Lecture et Révision). Vous pouvez vous servir des boutons Explorateur de documents et Miniatures pour vous déplacer rapidement de titre en titre, de page en page.

✦ **Plein écran :** Pour ne conserver que le texte sur lequel vous travaillez, choisissez dans le menu Affichage la commande Plein écran. Cliquez sur le bouton Fermer le plein écran pour revenir à un affichage standard (vous pouvez aussi appuyer sur la touche Echap). Si vous déplacez le pointeur de la souris tout en haut de l'écran la barre des menus va s'afficher.

✦ **Aperçu avant impression :** Choisissez cette commande dans le menu Fichier ou cliquez sur le bouton correspondant de la barre d'outils Standard. Vous allez voir à quoi va ressembler votre document une fois imprimé. Cela vous permet de vérifier votre mise en page. Des boutons vous permettent d'afficher une ou plusieurs pages en même temps.

Zoom avant, zoom arrière

Vos yeux ne sont pas faits pour regarder un écran d'ordinateur toute la journée. C'est pourquoi la commande Zoom est extrêmement utile. N'hésitez jamais à vous en servir pour agrandir ou réduire le texte à volonté et préservez ainsi vos yeux pour des choses bien plus importantes, comme contempler un coucher de soleil.

Vous disposez de trois méthodes pour utiliser le zoom :

100%

- Cliquez sur la flèche qui se trouve à droite du bouton Zoom (sur la barre d'outils Standard). Choisissez un pourcentage ou un mode dans la liste déroulante qui apparaît.

- ✦ Cliquez dans le champ de ce même bouton Zoom, puis entrez un facteur d'agrandissement ou de réduction à votre convenance. Validez.
- ✦ Ouvrez le menu Affichage, sélectionnez la commande Zoom, puis choisissez une option dans la boîte de dialogue qui va s'afficher.

Travailler sur deux parties du même document

Vous pouvez ouvrir une fenêtre sur deux parties différentes d'un même document. A quoi cela peut-il vous servir ? Vous écrivez par exemple un long rapport, et l'introduction doit déjà annoncer la conclusion, tandis que cette dernière doit tenir toutes les promesses entrevues dans l'introduction. Cette gymnastique n'est pas toujours évidente à réaliser. Il est donc intéressant de pouvoir afficher en même temps l'introduction et la conclusion afin de rédiger les deux en une seule étape.

Word offre deux méthodes pour disposer d'une seconde vue sur un document : ouvrir une nouvelle fenêtre, ou partager la fenêtre en deux.

Ouvrir une seconde fenêtre

Pour ouvrir une seconde vue sur le même document, choisissez dans le menu Fenêtre la commande Nouvelle fenêtre. Aussitôt dit, aussitôt fait.

- ✦ Ouvrez de nouveau le menu Fenêtre. Vous constaterez qu'il propose maintenant deux versions du même document, l'une suivie d'un numéro 1 et l'autre d'un numéro 2. Vous pouvez les activer à tour de rôle.
- ✦ Déplacez-vous à votre convenance dans la fenêtre active. Les modifications que vous apportez à votre document sont automatiquement répercutées dans l'autre vue. Pour sauvegarder l'ensemble du document, choisissez la commande Enregistrer dans n'importe laquelle de vos deux fenêtres. Rappelez-vous simplement que vous travaillez sur un seul et même document. Tout le reste n'est qu'une question de perspective.
- ✦ Rien ne vous interdit de multiplier les clones en vous servant à nouveau de la commande Nouvelle fenêtre. Si vous voulez refermer une vue, cliquez sur sa case de fermeture (la croix qui se trouve tout à fait à droite de la barre de menus).

Partager l'écran

Fractionner l'écran signifie le partager en deux moitiés nord et sud (ou plutôt, haut et bas). C'est ce qu'illustre la Figure 2.2. Lorsque l'écran est fractionné, vous disposez de deux jeux complets de barres de défilement, ce qui vous permet de circuler dans une vue sans perturber l'autre. De plus, il est possible de changer le mode d'affichage d'une moitié indépendamment de l'autre. Vous pouvez par exemple disposer d'un plan détaillé en haut, et du contenu de telle ou telle section particulière en bas.

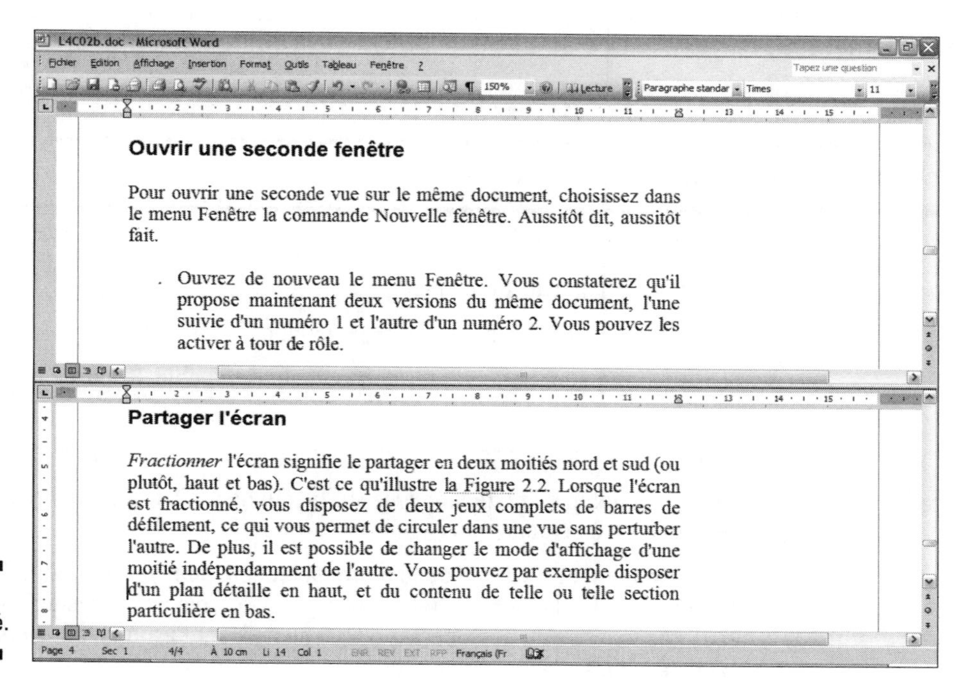

Figure 2.2 : Un écran fractionné.

Word offre deux méthodes pour obtenir ce partage :

✦ Placez le curseur au-dessus de la case de fractionnement, tout en haut de la barre de défilement de droite (cette case ressemble à un trait épais). Le curseur devrait prendre la forme d'une flèche double. Cliquez et faites glisser. Quand vous relâchez le bouton de la souris, l'écran est fractionné.

✦ Ouvrez le menu Fenêtre et choisissez la commande Fractionner. Une ligne grise épaisse s'affiche au milieu de l'écran. Faites-la glisser. Cliquez quand vous êtes au bon endroit.

Si la taille des deux volets ne vous convient pas, faites glisser la ligne qui les sépare.

Quand vous en avez assez de cette disposition schizophrénique, activez dans le menu Fenêtre la commande Annuler le fractionnement, ou faites glisser tout en haut (tout en bas convient aussi) la ligne qui sépare les deux vues, ou bien encore faites un double clic sur celle-ci.

Sélection rapide de texte

Pour effacer (avec la touche Suppr), déplacer ou copier du texte d'un emplacement vers un autre, vous devez commencer par le sélectionner. C'est la même chose pour modifier une mise en forme. Bref, il est très utile de savoir comment sélectionner rapidement du texte. C'est ce que nous explique le Tableau 2.1.

Tableau 2.1 : Raccourcis pour la sélection de texte.

Pour sélectionner	Méthode(s) à suivre
Un mot	Faites un double clic sur ce mot.
Une ligne	Cliquez devant la ligne dans la marge gauche.
Plusieurs lignes	Faites glisser le pointeur sur les lignes voulues, ou dans la marge gauche devant ces lignes.
Un paragraphe	Faites un double clic dans la marge gauche en face du paragraphe.
Un morceau de texte	Cliquez au début du texte, appuyez sur la touche Majuscule, puis cliquez à la fin de la portion à sélectionner.
Beaucoup de texte	Placez le curseur au début de la future sélection, appuyez sur F8 (ou faites un double clic dans la barre d'état sur le signe EXT, comme extension), puis servez-vous des touches de déplacement, ou faites glisser la souris, ou encore cliquez à la fin de la sélection.
Encore plus de texte	Vous avez déjà effectué une sélection, et vous vous apercevez que ce n'est pas assez. Faites un double clic sur le mot EST dans la barre d'état, puis faites glisser la souris ou utilisez les touches de déplacement.
Du texte ayant le même formatage	Cliquez avec le bouton droit de la souris sur du texte possédant la mise en forme voulue, puis choisissez dans le menu contextuel la commande Sélectionner le texte ayant une mise en forme semblable.
Un document	Appuyez sur la touche Ctrl et cliquez dans la marge gauche, ou faites un triple clic dans cette marge, ou plus simplement encore appuyez sur Ctrl+A.

Si vous avez trop de texte mis en surbrillance, que vous voulez annuler tout cela mais que Word ne veut pas (parce que vous avez appuyé sur F8 ou activé le mode EXT), faites un nouveau double clic sur le mot EXT dans la barre d'état (le fait d'appuyer sur la touche Echap devrait aussi suffire).

Une fois que vous avez appuyé sur F8 ou fait un double clic sur EXT, toutes les touches de déplacement étendent ou réduisent l'amplitude de la sélection. Par exemple, Ctrl+Début va sélectionner tout ce qui se trouve entre la position du curseur et le début du document. De même, la touche Fin étendra la sélection jusqu'au bout de la ligne courante.

Astuces pour l'édition du texte

Voyons maintenant quelques techniques "essayées et approuvées" pour éditer du texte plus rapidement et plus efficacement. Vous trouverez dans les pages qui suivent des astuces pour réaliser des tâches à répétition, annuler des erreurs, ou encore afficher les symboles de mise en forme pour vous assurer que tout est conforme à vos prévisions.

Annuler une erreur

Heureusement, tout n'est pas perdu si vous commettez une énorme bourde dans Word. Tout est prévu, et le programme dispose d'un merveilleux petit outil appelé Annuler. Cette commande "se souvient" des saisies et des mises en forme que vous avez effectuées depuis l'ouverture du document. Dès lors que vous vous apercevez à temps de votre erreur, vous pouvez remonter les aiguilles de l'horloge et l'annuler. Vous disposez pour cela de deux méthodes :

- Appuyez sur Ctrl+Z (ou sélectionnez dans le menu Edition la commande Annuler). Remarquez que le nom exact, tel qu'il est affiché en haut du menu, dépend de ce que vous venez de faire. Après avoir saisi des caractères, par exemple, l'option s'appellera Annuler Frappe. Dans tous les cas, cette technique permet de revenir en arrière étape par étape.

- Cliquez dans la barre d'outils Standard sur le bouton Annuler. Il revient sur votre dernière action. Si l'erreur est plus ancienne, cliquez sur la flèche qui suit le bouton Annuler. Vous allez voir une liste remontant jusqu'à six étapes en arrière. Cliquez sur celle que vous voulez annuler. Si vous ne la voyez pas, faites défiler la liste et cliquez sur la ligne voulue (voir la Figure 2.3). N'oubliez pas cependant qu'avec cette méthode vous remontez le temps sans appel, puisque tout ce que vous avez fait *avant* votre erreur sera également effacé.

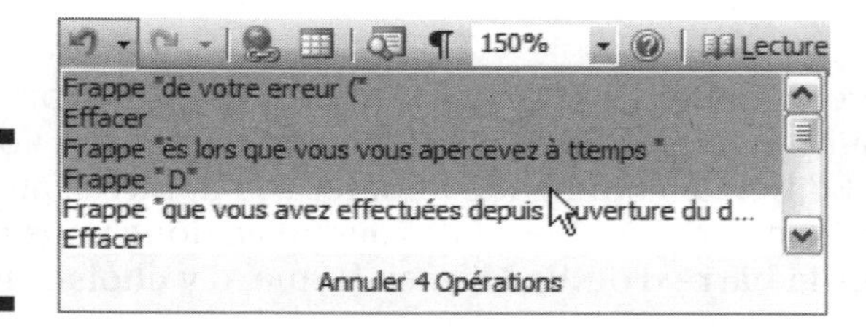

Figure 2.3 : Réparer une erreur.

Annuler a son pendant qui s'appelle Rétablir. Cette commande défait ce qui vient d'être annulé, annule ce qui vient d'être défait. Si vous avez annulé toute une série d'actions et que les regrets vous assaillent, cliquez sur le bouton Rétablir ou sur la flèche qui le suit afin d'ouvrir la liste des commandes que vous venez d'annuler.

Répéter une action

De plus en plus vite... Le menu Edition contient une commande appelée Répéter. Elle reproduit votre dernière action, ce qui peut en faire un outil très, très puissant pour vous faire gagner du temps.

Afficher les symboles cachés

¶ Lorsque vous éditez et/ou mettez en forme un document, il peut être intéressant de visualiser les symboles de formatage que Word cache normalement. Ces symboles vous montrent la position des changements de ligne ou de paragraphe, le nombre d'espaces entre les mots, les tabulations, et ainsi de suite. Pour les révéler, cliquez sur le bouton Afficher/Masquer. Cliquez une nouvelle fois sur le bouton pour les cacher. Voici à quoi ressemblent ces symboles sur votre écran :

Symbole	**Raccourci**
Saut de ligne (↵)	Appuyez sur Maj+Entrée
Tiret conditionnel (¬)	Appuyez sur CTRL+- (signe - du pavé numérique)
Paragraphe (¶)	Appuyez sur Entrée
Espace (·)	Appuyez sur la barre d'espace
Tabulation(→)	Appuyez sur la touche de tabulation

Supposons par exemple que vous veniez de changer le style d'un titre. Vous voulez maintenant faire de même pour un autre. Cliquez simplement sur la ligne voulue, puis choisissez dans le menu Edition la commande Répéter (ou appuyez plus simplement sur F4 ou sur la combinaison Ctrl+Y). Une seule touche va donc vous éviter d'ouvrir la liste des styles dans la barre d'outils Mise en forme, d'y choisir un nom et de valider.

Se déplacer rapidement dans les documents

Vous avez bien sûr les barres de défilement. Mais Word vous propose également bon nombre de méthodes pour passer rapidement d'un point à un autre dans vos documents : appuyer sur un raccourci, utiliser la commande Atteindre, cliquez sur le bouton Sélectionner l'objet parcouru, ou encore naviguer à l'aide des miniatures ou de l'explorateur. Découvrez ici comment aller de plus en plus vite.

Des touches pour accélérer les déplacements

Les touches et raccourcis présentés dans le Tableau 2.2 constituent l'un des moyens les plus rapides pour se déplacer dans un document.

Tableau 2.2 : Touches pour circuler dans un document.

Appuyez sur	Pour aller
Page Haut	D'un écran vers le haut.
Page Bas	D'un écran vers le bas.
Ctrl+Page Haut	A la page précédente du document.
Ctrl+Page Bas	A la page suivante du document.
Ctrl+Début	Au début du document.
Ctrl+Fin	A la fin du document.

Si les combinaisons Ctrl+Page Haut ou Ctrl+Page Bas ne donnent pas le résultat escompté, c'est que vous avez cliqué sur le bouton Sélectionner l'objet parcouru, en bas de la barre de défilement verticale. Dans ce cas, le déplacement se fait vers un signet, un commentaire, un titre, et ainsi de suite. Cliquez alors sur le bouton Sélectionner l'objet parcouru. Choisissez l'option Parcourir par page. Vos raccourcis devraient maintenant fonctionner comme d'habitude.

Afficher les pages en miniature

Dans le cas de longs documents, tel celui qui est illustré sur la Figure 2.4, les miniatures sont très utiles pour se déplacer rapidement d'une page à une autre. Dans ce mode, un petit aperçu de chaque page est affiché dans un volet séparé, à gauche de la fenêtre. Chaque vignette est numérotée, ce qui vous permet de savoir en permanence quelle est la page affichée. Pour circuler rapidement dans le document, servez-vous de la barre de défilement du volet de gauche, puis cliquez sur la page que vous voulez atteindre.

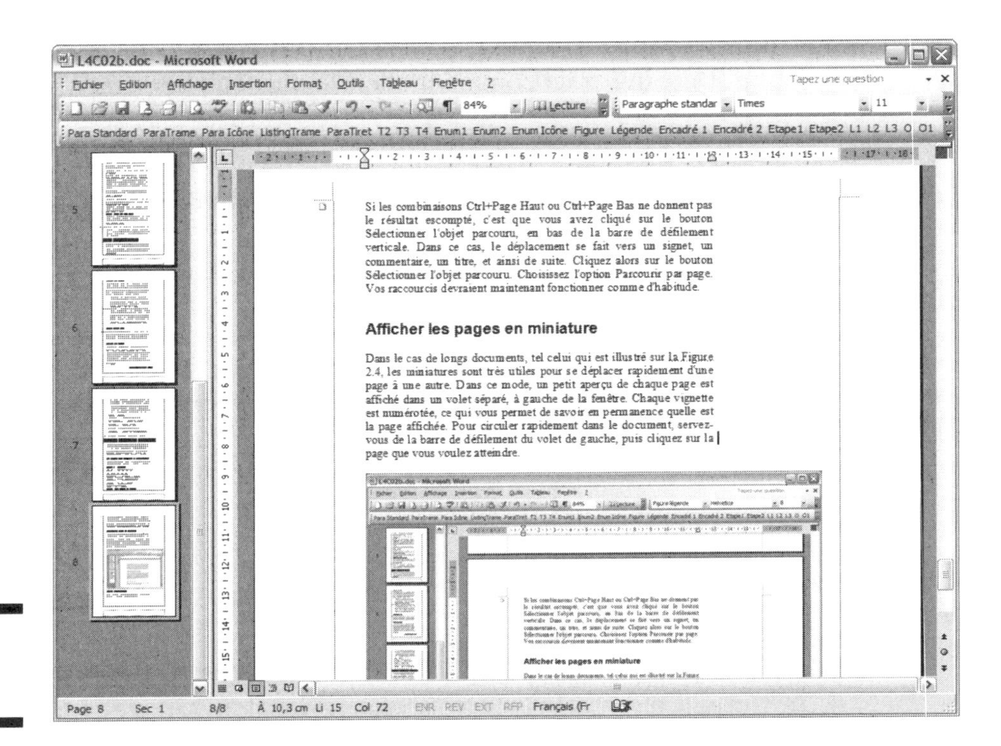

Figure 2.4 : Afficher des miniatures.

Pour activer ou désactiver cette présentation, ouvrez le menu Affichage et choisissez la commande Miniatures.

Naviguer dans un document

Une méthode de déplacement particulièrement rapide et efficace consiste à cliquer sur le bouton Sélectionner l'objet parcouru, en bas de la barre de défilement verticale. Word vous propose alors une douzaine de vignettes "Parcourir". Cliquez sur l'icône qui représente le type d'objet que vous voulez atteindre. Word vous y transporte instantanément.

Atteindre son but

Autre procédé très rapide : la commande Atteindre du menu Edition (vous pouvez aussi appuyer sur F5 ou sur Ctrl+B). La boîte de dialogue Rechercher et remplacer va apparaître. L'onglet Atteindre y est automatiquement activé. Servez-vous de la liste de même nom pour sélectionner le type d'élément à retrouver. Elle vous propose à peu près tout ce qui peut porter un nom ou un numéro dans Word, et plus encore puisque cette recherche peut également concerner des équations, des lignes et des objets. Cliquez sur le nom voulu, entrez une référence dans le champ de saisie à droite, puis cliquez sur Suivant ou Précédent.

Explorer le document

Voici une autre méthode ultra rapide. Dans la barre d'outils Standard, cliquez sur le bouton Explorateur de documents (ou sélectionnez cette commande dans le menu Affichage). Les titres de votre document vont s'afficher dans un volet, à gauche de la fenêtre principale. C'est ce qu'illustre la Figure 2.5. Cliquez-y sur une ligne pour atteindre la section voulue en un clin d'œil. Servez-vous du bouton droit de la souris pour cliquer sur le fond du volet de l'Explorateur, puis choisissez dans le menu contextuel le niveau de titre à afficher.

Placer des signets

Au lieu d'appuyer sur des touches ou de faire défiler une barre, vous avez la possibilité de définir des signets. Un *signet* est un marqueur que vous associez à un passage important d'un document afin de pouvoir y revenir souvent. Lorsque vous voulez vous transporter vers ce point, ouvrez le menu Insertion, choisissez la commande Signet, puis faites un double clic sur le nom du signet à atteindre. Il ne vous reste plus qu'à fermer la boîte de dialogue.

Voici comment procéder :

- **Pour placer un signet :** Cliquez là où voulez l'insérer. Ouvrez le menu Insertion et choisissez la commande Signet (vous pouvez aussi appuyer sur Ctrl+Maj+F5). Entrez une description dans le champ Nom du signet. Cliquez sur le bouton Ajouter. Faites attention, car un nom de signet ne doit pas contenir d'espace et ne peut pas commencer par un chiffre.

- **Pour effacer un signet :** Sélectionnez-le dans la boîte de dialogue Signet et cliquez sur le bouton Supprimer.

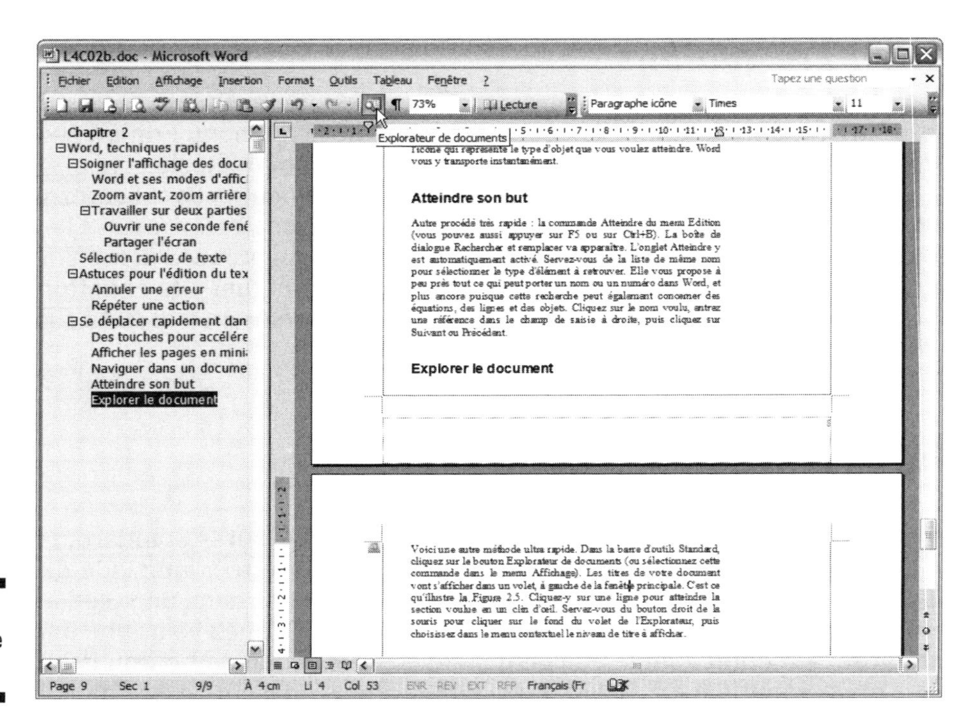

Figure 2.5 : L'Explorateur de documents.

Insérer un fichier dans un document

Une chose épatante avec un traitement de texte, c'est que vous pouvez recycler vos documents. Supposons que vous ayez écrit un article sur la Locustelle tachetée (*Locustella naevia*). Il irait très bien dans une encyclopédie sur les oiseaux migrateurs vivant dans des zones humides. Vous insérez votre article dans l'encyclopédie, et le tour est joué. Voici comment procéder :

1. **Placez le curseur à l'endroit où le document doit être inséré.**
2. **Ouvrez le menu Insertion. Choisissez la commande Fichier.**
3. **Dans la boîte de dialogue Insérer un fichier, localisez et sélectionnez votre article sur la Locustelle tachetée.**
4. **Cliquez sur le bouton Insérer.**

Rechercher et remplacer

Les commandes Rechercher et Remplacer sont parmi les plus puissantes d'Office. Utilisez-les avec sagesse et vous pourrez retrouver des passages de vos documents, corriger des erreurs en masse, changer des mots ou des phrases un peu partout, et même revoir la mise en forme de votre texte. Les pages qui suivent vous expliquent comment fonctionnent ces commandes.

Rechercher un mot, un paragraphe ou une mise en forme

Il est possible de rechercher non seulement un mot ou une expression, mais aussi une police, un style, des caractères spéciaux, et ainsi de suite. Voyons comment cela est possible :

1. **Dans le menu Edition, choisissez la commande Rechercher. Vous pouvez aussi appuyer sur Ctrl+F, ou encore faire appel au bouton Sélectionner l'objet parcouru (en bas de la barre de défilement verticale).**

   La boîte de dialogue Rechercher et remplacer va apparaître. Elle est illustrée sur la Figure 2.6 (après avoir été étendue en cliquant sur le bouton Plus, et ce pour montrer tous les choix possibles).

2. **Dans le champ Rechercher, entrez le mot, la phrase ou l'option de mise en forme que vous voulez retrouver (nous allons revenir sur la question des formats).**

   Vos derniers critères sont mémorisés, et vous pouvez les retrouver en cliquant sur la flèche qui se trouve à droite du champ Rechercher.

3. **(Facultatif) Pour retrouver toutes les occurrences de votre critère, cochez la case Surligner tous les éléments trouvés dans, puis sélectionnez une option dans la liste qui se trouve juste en dessous.**

   Avec cette méthode, Word va chercher d'un coup tout ce qui correspond à votre requête.

4. **Cliquez sur le bouton Suivant (pour passer au prochain élément trouvé) ou sur Rechercher tout (si vous avez suivi l'étape 3).**

   C'est déjà suffisant dans la majorité des cas. Pour mener une recherche plus sophistiquée, vous devrez cliquer sur le bouton Plus afin d'élargir votre champ d'investigation.

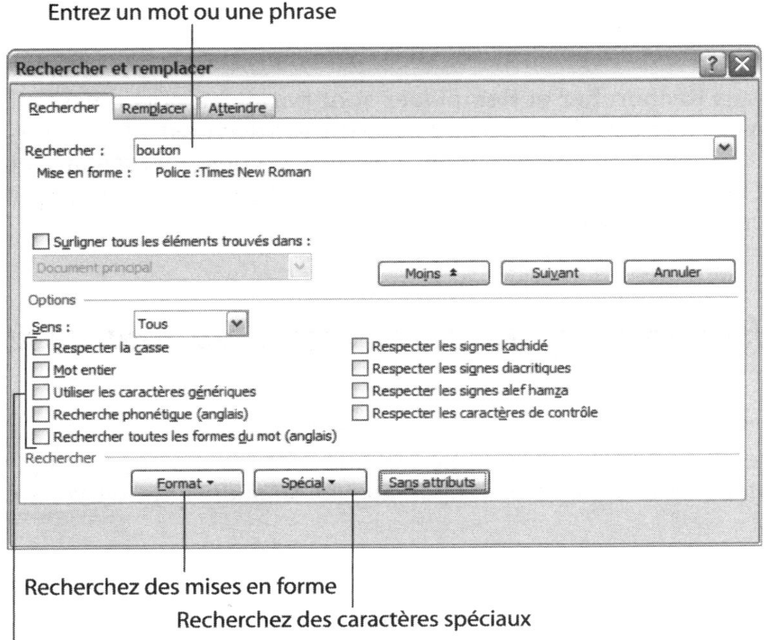

Figure 2.6 : Conduire une opération de recherche.

Si Word trouve ce que vous cherchez, il le met en surbrillance (selon le cas, il peut s'agir de l'occurrence suivante ou de toutes les occurrences de votre critère dans le document). Pour passer à la suite, cliquez à nouveau sur le bouton Suivant. Vous pouvez aussi vous servir des deux petits boutons fléchés qui se trouvent en bas de la barre de défilement verticale (Précédent/Atteindre et Suivant/Atteindre). Une autre solution consiste à refermer la boîte de dialogue, puis à appuyer sur Ctrl+Page Haut ou sur Ctrl+Page Bas (pour annuler ce comportement, cliquez sur le bouton Sélectionner l'objet parcouru, puis sur la vignette Parcourir par page). Enfin, la combinaison Maj+F4 est également très commode pour répéter une recherche.

En cliquant sur le bouton Plus de la boîte de dialogue Rechercher et remplacer, vous pouvez affiner considérablement la nature de votre requête et la méthode pour y accéder :

- **Sens :** Utilisez cette liste pour définir la direction de la recherche.
- **Respecter la casse :** Indique si l'orthographe du champ Rechercher doit être scrupuleusement respectée. A défaut, les minuscules et les majuscules ne sont pas différenciées. Avec cette option, une recherche portant sur *mouton* trouvera ce mot, mais pas *Mouton* ni *MOUTON*.

✦ **Mot entier :** Normalement, une recherche portant sur *bord* détectera également la présence de mots comme *bordurer*, *abordage*, etc. En cochant cette option, vous êtes certain que seul le mot *bord* sera retrouvé.

✦ **Utiliser les caractères génériques :** Cliquez ici si vous avez l'intention d'utiliser des jokers dans vos recherches. Exemple : *fig** retrouvera aussi bien *figure* que *figuier* ou simplement *figé*.

✦ **Recherche phonétique :** Permet d'effectuer une recherche basée sur la similitude entre mots. Mais vous êtes prévenu d'avance : cela ne marche que pour l'anglais !

✦ **Rechercher toutes les formes du mot :** Pour prendre en compte des formes conjuguées ou les pluriels. Réservé hélas aux anglicistes chevronnés.

Pour procéder à des recherches portant sur des éléments plus spécifiques, cliquez sur le bouton Format. Choisissez une option dans la liste. Vous pouvez par exemple sélectionner une police afin de localiser toutes les occurrences d'un mot ou d'une phrase qui sont écrits dans ce style, et uniquement celles-là (par exemple, le mot *chat* en Times New Roman, en taille 12 et en caractères gras). Le bouton Spécial sert quant à lui à rechercher des symboles particuliers ou encore des éléments de mise en page.

Pour annuler la prise en compte d'un style, cliquez sur le bouton Sans attributs.

Trouver et remplacer du texte ou une mise en forme

La commande Remplacer est elle aussi très puissante. Vous écrivez par exemple un roman qui se passe en Russie. Au bout de 816 pages, vous décidez brusquement que le nom du personnage principal ne convient pas. Il ne va plus s'appeler Oblonsky, mais Oblomov. En une poignée de secondes, la commande Remplacer va mettre à jour tout votre roman. Etonnant, non ?

Mais il y a quand même un inconvénient. Vous n'êtes pratiquement jamais certain à cent pour cent du résultat produit par la commande Remplacer. L'histoire suivante circule dans les rédactions. Le directeur d'un journal, ne voulant pas se voir taxer de propos racistes, décida qu'il fallait remplacer dans les articles le mot *noir* par *français d'origine africaine*. Intention très louable. Mais c'est comme cela qu'un reportage sur le breuvage matinal préféré de nos concitoyens devint : "Notre boisson nationale : le café français d'origine africaine". Et vous pouvez aussi bien imaginer une variante antisexiste de la bière *blonde*...

Sauvegardez toujours votre document avant de faire appel à la commande Remplacer. En cas de problème, vous pourrez de cette façon fermer le document sans l'enregistrer, puis l'ouvrir à nouveau pour revenir à la version précédente.

Pour remplacer des mots, des phrases ou des mises en forme, procédez de la manière suivante :

1. **Dans le menu Edition, sélectionnez la commande Remplacer. Vous pouvez aussi appuyer sur Ctrl+H.**

2. **Renseignez le champ Rechercher. Définissez les options voulues (exactement comme pour une recherche normale).**

   A moins de savoir très précisément dans quoi vous vous engagez, n'oubliez pas de cocher la case Mot entier (après avoir cliqué sur le bouton Plus). De cette façon, vous vous assurerez que la phrase "Des buveurs de bière rousse, morts de frousse, criaient dans la brousse en cherchant une trousse" ne deviendra pas "Des buveurs de bière blonde, morts de fblonde, criaient dans la bblonde en cherchant une tblonde".

3. **Dans le champ Remplacer par, entrez le texte qui doit remplacer le critère défini lors de l'étape 2. Vous pouvez là aussi spécifier une mise en forme particulière.**

4. **Cliquez sur l'un des boutons Remplacer (sous entendu, la prochaine occurrence rencontrée) et/ou Suivant (pour trouver le prochain mot). Pour parcourir l'ensemble du document sans vous demander à chaque fois ce qu'il faut faire, cliquez sur Remplacer tout.**

Le directeur de journal dont il était question plus haut avait cliqué sur Remplacer tout. N'utilisez cette méthode que si vous êtes très confiant et que vous savez exactement ce que vous faites. En réalité, une bonne façon de s'y prendre pour éviter des remplacements embarrassants consiste à utiliser d'abord la commande Rechercher. Lorsque vous rencontrez la première occurrence du mot ou de la phrase, activez l'onglet Remplacer, et définissez alors la nouvelle rédaction. Certes, cela prendra plus de temps, mais vous aurez l'assurance que vous avez entré le bon critère de recherche et que Word trouve exactement ce que vous vouliez.

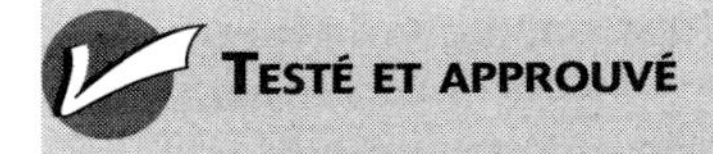

Comment faire moins de fautes de frappe ?

La plupart des gens sont de piètres dactylos. Ils font toujours les mêmes erreurs dans les mêmes mots. Word est excellent pour corriger ces fautes à répétition, mais il tout de même préférable de les réparer dès qu'elles sont commises. C'est possible grâce à la fonction de correction automatique. Et ce n'est pas tout : vous disposez aussi de l'insertion automatique pour associer des expressions entières à un raccourci, de même que de la mise en forme automatique pour gagner du temps dans certaines tâches.

Avec le mécanisme de correction automatique, la main divine et invisible de Word répare certaines erreurs dès que vous avez tapé un mot puis appuyé sur la barre d'espace (ou saisi un caractère de ponctuation). Essayez par exemple d'entrer le mot *synonime* pour voir ce qui se passe... Vous pouvez dresser Word pour qu'il corrige les fautes que vous faites régulièrement. Avec un peu d'astuce, il est même possible d'utiliser cette fonctionnalité pour entrer des noms compliqués sans aucun effort. Notez que la correction automatique s'applique à tous les programmes de Microsoft Office, pas simplement à Word.

La boîte de dialogue Correction automatique vous propose une liste de mots qui seront rétablis au fur et à mesure de la saisie ainsi que toute une série d'options. Pour l'afficher, ouvrez le menu Options et sélectionnez la commande Options de correction automatique. Si vous avez un peu de temps devant vous, désactivez les options qui ne vous intéressent pas et supprimez, dans la liste Correction en cours de frappe, les mots que vous ne souhaitez pas voir corrigés (exemple : vous ne voulez pas transformer la séquence <=> par une flèche à double sens).

Si, comme beaucoup de monde, vous inversez toujours deux lettres dans les mêmes mots, vous pouvez facilement les ajouter à la liste Correction automatique. Lorsque vous vous en apercevez, cliquez droit sur le mot et choisissez dans le menu contextuel la commande Correction automatique. Sélectionnez alors l'option qui correspond le mieux à votre problème (il peut s'agir d'une proposition de Word ou d'une définition personnelle).

Si Word effectue une correction automatique qui ne correspond pas à ce que vous vouliez, déplacez le pointeur au-dessus de l'emplacement correspondant. Vous devriez alors voir le bouton Correction automatique. Un clic affiche un menu qui vous propose d'annuler la modification pour cette fois, pour toujours, ou encore d'ouvrir la boîte de dialogue Correction automatique.

La fonction d'insertion automatique vous permet de saisir rapidement des formules entières ou encore des expressions difficiles à orthographier. Placez le texte ou les graphismes que vous utilisez souvent dans la liste Insertion automatique du menu Insertion (Word devrait déjà y avoir ajouté quelques définitions). De cette façon, vos phrases types ou vos images favorites pourront être insérées en quelques clics ou en tapant quelques lettres. Les adresses, les en-têtes ou les logos sont d'excellents candidats pour cette liste, car ce sont généralement des éléments répétitifs et donc fastidieux à entrer.

Pour créer une insertion automatique, tapez le texte ou insérez le graphisme voulus. Sélectionnez ensuite cet élément. Choisissez alors dans le menu Insertion l'option Insertion automatique, puis la commande Nouveau. Si vous êtes pressé(e), le raccourci Alt+F3 est parfait. La boîte de dialogue Créer une insertion automatique va apparaître. Tapez un nom pour votre formule (il servira de raccourci) et cliquez sur OK.

Word propose plusieurs méthodes pour utiliser la fonction d'insertion automatique :

- **Commencez à taper l'entrée qui correspond à l'un des éléments qui ont été mémorisés. Lorsque Word a compris le jeu, il affiche une proposition dans une petite bulle. Si cela vous convient, appuyez sur Entrée pour insérer la chose entière.**
- **Tapez le nom de l'entrée puis appuyez sur F3.**
- **Affichez la barre d'outils Insertion automatique, cliquez sur le bouton Toutes les entrées, puis sélectionnez un nom dans le menu.**
- **Choisissez dans le menu Insertion la commande Insertion automatique puis sélectionnez un nom dans le sous-menu correspondant.**

Pour effacer un raccourci dans la fonction d'insertion automatique, ouvrez la boîte de dialogue correspondante à partir du menu Insertion. Sélectionnez l'entrée de trop et cliquez sur le bouton Supprimer.

Finalement, Word vous aide encore à devenir une meilleure dactylo en vous proposant une fonctionnalité appelée Mise en forme automatique. Vous avez peut-être déjà remarqué qu'il a tendance à s'occuper à votre place de la mise en forme du texte et des paragraphes. Ouvrez par exemple un nouveau document, et tapez le mot Titre (avec une majuscule). Appuyez deux fois sur Entrée. Word va affecter (par défaut) le style Titre 1 à votre paragraphe, car il suppose que c'est ce que vous souhaitiez. Essayez maintenant ceci : tapez 1. et appuyez sur la barre d'espace. Entrez quelque chose et appuyez sur la touche Entrée. Word va décaler le numéro et afficher 2. sur la ligne suivante. L'idée sous-jacente est que vous essayez de créer une liste numérotée. Tapez 1er, 2nd, 3ème : Word formate ces nombres ordinaux comme ceci : 1er, 2nd, 3ème.

Toutes ces choses mystérieuses proviennent de l'option Mise en forme automatique. Pour l'essentiel, ces décisions sont justifiées. Mais, à un certain stade de votre carrière d'agent double numéro MS Word, elles peuvent devenir contraignantes. Pour les modifier, ouvrez le menu Outils et choisissez la commande Options de correction automatique. Sélectionnez l'onglet Mise en forme automatique. Activez ou désactivez les options proposées selon vos préférences.

Chapitre 3
Composer texte et pages

Dans ce chapitre :

- Changer de section.
- Commencer une nouvelle page.
- Modifier les marges.
- Indenter le texte.
- Créer des colonnes (comme dans un journal).
- Listes à puce et numérotées.
- Vous avez dit césure ?
- Ajouter eu filigrane sur le fond des pages.

Ce chapitre vous explique comment mettre en forme le texte et les pages. Un document bien mis en forme, bien présenté, en dit long sur le temps passé et sur la réflexion qu'il a fallu mener pour arriver à ce résultat. Nous verrons également quelques trucs, astuces et techniques pour construire des pages efficaces.

Vous allez découvrir ici ce que sont les sauts de section, et pourquoi ils sont si importants dans la mise en forme d'un document. Vous apprendrez également à définir la taille des marges, à déterminer l'espace entre les lignes de texte, à indenter celui-ci, à créer des listes et à pratiquer une nouvelle opération chirurgicale : la césure. Nous n'oublierons pas non plus la numérotation des pages, ainsi que la définition d'en-têtes et de pieds de page. Enfin, nous nous intéresserons à la disposition du texte en colonnes (comme dans un journal) et à l'insertion d'une image en filigrane.

Les paragraphes et leur mise en forme

Quand vous étiez encore sur les bancs de l'école, votre professeur de français vous a appris qu'un paragraphe est une partie d'une composition plus longue qui présente une idée, ou encore ce qu'exprime une personne au cours d'un dialogue. Bien sûr, il ou elle avait raison. Mais, du point de vue du traitement de texte, un paragraphe est quelque chose de moins sophistiqué. Il s'agit pour lui tout simplement du texte que vous tapez avant d'appuyer sur la touche Entrée. Par exemple, un titre *est* un paragraphe. Si vous appuyez deux fois de suite sur Entrée, vous obtenez une ligne vierge qui est *aussi* un paragraphe. Si vous saisissez **Cher ami** au début d'une lettre et que vous appuyez sur Entrée, votre cher ami est *encore* un paragraphe.

Cette notion est importante, car les paragraphes jouent un grand rôle dans la mise en forme (ou *formatage*) des documents. Si vous choisissez dans le menu Format la commande Paragraphe, puis que vous modifiez un certain nombre d'options, ces changements vont affecter *tout* le paragraphe dans lequel se trouve le curseur. Ce n'est même pas la peine de le sélectionner en entier.

Si vous voulez appliquer une certaine mise en forme à un ensemble de paragraphes, commencez par les sélectionner, ouvrez le menu Format, amusez-vous avec la commande Paragraphe et validez. C'est tout.

Insérer un saut de section

Tout document possède au moins une *section*. D'ailleurs, vous pouvez le constater en regardant vers la gauche de la barre d'état. Vous devriez y lire *Sec 1* (section numéro 1). Dès que vous voulez changer la façon de numéroter les pages, le contenu de l'en-tête ou du pied de page, la taille des marges, ou encore l'orientation du papier, vous devez créer une nouvelle section. Et pour cela placer un *saut de section*. Word le fait automatiquement à votre place si vous changez par exemple le nombre de colonnes ou la taille des marges.

Voici comment créer une nouvelle section :

1. **Cliquez à l'endroit où vous voulez insérer un saut de section.**
2. **Choisissez dans le menu Insertion la commande Saut.**

   La boîte de dialogue Saut apparaît (voir la Figure 3.1).

3. **Dans la rubrique Types de sauts de section, choisissez la façon dont ce saut doit s'appliquer et validez.**

Les quatre choix qui vous sont proposés insèrent tous un saut de section, mais ils le font de manière différente :

- **Page suivante :** Commence la section sur une nouvelle page (la suivante en fait). C'est ce qu'il faut faire par exemple pour passer à un autre chapitre.

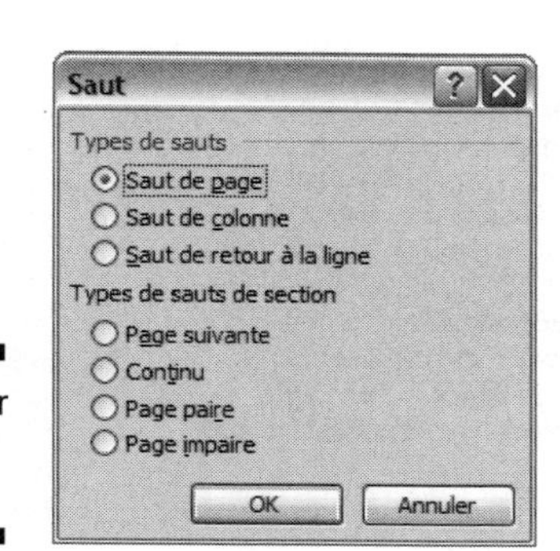

Figure 3.1 : Créer un saut de section.

- **Continu :** Insère la nouvelle section en cours de page. Cela peut servir, entre autres, à changer la disposition des colonnes sur une même page.
- **Page paire :** Débute la nouvelle section à la prochaine page paire. Cela convient notamment pour des documents dans lesquels les en-têtes sont différents sur les pages paires et impaires (ce qui est le cas pour un livre).
- **Page impaire :** Débute la nouvelle section à la prochaine page impaire. Un exemple courant est celui d'un livre dans lequel les chapitres commencent sur une page impaire (ce qui est le cas par convention).

Pour supprimer un saut de page, activez le mode d'affichage Normal, cliquez sur la ligne transversale pointillée qui représente le saut de section et appuyez sur la touche Suppr.

Saut de ligne

Pour couper une ligne de texte avant qu'elle n'atteigne la marge de droite, mais sans changer de paragraphe, appuyez sur Maj+Entrée. Vous pouvez aussi passer par le menu Insertion, y choisir la commande Saut, puis dans la boîte de dialogue l'option Saut de retour à la ligne. La Figure 3.2 illustre l'utilisation de cette méthode pour améliorer la présentation d'un texte. Les paragraphes sont identiques, mais les lignes de l'exemple de droite ont été coupées pour faciliter la lecture.

Pour supprimer un saut de ligne, commencez par révéler le symbole correspondant à l'aide du bouton Afficher/Masquer ¶ de la barre d'outils Standard (il représente une flèche coudée dirigée vers la gauche). Placez par exemple le pointeur juste après puis appuyez sur la touche d'effacement arrière.

Pour couper une ligne de texte avant qu'elle n'atteigne la marge de droite, mais sans changer de paragraphe, appuyez sur Maj+Entrée. Vous pouvez aussi passer par le menu Insertion, y choisir la commande Saut, puis l'option Saut de retour à la ligne de la boîte de dialogue. La Figure 3.2 illustre l'utilisation de cette méthode pour améliorer la présentation d'un texte. Les paragraphes sont identiques, mais les lignes de l'exemple de droite ont été coupées pour faciliter la lecture.

Pour couper une ligne de texte avant
qu'elle n'atteigne la marge de droite, mais
sans changer de paragraphe, appuyez sur
Maj+Entrée. Vous pouvez aussi passer par
le menu Insertion, y choisir la commande
Saut, puis l'option Saut de retour à la ligne
de la boîte de dialogue. La Figure 3.2 illustre
l'utilisation de cette méthode pour améliorer
la présentation d'un texte. Les paragraphes
sont identiques, mais les lignes de l'exemple
de droite ont été coupées pour faciliter la lecture.

Figure 3.2 : Couper des lignes pour en faciliter la lecture.

Commencer une nouvelle page

Quand une page est remplie, Word en ajoute automatiquement une autre. Mais que faire si vous êtes impatient et que vous ne voulez pas attendre ? Il y a au moins une chose à éviter absolument : n'appuyez pas dix ou vingt fois sur la touche Entrée pour remplir toute la page. Votre document deviendrait vite ingérable ! La bonne méthode est la suivante :

- Ou bien vous appuyez sur Ctrl+Entrée.
- Ou bien vous choisissez dans le menu Insertion la commande Saut, et vous sélectionnez alors l'option Saut de page dans la boîte de dialogue.

Si vous passez en mode d'affichage Normal, vous verrez un trait fin pointillé en travers de la page, avec au milieu la mention Saut de page. En mode Page, par contre, il n'est pas évident de savoir si un changement de page est automatique ou manuel. Pour supprimer une rupture de page, activez l'affichage Normal, cliquez sur le trait Saut de page, et appuyez alors sur la touche Suppr. Rappelons que les petits boutons placés à gauche de la barre de défilement inférieure permettent de basculer entre les différents modes d'affichage.

Configurer les marges

Les *marges* sont les espaces vides qui entourent une page (voir la Figure 3.3). Les en-têtes et les pieds de page tombent respectivement dans la marge du haut et dans celle du bas. Vous pouvez d'ailleurs parfaitement insérer dans ces marges du texte, des images et des numéros de pages. Les marges forment un cadre autour du texte afin d'en faciliter la lecture.

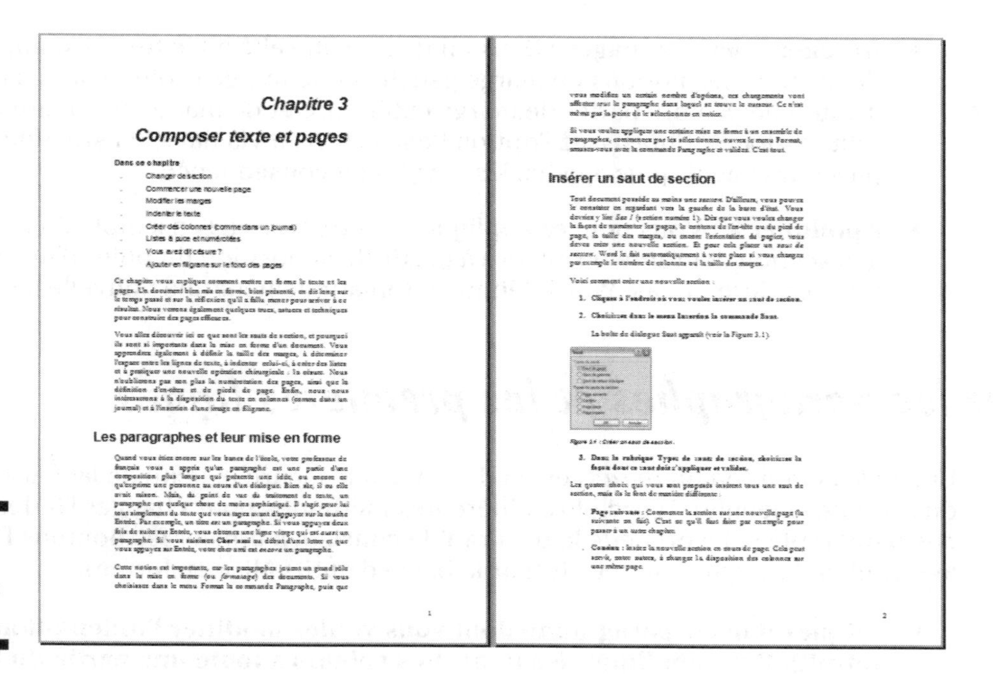

Chapitre 3

Composer texte et pages

Dans ce chapitre

- Changer de section
- Commencer une nouvelle page
- Modifier les marges
- Indenter le texte
- Créer des colonnes (comme dans un journal)
- Listes à puce et numérotées
- Vous avez dit césure ?
- Ajouter en filigrane sur le fond des pages

Les paragraphes et leur mise en forme

Insérer un saut de section

1. Cliquez à l'endroit où vous voulez insérer un saut de section.
2. Choisissez dans le menu Insertion la commande Saut.

3. Dans la rubrique Types de saut de section, choisissez la façon dont ce saut doit s'appliquer et validez.

Figure 3.3 : Les marges délimitent le cadre du texte.

Ne confondez pas marges et *indentations*. Le texte est indenté en partant de la marge, pas du bord de la page. Si vous voulez éloigner ou rapprocher le texte du bord de la page, indentez-le. Pour redéfinir les marges au milieu d'un document, vous devrez créer une nouvelle section.

Pour définir ou ajuster les marges, ouvrez le menu Fichier et choisissez la commande Mise en page. L'onglet Marges vous offre tout ce dont vous avez besoin :

✦ **Marges :** Entrez les mesures voulues dans les champs Haut, Bas, Gauche et Droite afin d'indiquer à Word l'espace libre qu'il doit laisser autour des pages.

Votre imprimante n'est normalement pas capable d'imprimer du texte jusqu'au bord de la feuille. Inutile donc de définir des marges plus petites que cette zone non imprimable.

✦ **Reliure :** Lorsque vous reliez les pages d'un document, une certaine largeur est perdue sur le bord du papier. Si vous regardez de près un livre, vous vous apercevrez que la marge extérieure est plus petite que la marge intérieure, côté reliure. Entrez la valeur voulue dans le champ Reliure, et, en regard, la position de celle-ci (à gauche, à droite ou en haut selon la nature du document).

✦ **Orientation :** Définissez le sens dans lequel le document sera imprimé : en hauteur (Portrait) ou en longueur (Paysage). Ce choix est généralement imposé par le projet lui-même, et il conditionne en retour la mise en page elle-même.

- **Afficher plusieurs pages :** Dans un document relié où le texte est imprimé des deux côtés, les notions de marge gauche et de marge droite n'ont pas de sens. Il vaut mieux alors parler de marge extérieure et de marge intérieure (côté reliure, donc). Choisissez l'option Pages en vis-à-vis dans la liste Afficher plusieurs pages, puis ajustez les marges en conséquence.

- **Appliquer à :** Vous pouvez appliquer vos réglages à l'ensemble du document, à la section courante ou encore à partir de la position du point d'insertion. Dans ce dernier cas, Word débute automatiquement une nouvelle section.

Indenter les paragraphes et les premières lignes

Une *indentation* (ou un *retrait*) est la distance qui sépare le texte de la marge (et non du bord de la feuille). Word offre différentes méthodes pour changer l'indentation des paragraphes. Le procédé le plus rapide consiste à utiliser les boutons Diminuer le retrait et Augmenter le retrait (sur la barre d'outils Mise en forme).

1. **Cliquez dans le paragraphe dont vous voulez modifier l'indentation (ou le retrait). Pour appliquer les nouvelles valeurs à toute une partie du texte, sélectionnez les paragraphes concernés.**

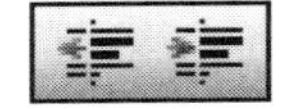

2. **Cliquez sur l'un des boutons Diminuer le retrait ou Augmenter le retrait (vous disposez également des raccourcis Ctrl+M et Ctrl+Maj+M). Recommencez plusieurs fois si c'est nécessaire.**

Vous pouvez aussi personnaliser les retraits en agissant directement sur les petits curseurs de la règle. Cette technique réclame une certaine dextérité dans le maniement de la souris, mais elle vous permet de voir avec précision le résultat de votre action :

1. **Si la règle n'est pas visible, activez-la à partir du menu Affichage.**

2. **Sélectionnez le ou les paragraphes dont vous voulez modifier l'indentation.**

3. **Faites glisser les curseurs voulus à l'aide de la souris.**

   La Figure 3.4 décrit ce que sont ces curseurs.

- **Retrait de la première ligne :** Faites glisser le curseur triangulaire pointant vers le bas pour modifier le retrait de la première ligne du paragraphe.

- **Retrait à gauche :** Ce marqueur se trouve en bas de la règle. Il comporte en fait deux parties : un rectangle surmonté d'un triangle. Faites glisser la flèche dirigée vers le haut (elle est appelée Retrait négatif) pour modifier la marge indépendamment de l'indentation de la première ligne. Pour déplacer ces deux mesures en même temps, faites glisser le curseur rectangulaire du bas (vers la gauche ou vers la droite).

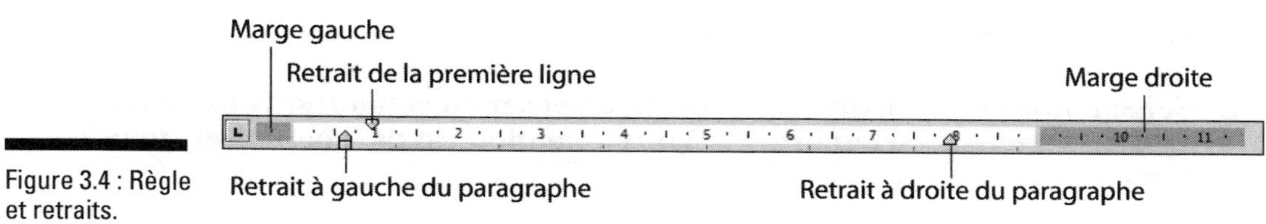

Figure 3.4 : Règle et retraits.

- **Retrait à droite :** Faites glisser ce curseur triangulaire afin de rapprocher ou d'éloigner le bord droit du paragraphe par rapport à la marge.

Si la souris vous échappe, ouvrez le menu Format et choisissez la commande Paragraphe. Définissez directement des valeurs de retrait à gauche (avant le texte) et à droite (après le texte) ainsi que le sens et la distance de l'indentation de la première ligne. Sachez que vous pouvez aussi afficher la boîte de dialogue Paragraphe en faisant un double clic sur l'un des marqueurs de retrait de la règle.

Des colonnes comme dans le journal

L'utilisation de colonnes convient parfaitement à une maquette de journal, de bulletin ou de tout autre document de même type. Cependant, la commande correspondante de Word est essentiellement adaptée à la création de colonnes qui vont apparaître sur une même page. En d'autres termes, répartir du texte en colonnes sur plusieurs pages peut être problématique.

Avant de définir des colonnes, finalisez votre texte. Vérifiez l'orthographe, la grammaire, et ainsi de suite. En effet, modifier des mots une fois les colonnes créées est un exercice difficile. D'autant que celles-ci n'apparaissent que dans le mode Page.

Il est parfois plus facile de créer des colonnes en insérant un tableau ou des zones de texte (surtout si ces colonnes sont liées d'une façon ou d'une autre). Dans un résumé sur deux colonnes, par exemple, on trouve fréquemment à gauche une liste d'actions ou de titres (comme "Directeur de la rédaction"), et à droite la description correspondante (comme "Poste vacant"). Faire appel à la commande Colonnes de Word pour réaliser une telle présentation serait futile, car il serait pratiquement impossible d'obtenir une correspondance parfaite entre informations. Chaque fois que vous ajouteriez quelque chose dans la colonne de gauche, tout le texte qui suit serait poussé vers le bas, en débordant rapidement dans la colonne de droite.

Vous disposez de deux points d'entrée pour la création de colonnes : un bouton sur la barre d'outils Standard, et une commande dans le menu Format. La première méthode est limitée, car elle définit uniquement des colonnes d'égale largeur. La seconde permet de personnaliser plus finement les colonnes.

Voyons d'abord comment utiliser le bouton Colonnes :

1. **Sélectionnez le texte que vous voulez disposer en colonnes. Vous pouvez également cliquer n'importe où. Votre intention est de "colonniser" tout le texte.**

2. **Cliquez sur le bouton Colonnes de la barre d'outils Standard.**

   Un menu va s'afficher. Il vous permet de créer de une à quatre colonnes.

3. **Cliquez dans le menu et faites glisser la souris pour choisir le nombre de colonnes à définir.**

Dans le cas où vous avez commencé par sélectionner du texte, Word va insérer une nouvelle section. Vous pouvez juger du résultat en mode Page (ou dans l'aperçu avant impression). Très probablement, le résultat ne devrait pas être sensationnel. Il est difficile de réussir du premier coup. La règle affiche des séparateurs de colonnes que vous pouvez faire glisser pour les agrandir, les rétrécir ou les déplacer. Mais, en fait, il est plus facile de faire appel à la commande Colonnes, dans le menu Format, et de jouer avec les options de cette boîte de dialogue. Voyons comment procéder :

1. **Sélectionnez le texte à répartir en colonnes, ou placez le curseur dans la section à personnaliser, ou encore cliquez à l'endroit du document à partir duquel les colonnes doivent apparaître.**

2. **Ouvrez le menu Format et choisissez la commande Colonnes.**

   La boîte de dialogue Colonnes va s'afficher (voir la Figure 3.5).

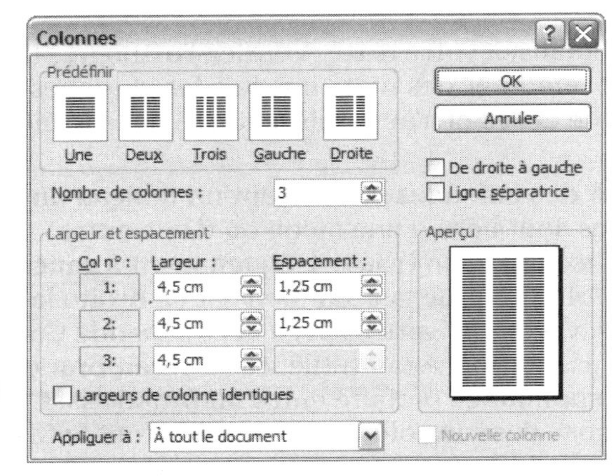

Figure 3.5 : La boîte de dialogue Colonnes.

3. **Choisissez dans la boîte de dialogue les options voulues tout en observant l'aperçu en bas et à droite.**

Voici les options que vous offre la boîte de dialogue Colonnes :

- **Prédéfinir :** Sélectionnez l'un des modèles pour définir le nombre de colonnes. Remarquez que la largeur des colonnes n'est pas toujours la même. Si vous voulez supprimer une répartition en colonnes, choisissez simplement l'option Une.
- **Nombre de colonnes :** Si les formules prédéfinies ne font pas votre affaire, entrez ici le nombre de colonnes à créer.
- **De droite à gauche :** Inverse la disposition des colonnes, par exemple dans le cas d'un tirage recto verso avec reliure.
- **Ligne séparatrice :** Séparer les colonnes par une ligne verticale donne de l'élégance à la présentation, mais n'est pas facile à réaliser soi-même. D'où l'intérêt de cette option.
- **Largeur :** Si vous désactivez l'option Largeurs de colonne identiques, vous pouvez définir des tailles personnalisées dans la rubrique Largeur et espacement. Entrez les valeurs souhaitées dans les cases Largeur.
- **Espacement :** Si vous définissez manuellement les caractéristiques des colonnes, ces champs vous permettent d'entrer l'intervalle qui les sépare.

  ATTENTION ! La largeur et l'espacement des colonnes sont des valeurs liées, puisque leur total doit toujours donner l'espace disponible entre les marges de la page.

- **Nouvelle colonne :** Cette case à cocher sert à insérer un espace vide dans une colonne, par exemple pour y insérer une image ou une zone de texte. Placez le curseur là où vous voulez insérer cet espace, ouvrez la boîte de dialogue Colonnes et choisissez, dans la liste Appliquer à, l'option A partir de ce point. Le texte qui se trouve après le curseur sera déplacé vers la colonne suivante.

Pour couper une colonne et renvoyer le texte qui suit vers la suivante, cliquez à l'emplacement voulu et appuyez sur Ctrl+Maj+Entrée. Vous pouvez ouvrir dans le menu Insertion la commande Saut, puis valider l'option Saut de colonne.

Numéroter les pages

Word numérote automatiquement les pages d'un document, ce qui est grand. Mais si celui-ci comporte une page de titre ainsi qu'un sommaire et que vous voulez commencer la numérotation au cinquième feuillet, ou encore s'il possède plusieurs sections, l'affaire peut devenir délicate. La première chose que vous devez vous demander, c'est si vous avez défini des en-têtes et des pieds de page. Si la réponse est oui, vous devriez d'abord lire ce qui concerne ces éléments (voyez le titre qui suit).

Sinon, vous pouvez utiliser dans le menu Insertion la commande Numéros de page. Elle ouvre la boîte de dialogue illustrée sur la Figure 3.6. En fait, son rôle consiste à insérer un champ *{Page}* à l'intérieur d'un cadre placé en en-tête, en pied ou à droite des pages. Définissez dans les listes Position et Alignement l'emplacement souhaité pour la numérotation des pages. L'usage veut que l'on ne numérote pas la première page d'un document, et donc que cette option soit désactivée. Dans le cas d'un rapport ou d'un contrat, par exemple, il est au contraire préférable de conserver ce paramètre.

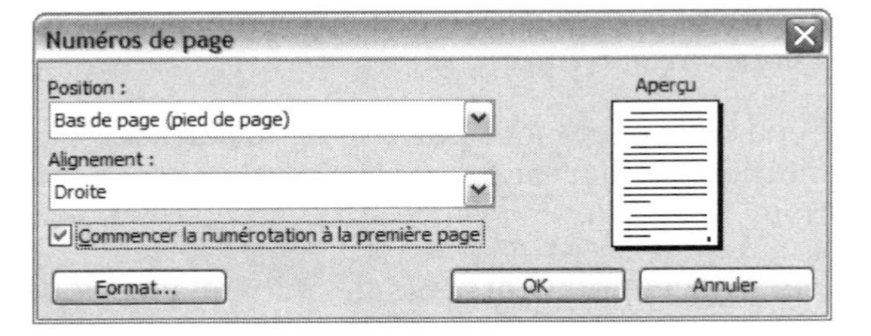

Figure 3.6 : Numérotation de base pour les pages d'un document.

En-têtes et pieds de page

Un *en-tête* est une description (généralement courte) qui apparaît en haut des pages, de façon à ce que le lecteur sache de quoi il s'agit. C'est ce qu'illustre la Figure 3.7. Le plus souvent, les en-têtes contiennent le numéro de la page et un titre.

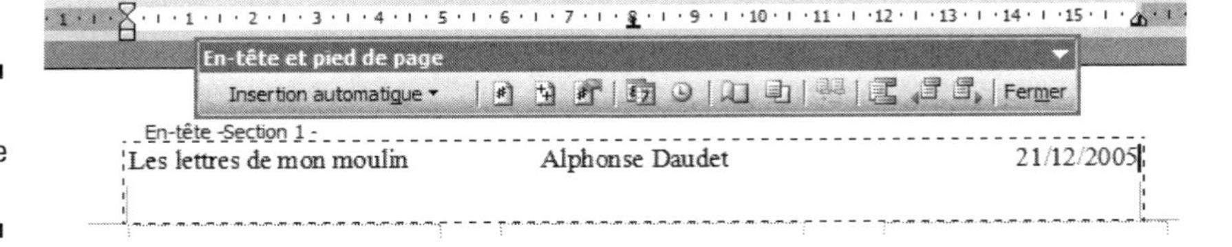

Figure 3.7 : Entrer un en-tête de page.

Un *pied*, c'est exactement la même chose, sauf qu'il apparaît en bas des pages (comme son nom l'indique). Pour changer pied ou en-tête à l'intérieur d'un document, vous devez créer une nouvelle section.

Pour insérer un en-tête ou un pied de page dans un document :

1. **Choisissez dans le menu Affichage la commande En-tête et pied de page.**

Si vous êtes en mode Page et que vous avez déjà défini un en-tête ou un pied de page, il vous suffit de faire un double clic dessus pour éditer cet élément.

2. **Tapez votre en-tête dans la case correspondante. Pour changer de zone, cliquez sur le bouton Basculer en-tête/pied de page.**

   Lors de la saisie de votre en-tête ou de votre pied de page, la plupart des commandes des barres d'outils Standard et Mise en forme sont disponibles. Il est ainsi possible de changer la police et la taille des caractères, de spécifier un alignement, ou encore de coller le contenu du presse-papiers. Les tabulations proposées par défaut permettent d'aligner le texte à gauche, au centre et à droite. Pour centrer par exemple un en-tête, appuyez une fois sur la touche de tabulation et saisissez votre texte.

3. **Cliquez sur le bouton Fermer.**

Pour effacer une définition, ouvrez le menu Affichage et activez de nouveau la commande En-tête et pied de page (ou faites un double clic dans cette zone en mode Page). Supprimez simplement le texte actuel.

Voyons quelques fonctionnalités utiles proposées par la barre d'outils En-tête et pied de page :

✦ **Insérer un numéro de page :** Cliquez sur ce bouton pour placer automatiquement le numéro de la page (ou appuyez sur Alt+Maj+P). Tant que vous y êtes, ajoutez les mots *Page* et *sur*, puis cliquez sur le bouton Insérer le nombre de pages (Ce qui pourrait donner par exemple : *Page 4 sur 16*).

✦ **Insérer la date et l'heure :** Vous disposez de deux boutons servant à insérer la date et l'heure d'impression du document.

✦ **Changer en-têtes et pieds de page de section en section :** Cliquez sur le bouton Lier au précédent pour reproduire en-tête et pied de page (le document doit d'abord avoir été divisé en sections. Si vous cliquez une seconde fois, vous indiquez à Word que vous voulez différencier la section courante de la précédente. Quand ce bouton est enfoncé, les en-têtes et pieds de page se répercutent au fil des sections, et vous voyez apparaître la mention *Identique au précédent* ainsi que le numéro de section. Lorsqu'il est désélectionné (ou relâché), vous pouvez définir un en-tête et/ou un pied de page totalement différent. Il est alors possible de passer d'une définition à une autre en cliquant sur les boutons Afficher en-tête/pied de page précédent et Afficher en-tête/pied de page suivant.

✦ **Différencier pages paires et impaires :** Nous avons vu plus haut que les documents recto verso pouvaient (voire même devaient) avoir des marges intérieure et extérieure différentes. Fort logiquement, il en va de même pour les en-têtes et les pieds de page. Choisissez la commande Mise en page dans le menu Fichier, ou bien cliquez sur le bouton Mise en page de la barre d'outils

En-tête et pied de page. Dans l'onglet Disposition, cochez la case Paires et impaires différentes. Validez. Les zones d'en-tête et de pied de page indiquent maintenant si la page courante a un rang pair ou impair.

- **Supprimer en-tête et pied sur la première page :** Choisissez la commande Mise en page dans le menu Fichier, ou bien cliquez sur le bouton Mise en page de la barre d'outils En-tête et pied de page. Dans l'onglet Disposition, cochez la case Première page différente. Validez.

Ajuster l'espacement entre les lignes

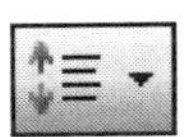

Pour changer l'espacement entre des lignes, placez le curseur dans le paragraphe à reconditionner (c'est automatiquement le cas pour un nouveau document), ou sélectionnez un groupe de lignes à éditer. Cliquez alors dans la barre d'outils Mise en forme sur la petite flèche qui suit le bouton Interligne. Choisissez une valeur dans la liste qui vous est proposée.

Pour disposer d'un plus grand choix de solutions, cliquez sur la ligne Autres (ou ouvrez la boîte de dialogue Paragraphe à partir du menu Format). Configurez alors les paramètres de la rubrique Interligne, avec notamment les propositions suivantes :

- **Au moins :** Demande à Word d'ajuster lui-même l'interligne s'il rencontre de grands symboles ou des caractères particuliers. Il gérera cette situation en appliquant un interligne au moins égal à la valeur entrée dans le champ *De:*.
- **Exactement :** Choisissez cette option et entrez une valeur dans le champ *De:* pour appliquer un interligne personnalisé.
- **Multiple :** Choisissez cette option et entrez un nombre dans le champ *De:* pour obtenir des interlignes doublés, triplés, quadruplés, et ainsi de suite.

Vous disposez de raccourcis qui vous permettent d'appliquer très rapidement un certain interligne à un paragraphe ou à un texte sélectionné. Appuyez sur Ctrl+1 pour un interligne simple, sur Ctrl+2 pour un interligne double, ou sur Ctrl+5 pour une fois et demi la hauteur de base.

Créer des listes à puces ou numérotées

Que vaudrait de nos jours un document s'il ne comportait pas au moins une liste ou deux ? Il serait comme un roi sans couronne. Les listes numérotées font partie des outils fondamentaux dans les manuels et les rapports (et évidemment dans des livres comme celui-ci). Utilisez des listes à puces lorsque vous voulez présenter au lecteur plusieurs alternatives. Une *puce* est simplement un caractère spécial (souvent un rond ou un losange) qui permet de marquer une remarque, une option ou encore une décision.

Listes simples

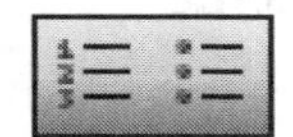

La méthode la plus simple est souvent la meilleure. En l'occurrence, elle consiste à entrer tout à fait normalement votre texte sans vous occuper de votre future liste. Appuyez tranquillement sur Entrée à la fin de chaque *item*. Lorsque vous avez terminé, sélectionnez votre liste, puis cliquez dans la barre d'outils Mise en forme sur l'un des boutons Numérotation ou Puces. C'est fait !

Bien sûr, il existe quelques astuces pour bien gérer les listes :

✦ **Terminer une liste :** Appuyez deux fois sur Entrée après avoir saisi le dernier élément de la liste. Vous pouvez aussi activer dans le menu Format la commande Puces et numéros, ou encore cliquer dans votre paragraphe avec le bouton droit de la souris et choisir cette même option dans le menu contextuel. Dans les deux cas, la boîte de dialogue illustrée sur la Figure 3.8 va s'afficher. Il suffit de sélectionner la vignette *Aucun(e)* pour terminer la liste.

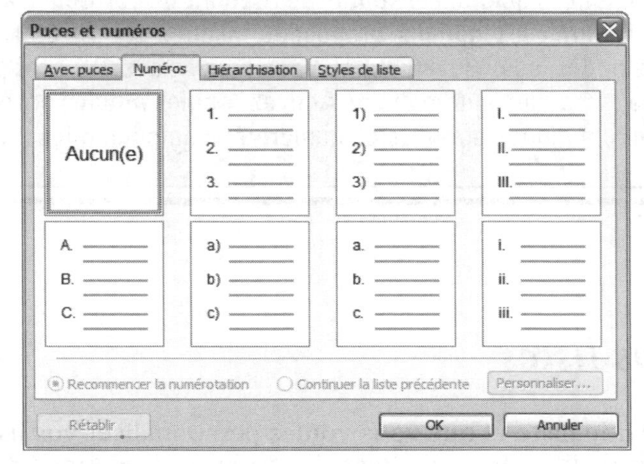

Figure 3.8 : La boîte de dialogue Puces et numéros.

✦ **Reprendre une liste :** Vous voulez reprendre une liste là où vous l'aviez arrêtée. Par exemple, vous avez rédigé une liste en quatre étapes, puis inséré un graphisme ou un paragraphe quelconque, mais vous voudriez maintenant passer à l'étape 5. Cliquez sur le bouton Numérotation. Le bouton des options de correction automatique va apparaître à gauche de votre paragraphe. Placez le pointeur de la souris au-dessus, puis cliquez sur la petite flèche pour dérouler les options. Choisissez alors la ligne Continuer la numérotation. Vous pouvez aussi ouvrir la boîte de dialogue Puces et numéros, puis cocher la case Continuer la liste précédente.

✦ **Démarrer une nouvelle liste :** Supposons maintenant que vous vouliez débuter une toute nouvelle liste. Cliquez avec le bouton droit de la souris sur le numéro qui a été inséré par Word, puis choisissez dans le menu contextuel la commande Recommencer la numérotation. Vous disposez aussi de la même option dans la boîte de dialogue Puces et numéros.

Word et ses listes automatiques

Que cela vous plaise ou non, Word aime créer des listes automatiques. Tapez par exemple le chiffre 1, puis un point et appuyez sur la barre d'espace. Saisissez quelque chose et appuyez sur Entrée. Word affiche immédiatement le chiffre 2 et il met automatiquement la liste numérotée en forme. Essayez la même chose, cette fois en remplaçant le chiffre par un astérisque (*).

Certaines personnes (et c'est peut-être votre cas) trouvent cette sollicitude particulièrement envahissante et ennuyeuse. Pour annuler ce comportement, cliquez sur le bouton des options de correction automatique (il apparaît normalement de lui-même). Parmi les options proposées, cliquez sur Arrêter la création automatique de listes (numérotées ou à puces, selon la situation). Vous pouvez aussi passer par le menu Outils et choisir la commande Options de correction automatique. Activez l'onglet intitulé Lors de la frappe. Désactivez les options Listes à puces automatiques et/ou Listes numérotées automatiques. Validez.

Personnaliser vos listes

Si vous avez l'esprit individualiste et que vous voulez personnaliser vos listes numérotées ou à puces, partez de la boîte de dialogue illustrée sur la Figure 3.8 (ouvrez le menu Format et choisissez la commande Puces et numéros). Vous pourrez y choisir différents types de puces et différentes méthodes de numérotation (sous les onglets Avec puces et Numéros).

Si les choix proposés ne vous suffisent pas, cliquez sur le bouton Personnaliser. Vous affichez ainsi la fenêtre Personnaliser la liste. Vous pouvez alors redéfinir le style de la numérotation ou le symbole servant de puce, sélectionner une police particulière, ajuster les espacements, et ainsi de suite. L'aperçu montré en bas de la fenêtre vous permet de contrôler l'impact de vos choix (voir la Figure 3.9).

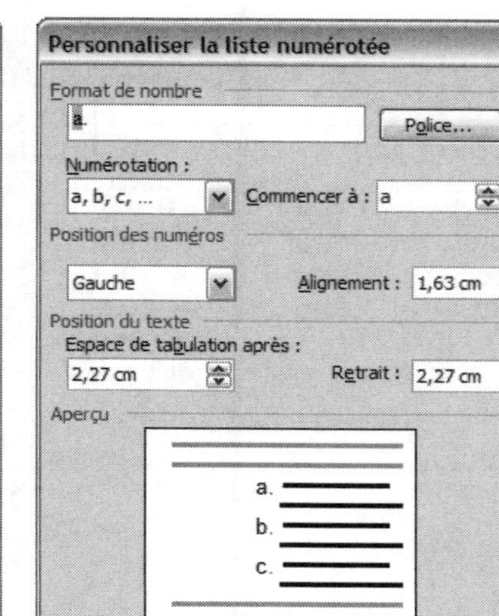

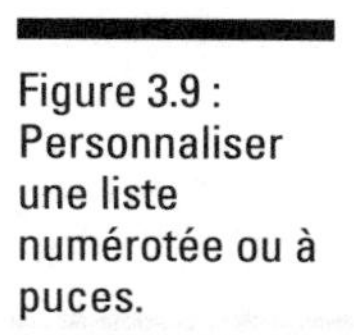

Figure 3.9 : Personnaliser une liste numérotée ou à puces.

Travailler avec les tabulations

Les tabulations sont un reste de l'époque des machines à écrire où il fallait définir manuellement l'emplacement des taquets pour pouvoir aligner correctement des éléments. Mise à part la création de points de suite et la définition des en-têtes et des pieds de page, tout ce que vous pouvez faire avec des tabulations peut aussi être réalisé à l'aide d'un tableau (et c'est bien plus rapide). Vous définissez votre tableau, vous le remplissez, vous supprimez les encadrements, et le tour est joué. Nous reviendrons sur les tableaux dans le Chapitre 5 du Livret IV.

Un *taquet de tabulation* est un point de la règle autour duquel, ou le long duquel, le texte est formaté. Lorsque vous appuyez sur la touche de tabulation, vous avancez le curseur d'un taquet.

Par défaut, les taquets sont disposés tous les 1,25 cm et sont alignés à gauche. Autrement, les caractères que vous saisissez sont déplacés au fur et à mesure vers la droite (si l'alignement se fait sur la droite, les caractères seront repoussés vers la gauche). Tout cela peut être modifié (espacement, alignement et ajout de points de suite). Pour cela, cliquez dans un paragraphe ou sélectionnez le texte qui sera concerné. Ouvrez le menu Format et choisissez la commande Tabulations. Entrez les options voulues et validez. La Figure 3.10 illustre les différents types d'alignement dont vous disposez. Remarquez en particulier les symboles affichés sur la règle. Ils vous indiquent le style de tabulation que vous utilisez.

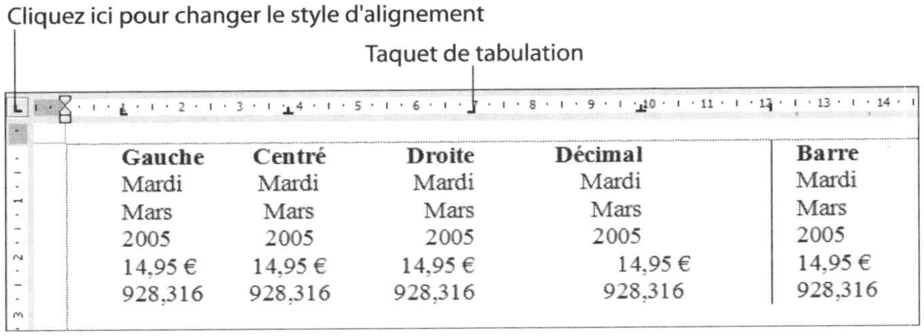

Cliquez ici pour changer le style d'alignement

Taquet de tabulation

Gauche	Centré	Droite	Décimal	Barre
Mardi	Mardi	Mardi	Mardi	Mardi
Mars	Mars	Mars	Mars	Mars
2005	2005	2005	2005	2005
14,95 €	14,95 €	14,95 €	14,95 €	14,95 €
928,316	928,316	928,316	928,316	928,316

Figure 3.10 : Les cinq types de tabulations.

Créer des points de suite

Selon mon humble avis, le seul motif raisonnable pour s'embêter avec les tabulations est le besoin de créer des points de suite (comme sur la figure ci-dessous). Les points de suite sont formés d'une série de signes de ponctuation (généralement des points, d'où le nom) qui permettent de relier deux parties d'un texte. Le résultat est souvent très élégant. C'est le principe utilisé couramment dans les génériques pour associer le nom de l'acteur ou de l'actrice au rôle qu'il ou elle joue.

Générique

Roméo................................Charles Pizzas
Juliette...............................Amélie Moulin
Mercutio.............................Anthony Hotkinds
Lady Capulet.......................Myriam Crapaud

Pour créer des points de suite :

1. **Sur chaque ligne, entrez la première partie du texte, suivie d'une tabulation puis de la seconde partie.**
2. **Sélectionnez le texte, puis choisissez dans le menu Format la commande Tabulations.**
3. **Entrez dans le champ Position l'emplacement du taquet correspondant à la partie droite du texte.**
4. **Dans la zone Points de suite, choisissez le symbole de ponctuation que vous voulez utiliser.**
5. **Cliquez sur OK. Si nécessaire, affichez la règle puis ajustez l'espacement entre les parties gauche et droite du texte.**

Pour modifier le type et la position des tabulations, vous pouvez aussi travailler directement sur la règle qui est affichée au-dessus du texte. Commencez par sélectionner le ou les paragraphes concernés. Cliquez ensuite sur la petite case située tout à fait à gauche de la règle horizontale (ou à l'intersection des deux règles, selon la formule que vous préférez). Recommencez jusqu'à obtention du type de tabulation souhaité. Cliquez maintenant sur la règle du haut à l'emplacement où vous voulez ajouter une tabulation. Vous pouvez recommencer cette procédure plusieurs fois.

- Pour déplacer une tabulation, il suffit de faire glisser sur la règle le symbole qui lui est associé. Le texte concerné se déplacera en même temps.
- Pour supprimer une tabulation, faites-la glisser en dehors de la règle. Dans ce cas, le texte s'alignera automatiquement sur le prochain taquet disponible, ou sur le prochain taquet par défaut si vous n'en avez pas créé d'autre.

Il est parfois difficile de dire où les taquets de tabulation sont posés. Pour les faire apparaître, cliquez dans la barre d'outils Standard sur le bouton Afficher/Masquer ¶. Le symbole associé aux tabulations est une flèche pointant vers la droite.

Vous avez dit césure ?

La première chose à savoir sur les *césures*, c'est que vous ne devriez pas en avoir besoin. Le texte est plus lisible lorsque les mots ne sont pas coupés en fin de ligne, ce qui est soi dit en passant le cas dans les livres de cette collection. Vous constatez que le texte est uniquement aligné à gauche, et qu'il fait des zigzags vers la marge de droite. Justifier le texte des deux côtés (ce qui provoque immanquablement des coupures, ou césures, dans les mots) n'a d'intérêt réel que dans le cas de colonnes (ou si l'espace est trop limité), ou encore pour donner au document un aspect très formel.

N'essayez pas de couper un mot en tapant simplement un tiret. Ce caractère continuerait en effet d'apparaître même si le mot se trouve en plein milieu d'une ligne. Par contre, si un grand vide apparaît dans la marge de droite et qu'un mot vous supplie de le couper, placez le curseur à l'endroit où doit apparaître la césure et appuyez sur Ctrl+- (-). Vous créez ainsi un *tiret conditionnel* qui n'apparaîtra que si le mot est placé en fin de ligne. Pour le supprimer, le plus simple est de cliquer sur le bouton Afficher/Masque ¶ de façon à révéler le tiret. Effacez-le alors comme s'il s'agissait d'un caractère quelconque.

Césure automatique

Pour couper automatiquement les mots d'un document :

1. **Ouvrez le menu Outils. Choisissez l'option Langue, puis la commande Coupure de mots.**

   Word vous propose la boîte de dialogue illustrée sur la Figure 3.11.

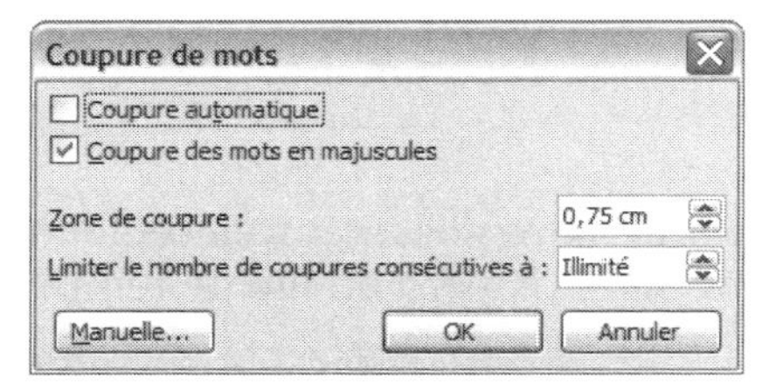

Figure 3.11 : Profession coupeur de mots.

2. **Activez l'option Coupure automatique afin de laisser Word se débrouiller avec cela.**

   Tant que vous y êtes, désactivez l'option Coupure des mots en majuscules. Ce mode de césure n'est pas du plus bel effet.

   Si le texte n'est pas justifié (autrement dit, s'il y a des zigzags vers la droite), vous pouvez jouer avec la valeur de la zone de coupure (en fait, il ne devrait même pas y avoir de césure dans ce cas). Les mots qui atterrissent dans cette zone seront quand même coupés. Donc une valeur importante signifie moins de zigzags, mais plus d'affreux tirets. Et une petite valeur donne l'inverse.

3. **Pour éviter que plusieurs lignes de suite ne soient coupées par un tiret (ce qui est très laid), vous devriez entrer le nombre 2 dans l'option Limiter le nombre de coupures consécutives.**

4. **Cliquez sur OK.**

Coupures manuelles

Une autre façon de s'y prendre consiste à visualiser les endroits où Word veut couper les mots, ce qui permet alors de confirmer ou d'infirmer ses propositions l'une après l'autre :

1. **Sélectionnez la partie du document qui vous intéresse, ou cliquez simplement là où vous voulez commencer.**

2. **Dans le menu Outils, cliquez sur l'option Langue, puis choisissez la commande Coupure de mots. Vous retrouvez la boîte de dialogue de la Figure 3.11.**

3. **Cliquez sur le bouton Manuelle.**

Word va afficher une nouvelle boîte de dialogue comportant quelques options. Le curseur clignote à l'endroit où Word suggère une césure.

4. **Cliquez sur Oui ou sur Non selon que la proposition vous convient ou ne vous convient pas.**

   Continuez jusqu'à ce que Word vous informe qu'il a terminé sa mission. Pour arrêter la procédure plus tôt, cliquez sur le bouton Annuler de la boîte de dialogue.

Autres mystères sur la coupure des mots

Voici quelques compléments ésotériques sur ce sujet :

- Pour défaire une césure automatique, revenez à la commande Coupure de mots et désactivez l'option Coupure automatique. Validez.
- Pour éviter toute coupure dans un paragraphe ouvrez le menu Format et choisissez la commande Paragraphe. Activez l'onglet Enchaînements puis cochez l'option Ne pas couper les mots (si vous n'arrivez pas à pratiquer une césure, c'est sans doute que cette option est déjà activée).
- Pour ne traiter qu'un unique paragraphe au milieu d'un document (il s'agit par exemple d'une longue citation), sélectionnez-le et insérez des coupures manuelles selon la procédure décrite ci-dessus.

Encadrer les pages

Word permet de créer des documents attrayants (pages de garde, certificats, menus et ainsi de suite) grâce à ses bordures et à ses trames. En plus des classiques lignes plus ou moins sophistiquées, vous pouvez décorer les bords de vos pages par des rangées d'étoiles et autres objets graphiques. Si vous voulez encadrer une page qui se trouve au milieu d'un document, vous devrez créer à cet endroit un saut de section.

Voyons comment ajouter une bordure autour d'une page :

1. **Placez le curseur sur la page à encadrer.**

   Si vous voulez uniquement encadrer la première page d'un document ou d'une section, cliquez dedans. Cela facilitera votre travail.

2. **Ouvrez le menu Format et choisissez la commande Bordure et trame.**

3. **Activez l'onglet Bordure de page dans la boîte de dialogue qui s'affiche (voir la Figure 3.12).**

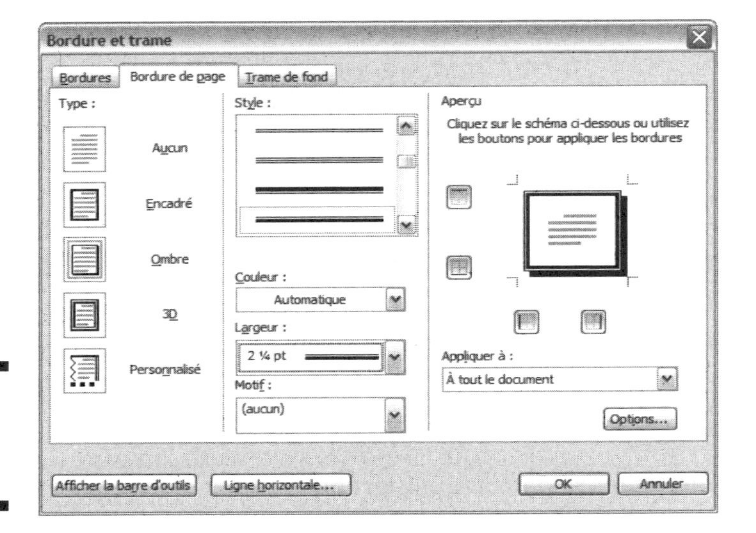

Figure 3.12 : Placer une bordure autour des pages.

4. **Dans la zone Type, choisissez le genre de bordure que vous voulez appliquer.**

   Le mode Personnalisé vous permet de créer une bordure sur un, deux ou trois côtés de la page (mais pas les quatre). Cliquez sur Aucun pour supprimer la bordure.

5. **Ouvrez la liste Appliquer à. Spécifiez la façon dont Word doit construire la bordure : sur toutes les pages ou uniquement dans la section courante (en entier, seulement sur la première page, ou uniquement sur les autres).**

6. **Sélectionnez maintenant le style, la couleur, l'épaisseur et le motif éventuel à appliquer. Cliquez sur OK quand vous avez terminé.**

L'onglet Bordure de page offre un vaste choix d'outils pour encadrer vos pages :

- **Style :** Dans cette liste déroulante, choisissez un type de ligne. Les dessins les plus intéressants se trouvent vers la fin de la liste. N'oubliez pas de vérifier dans l'aperçu ce que donnent vos choix.

- **Couleur :** Sélectionnez ici une couleur standard ou personnalisée. Bien entendu, cela n'a d'intérêt que si vous avez une imprimante couleur !

- **Largeur :** Indiquez ici l'épaisseur des lignes ou encore des motifs.

- **Motifs :** Ouvrez cette liste et choisissez un symbole, une illustration, une étoile, etc. Certains choix sont réellement amusants pour réaliser des compositions originales, des menus ou encore des invitations.
- **Bordures personnalisées :** Utilisez les quatre boutons de la zone d'aperçu pour désactiver (ou activer) l'application de la bordure sur chacun des côtés de la page.
- **Distance du bord de la page :** Cliquez sur le bouton Options et complétez à votre convenance la boîte de dialogue Options de bordure et trame. Indiquez-y notamment la distance à respecter par rapport au bord de la page ou par rapport au texte.

Lettrines à gogo

Une *lettrine* est une grande lettre majuscule qui "tombe" au début d'un paragraphe en repoussant le reste de celui-ci. C'est ce qu'illustre la Figure 3.13. Les lettrines sont utilisées en début de chapitre dans de nombreux livres (ou pour signaler le point de départ d'un article dans un journal ou une revue). Voici comment créer une lettrine :

1. **Cliquez n'importe où dans le paragraphe à mettre en valeur.**

Une *lettrine* est une grande lettre majuscule qui "tombe" au début d'un paragraphe et repoussant le reste de celui-ci. C'est ce qu'illustre la Figure 3.13. Les lettrines sont utilisées en début de chapitre dans de nombreux livres (ou pour signaler le point de départ d'un article dans un journal ou une revue). Voici comment créer une lettrine :

1. **Cliquez n'importe où dans le paragraphe à mettre en valeur.**

Si vous voulez transformer plusieurs lettres en lettrines, il vous suffit de les sélectionner.

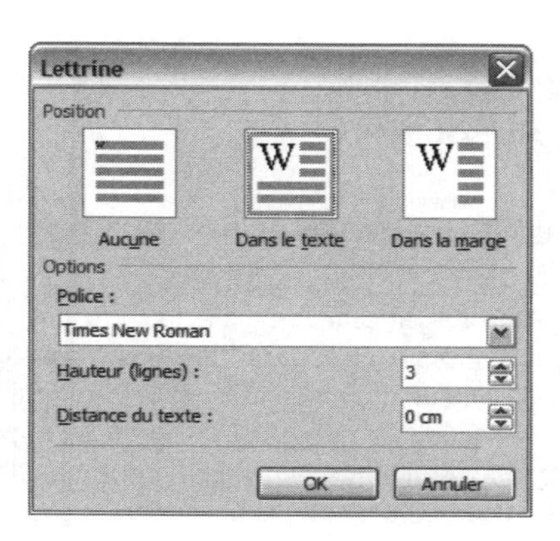

Figure 3.13 : Créer une lettrine.

Si vous voulez transformer plusieurs lettres en lettrines, il vous suffit de les sélectionner.

2. **Ouvrez le menu Format et choisissez la commande Lettrine.**

La boîte de dialogue correspondante est montrée sur la Figure 3.13.

3. **Cliquez sur une des cases Position afin de définir le type de lettrine à appliquer (ou sur Aucune pour annuler cet effet).**

4. **Choisissez éventuellement un nouveau style de caractères dans la liste Police.**

   Vous pouvez conserver la police courante, ou définir une police totalement différente (et si possible artistique en même temps qu'efficace). Il sera toujours temps de changer d'avis plus tard en revenant à cette boîte de dialogue.

5. **Dans le champ Hauteur, indiquez le nombre de lignes de texte occupées par la lettrine.**

6. **A moins que le paragraphe ne commence par une lettre étroite (comme un *I*), laissez à zéro le champ Distance du texte.**

7. **Cliquez sur OK.**

Votre lettrine est visible dans la plupart des modes d'affichage. Elle apparaît dans une zone de texte (vous pouvez afficher ou non le contour de cette zone à partir de la boîte de dialogue Options : sous l'onglet Affichage, activez ou désactivez l'option Limites de texte). Pour changer la hauteur ou le style de la lettrine, il vous suffit de revenir au paragraphe et de reprendre la procédure précédente.

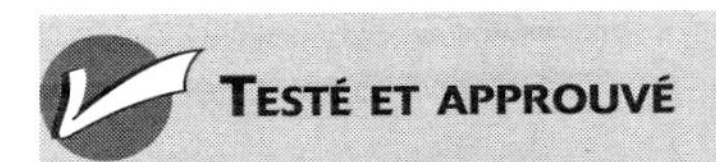

Placer un filigrane en fond de page

Un filigrane est une image pâle (ou un mot, ou encore une phrase) qui apparaît derrière le texte sur chaque page d'un document. Un véritable filigrane est incorporé dans le papier lui-même et il n'apparaît que quand on place la feuille devant un éclairage. Bien sûr, cela n'est pas possible avec Word, mais vous pouvez tout de même vous en approcher d'aussi près qu'il est possible dans notre monde numérique. Il n'y a rien de plus facile à obtenir, comme le montrent l'illustration ci-dessous et les explications qui suivent.

Pour créer un filigrane sur chaque page d'un document, ouvrez le menu Format et choisissez l'option Arrière-plan. Sélectionnez ensuite la commande Filigrane imprimé. Une boîte de dialogue portant le même nom va apparaître. Vous pouvez alors placer en fond de page soit une image soit un texte :

- **Image en filigrane : Activez cette option, puis cliquez sur le bouton Sélectionner Image. Parcourez vos dossiers jusqu'à ce que vous ayez trouvé un graphisme qui vous convienne. Cliquez alors sur le bouton Insérer. Une fois revenu à la boîte de dialogue, choisissez une taille dans la liste Echelle. Ne désactivez pas l'option Estompée, car sinon l'image serait trop sombre et masquerait le texte du document.**

- **Texte en filigrane : Activez cette option, puis tapez un mot ou deux dans le champ Texte (vous pouvez aussi utiliser une expression prédéfinie en déroulant la liste). Spécifiez la police à utili-**

ser, sa taille, sa couleur et sa disposition. Il n'est pas recommandé de désactiver la case Translucide, car sinon le filigrane risquerait d'être trop sombre et de masquer le texte du document.

Cliquez sur OK ou sur Appliquer pour voir votre filigrane. Pour modifier l'image ou encore sa taille, procédez comme ci-dessus en ouvrant de nouveau la boîte de dialogue Filigrane imprimé. Pour tout supprimer, choisissez simplement l'option Pas de filigrane.

Pour créer des points de suite :

1. Sur chaque ligne, entrez la première partie du texte, suivie d'une tabulation puis de la seconde partie.
2. Sélectionnez le texte, puis choisissez dans le menu Format la commande Tabulations.
3. Entrez dans le champ Position l'emplacement du taquet correspondant à la partie droite du texte.
4. Dans la zone Points de suite, choisissez le symbole de ponctuation que vous voulez utiliser.
5. Cliquez sur OK. Si nécessaire, affichez la règle puis ajustez l'espacement entre les parties gauche et droite du texte.

Vous avez dit césure ?

La première chose à savoir sur les *césures*, c'est que vous ne devriez pas en avoir besoin. Le texte est plus lisible lorsque les mots ne sont pas coupés en fin de ligne, ce qui est soit dit en passant le cas dans les livres de cette collection. Vous constatez que le texte est uniquement aligné à gauche, et qu'il fait des zigzags vers la marge de droite. Justifier le texte des deux côtés (ce qui provoque inéluctablement des coupures, ou césures, dans les mots) n'a d'intérêt réel que dans le cas de colonnes (ou si l'espace est trop limité), ou encore pour donner au document un aspect très formel.

[illegible] N'essayez pas de couper un mot en tapant simplement un tiret. Ce caractère continuerait en effet d'apparaître même si le mot se trouve en plein milieu d'une ligne. Par contre, si un grand vide apparaît dans la marge de droite et qu'un mot vous semble à couper, placez le curseur à l'endroit où doit apparaître la césure et appuyez sur Ctrl+(tiret). Vous créez ainsi un tiret *conditionnel* qui n'apparaîtra que si le mot est placé en fin de ligne. Pour le supprimer, le plus simple est de cliquer sur le bouton Afficher/Masquer ¶ de façon à révéler le tiret. Effacez-le alors comme s'il s'agissait d'un caractère quelconque.

Césure automatique

Pour couper automatiquement les mots d'un document :

1. **Ouvrez le menu Outils. Choisissez l'option Langue, puis la commande Coupure de mots.**

   Word vous propose la boîte de dialogue illustrée sur la Figure 3.11.

[illegible]

2. **Activez l'option Coupure automatique afin de laisser Word se débrouiller avec cela.**

   Tant que vous y êtes, désactivez l'option Coupure des mots en majuscules. Ce mode de césure n'est pas du plus bel effet.

   Si le texte n'est pas justifié (autrement dit, s'il y des zigzags vers la droite), vous pouvez jouer avec la valeur de la zone de

13

coupure (en fait, il ne devrait même pas y avoir de césure dans ce cas). Les mots qui amorcent dans cette zone seront quand même coupés. Donc une valeur importante signifie moins de zigzags, mais plus d'affreux tirets. Et une petite valeur donne l'inverse.

3. **Pour éviter que plusieurs lignes de suite ne soient coupées par un tiret (ce qui est très laid), vous devriez entrer le nombre 2 dans l'option Limiter le nombre de coupures consécutives.**
4. **Cliquez sur OK.**

Coupures manuelles

Une autre façon de s'y prendre consiste à visualiser les endroits où Word veut couper les mots, ce qui permet alors de confirmer ou d'infirmer ses propositions l'une après l'autre :

1. **Sélectionnez la partie du document qui vous intéresse, ou cliquez simplement là où vous voulez commencer.**
2. **Dans le menu Outils, cliquez sur l'option Langue, puis choisissez la commande Coupure de mots. Vous retrouvez la boîte de dialogue de la Figure 3.11.**
3. **Cliquez sur le bouton Manuelle.**

   Word va afficher une nouvelle boîte de dialogue comportant quelques options. Le curseur clignote à l'endroit où Word suggère une césure.

4. **Cliquez sur Oui ou sur Non selon que la proposition vous convient ou ne vous convient pas.**

   Continuez jusqu'à ce que Word vous informe qu'il a terminé sa mission. Pour arrêter la procédure plus tôt, cliquez sur le bouton Annuler de la boîte de dialogue.

Autres mystères sur la coupure des mots

Voici quelques compléments techniques sur ce sujet :

- Pour défaire une césure automatique, revenez à la commande Coupure de mots et désactivez l'option Coupure automatique. Validez.
- Pour éviter toute coupure dans un paragraphe, ouvrez le menu Format et choisissez la commande Paragraphe. Activez l'onglet Enchaînements puis cochez l'option Ne pas couper les mots (si vous n'arrivez pas à pratiquer une césure, c'est sans doute que cette option est déjà activée).
- Pour ne traiter qu'un unique paragraphe au milieu d'un document (il s'agit par exemple d'une longue citation), sélectionnez-le et insérez des coupures manuelles selon la procédure décrite ci-dessus.

Encadrer les pages

14

Chapitre 4
Word et ses styles

Dans ce chapitre :

- Appliquer un nouveau style.
- Créer vos propres styles.
- Modifier un style.
- Créer un nouveau modèle de document.

Les styles peuvent faire gagner un temps précieux pour le formatage du texte et de vos documents. Et de nombreuses fonctionnalités de Word sont basées sur les styles. Par exemple, les sommaires ou l'affichage de l'explorateur de documents dépendent entièrement de l'utilisation d'un style approprié pour les titres. Evidemment, il en va de même pour le mode Plan et les commandes qui lui sont associées. Sans même parler de la facilité avec laquelle les styles vous permettent de formaliser la présentation d'un texte (un livre comme celui-ci, qui est entièrement écrit sous Word en est un excellent exemple).

Si vous voulez être stylé (du moins, dans la mesure où Word est concerné), lisez ce chapitre !

Tout sur les styles

Un *style* est un ensemble de formats et de commandes qui sont rassemblés sous un même nom. Utiliser un style vous évite de voyager dans tout un tas de boîtes de dialogue pour choisir la police et la taille des caractères, l'alignement du paragraphe, et ainsi de suite. Quand il est défini, vous n'avez plus qu'à le sélectionner dans le volet Styles et mise en forme, ou encore dans la liste déroulante Style de la barre d'outils Mise en forme. Le résultat est instantané. De plus, vous êtes certain de cette façon que toutes les parties du document possédant un style donné auront le même aspect. En résumé, une bonne gestion des styles fera croire aux personnes qui vous lisent que vous êtes un pro.

Les styles disponibles dépendent du modèle utilisé pour créer votre document. Chaque modèle contient son propre jeu de styles, et vous pouvez bien entendu y ajouter les vôtres. Si vous appuyez sur Ctrl+N, ou si vous utilisez la commande Nouveau dans le menu Fichier, Word ouvre un document vierge basé sur le modèle Normal. Celui-ci ne contient qu'un tout petit nombre de styles. Certains modèles sophistiqués peuvent posséder des dizaines et des dizaines de styles. Nous reviendrons sur les modèles à la fin de ce chapitre.

Pour voir quels sont les styles disponibles dans un document, cliquez sur le bouton Styles et mise en forme (dans la barre d'outils Mise en forme), ou choisissez la commande de même nom dans le menu Format. Ceci ouvre sur le bord droit de la fenêtre le volet Styles et mise en forme. Si vous cliquez sur un paragraphe, le nom du style qui lui est associé va s'afficher en haut du volet (et dans la liste Style de la barre d'outils Mise en forme).

Que ce soit dans la liste déroulante Style ou dans le volet Styles et mise en forme, chaque définition est formatée par Word de manière à ce que vous puissiez vous faire une idée du résultat.

Word offre quatre types de styles :

- **Styles de paragraphes :** Ils déterminent le formatage d'un paragraphe tout entier et peuvent porter sur les éléments suivants : police de caractères, disposition du paragraphe, tabulations, bordure, langue, numérotation ou puce. Ils sont représentés par le symbole ¶ (en affichant puis effaçant celui-ci, vous supprimez non seulement le paragraphe en tant que tel, mais aussi son style). La grande majorité des styles concernent les paragraphes.
- **Styles de caractères :** Ils s'appliquent à une portion de texte préalablement sélectionnée, et non à un paragraphe entier. Ces styles sont surtout utiles pour une mise en forme un peu complexe, ou encore pour rédiger des passages dans une langue étrangère. Les définitions associées à un style de caractères prennent le pas sur celles du paragraphe correspondant. Par exemple, si votre paragraphe est rédigé en Arial 14 points, et que vous y sélectionnez une phrase à laquelle vous appliquez un style de caractères en Times 12 points, c'est ce dernier qui va gagner la partie. Les styles de caractères sont signalés par un petit *a* surligné.
- **Styles de tableaux :** Ils s'appliquent aux tableaux (voir à ce sujet le Chapitre 5 du Livret IV). Ce type de style est signalé par une icône en forme de grille.
- **Styles de listes :** Ils s'appliquent aux listes (voir le Chapitre 3 de ce même livret). Ce type de style est signalé par une icône figurant une liste (ce qui est plutôt logique).

Lorsque vous modifiez un style, tous les paragraphes ou le texte auquel il s'applique sont changés instantanément. Magique ! Vous n'avez pas besoin de reformater votre document, car Word s'occupe absolument de tout.

Appliquer un style à un paragraphe ou à du texte

Pour appliquer un style :

1. **Cliquez dans le paragraphe que vous voulez mettre en forme (ou sélectionnez plusieurs paragraphes à la fois). Pour un style de caractère, sélectionnez les lettres dont la mise en forme doit être changée.**

2. **Sélectionnez le style voulu.**

   Comme le montre la Figure 4.1, Word propose deux méthodes pour choisir un style :

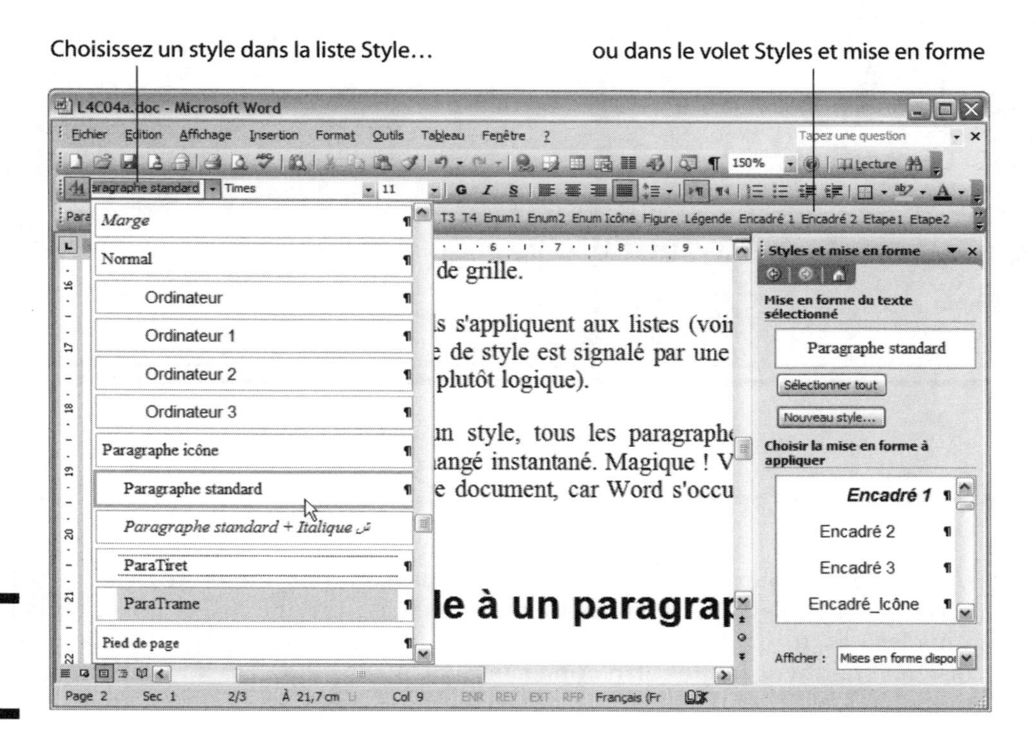

Figure 4.1 : Appliquer un style.

- Dans la barre d'outils Mise en forme, déroulez la liste Style, puis cliquez sur le nom du style à appliquer. Si vous appuyez sur la touche Majuscule tout en ouvrant la liste Style, Word affichera l'ensemble des styles disponibles dans le modèle.

- Ouvrez le volet Styles et mise en forme. Sélectionnez un style dans la liste Choisir la mise en forme à appliquer.

Si vous laissez le pointeur de la souris au-dessus d'un nom dans le volet Styles et mise en forme, sa définition complète va s'afficher dans une bulle.

Styles et raccourcis

Word propose plusieurs raccourcis qui vous permettent d'associer très rapidement certains styles à vos paragraphes :

- Normal : Ctrl+Maj+N
- Liste à puces : Ctrl+Maj+L
- Titre 1 : Ctrl+Alt+1
- Titre 2 : Ctrl+Alt+2
- Titre 3 : Ctrl+Alt+3
- Augmenter le niveau de titre : Alt+Maj+(flèche droite)
- Baisser le niveau de titre : Alt+Maj+(flèche gauche)

Créer un nouveau style

Vous pouvez créer de nouveaux styles en passant par une boîte de dialogue ou directement à l'écran. La première méthode est plus efficace et plus précise. Dans tous les cas, les styles que vous définissez peuvent être enregistrés dans le modèle de document courant et être copiés vers d'autres modèles. Nous allons y revenir un peu plus loin.

Créer un style directement à l'écran

Il est possible de créer un nouveau style en cours de saisie. Pour cela :

1. **Cliquez dans le paragraphe dont vous voulez pérenniser le style pour pouvoir l'appliquer ailleurs.**

   Souvenez-vous que cela vaut pour n'importe quel type de paragraphe, y compris un titre.

2. **Dans la barre d'outils Mise en forme, cliquez sur le champ de saisie de la liste Style. Entrez un nom pour le nouveau style.**

3. **Appuyez sur Entrée pour valider la définition.**

Le style que vous venez de créer de cette manière est enregistré dans votre document de travail. Il ne fait donc pas partie du modèle sur lequel ce document est basé.

Utiliser la boîte de dialogue Nouveau Style

Si vous voulez que votre nouveau style soit réutilisable dans vos futurs documents, il faut l'intégrer dans le modèle actuel, et pour cela faire appel à la boîte de dialogue Nouveau style. Voyons comment procéder :

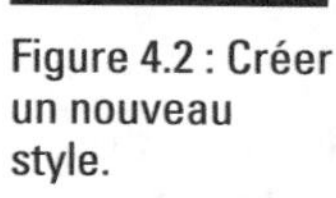

1. **Cliquez sur le bouton Styles et mise en forme.**

   Le volet Styles et mise en forme va s'afficher.

2. **Cliquez dans ce volet sur le bouton Nouveau style.**

   La boîte de dialogue Nouveau style apparaît. Elle est illustrée sur la Figure 4.2.

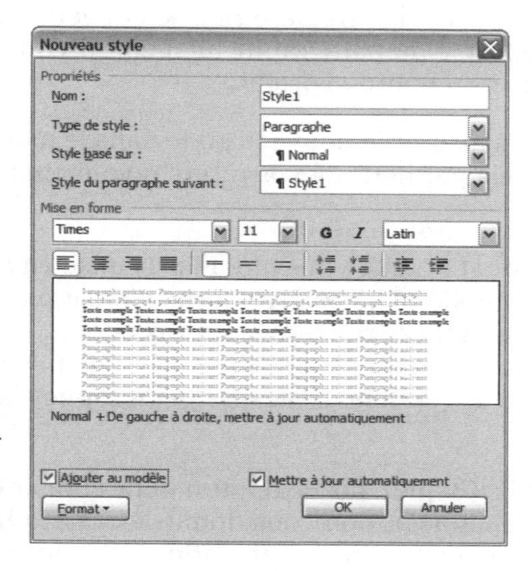

Figure 4.2 : Créer un nouveau style.

3. **Complétez les champs et options pour définir les caractéristiques du style.**

   Surveillez en même temps le cadre d'aperçu. Il vous montre ce que pourra donner ce style si vous l'appliquez dans un document.

Voyons de plus près ce que vous propose la boîte de dialogue Nouveau style :

- **Nom :** Donnez ici un nom (de préférence parlant) à votre style. Ce nom apparaîtra dans le volet Styles et mise en forme, de même que dans la liste déroulante Style.

- **Type de style :** Choisissez ici le type d'élément auquel s'appliquera le style (voir plus haut).

- **Style basé sur :** Si vous voulez repartir d'un style existant dans le document (et donc éviter de redéfinir toutes ses caractéristiques), choisissez son nom dans cette liste (ou cliquez sur *(aucun style)* si vous voulez partir de zéro). Cette méthode est très pratique, mais elle peut aussi être risquée : si quelqu'un modifie le style de base, tous ceux qui en héritent seront automatiquement changés.

- **Style du paragraphe suivant :** Si vous voulez que le prochain paragraphe prenne automatiquement un certain style, sélectionnez-le dans cette liste. Supposons que vous créiez un nouveau style appelé "Titre Chapitre". Dans ce type de document, un titre de chapitre devrait systématiquement être suivi d'une introduction. Il vous suffit pour cela de sélectionner comme style du paragraphe suivant le nom voulu, soit "Introduction".

- **Mise en forme :** Choisissez ici les options qui vous intéressent dans la liste ou en cliquant sur les boutons proposés (la première rangée concerne les caractères, et la seconde la mise en forme du paragraphe lui-même). Vous pouvez aussi effectuer ce travail à partir du bouton Format.

- **Ajouter au modèle :** Demande à insérer le nouveau style dans le modèle sur lequel est basé le document. Cela permettra à vos futurs documents de profiter de ce style.

- **Mettre à jour automatiquement :** Lorsque vous modifiez la mise en forme d'un paragraphe, le style qui lui est appliqué ne change normalement pas. Autrement dit, seul le paragraphe courant est concerné. Si vous cochez cette case, vous allez demander à Word de répercuter tout changement de mise en forme d'un paragraphe au style lui-même (et donc à tous les paragraphes basés sur le même style).

- **Format :** L'essentiel se trouve là. Cliquez sur ce bouton pour choisir le type de paramétrage à personnaliser. Chaque option vous donne accès à la boîte de dialogue correspondante : Police, Paragraphe, Tabulations, Bordure, Langue, Cadre, Numérotation, Touche de raccourci. Tout ce que vous pouvez appliquer individuellement est regroupé ici.

Modifier un style

Au bout de 125 pages, vous décidez brusquement que l'aspect des 29 paragraphes d'introduction (ceux qui sont rédigés dans le style "Para Intro") ne convient décidément pas. Si vous avez défini ce style en cochant la case Mettre à jour automatiquement, il vous suffit de cliquer dans un des passages introductifs, de redéfinir son style et de valider. Les 28 autres seront immédiatement corrigés. Si vous n'avez pas activé cette option, vous pouvez obtenir le même résultat sans grandes difficultés.

Pour changer le style associé à un ensemble de paragraphes :

1. **Cliquez sur un paragraphe, un tableau ou une liste ayant pour style celui que vous voulez modifier. Dans le cas d'un style de caractère, vous devrez sélectionner un groupe de lettres concerné par cette mise en forme.**

2. **Cliquez sur le bouton Styles et mise en forme.**

   Le style courant devrait être sélectionné dans le volet Styles et mise en forme. Si ce n'est pas le cas, cliquez sur la bonne ligne.

3. **Cliquez sur la flèche qui suit le nom du style que vous voulez éditer. Dans le menu qui s'affiche, choisissez la commande Modifier.**

   La boîte de dialogue Modifier le style va apparaître. Elle devrait vous rappeler celle qui vous a servi à créer le style (revoyez la Figure 4.2). La seule différence est que la liste Type de style est maintenant indisponible.

4. **Modifiez les paramètres du style à votre convenance. Cliquez ensuite sur OK.**

   Si nécessaire, reportez-vous à la section précédente de ce chapitre.

Tant que la boîte de dialogue est ouverte, vous pouvez cocher l'option Mettre à jour automatiquement (si vous voulez que de futures modifications soient directement incorporées dans la définition du style et que tous les éléments associés à celui-ci soient mis immédiatement à jour). Vous pouvez également demander à ajouter ce style au modèle courant afin de le rendre disponible dans tous les documents qui seront créés à partir de celui-ci.

Créer des modèles

Tout document est basé sur un *modèle*. Lorsque vous appuyez sur Ctrl+N ou que vous cliquez sur le bouton Nouveau document, Word charge une copie d'un modèle appelé Normal. Quand vous choisissez dans le menu Fichier la commande Nouveau, puis que vous cliquez dans le volet Office sur le lien intitulé Sur mon ordinateur,

Word vous propose toute une série de modèles répartis en sept catégories. Vous pourrez ainsi réaliser à peu de frais un document complexe (en partant par exemple d'un modèle Lettre contemporaine, Brochure ou encore Rapport élégant).

Chaque modèle contient ses propres styles, certaines corrections automatiques, sa configuration de barres d'outils, ou encore ses propres macros. Supposons que vous ayez créé un document complexe et que vous vouliez avoir la possibilité de réutiliser ses styles dans d'autres travaux. Il vous suffit d'enregistrer un modèle à partir du document. Vous disposez pour cela de deux méthodes :

- **Créer un modèle en partant d'un document :** Votre document étant ouvert, ouvrez le menu Fichier et choisissez la commande Enregistrer sous. Dans la boîte de dialogue Enregistrer sous, choisissez dans la liste Type de fichier l'option Modèle de document (l'extension correspondante est *.dot*). Donnez un nom au modèle puis cliquez sur Enregistrer. La prochaine fois que vous sélectionnez le lien Sur mon ordinateur (dans le volet Nouveau document), vous trouverez le nom de votre modèle sous l'onglet Général. Vous n'aurez plus qu'à le sélectionner.
- **Rassembler des styles à partir de plusieurs modèles :** Créez un modèle en suivant la procédure ci-dessus, puis copiez des styles (ou tout autre élément transmissible) vers ce nouveau modèle. Pour cela, vous pouvez par exemple choisir dans la liste Afficher (tout en bas du volet Styles et mise en forme) l'option Personnalisé. Cliquez ensuite sur le bouton Styles (en bas de la boîte de dialogue), puis sur Organiser. Dans la fenêtre qui apparaît, utilisez si nécessaire le bouton Fermer le fichier (sous la liste de gauche et/ou sous celle de droite). Ouvrez alors le ou les modèles qui vous intéressent. Il ne vous reste plus qu'à cliquer sur un nom de style puis sur le bouton Copier afin d'opérer le transfert. Recommencez l'option si vous le souhaitez en activant les onglets Insertion automatique, Barre d'outils et Macros.

L'emplacement des modèles Word est défini à partir de votre dossier utilisateur personnel. Sous Windows XP, il s'agit normalement de :

```
C:\Documents and Settings\nom_utilisateur\Application Data\Microsoft\Templates
```

Dans les autres versions de Windows, la racine est différente :

```
C:\Windows\Profiles\Application Data\nom_utilisateur\Application
Data\Microsoft\Templates
```

Ou :

```
C:\Windows\Profiles\Application Data\ Application Data\Microsoft\Templates
```

Supposons que vous ayez besoin de supprimer ou de renommer des styles dans un modèle. Pour cela :

1. **Ouvrez le menu Outils et choisissez la commande Modèles et compléments.**

   La boîte de dialogue Modèles et compléments va s'afficher.

2. **Cliquez sur le bouton Organiser (vous retrouvez la boîte de dialogue que nous venons d'étudier, mais par une autre voie).**

3. **Cliquez sur le bouton Fermer dans la partie droite de la fenêtre.**

4. **Cliquez sur le bouton Ouvrir le fichier. Sélectionnez alors le modèle à corriger. Cliquez sur Ouvrir.**

   Les noms des éléments qui constituent le modèle (styles, insertions automatiques, barres d'outils ou macros) apparaissent dans la liste de droite. Cliquez sur l'onglet voulu.

5. **Cliquez dans la liste de droite sur le nom de l'objet à supprimer ou renommer. Maintenant :**

   - **Pour renommer l'élément :** Cliquez sur le bouton Renommer, entrez un nouveau nom et validez.
   - **Pour supprimer l'élément :** Cliquez sur le bouton Supprimer. Confirmez.

Changer le modèle d'un document

Cela arrive même dans les meilleures familles. Vous créez ou récupérez un document, et vous vous apercevez soudain qu'il n'est pas basé sur le bon modèle. Heureusement, Word est là pour vous assurer un bonheur perpétuel :

1. **Ouvrez le document qui a besoin d'un nouveau modèle. Ouvrez ensuite le menu Outils et choisissez la commande Modèles et documents.**

   La boîte de dialogue Modèles et compléments est illustrée sur la Figure 4.3.

2. **Cliquez sur le bouton Attacher pour activer la boîte de dialogue correspondante.**

3. **Trouvez et sélectionnez le bon modèle. Cliquez ensuite sur le bouton Ouvrir.**

   Vous revenez aux modèles et compléments. Le nom du fichier que vous venez de sélectionner devrait apparaître dans le champ Modèle de document.

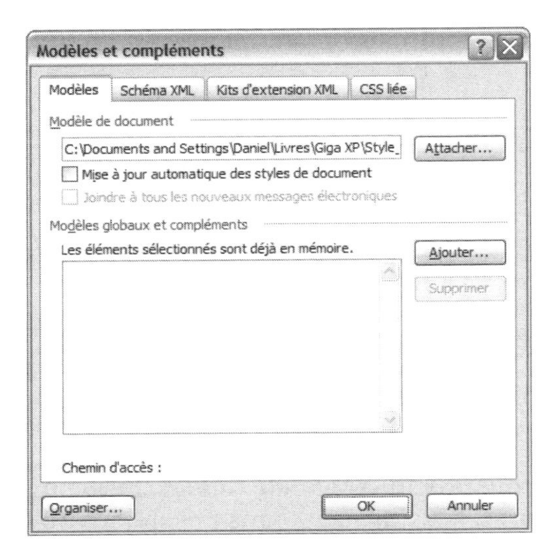

Figure 4.3 : Changer le modèle d'un document.

4. **Cochez l'option Mise à jour automatique des styles de document.**

   Vous demandez ainsi à Word d'appliquer les styles du nouveau modèle au document courant.

5. **Cliquez sur OK.**

Chapitre 5
Construire le tableau parfait

Dans ce chapitre :

- Créer et mettre en forme un tableau.
- Entrer des données dans un tableau.
- Répéter des lignes d'en-tête.
- Formats automatiques, bordures et compagnie.

La meilleure manière de présenter un tas de données en même temps consiste à les placer dans un *tableau*. C'est la méthode la plus rapide pour fournir des informations dès l'instant où les en-têtes des lignes et des colonnes sont suffisamment clairs et compréhensibles. Cependant, toutes les personnes qui ont eu à travailler sur des tableaux savent que la tâche n'est pas si facile que cela. Faire tenir toutes les colonnes dans la page, ajuster correctement leurs dimensions ou encore éditer le contenu du tableau demande du travail. D'ailleurs, ce n'est pas pour rien si Word consacre aux tableaux un menu entier. Ce chapitre vous explique comment créer des tableaux, y saisir du texte, changer le nombre et la taille des colonnes comme des lignes, et comment les mettre en forme. Mais avant de commencer, vous devez vous familiariser avec leur jargon.

Parler le jargon des tableaux

Comme c'est trop souvent le cas dans PécéLand, les tableaux parlent leur propre jargon. La Figure 5.1 illustre les mots que vous devez absolument connaître. Désolé, mais vous devrez en passer par là avant de pouvoir construire le tableau parfait.

- **Cellule :** La case qui est formée par l'intersection d'une ligne et d'une colonne. Chaque cellule contient une donnée.
- **Titres des colonnes :** Les noms qui apparaissent sur la ligne du haut et qui expliquent ce que contient la colonne.

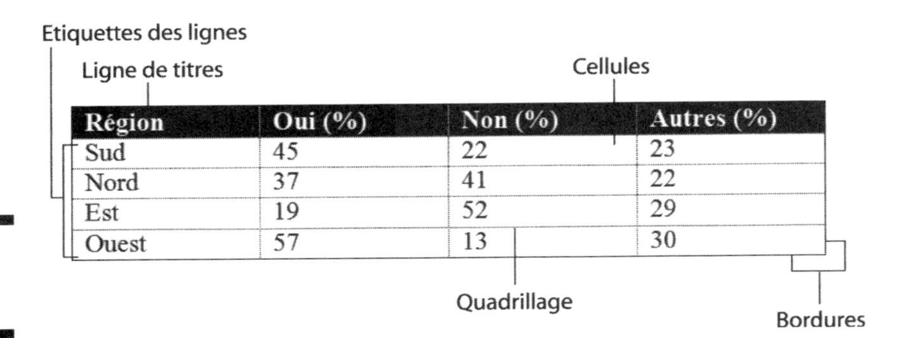

Région	Oui (%)	Non (%)	Autres (%)
Sud	45	22	23
Nord	37	41	22
Est	19	52	29
Ouest	57	13	30

Figure 5.1 : Les parties d'un tableau.

- **Etiquettes des lignes :** Les noms qui apparaissent dans la première colonne et qui expliquent ce qui se trouve sur la ligne.
- **Bordures :** Les traits qui entourent le tableau et/ou ses cellules.
- **Quadrillage :** Les lignes grisées qui indiquent où se trouvent les lignes et les colonnes. Ce quadrillage n'est pas imprimé par Word : il vous sert uniquement à formater le tableau. Le menu Tableau propose deux commandes pour masquer et afficher le quadrillage.

Créer un tableau

Word offre rien moins que quatre méthodes pour créer les lignes et les colonnes d'un tableau. A vos marques, prêts, partez :

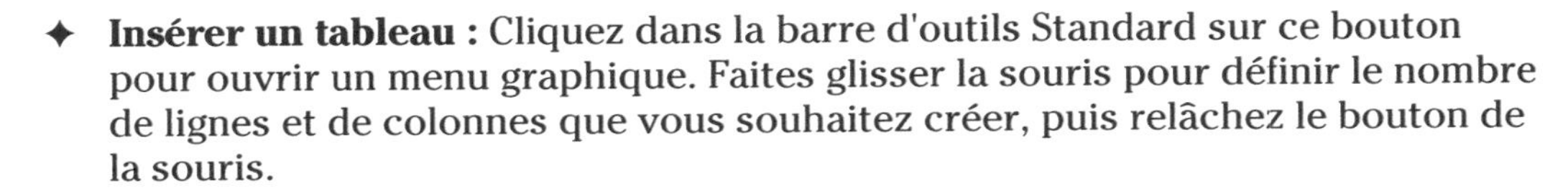

- **Insérer un tableau :** Cliquez dans la barre d'outils Standard sur ce bouton pour ouvrir un menu graphique. Faites glisser la souris pour définir le nombre de lignes et de colonnes que vous souhaitez créer, puis relâchez le bouton de la souris.

- **Dessiner un tableau :** Choisissez cette commande dans le menu Tableau, ou encore le bouton de même nom dans la barre d'outils Tableaux et bordures. Le curseur va prendre la forme d'un crayon. Utilisez-le pour tracer les bordures du tableau. Si vous faites une erreur, cliquez dans la barre d'outils Tableaux et bordures sur le bouton Gomme. Le pointeur devient une gomme (on n'y croyait pas). Faites-la glisser sur les parties du tableau que vous voulez supprimer. Quand vous avez fini, appuyez sur Echap ou cliquez à nouveau sur le bouton Dessiner un tableau.
- **Boîte de dialogue Insérer un tableau :** Le seul avantage de cette boîte de dialogue est qu'elle vous donne l'opportunité de choisir manuellement la largeur du tableau. Elle est accessible dans le menu Tableau en choisissant

Insérer, puis Tableau. Entrez le nombre de lignes et de colonnes à créer, puis cliquez sur OK.

✦ **Convertir du texte en tableau :** Appuyez sur la touche de tabulation ou entrez un point-virgule là où vous voulez diviser le texte en colonnes. Pour transformer par exemple une liste d'adresses, entrez le nom, un point-virgule (ou une tabulation), le prénom, un point-virgule (ou une tabulation), le numéro et la rue, un point-virgule (ou une tabulation), la localité, un point-virgule (ou une tabulation), et enfin le code postal. Appuyez sur Entrée et recommencez. Bien entendu, tout cela ne sera cohérent que si le nombre de points-virgules ou de tabulations est identique sur chaque ligne. Lorsque vous avez terminé, mettez le texte en surbrillance, ouvrez le menu Tableau et choisissez l'option Convertir, puis Texte en tableau. Dans la boîte de dialogue qui apparaît, sélectionnez votre séparateur dans la rubrique Séparer le texte. Cliquez sur OK.

Entrer du texte et des nombres

Une fois votre tableau créé, vous pouvez commencer à le remplir. Il vous suffit pour cela de cliquer dans une cellule et de saisir quelque chose. Voici quelques raccourcis qui vous aideront à vous déplacer plus rapidement dans un tableau :

Appuyer sur	Pour déplacer le curseur vers
Tabulation	La prochaine colonne (ou ligne)
Maj+Tabulation	La colonne (ou ligne) précédente
Alt+Début	Le début de la ligne
Alt+Fin	La fin de la ligne
Flèche haut	La ligne précédente
Flèche bas	La ligne suivante
Alt+Page haut	Haut de la colonne
Alt+Page bas	Bas de la colonne

Si vous avez besoin d'ajouter une ligne en bas du tableau pour ajouter une ligne supplémentaire, placez le curseur dans la dernière cellule, en bas et à droite, et appuyez sur la touche de tabulation.

Voici une astuce à connaître pour saisir des données. Entrez la ligne de titres puis deux lignes vierges. Ouvrez la barre d'outils Base de données. Cliquez alors sur le bouton Formulaire de données. Vous allez voir s'afficher un formulaire semblable à celui qui est illustré sur la Figure 5.2. Vous pouvez alors entrer dans un champ de saisie le contenu de chacune des cellules associées à un en-tête de colonne. Une fois les champs remplis, cliquez sur le bouton Ajouter un nouveau.

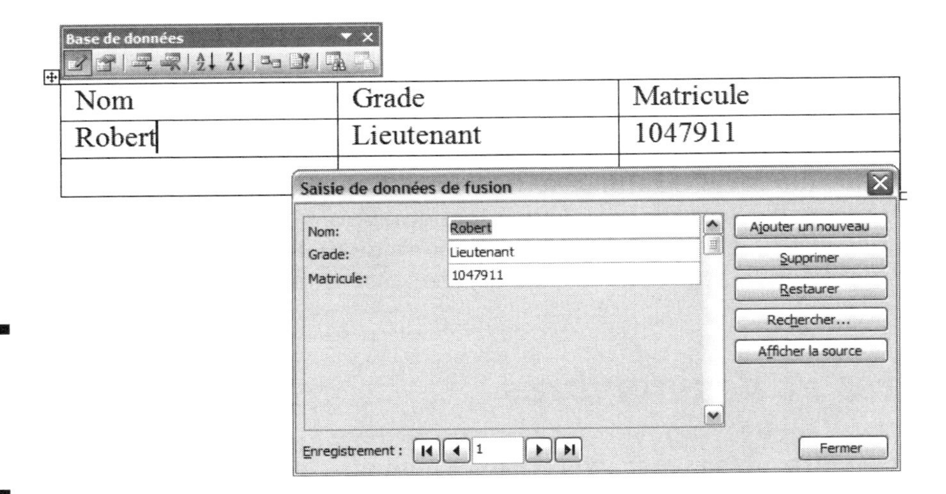

Figure 5.2 : Compléter un tableau à l'aide d'un formulaire de données.

Aligner le texte dans les lignes et les colonnes

Le procédé le plus facile consiste à faire appel aux boutons Aligné à gauche, Au centre, Aligné à droite et Justifier (dans la barre d'outils Mise en forme). Sélectionnez une cellule, une colonne, voire plusieurs colonnes, puis cliquez sur l'un de ces boutons afin d'aligner votre texte à votre convenance.

Si vous voulez aller plus loin, la barre d'outils vous propose aussi son bouton Aligner. Sélectionnez les cellules à formater, cliquez sur la flèche qui suit le bouton, puis choisissez l'un des neuf boutons d'alignement qui vous sont proposés.

Fusionner et fractionner cellules et tableaux

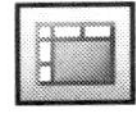

Sur l'exemple de la Figure 5.3, les cellules des lignes 2, 4 et 6 ont été fusionnées pour présenter les scores de trois buteurs (ne me demandez pas dans quel sport !). Au départ, ces lignes comportaient neuf cellules, comme les autres. Maintenant, il n'y en a plus qu'une seule. Pour produire ce miracle, sélectionnez les cellules à regrouper, puis cliquez dans le menu Tableau sur la commande Fusionner les cellules (ou sur le bouton de même nom dans la barre d'outils Tableaux et bordures).

1996	1997	1998	1999	2000	2001	2002	2003	2004
Georges Zimovitch								
15	20	25	18	23	16	9	11	16
Alexandre Lamasse								
14	10	23	21	20	11	14	19	12
Gérard Papolin								
21	6	17	13	9	20	15	7	16

Figure 5.3 : Fusionner plusieurs cellules.

Dans la même veine, vous pouvez décomposer une cellule en plusieurs autres. Sélectionnez votre cellule, puis choisissez dans le menu Tableau la commande Fractionner les cellules (la barre d'outils Tableaux et bordures vous offre la même fonction). Dans la boîte de dialogue qui va s'afficher, indiquez simplement le nombre de colonnes et de lignes à former à partir de votre cellule, puis validez.

Et toujours dans la même veine, il est également possible de scinder un tableau. Cliquez sur la ligne qui va devenir l'en-tête du nouvel objet, puis choisissez dans le menu Tableau la commande Fractionner le tableau.

Modifier la composition d'un tableau

Il arrive très souvent que l'on définisse trop ou pas assez de lignes ou de colonnes. Certaines colonnes sont probablement trop larges, d'autres trop étroites. Dans ce cas, vous devez modifier la composition de votre tableau en supprimant, insérant ou redéfinissant des lignes et des colonnes (nous verrons un peu plus loin comment améliorer la présentation visuelle d'un tableau).

Sélectionner différentes parties d'un tableau

Avant de pouvoir jouer avec vos cellules, vos lignes et vos colonnes, vous devez apprendre à les sélectionner comme il faut :

- **Cellules :** Pour sélectionner une cellule, cliquez dedans. Faites glisser votre curseur pour sélectionner plusieurs cellules à la fois.
- **Lignes :** Placez le curseur à gauche du tableau (il prend la forme d'une flèche creuse pointant en haut et à droite) puis cliquez. Vous pouvez aussi faire glisser le curseur pour sélectionner plusieurs lignes à la fois. Ou bien : mettez en surbrillance une ou plusieurs cellules, puis choisissez dans le menu Tableau l'option Sélectionner, puis Ligne.

- **Colonnes :** Déplacez le curseur au-dessus de la colonne voulue. Il prend la forme d'une flèche noire épaisse pointant vers le bas. Cliquez une fois. Vous pouvez aussi cliquer et faire glisser pour sélectionner plusieurs colonnes. Ou bien : mettez en surbrillance une ou plusieurs cellules, puis choisissez dans le menu Tableau l'option Sélectionner, puis Colonne.

- **Un tableau :** Pour sélectionner un tableau en entier, cliquez dedans. Choisissez alors dans le menu Tableau l'option Sélectionner, puis Tableau. Vous pouvez aussi appuyer sur Alt+5 (le 5 qui se trouve sur le pavé numérique, pas celui qui est situé au-dessus de la parenthèse).

Insérer et supprimer des lignes et des colonnes

Voici comment insérer ou supprimer des lignes et des colonnes :

- **Insérer des colonnes :** Sélectionnez la colonne qui se trouve *à droite* de l'emplacement où vous voulez en ajouter une nouvelle. Cliquez avec le bouton droit de la souris. Dans le menu qui apparaît, choisissez la commande Insérer des colonnes. L'option Insérer du menu Tableau vous propose également deux commandes : Colonnes à gauche et Colonnes à droite. Word ajoute autant de colonnes qu'en comporte votre sélection. Pour créer par exemple deux nouvelles colonnes, commencez par en sélectionner également deux.

- **Supprimer des colonnes :** Commencez par les sélectionner. Choisissez ensuite dans le menu Tableau l'option Supprimer, puis la commande Colonnes. Autre méthode : cliquez avec le bouton droit de la souris et choisissez dans le menu contextuel la commande Supprimer les colonnes. Evitez la confusion classique : si vous appuyez sur la touche Suppr, vous effacerez uniquement le *contenu* de votre sélection.

- **Insérer des lignes :** Sélectionnez la ligne qui se trouve *juste en dessous* de l'emplacement où vous voulez en ajouter une nouvelle. Cliquez avec le bouton droit de la souris. Dans le menu qui apparaît, choisissez la commande Insérer des lignes. L'option Insérer du menu Tableau vous propose également deux commandes : Lignes au-dessus et Lignes en dessous. Word ajoute autant de colonnes qu'en comporte votre sélection. Pour créer par exemple deux nouvelles lignes, commencez par en sélectionner également deux. Il est enfin possible d'insérer une ligne à la fin du tableau en cliquant dans la dernière cellule puis en appuyant sur la touche de tabulation.

- **Supprimer des lignes :** Commencez par les sélectionner. Choisissez ensuite dans le menu Tableau l'option Supprimer, puis la commande Lignes. Autre méthode : cliquez avec le bouton droit de la souris et choisissez dans le menu contextuel la commande Supprimer les lignes. Attention : si vous appuyez sur la touche Suppr, vous effacerez uniquement le *contenu* de votre sélection.

Déplacer des lignes et des colonnes

Il n'existe pas de procédé élégant pour déplacer des lignes ou des colonnes. Il est donc conseillé de ne pas en traiter plus d'une à la fois. Sinon, vous ouvrirez une boîte de Pandore qu'il vaudrait mieux laisser refermée. Procédez alors de la manière suivante :

1. **Sélectionnez la ligne ou la colonne que vous voulez déplacer.**
2. **Cliquez avec le bouton droit de la souris. Dans le menu contextuel, choisissez la commande Couper.**

   La ligne ou la colonne est transférée vers le presse-papiers.
3. **Procédez maintenant au déplacement :**
   - **Colonne :** Cliquez dans la cellule qui se trouve tout en haut de la colonne située juste à droite de l'emplacement où le transfert doit s'opérer. Prenons un exemple : pour déplacer la quatrième colonne en seconde position, coupez-la puis cliquez dans la cellule du haut de la colonne 2. Cliquez avec le bouton droit de la souris et choisissez dans le menu contextuel la commande Coller les colonnes.
   - **Ligne :** Cliquez dans la cellule qui se trouve sur la gauche de la ligne située juste en dessous de l'emplacement où le transfert doit s'opérer. Prenons un exemple : pour intercaler la ligne entrez les positions 6 et 7 actuelles, placez-vous au début de la ligne 7. Cliquez avec le bouton droit de la souris et choisissez dans le menu contextuel la commande Coller les lignes.

Redimensionner lignes et colonnes

Voyons comment changer rapidement la largeur d'une colonne ou la hauteur d'une ligne. Placez le curseur sur une des lignes (verticale ou horizontale) formant le quadrillage (ou sur une bordure délimitant deux cases). Le curseur va prendre la forme d'une flèche à deux têtes. Faites alors glisser, et glisser, jusqu'à ce que la colonne ou la ligne possède les bonnes dimensions. En mode d'affichage Page, il est aussi possible de faire glisser les marqueurs qui se trouvent dans les règles (horizontale pour une colonne, ou verticale pour une ligne).

Comme ces techniques restent un peu approximatives, Word propose dans le menu Tableau plusieurs commandes destinées à vous simplifier le travail. Ouvrez le sous-menu Ajustement automatique, puis choisissez l'action à effectuer :

✦ **Ajuster au contenu :** Chaque colonne s'adaptera à celle dont le contenu est le plus long.

✦ **Ajuster à la fenêtre :** Etire le tableau afin qu'il occupe tout l'espace disponible entre les marges gauche et droite de la page.

✦ **Largeur de colonne fixe :** Fixe la largeur des colonnes à leur valeur actuelle.

✦ **Uniformiser la hauteur des lignes :** Donne à toutes les lignes la hauteur de la plus grande d'entre elles. Vous trouverez aussi un bouton associé à cette fonctionnalité dans la barre d'outils Tableaux et bordures. Pour affecter uniquement certaines lignes, commencez par les sélectionner.

✦ **Uniformiser la largeur des colonnes :** Donne la même largeur à toutes les colonnes. Vous trouverez aussi un bouton associé à cette fonctionnalité dans la barre d'outils Tableaux et bordures. Pour affecter uniquement certaines colonnes, commencez par les sélectionner.

Répéter les en-têtes sur des pages successives

Lorsqu'un tableau occupe plusieurs pages, il est absolument essentiel de répéter la ligne de titres sur chacune d'entre elles. Rappelons qu'il s'agit généralement de la première ligne du tableau, celle qui décrit le contenu des colonnes. Sans cela, vos lecteurs auraient bien du mal à comprendre la nature et le sens des informations que vous enregistrez dans le tableau.

Pour répéter la ligne de titres sur chaque page, placez-y le curseur (si les titres sont répartis sur plusieurs lignes, sélectionnez-les toutes). Ouvrez le menu Tableau et choisissez la commande Titres. Il s'agit d'une bascule, qui active ou désactive au choix ce mode. Notez que le résultat n'est visible que dans les modes Page et Lecture.

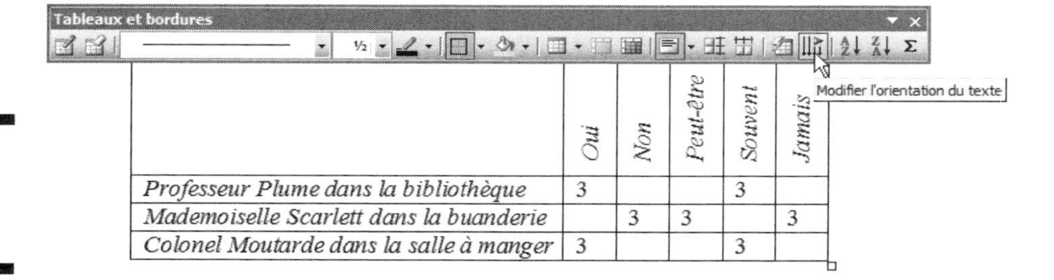

	Oui	*Non*	*Peut-être*	*Souvent*	*Jamais*
Professeur Plume dans la bibliothèque	3			3	
Mademoiselle Scarlett dans la buanderie		3	3		3
Colonel Moutarde dans la salle à manger	3			3	

Figure 5.4 : Changer l'orientation du texte.

Si votre ligne de titres est inutilement large, vous pouvez réduire l'espace qu'elle occupe en y changeant l'orientation du texte. C'est ce qu'illustre la Figure 5.4, dans laquelle les cellules ne contiennent que de simples chiffres. Sélectionnez une ligne entière ou uniquement les cellules voulues. Dans la barre d'outils Tableaux et bordures, cliquez sur le bouton Modifier l'orientation du texte. Recommencez jusqu'à ce que vos titres soient disposés comme vous le souhaitez.

Améliorer la présentation de votre tableau

Une fois le texte entré, les lignes et les colonnes bien en place et à la bonne taille, vous pouvez commencer à vous amuser avec le style de présentation de votre tableau.

Pratiquement tout ce qu'il est possible de faire avec un document est également réalisable en sélectionnant des parties d'un tableau puis en choisissant telle ou telle commande, ou en cliquant sur tel ou tel bouton. Vous pouvez choisir une autre police de caractères, aligner les données à votre convenance, et même importer un graphisme dans une cellule. De même, vous avez la possibilité de personnaliser les bordures, de remplir le fond des cellules à l'aide d'une couleur ou d'une trame, et ainsi de suite. Voyons tout cela d'un peu plus près.

Formats automatiques

La meilleure méthode est aussi la plus simple : laissez Word faire (presque) tout le travail à votre place. Cliquez dans votre tableau et choisissez la commande Tableau : Format automatique (dans le menu Tableau, bien sûr). Vous voyez alors s'afficher la boîte de dialogue illustrée sur la Figure 5.5. Parcourez la liste des styles pour en trouver un qui vous convienne (l'aperçu vous donne une bonne idée de ce qui va se passer). La liste Catégorie vous permet de restreindre la série des choix disponibles. Dans la zone Appliquer, sélectionnez (ou désélectionnez) les éléments pour lesquels le style doit (ou non) être utilisé. Chaque style peut être modifié (en lui donnant un nouveau nom) afin de redéfinir sa police ou sa bordure.

Bordures, ombrages et couleurs

Au lieu de déléguer le travail à Word, vous pouvez dessiner ou colorer vous-même les différentes parties d'un tableau. Et c'est plus simple que vous pourriez le croire. Si nécessaire, affichez la barre d'outils Tableaux et bordures en cliquant dans la barre d'outils Standard sur le bouton qui porte ce nom. Tous les outils dont vous avez besoin sont là (voir la Figure 5.6). Sélectionnez maintenant la section du tableau que vous voulez décorer et personnalisez-la de la manière suivante :

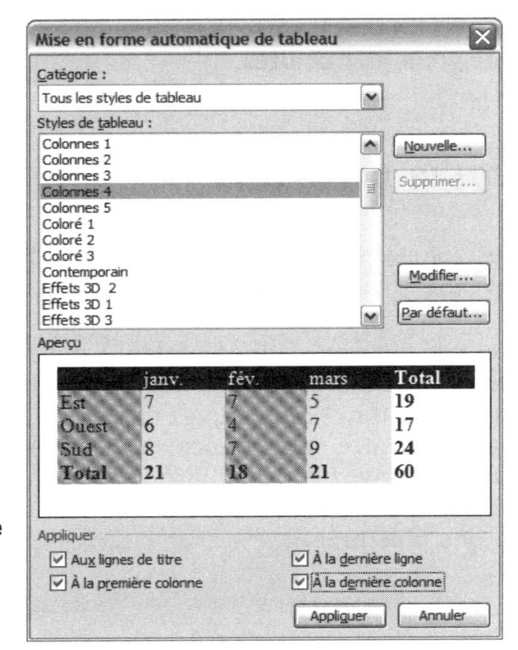

Figure 5.5 : La boîte de dialogue Mise en forme automatique de tableau.

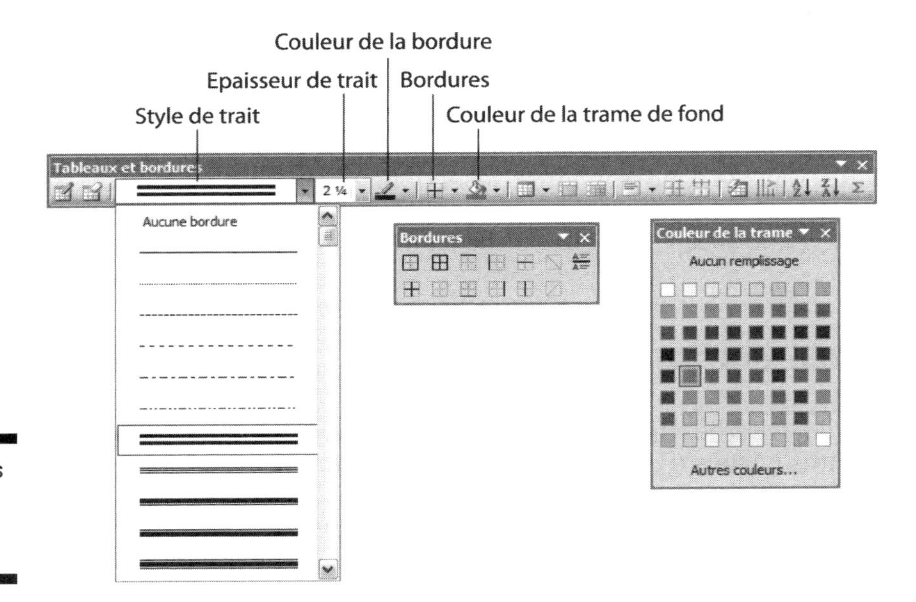

Figure 5.6 : Des outils pour décorer les tableaux.

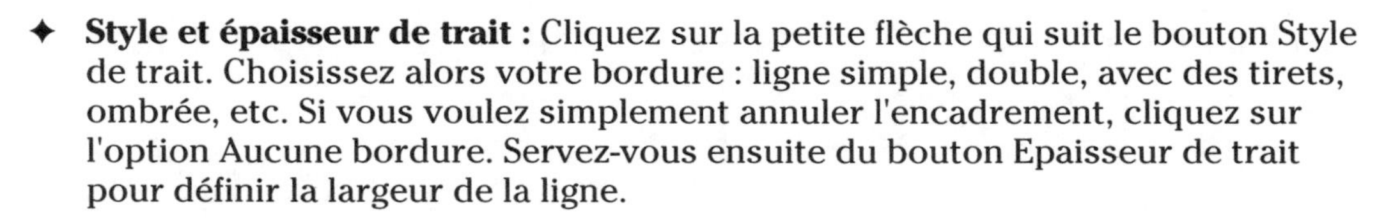

- **Style et épaisseur de trait :** Cliquez sur la petite flèche qui suit le bouton Style de trait. Choisissez alors votre bordure : ligne simple, double, avec des tirets, ombrée, etc. Si vous voulez simplement annuler l'encadrement, cliquez sur l'option Aucune bordure. Servez-vous ensuite du bouton Epaisseur de trait pour définir la largeur de la ligne.

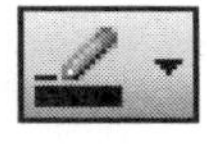

- **Couleur des traits :** Cliquez sur la petite flèche qui suit le bouton Couleur de la bordure. Sélectionnez alors l'une des couleurs proposées (ou définissez une teinte plus personnelle avec l'option Autres couleurs). Pour supprimer les couleurs et les niveaux de gris, cliquez sur Automatique.

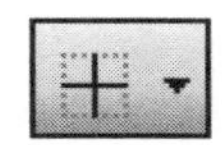

- **Choix des bordures :** Cliquez sur la petite flèche qui suit le bouton Bordures et sélectionnez l'un des styles proposés dans le menu qui s'affiche (ou sur Aucune bordure pour tout retirer). Par exemple, l'option Bordure supérieure trace un trait (selon le mode défini ci-dessus) en haut de la partie du tableau que vous avez sélectionnée (et seulement là). Servez-vous du bouton Bordure intérieure pour encadrer toute la partie interne de votre sélection. Il est par exemple courant d'affecter au contour d'un tableau un trait plus épais que celui des cellules intérieures. Le bouton Bordure se trouve dans deux barres d'outils : Mise en forme et Tableaux et bordures.

- **Couleur de fond et trame :** Cliquez sur la petite flèche qui suit le bouton Couleur de la trame de fond, puis choisissez une couleur ou un niveau de gris.

Pour opérer des réglages plus précis et plus élaborés sur votre sélection courante, cliquez avec le bouton droit de la souris et choisissez dans le menu contextuel la commande Bordure et trame.

Les choix que vous effectuez dans la barre d'outils Tableaux et bordures sont conservés jusqu'au prochain changement. Si vous utilisez par exemple le bouton Couleur de la trame de fond pour colorer des cellules en bleu, il va afficher un trait bleu. Si vous voulez par la suite appliquer la même couleur à un autre élément, plus besoin d'ouvrir la liste : il vous suffit de cliquer à nouveau sur le bouton !

Chapitre 6
Word, aide-moi !

Dans ce chapitre :

- Trouver des synonymes.
- Commenter le travail des autres.
- Suivre les modifications d'un document.
- Organiser votre travail grâce aux plans.
- Imprimer des enveloppes et des étiquettes.
- Du courrier en masse avec le publipostage.

Ce chapitre est consacré à la proposition suivante : tout le monde préfère terminer son travail sans perdre de temps. Il vous explique comment Word peut vous aider à en gagner, ou à en améliorer la qualité, notamment si vous participez à des projets en équipe. Il vous montre également comment générer des lettres type, des enveloppes et des étiquettes, en d'autres termes faire du *publipostage*.

Trouver le mot juste

Si vous n'arrivez pas à trouver le mot juste, ou si vous avez le terme que vous cherchez sur le bout de la langue mais qu'il vous échappe encore, vous pouvez toujours consulter le dictionnaire des synonymes.

Pour trouver les synonymes d'un mot, commencez par cliquer dessus avec le bouton droit de la souris. Dans le menu contextuel, choisissez la commande Synonymes. Il est illustré sur la Figure 6.1. Avec un peu de chance, le mot que vous recherchiez va apparaître dans le sous-menu. Il vous suffit alors de cliquer dessus pour envoyer le mot dans votre document. Pour autant, trouver un bon synonyme peut être une véritable expédition, et pas nécessairement une balade du dimanche.

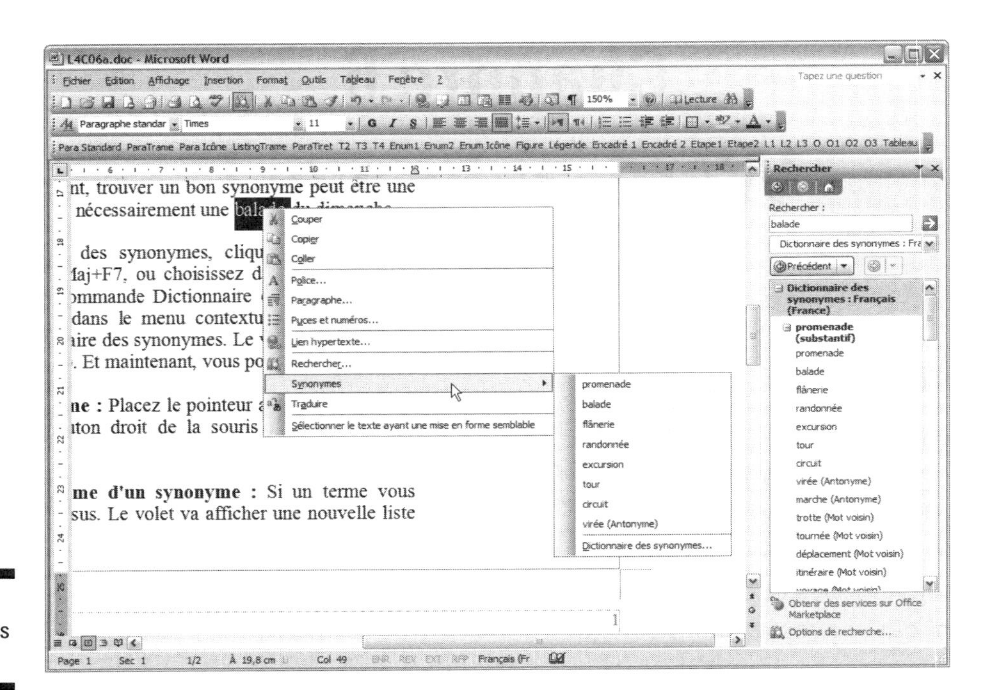

Figure 6.1 : Rechercher des synonymes.

Pour affiner la détection des synonymes, cliquez sur le mot en question et appuyez sur Maj+F7, ou choisissez dans le menu Outils l'option Langue puis la commande Dictionnaire des synonymes, ou bien encore sélectionnez dans le menu contextuel du mot l'option Synonymes, puis Dictionnaire des synonymes. Le volet Rechercher va s'ouvrir (voir la Figure 6.1). Et maintenant, vous pouvez :

- **Choisir un synonyme :** Placez le pointeur au-dessus d'un mot, cliquez avec le bouton droit de la souris et sélectionnez la commande Insérer.
- **Trouver le synonyme d'un synonyme :** Si un terme vous intrigue, cliquez dessus. Le volet va afficher une nouvelle liste de synonymes.
- **Chercher des antonymes :** Si vous n'obtenez pas le mot escompté, essayez de taper son antonyme (c'est-à-dire un mot ayant un sens opposé). Regardez dans le volet Rechercher si Word vous propose un antonyme de cet antonyme. C'est peut-être justement ce que vous recherchiez.
- **Revoir une liste de mots :** Cliquez autant de fois qu'il est nécessaire sur le bouton Précédent (ou inversement sur le bouton Suivant).

Surligner des parties d'un document

Vous pouvez utiliser la commande Surligner pour marquer des paragraphes et du texte qui ont besoin d'être mis en valeur ou d'être revus plus tard. Et si le temps est à la pluie, cette fonction vous servira peut-être simplement à mettre un peu de couleur dans vos documents pour vous amuser. Quelles que soient vos raisons, procédez de la manière suivante :

1. **Si nécessaire, cliquez sur la flèche qui suit le bouton Surlignage afin de choisir une couleur.**

   Si le modèle de couleur affiché sur le bouton vous convient, il vous suffit de cliquer sur celui-ci.

2. **Faites glisser le curseur au-dessus du texte que vous voulez surligner.**

3. **Lorsque vous avez terminé, cliquez une nouvelle fois sur le bouton Surlignage.**

Vous pouvez aussi mettre le texte voulu en surbrillance avant de cliquer sur le bouton Surlignage puis de choisir éventuellement une couleur dans la liste qui vous est proposée.

Les parties surlignées du document sont imprimées en même temps que le reste du texte. Pour retirer provisoirement ces marques, ouvrez le menu Outils et choisissez la commande Options. Sous l'onglet Affichage, désélectionnez l'option Surlignage. Si vous voulez annuler totalement cette mise en valeur, sélectionnez le texte mis en surbrillance, cliquez sur la flèche qui suit le bouton Surlignage, puis choisissez comme option Aucun.

Ajouter des commentaires à un document

Aux temps anciens, les commentaires ressemblaient à des pattes de mouche illisibles jetées dans les marges des livres et des documents. Avec Word, ils deviennent faciles à lire.

Lorsque des commentaires sont ajoutés à un document, chaque intervenant peut y aller de sa propre couleur, et des crochets apparaissent autour des mots et des passages ainsi annotés. Vous pouvez lire ces commentaires en mode Page ou Web dans des bulles qui apparaissent automatiquement. C'est ce qu'illustre la Figure 6.2. Si vos commentaires n'apparaissent pas, ouvrez dans le menu Outils la boîte de dialogue Options, puis cochez la case Info-bulles.

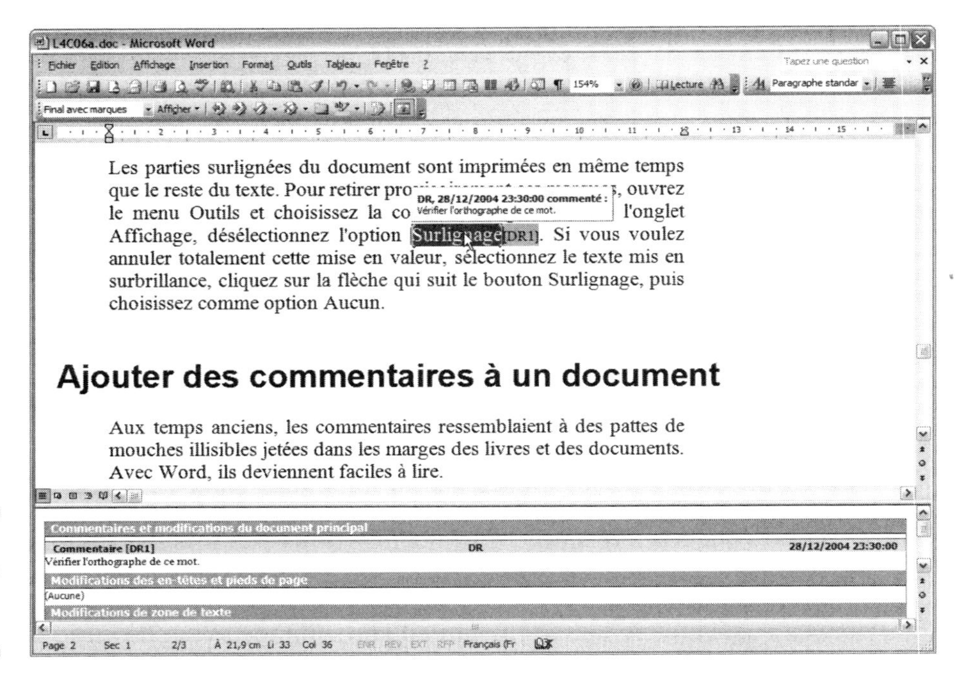

Figure 6.2 : Commentaire en mode d'affichage Normal.

Vous pouvez par exemple soumettre un projet de rédaction à vos collègues de travail. Si quelqu'un apporte un commentaire particulièrement judicieux, il est possible de l'inclure dans le texte principal simplement en le copiant et le collant.

Pour écrire un commentaire :

1. **Sélectionnez le mot ou la phrase que vous voulez commenter (ou critiquer).**

2. **Dans le menu Insertion, choisissez la commande Commentaire, ou cliquez dans la barre d'outils Révision sur le bouton Insérer un commentaire.**

   La barre d'outils Révision va apparaître (si ce n'est pas encore le cas). Si vous êtes en mode Page, une sorte de bulle de saisie va s'afficher sur le côté de la feuille pour que vous puissiez y saisir votre note. En mode Normal, c'est un volet situé en bas de la fenêtre qui va s'ouvrir. Il contient les commentaires déjà enregistrés ainsi que les noms de leurs auteurs.

3. **Tapez votre note dans l'espace proposé à la suite du mot Commentaire et de votre nom.**

   Si votre nom n'apparaît pas, ouvrez le menu Outils, choisissez la commande Options, puis, sous l'onglet Utilisateur, entrez votre nom dans le champ correspondant.

A partir du volet ou de la barre d'outils Révision, vous pouvez effectuer diverses tâches :

- **Afficher et masquer le volet Révision :** Cliquez simplement sur le dernier bouton de la barre d'outils Révision. Vous pouvez aussi vous servir du bouton Afficher de cette barre pour y choisir l'option Volet Révision.
- **Afficher et masquer les commentaires dans le texte :** Cliquez sur le bouton Afficher, puis choisissez l'option Commentaires. Les marqueurs de commentaires sont indiqués entre crochets et sur un fond rosé.

- **Supprimer un commentaire :** Cliquez sur un symbole de commentaire dans le texte, ou sur une ligne de commentaire dans le volet Révision, puis sur le bouton pieusement appelé Refuser les modifications/Supprimer les commentaires. Vous pouvez tout aussi bien cliquer dans le texte sur un commentaire avec le bouton droit de la souris et choisir dans le menu contextuel l'option Supprimer le commentaire.
- **Supprimer tous les commentaires du document :** Cliquez sur la petite flèche qui suit le bouton Refuser les modifications/Supprimer les commentaires. Choisissez alors la commande Supprimer tous les commentaires du document.
- **Supprimer les commentaires des autres :** Commencez par localiser les personnes dont vous voulez supprimer les commentaires. Pour cela, cliquez dans la barre d'outils Révision sur le bouton Afficher. Choisissez l'option Relecteurs. Dans le sous-menu qui va s'afficher, désélectionnez le nom d'un commentateur que vous voulez conserver. Recommencez ainsi jusqu'à ce que restent uniquement les crochets correspondant aux relecteurs dont vous voulez supprimer les commentaires. Cliquez maintenant sur la flèche qui se trouve à droite du bouton Refuser les modifications/Supprimer les commentaires. Choisissez enfin l'option Supprimer tous les commentaires affichés.
- **Editer un commentaire :** Corrigez-le dans le volet Révision. Vous pouvez aussi cliquer avec le bouton droit de la souris sur le texte entre crochets et choisir l'option Supprimer le commentaire.

Montrer les révisions des documents

Lorsque de nombreuses mains collaborent à l'élaboration d'un document, comment savoir qui a écrit ou modifié quoi ? Pire encore, il devient impossible de retrouver la version initiale, le premier jet. Et donc bien souvent de dire si le travail de révision a été profitable ou non.

C'est pour vous aider dans cette quête que Word vous offre une commande permettant d'assurer le suivi des modifications apportées aux documents. Lorsqu'elle est active, tous les changements apportés au texte sont enregistrés dans une couleur distinctive, une par correcteur. Le texte nouveau est souligné et une ligne verticale signale sa position dans la marge de gauche. Du texte supprimé est barré d'un trait. Selon le mode d'affichage courant, ces révisions peuvent ou non apparaître à l'intérieur de bulles, dans la marge droite. En plaçant le pointeur au-dessus d'une correction, vous pouvez lire le nom du correcteur, la date de la modification et le contenu de celle-ci. Il est alors possible d'accepter ou de refuser cette proposition. De plus, une simple commande fait passer du document original à la forme révisée, et réciproquement.

Evidemment, trop de révisions et corrections peuvent rendre le document difficilement lisible. C'est pourquoi la finalisation du texte doit si possible s'effectuer au fur et à mesure de l'avancée du travail.

Activer le suivi des révisions

Vous disposez de trois méthodes pour activer le suivi des modifications apportées à un document :

- Dans la barre d'état, faites un double clic sur la case REV.
- Dans le menu Outils, choisissez la commande Suivi des modifications (ou appuyez sur Ctrl+Maj+R).

- Cliquez sur le bouton Suivi des modifications (dans la barre d'outils Révision).

Si vous êtes le premier auteur à corriger ce document, les changements que vous y apportez apparaissent en rouge. Pour le second, une autre couleur sera employée, et ainsi de suite. Word sait reconnaître la présence d'un nouvel intervenant et lui affecter sa propre couleur.

Pour traquer non seulement les corrections apportées au texte, mais aussi les changements de présentation, cliquez dans la barre d'outils Révision sur le bouton Afficher et activez l'option Mise en forme. Si la présence des bulles en mode Page ou Web vous agace, vous pouvez en profiter pour choisir l'option Jamais dans le sous-menu Bulles.

Corrections sans révisions

Supposons que vous ayez rédigé le premier jet d'un document. Une autre personne y apporte des changements, mais en oubliant d'activer le suivi des révisions. Comment savoir ce qui a été changé ? Plus largement, comment déterminer les évolutions apportées au texte original ? La bonne nouvelle vient maintenant : c'est parfaitement possible à la condition d'avoir conservé une copie de sauvegarde du document initial.

En partant donc de l'hypothèse que vous savez retrouver le fichier source, une manipulation simple va faire apparaître des marques de révision là où le texte a été changé. Voici comment :

1. **Ouvrez la version corrigée (mais sans suivi des modifications) du document à analyser.**
2. **Dans le menu Outils, choisissez la commande Comparaison et fusion de documents. La boîte de dialogue Comparaison et fusion de documents va apparaître.**
3. **Localisez le fichier d'origine (votre premier jet, donc). Sélectionnez-le.**
4. **Cliquez sur la flèche qui suit le bouton Fusionner, en bas et à droite de la boîte de dialogue. Choisissez l'une des options suivantes :**
   - **Fusionner :** Fait apparaître les changements et corrections dans le premier jet du document.
   - **Fusionner dans le document en cours :** Fait apparaître les changements et corrections dans la nouvelle version du document (celle que vous avez ouverte lors de l'étape 1).
   - **Fusionner dans un nouveau document :** Fait apparaître les changements et corrections dans un nouveau document.

Comparez des documents lorsque vous voulez savoir en quoi l'original et le document révisé diffèrent, pas simplement pour voir les ajouts ou les suppressions. Si, par exemple, deux relecteurs ont effacé le même paragraphe, cette correction ne sera pas signalée. Ce paragraphe est définitivement supprimé, c'est tout.

Si vous voulez uniquement comparer deux documents, cochez dans la boîte de dialogue Comparaison et fusion de documents l'option Format légal. Le bouton Fusionner devient alors Comparer.

Gérer les marques de révision

La relecture d'un document comportant des marques de révision n'est pas toujours chose aisée. Ces marques peuvent perturber la lecture, surtout si plusieurs correcteurs sont en piste. Word vous offre donc un ensemble de commandes destinées à faciliter la finalisation d'un document :

✦ **Désactivation temporaire des marques de révision :** Dans la barre d'outils Révision, cliquez sur le bouton Afficher, puis cliquez sur l'option Insertions et suppressions. La même procédure rétablit l'affichage des marques.

✦ **Simuler l'acceptation de toutes les modifications :** Ouvrez la liste Afficher pour la révision, celle qui se trouve à gauche de la barre d'outils Révision (par défaut, elle devrait indiquer Original avec marques). Choisissez l'option Final (vous pouvez aussi activer ou désactiver la commande Marques dans le menu Affichage).

- **Simuler le refus de toutes les modifications :** Procédez comme ci-dessus, mais en choisissant cette fois l'option Original.
- **Mieux voir les suppressions de texte :** Ouvrez la liste Afficher pour la révision et choisissez maintenant l'option Original avec marques. Le texte supprimé apparaît en couleur et en caractères barrés (pas dans des bulles, celles-ci concernant le mode Final avec marques).
- **Repérer les modifications apportées par certains correcteurs :** Cliquez sur le bouton Afficher, puis sur la ligne Relecteurs. Dans le sous-menu qui s'affiche alors, cliquez sur le nom d'une personne dont vous ne voulez *pas* voir les corrections. Recommencez cette procédure jusqu'à ce qu'il ne reste plus que les apports voulus. Pour revenir au stade initial, choisissez simplement l'option Tous les relecteurs.

Accepter et refuser les modifications

Quelles que soient vos intentions, commencez par sélectionner une modification. Pour cela, cliquez dessus ou servez-vous des boutons Précédent et Suivant de la barre d'outils Révision pour circuler entre les corrections. Vous pouvez ensuite :

- **Accepter la modification :** Cliquez sur le bouton correspondant de la barre d'outils Révision. Ou encore, cliquez avec le bouton droit de la souris et choisissez dans le menu contextuel l'option Accepter.

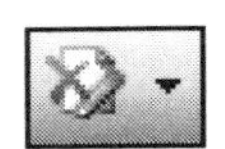

- **Refuser la modification :** Cliquez sur le bouton correspondant de la barre d'outils Révision. Ou encore, cliquez avec le bouton droit de la souris et choisissez dans le menu contextuel l'option Refuser.

Pour valider tous les changements apportés au document, cliquez sur la flèche qui suit le bouton Accepter la modification. Choisissez alors l'option Accepter toutes les modifications dans le document.

Organiser votre travail grâce aux plans

Le mode Plan vous permet de juger d'un coup d'œil de la structure et de l'organisation de votre document, et donc de voir s'il y a quelque chose à y changer. Pour profiter de cette fonctionnalité, vous devez avoir affecté des niveaux de titres aux différentes sections de votre document (le Chapitre 4 du Livret IV explique comment utiliser les styles).

Dans le mode Plan, vous voyez tous les titres présents dans le document. Si une section n'est pas à la bonne place, vous pouvez la déplacer simplement en la faisant glisser ou en cliquant sur un bouton de la barre d'outils Mode Plan. De même, cette barre vous permet de changer très facilement un niveau de titre.

Choisissez dans le menu Affichage la commande Plan, ou cliquez sur le bouton Mode Plan, à gauche de la barre de défilement horizontale. A la place de votre texte normal, vous allez voir apparaître uniquement les titres principaux (et éventuellement la première ligne de chaque paragraphe). Vous avez ainsi une vision immédiate de la structure actuelle du document, et du même coup des éventuels défaut de celle-ci. Dans la barre d'outils Mode Plan, la liste Afficher le niveau vous permet de choisir à tout instant du degré d'importance des titres à montrer, comme l'illustre la Figure 6.3.

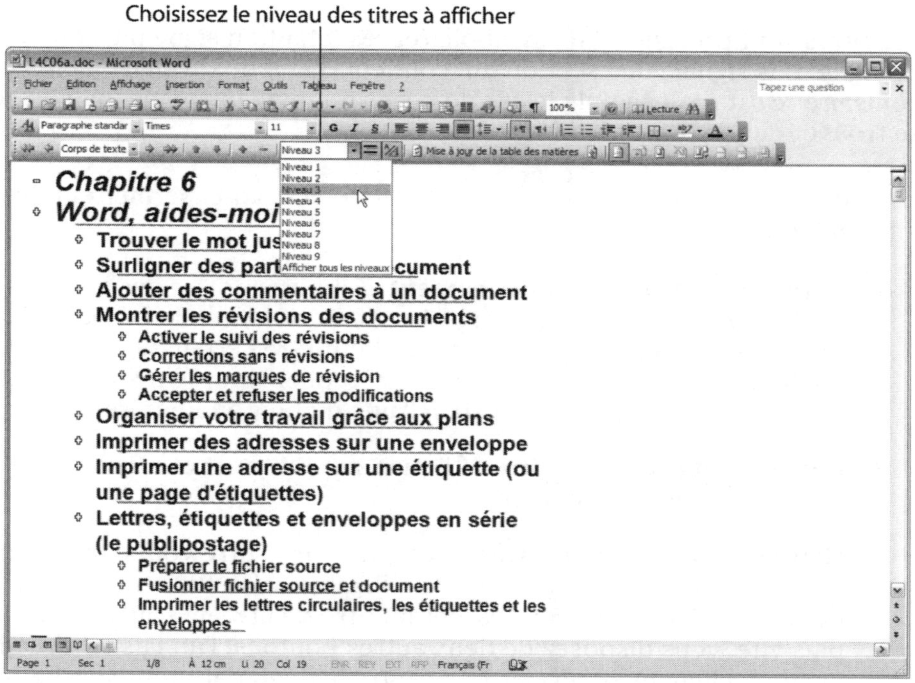

Choisissez le niveau des titres à afficher

Figure 6.3 : Un document en mode Plan.

Avant de penser à réorganiser votre document, commencez par vous familiariser avec les boutons et les menus de la barre d'outils Mode Plan :

- **Voir certains niveaux de titres :** Ouvrez la liste Afficher le niveau. Pour ne voir par exemple que les titres principaux, sélectionnez dans le menu l'option Niveau 1. En cliquant sur Niveau 3, vous vous limiterez au trois premiers niveaux. Pour tout montrer, sélectionnez l'option Afficher tous les niveaux.

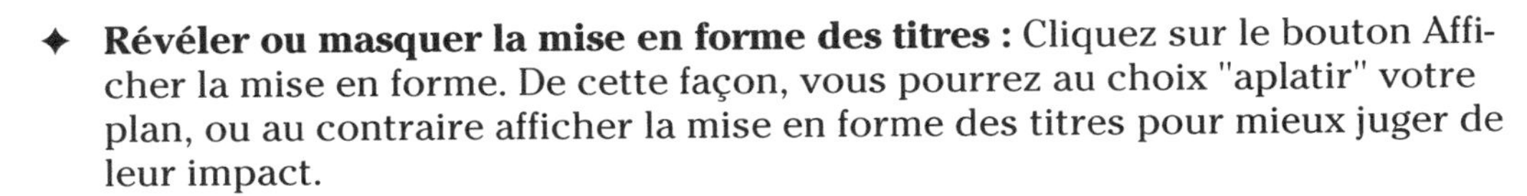

- **Révéler ou masquer la mise en forme des titres :** Cliquez sur le bouton Afficher la mise en forme. De cette façon, vous pourrez au choix "aplatir" votre plan, ou au contraire afficher la mise en forme des titres pour mieux juger de leur impact.

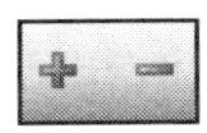

- **Cacher ou montrer les titres et le contenu d'une section :** Pour développer ou réduire le contenu d'une section, faites un double clic sur le signe "+" qui est affiché sur sa gauche. Vous pouvez aussi cliquer une seule fois sur ce symbole, puis vous servir des boutons Développer et Réduire de la barre d'outils Mode Plan.

- **Afficher ou masquer le texte des paragraphes :** Cliquez sur le bouton Afficher la première ligne. Lorsqu'il est enfoncé (actif), seule la première de chaque paragraphe est montrée. Elle est suivie de pointillés pour indiquer que le texte continue.

Les titres sont précédés d'un symbole représentant un signe plus ou un signe moins. Le signe plus signale une section qui contient du texte. Un signe moins indique le contraire (c'est par exemple le cas du corps du texte lui-même, puisque c'est lui qui se trouve tout en bas de la hiérarchie).

Les listes et boutons de la barre d'outils Mode Plan vous permettent de réaliser différentes actions, notamment :

- **Déplacer une section du document :** Cliquez sur l'un des boutons Monter ou Descendre. Vous pouvez aussi faire glisser le symbole "+" ou "-" qui se trouve devant le niveau de titre à déplacer. Pour être certain de ne rien oublier de son contenu au passage, commencez par "replier" tout le texte présent dans la section à l'intérieur de son titre à l'aide du bouton Réduire.
- **Changer un niveau de titre :** Cliquez sur le titre et choisissez une valeur dans la liste Niveau hiérarchique.
- **Hausser et rabaisser les titres :** Cliquez sur le titre voulu, puis définissez son niveau en cliquant sur les boutons Hausser et/ou Rabaisser. Par exemple, le bouton Hausser peut faire passer un titre de niveau 3 au niveau 2. Pour aller plus vite, vous disposez de deux autres boutons, l'un faisant accéder directement un élément au niveau 1, et l'autre le dégradant tout aussi directement en corps de texte.

Imprimer une adresse sur une enveloppe

Des adresses imprimées donnent à votre correspondance un aspect formel, officiel. Elles vous procurent l'apparence d'un véritable professionnel. Voyons donc comment imprimer sur une enveloppe l'adresse du destinataire et celle de l'expéditeur (nous apprendrons plus loin à imprimer des séries entières d'adresses).

1. **(Facultatif) Pour gagner du temps, commencez par ouvrir le document qui contient la lettre que vous voulez envoyer. Sélectionnez le nom et l'adresse de votre correspondant.**

   De cette manière, vous n'aurez pas besoin de ressaisir cette adresse. Mais il n'est pas indispensable d'ouvrir un document pour la suite des événements.

   Avec cette méthode, chaque ligne de l'adresse doit se terminer par un saut de ligne (Maj+Entrée), et non par une fin de paragraphe.

2. **Dans le menu Outils, choisissez l'option Lettres et publipostage, puis la commande Enveloppes et étiquettes.**

   La boîte de dialogue Enveloppes et étiquettes va s'afficher (voir la Figure 6.4).

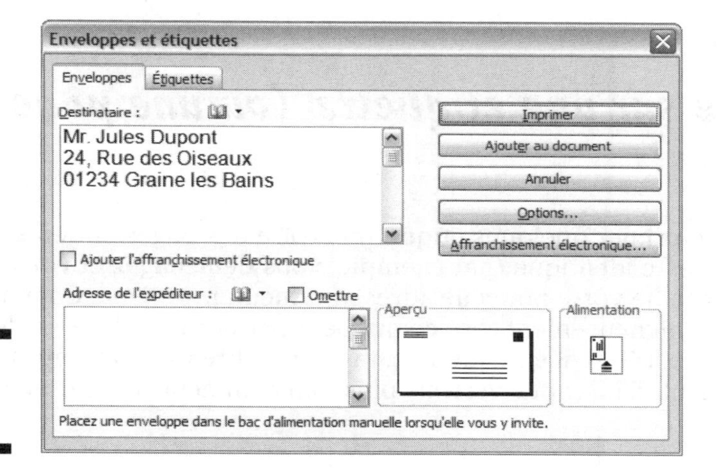

Figure 6.4 : Imprimer une enveloppe.

3. **Entrez un nom et une adresse dans le champ Destinataire (il devrait déjà être rempli si vous avez suivi l'étape 1).**

   Si vos propres coordonnées n'apparaissent pas dans la zone Adresse de l'expéditeur, saisissez-les manuellement (nous verrons à la fin de cette section comment fournir automatiquement ces informations).

4. **Si vous ne voulez pas que votre adresse apparaisse sur l'enveloppe, cochez la case Omettre.**

5. **Cliquez sur le bouton Imprimer.**

Deux commandes de l'onglet Enveloppes servent à indiquer à Word quel est le format de vos enveloppes et comment celles-ci sont gérées par votre imprimante.

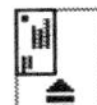

Cliquez sur le symbole qui est affiché dans le cadre Alimentation. Ceci ouvre la boîte de dialogue Options pour les enveloppes. Choisissez-y la méthode d'alimentation qui convient à votre imprimante. Consultez le manuel de celle-ci, sélectionnez une disposition, l'orientation de la face imprimée, l'emplacement du bac d'alimentation (ou une insertion manuelle de l'enveloppe), puis cliquez sur OK lorsque vous avez terminé.

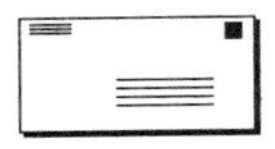

Une fois l'enveloppe insérée dans votre imprimante, cliquez sur l'icône qui est affichée dans le cadre Aperçu. Vous allez maintenant choisir votre format d'enveloppe ainsi que le style des caractères utilisés pour imprimer l'enveloppe.

Pour que votre propre adresse apparaisse automatiquement dans la fenêtre Enveloppes et étiquettes, ouvrez la boîte de dialogue Options (à partir du menu Outils). Activez l'onglet Utilisateur, renseignez le champ Adresse et validez.

Imprimer une adresse sur une étiquette (ou une page d'étiquettes)

Vous avez besoin d'imprimer quelques étiquettes, voire des pages entières d'étiquettes, dont le contenu reste identique (par exemple, vous déménagez et vous voulez informer tout le monde de votre nouvelle adresse). Aucun problème. Commencez cependant par noter soigneusement tout ce qui peut permettre à Word d'identifier vos étiquettes (marque, référence du modèle, taille, nombre par page, etc.). Vous en aurez besoin le moment venu (nous verrons plus loin comment réaliser un véritable publipostage).

Voici comment imprimer une série d'étiquettes identiques :

1. **Dans le menu Outils, choisissez l'option Lettres et publipostage, puis la commande Enveloppes et étiquettes.**

   La boîte de dialogue Enveloppes et étiquettes va s'afficher. Activez l'onglet Etiquettes (voir la Figure 6.5).

2. **Renseignez le champ Adresse (si vous avez sélectionné celle-ci dans le document, il devrait être déjà rempli).**

   Si vous voulez imprimer votre propre adresse, cochez la case Expéditeur. Cette information sera automatiquement affichée à la condition d'avoir correctement rempli le champ Adresse, sous l'onglet Utilisateur de la boîte de dialogue Options.

3. **Cliquez sur le bouton Options, ou sur l'icône affichée dans le cadre Etiquette. La boîte de dialogue Options pour les étiquettes va s'afficher.**

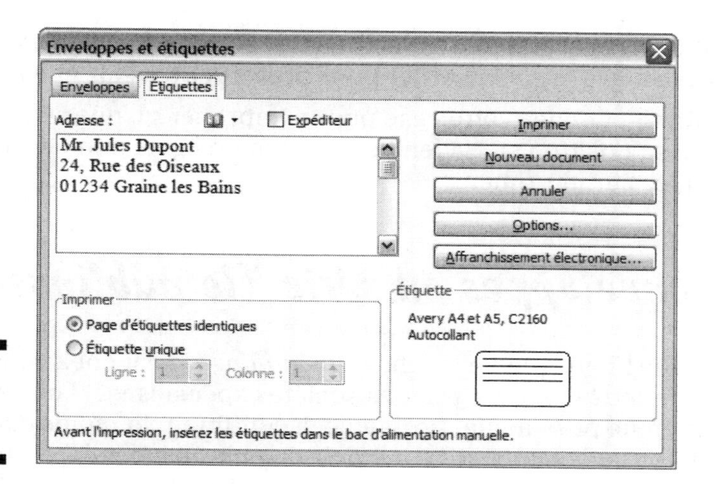

Figure 6.5 : Imprimer des étiquettes.

4. **Dans la rubrique Informations sur l'imprimante, sélectionnez le type de matériel dont vous disposez (vraisemblablement une imprimante à jet d'encre ou laser), ainsi que le mode d'alimentation du papier.**

5. **Ouvrez la liste déroulante Tailles internationales, et sélectionnez-y la marque et/ou le type de vos étiquettes.**

   Si votre recherche ne donne rien, vous pouvez choisir tout en bas de la liste l'option Autres/Personnalisées, cliquer sur le bouton Détails, puis décrire les caractéristiques de votre étiquette dans une nouvelle boîte de dialogue (dont le moins que l'on puisse dire est qu'elle n'aide pas à supprimer la confusion). Mais la meilleure méthode consiste à mesurer vos étiquettes et à regarder s'il n'existe pas déjà un modèle identique en jouant sur les listes Tailles internationales et Numéro de référence.

6. **En supposant la bonne marque trouvée, sélectionnez le modèle voulu dans la liste Numéro de référence.**

   Vérifiez dans la zone Description, à droite, que le type, la largeur, la hauteur et la taille du papier correspondent bien à vos étiquettes.

7. **Quand vous avez terminé, cliquez sur OK pour revenir à la boîte de dialogue Enveloppes et étiquettes.**

8. **Choisissez vos options et cliquez sur le bouton Imprimer.**

   Indiquez simplement à Word si vous voulez imprimer une seule étiquette ou une page entière :

   - **Page d'étiquettes identiques :** Cochez cette case pour imprimer une feuille complète à partir de la même adresse (ou du moins à partir de ce qui vous avez saisi dans le champ Adresse). Cliquez ensuite sur le bouton Nouveau document. Word va créer un document contenant votre page d'étiquettes. Vous n'avez plus qu'à le sauvegarder pour préserver l'avenir et à l'imprimer.

- **Etiquette unique :** Cochez cette case pour n'imprimer qu'une seule étiquette. Entrez sa position sur la feuille (numéro de ligne, numéro de colonne) et cliquez sur Imprimer.

Lettres, étiquettes et enveloppes en série (le publipostage)

Miracle de l'informatique ! Vous pouvez réaliser un *mailing* massif chez vous ou au bureau, exactement comme le font les grandes sociétés spécialisées dans le publipostage. Cette opération ne pose aucun problème, à condition du moins d'avoir pris le temps de bien préparer le fichier source. Ce *fichier source* est celui qui contient les noms et les adresses dont vous allez vous servir pour votre publipostage. Il peut s'agir d'un tableau Word, d'une feuille Excel, d'une base ou d'une requête Access, ou encore d'une liste de contacts ou du carnet d'adresses Outlook.

Pour générer vos lettres, étiquettes et enveloppes, vous allez combiner ce fichier source avec un document préparé à l'avance. Word appelle ce processus la *fusion*. Au cours de cette fusion, les données provenant du fichier source sont insérées aux endroits voulus dans le modèle de document. Une fois l'opération terminée, vous pouvez sauvegarder tout cela dans un nouveau fichier ou bien passer directement à l'impression de vos lettres, étiquettes ou enveloppes.

Nous allons d'abord voir comment créer un fichier source et le fusionner avec un document. Vous apprendrez ensuite à imprimer vos lettres type, vos étiquettes et vos enveloppes de publipostage.

Préparer le fichier source

Si vous avez l'intention de construire vos lettres, étiquettes ou enveloppes à partir d'une liste de contacts ou du carnet d'adresses Outlook, le travail est déjà effectué. Sinon, vous pouvez utiliser un tableau Word ou Excel, ou encore une base ou une requête Access. Dans ce cas, il vous faut préparer et vérifier vos données :

✦ **Tableau Word :** Sauvegardez le tableau dans son propre fichier en entrant une description claire dans la ligne de titres. En effet, c'est à partir de ces titres que vous indiquerez à Word quelles données choisir et comment effectuer la fusion. Sur la Figure 6.6, par exemple, les en-têtes des colonnes définissent le nom, le prénom, la rue et ainsi de suite (le Chapitre 5 du Livret IV explique comment construire un tableau sous Word).

Nom	Prénom	Adresse	Ville	Code Postal	Naissance	Fonction
Charles	Hubert	3, Rue des Cygnes	Paris	75000	1966	Directeur
Matthieu	Claudine	12, Rue Haute	Lille	59000	1972	Secrétaire
Walter	Zoé	1, Rue du Milieu	Nantes	44000	1957	PDG
Louise	Michel	3, Rue d'en bas	Paris	75000	1980	Attachée
Victor	Hugo	78, Avenue Bis	Bordeaux	33000	1972	Comptable
Bertrand	Bernard	1, Rue Guevara	Paris	75000	1950	Gardien

Figure 6.6 : Tableau source pour un publipostage.

- **Tableau Excel :** Procédez exactement comme avec Word. Là encore, ce sont les titres des colonnes qui serviront à définir la liste des données à utiliser.
- **Table ou requête Access :** Vous devez connaître les noms des champs (donc des lignes) dans la table ou la requête de la base de données qui fournira les informations voulues. Ces noms vous seront demandés lors de la fusion. Si vous êtes à l'aise avec Access, la meilleure méthode consiste à définir une requête. Nous verrons bientôt que Word offre une technique permettant de ne retenir que les enregistrements dont vous avez besoin. Mais la création d'une requête sous Access vous fera gagner du temps et vous rassurera quant à la fiabilité des données.

Un tableau Word ou une table Access peuvent contenir bien d'autres informations qu'une simple adresse. Cela ne présente aucun problème. Comme nous allons bientôt le constater, vous avez la possibilité de choisir uniquement les données dont vous avez besoin.

Fusionner le fichier source et le document

L'étape suivante du publipostage consiste à fusionner le fichier avec le document (qu'il s'agisse d'une lettre, d'une enveloppe ou d'une étiquette). Voici les étapes générales de cette procédure :

1. **Si vous voulez imprimer des étiquettes ou des enveloppes en nombre, ouvrez un nouveau document. Pour une lettre circulaire, vous pouvez soit partir d'un nouveau document, soit utiliser un modèle existant. Supprimez dans ce cas les éléments à personnaliser (nom, prénom, adresse, etc.), autrement dit qui vont différer d'un destinataire à l'autre.**

2. **Dans le menu Outils, choisissez l'option Lettres et publipostage, puis la commande Fusion et publipostage.**

   Le volet Fusion et publipostage va s'afficher sur le bord droit de la fenêtre. Une fois chaque étape franchie dans cet assistant, cliquez sur le lien Suivante (en bas du volet) pour passer à la prochaine (voir la Figure 6.7).

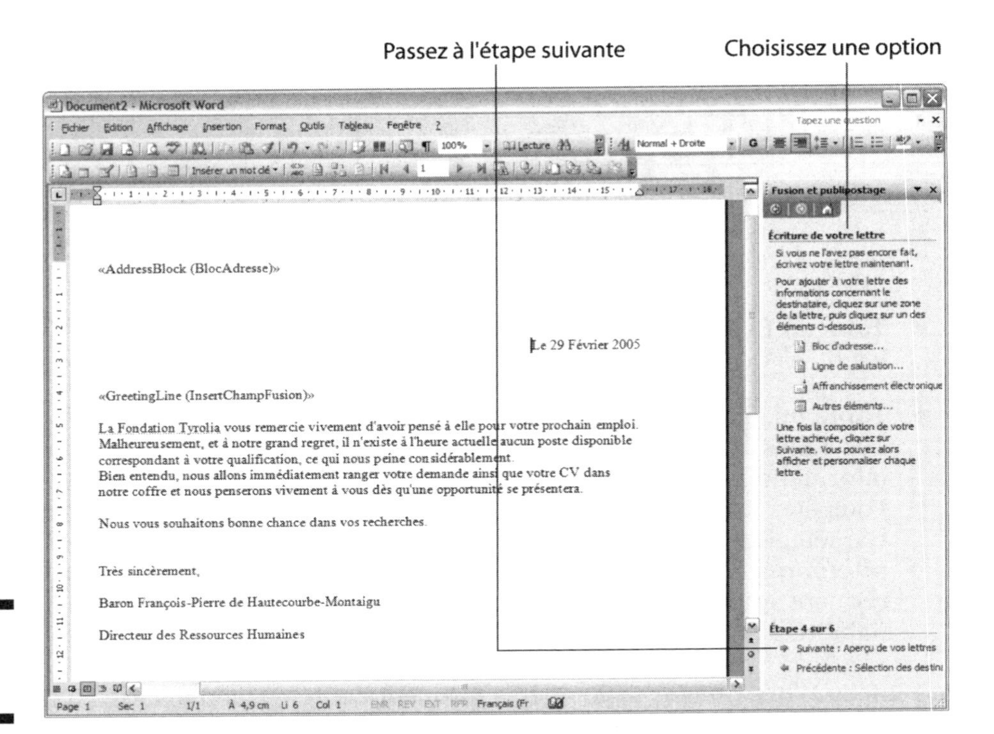

Figure 6.7 : Le volet Fusion et publipostage.

3. **Dans la rubrique Sélection du type de document, choisissez l'option qui correspond à ce que vous voulez construire : des lettres, des messages électroniques, des enveloppes, des étiquettes ou bien un répertoire. Cliquez sur le lien Suivante : Document de base.**

4. **Sélectionnez maintenant la nature de votre document de base. Quand vous avez terminé, cliquez en bas de la fenêtre sur le lien Suivante : Sélection des destinataires.**

   Les choix proposés lors de l'étape 2 dépendent du type de document sélectionné auparavant :

   - **Lettres/Messages électroniques/Répertoires :** Si vous avez déjà ouvert la lettre sur laquelle vous voulez travailler, vous pouvez passer directement à la suite. Si vous voulez utiliser un autre document existant, cliquez sur ce lien puis sur le bouton Ouvrir. Localisez le fichier à ouvrir et confirmez. Le document va s'afficher à l'écran.
   - **Etiquettes :** L'option Modifier la disposition du document devrait être active par défaut. Cliquez alors sur le lien Options d'étiquettes. Vous retrouvez la boîte de dialogue Options pour les étiquettes, que nous avons déjà étudiée dans la section précédente. Un modèle de page d'étiquettes va apparaître à l'écran.

- **Enveloppes :** L'option Modifier la disposition du document devrait être active par défaut. Cliquez alors sur le lien Options d'enveloppes. Vous retrouvez la boîte de dialogue Options pour les enveloppes, que nous avons déjà étudiée dans la section précédente. Un modèle d'enveloppe va apparaître à l'écran.

5. **Vous devez maintenant spécifier l'origine des données que vous voulez inclure dans votre publipostage (le fameux fichier source).**

   Dans la section Préparer le fichier source, nous avons vu comment réaliser ce travail préparatoire. Vous disposez des options suivantes :

   - **Utilisation d'une liste existante :** Il peut s'agit d'un tableau Word, d'une feuille Excel, ou encore d'une table ou d'une requête Access. Cliquez sur le bouton Parcourir. Dans la fenêtre Sélectionner la source de données, localisez votre fichier source puis cliquez sur le bouton Ouvrir. Vous voyez apparaître la boîte de dialogue Fusion et publipostage : Destinataires (voir la Figure 6.8).

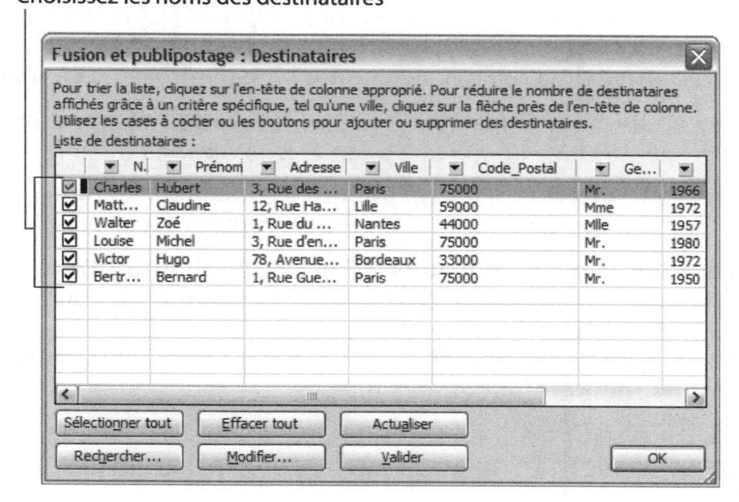

Figure 6.8 : Choisir les enregistrements à imprimer.

   Si vous passez par une base de données Access, l'assistant vous demandera ensuite de choisir la table ou la requête qui fournira les informations souhaitées.

   - **Adresses provenant de Microsoft Outlook :** Si vous voulez utiliser une liste de contacts Outlook, cliquez sur cette option. Utilisez ensuite le lien Choisir le dossier Contacts. Validez la boîte de dialogue qui suit, puis faites un double clic sur le dossier Contacts. Le point d'arrivée est le même que ci-dessus, autrement dit une liste d'adresses proposées dans la boîte de dialogue Fusion et publipostage : Destinataires.

6. **Dans la boîte de dialogue Fusion et publipostage : Destinataires, sélectionnez les noms des personnes auxquelles le publipostage est destiné. Cliquez ensuite sur OK.**

   Pour choisir ou retirer un nom, cliquez sur la case placée à gauche de la ligne correspondante. Vous pouvez aussi désactiver l'ensemble des enregistrements à l'aide du bouton Effacer tout, puis sélectionner les noms voulus un par un.

7. **Cliquez maintenant en bas du volet sur le lien Suivante : Ecriture de votre lettre (s'il s'agit d'une lettre, bien sûr).**

8. **Entrez le bloc d'adresse dans votre document (lettre, étiquette ou encore enveloppe).**

   Le *bloc d'adresse* représente une adresse complète (nom, prénom, rue, localité, code postal, etc.). Cliquez dans votre document de publipostage à l'emplacement où doit venir s'insérer ce bloc (par exemple en haut et à gauche pour une lettre, au centre pour une étiquette, et ainsi de suite). Puis :

✦ Dans la barre d'outils Fusion et publipostage, cliquez sur le bouton Insérer le bloc d'adresse, ou bien cliquez dans le volet de l'assistant sur le lien Bloc d'adresse. La boîte de dialogue Insertion du bloc d'adresse va apparaître.

- Choisissez un format définissant la présentation des informations dans le bloc d'adresse. Vérifiez au fur et à mesure vos options dans la zone Aperçu.
- Cliquez sur le bouton Faire correspondre les champs. La boîte de dialogue Correspondance des champs va apparaître (voir la Figure 6.9).
- Servez-vous des listes déroulantes de droite pour faire correspondre les champs du fichier source aux informations prédéfinies qui sont proposées dans la colonne de gauche. Sur la Figure 6.9, par exemple, les deux champs Adresse 1 (prédéfini par Word) et Adresse (provenant du fichier source) sont marqués comme étant équivalents.
- Cliquez deux fois sur OK pour refermer les boîtes de dialogue. Le champ qui en résulte est inséré à l'emplacement du curseur dans le document (il se présente sous la forme «AddressBlock (BlocAdresse)»). Lorsque vous allez procéder à la fusion du texte avec les données provenant du fichier source, ce champ sera remplacé par les adresses réelles de vos destinataires. Il agit donc comme une sorte de moule à données.

9. **Dans la barre d'outils Fusion et publipostage, cliquez sur le bouton Mode publipostage. Le champ d'adresse est remplacé par des données réelles.**

   Vous pouvez ainsi vérifier facilement si votre bloc d'adresse a été défini correctement. Dans le cas contraire, ouvrez à nouveau la boîte de dialogue Insertion du bloc d'adresse pour corriger vos définitions.

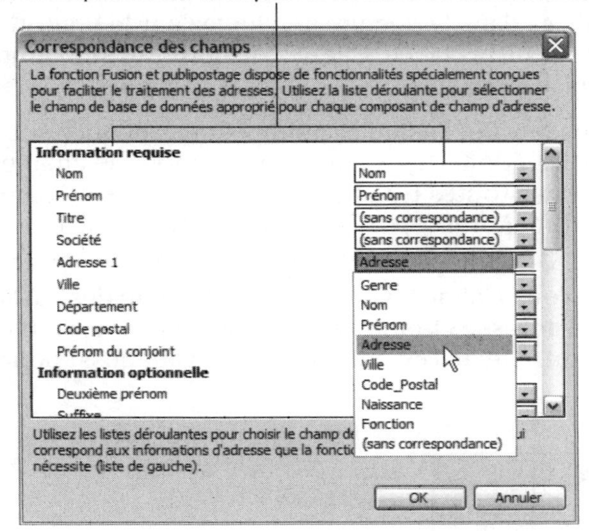

Figure 6.9 : La boîte de dialogue Correspondance des champs.

10. Occupez-vous maintenant des touches finales.

✦ **Lettres :** Cliquez à l'emplacement voulu, puis sur le bouton Insérer la ligne de salutation de la barre d'outils ou sur le lien Ligne de salutation du volet (pour obtenir par exemple une formule telle que *Cher Jean-Pierre*). Choisissez dans la boîte de dialogue illustrée sur la Figure 6.10 la présentation qui vous convient.

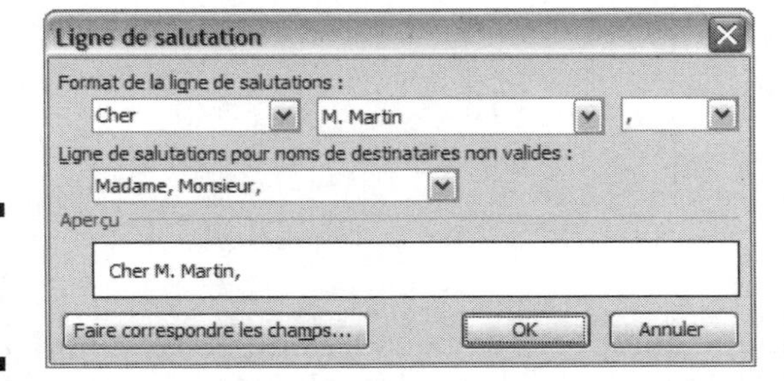

Figure 6.10 : Entrer une ligne de salutation.

Le corps de votre lettre peut contenir d'autres données variables : un nom, une date de naissance, et ainsi de suite. Pour ajouter ces informations, placez le curseur là où elles doivent apparaître. Cliquez ensuite sur le bouton Insérer les champs de fusion (dans la barre d'outils Fusion et publipostage) ou sur le lien Autres éléments (dans le volet). Les champs disponibles dans le fichier source sont alors proposés dans la boîte de dialogue Insérer un champ de fusion. Sélectionnez un élément et cliquez sur le bouton Insérer. Cliquez sur le bouton Fermer quand vous avez terminé.

Pour visualiser rapidement et avec précision l'emplacement exact des informations variables saisies dans le document, cliquez sur le bouton Mettre les champs de fusion en surbrillance. Cliquez de nouveau sur ce bouton pour désactiver cette mise en valeur.

- **Etiquettes :** Dans le volet Fusion et publipostage, cliquez sur le bouton Mise à jour de toutes les étiquettes. L'assistant va copier le champ «AddressBlock (BlocAdresse)» dans toutes les étiquettes en y ajoutant la mention «AddressBlock (BlocAdresse)». Comme pour une lettre, il est possible d'insérer d'autres champs de fusion avant de passer à l'étape 5, l'aperçu.
- **Enveloppes :** Si vous n'aimez pas le style ou la taille des caractères, sélectionnez le bloc d'adresse et modifiez sa mise en forme comme celle de n'importe quel autre texte (évidemment, cela vaut aussi pour des lettres ou des étiquettes).

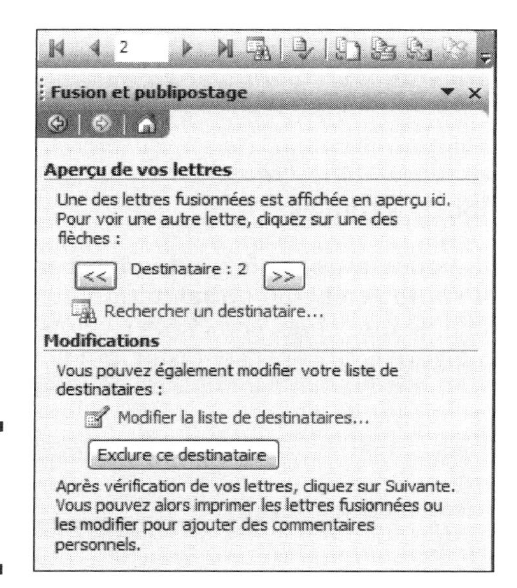

Figure 6.11 : Circuler dans la liste des destinataires.

Par défaut, une enveloppe comporte deux cadres de texte, dont l'un est destiné à l'adresse de l'expéditeur. Il est automatiquement rempli si cette information a été saisie dans la boîte de dialogue Options (sous l'onglet Utilisateur). Vous pouvez cliquer sur le cadre grisé qui délimite cette zone afin de la personnaliser, de la déplacer ou de la supprimer.

Comme une enveloppe ou une étiquette, une enveloppe peut parfaitement comporter d'autres champs de fusion. Cependant, il est plus logique de construire le bloc d'adresse de manière à ce qu'il regroupe toutes les données nécessaires.

11. **L'étape 5 de l'assistant vous propose un aperçu de votre lettre, enveloppe ou étiquette. Servez-vous des boutons Précédent et Suivant (aussi bien sur la barre d'outils que dans le volet) pour passer de destinataire en destinataire et vérifier que vos informations ont été correctement entrées (voir la Figure 6.11).**

    Si un élément n'est pas valide, ouvrez le fichier source et rectifiez-le. Une fois ce fichier sauvegardé, la correction apparaîtra dans le modèle de publipostage.

Vous devriez maintenant être prêt(e) à imprimer votre série de lettres, d'étiquettes ou d'enveloppes. Place aux envois en nombre !

Imprimer les lettres circulaires, les étiquettes et les enveloppes

Une fois toutes vos données correctement fusionnées dans votre document, vous êtes prêt à imprimer lettres, étiquettes ou enveloppes. Commencez par charger tout le matériel dont vous avez besoin dans votre imprimante :

- **Lettres :** C'est le plus facile. Il vous suffit de remplir le bac d'alimentation.
- **Etiquettes :** Chargez les feuilles d'étiquettes dans l'imprimante. Certaines acceptent ces feuilles dans leur bac d'alimentation. D'autres préfèrent qu'on les insère manuellement une à une.
- **Enveloppes :** C'est plus compliqué. Vous devrez vraisemblablement consulter le manuel de votre imprimante. Il vous explique certainement comment procéder.

Vous pouvez maintenant passer à l'impression de votre publipostage, ou bien sauvegarder dans un fichier le résultat de la fusion :

- **Sauvegarder la fusion dans un nouveau document :** Dans la barre d'outils Fusion et publipostage, cliquez sur le bouton fusionner vers un nouveau document. Vous pouvez aussi appuyer sur la combinaison Alt+Maj+N. La boîte de dialogue Fusionner avec un nouveau document va apparaître. Cliquez sur OK pour conserver tous vos enregistrements. Vous pouvez alors enregistrer et imprimer le document de fusion créé par Word (après y avoir éventuellement apporté telle ou telle modification, par exemple pour ajouter une touche plus personnelle à certaines lettres).

- **Imprimer directement la fusion :** Dans la barre d'outils Fusion et publipostage, cliquez sur le bouton Fusionner vers l'imprimante. Vous pouvez également utiliser dans le volet Fusion et publipostage le lien Imprimer, ou encore appuyer sur la combinaison Alt+Maj+M. Cliquez sur OK dans la boîte de dialogue Fusionner vers l'imprimante, puis configurez les paramètres voulus dans la boîte de dialogue Imprimer. Validez, et c'est parti !

Chapitre 7
A la découverte d'Outlook

Dans ce chapitre :

- Faire connaissance avec Outlook.
- Les dossiers et leurs modes d'affichage.
- Rechercher dans les dossiers.
- Supprimer des éléments.
- Enregistrer des adresses dans le dossier Contacts.

Ce chapitre tire le rideau, découvre la scène et joue le premier acte de la pièce intitulée Outlook, le gestionnaire de messagerie et l'organisateur personnel de la suite MS Office. Apprenez une fois pour toutes ce qu'est Outlook, ce qu'il fait, comment circuler entre ses dossiers et comment afficher ce qu'ils contiennent. Vous y découvrirez également les bonnes méthodes pour organiser efficacement vos dossiers. Enfin, nous verrons comment gérer un carnet d'adresses dans Outlook.

C'est quoi Outlook ?

Outlook est un peu différent des autres applications de la suite Office. D'ailleurs, il suffit de jeter un coup d'œil sur sa fenêtre pour s'en apercevoir. Certaines barres d'outils classiques (par exemple Mise en forme) ne se trouvent nulle part. Les barres d'outils changent lorsque vous cliquez sur un bouton du volet de navigation, de même que le type de contenu de la fenêtre principale.

Outlook peut avoir un côté un peu impressionnant, car ce programme regroupe en fait des applications très variées. Outlook est tout cela en même temps :

- **Un programme de messagerie :** Vous pouvez l'utiliser pour envoyer et recevoir des messages et des fichiers, de même que pour organiser votre courrier électronique dans des dossiers personnels. Voyez à ce sujet le Chapitre 8 du Livret IV.

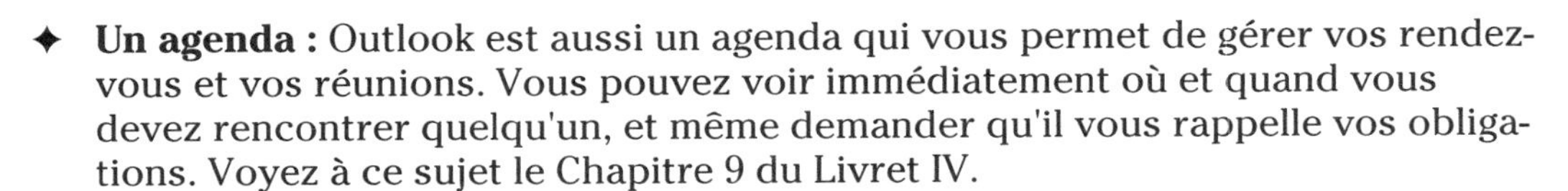

- **Un agenda :** Outlook est aussi un agenda qui vous permet de gérer vos rendez-vous et vos réunions. Vous pouvez voir immédiatement où et quand vous devez rencontrer quelqu'un, et même demander qu'il vous rappelle vos obligations. Voyez à ce sujet le Chapitre 9 du Livret IV.

- **Un carnet d'adresses :** Le programme est capable d'enregistrer les coordonnées et diverses autres informations sur vos amis, clients, contacts, parents, etc. Nous verrons plus loin comment gérer votre dossier Contacts.

- **Un gestionnaire de tâches :** Outlook tient aussi du gestionnaire de projets. Vous pouvez préciser la durée ainsi que les échéances de vos tâches, et planifier votre travail en conséquence.

- **Un bloc-notes :** Vous pouvez y jeter des idées, des mémos, des pense-bêtes, bref des notes quelconques.

Toutes ces applications sont enrobées dans une même fenêtre. C'est ce qui le rend intimidant au premier abord. Accrochez-vous. Bientôt, vous galoperez sur une nouvelle perspective (traduction française de Outlook) et vous le plierez à votre volonté.

Naviguer dans les fenêtres d'Outlook

La Figure 7.1 montre la fenêtre Outlook Aujourd'hui, ainsi que la liste des dossiers de messagerie. En mode Outlook Aujourd'hui, vous pouvez voir votre agenda, les tâches à exécuter ainsi que le nombre des messages du jour dans trois dossiers associés au courrier électronique (boîte de réception, brouillons et boîte d'envoi). Toute l'organisation d'Outlook est basée sur la gestion d'un ensemble de dossiers spécialisés, tous étant regroupés dans un groupe plus général appelé Dossiers personnels.

Voyons comment passer de fenêtre en fenêtre pour entreprendre de nouvelles tâches :

- **Volet de navigation :** Cliquez sur un des boutons (Courrier, Calendrier, Contacts, Tâches ou Notes) pour changer de fenêtre et appeler une fonction Outlook différente.

- **Menu Atteindre :** Choisissez une option dans le menu Atteindre pour obtenir le même résultat. Vous pouvez également appuyer sur la touche Ctrl et taper un chiffre entre 1 et 8 (de 1 à 5 pour les fenêtres proposées dans le volet de navigation, puis le contenu des dossiers personnels, les raccourcis et enfin le journal des événements).

- **Liste des dossiers :** Cliquez sur ce bouton pour afficher l'ensemble de vos dossiers personnels. Sélectionnez ensuite le dossier voulu (par exemple Boîte de réception pour lire les messages que vous avez reçus). Le bouton Liste des dossiers se trouve en bas du volet de navigation. Vous pouvez aussi y accéder à partir de la commande correspondante du menu Atteindre, ou en appuyant sur la combinaison Ctrl+6.

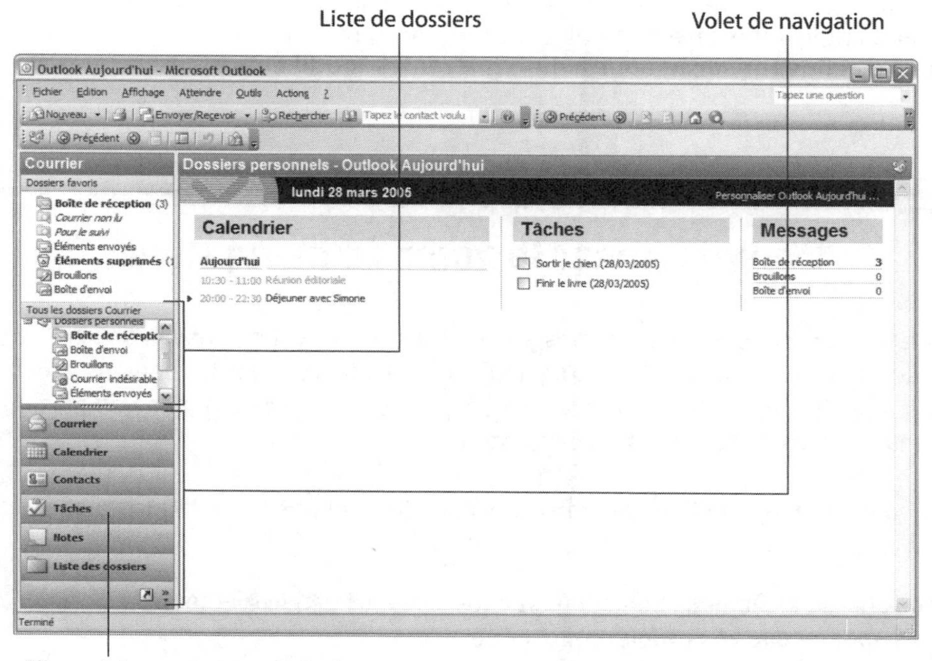

Figure 7.1 : La fenêtre Outlook Aujourd'hui.

✦ **Outlook Aujourd'hui :** Quelle que soit la fonction active, ce bouton permet de revenir à la fenêtre Outlook Aujourd'hui. Il se trouve à gauche de la barre d'outils Avancée.

✦ **Précédent, Suivant, Dossier Parent :** Utilisez ces boutons pour revenir à une fenêtre, revisiter une fenêtre déjà ouverte, ou encore remonter dans la hiérarchie des dossiers personnels. Ces trois boutons se trouvent dans la barre d'outils Avancée (mais Dossier parent n'est peut-être pas visible par défaut).

Vous pouvez afficher un dossier dans une nouvelle fenêtre. Pour cela, cliquez avec le bouton droit de la souris sur l'un des boutons du volet de navigation et choisissez dans le menu qui s'affiche l'option Ouvrir dans une nouvelle fenêtre. Pour quitter une fenêtre ouverte de cette façon, il suffit de cliquer sur sa case de fermeture (à droite de la barre de titre).

Lorsque vous lancez Outlook, le programme affiche la fenêtre qui était active au moment où vous l'avez refermé la dernière fois. Si vous avez terminé par exemple sur la boîte de réception, vous la retrouverez intacte lorsque vous ouvrirez de nouveau Outlook. Si vous préférez cependant afficher systématiquement la fenêtre Outlook Aujourd'hui au démarrage, cliquez sur le bouton appelé Personnaliser Outlook Aujourd'hui (il se trouve à droite de la fenêtre, dans le bandeau où la date du jour est affichée). Dans la page qui s'affiche alors, cochez simplement la case Au démarrage, aller directement à Outlook Aujourd'hui. Il ne vous reste plus qu'à valider en cliquant sur le bouton Enregistrer les modifications.

Personnaliser le volet de navigation

Cliquez sur le bouton Configurer des boutons, en bas et à droite du volet de navigation, pour personnaliser le contenu du volet de navigation. Tout le monde n'a pas besoin de tous les boutons à la fois. Certaines personnes, par exemple, ne définissent jamais de tâches et ne prennent pas non plus de notes dans Outlook. Dans ce cas, ces boutons sont sans intérêt.

En cliquant sur Configurer des boutons, vous obtenez une liste d'options permettant de personnaliser le volet de navigation :

- **Retirer ou ajouter un bouton :** Sélectionnez dans le menu l'option Ajouter ou supprimer des boutons, puis choisissez ce que vous voulez afficher ou enlever.
- **Montrer plus ou moins de boutons :** Les options Afficher moins/plus de boutons permettent de transformer les gros boutons du volet en icônes de plus petite taille, et inversement.
- **Réorganiser les boutons :** Utilisez pour cela la commande Options du volet de navigation. Dans la boîte de dialogue qui s'affiche, sélectionnez un nom puis cliquez sur les boutons voulus Monter et/ou Descendre.

Et vous pouvez même masquer totalement le volet de navigation si vous le souhaitez. Il suffit pour cela de le désactiver à partir du menu Affichage ou d'appuyer sur la combinaison Alt+F1.

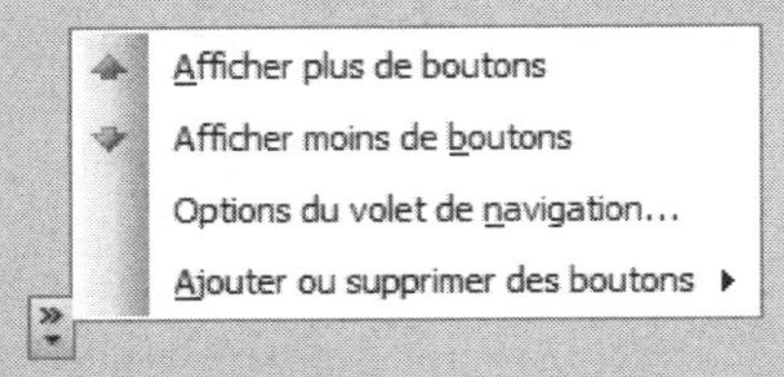

Choisir l'affichage des dossiers

Au final, l'essentiel du travail sous Outlook se fait au travers de dossiers. Autant donc s'y sentir à l'aide. Ayant envie de vous aider à trouver ce que vous recherchez et à vous organiser au mieux, Outlook propose différentes vues pour chaque dossier. Chaque option vous donne un aperçu différent sur la tâche courante. Pour personnaliser vos vues, vous pouvez :

- ✦ Ouvrir la liste déroulante Affichage actuel dans la barre d'outils Avancée (voir la Figure 7.2).

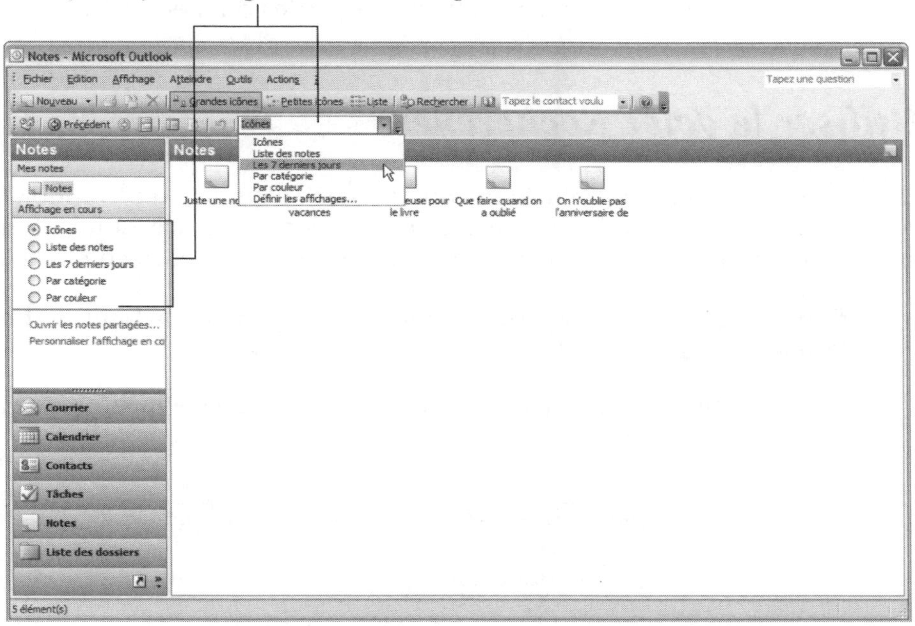

Cliquez ici pour changer le mode d'affichage

Figure 7.2 : Changer la vue dans un dossier.

- ✦ Choisissez dans le menu Affichage l'option Réorganiser par, puis Affichage actuel, et sélectionnez une commande dans le sous-menu.

- ✦ Cliquez sur une option dans le panneau Affichage en cours du volet de navigation (reportez-vous à la Figure 7.2). Vous retrouvez ces propositions dans les dossiers Contacts, Notes et Tâches.

Recherches dans les dossiers

Si le défilement, le changement du mode d'affichage ou encore l'activation du volet de lecture (à partir de la barre d'outils Avancée ou du menu Affichage) ne suffisent pas à retrouver telle ou telle information, il vous reste toujours la possibilité de faire appel à la fonction Rechercher. En fait, Outlook propose deux modes de recherche, l'un simple et l'autre avancé. Le premier est accessible à partir de la barre d'outils Standard. Le second est plus sophistiqué, précis et complexe à utiliser.

Le dossier Contacts permet de retrouver facilement des informations sur vos correspondants. Dans le champ de saisie Rechercher un contact (il se trouve sur la barre d'outils Standard), tapez un nom ou une adresse e-mail et appuyez sur Entrée. Si cette référence existe, Outlook va afficher toutes les données concernant ce contact.

Utiliser le volet Rechercher

Eh oui, Outlook comporte plusieurs volets (d'où l'expression : "Outlook m'a cliqué le volet au nez"). Il y a le volet de navigation, le volet de lecture, et maintenant le volet Rechercher. Comme si les choses n'étaient pas assez difficiles comme cela...

1. **Dans n'importe quelle fenêtre Outlook, cliquez sur le bouton Rechercher de la barre d'outils Standard.**

   Un panneau semblable à celui qui est illustré sur la Figure 7.3 va s'afficher en haut de la fenêtre.

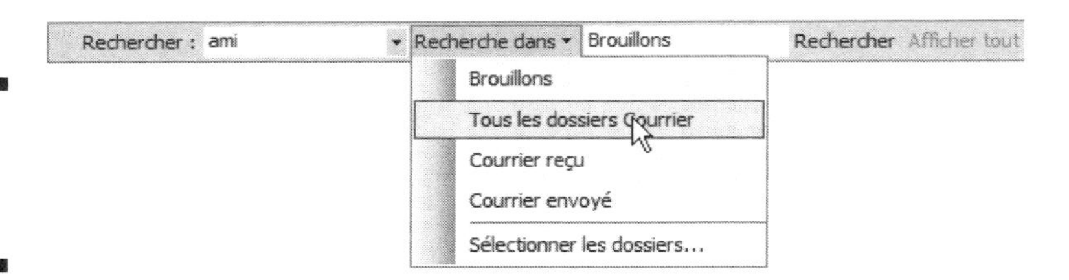

Figure 7.3 : Configurer une recherche simple.

2. **Si nécessaire, indiquez à Outlook dans quels dossiers doit s'effectuer la recherche. Ouvrez pour cela la liste Rechercher dans et faites votre choix.**

   Choisissez une des options dans la liste ou cliquez sur la commande Sélectionner les dossiers. Cochez dans la boîte de dialogue les noms des dossiers à parcourir et validez.

   Dans le cas du courrier électronique, Outlook recherche le texte aussi bien dans le corps des messages que dans les sujets. Si cette méthode produit trop

de résultats, ouvrez le menu Options (à droite du bandeau Rechercher) et désactivez la ligne Rechercher dans tout le texte de chaque message. De cette façon, Outlook se contentera de parcourir le champ Objet des messages, ce qui limitera d'autant les possibilités.

3. **Entrez le texte à retrouver dans le champ qui suit la liste Rechercher dans.**

4. **Cliquez sur le bouton Rechercher.**

   Si la recherche ne donne aucun fruit, cliquez sur le bouton Afficher tout, puis recommencez la procédure. Vous pouvez aussi pousser la démarche plus loin en sélectionnant le mode Recherche avancée dans le sous-menu Options du volet (nous allons y revenir dans un instant). Pour quitter le volet Rechercher, cliquez sur la case de fermeture qui se trouve à sa droite, ou une nouvelle fois sur le bouton Rechercher dans la barre d'outils Standard.

Conduire une recherche avancée

Si une recherche simple ne suffit pas, si vous voulez définir un critère plus complexe, ou encore si vous souhaitez parcourir plusieurs dossiers à la fois, vous devrez lancer une recherche dite avancée. Pour accéder à cette fonctionnalité, cliquez sur le bouton Rechercher (ou appuyez sur Ctrl+E), ouvrez le sous-menu Options dans le volet et choisissez alors la commande Recherche avancée. Vous pouvez aussi appuyer directement sur la combinaison Ctrl+Maj+F (ou par l'option Rechercher du menu Outils).

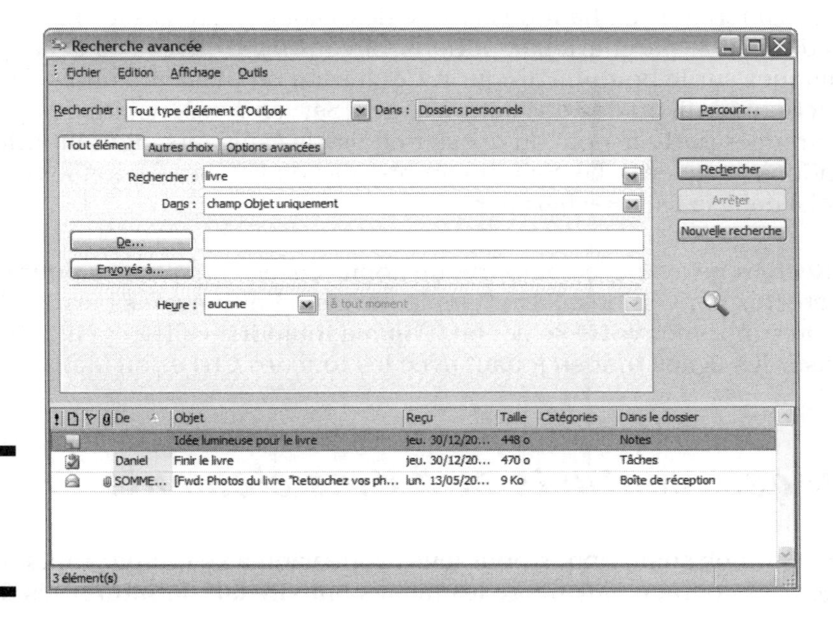

Figure 7.4 : Conduire une recherche avancée.

La boîte de dialogue Recherche avancée va apparaître. Si les efforts d'Outlook sont couronnés de succès, les éléments trouvés vont s'afficher en bas de la fenêtre, comme l'illustre la Figure 7.4. Vous pouvez alors faire un double clic sur une ligne pour ouvrir le contenu correspondant dans sa propre fenêtre.

Sauvegarder une recherche

Si vous avez besoin de retrouver souvent le même type d'information, il serait bon d'enregistrer votre critère de recherche dans un fichier. De cette façon, vous n'aurez pas à entrer les mêmes définitions chaque fois que vous devrez procéder à cette recherche. Tout ce que vous avez à faire, c'est d'activer la boîte de dialogue Recherche avancée, d'ouvrir le menu Fichier, et d'y choisir tout d'abord la commande Enregistrer la recherche, puis Ouvrir une recherche lorsque vous voudrez y revenir. Les critères de recherche sont sauvegardés dans des fichiers spéciaux au format OSS (Recherches Offices Enregistrées, en bon français).

Avant de sauvegarder une recherche, commencez par créer un dossier pour y placer vos fichiers OSS. Lorsque vous voudrez conserver un critère, choisissez dans le menu Fichier la commande Enregistrer la recherche, localisez votre dossier, entrez un nom suffisamment parlant, puis cliquez sur OK.

Dans la liste Rechercher (en haut de la boîte de dialogue), choisissez le type de dossier qui devra être parcouru par Outlook. Si vous n'y trouvez pas celui qui vous intéresse, cliquez sur le bouton Parcourir. Cochez un ou plusieurs noms dans la fenêtre Sélectionner un ou des dossiers. Validez. Servez-vous ensuite des trois onglets (le premier porte le nom du dossier choisi, les suivants étant intitulés Autres choix et Options avancées). Le contenu du premier onglet varie selon le type de dossier choisi dans la liste Rechercher.

La fenêtre Recherche avancée comporte de nombreuses commandes pour gérer les éléments détectés par Outlook. Par exemple, le menu Edition vous permet de déplacer, copier ou supprimer votre sélection. Comme toujours, celle-ci peut s'effectuer en cliquant sur les lignes tout en jouant avec les touches Ctrl et/ou Maj.

Supprimer messages, contacts et autres éléments

Les dossiers Outlook sont connus pour leur propension à se remplir rapidement. Les messages, les contacts ou encore les tâches ont vite fait de saturer les dossiers dès lors que vous avez pris votre vitesse de croisière à bord d'Outlook. De temps à autre, il est donc judicieux de faire un peu de ménage dans vos fenêtres. Pour supprimer des éléments, commencez par les sélectionner, puis :

- Cliquez sur le bouton Supprimer de la barre d'outils Standard.
- Ou choisissez dans le menu Edition la commande Supprimer (vous pouvez aussi appuyer sur Ctrl+D.
- Ou cliquez avec le bouton droit de la souris et choisissez dans le menu contextuel la commande Supprimer.

Tout ce que vous effacez (messages, rendez-vous, contacts ou encore tâches) est automatiquement transféré dans le dossier Eléments supprimés. Juste au cas où vous auriez des regrets par la suite. Pour détruire une fois pour toutes les denrées périmées, ouvrez le dossier Eléments supprimés. Sélectionnez ce que vous ne voulez plus conserver et opérez une nouvelle suppression. Après confirmation de votre part, la destruction deviendra définitive.

Pour vous épargner cet assassinat en deux temps (une première fois dans le dossier original, une seconde fois dans celui des éléments supprimés), Outlook vous offre deux armes fatales :

- **Vider le contenu du dossier Eléments supprimés lorsque vous quittez Outlook :** Si vous n'êtes pas fan de ce dossier, ou si vous êtes simplement sûr de votre fait, ouvrez le menu Outils et choisissez la commande Options. Sous l'onglet Autre, cochez la case Vider le dossier Eléments supprimés en quittant. Validez.
- **Vider le dossier Eléments supprimés vous-même :** Dans le menu Outils, choisissez l'option Vider le dossier "Eléments supprimés". Vous trouverez également cette commande dans le volet de navigation, lorsqu'une liste de dossiers y est affichée : cliquez avec le bouton droit de la souris et choisissez dans le menu l'option Vider le dossier "Eléments supprimés".

Pour détruire en une seule étape les éléments sélectionnés (donc sans passer par le dossier Eléments supprimés), appuyez sur Maj+Suppr. Confirmez votre décision.

Vous pouvez aussi effectuer une recherche avancée et demander à supprimer tout ou partie du résultat de cette recherche (voir la section précédente).

Gérer ses contacts

En pathologie (où l'on étudie les maladies et leur transmission), un contact est une personne qui passe ses microbes ou ses virus contagieux à quelqu'un d'autre. Dans

Outlook, un *contact* est moins dangereux. Il s'agit simplement de quelqu'un (voire de quelque chose) sur qui vous mémorisez des informations. Ces renseignements sont conservés dans un dossier appelé Contacts. Il s'agit d'une sorte de carnet d'adresses super puissant. Vous pouvez y stocker des noms, des adresses postales, des numéros de téléphone et de fax, des adresses de messagerie, des noms de pages Web, des anniversaires, des surnoms, des références professionnelles et ainsi de suite. Lorsque vous composez par exemple un e-mail, vous pouvez choisir l'adresse de votre correspondant dans la liste des contacts, ce qui vous assure qu'elle est entrée correctement. Comme l'explique le Chapitre 6 du Livret IV, votre dossier Contacts peut aussi servir à générer des lettres circulaires, des étiquettes ou des enveloppes pour réaliser un publipostage.

Entrer un nouveau contact

Pour ajouter quelqu'un à votre carnet d'adresses, ouvrez le dossier Contacts. Puis :

- ✦ Cliquez dans la barre d'outils Standard sur le bouton Nouveau.
- ✦ Appuyez sur Ctrl+N (dans la fenêtre du dossier Contacts) ou sur Ctrl+Maj+C.
- ✦ Choisissez dans le menu Fichier l'option Nouveau, puis Contact.

Vous allez voir s'afficher le formulaire illustré sur la Figure 7.5. Vous pouvez y entrer à peu près tout ce que vous savez sur une personne (sauf ce qui concerne sa vie amoureuse ou ses vices cachés). Entrez dans les différents champs les informations en votre possession et qui vous seront utiles dans l'avenir. Voici quelques conseils pour survivre dans cette masse de champs :

- ✦ **Noms, adresses, etc. :** Vous pouvez être tenté de saisir directement les adresses, les numéros de téléphone, les noms et autres données dans les champs de texte. Mais ce n'est pas une bonne méthode ! Cliquez sous l'onglet Général sur le bouton Nom complet (par exemple), et remplissez les champs de la boîte de dialogue (comme le montre la Figure 7.5). Ou encore cliquez sur le bouton Bureau ou Domicile pour entrer une adresse entière (là encore, reportez-vous à la Figure 7.5). Vous permettez ainsi à Outlook de différencier les éléments qui constituent un nom, une adresse, un numéro de téléphone, etc. Il pourra ensuite utiliser ces informations pour réaliser du publipostage ou envoyer des messages à des listes de destinataires.

  Lorsque vous voulez entrer des renseignements sur une entreprise ou une organisation (et non sur une certaine personne), laissez vide le champ Nom complet. Entrez uniquement les données voulues dans le champ Société.

- ✦ **Informations supplémentaires :** Si le formulaire ne semble pas proposer de champ pour un certain type d'information, essayez de cliquer sur une des flèches triangulaires placées à la suite des boutons. Choisissez alors une nouvelle catégorie. Pour définir plusieurs adresses, par exemple, il est possible de cliquer sur la flèche qui se trouve à la suite du bouton Bureau et de choisir Domicile (reportez-vous à la Figure 7.5). En d'autres termes, les boutons fléchés servent de container pour des groupes de données similaires (des numéros de téléphone, des adresses, etc.).

Figure 7.5 : Créer un nouveau contact.

- **Classer sous :** Ouvrez la liste déroulante Classer sous, et choisissez une option pour trier cette fiche dans le dossier Contacts. Outlook classe les contacts selon leur nom, leur prénom, leur société ou une combinaison des trois. Choisissez l'option qui vous aidera à retrouver facilement vos correspondants.
- **Adresses postales :** Si vous associez plusieurs adresses à un contact, affichez celle à laquelle le courrier doit être envoyé. Cochez alors la case Adresse postale. Si vous vous lancez par la suite dans le publipostage, vous vous assurerez ainsi que l'envoi se fera au bon endroit.
- **Adresses de messagerie :** Pour chaque contact, vous pouvez définir jusqu'à trois adresses de messagerie (cliquez sur la flèche qui se trouve devant ce champ et choisissez une des options proposées). Dans le champ Afficher comme, Outlook vous montre comment sera mise en forme cette adresse

lorsque vous enverrez un message à ce contact. Il s'agit par défaut du prénom et du nom suivis de l'adresse de l'adresse de messagerie. Vous pouvez modifier ce champ à votre convenance. Si un intitulé totalement différent peut vous aider, n'hésitez pas. Entrez par exemple Jeanne – Personnel pour vous rappeler qu'il s'agit d'une adresse personnelle et non professionnelle.

- **Photo :** Pour associer une photographie à une personne, cliquez sur la vignette Ajouter une photo du contact. Sélectionnez l'image voulue dans la boîte de dialogue d'ouverture de fichier, puis cliquez sur OK.

N'oubliez pas d'écrire quelques mots dans la rubrique destinée à cet usage sous l'onglet Général. Indiquez par exemple dans quelles circonstances vous avez rencontré votre contact. Cela peut vous aider aussi bien à vous adresser à la bonne personne qu'à choisir qui sera sacrifié lorsque vous ferez du ménage dans votre dossier Contacts.

Lorsque vous avez terminé la saisie des informations, cliquez sur le bouton Enregistrer et fermer. Si vous êtes pressé, servez-vous du bouton Enregistrer et nouveau. Continuez alors en créant un autre contact.

Lorsque quelqu'un vous envoie un e-mail, vous pouvez facilement l'ajouter à la liste de vos contacts. Le message étant affiché, cliquez avec le bouton droit de la souris sur le nom de l'expéditeur, puis choisissez dans le menu contextuel la commande Ajouter aux contacts Outlook. Complétez si vous le pouvez les différents champs du formulaire. Il n'y a plus qu'à cliquer sur le bouton Enregistrer et fermer.

Modifier les données d'un contact

Changer les informations associées à un contact peut être extrêmement pénible si vous passez de champ en champ dans les onglets Général et Détails de la boîte de dialogue Contact. Heureusement pour vous, il existe une méthode plus rapide.

Activez l'onglet Champs. Comme l'illustre la Figure 7.6, il affiche tous les champs en ordre alphabétique. Choisissez une option dans la liste Sélectionner dans puis cliquez dans les champs à mettre à jour et saisissez la nouvelle donnée.

Trouver un contact

Le dossier Contacts, qu'illustre la Figure 7.7, risque au fil du temps de grandir, de grossir et d'occuper beaucoup de place. Outlook propose donc différentes méthodes de recherche. Lorsque vous avez trouvé la bonne information, faites un double clic sur le nom du contact pour afficher le formulaire qui lui est associé.

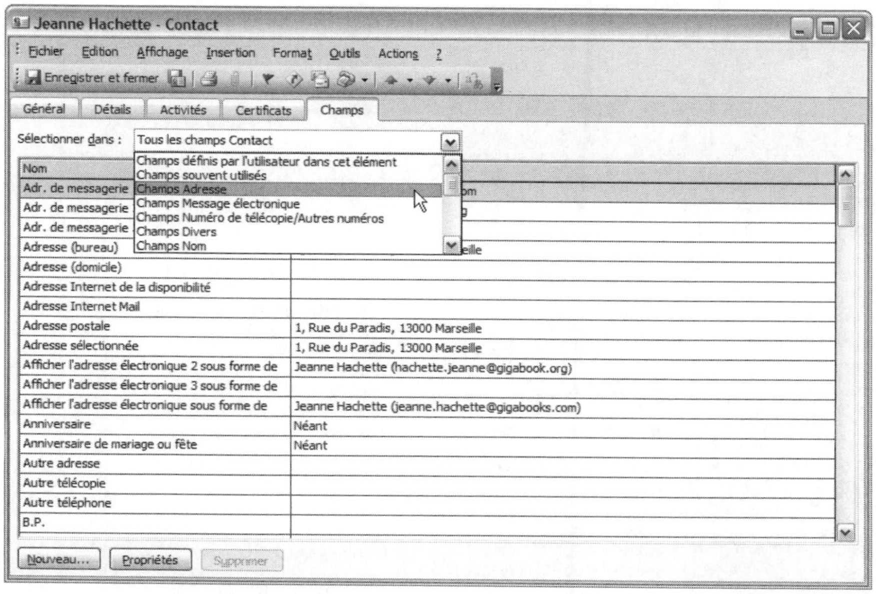

Figure 7.6 : Editer un contact dans l'onglet Champs.

Voici quelques techniques pour rechercher un certain contact :

- **Barre de défilement :** Cliquez sur les flèches ou faites glisser la barre de défilement jusqu'à ce que vous ayez repéré la personne voulue.
- **Boutons alphabétiques :** Cliquez sur l'un des boutons affichés à droite de la fenêtre pour accéder à une lettre spécifique.
- **Changer de vue :** Un changement de vue aide souvent dans une recherche. Choisissez un mode de présentation dans la liste Affichage actuel de la barre d'outils Avancée.
- **Champ Rechercher un contact :** Entrez un nom ou une adresse e-mail dans ce champ de la barre d'outils Standard. Appuyez sur Entrée.
- **Bouton Rechercher :** Cliquez sur ce bouton pour ouvrir le volet correspondant.
- **Recherche par catégorie :** Associez une catégorie à vos contacts lorsque vous enregistrez leur fiche. Utilisez ensuite la liste Affichage actuel pour passer en mode Par catégorie.

Et ainsi de suite…

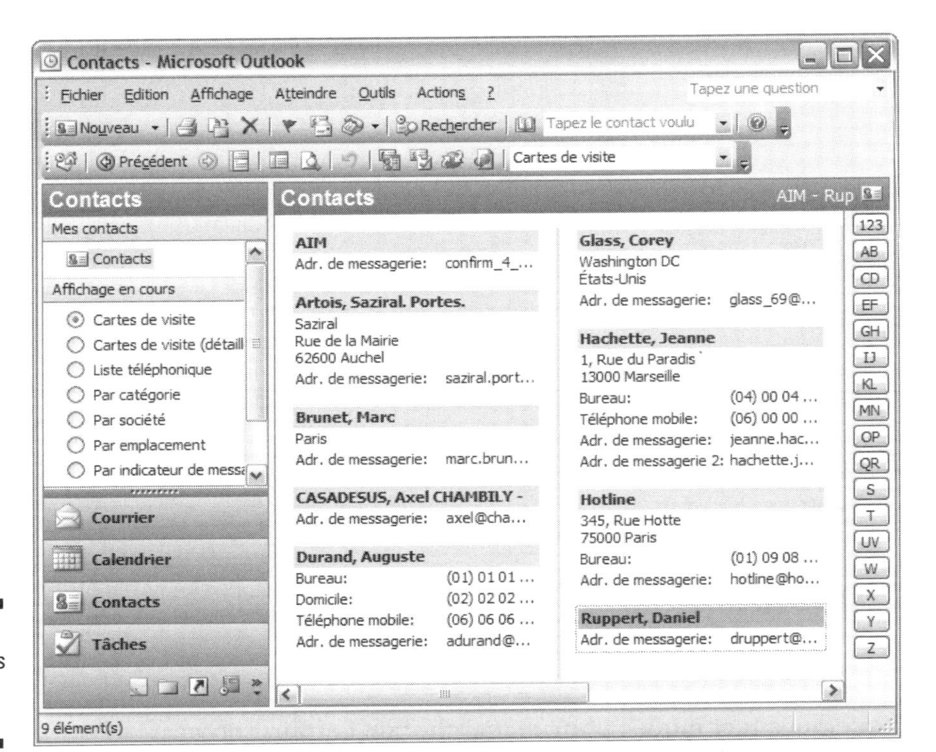

Figure 7.7 : Le dossier Contacts en mode Carte de visite.

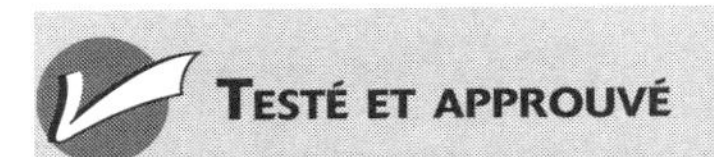

Testé et approuvé

Suivre les relations avec un contact

L'onglet Activités du formulaire Contact est un excellent endroit pour suivre toutes vos activités en relation avec un client, un ami, un collègue ou un parent. Les différentes actions qui concernent vos rapports avec ce contact sont susceptibles de se retrouver ici : rendez-vous, messages échangés, tâches, entrées du journal, etc. Pour examiner vos... contacts avec un/une contact, il vous suffit d'ouvrir le formulaire associé avec celui-ci ou celle-ci, puis d'activer l'onglet Activités. Vous pouvez alors faire un double clic sur un des éléments affichés pour ouvrir un message, votre agenda, la définition d'une tâche, une entrée de journal, etc.

Suivez les instructions ci-dessous pour suivre vos relations avec un contact sous l'onglet Activités :

Contacts...

- **Rendez-vous, tâches et journal : Dans le formulaire qui vous sert à définir un rendez-vous, une tâche ou une entrée dans le journal, cliquez sur le bouton Contacts (il se trouve dans le coin inférieur gauche de la fenêtre). Choisissez ensuite un nom dans la boîte de dialogue Sélectionner les contacts. Il est possible de définir plusieurs contacts en utilisant la combinaison Ctrl+clic.**

- **Messages e-mail : Si l'adresse de messagerie de votre correspondant(e) se trouve quelque part dans votre liste de contacts, un enregistrement du courrier reçu ou envoyé sera automatiquement ajouté à l'onglet Activités.**

L'onglet Activités est un emplacement excellent pour décider si un message doit être conservé ou supprimé. Vous voyez en effet d'un seul coup d'œil les e-mails échangés avec une certaine personne. Pour les effacer, il suffit de les sélectionner et d'appuyer sur la touche Suppr (ou sur la combinaison Maj+Suppr pour les détruire d'un seul coup).

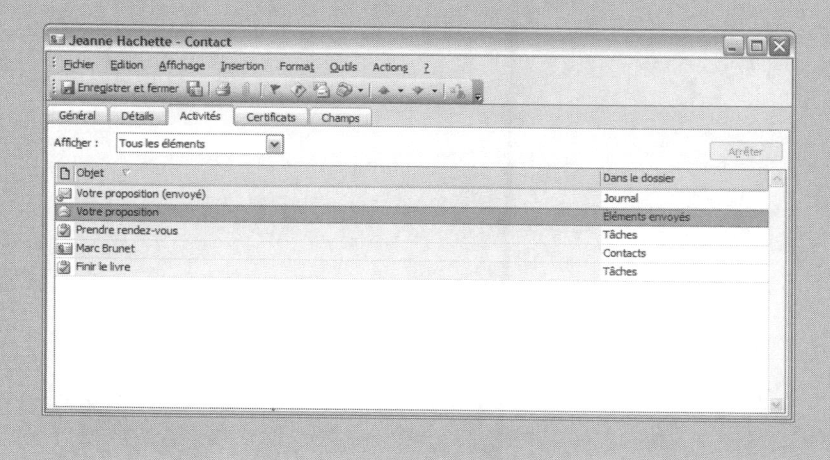

Chapitre 8
Gérer votre courrier électronique

Dans ce chapitre :

- Adresser, envoyer, répondre à et transférer des e-mails.
- Créer des listes de distribution pour envoyer des messages à des groupes.
- Envoyer des fichiers et des images par e-mail.
- Comprendre les formats texte et HTML.
- Recevoir du courrier et des fichiers par Internet.
- Organiser et gérer son courrier électronique.
- Créer et utiliser différents dossiers pour enregistrer son courrier.

Le courrier électronique peut devenir pire que la pluie, la neige ou les ténèbres. Messages non sollicités, plus ou moins publicitaires et plus ou moins flanqués de virus, relations envahissantes, collègues qui croient que tout le monde au bureau doit recevoir une copie de leur prose... votre boîte à lettres peut devenir un véritable cauchemar.

Ce chapitre vous explique les bases du courrier électronique. Mais il va plus loin en vous aidant à organiser et gérer vos e-mails. Bref, il apporte un peu de lumière dans ce monde impénétrable... Vous apprendrez à envoyer fichiers et images, à créer une liste de distribution pour écrire à un groupe entier de personnes, ou encore à différer l'expédition de vos messages. Vous verrez également comment réorganiser le courrier que vous recevez et comment être averti de l'arrivée de vos e-mails (qu'ils soient envoyés par certaines personnes ou qu'ils traitent d'un certain sujet). Enfin, ce chapitre vous expliquera comment créer différents dossiers pour enregistrer et gérer votre courrier.

Envoyer des e-mails

Désolé. Vous ne pouvez pas envoyer par e-mail des chocolats pour Noël, pas plus qu'une mèche de cheveux à votre petit(e) ami(e). Le courrier électronique, ce sont des mots, et parfois des images ou du son. Point. Par contre, il vous permet très facilement d'envoyer une copie de vos messages (et même une copie de la copie), de répondre à vos correspondants, et même de transférer ce que vous recevez vers d'autres adresses. Pas besoin de photocopieur, d'enveloppes et de timbres à lécher.

Envoyer un message : les grands principes

Dès que vous avez compris le mécanisme de base, envoyer un message devient aussi facile que décharger trois tonnes de gravier : vous appuyez sur le bouton, le plateau se lève et c'est parti. La première moitié de ce chapitre vous explique tout ce que vous avez besoin de savoir pour expédier des e-mails. Commençons par les bases :

1. **Dans le dossier Courrier, cliquez sur le bouton Nouveau ou appuyez sur Ctrl+N.**

   Une fenêtre de message apparaît. C'est ce qu'illustre la Figure 8.1 (dans laquelle les différents champs sont déjà remplis).

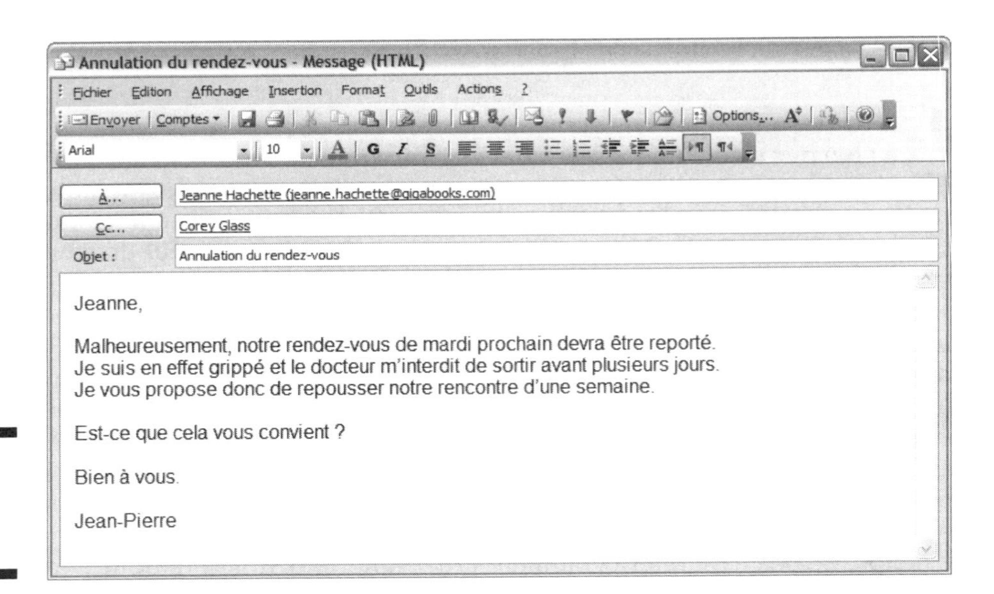

Figure 8.1 : Composer et adresser un message.

2. **Entrez l'adresse e-mail du ou de la destinataire dans le champ *A…*.**

   La section qui suit vous explique différentes méthodes pour entrer une adresse de messagerie. Il est possible de sélectionner plusieurs destinataires en saisissant autant d'adresses que vous le souhaitez dans ce champ. Vous pouvez aussi expédier une copie à d'autres personnes. Nous y reviendrons dans une prochaine section.

3. **Entrez dans le champ Objet une description aussi explicite que possible du sujet de votre message.**

   Lorsque le courrier arrive dans la boîte aux lettres de vos correspondants, c'est la première chose qu'ils vont voir (en même temps que votre adresse de messagerie). Bien remplir ce champ, c'est donc inciter le destinataire à ouvrir tout de suite le message. Remarquez que l'objet s'affiche dans la barre de titre de la fenêtre.

4. **Tapez le message.**

   N'oubliez pas le message lui-même ! Vous pouvez faire vérifier votre orthographe par Outlook en appuyant sur la touche F7 (ou en choisissant la commande correspondante dans le menu Outils).

   Vous écrivez à quelqu'un qui manie mieux la langue de Shakespeare que celle de Molière ? ET l'anglais n'est pas vraiment votre tasse de thé ? Vous pouvez toujours demander à Outlook de traduire votre propos en anglais. Sélectionnez simplement le texte et cliquez sur le bouton Traduire. Dans le volet qui s'affiche à droite de la fenêtre de message, choisissez la langue vers laquelle le texte doit être transcrit. Sélectionnez le résultat et collez-le dans le corps du message (voir la Figure 8.2). Il ne vous reste plus qu'à espérer que le sens de votre texte ne sera pas trop déformé. Une "traduction de la traduction" ne manque parfois pas de sel. Par exemple :

```
"Malheureusement, notre rendez-vous de mardi prochain devra être reporté. Je suis en
effet grippé et le docteur m'interdit de sortir avant plusieurs jours. Je vous propose
 donc de repousser notre rencontre d'une semaine. Est-ce que cela vous convient ? Bien à
 vous."
```

va donner :

```
"Unfortunately, our go of next Tuesday will have to be deferred. I am indeed seized up
and the doctor prohibits to me to leave before several days. I thus propose to you to
 push back our one week meeting. Is that appropriate to you? Yours sincerely."
```

qui sera traduit en sens inverse par :

```
"Malheureusement, notre allez du mardi prochain devra être reporté. Je suis en effet
saisi vers le haut et le docteur interdit à moi pour partir avant plusieurs jours. I
proposent ainsi à vous de repousser notre réunion d'une semaine. Est-ce que ce vous est
approprié ? Bien à vous."
```

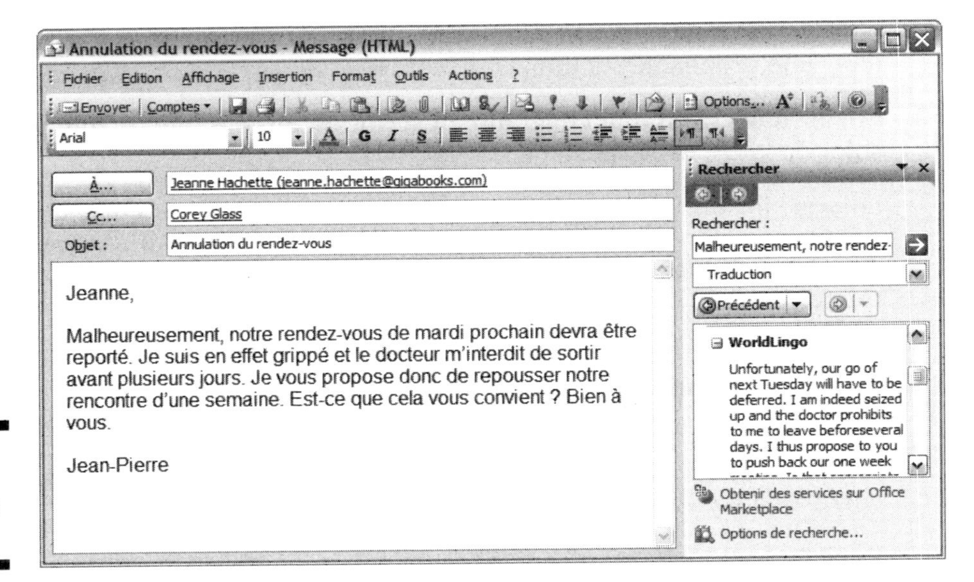

Figure 8.2 : Traduction directe en ligne d'un message.

Pas si mal, après tout… Et il est vrai qu'une grippe, ça coince le moteur interne ! Mais revenons à notre fenêtre Outlook.

Si vous composez votre message en HTML et que la personne qui le reçoit a un logiciel capable d'afficher correctement du HTML, vous pouvez décorer votre missive comme vous l'entendez (nous reviendrons sur ce sujet dans une autre section de ce chapitre). Il est possible de changer de police ou de style pour les caractères, de souligner le texte ou de le mettre en gras, et ainsi de suite. Vous trouverez tout ce dont vous avez besoin dans le menu Format et dans la barre d'outils Mise en forme.

Outlook vous permet de définir une police et une taille de caractères par défaut. Ouvrez le menu Outils et choisissez la commande Options. Activez l'onglet Format du courrier. Cliquez sur le bouton Polices. Dans la boîte de dialogue qui apparaît, définissez à votre convenance polices, styles et tailles.

5. **Il ne vous reste plus qu'à cliquer sur le bouton Envoyer.**

   Vous pouvez aussi demander à différer l'envoi du message. Il restera dans la boîte d'envoi d'Outlook jusqu'à ce que vous vous décidiez (ou tout simplement jusqu'à ce que la connexion Internet soit active). Nous reviendrons sur ce point dans quelques pages.

Si vous décidez en cours de rédaction de terminer le message plus tard, enregistrez-le à partir du menu Fichier ou en appuyant sur Ctrl+S. Refermez ensuite la fenêtre et reprenez le cours de vos activités. Le message sera placé dans le dossier Brouillons.

Lorsque vous voulez en finir avec le message, ouvrez ce dossier et faites un double clic sur la ligne voulue. Complétez le texte et expédiez le message.

Outlook place par défaut une copie des e-mails que vous lancez vers le cyberespace dans un dossier appelé Eléments envoyés. Vous pouvez modifier ce comportement. Dans le menu Outils, choisissez la commande Options. Activez l'onglet Préférences. Cliquez sur le bouton Options de la messagerie. Désactivez la case d'option Enregistrer une copie des messages dans Eléments envoyés. Cliquez deux fois sur OK.

Adresser un message

À...

Comment remplir le champ *A*... dans la fenêtre de message ? Plusieurs méthodes sont à votre disposition pour ne pas vous tromper de destinataire :

- **Sélectionnez une ou plusieurs adresses dans le dossier Contacts :** Cliquez sur le bouton *A*... (ou *Cc*...) placé devant le champ d'adresse. La boîte de dialogue Choisir des noms va s'afficher. Elle vous propose la liste de vos contacts (voir la Figure 8.3). Cliquez sur un nom puis sur le bouton *A* ->, vers le bas de la fenêtre. Vous pouvez sélectionner plusieurs destinataires d'un coup en vous servant de la combinaison Ctrl+clic. Les boutons *Cc* -> et *Cci* -> permettent d'envoyer une copie du message (voir la section suivante). Cliquez sur OK quand vous avez terminé. Vous revenez alors à la fenêtre de composition. Cette méthode est la meilleure si vous devez écrire à plusieurs personnes à la fois.
- **Tapez le nom d'une personne présente dans le dossier Contacts :** Si le nom de cette personne a été enregistré dans le dossier, Outlook saura le retrouver. Pour envoyer un message à plusieurs destinataires, séparez les noms par une virgule ou un point-virgule.
- **Commencez à taper une adresse dans le champ *A*... :** Si vous avez entré récemment l'adresse voulue (ou si elle se trouve dans votre dossier Contacts ou encore dans votre carnet d'adresses), Outlook va vous faire une proposition dans une bulle de texte. Il vous suffit d'appuyer sur Entrée pour valider sans avoir besoin de saisir le reste des caractères. Si la proposition actuelle ne vous convient pas, continuer à taper l'adresse. Pour envoyer un message à plusieurs destinataires, séparez les noms par une virgule ou un point-virgule.

- **Répondre à un message :** Sélectionnez le message voulu dans la boîte de réception (par exemple). Cliquez ensuite sur le bouton Répondre. La fenêtre de composition va s'afficher, avec le champ *A*... automatiquement rempli. C'est la méthode idéale pour entrer une adresse e-mail, puisqu'elle ne réclame aucune intervention manuelle de votre part. Vous disposez également du bouton Répondre à tous pour écrire à l'ensemble des destinataires du message d'origine.

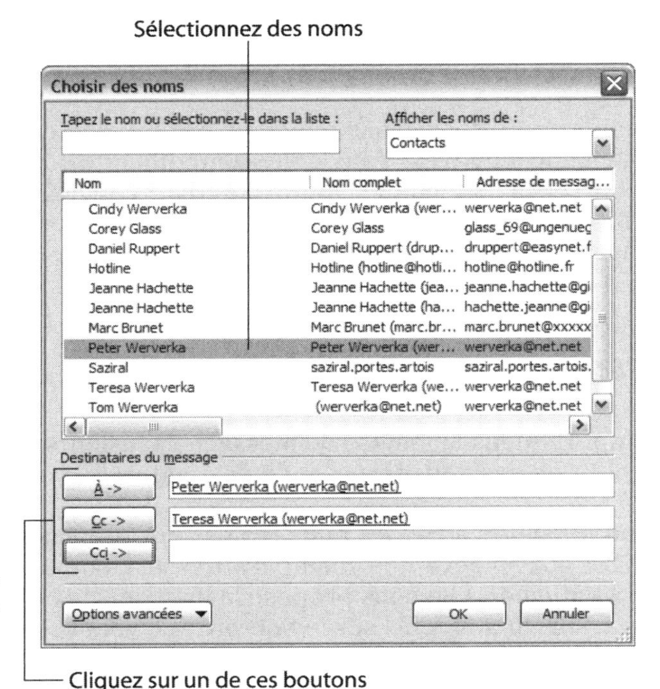

Figure 8.3 : Sélectionner des adresses dans le dossier Contacts.

Envoyer des copies visibles ou invisibles

Envoyer une copie d'un message ne présente aucune difficulté. Mais réfléchissez à deux fois avant de vous lancer dans cette voie. L'expérience m'a appris qu'un service est mal organisé quand les gens s'y envoient sans cesse des copies de messages et font de même avec les chefs de service (qui à leur tour abreuvent tout le monde de nouvelles copies), que ce soit pour justifier leur travail ou pour des raisons plus mesquines. C'est comme cela que les boîtes aux lettres arrivent à saturation et que tout le monde perd un temps fou.

Lorsque vous envoyez une copie, la personne qui reçoit le message sait quels sont les autres destinataires, car leurs adresses apparaissent en haut de la fenêtre. Par contre, cette information est cachée si vous envoyez une copie invisible (en aveugle, comme on dit).

Pour transmettre un duplicata d'un message :

Cc...

- **Copie carbone :** Entrez l'adresse voulue dans le champ *Cc...* (copie carbone) de la fenêtre de message, ou choisissez-la dans la boîte de dialogue Choisir des noms et cliquez sur le bouton *Cc* ->.

- **Copie carbone invisible :** Dans la fenêtre de message, cliquez sur *A…* ou sur *Cc…*, puis effectuez votre sélection dans la boîte de dialogue Choisir des noms et cliquez sur le bouton *Cci ->*.

Si vous voulez absolument envoyer des copies invisibles, vous pouvez reconfigurer la fenêtre de message en choisissant dans le menu Affichage l'option Champ Cci.

Répondre et transférer

Répondre à un message est extrêmement simple. Vous n'avez même pas besoin de connaître l'adresse e-mail du destinataire. Il vous suffit de sélectionner le courrier voulu dans votre boîte de réception. Trois boutons de la barre d'outils Standard s'offrent alors à vous :

- **Répondre :** Pour renvoyer un message à l'auteur. La fenêtre de composition s'affiche. L'adresse de retour est automatiquement remplie. De plus, le texte d'origine est tout aussi automatiquement copié. Tapez votre réponse en envoyez-la.
- **Répondre à tous :** Permet d'écrire en une fois à toutes les personnes qui ont reçu le message d'origine (c'est-à-dire celles dont l'adresse apparaît dans les champs *A…* et *Cc…*). Tapez votre réponse et cliquez sur le bouton Envoyer.
- **Transférer :** Ouvre la fenêtre de message en y copiant le texte d'origine. Entrez ou recherchez une ou plusieurs adresses afin de définir les destinataires de cette copie. Saisissez un commentaire si vous le souhaitez, puis cliquez sur Envoyer.

Pour trouver l'adresse e-mail de la personne qui vous a envoyé un message, faites un double clic pour afficher celui-ci dans sa propre fenêtre. Cliquez alors avec le bouton droit de la souris sur la ligne *De:*. Dans le menu contextuel qui s'affiche, choisissez la commande Propriétés Outlook. L'information recherchée se trouve dans le champ Adresse de messagerie. Pour enregistrer l'expéditeur dans vos contacts, revenez au message, cliquez sur la ligne *De:* avec le bouton droit de la souris, puis choisissez l'option Ajouter aux contacts Outlook.

Par défaut, la fenêtre de message reprend le texte source quand vous cliquez sur l'un des boutons Répondre, Répondre à tous ou Transférer. Outlook vous offre cependant la possibilité d'annuler ce mode et d'en changer le comportement. Pour cela, ouvrez le menu Outils et choisissez la commande Options. Dans la boîte de dialogue Options, activez l'onglet Préférences. Cliquez alors sur le bouton Options de la messagerie. Définissez la façon dont Outlook doit traiter vos messages dans la zone Sur les réponses et les transferts. Cliquez deux fois sur OK pour confirmer.

Messagerie de groupe avec les listes de distribution

Supposons que vous soyez le ou la secrétaire d'une association de quartier. Vous envoyez régulièrement des messages à une bonne quinzaine d'autres adhérents. Reconnaissons-le : ce travail est extrêmement fastidieux. De plus, certains membres n'apprécient pas de voir leur adresse e-mail divulguée à droite et à gauche et ils considèrent qu'il s'agit d'une atteinte à leur vie privée. Pour mieux comprendre cette réaction, regardez l'illustration de la Figure 8.4. Dans la version du haut, un ou une des destinataires n'a qu'à cliquer droit sur un nom pour découvrir l'adresse de messagerie de cette personne. Adieu la confidentialité et la confiance !

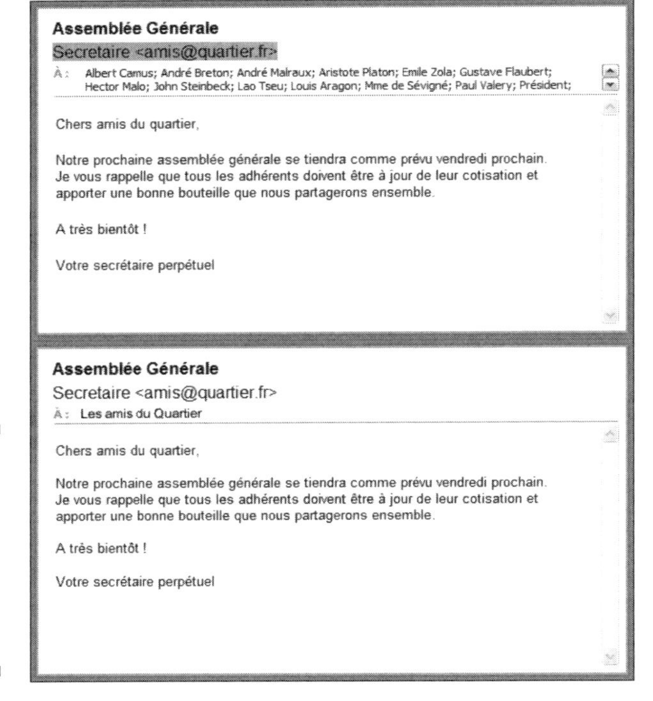

Figure 8.4 : Au lieu d'entrer de nombreuses adresses (en haut), définissez une liste de distribution (en bas).

Pour contourner ces deux problèmes, vous pouvez créer une *liste de distribution*, autrement dit un groupe d'adresses e-mail. Lorsque vous voulez écrire à ce groupe, il vous suffit d'entrer son nom à la place d'une adresse classique. Plus besoin d'aller chercher votre quinzaine de destinataires dans le dossier Contacts. Plus de fâcheries avec vos petits camarades, puisque leur adresse personnelle n'apparaîtra plus dans les e-mails. C'est cette technique qu'illustre le bas de la Figure 8.4.

Créer une liste de distribution

Pour regrouper une série d'adresses e-mail dans une liste de distribution, procédez de la manière suivante :

1. **Le volet des contacts étant actif, ouvrez le menu fichier, puis choisissez l'option Nouveau suivie de la commande Liste de distribution.**

   Vous allez voir s'afficher la boîte de dialogue illustrée sur la Figure 8.5.

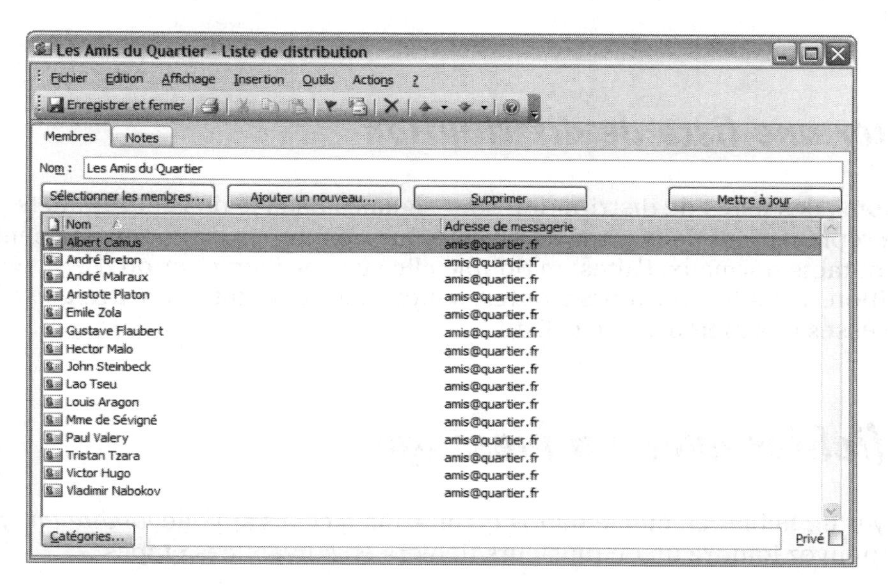

Figure 8.5 : Créer une liste de distribution.

2. **Entrez un intitulé descriptif dans le champ Nom.**

3. **Cliquez sur le bouton Sélectionner les membres. Le contenu du dossier Contacts va s'afficher.**

4. **Tout en appuyant sur la touche Ctrl, cliquez sur le nom de chaque personne à ajouter dans la liste. Validez (il n'est même pas nécessaire de cliquer d'abord sur le bouton Membres).**

   Les adresses choisies apparaissent dans la boîte de dialogue Liste de distribution.

5. **Pour ajouter des personnes qui ne font pas encore partie de vos contacts, utilisez le bouton Ajouter un nouveau. Entrez simplement un nom et une adresse e-mail. Validez.**

6. **Quand vous avez terminé, cliquez sur le bouton Enregistrer et fermer.**

C'est fait. Vous venez de créer votre première liste de distribution.

Envoyer un message à une liste de distribution

C'est très simple. Cliquez sur le bouton Nouveau pour ouvrir la fenêtre de message, puis sur le bouton *A*... afin de choisir le nom du destinataire. Vous n'avez plus alors qu'à sélectionner comme nom celui de votre liste de distribution. Ces listes apparaissent en caractères gras et sont précédées d'une icône symbolisant un double profil.

Editer une liste de distribution

Les noms des listes de distribution sont signalés dans le dossier Contacts par une icône représentant deux têtes de profil. Vous pouvez les traiter exactement comme des contacts normaux. Faites un double clic sur une liste pour ouvrir sa fenêtre de définition. Vous pouvez alors ajouter, supprimer ou modifier à votre guise les noms et adresses des membres de la liste.

Envoyer un fichier avec un message

Envoyer un fichier en même temps qu'un e-mail, cela s'appelle *joindre une pièce*. Vous pouvez joindre un ou plusieurs fichiers en suivant ces étapes :

1. **La fenêtre de message étant ouverte, cliquez sur le bouton Insérer un fichier (ou choisissez dans le menu Insertion la commande Fichier).**

   La boîte de dialogue Insérer un fichier va s'afficher.

2. **Localisez et sélectionnez le(s) fichier(s) que vous voulez joindre à votre message.**

   Dans un même dossier, vous pouvez choisir plusieurs fichiers en même temps avec la classique combinaison Ctrl+clic.

3. **Cliquez sur le bouton Insérer.**

   Le nom du ou des fichiers apparaît dans le champ Attacher de la fenêtre. Composez normalement votre message, sans oublier de mentionner la présence de la pièce jointe. Si vous voulez procéder à d'ultimes vérifications, cliquez avec le bouton droit de la souris sur une pièce jointe et choisissez la commande Ouvrir.

Attention, messages prioritaires

Tous les jours, des milliards de messages électroniques arrivent dans des millions et des millions d'ordinateurs. Et chacun essaie d'attirer l'attention sur lui en criant : "Lis-moi tout de suite !". Dans cette compétition sans pitié, comment pouvez-vous donner à vos e-mails un avantage quelconque pour qu'ils ne passent pas aux oubliettes ? Comment les aider à émerger de la foule ?

La meilleure méthode, c'est sans aucun doute de rédiger leur champ Objet de manière à ce qu'il soit réellement explicite et attirant. La première chose que l'on voit lors de l'arrivée d'un message, c'est le nom et/ou l'adresse de son auteur et son sujet. Ce sont essentiellement ces informations qui font que l'on décide de lire le message tout de suite, plus tard ou jamais.

Une autre technique possible consiste à affecter un degré de priorité élevé à votre message, en espérant que cela produira (peut-être) son effet. Si le ou la destinataire lit le message dans Outlook ou Outlook Express, un point d'exclamation rouge va apparaître dans la boîte de réception. Vous pouvez d'ailleurs aussi donner à un message un niveau de priorité bas (signalé par une flèche descendante). Là encore, ce marquage ne sera visible que dans Outlook et Outlook Express, et on peut de surcroît se demander quel peut être l'intérêt à déclarer que son message n'a guère d'importance.

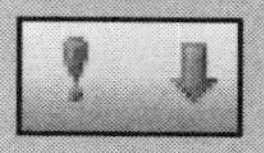

Pour associer à un message un niveau de priorité, cliquez sur l'un des boutons Importance Haute ou Importance Faible (dans la barre d'outils Standard de la fenêtre de composition). Pour classer vos e-mails en fonction de leur priorité dans votre boîte de réception, cliquez sur l'en-tête de la première colonne (il affiche un point d'exclamation).

Trier par : Importance

De	Objet	Reçu	Taille
	Order Rolex or other Swiss watches online	jeu. 30/12/20...	4 Ko
	w: projet courrier dewavrin	jeu. 13/03/20...	58 Ko
saziral.por...	note pour la réunion de demain	lun. 14/10/20...	42 Ko
Axel CHA...	Vers de nouvelles aventures	ven. 20/09/2...	25 Ko
Marc laumet	projet de contrat "DivX"	mer. 14/08/2...	50 Ko
Importance: (néant) (6 éléments)			
CNET Help...	Make your workspace work harder	jeu. 30/12/20...	23 Ko
Équipe Ou...	Bienvenue dans Microsoft Office Outlook 2003	mer. 29/12/2...	46 Ko
L'Équipe M...	Microsoft Outlook Express 6	dim. 20/04/2...	10 Ko

Il existe un autre procédé simple et rapide pour joindre un fichier à un message. Ouvrez le dossier voulu dans l'Explorateur Windows. Sélectionnez le fichier, puis faites-le glisser sur la fenêtre de message. Le champ Attacher est automatiquement mis à jour.

Inclure une image dans un message

Comme le montre la Figure 8.6, il est parfaitement possible d'inclure une image dans le corps d'un message. Cependant, votre destinataire ne pourra la visualiser que si son programme de messagerie est capable d'afficher les e-mails au format HTML. C'est aujourd'hui le cas de la plupart des utilisateurs, mais pas de tout le monde. Les personnes qui ne bénéficient pas de cette fonctionnalité (volontairement ou non) recevront tout de même l'image, mais celle-ci sera alors fournie en tant que pièce jointe. Votre correspondant devra alors l'ouvrir dans une application graphique (Microsoft Paint ou Picture It!, visualiseur de fax, et ainsi de suite).

Figure 8.6 : Insérer une image dans un message.

Pour agrémenter un message d'une image, procédez de la manière suivante :

1. **Dans la fenêtre de message, cliquez à l'endroit où vous voulez insérer l'élément graphique, puis choisissez dans le menu Insertion la commande Image.**

   La boîte de dialogue Image va s'afficher, comme sur la Figure 8.6.

2. **Cliquez sur le bouton Parcourir. Localisez et sélectionnez le fichier qui contient l'image voulue. Cliquez sur Ouvrir.**

3. **Cliquez sur OK dans la boîte de dialogue Image.**

   L'image apparaît dans le corps du message. Ne vous souciez pas pour l'instant des autres réglages de la boîte de dialogue Image. Vous pourrez y revenir plus tard.

Pour changer la taille d'une image, cliquez dessus pour la sélectionner, puis faites glisser l'une de ses poignées d'angle (ce sont des petits carrés blancs). Vous pouvez aussi cliquer sur l'image avec le bouton droit de la souris et choisir dans le menu contextuel la commande Propriétés (comme sur la Figure 8.6). Vous disposez alors de plusieurs réglages :

- **Texte de légende :** La description entrée ici apparaît pendant le chargement de l'image (ou à sa place si le destinataire a désactivé l'affichage graphique ou si son logiciel ne reconnaît pas le format HTML).
- **Alignement :** Ces paramètres définissent la position de l'image par rapport au texte du message.
- **Epaisseur de bordure :** Spécifiez un nombre de pixels déterminant l'épaisseur du cadre ajouté (éventuellement) autour de l'image. Un pixel représente 1/72ème de pouce.
- **Horizontal et Vertical :** Détermine l'espace libre (en pixels) devant séparer l'image du texte environnant.

Si vous voulez supprimer une image avant d'envoyer le message, il vous suffit de cliquer dessus et d'appuyer sur la touche Suppr.

Différer l'envoi d'un message

Lorsque vous cliquez sur le bouton Envoyer, Outlook expédie immédiatement le message vers son destinataire. Encore faut-il bien sûr que votre ordinateur soit connecté à l'Internet. Si ce n'est pas le cas, votre e-mail sera stocké dans le dossier Boîte d'envoi en attendant des jours meilleurs.

Supposons maintenant que vous vouliez différer cet envoi pour des raisons qui vous appartiennent. Outlook propose à cet effet deux techniques :

- **Placer le message vers le dossier Brouillons :** Composez normalement votre message, puis cliquez sur le bouton Enregistrer (ou appuyez sur Ctrl+S). Refermez la fenêtre du message. Celui-ci est automatiquement stocké dans le dossier Brouillons. Lorsque vous êtes prêt à l'envoyer, faites un double clic dessus afin de l'ouvrir, puis cliquez sur le bouton Envoyer dans la fenêtre de message (vous pourriez également le faire glisser dans le dossier des éléments à envoyer).

✦ **Définir la date de l'envoi :** Dans la fenêtre de message, cliquez sur le bouton Options. Dans la section Options de remise de la boîte de dialogue qui va s'afficher, cochez la case Ne pas envoyer avant (voir la Figure 8.7). Choisissez une date en cliquant sur la flèche qui suit (elle ouvre un petit calendrier). Procédez éventuellement de même pour définir l'heure. Cliquez ensuite sur le bouton Fermer. Vous revenez à la fenêtre du message. Cliquez sur Envoyer. Le message est placé dans la boîte d'envoi et il y reste jusqu'à ce que le délai expire (à condition bien entendu qu'Outlook soit actif à cet instant là).

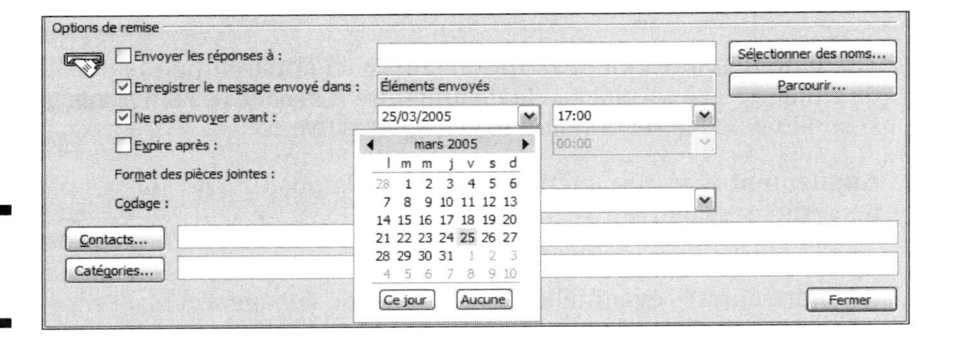

Figure 8.7 : Différer l'envoi d'un message.

Tout sur les formats des messages

Outlook vous propose trois formats pour l'envoi des e-mails : HTML, texte brut et texte enrichi (ou RTF). Voyons-en les avantages et les inconvénients.

De nos jours, pratiquement tous les e-mails sont envoyés au format HTML. C'est le même que celui des pages Web (d'ailleurs, il vous arrive certainement de recevoir des courriers qui *sont* des pages Web). Outlook utilise ce format par défaut (à moins que vous ne vous soyez amusé avec ses options). Vos messages électroniques sont donc en réalité de petites pages Web. Avec HTML, vous pouvez insérer des images, utiliser un thème d'arrière-plan, formater votre texte, et ainsi de suite.

Pour autant, le format HTML a ses détracteurs. Tout d'abord, les messages sont plus gros du fait qu'ils incorporent une dose plus ou moins grande d'instructions de mise en forme sophistiquées ou encore d'images. Etant plus gros, ils sont aussi plus lourds et donc plus longs à transmettre sur l'Internet. N'oubliez pas que certains comptes limitent l'espace disponible pour le courrier entrant, et que tout ce qui déborde sera rejeté. Prenant davantage de place que les e-mails ordinaires, les messages HTML remplissent les disques plus rapidement. Enfin, n'oubliez pas que certains logiciels de messagerie ne reconnaissent pas ce format, et donc que le contenu du courrier est transformé en texte pur et dur.

Dans un message en texte brut, seuls les caractères saisis sont transmis. Vous ne pouvez ni formater le message, ni changer l'alignement des paragraphes, et encore moins insérer des images. Mais vous êtes certain(e) que la personne qui recevra le message lira exactement ce que vous avez écrit.

Le troisième format, Texte enrichi, est spécifique à Microsoft. Seuls les utilisateurs se servant d'Outlook ou d'Outlook Express peuvent visualiser correctement ce format. Entre nous, ce n'est donc pas une option à recommander.

Lorsque vous recevez un message, vous pouvez dire dans quel format il a été transmis en regardant ce qu'indique la barre de titre (vous y verrez entre parenthèses et à la suite du sujet la mention HTML, Texte bru ou Texte enrichi). Lorsque vous répondez à un e-mail rédigé dans un certain format, Outlook l'utilise de lui-même pour composer votre message (sauf indication contraire et expresse de votre part).

Si vous voulez changer le format dans lequel un message est composé et envoyé, vous disposez de plusieurs méthodes :

- **Changer le format par défaut :** Dans le menu Outils, choisissez la commande Options. Activez l'onglet Format du courrier. Il ne vous reste plus qu'à sélectionner une option dans la liste déroulante Format du message.
- **Changer le format du message en cours :** Dans la fenêtre de message, ouvrez le menu Format et choisissez l'une des options HTML, Texte brut ou Texte enrichi.
- **Toujours utiliser du texte brut ou enrichi avec un certain contact :** Ouvrez le dossier Contacts. Faites un double clic sur le nom de votre correspondant(e). Dans le formulaire qui apparaît, faites à nouveau un double clic sur l'adresse de messagerie. Dans la boîte de dialogue Propriétés de la messagerie, choisissez une option dans la liste format Internet.

Papier à lettres pour message de luxe

Vous pouvez non seulement améliorer la présentation de vos messages grâce aux outils de mise en forme, mais aussi les agrémenter grâce aux papiers à lettres d'Outlook. Dans le langage d'Outlook, un *papier à lettres* est un style d'arrière-plan conçu pour donner aux messages l'apparence d'avoir été écrits sur un véritable vélin. C'est ce qu'illustre la Figure 8.8. A chaque message son style : festif, professionnel ou encore sentimental. Si vous décidez d'utiliser ce procédé, n'oubliez pas que certaines personnes trouvent ces fioritures extrêmement ennuyeuses.

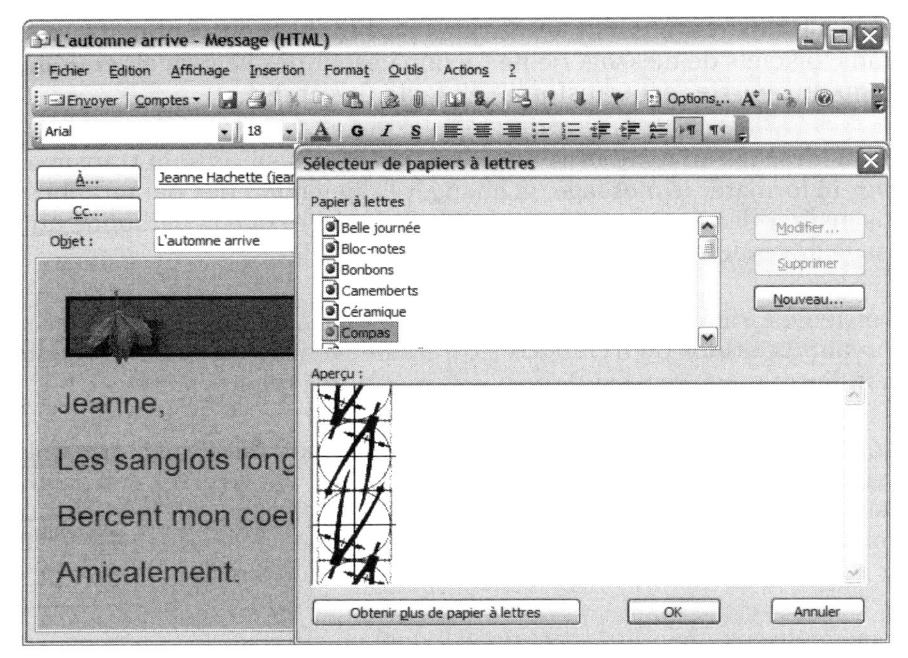

Figure 8.8 : Utiliser un papier à lettres pour illustrer ses messages.

Voyons comment choisir un papier à lettres pour les messages que vous envoyez :

1. **Ouvrez le menu Outils et choisissez la commande Options.**
2. **Dans la boîte de dialogue Options, activez l'onglet Format du courrier.**
3. **Cliquez sur le bouton Sélecteur de papiers à lettres. Dans la boîte de dialogue qui s'affiche, choisissez un modèle à votre convenance en surveillant l'aperçu.**
4. **Cliquez deux fois sur OK pour confirmer.**

Pour annuler ce style, revenez à la boîte de dialogue Options. Dans l'onglet Format du courrier, déroulez la liste Utiliser ce papier à lettres par défaut. Sélectionnez l'option <Aucun>.

Recevoir des messages

J'espère que tous les messages que vous recevez ne vous apportent que de bonnes nouvelles. Nous allons voir dans les pages qui suivent comment collecter le contenu de votre boîte aux lettres, comment Outlook peut vous prévenir de l'arrivée d'un message, et comment gérer au mieux tout cela. Les techniques proposées par

Outlook sont multiples, que ce soit pour la lecture des messages ou encore pour l'organisation des fenêtres.

Vous et vos e-mails

Vous disposez de plusieurs méthodes pour récupérer les messages qui vous sont envoyés :

- **Récupérer son courrier :** Cliquez sur le bouton Envoyer/Recevoir, appuyez sur F9, ou encore ouvrez le menu Outils et choisissez successivement Envoyer/recevoir puis Envoyer/Recevoir tout.
- **Lire le courrier pour un compte :** Si vous possédez plusieurs comptes de messagerie, choisissez dans le menu Outils l'option Envoyer/recevoir. Dans le sous-menu, cliquez ensuite sur le nom du compte (ou sur un groupe de comptes), puis sélectionnez le mode de lecture des e-mails.
- **Configurer la périodicité de la récupération des messages :** Appuyez sut Ctrl+Alt+S (vous pouvez aussi ouvrir le menu Outils, choisir Envoyer/recevoir, puis Paramètres d'envoi/réception, et enfin Définir les groupes d'envoi/réception). La boîte de dialogue Groupes d'envoi/réception va s'afficher. Sélectionnez (ou créer) un groupe, puis cochez la case Planifier un envoi/une réception automatique toutes les. Entrez une valeur en minutes dans le champ qui suit (voir la Figure 8.9). Pour suspendre temporairement la collecte automatique des messages, cliquez dans le sous-menu Paramètres d'envoi/réception sur l'option Désactiver l'envoi/réception planifié.

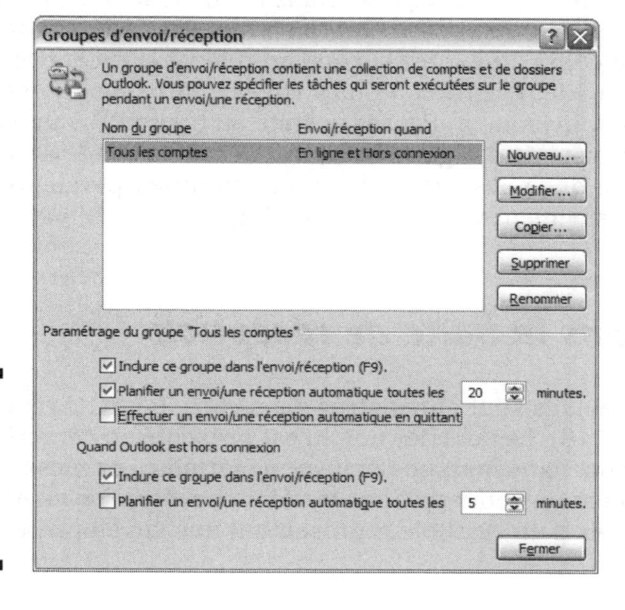

Figure 8.9 : Configurer l'envoi et la réception des messages par groupe.

Si vous n'êtes pas actuellement connecté à l'Internet, Outlook devrait vous demander de le faire. Entrez si nécessaire votre mot de passe et cliquez sur le bouton Connexion. La progression de l'envoi et de la réception du courrier va s'afficher dans une fenêtre.

Attention, un message arrive !

Voici le QCM de la réception des messages. Les vainqueurs auront la surprise d'apprendre qu'ils en savent plus sur Outlook qu'ils ne le croyaient (au détriment sans doute de leur santé mentale). La question est la suivante. Vous savez qu'un message est arrivé dans votre boîte de réception parce que :

A) Vous avez entendu *ding*.

B) Le pointeur de la souris s'est brièvement transformé en une petite enveloppe.

C) Une enveloppe s'affiche dans la zone de notification de la barre des tâches (près de l'horloge) et un double clic sur ce symbole affiche le message.

D) Une "alerte" indiquant le nom de l'expéditeur, l'objet du message et le texte de celui-ci apparaît brièvement sur votre bureau.

E) Tout cela à la fois.

Et voici maintenant la bonne réponse : c'est E ! Du moins par défaut, car vous pouvez toujours éliminer une ou deux techniques d'avertissement si vous trouvez tout cela un peu excessif. A partir du menu Outils, ouvrez la boîte de dialogue Options. Cliquez sur le bouton Options de la messagerie. Dans la nouvelle boîte de dialogue qui s'affiche, cliquez cette fois sur le bouton Options avancées de la messagerie (nous avançons, nous avançons). Regardez la zone intitulée A la réception de nouveaux éléments dans la boîte de réception. Vous y voyez quatre cases. Activez ou désactivez celles qui vous conviennent. Passez ensuite au bouton Paramètres d'alerte sur le bureau. Servez-vous des glissières pour définir la durée et le mode d'affichage des alertes. Tant que vous y êtes, pensez au bouton Aperçu pour juger du résultat. Validez successivement vos boîtes de dialogue.

Lire le courrier dans la boîte de réception

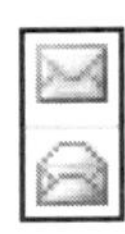

Quand des messages arrivent, ils sont enregistrés dans votre boîte de réception (comme l'illustre la Figure 8.10). Le courrier non lu est présenté en caractères gras qui sont précédés d'une icône montrant une enveloppe fermée. Les messages que vous avez consultés (ou du moins ouverts dans le volet de lecture) sont en caractères normaux et accompagnés d'un symbole représentant une enveloppe ouverte.

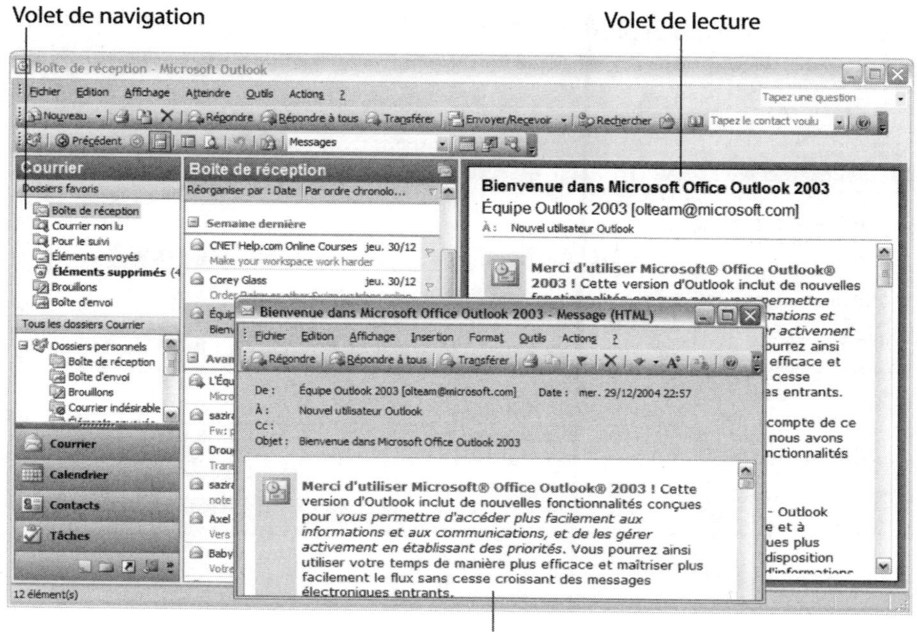

Figure 8.10 : Lire les messages présents dans la boîte de réception.

Pour lire un e-mail, sélectionnez-le pour l'afficher dans le volet de lecture. Vous pouvez aussi l'ouvrir dans sa propre fenêtre par un double clic (ou un appui sur la touche Entrée). Si vous regardez la liste des dossiers, vous remarquerez que le nombre de messages non lus est indiqué à droite de la ligne Boîte de réception.

Nous verrons un peu plus loin comment organiser sérieusement les messages dans votre boîte de réception. Mais il existe quelques techniques simples permettant de la décongestionner et faciliter sa gestion :

- **Afficher et masquer le volet de lecture :** Cliquez sur le bouton Volet de lecture. Quand ce volet est masqué, la boîte de réception affiche les en-têtes des colonnes (expéditeur, objet, date, taille, et ainsi de suite). Il suffit de cliquer sur n'importe quel en-tête pour réorganiser les messages (voir la Figure 8.11). Cliquez par exemple sur *De* pour classer votre courrier par expéditeur.

  Vous pouvez avoir le sourire de la crémière en même temps que l'argent du beurre si vous affichez les en-têtes des colonnes *et* le volet de lecture. Pour cela, ouvrez le menu Affichage. Choisissez ensuite Volet de lecture, puis l'option En bas.

- **Afficher et masquer le volet de navigation :** Choisissez dans le menu Affichage la commande Volet de navigation ou appuyez sur Alt+F1. En masquant ce volet, vous disposerez de davantage de place pour consulter vos messages.

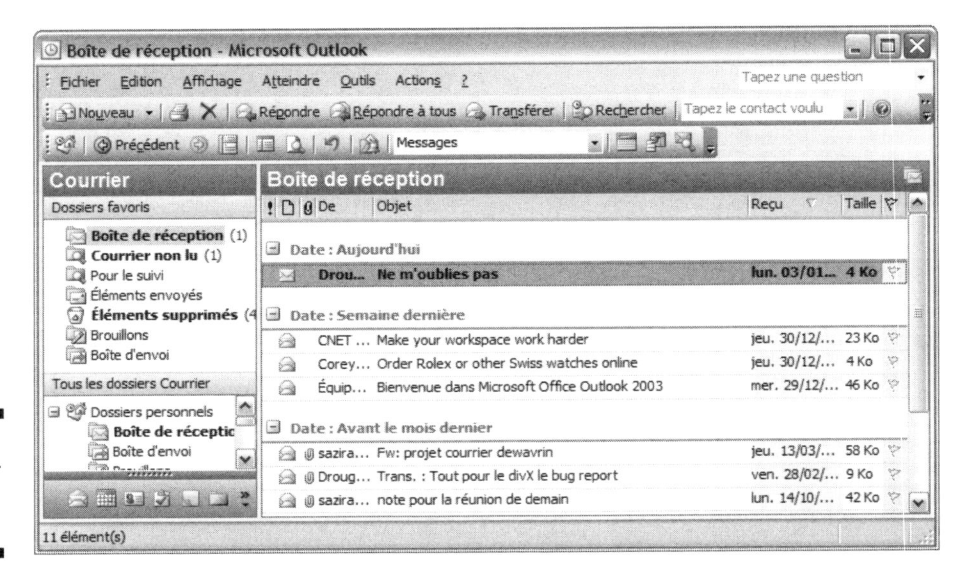

Figure 8.11 : Un autre regard sur la boîte de réception.

- **Prévisualisation des messages :** Cliquez sur le bouton Aperçu partiel pour lire le texte de tous vos e-mails dans une police de petite taille (ou plutôt une partie de ce texte). Le contenu apparaît sous la ligne qui contient le sujet du message.

- **Changer le mode d'affichage :** Choisissez une option dans la liste Affichage actuel de la barre d'outils Avancée afin de réduire le nombre de messages affichés dans la fenêtre. Vous pouvez par exemple vous limiter à ceux qui n'ont pas encore été lus, ou à ceux qui sont arrivés au cours de la dernière semaine.

Gérer les fichiers qui vous sont envoyés

Vous pouvez facilement voir si quelqu'un vous a envoyé un ou plusieurs fichiers en regardant le volet de lecture : le message contient la mention Pièces jointes, suivie du nom de ces fichiers (voir la Figure 8.12). De plus, si les en-têtes des colonnes sont affichées dans la boîte de réception (reportez-vous à la section précédente), cette pièce jointe est signalée par la présence d'un trombone (dans la troisième colonne, juste devant le nom de l'expéditeur).

Les fichiers qui vous sont envoyés sur l'Internet sont conservés dans un emplacement profondément enfoui sous le dossier Temporary Internet Files (qu'il faut déjà savoir situer). C'est d'ailleurs dans ce même dossier obscur que sont conservées les pages Web que vous rencontrez en surfant. La meilleure façon de s'y prendre consiste à ouvrir le fichier et/ou à le sauvegarder directement dans un dossier où vous pourrez le récupérer facilement si et quand vous en aurez besoin.

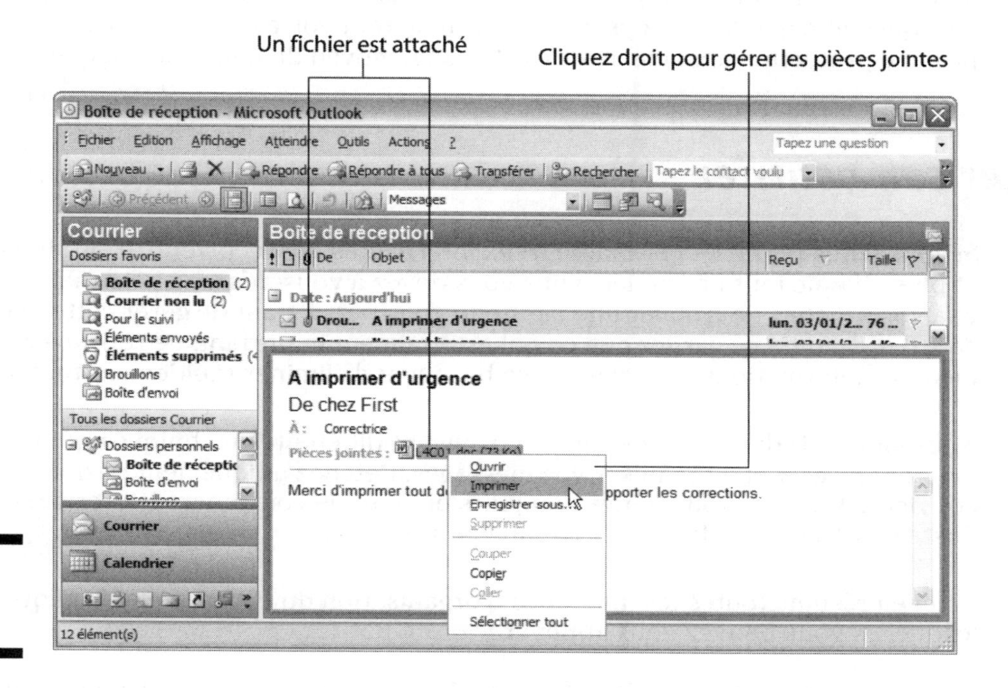

Figure 8.12 : Recevoir un fichier.

Pour sauvegarder un fichier qui vous a été envoyé :

- ✦ Cliquez sur le nom de la pièce jointe avec le bouton droit de la souris et choisissez dans le menu contextuel la commande Enregistrer sous (voir la Figure 8.12).
- ✦ Ouvrez le menu Fichier, puis choisissez la commande Enregistrer les pièces jointes. Dans le sous-menu qui apparaît, cliquez sur le nom de votre fichier.

Pour ouvrir un fichier qui vous a été envoyé :

- ✦ Faites un double clic sur son nom dans le volet de lecture ou dans la fenêtre de message.
- ✦ Cliquez sur le nom de la pièce jointe avec le bouton droit de la souris et choisissez dans le menu contextuel la commande Ouvrir (voir la Figure 8.12).
- ✦ Cliquez avec le bouton droit de la souris sur l'icône représentant un trombone et choisissez dans le menu l'option Afficher les pièces jointes. Cliquez ensuite sur le nom du fichier.

Evitez de manipuler sans réfléchir une pièce jointe, surtout si vous n'êtes pas absolument certain des intentions de l'expéditeur. Il y a tellement de virus qui se promènent sur l'Internet ces temps-ci. Il est hautement recommandé d'avoir un anti-virus à jour qui soit capable d'analyser le contenu de tout votre courrier entrant. Ce n'est pas une protection absolue, mais c'est le seul moyen de limiter les risques.

Organiser son courrier

Si vous faites partie de ces malheureux internautes qui reçoivent 20, 30, 40 messages et plus chaque jour de l'année, vous vous devez à vous-même, à votre santé mentale et à vos proches de trouver une méthode vous permettant de gérer cette masse de courriers afin de ne garder que ce qui est vraiment important, de retrouver facilement les informations dont vous avez besoin et d'éliminer rapidement tout le reste.

Nous allons étudier dans les pages qui suivent différentes techniques qui vous aideront à gérer et à organiser vos messages. Retenez uniquement ce qui vous convient. A défaut, vous pouvez toujours essayer de convaincre les services de la Poste de créer un code postal rien que pour vous…

Voici en résumé toutes les méthodes d'organisation du courrier électronique sur lesquelles vous pouvez vous appuyer :

- **Changer l'affichage dans la boîte de réception :** Ouvrez la liste déroulante Affichage actuel de la barre d'outils Avancée et choisissez une vue afin de réduire le nombre de messages proposés dans votre boîte (Ce dossier contient des messages non lus, Les 7 derniers jours, etc.).
- **Trier les messages dans la boîte de réception :** Si nécessaire, masquez le volet de lecture en cliquant sur le bouton correspondant de la barre d'outils Avancée. De cette façon, vous pourrez voir les en-têtes des colonnes. Cliquez ensuite sur l'un de ces en-têtes afin de trier (ou réorganiser) les messages par auteur, sujet, date, taille, indicateur, et ainsi de suite. Voyez plus haut la section "Lire le courrier dans la boîte de réception".

- **Supprimer les messages inutiles :** Supprimez sans attendre les messages dont vous êtes sûr de ne pas avoir besoin. Pour cela, sélectionnez-les et appuyez sur la touche Suppr, ou cliquez sur le bouton Supprimer, ou bien encore choisissez la commande de même nom dans le menu Edition.
- **Déplacer les messages dans d'autres dossiers :** Créer un dossier pour chaque projet ou type de correspondance. Lorsqu'un message arrive, déplacez-le vers le dossier qui lui convient. Voyez à ce sujet la dernière section de ce chapitre.
- **Déplacer automatiquement les messages au fur et à mesure de leur arrivée :** Nous apprendrons à le faire un peu plus loin (voyez la section "Organiser les messages dès leur arrivée").

- **Ajouter un indicateur aux messages :** Associez un drapeau de couleur qui facilitera le suivi de votre courrier. Tout cela est expliqué dans la section suivante.
- **Demander à Outlook de vous rappeler qu'il faut répondre à un message :** Là encore, nous allons apprendre à le faire dans une prochaine section.
- **User sans réserve de la commande Rechercher :** Vous pouvez toujours retrouver un message à l'aide de la commande Rechercher (voyez le Chapitre 7 du Livret IV pour en savoir plus). Pour trouver par exemple tous les e-mails provenant d'une même personne, cliquez avec le bouton droit de la souris sur un message de ce correspondant. Dans le menu contextuel, choisissez l'option Rechercher tout, puis sélectionnez dans le sous-menu la commande Messages de l'expéditeur (la variante Messages de même type concerne une même conversation, c'est-à-dire le message original et tous les échanges qui en découlent).

Associer un indicateur aux messages

Ajouter un indicateur à des messages est une façon d'attirer l'attention sur eux. Comme le montre la Figure 8.13, vous pouvez demander à associer dans la boîte de réception un drapeau de couleur à vos e-mails. Un drapeau rouge, par exemple, pourra servir à signaler qu'il faut répondre d'urgence, tandis qu'un drapeau vert indiquera que le message n'est pas très important. C'est vous qui voyez et qui choisissez parmi les six couleurs proposées par Outlook. L'essentiel est d'être cohérent. Vous pouvez ensuite cliquer sur l'en-tête de la colonne Indicateur pour classer votre courrier par ordre d'importance (relative, bien sûr).

Pour assurer le suivi d'un e-mail :

- **En partant de la fenêtre de message :** Cliquez sur le bouton Assurer un suivi. Vous allez voir s'afficher la boîte de dialogue Indicateur de message pour le suivi (voir la Figure 8.13). Choisissez une teinte dans la liste Couleur de l'indicateur. Sélectionnez également un mode de suivi dans la liste Indicateur pour (ou entrez-y votre propre expression). Cette mention sera ajoutée dans un bandeau en haut de la fenêtre de message.
- **En partant de la boîte de réception :** Sélectionnez le message, puis choisissez dans le menu Actions l'option Assurer un suivi. Sélectionnez dans le sous-menu une couleur de drapeau ou un rappel (vous pouvez aussi cliquer sur le message avec le bouton droit de la souris).

Pour annuler un indicateur, cliquez droit dessus et choisissez la commande Effacer. Il est aussi possible de remplacer l'indicateur par une marque grâce à l'option Indicateur complété. Ceci peut vous permettre par exemple de vous souvenir qu'un message n'a plus d'intérêt. Nous verrons un peu plus loin comment associer automatiquement un indicateur au courrier qui arrive.

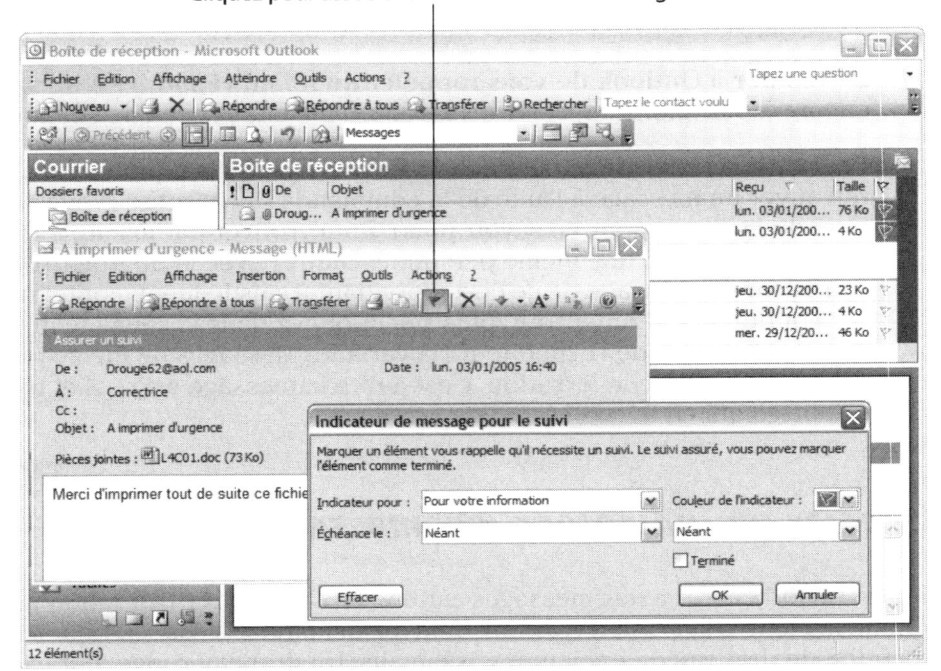

Figure 8.13 : Suivez votre courrier en associant un indicateur à vos messages.

Attention, message !

Si vous avez déjà utilisé le calendrier et la fenêtre des tâches, vous savez qu'un message de rappel s'affiche lorsque l'heure d'un rendez-vous, d'une réunion ou d'un certain travail se rapproche. Mais ce que vous ne savez sans doute pas encore, c'est qu'il est possible de faire la même chose avec vos e-mails.

Si vous voulez qu'Outlook vous rappelle qu'il est temps de répondre à un message, ou simplement qu'il joue le rôle du nœud dans le coin du mouchoir, procédez de la manière suivante :

1. **Sélectionnez le message voulu et choisissez dans le menu Actions l'option Assurer un suivi, puis la commande Ajouter un rappel.**

   Vous retrouvez la boîte de dialogue Indicateur de message pour le suivi (celle de la Figure 8.13). Vous pouvez aussi cliquer sur le message avec le bouton droit de la souris et suivre la même procédure.

2. **Dans la liste Indicateur pour, sélectionnez une annotation appropriée (ou entrez quelque chose d'autre si vous n'y trouvez pas votre bonheur).**

Cette description va apparaître au-dessus du message dans le volet de lecture, de même que dans la fenêtre de rappel.

3. **Servez-vous du calendrier de la liste Echéance pour choisir une date et une heure.**

   Un message d'alerte s'affichera quinze minutes avant l'instant indiqué ici. Si vous ne définissez aucune heure, vous risquez fort d'avoir une surprise aux alentours de minuit.

4. **Cliquez sur OK.**

   Lorsque l'événement vient à échéance, la boîte de dialogue Rappel apparaît. Cliquez sur le bouton Ouvrir l'élément pour afficher le message correspondant.

Organiser les messages dès leur arrivée

Pour vous aider à mieux organiser vos messages, Outlook vous permet de les marquer de diverses façons, et même de les déplacer automatiquement dès leur arrivée vers des dossiers personnels. Cela facilite grandement la gestion de projets, d'échanges ou de centres d'intérêts spécifiques. Si vous êtes par exemple inscrit dans un groupe de discussion très actif, pouvoir transférer immédiatement toutes les contributions vers un dossier à part est une véritable bénédiction, tant le nombre d'interventions peut être considérable.

Pour traiter les messages d'une manière particulière, Outlook propose une méthode : les *règles*. Il offre donc fort logiquement une commande appelée Créer une règle. Et même un assistant si cela ne suffit pas.

Créer une règle (méthode simple)

Pour être prévenu lorsqu'un message arrive, qu'il provienne par exemple d'une certaine personne ou que son champ Objet contienne tel ou tel mot, servez-vous de la commande Créer une règle. Vous pourrez ainsi faire apparaître le message dans une fenêtre d'alerte, jouer une musique, ou bien encore le déplacer dans un dossier particulier.

Voici comment créer une règle simple :

1. **Cliquez avec le bouton droit de la souris sur un message (provenant d'un correspondant précis si la règle doit porter sur cette personne). Dans le menu contextuel, choisissez la commande Créer une règle.**

   La boîte de dialogue Créer une règle va s'afficher.

2. **Complétez la boîte de dialogue et validez.**

   Les propositions de la boîte de dialogue se comprennent d'elles-mêmes.

Un autre procédé consiste à choisir dans le menu Outils la commande Organiser. Vous allez voir apparaître le volet Organiser le dossier Boîte de réception. Il vous permet très rapidement de déplacer le courrier provenant de l'auteur du message actif, ou encore d'y associer une couleur (voir la Figure 8.14).

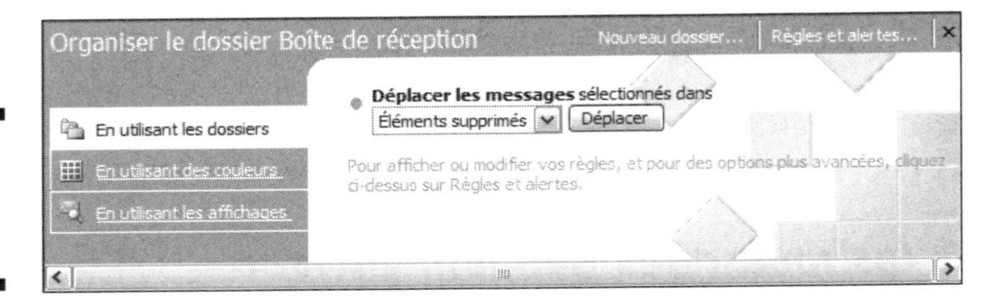

Figure 8.14 : Organiser la boîte de réception.

Créer des règles complexes (avec l'assistant Gestion des messages)

L'assistant Gestion des messages permet de créer des règles complexes afin de marquer par exemple certain mots dans le corps d'un e-mail ou signaler des messages envoyés à une liste de distribution. Vous pouvez tout aussi bien associer automatiquement des indicateurs aux messages, ou encore supprimer toute une conversation (le texte original et toutes les réponses correspondantes).

Pour lancer cet assistant, cliquez sur le bouton Règles et alertes (ou activez la commande de même nom dans le menu Outils). Dans la boîte de dialogue Règles et alertes, cliquez sur le bouton Nouvelle règle. Définissez une règle en suivant les étapes proposées par l'assistant, cliquez sur Suivant, et donnez-lui un nom pour terminer. Sans entrer dans les détails, voyons rapidement ce qu'il faut savoir :

- **Etape 1 :** Vous choisissez ici le type de règle que vous voulez créer, ou la manière dont vous souhaitez être alerté lors de l'arrivée d'un message.
- **Etape 2 :** Cliquez sur un lien hypertexte pour ouvrir une boîte de dialogue vous permettant de décrire la règle. Par exemple, cliquez sur *des mots spécifiques* pour ouvrir la fenêtre Recherche le texte et définir l'expression qui déclenchera l'alerte. Ou bien cliquez sur *dans le dossier spécifié* pour sélectionner le dossier dans lequel les messages concernés seront déplacés. Pour qu'une règle soit entièrement définie, vous devez attribuer un contenu à chaque lien.

Pour éditer une règle existante, faites un double clic sur son nom dans la boîte de dialogue Règles et alertes, puis reprenez les étapes 1 et 2.

Tout sur les dossiers de messagerie

Du point de vue d'Outlook, chaque chose a une place et un dossier. Les messages qui arrivent atterrissent dans la boîte de réception. Ceux que vous écrivez sont stockés dans la boîte d'envoi. Des copies en sont conservées dans le dossier Eléments envoyés. Et vous pouvez créer tous les dossiers dont vous avez besoin pour gérer votre messagerie.

Si vous recevez des dizaines de messages tous les jours, vous avez tout intérêt à profiter de cette opportunité. Créez un dossier pour chaque projet sur lequel vous travaillez. De cette façon, vous saurez où et quoi chercher pour répondre à vos correspondants (ou pour supprimer des messages). Voyons donc comment tout cela se déroule.

Déplacer des messages dans différents dossiers

Cliquez sur le message que vous voulez déplacer, puis servez-vous d'une des techniques suivantes pour procéder au transfert :

- ✦ **Avec le bouton Déplacer vers un dossier :** Cliquez sur ce bouton (il se trouve dans la barre d'outils Standard, à gauche du bouton Imprimer). Sélectionnez un dossier dans le menu qui apparaît.
- ✦ **Avec la commande Déplacer vers un dossier :** Dans le menu Edition, choisissez la commande Déplacer vers un dossier. Sélectionnez un dossier dans la boîte de dialogue Déplacer les éléments.
- ✦ **Par glisser et déposer :** Si nécessaire, cliquez sur le bouton Liste des dossiers. Faites ensuite glisser les éléments voulus vers le dossier de destination.

Nous avons vu plus haut comment déplacer automatiquement des nouveaux messages dans un dossier de votre choix.

Créer de nouveaux dossiers

Pour créer un nouveau dossier dans votre messagerie :

1. **Ouvrez le menu Fichier. Choisissez l'option Nouveau, puis Dossier.**

La boîte de dialogue Créer un dossier va s'afficher (voir la Figure 8.15). Vous pouvez également ouvrir cette boîte de dialogue en appuyant sur Ctrl+Maj+E ou en cliquant droit sur un nom de dossier existant.

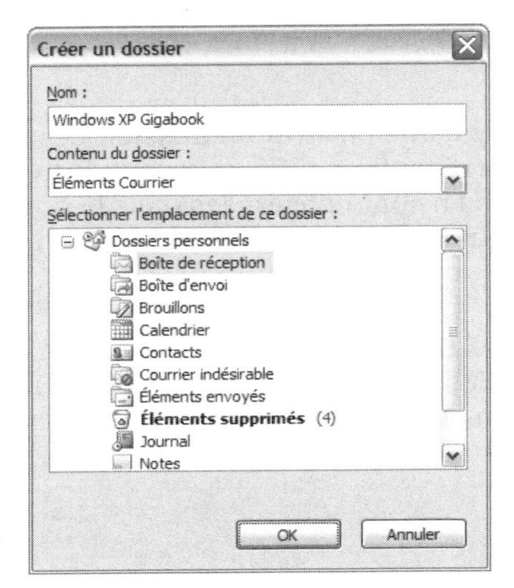

Figure 8.15 : Créer un nouveau dossier.

2. **Sélectionnez le dossier parent sous lequel le nouveau venu viendra s'insérer.**

   Pour ajouter par exemple un dossier au niveau principal, cliquez sur Dossiers personnels.

3. **Entrez un nom dans le champ situé en haut de la boîte de dialogue.**

4. **Cliquez sur OK.**

Pour supprimer un dossier personnel, cliquez sur son nom et appuyez sur la touche Suppr. Pour changer son nom, cliquez dessus avec le bouton droit de la souris, choisissez la commande Renommer et entrez un nouvel intitulé.

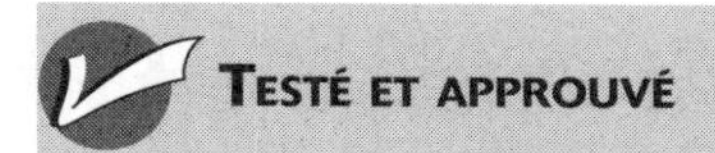

Faire de Word votre éditeur de messages

Les fans de Microsoft Word seront heureux d'apprendre qu'il est possible de composer et d'éditer des messages dans leur traitement de texte favori. Avec Word, vous pouvez faire avec un message tout ce qui est possible avec un document normal : insérer un tableau, créer une liste numérotée, appliquer un style ou encore définir un thème d'arrière-plan (pour nous en tenir là). Toutes les commandes de Word sont à votre disposition. Voici pour les bonnes nouvelles. Du côté noir de la force, il faut être conscient que tout le monde n'a pas un logiciel de messagerie capable d'afficher toutes ces choses si sophistiquées. Il faut au minimum que ce logiciel reconnaisse le format HTML (voire RTF). Mais supposons que nous nous trouvions dans le meilleur des mondes informatiques.

Vous disposez de deux méthodes pour faire de Word votre éditeur de messagerie :

- **Composer un message dans Word : Cliquez sur le bouton Message électronique (vous le trouverez dans la barre d'outils Standard de Word, avant le bouton Imprimer). Vous pouvez aussi ouvrir le menu Fichier, puis choisir l'option Envoyer vers, suivie de Destinataire. Des champs apparaissent pour saisir le(les) destinataire(s) et l'objet, la fenêtre principale constituant le corps du message. Une fois celui-ci composé, cliquez sur le bouton Envoyer une copie. Pour quitter ce mode de travail, cliquez à nouveau sur le bouton Message électronique.**
- **Faire de Word l'éditeur par défaut d'Outlook : Dans Outlook, ouvrez la boîte de dialogue Options depuis le menu Outils. Activez l'onglet Format du courrier. Cochez maintenant la case Utiliser Microsoft Office Word pour modifier des messages électroniques. Validez. Lorsque vous cliquerez ensuite sur Nouveau pour créer un message, la fenêtre de composition vous proposera toutes les commandes de Word. Si vous ne me croyez pas, ouvrez le menu Tableau ou affichez la barre d'outils Dessin, ou bien encore insérez un titre WordArt. Rien de tout cela n'est disponible dans une fenêtre Outlook conventionnelle.**

Si vous voulez composer des messages dans Word tout en utilisant un papier à lettres, commencez par y ouvrir la boîte de dialogue Options. Sous l'onglet Général, cliquez sur le bouton Options de messagerie. Dans la boîte de dialogue qui apparaît alors, activez l'onglet Thème personnel. Cliquez sur le bouton Thème. Il ne vous reste plus qu'à choisir votre papier à lettres dans la fenêtre Thème ou modèle.

Chapitre 9
Gérer votre emploi du temps

Dans ce chapitre :

- Comprendre comment organiser votre emploi du temps.
- Choisir une date dans le calendrier.
- Enregistrer rendez-vous et événements.
- Changer la planification d'une activité.
- Choisir l'affichage du calendrier.
- Personnaliser la fenêtre d'Outlook.

Le rôle du calendrier d'Outlook est de vous éviter d'arriver avec une journée de retard à vos rendez-vous. Il vous aide à planifier vos réunions et vos rendez-vous, et donc à gérer au mieux votre temps. Ce chapitre explique comment établir votre planning quotidien, hebdomadaire et mensuel. Il vous montre comme enregistrer (et modifier) réunions et rendez-vous, adapter l'affichage de l'agenda à vos besoins et personnaliser Outlook.

Présentation du calendrier

Utilisez le calendrier pour jongler entre réunions et rendez-vous, vous rappeler de l'endroit où vous êtes censé vous trouver, et y être à temps. Surveiller son emploi du temps dans la fenêtre du calendrier n'offre aucune difficulté particulière. Quelques clics suffisent à voir ce que vous devez faire aujourd'hui, tel ou tel jour, cette semaine, ce mois-ci, ou d'ailleurs n'importe quel mois. La Figure 9.1 montre par exemple le planning d'une journée bien ordinaire. Vous pouvez tout aussi bien afficher une vue hebdomadaire ou mensuelle. Si quelqu'un vous convoque (invite ?) à une réunion, il vous suffit d'ouvrir le calendrier et de choisir la bonne période pour vérifier si votre emploi du temps vous laisse la disponibilité nécessaire (ou si vous devez annuler un autre rendez-vous pour obtempérer aux ordres).

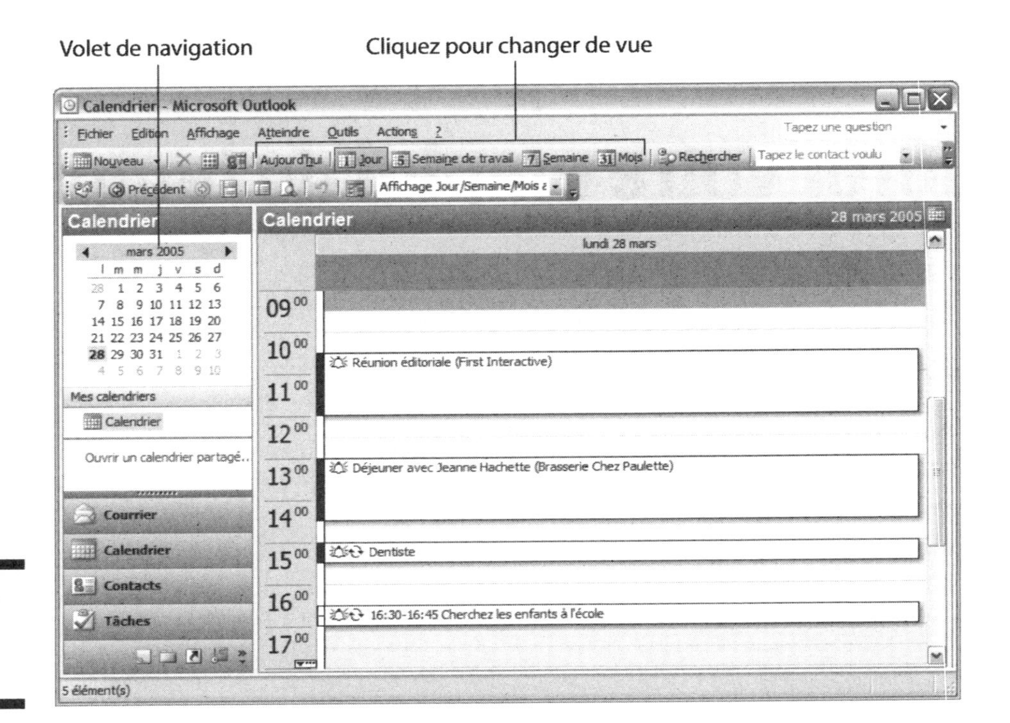

Figure 9.1 : Le calendrier d'Outlook en mode Jour.

Outlook vous permet d'associer une couleur à vos réunions et rendez-vous de manière à pouvoir juger très vite de leur importance ou de leur finalité. Déplacer un événement revient simplement à le faire glisser à un autre emplacement du calendrier. En faisant un double clic sur un rendez-vous, vous pouvez ouvrir un formulaire qui vous rappellera l'endroit où vous devez vous rendre, ou encore qui vous permettra de consulter des notes prises en cours de réunion. Vous pouvez même afficher une fenêtre de rappel et faire jouer un son avant l'heure fatidique (nous sommes tous si étourdis parfois).

Vous pouvez afficher une fenêtre des tâches sur le côté du calendrier en choisissant dans le menu Affichage la commande Liste des tâches.

Les différents types d'activités

Pour mieux vous aider à gérer votre emploi du temps, Outlook fait la distinction entre rendez-vous, événements et réunions. Mais il est vrai que tout le monde n'a pas des rendez-vous à enregistrer. Si votre ordinateur est connecté à un réseau qui utilise le serveur Microsoft Exchange, vous pouvez utiliser Outlook pour inviter vos collègues à participer à des réunions. Sinon, ne vous occupez pas trop de cette question. Contentez-vous de vos rendez-vous et des événements plus ou moins récurrents.

Vous pouvez planifier les activités suivantes :

✦ **Rendez-vous :** Il s'agit d'une activité qui occupe un certain temps, à une certaine heure, une certaine journée. Par exemple, une réunion qui dure de onze heures à midi peut-être considérée comme étant un rendez-vous.

✦ **Rendez-vous périodique :** Un rendez-vous est dit périodique s'il se renouvelle le même jour à la même heure, que ce soit sur une base quotidienne, hebdomadaire ou encore mensuelle. Une réunion de chefs de service, par exemple, est généralement un rendez-vous régulier. La beauté de la chose est qu'il vous suffit de définir une seule fois la périodicité pour qu'Outlook remplisse l'agenda à votre place.

✦ **Evénement :** C'est une activité qui peut durer la journée entière. Cela peut être un salon professionnel, un anniversaire, une excursion de vacance, etc. Dans le calendrier, les événements (périodiques ou non) apparaissent en premier.

✦ **Evénement périodique :** C'est un événement qui se reproduit toutes les semaines, tous les mois ou encore tous les ans. Si vous avez parfois des troubles de la mémoire, il est vivement conseillé d'enregistrer dans Outlook la date de votre anniversaire de mariage, la date de naissance de vos enfants, Noël, le jour de la Saint Valentin, et ainsi de suite. Plus personne ne pourra vous accuser de manquer de cœur et de délaisser votre tendre famille ainsi que vos meilleur(e)s ami(e)s.

✦ **Réunion :** Comme un rendez-vous, si ce n'est que vous pouvez y inviter d'autres personnes. Nous délaisserons ce thème au profit des rendez-vous. Voyez votre administrateur réseau pour plus de détails.

Le calendrier et sa fenêtre

Les jours pour lesquels des rendez-vous, des événements ou des réunions sont programmés sont affichés dans le volet de navigation (sur le bord gauche de la fenêtre) en caractères gras. Vous pouvez y circuler de différentes manières. Pour atteindre :

✦ **La date du jour :** Cliquez sur le bouton Aujourd'hui dans la barre d'outils Standard.

✦ **Un certain jour :** Cliquez sur le numéro du jour dans l'éphéméride. Vous pouvez aussi appuyer sur Ctrl+G et sélectionner un jour dans la boîte de dialogue Atteindre la date. Les combinaisons Alt+Page Haut et Alt+Page Bas permettent respectivement d'activer le premier jour du mois ou de revenir au mois précédent, et au dernier jour du mois ou d'avancer au mois suivant.

✦ **Un autre mois :** Cliquez sur l'une des flèches situées à côté du nom du mois dans l'éphéméride. Autre méthode : cliquez sur le nom du mois pour afficher un menu dans lequel vous pouvez sélectionner la période que vous voulez atteindre.

Servez-vous des barres de défilement de la fenêtre du calendrier pour parcourir les heures (en mode Jour ou Semaine de travail) ou bien les semaines (en mode Semaine ou Mois).

Vous pouvez cliquer sur une date et faire glisser la souris pour afficher une période comportant autant de jours que de cases sélectionnées.

Planifier une activité

Vous connaissez maintenant les principes de fonctionnement du calendrier. Il vous reste à apprendre comment le transformer en agenda pour y enregistrer vos activités. Nous allons donc voir dans les pages qui suivent comment planifier un événement ponctuel ou périodique, et comment transformer comme par magie un e-mail en élément du calendrier.

Planifier une activité

Pour planifier un rendez-vous, un événement ou une activité périodique :

1. **Commencez par sélectionner le jour où doit se tenir cette activité.**

   Si l'activité doit prendre un certain temps, placez-vous en mode Mois ou Semaine de travail. Cliquez au début de la plage horaire et faites glisser la souris jusqu'à l'heure de fin. Cela vous évitera d'avoir à entrer manuellement la durée totale du rendez-vous. Pour un événement ponctuel, il suffit de faire un double clic dans la case voulue (elle représente une durée d'une demi-heure).

2. **Cliquez dans la barre d'outils Standard sur le bouton Nouveau, ou appuyez sur Ctrl+N, ou encore choisissez dans le menu Actions la commande Nouveau rendez-vous.**

   Comme le montre la Figure 9.2, le formulaire qui va s'afficher vous permet notamment de nommer l'activité, de définir son lieu, l'heure de début et de fin, et d'indiquer si vous voulez déclencher un signal de rappel pour ne pas oublier cet événement. C'est ce même formulaire qui apparaît lorsque vous faites un double clic sur une activité dans la fenêtre du calendrier.

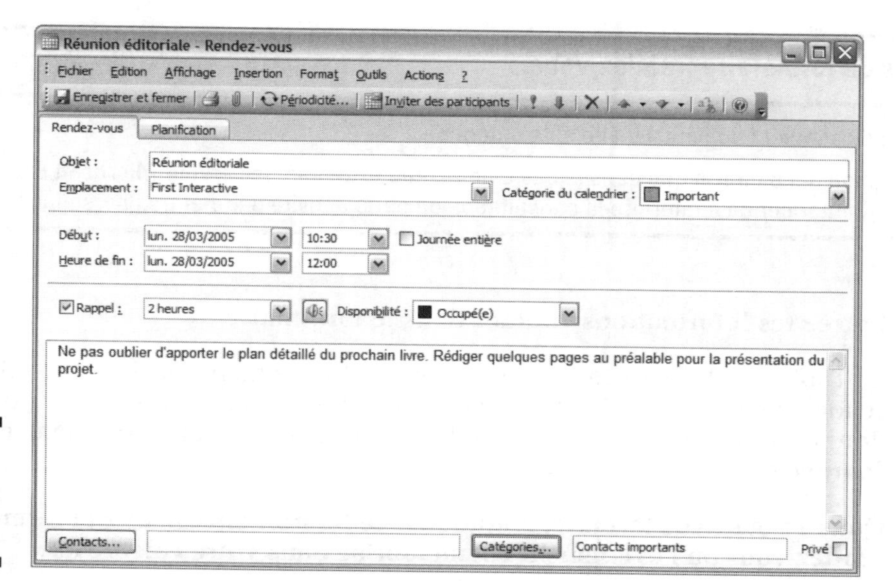

Figure 9.2 : Formulaire servant à définir une activité.

Tableau 9.1 : Champs du formulaire Rendez-vous.

Champ	Rôle
Objet	Une description de l'activité. Ce que vous entrez ici apparaîtra dans la fenêtre du calendrier.
Emplacement	Le lieu où doit se tenir l'activité. Vous pouvez ouvrir la liste déroulante pour sélectionner l'un des dix derniers emplacements entrés.
Catégorie	Choisissez une couleur dans cette liste pour voir instantanément de quel type d'activité il s'agit.
Début	Choisissez la date et l'heure auxquelles l'activité doit commencer. Avec l'affichage des jours ou de la semaine de travail, vous pouvez aussi définir une plage horaire en faisant glisser la souris sur la fenêtre du calendrier.
Heure de fin	L'heure à laquelle l'activité doit se terminer.
Journée entière	Cochez cette case si vous voulez définir un événement, et non un rendez-vous.
Rappel	Pour déclencher une alerte lorsque l'activité devient imminente. Cochez cette case, puis choisissez un délai dans la liste déroulante. Vous pouvez également associer au rappel un fichier de son à votre convenance. Dans la fenêtre du calendrier, les alertes sont signalées par une icône représentant une cloche.
Disponible	Sert à indiquer aux autres membres d'un réseau si vous êtes ou non disponible. Cette option n'a de sens que si votre réseau exécute le serveur Microsoft Exchange. Voyez votre administrateur système.
Contacts	Choisissez à l'aide de ce bouton le nom d'une ou plusieurs personnes associées à cette activité. Ceci vous permet de suivre les relations que vous entretenez avec ces contacts (le rendez-vous ou l'événement apparaîtra sous l'onglet Activités de leur fiche).

Tableau 9.1 : Champs du formulaire Rendez-vous.

Catégories	Permet d'associer l'activité à un nom de catégorie.
Privé	Cette option n'a d'intérêt que dans le cas d'un réseau exécutant le serveur Microsoft Exchange. Elle permet d'autoriser ou d'interdire la consultation de cette activité par d'autres personnes.

3. **Entrez les informations voulues dans le formulaire.**

Le Tableau 9.1 décrit tous les champs dont vous disposez. Pour définir un rendez-vous ou un événement récurrent, cliquez sur le bouton Périodicité. Pour créer un événement au lieu d'un rendez-vous, cochez simplement la case Journée entière.

4. **Quand vous avez terminé, cliquez sur le bouton Enregistrer et fermer. Le rendez-vous ou l'événement est mémorisé dans votre calendrier.**

Planifier une activité périodique

Pour définir une activité récurrente, cliquez sur le bouton Périodicité du formulaire Rendez-vous (reportez-vous à la Figure 9.2). La boîte de dialogue Périodicité du rendez-vous va apparaître (voir la Figure 9.3). Indiquez les caractéristiques de l'événement puis cliquez sur OK.

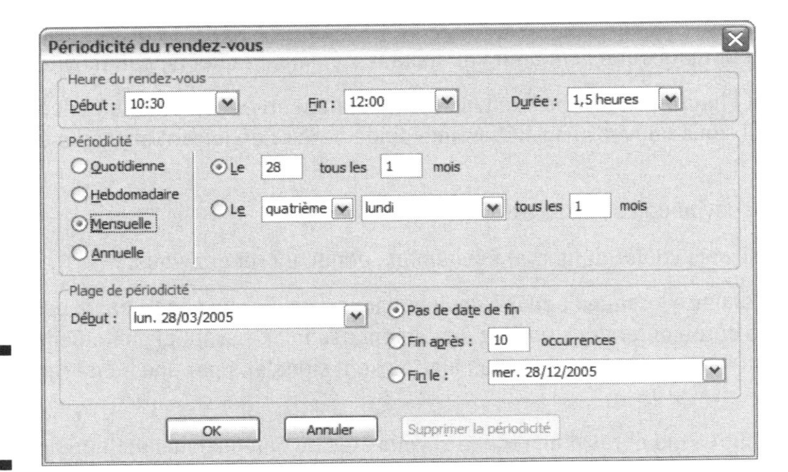

Figure 9.3 : Des rendez-vous à répétition.

✦ **Heure du rendez-vous :** Entrez l'heure de début et de fin (si cela n'a pas été fait dans le formulaire principal).

✦ **Périodicité :** Utilisez les options et les listes déroulantes afin de définir le caractère de l'activité (elle sera par exemple annuelle pour un anniversaire, ou tous les deux mois pour une visite de contrôle, etc.).

✦ **Plage de périodicité :** Indiquez ici quand l'événement cesse d'être récurrent. Choisissez l'option Pas de date de fin si l'activité se produit *ad infinitum, ad nauseum* (même les non-latinistes comprendront).

Utiliser un message électronique pour planifier un rendez-vous

Voici un petit truc qui peut vous faire gagner du temps lorsque vous recevez un e-mail traitant d'un rendez-vous. Faites glisser le message de la boîte de réception sur le bouton Calendrier du volet de navigation. Partant de l'idée que vous voulez créer une activité à partir des informations contenues dans le message, Outlook affiche alors le formulaire Rendez-vous. Il remplit le champ Objet du formulaire à partir du champ équivalent dans le message. Le texte du courrier est copié dans la zone de note. Complétez le formulaire puis cliquez sur le bouton Enregistrer et fermer (cette technique est d'ailleurs utilisable avec les autres boutons du volet de navigation, et pour tous les éléments affichés dans la fenêtre principale d'Outlook).

Dans la fenêtre du calendrier, les événements récurrents sont marqués d'une icône représentant une double flèche circulaire. Pour les transformer en activités ponctuelles, faites un double clic dessus afin d'ouvrir le formulaire Rendez-vous. Cliquez ensuite sur le bouton Périodicité, puis Supprimer la périodicité. Validez et enregistrez.

Planifier un événement

Dans le formulaire Rendez-vous, cochez l'option Journée entière (reportez-vous à la Figure 9.2). Nous avons déjà appris qu'un événement est une activité qui dure tout la journée. D'autres méthodes sont aussi à votre disposition :

✦ Dans la fenêtre du calendrier, faites un double clic sur le nom d'un jour. Le formulaire Evénement va immédiatement apparaître.

✦ Dans le menu Actions, choisissez la commande Nouvel événement d'une journée entière. Vous accédez alors au même formulaire.

Annuler, modifier ou déplacer une activité

A tout moment, vous pouvez faire un double clic sur un rendez-vous ou un événement pour ouvrir le formulaire correspondant et éditer son contenu. Mais Outlook vous propose également d'autres raccourcis :

- **Suppression :** Sélectionnez une activité puis cliquez sur le bouton Supprimer. Dans le cas d'une activité périodique, une fenêtre vous demandera si vous voulez effacer simplement *cette* date ou la série toute entière.
- **Déplacement :** En mode Jour ou Semaine de travail, cliquez sur l'activité puis faites glisser vers un nouvel emplacement du calendrier. Vous devez pour cela placer le pointeur sur le bord gauche du cadre qui décrit l'événement : il va prendre la forme d'une flèche à quatre têtes.
- **Heure de début et de fin :** En mode Jour ou Semaine de travail, placez sur le pointeur sur le bord supérieur ou inférieur de l'activité. Faites glisser la souris lorsque vous voyez une double flèche verticale.
- **Description :** Cliquez dans la case qui représente l'activité. Editez le texte actuel.

Changer la présentation du calendrier

Les activités si patiemment entrées dans votre agenda peuvent être affichées (et imprimées) de différentes manières :

- **Modes d'affichage :** Vous disposez de cinq boutons pour personnaliser la vue du calendrier : Aujourd'hui, Jour, Semaine de travail, Semaine et Mois. Vous retrouvez pour l'essentiel ces styles de présentation dans le sous-menu Mise en page du menu Fichier.
- **Contrôle de l'affichage :** Ouvrez dans la barre d'outils Avancée la liste Affichage actuel. Choisissez alors une des options proposées, par exemple Evénements, Rendez-vous périodiques, etc. Ceci vous permet de restreindre l'affichage à certains types d'activités.
- **Activités en couleur :** L'affectation d'une couleur est un excellent moyen pour distinguer les activités importantes de celles qui ne le sont pas. Cliquez avec le bouton droit de la souris, puis sur l'option Catégorie du calendrier. Sélectionnez alors une couleur dans le sous-menu qui apparaît.
- **Catégories d'activités :** Lorsque vous définissez ou éditez une activité, associez-lui une catégorie (ou cliquez avec le bouton droit de la souris sur l'activité puis choisissez dans le menu Contextuel la commande Catégories). Organisez ensuite la fenêtre du calendrier en choisissant dans la liste Affichage actuel l'option Par catégorie.

Chapitre 10
PowerPoint, premières découvertes

Dans ce chapitre :

- Découvrir PowerPoint.
- Commencer une nouvelle présentation.
- Rendre une présentation persuasive.
- Bien afficher votre travail.
- Créer un nouveau cliché.
- Déplacer et supprimer des clichés.

Les présentations PowerPoint sont partout dans le monde industriel, commercial, publicitaire, médical, universitaire, et ainsi de suite. Il est pratiquement impossible de participer à un séminaire, une conférence ou un salon sans voir au moins une présentation PowerPoint. Il paraît même qu'une fois un type, pas du tout romantique, a fait sa demande en mariage avec une présentation PowerPoint.

Aussi génial que puisse être ce programme, il a aussi ses détracteurs. S'il n'est pas utilisé à bon escient, il peut créer un fossé entre l'intervenant et son auditoire, devenir un véritable obstacle. Sans entrer dans un débat sur la communication, il est vrai que Power a tendance à orienter, *éditer*, vos idées. Il a une sorte d'influence intérieure, cachée, sur la façon d'organiser l'information.

Pour vous aider à utiliser PowerPoint avec discernement, ce chapitre tente de vous expliquer comment réaliser des présentations efficaces et de qualité avec PowerPoint. Vous apprendrez à le découvrir, à créer une présentation, à choisir un mode d'affichage et à gérer des diapositives.

Faisons connaissance avec PowerPoint

La Figure 10.1 montre la fenêtre de PowerPoint. La chose qui se trouve au milieu est une *diapositive*. C'est le mot qu'emploie PowerPoint pour désigner une image dans une présentation (ou *diaporama*). De chaque côté de la diapositive, vous disposez de nombreux outils pour préparer et décorer vos diapositives. Le moment venu, vous aller ranger les outils dans leurs boîte et projeter le diaporama sur l'écran entier, comme l'illustre la Figure 10.2. Ne vous souciez pas pour l'instant de l'apparente complexité de ces exemples. PowerPoint propose des modèles prédéfinis qui peuvent vous épargner bien du travail en vous aidant à vous concentrer sur le contenu.

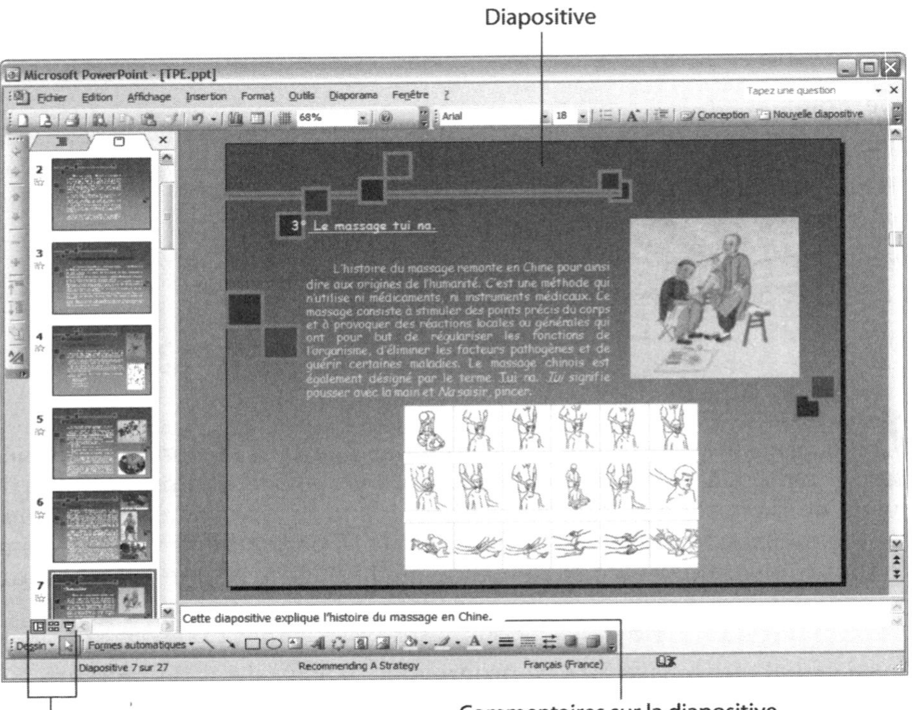

Figure 10.1 : La fenêtre de PowerPoint.

Pour dompter PowerPoint, vous avez besoin de connaître un peu de son jargon :

- **Diaporama :** C'est la présentation proprement dite, c'est-à-dire l'ensemble de toutes les diapositives.
- **Diapositive :** Il s'agit d'une image ou d'un écran créé avec PowerPoint. Au cours d'une présentation, les diapositives sont projetées l'une après l'autre. Le

mot *diapositive* ne doit pas vous induire en erreur : nous ne sommes pas chez l'oncle Fred pour passer une soirée "Souvenirs de vacances". Ces clichés-là ont plutôt besoin d'un ordinateur portable et d'un projecteur vidéo ou d'un écran.

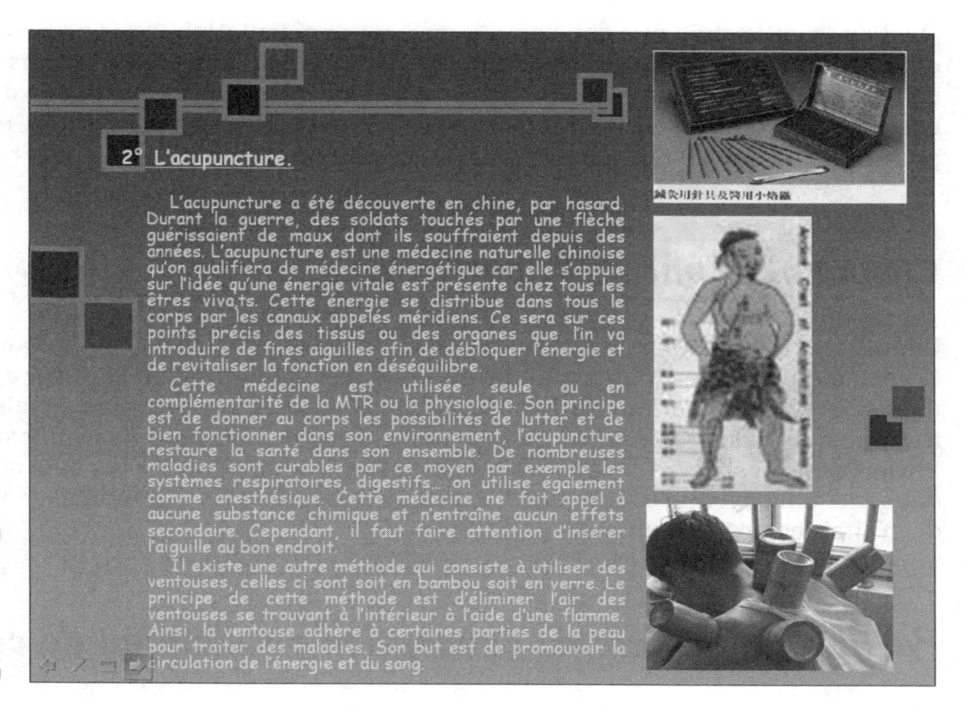

Figure 10.2 : Une diapositive au cours d'une présentation.

- ✦ **Commentaires :** Des explications qu'il est possible d'associer à chaque diapositive et d'imprimer de façon à ce que le présentateur ou la présentatrice (vous) sache quoi dire au cours du diaporama. Ces commentaires ne sont pas projetés. Vous pouvez également imprimer une sorte de guide illustré montrant chaque diapositive associée à des commentaires (et qu'il peut être intéressant de reproduire et de distribuer au public).
- ✦ **Narration :** Un commentaire sonore que vous pouvez enregistrer et diffuser en même temps que la présentation.

Créer une nouvelle présentation

Pour créer une présentation à partir de zéro, vous pouvez appuyer sur Ctrl+N. Sinon, passez par la commande Nouveau du menu Fichier. Avec cette seconde option, le volet Nouvelle présentation va s'afficher à droite de la fenêtre. La prochaine étape consiste alors à choisir un style de présentation. PowerPoint propose pour cela rien de moins que quatre méthodes : commencer par une présentation vierge, utiliser un modèle de conception, appeler un assistant appelé Sommaire automatique, ou encore partir d'une présentation existante.

Quel que soit le style que vous appliquez à une présentation, vous pouvez toujours changer d'avis par la suite et modifier l'aspect de vos diapositives. Il vous suffit pour cela de choisir dans le menu Format la commande Conception de diapositive ou de cliquer sur le bouton correspondant de la barre d'outils Mise en forme. Ce travail est possible quel que soit le stade d'avancement du projet.

Commencer par une composition vierge

Cliquez sur le lien Nouvelle présentation dans le volet Office (ou sur le bouton Nouveau de la barre d'outils Standard). Vous êtes alors totalement livré(e) à vous-même. Avec cette technique, il vous faudra créer votre propre style en faisant appel aux outils de la barre Dessin. Passez outre si vous ne maîtrisez pas suffisamment PowerPoint ou si votre sens artistique est assez rudimentaire. Pourquoi se lancer dans une telle aventure alors que vous pouvez vous servir de modèles réalisés par de véritables professionnels ?

Partir d'un modèle de conception ou d'un jeu de couleurs

Cliquez sur le bouton Conception de la barre d'outils Mise en forme, ou sur le lien A partir du modèle de conception (dans le volet Nouvelle présentation). Dans le volet Conception des diapositives, choisissez un modèle tout fait ou un jeu de couleurs. Cliquez simplement sur une vignette pour appliquer immédiatement ce style à votre diapositive (voir la Figure 10.3).

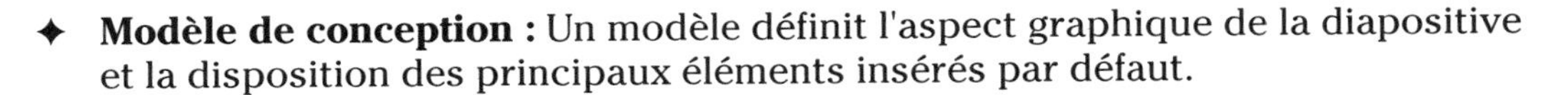

- **Modèle de conception :** Un modèle définit l'aspect graphique de la diapositive et la disposition des principaux éléments insérés par défaut.

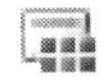

- **Jeu de couleurs :** Il ne change pas le style de diapositive, mais modifie les couleurs utilisées dans le modèle.

Appeler l'assistant Sommaire automatique

Cliquez sur le lien qui active cet assistant dans le volet Nouvelle présentation. PowerPoint va vous poser une série de questions sur le type de présentation que vous voulez réaliser. Lorsque vous avez fini de répondre, le programme va choisir pour vous un modèle de conception, avec y compris des titres et du texte génériques. Vous n'avez plus (dans le meilleur des cas) qu'à remplacer ces éléments par vos propres titres et textes.

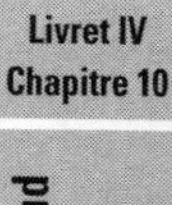

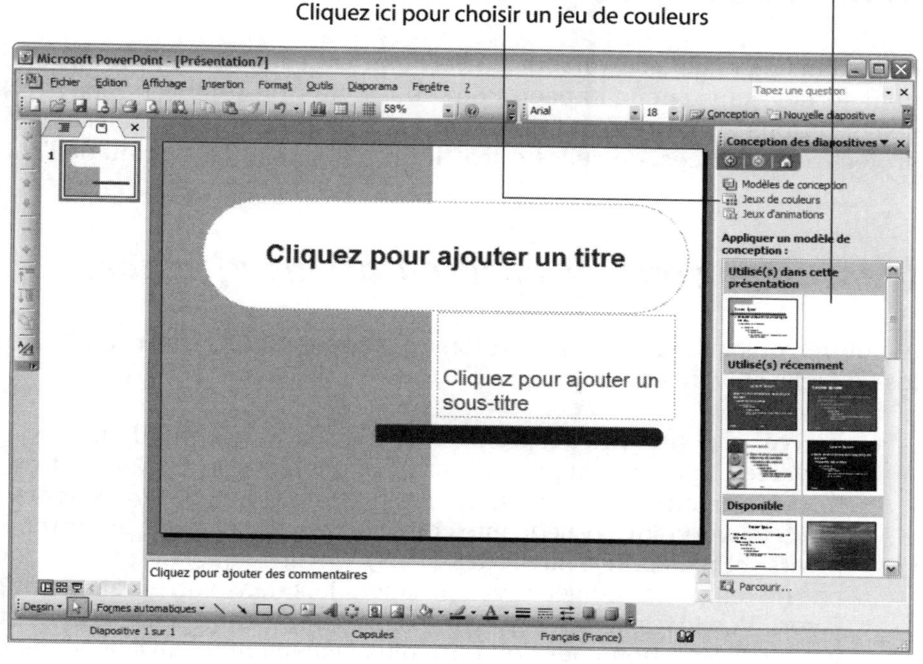

Figure 10.3 : Choisissez un modèle prédéfini ou un jeu de couleurs.

A moins d'être vraiment très pressé, oubliez l'assistant Sommaire automatique. Les présentations qu'il produit sont invariablement froides et impersonnelles. Comme nous allons le voir dans quelques lignes, une présentation réussie doit refléter aussi bien vos objectifs que votre personnalité. Par définition, tout cela fait défaut à un produit générique. C'est d'ailleurs l'une des principales raisons pour lesquelles PowerPoint a mauvaise réputation auprès de certains professionnels (comme toujours, ce n'est pas l'outil qui fait le bon artisan).

Partir d'une présentation existante

Si vous pensez qu'une présentation déjà réalisée peut vous servir de point de départ pour un nouveau projet, cliquez dans le volet Nouvelle présentation sur le lien Créer à partir d'une présentation existante. Sélectionnez le fichier que vous avez repéré, puis cliquez sur Créer. Personnalisez et adaptez cette présentation.

Vous noterez au passage qu'une page Web peut parfaitement servir de modèle (et inversement, PowerPoint est tout aussi capable de transformer une présentation en un site Web complet).

Conseils pour réussir vos présentations

Placé dans de mauvaises mains, PowerPoint est capable de produire des présentations ternes, sans aucun impact. Pour vous éviter de sombrer dans la grisaille, les deux sections suivantes vont vous proposer une série de conseils afin de réussir des projections efficaces, de celles qui attirent réellement l'attention de l'auditoire.

Idées pour créer des présentations efficaces

Avant de vous lancer dans la création de présentations PowerPoint, lisez et méditez les conseils suivants :

- **Ecrivez d'abord votre texte dans Word :** Partez de Word, pas de PowerPoint, et travaillez à partir d'un plan. Comme l'explique la prochaine section, vous verrez de cette manière votre présentation prendre forme progressivement. De surcroît, PowerPoint possède une commande spéciale pour importer des documents (et plus précisément des plans) Word, ce qui fait que vous ne perdrez pas de temps en rédigeant vos premiers jets dans votre traitement de texte favori. Vos idées seront plus claires, votre structure plus précise, et le fil de votre présentation vous conduira plus facilement jusqu'à la bonne conclusion.
- **Adaptez le style de la présentation à votre auditoire :** Un diaporama destiné au club d'histoire locale devra être sobre, classique. Pour l'association des astronomes amateurs, un style cosmique, moderne sera mieux adapté. Choisissez une conception conforme à la tonalité de votre présentation pour vous attirer la sympathie de votre public.
- **Prenez le contrôle dès le début :** Passez cinq minutes à vous présenter devant l'auditoire sans mettre PowerPoint à contribution (ou en affichant simplement un cliché fixe montrant par exemple le logo de votre société). Etablissez un contact visuel avec le public. Vous y gagnerez en crédibilité et vous aiderez les gens à mieux vous connaître.
- **Partez de la conclusion :** Essayez d'écrire en premier la fin de la présentation. N'oubliez pas que le but de celle-ci est d'arriver à une conclusion claire, évidente. En partant de la fin, vous vous fixez la cible à atteindre. Vous vous donnez la possibilité de tourner toute votre présentation au service de cette conclusion. Et vous améliorerez vos chances d'entendre l'auditoire s'exclamer : "Oui, oui, c'est tout à fait juste !"
- **Clarifiez vos objectifs :** Dés le départ, soyez très clair sur le but de votre présentation et sur ce que vous avez l'intention de prouver. En d'autres termes, la conclusion doit apparaître aux deux bouts de la chaîne. De cette manière, votre auditoire saura exactement vers où vous vous dirigez et jugera de la présentation en fonction de la qualité de votre démonstration.

- **Personnalisez la présentation :** Rendez votre présentation aussi personnelle que possible (et souhaitable). Expliquez à votre public quelles sont *vos* raisons personnelles d'être là, ou encore de travailler dans cette entreprise. Les gens seront plus enclins à vous faire confiance si vous pouvez les convaincre de votre propre implication. Ils comprendront que vous n'êtes pas un simple porte-parole, mais un véritable orateur. Quelqu'un qui a travaillé dur pour présenter quelque chose auquel il croit.

- **Racontez une histoire :** Ponctuez votre présentation d'une ou deux anecdotes. Tout le monde aime entendre une histoire pertinente et bien racontée. C'est aussi une autre façon de personnaliser une présentation. Généralement, une histoire illustre un problème rencontré par une personne *X*, et elle raconte comment *X* a résolu ce problème. Même si votre présentation traite de technologie ou d'un thème abstrait, placez-y des gens concrets. Donnez de la vie. Ne dites pas : "Les performances du central téléphonique de Brise-les-Vagues étaient trop faibles pour amener l'ADSL dans le village". Dites plutôt : "Les habitants de Brise-les-Vagues avaient besoin d'un accès Internet rapide."

- **Faites un travail de journaliste :** Placez un titre en haut de chaque diapositive, comme dans un journal, et pensez chaque cliché comme s'il s'agissait d'un article spécialisé. Chaque diapositive devrait traiter d'un aspect spécifique de votre sujet, et elle devrait à chaque fois être conçue pour emporter l'adhésion. Combien de temps faut-il pour lire un article de journal ? Cela dépend bien sûr de sa longueur. Dans le cas d'une diapositive, cette "longueur", c'est sa taille à l'écran. Un cliché PowerPoint devrait rester affiché à peu près le temps nécessaire à l'exploration d'un point particulier. Comme un article.

- **Une diapositive par minute, c'est la règle :** Un cliché devrait être affiché sur l'écran pendant au moins une minute. Au grand minimum. Si votre intervention doit durer quinze minutes, l'application de cette règle implique que la présentation ne doit pas contenir plus de 15 diapositives.

- **L'abus de puces peut nuire :** Les listes à puce ont leur place dans une présentation, mais pas pour dire les choses à votre place ni simplement pour vous rappeler ce que vous avez à dire. Votre auditoire mérite mieux ! Trop de puces laconiques ou de renvois peut donc distraire votre public qui fixera son attention dessus au lieu d'écouter vos arguments. Comme l'explique le Chapitre 11 du Livret IV, PowerPoint vous permet de rédiger des commentaires que le public ne verra pas. Si vous avez besoin d'aide pour suivre le fil de vos explications, servez-vous de ces notes, pas du contenu des diapositives.

- **Ecran noir pour effet dramatique :** Affichez un écran vide au moment le plus crucial de votre présentation, lorsque vous voulez concentrer sur vous toute l'attention de l'auditoire. Vous pouvez appuyer sur la touche N pour obtenir un écran noir, ou sur B pour un écran blanc. Les mêmes touches rétablissent ensuite la vue normale de votre diapositive. Face à un écran qui n'a plus rien à dire, les gens seront contraints de s'intéresser uniquement à vous, et votre message y gagnera en impact. Il faut à certains moments savoir mettre PowerPoint de côté pour qu'il ne s'interpose pas entre le narrateur et son public.

Lorsque vous avez l'occasion d'assister à une présentation PowerPoint, profitez-en pour analyser le travail des autres, et si possible pour profiter des bonnes idées qu'ils mettent en application.

Commencez par écrire le texte

Voici le meilleur conseil que vous puissiez recevoir pour créer de bon diaporamas PowerPoint : écrivez le texte de la présentation *avant* même d'ouvrir celui-ci. Concentrez-vous sur les mots, c'est-à-dire sur ce que vous voulez communiquer, et non sur le graphisme, la mise en page ou les polices de caractères à employer. Si vous travaillez avec Microsoft Word, vous pouvez profiter de son mode Plan pour importer la trame de votre présentation dans PowerPoint.

La plupart des gens aiment s'amuser avec les diapositives de PowerPoint. C'est distrayant – autrement dit, cela les distrait de ce qui est réellement important dans une présentation : le message à faire passer. Construire un argumentaire est un travail difficile. Certains payent d'ailleurs cher les services de consultants pour s'en charger à leur place. Il faut réfléchir, approfondir, essayer de se mettre à la place de l'auditoire, et même à la place d'une personne qui ne connaît pas le sujet aussi bien que vous, et convaincre tout le monde que c'est vous qui avez raison. L'essentiel de ce difficile travail peut s'effectuer dans Word, sans que l'atmosphère festive de PowerPoint ne vienne vous détourner de votre but.

Dans Word, il vous suffit de rédiger le texte que vous voulez afficher sur chaque diapositive. Vous pourrez ensuite copier cet argumentaire dans votre présentation PowerPoint. Si vous maîtrisez correctement le mode Plan de Word (il est traité dans le Chapitre 6 du Livret IV), utilisez-le pour structurer votre propos. Cela vous permet par exemple de réorganiser facilement le plan en déplaçant des titres, puis de l'importer directement dans PowerPoint (nous verrons comment dans le Chapitre 11 du Livret IV). Lorsque votre plan est lu par PowerPoint, celui-ci crée une diapositive pour chaque titre de niveau 1. Ce titre apparaît en haut de la diapositive, tandis que les éléments de niveau 2 forment une liste à puces principale, et ceux de niveau 3 une liste secondaire.

Bien afficher une présentation

Lorsque vous travaillez sur une présentation, certaines vues, certains modes d'affichage, sont préférables à d'autres. La Figure 10.4 illustre différents modes d'affichage d'une présentation. Pour changer d'affichage, cliquez sur l'un des petits boutons qui se trouvent dans le coin inférieur gauche de la fenêtre, ou ouvrez le menu Affichage et choisissez l'option appropriée (Normal, Trieuse de diapositives, Diaporama ou Page de commentaires). En mode Normal, cliquez sur l'un des onglets du volet de gauche pour visualiser le plan général ou un aperçu des diapositives.

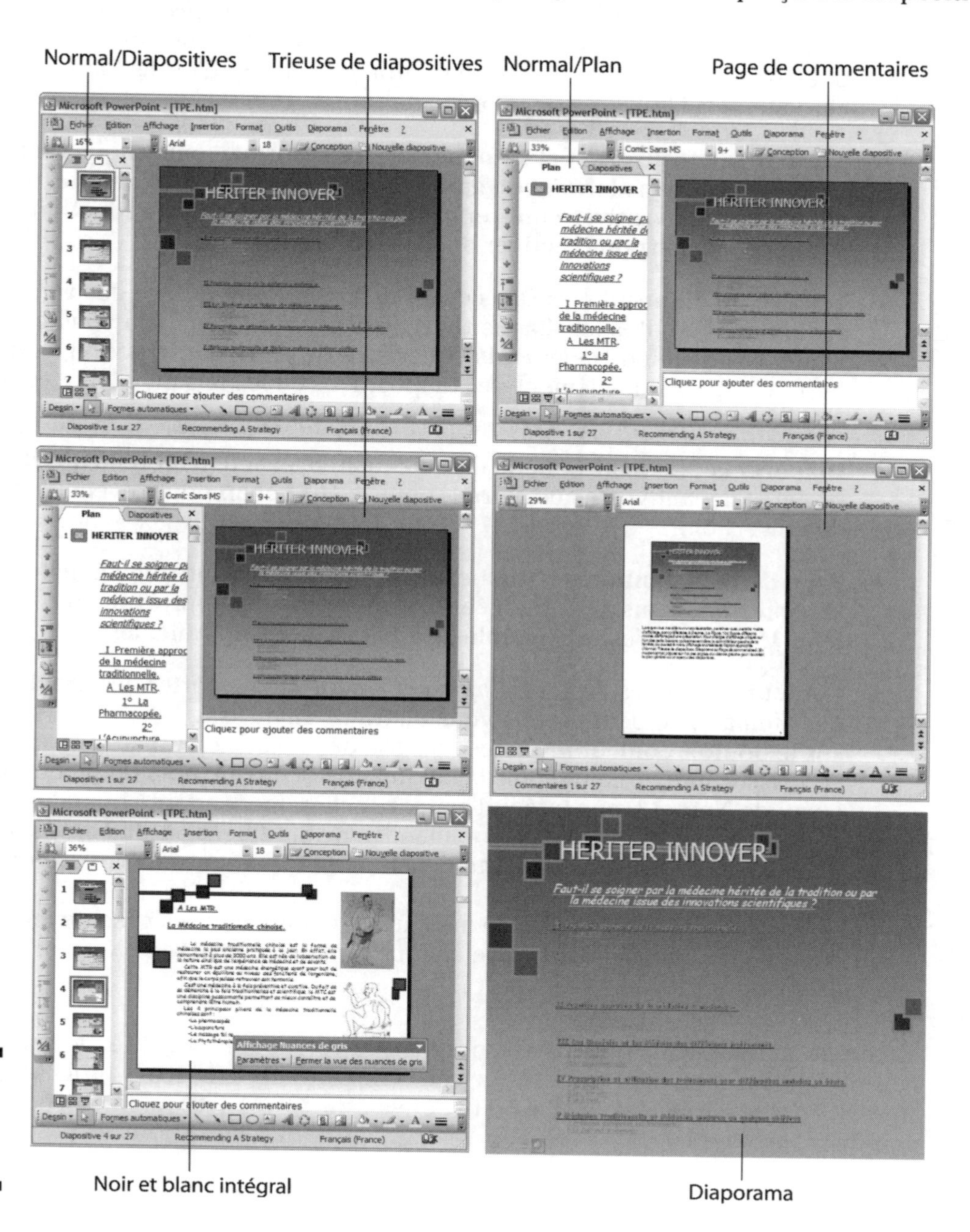

Figure 10.4 : Modes d'affichage sous PowerPoint.

Pourquoi choisir un mode d'affichage plutôt qu'un autre ? Voyons cela de plus près :

- **Normal/Plan :** Sélectionnez le mode Normal, puis cliquez sur l'onglet Plan (dans le volet de gauche) pour entrer ou consulter le texte d'une présentation. Le contenu des diapositives apparaît dans le volet. Vous pouvez sélectionner une diapositive et cliquer sur un bouton de la barre d'outils Plan pour déplacer le texte à l'intérieur de la présentation.

- **Normal/Diapositives :** Sélectionnez le mode Normal, puis cliquez sur l'onglet Diapositives (dans le volet de gauche) pour vous déplacer vers tel ou tel cliché. Les diapositives sont représentées par une vue en réduction. Cliquez sur une vignette pour l'activer dans la fenêtre principale.

- **Trieuse de diapositives :** Dans ce mode PowerPoint affiche des vignettes en réduction de toutes les diapositives de la présentation. Cela vous permet d'une part de mieux juger de la cohérence de votre construction, et d'autre part de déplacer facilement des diapositives en les faisant glisser vers un autre emplacement.

- **Diaporama :** Ce mode affiche une diapositive exactement telle qu'elle sera projetée devant votre auditoire. Appuyez sur Echap pour revenir à la fenêtre de PowerPoint.

- **Page de commentaires :** Affiche la diapositive courante en même temps que les notes que vous avez rédigées (éventuellement) pour expliciter son contenu. Cette vue n'est disponible qu'à partir du menu Affichage.

- **Couleurs/Nuances de gris :** La couleur, sans même parler des graphismes et des animations, peut parfois vous distraire du message à faire passer. Cliquez sur le bouton Couleurs/Nuances de gris de la barre d'outils Standard, ou choisissez une option depuis la commande de même nom du menu Affichage. Le mode Noir et blanc intégral est particulièrement adapté quand on veut se concentrer sur le texte. Ces commandes ne modifient pas la couleur des diapositives. Elles ajustent simplement leur apparence sur votre moniteur.

Le volet Plan/Diapositives peut être masqué en cliquant sur sa case de fermeture. Pour le réafficher, choisissez dans le menu Normal la commande Normal (restauration des volets).

En mode Normal, vous pouvez afficher dans le volet Plan tout le texte des diapositives ou uniquement leurs titres. Pour cela, cliquez dans la barre d'outils Mode Plan sur les boutons Développer tout (ou appuyez sur Alt+Maj+9) ou Réduire tout (ou appuyez sur Alt+Maj+1).

Insérer et mettre en page des diapositives

Une fois écrit le texte de votre présentation, il est temps de commencer à créer les diapositives. PowerPoint vous offre pour cela des modèles prédéfinis de mises en page dans lesquels vous n'avez plus qu'à insérer des titres, des listes à puces, des images, des tableaux, des graphiques et ainsi de suite. Vous pouvez également ajouter des diapositives en copiant celles que vous avez déjà réalisées, ou en les important à partir d'autres présentations.

Ajouter une nouvelle diapositive

Lorsque vous insérez une nouvelle diapositive, PowerPoint vous propose d'en définir la structure. Il affiche pour cela le volet Mise en page des diapositives (voir la Figure 10.5). La première vignette sert à créer une *diapositive de titre* pour débuter une présentation. Les autres correspondent à des diapositives normales, du moins du point de vue de PowerPoint. Nous reviendrons sur ce point dans l'encadré "Diapositives et diapositives de titre".

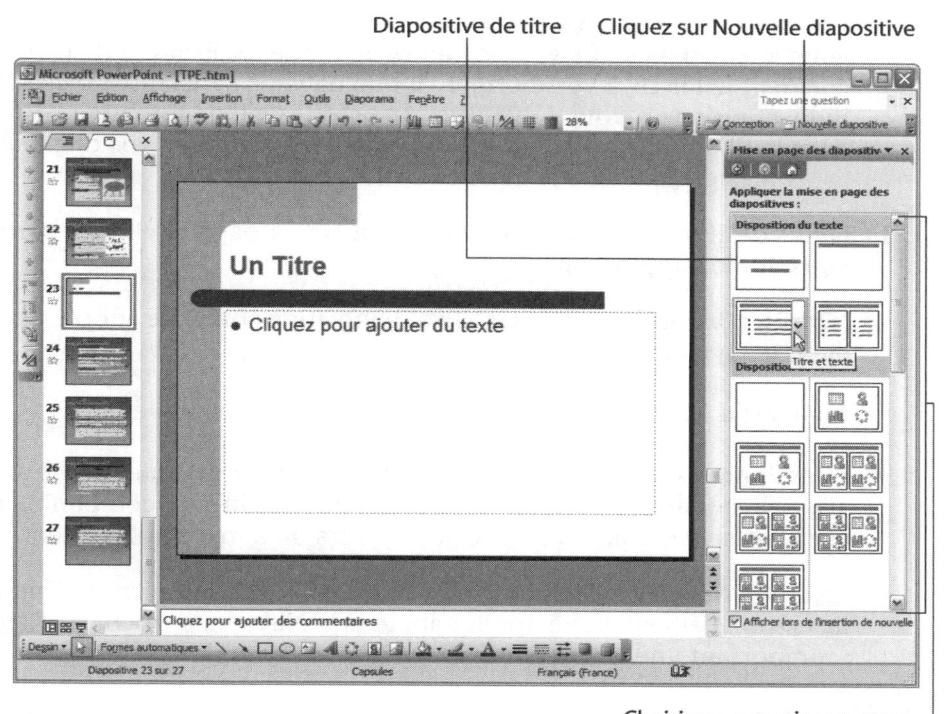

Figure 10.5 : Créer une nouvelle diapositive.

La Figure 10.5 illustre une disposition comportant un titre et une zone de texte. Le plus important à se rappeler ici est que vous pouvez changer de mise en page à tout moment. Même si cela peut poser des problèmes, puisque le contenu actuel peut ne pas correspondre à telle ou telle disposition prédéfinie. Si vous avez par exemple inséré un tableau ou une liste à puces et que vous choisissez ensuite une mise en page qui ne contient pas ces éléments, vous risquez d'avoir du mal à réorganiser la diapositive. Pour appliquer une mise en page à la diapositive courante, cliquez simplement sur la vignette correspondante dans le volet.

Pour insérer une nouvelle diapositive et la mettre en page :

1. **Sélectionnez la diapositive après laquelle vous voulez ajouter un nouveau cliché.**

   En mode Normal, cliquez dans le volet de gauche sur la diapositive voulue. Dans la trieuse de diapositives, cliquez dans la fenêtre principale sur la vignette voulue.

2. **Cliquez sur le bouton Nouvelle diapositive dans la barre d'outils Mise en forme. Vous pouvez aussi choisir dans le menu Insertion la commande Nouvelle diapositive, ou encore appuyer sur Ctrl+M.**

   Une diapositive va apparaître dans la fenêtre principale en même temps que le volet Mise en page. Ce volet propose 26 modèles. Essayez de trouver celui qui convient le mieux à votre projet. Si rien ne vous satisfait, choisissez la vignette Vide, et préparez-vous à effectuer un gros travail de formatage. Vous verrez dans le Chapitre 11 du Livret IV comment insérer dans vos diapositives des listes, des graphiques, et ainsi de suite.

3. **Faites défiler la liste des modèles de mise en page et cliquez sur celui que vous voulez appliquer.**

   N'hésitez pas à faire des essais. La diapositive courante adopte automatiquement le style de mise en page sélectionné.

Vous disposez d'autres méthodes pour ajouter des diapositives :

- ✦ Sélectionnez une diapositive existante, puis ouvrez le menu Insertion et choisissez la commande Dupliquer la diapositive. Editez le contenu du nouveau cliché et si nécessaire faites-le glisser vers un autre emplacement.
- ✦ En mode Normal, sélectionnez une diapositive et appuyez sur Entrée. Ceci insère un élément en lui appliquant le modèle de mise en page Titre et texte (comportant une liste à puces).

N'OUBLIEZ PAS

Si vous appliquez une mise en page et que vous regrettez ensuite votre choix, vous avez toujours la possibilité de changer par la suite de modèle. Servez-vous pour cela du volet Mise en page des diapositives, ou bien choisissez dans le menu Format la commande portant le même nom.

Diapositives et diapositives de titre

Le modèle de mise en page Diapositive de titre est conçu pour créer une introduction. En général, on l'utilise donc pour la première diapositive de la présentation. Si cette dernière est divisée en plusieurs parties, chacune d'entre elles peut éventuellement posséder sa diapositive de titre. De cette manière, les auditeurs savent à quel moment une partie se termine, et à quel moment la suivante débute.

Le fait d'appliquer le modèle Diapositive de titre (ou un autre) prend toute son importance lorsque vous voulez formater des diapositives à l'aide d'un *masque*. Comme vous le découvrirez dans le Chapitre 12 du Livret IV, un masque permet de formater simultanément de nombreuses diapositives et donc de s'assurer qu'elles auront une apparence uniforme (tout en vous épargnant une bonne dose de travail). PowerPoint propose deux types de masques :

- **Masque de titre :** Il s'applique aux clichés conçus selon le modèle de mise en page Diapositive de titre. En modifiant ce masque (arrière-plan, polices, couleurs, etc.), vous changez du même coup l'apparence de toutes les diapositives de titre.
- **Masque de diapositives :** Selon le même principe, ce masque permet de modifier toutes les diapositives, sauf celles de titre.

L'illustration qui suit montre ces deux types de masques. Choisissez dans le menu Affichage l'option Masque, puis Masque des diapositives. Dans le volet de gauche, cliquez ensuite sur un masque de titre ou un masque de diapositives pour le personnaliser.

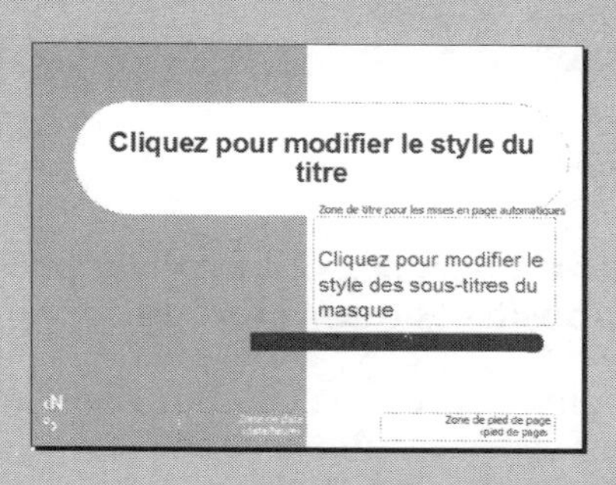

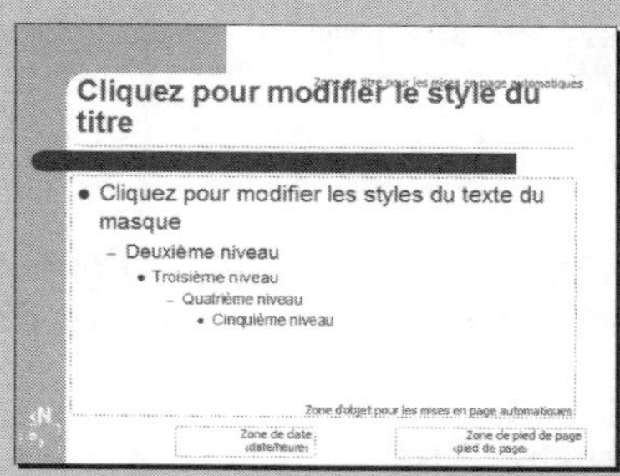

Récupérer des diapositives dans une autre présentation

Voler, ce n'est pas bien. Mais c'est autorisé dans les présentations PowerPoint. Si des diapositives existantes peuvent résoudre votre problème, n'hésitez pas à vous en resservir. Voici comment :

1. **Commencez par sélectionner le cliché après lequel vous voulez insérer une ou plusieurs diapositives.**

2. **Dans le menu Insertion, choisissez la commande Diapositives à partir d'un fichier.**

   La boîte de dialogue Recherche de diapositive va apparaître (voir la Figure 10.6).

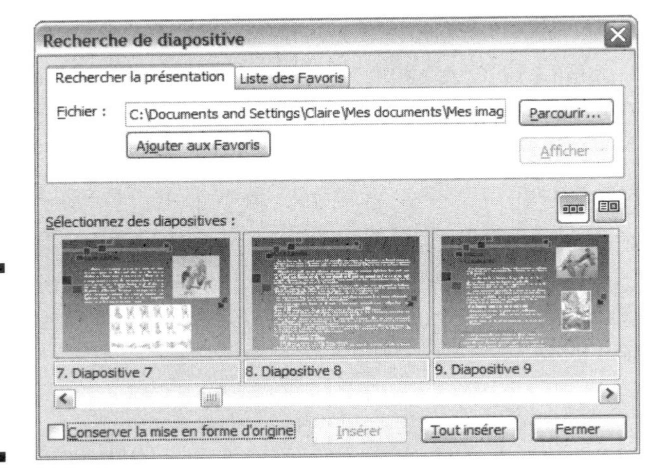

Figure 10.6 : Récupérer des diapositives à partir d'une autre présentation.

3. **Cliquez sur le bouton Parcourir. Localisez et ouvrez la présentation PowerPoint contenant les diapositives que vous voulez voler.**

   Les diapositives de cette présentation vont s'afficher dans la boîte de dialogue Recherche.

4. **Sélectionnez éventuellement une ou plusieurs diapositives. Vous pouvez vous servir des deux boutons de droite pour changer le mode d'affichage (liste de noms ou vignettes).**

   Pour sélectionner plusieurs diapositives, cliquez dessus tout en maintenant enfoncée la touche Ctrl et/ou Maj.

5. **Cliquez sur le bout on Insérer pour ajouter la ou les diapositives choisies dans la présentation courante. Pour incorporer la totalité de la présentation, cliquez sur Tout insérer.**

Les diapositives que vous insérez de cette manière adoptent par défaut le style courant de votre présentation. Vérifiez que rien n'a été perdu, mutilé, obscurci ou déformé. Le texte, par exemple, supporte généralement mal le passage d'un fond clair à un fond foncé (et réciproquement). Pour insérer des diapositives sans rien y changer, cochez dans la boîte de dialogue Recherche l'option Conserver la mise en forme d'origine.

Déplacer et supprimer des diapositives

Lorsqu'une présentation prend forme, il devient parfois nécessaire de déplacer une ou plusieurs diapositives. Et parfois aussi, vous en arrivez à la conclusion que certaines sont de trop. Pour effectuer ces travaux ménagers, passez en mode d'affichage Normal ou Trieuse de diapositives. Puis :

- **Pour supprimer une diapositive :** Cliquez sur sa vignette et appuyez sur la touche Suppr. Vous pouvez aussi cliquer avec le bouton droit de la souris et choisir dans le menu contextuel la commande Supprimer la diapositive.
- **Pour déplacer une diapositive :** Cliquez sur sa vignette et faites-la glisser vers un nouvel emplacement. Une ligne horizontale (en mode normal) ou verticale (dans la Trieuse de diapositives) vous montre le point où la diapositive va atterrir si vous relâchez le bouton de la souris. Appuyez sur Echap pour annuler l'opération en cours de vol. Si vous affichez le volet Plan, vous pouvez déplacer une diapositive en la sélectionnant, puis en vous servant des boutons Monter et Descendre de la barre d'outils Mode Plan.

L'expérience prouve qu'il est plus facile de sélectionner et de déplacer des vignettes dans la Trieuse de diapositives. Vous cliquez tout en appuyant si nécessaire sur les touches Ctrl et/ou Maj, vous faites glisser en visant le trait vertical, et c'est gagné !

Chapitre 11
Entrer le texte

Dans ce chapitre :

- Récupérer un plan MS Word.
- Ajuster texte et cadre.
- Changer l'aspect du texte.
- Ajouter des commentaires.
- Créer des listes.

Cela va sans le dire, mais c'est mieux en le précisant : il est réellement difficile d'imaginer une présentation PowerPoint sans texte. Dans ce chapitre, nous allons aborder tout ce qu'il faut absolument savoir sur la gestion du texte dans les diapositives. Nous verrons comment l'insérer dans des cadres, comment le récupérer dans un document Word, comment personnaliser son apparence, et comment créer des listes. Vous apprendrez également à ajouter des commentaires que vous pourrez utiliser pour vous aider lors de la présentation.

Entrer du texte sur une diapositive

Une fois la structure de votre présentation établie, l'étape suivante est la saisie du texte des diapositives. Comme l'illustre la Figure 11.1, le procédé le plus simple consiste à cliquer dans un cadre de texte puis à taper votre légende. Il existe aussi une autre méthode : activer le mode Plan (en affichage Normal), le développer si nécessaire, puis entrer votre texte directement dans le volet. Ce que vous saisissez en regard de l'icône de diapositive devient le titre de celle-ci.

Pour visualiser le style du texte dans le volet Plan, cliquez sur le bouton Mise en forme dans la barre d'outils Mode Plan. Ceci vous permet de visualiser les polices utilisées, les caractères gras, soulignés ou encore en italiques.

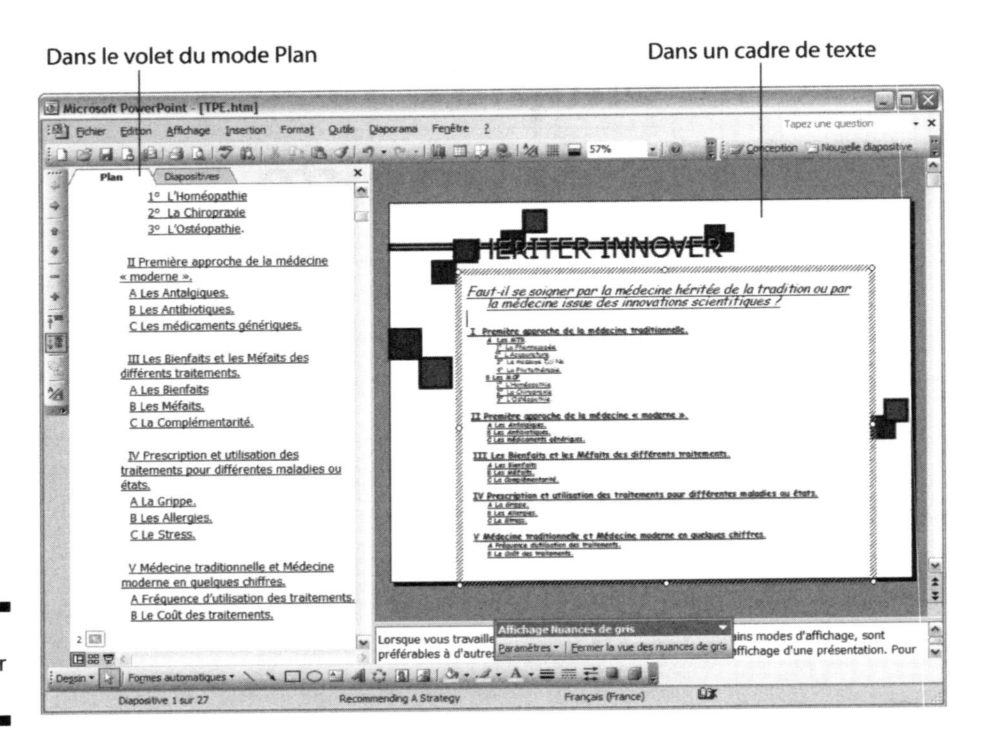

Figure 11.1 : Comment entrer du texte.

Ajuster texte et cadre

Lorsqu'un titre, un paragraphe ou une liste ne "tiennent" pas dans leur cadre, PowerPoint commence par réduire l'intervalle entre les lignes. Puis il réduit le texte lui-même. Dans ce cas, l'icône Options d'ajustement automatique apparaît sur le bord du cadre lorsque celui-ci est actif. En cliquant sur cette icône, vous ouvrez un menu qui vous propose plusieurs solutions pour la gestion du texte (voir la Figure 11.2).

Commencez par vous demander si cela vaut la peine de jouer avec la conception même de votre diapositive. Ajuster le texte implique généralement soit de réduire sa taille, soit d'agrandir le cadre, soit de changer d'une manière ou d'une autre le style de la diapositive. N'oubliez pas alors que votre public remarquera le fait que votre présentation manque de cohérence. Les diapositives sont destinées à être projetées sur un écran suffisamment grand pour que les défauts soient faciles à repérer. Si un titre est rétréci sur une diapositive et agrandi sur la suivante, vous passerez simplement pour un amateur.

Ajuster texte et cadre lorsqu'ils sont en désaccord passe généralement par la recherche d'un (bon) compromis. Voici plusieurs méthodes possibles pour gérer ce problème (attendez-vous à cliquer souvent sur le bouton Annuler, ou à appuyer tout aussi souvent sur Ctrl+Z, jusqu'à ce que vous ayez trouvé la bonne réponse) :

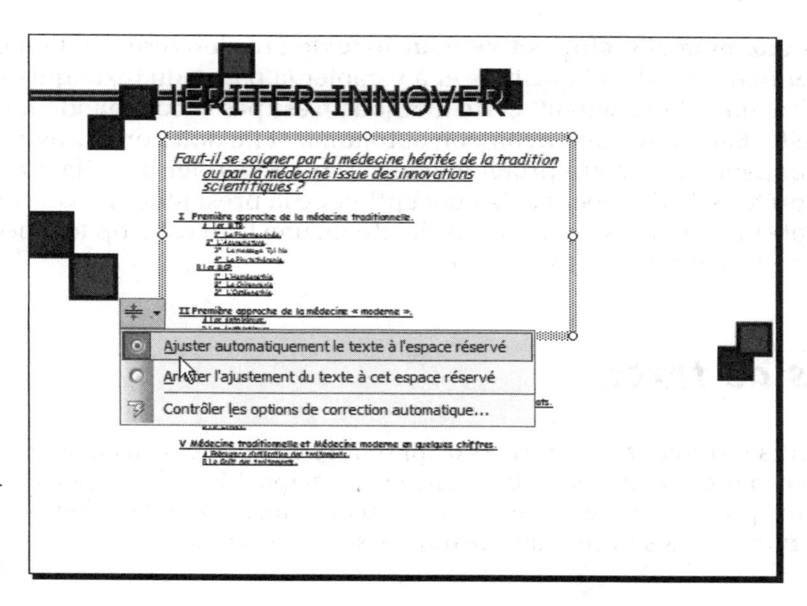

Figure 11.2 : Options d'ajustement automatique.

- **Editer le texte :** Lorsque le texte a tendance à déborder de son cadre, il mérite généralement d'être édité (en particulier pour le raccourcir). Une diapositive, ce n'est pas un manuel. Les paragraphes qui y sont affichés sont supposés présenter à l'auditoire ce que vous lui expliquez oralement, pas de fournir un développement complet. Corriger le texte est la seule méthode qui permet de faire tenir le texte dans son cadre sans toucher à la conception de la diapositive.
- **Agrandir le cadre :** Pour cela, cliquez sur le bouton Options d'ajustement automatique et choisissez dans le menu la commande Arrêter l'ajustement du texte à cet espace réservé. Sélectionnez ensuite le cadre et faites glisser ses poignées (les petits cercles blancs sur la bordure grisée) pour changer ses proportions (vous pouvez aussi faire glisser la bordure grisée elle-même pour déplacer le cadre).

- **Augmenter ou réduire la taille de la police :** Le plus simple consiste à sélectionner le texte et à cliquer sur l'un des boutons Augmenter la taille de la police ou Réduire la taille de la police, et ce autant de fois qu'il est nécessaire pour que le texte remplisse correctement son cadre.
- **Changer les marges internes du cadre :** Comme les pages, les cadres possèdent des marges internes qui empêchent le texte de buter sur la bordure. En réduisant ces marges, vous pouvez accroître l'espace dont dispose le texte. Cliquez avec le bouton droit de la souris sur le cadre de texte et choisissez la

commande Format d'espace réservé. Dans la boîte de dialogue Format de la forme automatique, activez l'onglet Zone de texte. Entrez de nouvelles mesures dans les champs de la rubrique Marge intérieure. Validez.

✦ **Créer une nouvelle diapositive pour le texte :** La dernière solution consiste à insérer une nouvelle diapositive et à y copier la partie du texte qui déborde de la précédente. Pour autant, cette méthode n'est pas recommandable. Une nouvelle diapositive doit avoir son autonomie. Elle doit correspondre au développement de votre projet et non servir à rafistoler les défauts de celui-ci. Il est préférable de repenser la conception de la présentation. Insérer par exemple une diapositive sous le prétexte qu'une liste est trop longue peut détruire l'impact de toute la présentation.

Créer des cadres de texte

Les navigateurs intrépides seront ravis d'apprendre que l'on est en aucun cas contraint de se plier aux modèles du volet Mise en page des diapositives. Vous pouvez parfaitement créer vos propres cadres de texte (et de bien d'autres types d'ailleurs). Comme le montre la Figure 11.3, les formes automatiques sont élégantes et attractives.

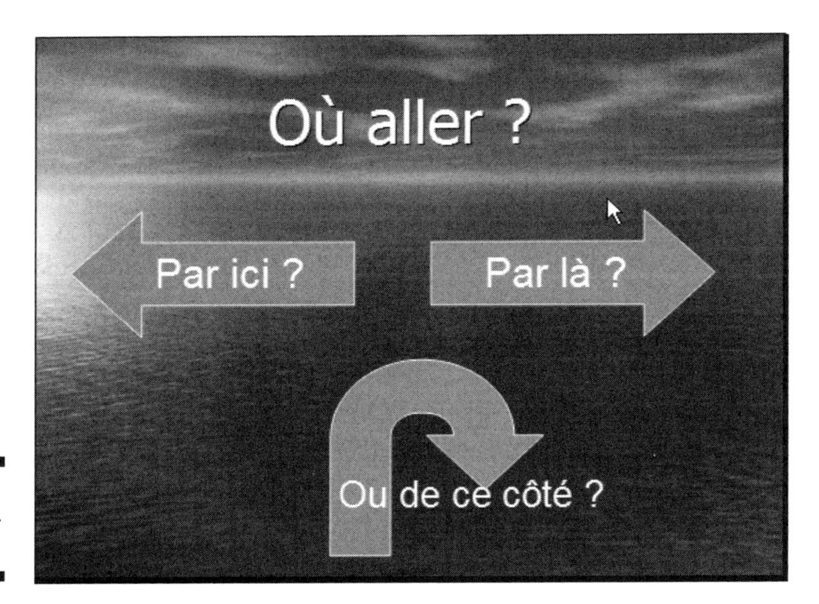

Figure 11.3 : Formes automatiques de texte.

✦ **Cadre de texte :** Pour insérer un cadre de texte, ouvrez le menu Insertion et choisissez l'option Zone de texte. Vous pouvez aussi cliquer sur le bouton de même nom dans la barre d'outils Dessin. Le curseur prend la forme d'une croix. Cliquez et faites glisser pour dessiner le cadre.

- **Forme automatique :** Cliquez dans la barre d'outils Dessin sur le bouton Formes automatiques. Choisissez une catégorie, puis une forme dans le sous-menu correspondant. Cliquez et faites glisser pour définir la taille et la position de la forme. Cliquez ensuite avec le bouton droit de la souris sur la forme et choisissez dans le menu contextuel l'option Ajouter texte. A partir de là, vous pouvez entrer tout à fait normalement votre texte.

Les boutons Agrandir/Réduire la taille de police sont très utiles pour ajuster du texte à une forme automatique.

Changer l'aspect du texte

La plupart des options que vous connaissez et aimez dans Microsoft Word pour mettre en forme du texte sont aussi disponibles dans PowerPoint. Vous les trouvez dans la boîte de dialogue Police, qui est accessible depuis le menu Format. Vous pouvez aussi vous servir de plusieurs raccourcis :

- **Changer de police :** Sélectionnez le texte voulu, puis servez-vous de la liste Police dans la barre d'outils Mise en forme pour sélectionner une nouvelle police.

- **Changer la taille du texte :** Sélectionnez votre texte, puis servez-vous de la liste Taille de police (toujours dans la barre d'outils Mise en forme) pour modifier la dimension des caractères. Vous pouvez aussi cliquer sur les boutons Agrandir et Réduire la taille de police.
- **Choisir un style :** La barre d'outils Mise en forme contient les classiques boutons Gras, Italique, Souligné et Ombré.

- **Changer la couleur du texte :** Sélectionnez le texte, puis cliquez dans la barre d'outils Mise en forme sur le bouton Couleur de police. Sélectionnez une teinte.
- **Changer la casse :** La casse désigne la mise en majuscules ou en minuscules des caractères. Appuyez plusieurs fois sur Maj+F3 pour afficher votre sélection entièrement en *MAJUSCULES*, en *minuscules* ou *Avec majuscule en première position*. Vous trouvez un peu plus d'options en choisissant dans le menu Format la commande Modifier la casse.

Si vous voulez corriger un style de caractères dans l'ensemble de la présentation, sachez que PowerPoint propose dans le menu Format une commande appelée Remplacer des polices. Une autre méthode consiste à définir ces informations à l'intérieur du masque des diapositives (voyez à ce sujet le Chapitre 12 du Livret IV).

Tout sur les commentaires

Vous pouvez associer à vos diapositives des commentaires qu'il est possible d'imprimer et d'utiliser lors de la présentation pour vous aider à expliciter votre discours. N'hésitez pas à rédiger des notes. Elles ne sont destinées qu'à vous-même, pas à votre public. Elles seront précieuses le jour venu et vous éviteront oublis, trous de mémoire et bafouillages divers. Certaines personnes les distribuent même à l'issue de la présentation.

Voici comment entrer des commentaires :

- **Affichage Normal :** Entrez vos commentaires dans le volet situé sous la diapositive, comme sur la Figure 11.4.
- **Mode Trieuse de diapositives :** Cliquez sur le bouton Commentaires de la barre d'outils de la trieuse. Saisissez vos notes dans la boîte de dialogue Commentaires du présentateur.

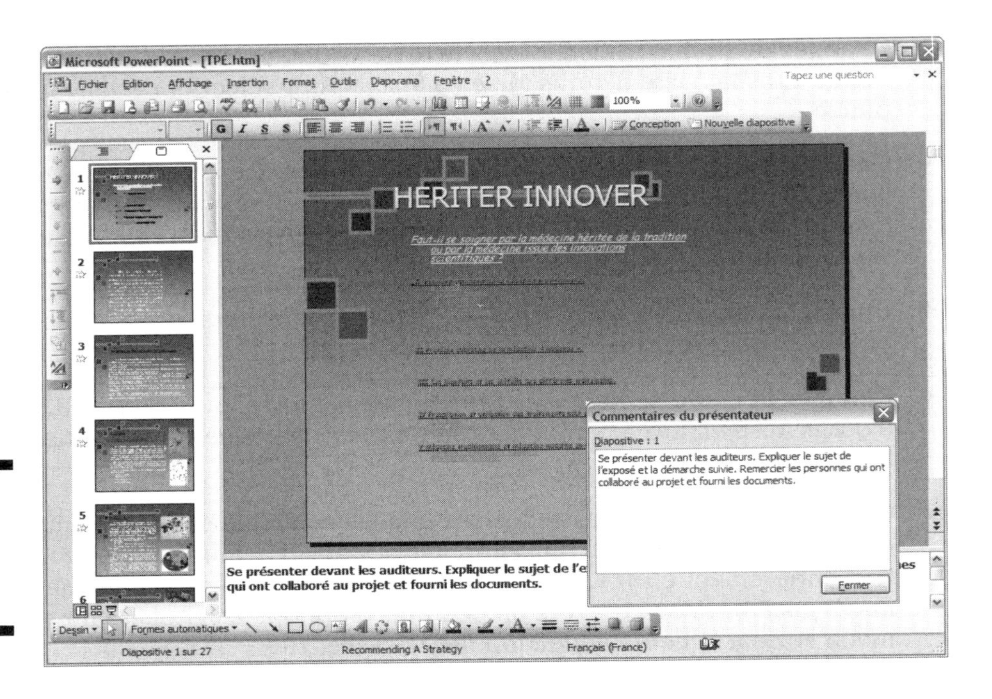

Figure 11.4 : Entrer des commentaires destinés au présentateur.

Pour vous référer à vos commentaires, suivez ces instructions :

- **Afficher les commentaires à l'écran :** Sélectionnez la diapositive qui vous intéresse. Ouvrez le menu Affichage et choisissez la commande Page de commentaires. PowerPoint va afficher la diapositive suivie des commentaires qui lui sont associés. Il s'agit d'un aperçu de ce que vous obtiendrez une fois la page imprimée. Choisissez dans la barre d'outils Standard un facteur de zoom qui vous permette de lire confortablement vos notes.

- **Imprimer les pages de commentaires :** Dans le menu Fichier, choisissez la commande Imprimer. Dans la boîte de dialogue qui s'affiche, ouvrez la liste Imprimer et sélectionnez l'option Pages de commentaires. Spécifiez si vous voulez imprimer toutes les pages, uniquement la diapositive courante, ou encore une sélection de diapositives.

De la même façon qu'il offre un masque pour les diapositives, PowerPoint en propose également un pour les pages de commentaires. Ouvrez le menu Affichage, et choisissez successivement les commandes Masque et Masque des pages de commentaires. Vous pouvez alors définir un style pour les caractères, configurer un en-tête et un pied de page, ou encore insérer des zones pour la date et la numérotation des pages.

Les fans de Microsoft Word seront heureux d'apprendre qu'il est possible de sauvegarder commentaires et aperçus des diapositives dans un fichier Word. Choisissez pour cela dans le menu Fichier l'option Envoyer vers, puis Microsoft Office Word. Dans la boîte de dialogue qui apparaît, sélectionnez une disposition pour les commentaires et cliquez sur OK. Word va ouvrir un document reprenant la disposition des pages de commentaires. Vous n'avez plus qu'à éditer, sauvegarder et imprimer ce document.

Créer une liste à puces ou numérotée

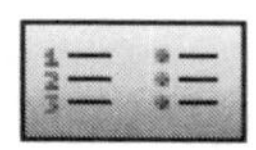

Tout le monde sait comment créer une liste : vous cliquez sur l'un des boutons Numérotation ou Puces, et vous commencez à saisir votre texte. Chaque fois que vous appuyez sur Entrée, un nouveau numéro ou une nouvelle puce apparaît. Pour transformer un texte existant en liste, il suffit de le sélectionner et de cliquer sur Numérotation ou sur Puces.

Rien que du classique. Apprenez cependant que PowerPoint vous permet de jouer avec les listes pour réaliser des mises en forme plus originales, comme l'illustre la Figure 11.5. Il suffit pour cela de sélectionner une liste déjà formée puis de choisir dans le menu Format la commande Puces et numéros.

Pour enjoliver votre liste, activez au choix l'un des onglets Puce ou Numéro :

- **Puce :** Choisissez un modèle sous l'onglet Puce (comme dans la première colonne de la Figure 11.5). Si rien ne vous convient, cliquez sur le bouton Image pour ouvrir la boîte de dialogue Puce graphique. Sélectionnez un petit clip-art (comme dans la seconde colonne de la Figure 1.5). Vous pouvez aussi cliquer sur le bouton Personnaliser et choisir un symbole dans la boîte de dialogue Caractères spéciaux.

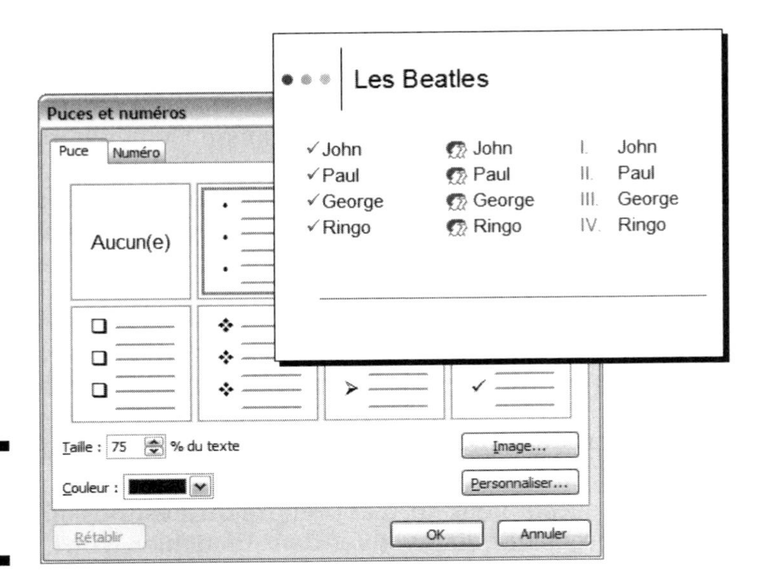

Figure 11.5 : Exemples de listes.

- **Numéro :** Choisissez un style sous l'onglet Numéro (comme dans la troisième colonne de la Figure11.5). Entrez un numéro de départ dans le champ A partir de (si vous voulez par exemple continuer une liste entamée sur la diapositive précédente).
- **Changer la taille des puces et des numéros :** Entrez une valeur en pourcentage dans le champ Taille. Une valeur de **200**, par exemple, doublera la taille des puces ou des numéros par rapport à celle du texte.
- **Changer la couleur des puces et des numéros :** Ouvrez la liste Couleur et sélectionnez une teinte.

Chapitre 12
Techniques avancées

Dans ce chapitre :

- Personnaliser modèles de conception et jeux de couleurs.
- Utiliser les masques de diapositives pour uniformiser les diapositives.
- Insérer des pieds de page sur les diapositives.
- Jouer avec les transitions.
- Placer des boutons d'action sur les diapositives.

Le but de ce chapitre est de vous aider à réussir vos présentations. Il vous explique notamment comment améliorer les modèles de conception et les jeux de couleurs proposés par PowerPoint. Vous apprendrez également à donner un aspect professionnel et efficace à vos présentations en faisant appel aux masques de diapositives, aux pieds de page, aux transitions et aux boutons d'action.

Changer ou modifier un modèle de conception ou un jeu de couleurs

Le Chapitre 10 du Livret IV explique comment choisir un modèle de conception et un jeu de couleurs dans le volet Office. Vous pouvez changer de conception à tout moment lorsque vous concevez votre présentation. La nouvelle maquette remplace l'ancienne, ce qui peut d'ailleurs se traduire par divers désagréments : texte illisible, graphismes masqués, etc. Chaque nouveau modèle de conception modifie généralement l'arrière-plan des diapositives, ce qui risque donc de se traduire par des conséquences non souhaitées.

Mise à part la personnalisation individuelle des diapositives, vous pouvez altérer les modèles de conception ou les jeux de couleurs eux-mêmes en suivant ces instructions :

✦ **Changer la couleur d'arrière-plan :** Choisissez dans le menu Format la commande Arrière-plan, ou sélectionnez-la en cliquant sur une diapositive avec le bouton droit de la souris. La boîte de dialogue Arrière-plan va s'afficher (voir la Figure 12.1). Ouvrez la liste Remplissage de l'arrière-plan. Définissez alors une couleur, un motif ou une texture à votre convenance. Choisissez l'option Automatique pour restaurer l'arrière-plan d'origine.

Figure 12.1 : Changer l'arrière-plan des diapositives.

✦ **Changer le jeu de couleurs :** Cliquez si nécessaire sur le bouton Conception pour afficher le volet Conception des diapositives. Cliquez ensuite sur le lien Jeux de couleurs. Le volet va afficher les jeux disponibles. Si rien ne vous convient, cliquez sur le lien Modifier les jeux de couleurs. Le volet Personnalisé de la boîte de dialogue Modifier un jeu de couleurs va s'afficher (voir la Figure 12.2). Cliquez maintenant sur un des "godets" à gauche puis sur le bouton Changer de couleur pour personnaliser un élément.

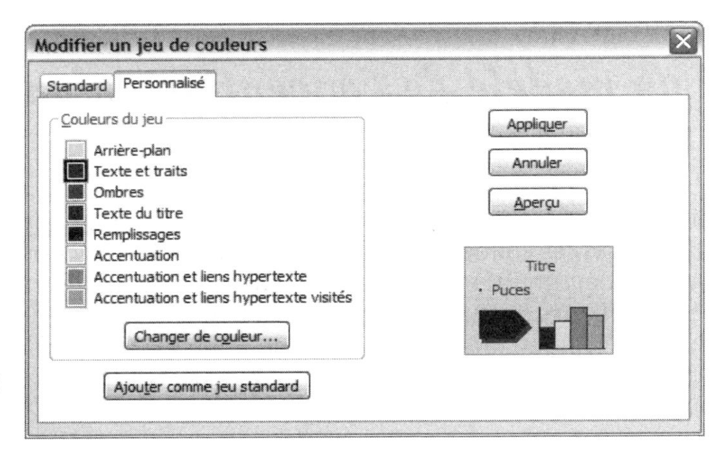

Figure 12.2 : Personnaliser un jeu de couleurs.

✦ **Changer les polices de caractères :** La seule méthode possible consiste à éditer un *masque*. Si vous changez la police d'un masque de diapositives, tous

les clichés seront modifiés, sauf les titres. De même, si vous changez de police dans un masque de titre, les diapositives "ordinaires" ne seront pas modifiées. Nous allons revenir sur les masques dans la prochaine section.

Des masques pour uniformiser vos diapositives

La cohérence est la première des qualités que doit posséder une présentation PowerPoint. Le secret d'un diaporama réussi réside notamment dans l'uniformité des polices et des tailles de caractères utilisées dans une suite de clichés, dans une mise en place tout aussi uniforme des titres, dans un formatage à l'identique des listes, et ainsi de suite. Si vous insérez le logo de votre entreprise, il doit toujours apparaître à la même place.

Pour vous aider à respecter cette règle, PowerPoint met à votre disposition ce qu'il appelle des *masques*. Un masque ressemble beaucoup à un modèle Word. Tout changement apporté à un masque se répercute automatiquement sur l'ensemble des diapositives qui sen servent comme "moule". Faites glisser par exemple un logo dans un angle d'un masque de diapositives, et il apparaîtra partout sans intervention supplémentaire de votre part. Vous pouvez insérer tout aussi facilement un pied de page ou la date du jour, de même que numéroter les diapositives.

Lorsque vous cliquez sur le bouton Nouvelle diapositive et que vous choisissez une mise en page, PowerPoint vous donne le choix entre deux grandes options : titre seul, ou titre et contenu. Le masque des diapositives gouverne la majorité des clichés, puisque les titres purs et durs sont beaucoup moins nombreux.

- **Masque de diapositives :** Il pilote toutes les diapositives, sauf celles qui sont associées au masque de titre. La Figure 12.3 montre un masque de diapositives. Il contient des espaces réservés pour entrer un numéro de cliché, la date et un pied de page. Le cadre du texte indique la ou les polices utilisées pour les titres et les différents niveaux des listes. En modifiant l'une de ces polices, vous changez du même coup toutes les diapositives basées sur ce masque. Faites-y glisser le logo de votre société, et il apparaîtra partout sauf sur la diapositive de titre.

- **Masque de titre :** Il est affecté au modèle de conception Diapositive de titre, le premier proposé dans le volet Mise en page des diapositives. La plupart des présentations ne possèdent qu'un seul titre, quoique certaines personnes s'en servent pour annoncer chaque grand thème de leur plan. Vous pouvez activer le masque, le personnaliser, et être assuré que toutes les diapositives de titre auront une présentation cohérente.

Les pages qui suivent expliquent comment modifier la mise en forme d'un masque de diapositives, appliquer celui-ci à la présentation, et créer des masques supplémentaires.

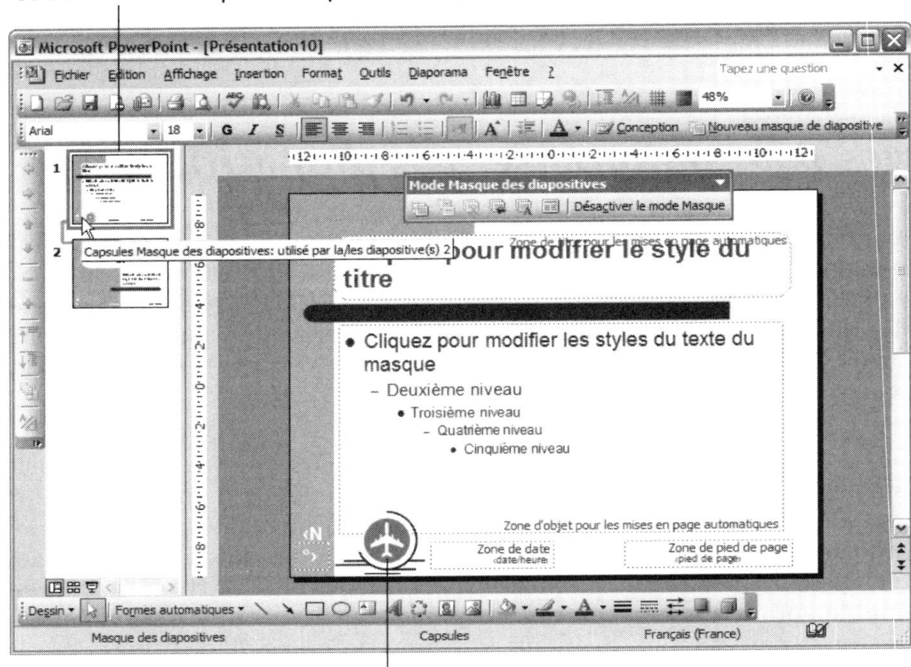

Figure 12.3 : Editer un masque de diapositives.

Personnaliser le masque des diapositives

Pour ouvrir un masque et le modifier :

1. **Ouvrez le menu Affichage, cliquez sur Masque et choisissez la commande Masque des diapositives.**

   Des vignettes apparaissent dans le volet de gauche (voyez la Figure 12.3).

2. **Sélectionnez le masque que vous voulez éditer (titre ou diapositives). Nous nous en tiendrons ici aux masques des diapositives.**

   Une bulle vous indique le nom et le type du masque ainsi que le nombre de diapositives de la présentation qui lui sont associées.

3. **Changez la mise en forme du masque, redimensionnez les cadres de texte, insérez une image, bref tout ce que vous avez à faire pour personnaliser les diapositives de votre présentation.**

Lorsque vous avez terminé, cliquez sur le bouton Désactiver le mode masque (dans la barre d'outils Mode Masque des diapositives). Vous pouvez aussi revenir au mode Normal ou Trieuse de diapositives.

Voici quelques précisions utiles pour l'édition des masques :

- **Mise en page :** Pour supprimer un espace réservé, sélectionnez-le et appuyez sur la touche Suppr. Il est courant, par exemple, d'effacer les éléments Zone de date, Zone de pied de page ou Zone de nombre pour faire de la place afin d'insérer un logo ou un graphisme. Si vous supprimez un cadre et que vous regrettez ensuite votre décision, cliquez sur le bouton Mise en page du masque (vous retrouvez cette commande dans le menu Format). Cochez les noms des zones que vous voulez rétablir et validez.
- **Pieds de page :** Pour gérer les zones prédéfinies (date, numéro de diapositive et pied de page), choisissez dans le menu Affichage la commande En-tête et pied de page (d'ailleurs assez mal nommée, puisqu'il n'existe pas d'en-tête dans les diapositives, mais uniquement dans les pages de commentaires et de documents). Choisissez dans la boîte de dialogue qui apparaît les éléments que vous voulez voir sur vos diapositives (sauf éventuellement la page de titre).

Appliquer le masque des diapositives à des clichés formatés

Si vous changez la conception d'une diapositive particulière, PowerPoint brise la connexion entre ce cliché et son masque. Si vous éditez ce dernier, les modifications apportées ne sont donc pas appliquées à la diapositive devenue indépendante. Mais vous voulez tout de même que cette diapositive adapte le formatage du masque. Pour appliquer à nouveau les définitions d'un masque à une diapositive rebelle :

1. **Activez la diapositive à mater. Si plusieurs clichés sont concernés, sélectionnez-les (de préférence en mode Trieuse) en vous servant de la combinaison Ctrl+clic.**
2. **Dans le menu Format, choisissez l'option Mise en page des diapositives.**
3. **Dans le volet Mise en page des diapositives, retrouvez le modèle appliqué à l'origine, ouvrez son menu contextuel et choisissez l'option Appliquer de nouveau la mise en forme.**

La ou les diapositives sélectionnées vont retrouver les paramètres de formatage actuels du masque.

- **Revenir à la conception initiale :** Lorsque vous personnalisez la mise en forme d'un masque de diapositives, vous touchez à sa conception même. Si vous changez ensuite d'avis et que vous décidez de revenir au modèle original, vous n'avez qu'une seule méthode. Ouvrez le volet Conception des diapositives et choisissez immédiatement le même modèle une seconde fois (si nécessaire, ouvrez le menu associé à la vignette et cliquez sur l'option Remplacer toutes les conceptions). En agissant ainsi, vous effacez tous les changements apportés au masque des diapositives et au masque de titre.

Enlever des éléments du masque dans une diapositive

La beauté des masques de PowerPoint, c'est qu'ils vous permettent de placer le même élément sur toutes les diapositives d'une présentation (qu'il s'agisse d'un logo, de la date, d'un texte, et ainsi de suite). Vous êtes certain que cet objet apparaîtra de la même façon et au même endroit sur chaque cliché. Cependant, il peut arriver que le contenu d'un masque gêne. Tel ou tel élément occupe par exemple une place dont vous avez absolument besoin pour montrer un graphique. Dans ce cas, vous disposez de deux méthodes plus ou moins radicales pour faire place nette :

- **Supprimer le pied de page et tous les éléments graphiques :** Sélectionnez la diapositive. Choisissez dans le menu Format la commande Arrière-plan. Dans la boîte de dialogue qui apparaît, cochez la case Cacher les graphiques du masque. Cliquez sur Appliquer.

- **Recouvrir l'élément :** Avec cette technique, vous bloquez uniquement l'objet voulu. Cliquez sur le bouton Rectangle de la barre d'outils Dessin (voire sur une autre forme, selon vos besoins). Tracez un rectangle au-dessus de l'élément qui vous embête. Cliquez avec le bouton droit de la souris sur le rectangle, et choisissez dans le menu contextuel l'option Format de la forme automatique. Sous l'onglet Couleurs et traits, ouvrez la liste Couleur de la rubrique Remplissage. Choisissez dans le menu l'option Arrière-plan (ceci vous assure d'une totale cohérence entre le rectangle et le fond de la diapositive, et ce quelle que soit la position de la forme). Ouvrez maintenant la liste Couleur de la rubrique Trait. Cliquez sur l'option Aucun trait. Validez. Vous venez de réinventer l'art moderne.

Travailler avec plusieurs masques de diapositives

Il peut arriver qu'une même présentation réclame plusieurs masques de diapositives. Prenons un exemple. Vous devez présenter des perspectives de développement d'un marché selon une hypothèse haute et une autre défavorable. Pour aider votre auditoire à bien différencier ces deux scénarii (voire même scénarios), vous pouvez créer un premier masque de couleur rose (pour la partie optimiste) puis un second de couleur vert foncé (pour la version pessimiste). De cette manière, votre public comprendra immédiatement l'hypothèse analysée lorsque vous présenterez une nouvelle diapositive.

Pour autoriser ou interdire la présence de plusieurs masques dans une même présentation, ouvrez dans le menu Outils la commande Options. Activez l'onglet Edition. Sélectionnez ou désélectionnez l'option Plusieurs masques. Validez. Et c'est tout.

Créer un nouveau masque de diapositives

Au départ, tout le contenu d'une présentation est associé au même duo de masques (titre et diapositives). Pour créer un second jeu, procédez de la manière suivante :

1. **Ouvrez le menu Affichage. Choisissez l'option Masque, puis Masque des diapositives.**

2. **Dans le volet de gauche sélectionnez la vignette du masque pour lequel vous voulez créer un autre style.**

3. **Dans la barre d'outils Mode Masque des diapositives, cliquez sur le bouton Insérer le nouveau masque de la diapositive. Vous pouvez aussi choisir dans le menu Insertion la commande Nouveau masque de diapositive (ou appuyer sur Ctrl+M).**

4. **Si vous voulez ajouter aussi un masque de titre, cliquez sur le bouton correspondant dans la barre d'outils Mode Masque des diapositives, ou sélectionnez cette commande dans le menu Insertion.**

5. **Mettez en forme votre nouveau masque.**

   Vous pouvez vous servir de toutes les commandes de formatage disponibles. En particulier, il est possible d'affecter un modèle prédéfini à partir du volet Conception des diapositives. La plupart du temps, ces modèles comportent par défaut un masque de titre. Même si vous n'en avez défini aucun, ce masque sera automatiquement ajouté lors du choix de la conception.

Vous pouvez aussi créer un nouveau masque par reproduction de l'existant. Sélectionnez la vignette voulue dans le volet de gauche, puis choisissez dans le menu Insertion la commande Masque des diapositives en double. Vous pouvez ensuite renommer le nouveau masque (voir ci-dessous). Dernière méthode proposée : cliquez en dehors des masques existants dans le volet de gauche (vous devez voir une ligne horizontale qui clignote), puis choisissez un modèle dans le volet Conception des diapositives

Associer des diapositives à un masque

Aucune diapositive ne peut montrer deux masques à la fois. PowerPoint n'est pas Janus ! Vous devez donc associer manuellement les diapositives au masque qui leur sert de modèle. Pour cela :

1. **Sélectionnez une ou plusieurs diapositives.**
2. **Cliquez sur le bouton Conception afin d'afficher le volet Conception des diapositives.**
3. **Sous l'intitulé Utilisé(s) dans cette présentation, choisissez le modèle de conception que vous voulez appliquer. Cliquez sur sa vignette, ou dans son menu sur l'option Appliquer aux diapositives sélectionnées (si une seule diapositive est sélectionnée).**

Un modèle de conception qui devient inemployé peut être retiré par PowerPoint de la liste Utilisé(s) dans cette présentation, et du même coup du volet de masques. Si nécessaire, vous le retrouverez sous l'étiquette Utilisé(s) récemment. Par extension, l'application d'une nouvelle conception à une sélection de plusieurs diapositives enregistre simultanément ce modèle dans la liste des masques.

Renommer ou supprimer un masque

Terminons avec deux autres options qu'il peut ou non être utile de connaître :

- **Renommer un masque :** Un masque simplement créé par insertion reçoit l'horrible nom Conception personnelle. Pour lui donner une appellation plus élaborée, cliquez dans la barre d'outils Mode Masque des diapositives sur le bouton Renommer le masque. Entrez un nom à votre convenance et validez.

- **Supprimer un masque :** Sélectionnez le masque à détruire et cliquez sur le bouton Supprimer le masque. Les diapositives concernées se verront affecter le premier (ou le seul) masque affiché dans le volet.

Si vous supprimez un masque de titre, le masque de diapositives correspondant reste présent. Si vous supprimez un masque de diapositives, le masque de titre correspondant disparaît.

Gérer les pieds de page

Un *pied de page* est une ligne de texte qui apparaît normalement en bas d'une diapositive. La Figure 12.4 montre un pied de page ainsi que la boîte de dialogue qui sert à le configurer. En règle générale, les informations affichées de cette manière sont la date, le nom de la société ou de l'institution, et le numéro de la diapositive. Les masques contiennent des emplacements réservés pour tous ces éléments. Pour autant, le possible n'est pas nécessairement le souhaitable. Trop de rappels peuvent nuire à l'attention du public, et il est conseillé de se limiter simplement à la numérotation des diapositives (ou de ne rien mettre du tout).

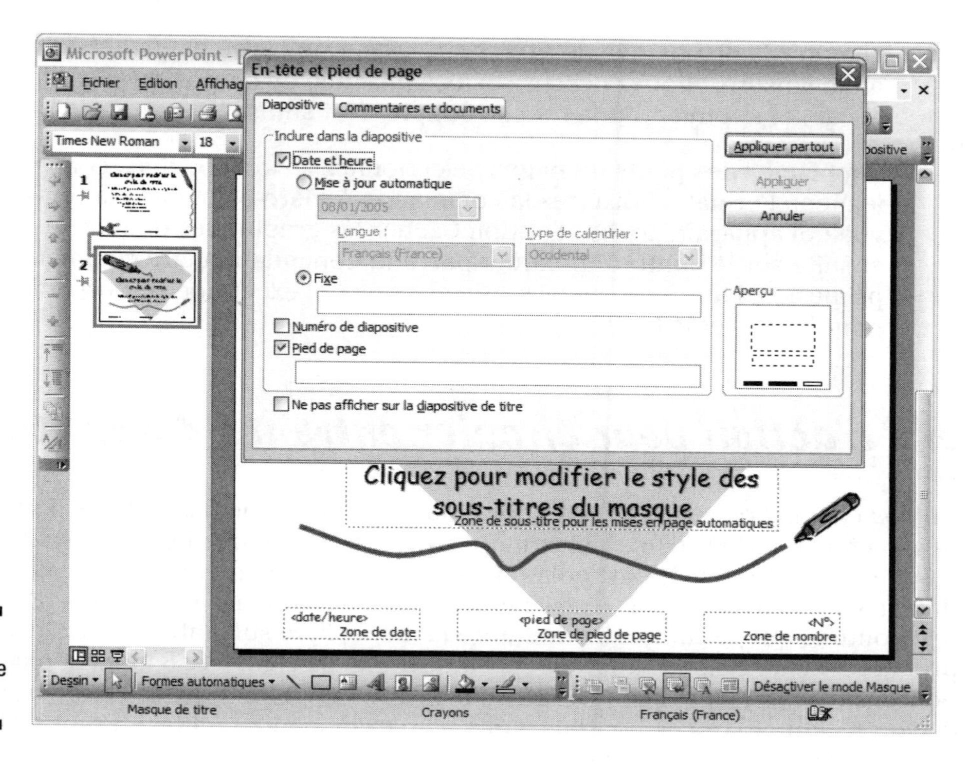

Figure 12.4 : Entrer un pied de page.

PowerPoint propose une commande spéciale dans le menu Affichage : En-tête et pied de page. Elle permet de choisir les éléments à inclure dans les diapositives. Cochez les options à activer, en entrant si vous le souhaitez un ou deux mots dans le champ Pied de page. Vous pouvez parfaitement incorporer d'autres éléments écrits dans un pied de page. Il vous suffit pour cela d'insérer dans un masque une zone de texte personnalisée.

Pour entrer un pied de page à l'aide de PowerPoint, choisissez dans le menu Affichage la commande En-tête et pied de page. La boîte de dialogue de même nom va s'afficher (reportez-vous à la Figure 12.4). Les options qu'elle propose se comprennent facilement. N'oubliez pas de jeter un coup d'œil sur l'aperçu. Il montre ce que donnent vos choix.

Voyons simplement quelques points utiles à connaître :

✦ **Ajuster la position des éléments du pied de page :** Activez le masque des diapositives. Cliquez sur la vignette du masque que vous voulez modifier. Faites ensuite glisser les cadres du pied de page vers un nouvel emplacement.

✦ **Supprimer un élément du pied de page sur la première diapositive :** Ouvrez la boîte de dialogue En-tête et pied de page, puis activez l'option Ne pas afficher sur la diapositive de titre. Pour retirer un cadre que vous avez vous-même inséré, cliquez dessus (dans le masque de diapositives ou de titre, selon le cas) et appuyez sur la touche Suppr. C'est suffisant.

✦ **Supprimer des pieds de page :** Sélectionnez les diapositives concernées. Dans le menu Format, choisissez la commande Arrière-plan. Dans la boîte de dialogue qui apparaît, cochez l'option Cacher les graphiques du masque. Cliquez ensuite sur le bouton Appliquer partout. Cependant, cette commande supprime aussi les graphismes sur le masque (à l'exception des espaces réservés pour le titre et le texte).

Des boutons d'action pour circuler entre les diapositives

Un *bouton d'action* est en général placé dans le coin d'une diapositive. Il sert à se déplacer à l'intérieur d'une présentation, que ce soit manuellement ou automatiquement. Ces boutons sont particulièrement utiles pour un diaporama destiné à être diffusé sur une borne (voir à ce sujet le Chapitre 13 du Livret IV). PowerPoint offre des boutons qui permettent d'atteindre la diapositive suivante ou précédente, la première ou la dernière, une vue spécifique, etc. La Figure 12.5 montre plusieurs boutons d'action ainsi que la boîte de dialogue qui permet de les configurer. Au lieu d'avoir à cliquer sur ces boutons, vous pouvez demander à PowerPoint de les activer automatiquement ou lorsqu'ils sont survolés par le pointeur de la souris.

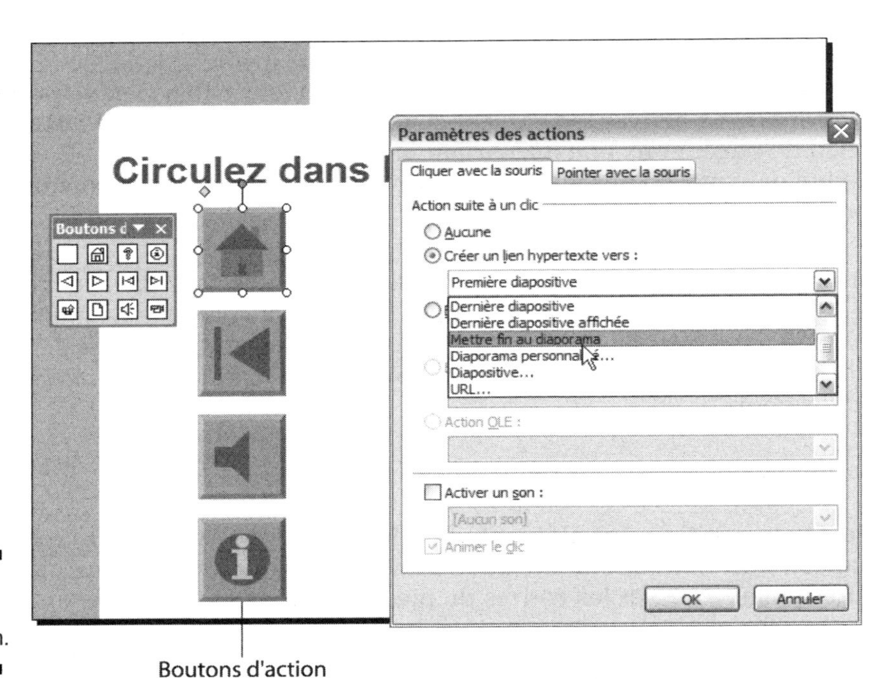

Figure 12.5 : Créer des boutons d'action.

Sélectionnez le cliché qui manque d'action et suivez ces étapes pour le réveiller :

1. **Affichez la barre d'outils Boutons d'action.**

   Pour cela, choisissez dans le menu Diaporama la commande Boutons d'action, ou sélectionnez cette option parmi les formes automatiques (dans la barre d'outils Dessin).

2. **Etudiez soigneusement les dessins de boutons qui vous sont proposés et choisissez celui qui illustre le mieux l'action à lui appliquer.**

   Le pointeur prend la forme d'une croix.

3. **Faites glisser le pointeur sur la diapositive pour dessiner la forme du bouton.**

   Pour cela, cliquez et déplacez le curseur en diagonale tout en maintenant enfoncé le bouton gauche de la souris. Quand vous relâchez, la boîte de dialogue illustrée sur la Figure 12.5 apparaît.

4. **Activez l'onglet voulu : Cliquer avec la souris, ou Pointer avec la souris (si vous voulez activer l'action en survolant simplement le bouton, sans cliquer).**

5. **Sélectionnez L'option Créer un lien hypertexte vers. Déroulez la liste correspondante et choisissez l'action que vous voulez affecter au bouton.**

6. **Cliquez sur OK.**

Vous pouvez ensuite finaliser les propriétés du bouton :

✦ **Changer de bouton :** Désolé. Si vous voulez changer l'aspect du bouton, vous devrez le supprimer et recommencer toute la procédure.

✦ **Changer l'action d'un bouton :** Cliquez avec le bouton droit de la souris et choisissez Modifier le lien hypertexte. Dans la boîte de dialogue Paramètres des actions, redéfinissez le comportement du bouton.

✦ **Changer l'apparence d'un bouton d'action :** Faites un double clic sur le bouton, ou cliquez avec le bouton droit de la souris et choisissez la commande Format de la forme automatique. Dans la boîte de dialogue Format de la forme automatique, servez-vous des onglets disponibles pour personnaliser le style de remplissage, l'encadrement, la taille et la position du bouton.

✦ **Changer la taille du bouton :** Vous pouvez définir cette taille avec précision dans la boîte de dialogue Format de la forme automatique. Sinon, cliquez dessus puis sur ses poignées pour déformer l'objet. Les poignées rondes et blanches modifient la taille dans la direction du déplacement. En combinaison avec la touche Maj, les proportions sont conservées par rapport au coin opposé. En combinaison avec Ctrl, elles le sont par rapport au centre de l'objet. La poignée verte sert à opérer une rotation. La poignée en forme de losange modifie l'effet de relief du bouton. Enfin, un bouton peut facilement être dupliqué grâce à la combinaison Ctrl+clic. Faites alors glisser l'objet vers un autre emplacement.

- **Changer la position du bouton :** Vous pouvez définir cette position avec précision dans la boîte de dialogue Format de la forme automatique. Sinon, cliquez dessus et faites glisser le bouton vers un autre endroit. Appuyez en même temps sur la touche Maj si vous voulez vous déplacer horizontalement ou verticalement. Vous pouvez enfin vous servir des flèches de direction pour réaliser un placement précis.

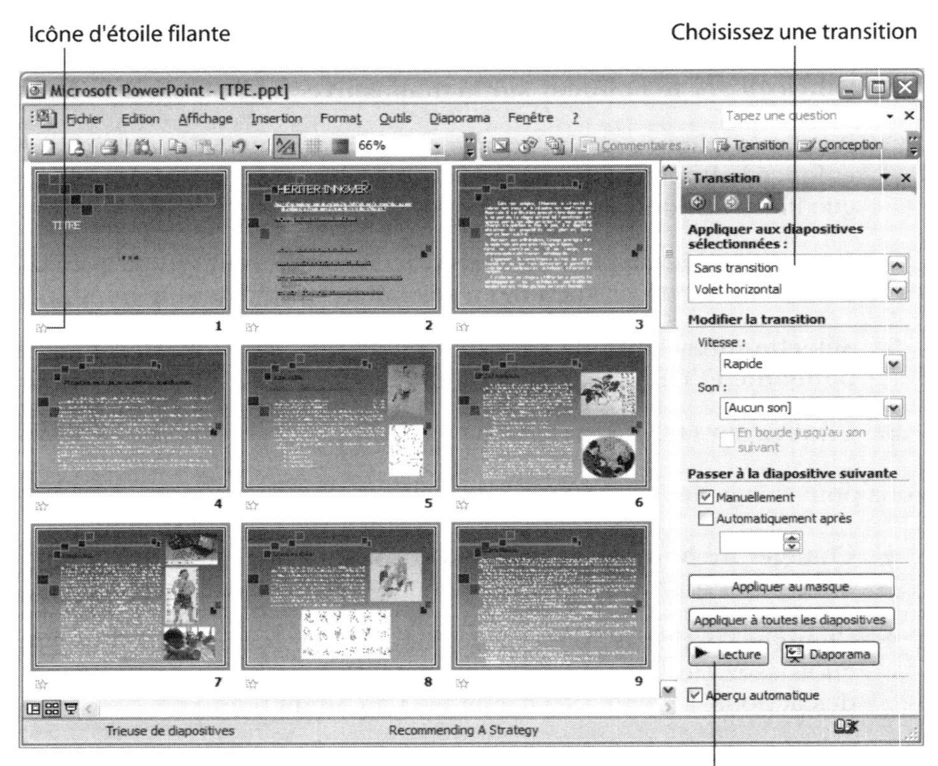

Figure 12.6 : Ajouter une transition entre diapositives.

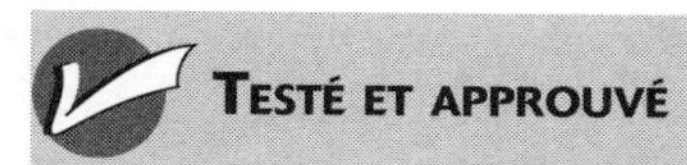

TESTÉ ET APPROUVÉ

Une pluie de transitions

Dans le langage de PowerPoint, une transition est un effet visuel dynamique qui est appliqué lorsqu'une diapositive quitte l'écran et que la suivante vient prendre sa place (en fait, des transitions et actions assez sophistiquées peuvent aussi s'appliquer aux objets individuels aussi bien qu'aux diapositives elles-mêmes, mais PowerPoint les appelle alors *animations*). N'hésitez pas à tester ces différents effets avant de les associer aux diapositives : le seul danger, c'est celui de surcharger inutilement votre présentation et de faire bâiller votre auditoire au bout de quelques minutes ! Pour afficher des transitions entre les diapositives :

1. **Passez en mode Trieuse de diapositives.**
2. **Cliquez sur le bouton Transition ou choisissez dans le menu Diaporama la commande Transition. Le volet correspondant va s'afficher (voir la Figure 12.6).**
3. **Sélectionnez les diapositives pour lesquelles vous voulez définir une transition. Pour uniformiser la présentation, appuyez sur Ctrl+A ou servez-vous dans le volet Transition du bouton Appliquer à toutes les diapositives.**
4. **Choisissez une transition dans la liste Appliquer aux diapositives sélectionnées.**

   Par défaut, vous voyez immédiatement le résultat de votre choix dans les vignettes des diapositives sélectionnées. Pour procéder manuellement, désactivez l'option Aperçu automatique (en bas du volet) et servez-vous du bouton Lecture.

Choisissez une seule et même transition pour l'ensemble de votre présentation, à moins de vouloir absolument faire dans le rococo, le kitsch ou l'art post-moderne. Les transitions attirent l'attention, et donc peuvent détourner celle-ci. Multiplier les effets détournerait l'intérêt du public de vos explications. Ce serait totalement contreproductif.

5. **Choisissez une vitesse de transition parmi les options Lente, Moyenne et Rapide. Testez le résultat. Vous comprendrez vite qu'une transition trop lente est lassante.**
6. **Vous pouvez enfin ajouter un son qui sera joué pendant la transition.**

   Définissez votre accompagnement sonore avec sagesse et modération. Mieux : ne choisissez aucun son. Ce sera encore préférable (à moins que vous ne conceviez une borne interactive).

Les diapositives associées à une transition (ou une animation) se signalent par la présence d'une icône représentant une étoile filante. Pour annuler la transition, procédez exactement comme ci-dessus, mais choisissez cette fois l'option Sans transition. Ce n'est pas plus compliqué que cela.

Chapitre 13
En avant la présentation

Dans ce chapitre :

- Se préparer pour le grand jour.
- Imprimer des documents.
- Montrer le diaporama.
- Créer une borne interactive.

Le grand jour se rapproche. Il est temps de tester votre présentation, de faire une répétition générale. Ces pages expliquent comment réaliser les préparatifs de dernière minute, imprimer les documents dont vous allez avoir besoin, et afficher le diaporama. Vous découvrirez aussi comment créer une borne interactive (ou automatique), comment personnaliser une présentation en fonction de l'auditoire, et enfin comment la placer sur une page Web.

Minuter votre présentation

Chronométrez deux ou trois fois le déroulement de votre présentation. Notez la durée dont vous avez besoin pour chaque diapositive. N'oubliez pas de prendre en compte les questions qui seront posées par vos auditeurs. Rallongez ou raccourcissez la présentation en conséquence. Avant de commencer, vérifiez soigneusement le bon fonctionnement de l'ordinateur mis à votre disposition (éventuellement le vôtre).

Pour vous aider dans ce travail préparatoire, PowerPoint propose dans le menu Diaporama une commande appelée Vérification du minutage. Cette commande vous aide à définir la durée d'affichage de chaque diapositive, et donc la longueur totale de la présentation. Une fois ce minutage réalisé, le mode Trieuse de diapositives affiche l'information sous chaque vignette (voir la Figure 13.1). De cette manière, vous pouvez repérer les diapositives qui risquent de prendre trop de temps, et qui mériteraient dont éventuellement d'être divisées en deux vues. De plus, cela vous permettra de vérifier si la présentation tient dans le temps qui vous est imparti.

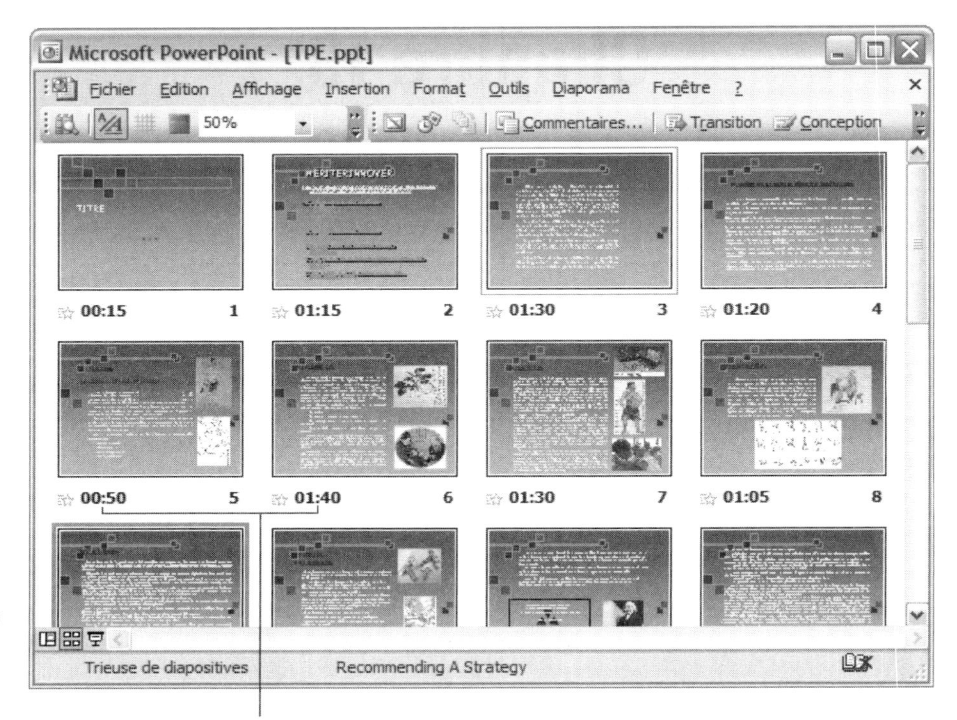

Figure 13.1 : Minuter la présentation.

Pour minuter une présentation :

1. **Ouvrez le menu Diaporama et choisissez la commande Vérification du minutage.**

   La première diapositive apparaît sur l'écran, de même que la barre d'outils Répétition. Vous pouvez cliquer sur le bouton Pause quand le chien a besoin de sortir ou si le facteur sonne trois fois.

2. **Simulez le déroulement de la présentation, exactement comme si c'était le grand jour.**

   Lorsque la présentation est terminée, une boîte de dialogue vous indique sa durée totale et vous propose d'enregistrer le temps d'affichage de chaque diapositive.

3. **Cliquez sur Oui pour enregistrer le minutage (ou sur Non si vous n'êtes pas satisfait).**

   Si vous mémorisez le minutage, la durée de chaque diapositive sera affichée sous sa vignette dans la trieuse (comme sur la Figure 13.1).

Imprimer la documentation d'une présentation

Pour faire d'une présentation un événement mémorable, vous pouvez en imprimer des copies et les distribuer à la fin de la séance. Ceci permettra à votre public de s'y référer plus tard, et peut-être même de s'en émerveiller. Les diapositives peuvent être imprimées à raison d'une, deux, trois, quatre, six ou neuf par page.

Avant tout, vous devez définir le nombre de vues à imprimer sur chaque page. Pour cela, ouvrez le menu Affichage. Choisissez l'option Masque, puis Masque du document. Dans la barre d'outils Afficher le document maître, cliquez sur le bouton qui correspond à la mise en page que vous voulez appliquer. Vous pouvez en profiter pour personnaliser en-tête et pied de page.

Vous n'avez plus ensuite qu'à ouvrir le menu Fichier et à choisir la commande Imprimer. Définissez normalement les paramètres d'impression que vous retrouvez dans toutes les applications Windows. Définissez en plus ce que vous voulez faire en ouvrant la liste Imprimer. Ici, vous cliqueriez sur Documents. Servez-vous aussi de la liste Couleurs/nuances de gris pour indiquer si vous voulez un tirage couleur, grisé ou en noir et blanc. La plupart du temps, les diapositives qui ont un arrière-plan coloré auront un rendu plus clair et plus lisible en niveaux de gris, même sur une imprimante couleur.

N'oubliez pas d'imprimer aussi vos pages de commentaires. Normalement, elles ne servent qu'au présentateur et ne sont pas destinées au public. Mais vous pouvez choisir de les diffuser en lieu et place du document qui résume la présentation. De cette manière, les personnes disposeront de renseignements détaillés tout en visualisant les diapositives (voir à ce sujet le Chapitre 11 du Livret IV).

Projeter votre présentation

Comparé à tout le travail préliminaire, projeter la présentation est une partie de plaisir. Pour prendre un bon départ, activez la première diapositive (par exemple en appuyant sur la touche Début). C'est ce que l'on appelle commencer par le commencement ! Et maintenant, vous pouvez :

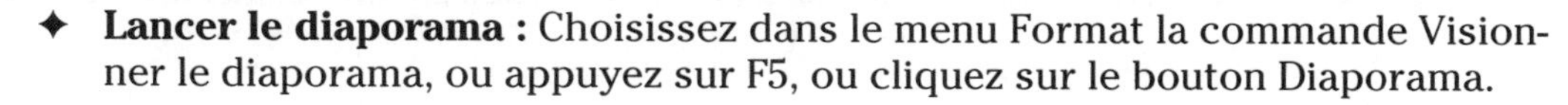

- **Lancer le diaporama :** Choisissez dans le menu Format la commande Visionner le diaporama, ou appuyez sur F5, ou cliquez sur le bouton Diaporama.

- **Avancer :** Pour passer d'une diapositive à la prochaine, appuyez sur la flèche droite, cliquez, appuyez sur S (Suivant) ou sur la touche Page Bas, appuyez sur la barre d'espace, cliquez avec le bouton droit de la souris et choisissez Suivant, ou encore déplacez la souris dans le coin inférieur gauche de la fenêtre et cliquez sur la flèche pointant vers la droite (ou sur le bouton de navigation pour y choisir l'option Suivant).

Utiliser le stylet pour renforcer l'argumentaire

Pour rendre une présentation un peu plus vivante, utilisez le stylet de PowerPoint et écrivez à main levée sur une diapositive. Vous pouvez par exemple cocher des notions au fur et à mesure qu'elles sont explicitées, souligner des points importants, etc.

Pour utiliser le stylet pendant la projection du diaporama, cliquez avec le bouton droit de la souris et choisissez Options du pointeur, puis Style pointe bille ou Style feutre (ou un autre mode). Vous pouvez maintenant dessiner directement à l'écran. Lorsque vous avez terminé, appuyez une seule fois sur Echap (deux appuis termineraient immédiatement la présentation !).

Les traits du stylet ne sont pas permanents. A la fin de la présentation, PowerPoint vous demandera si vous voulez conserver ou annuler vos annotations manuscrites. Vous pouvez également choisir la couleur des traits et activer une gomme pour effacer les lignes que vous avez tracées. Vous trouverez toutes ces options en cliquant sur la diapositive avec le bouton droit de la souris.

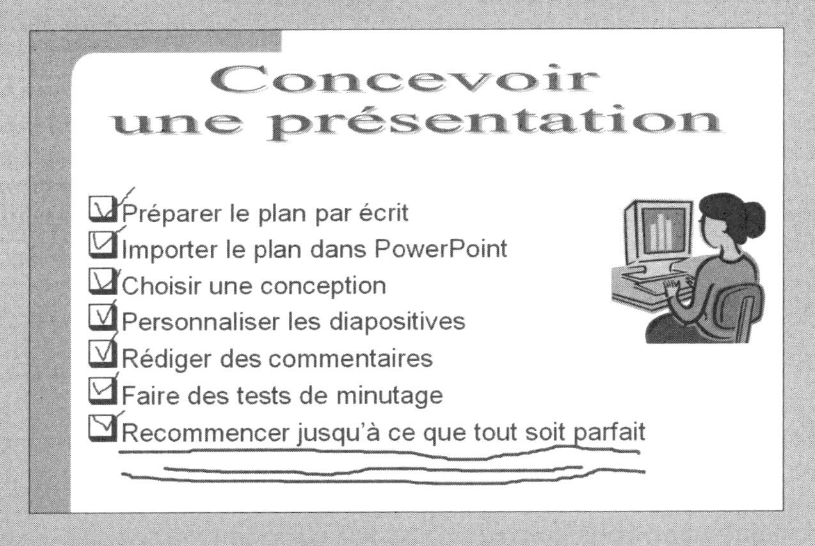

✦ **Reculer :** Pour passer d'une diapositive à la précédente, appuyez sur la flèche gauche, appuyez sur P (Précédent) ou sur la touche Page Haut, appuyez sur la barre d'espace, cliquez avec le bouton droit de la souris et choisissez Précédent, ou encore déplacez la souris dans le coin inférieur gauche de la fenêtre et cliquez sur la flèche pointant vers la gauche (ou sur le bouton de navigation pour y choisir l'option Précédent).

- **Afficher une certaine diapositive :** Cliquez avec le bouton droit de la souris (ou cliquez sur le bouton de navigation) et choisissez l'option Aller à. Cliquez dans la liste sur le nom de la diapositive à laquelle vous voulez accéder. Appuyez sur la touche Début pour revenir au point de départ, ou sur Fin pour passer à la dernière diapositive.
- **Terminer la présentation :** Appuyez sur Echap, ou cliquez avec le bouton droit de la souris (ou bien sur le bouton de navigation) et choisissez la commande Mettre fin au diaporama.

Une présentation se termine par l'apparition d'un écran noir qui vous demande de cliquer pour quitter. Pour supprimer ce point de passage, ouvrez la boîte de dialogue Options depuis le menu Outils. Activez l'onglet Affichage, puis désélectionnez la case Terminer par une diapositive noire.

Créer une présentation automatique

Comme son nom l'indique, une présentation automatique (ou autonome, ou encore un *kiosque*) est jouée sans intervention manuelle. Elle peut servir à réaliser une borne destinée au public. Elle est exécutée en boucle jusqu'à ce que quelqu'un prenne la peine d'appuyer sur la touche Echap. Pour obtenir ce résultat, vous devez d'abord indiquer à PowerPoint la durée d'affichage de chaque diapositive.

Définir la durée d'affichage des diapositives

Pour spécifier la durée pendant laquelle une diapositive doit rester présente à l'écran :

1. **Activez le mode Normal ainsi que le volet qui affiche les vues en miniature des diapositives.**
2. **Sélectionnez le premier cliché de la présentation.**
3. **Dans le menu Diaporama, choisissez la commande Transition.**

   Le volet Transition va s'afficher (voir la Figure 13.2).
4. **Désactivez la case intitulée Manuellement.**
5. **Cochez la case intitulée Automatiquement après.**

   Activez ces deux options si vous voulez laisser aux personnes qui consultent la présentation la possibilité de faire défiler elles-mêmes les diapositives. Dans ce cas, le passage à la vue suivante se produira soit si quelqu'un clique sur l'écran, soit si la durée limite est atteinte.

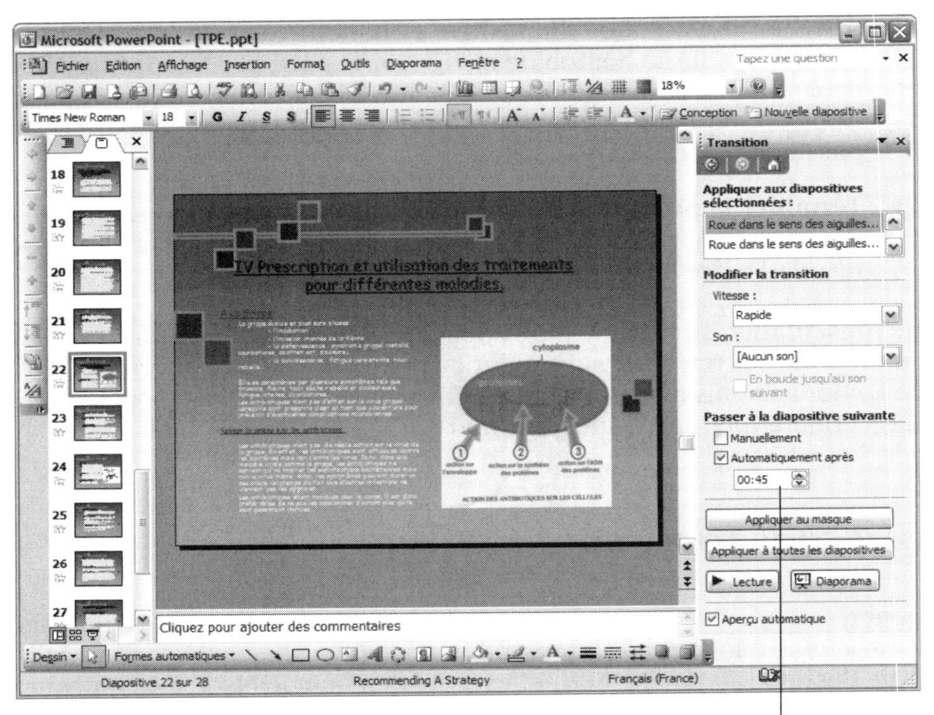

Figure 13.2 : Préparer une présentation autonome.

6. **Cliquez sur le bouton Appliquer à toutes les diapositives.**
7. **Entrez dans le champ qui suit une durée d'affichage en minutes et secondes.**

   La façon exacte de procéder dépend en fait de ce que vous voulez :

   - **Durée identique pour toutes les diapositives :** Entrez l'intervalle de temps à la suite de l'option Automatiquement après, puis cliquez sur le bouton Appliquer à toutes les diapositives.
   - **Durée différente pour chaque diapositive :** Sélectionnez une par une vos diapositives, et entrez une durée dans le champ qui suit la case Automatiquement après.

La meilleure méthode pour personnaliser la durée d'affichage des diapositives consiste à vérifier le minutage, puis à sauvegarder ces données. Dans ce cas, le temps associé à chaque diapositive apparaîtra dans le volet Transition. Pour plus d'informations, reportez-vous au début de ce chapitre.

Automatiser la présentation

Une fois ce travail effectué, vous pouvez demander à automatiser totalement la présentation :

1. **Dans le menu Diaporama, choisissez la commande Paramètres du diaporama.**

   La boîte de dialogue Paramètres du diaporama va s'afficher.

2. **Dans la zone Type de diaporama, cochez l'option Visionné sur une borne (plein écran).**
3. **Cliquez sur OK.**

Chapitre 14
Au travail avec Excel

Dans ce chapitre :

- Comprendre la notion de feuille de calcul.
- Entrer du texte, un nom, une date ou une heure.
- Utiliser le remplissage automatique pour créer des listes et des séries.
- Formater le texte d'une feuille de calcul.
- Définir des règles de validation.

Ce chapitre vous propose de faire connaissance avec Excel, l'avaleur de nombres officiel de Microsoft Office. Le rôle d'Excel est de pister, analyser et organiser les nombres en tableaux. Vous pouvez l'utiliser pour évaluer pertes et profits, formuler des budgets, ou encore pour analyser la courbe des températures en période de canicule. Excel aime tout ce qui peut se calculer. Bien préparer le terrain prend du temps. Mais une fois vos données saisies, le miracle se produit. Excel se charge du reste à votre place. Vous enfilez vos chaussons, vous vous asseyez confortablement, et vous le regardez empiler les résultats à toute allure.

Ce chapitre vous explique ce que sont un classeur et une feuille de calcul, et comment localiser une cellule à l'intersection d'une ligne et d'une colonne. Vous y découvrirez aussi des trucs et des astuces pour entrer rapidement des données dans une feuille. Vous apprendrez à les mettre en forme ainsi qu'à définir des règles de validation pour vous assurer que les valeurs sont entrées correctement.

Faisons connaissance avec Excel

Si vous avez un peu d'expérience dans l'utilisation des programmes Office, l'essentiel de la fenêtre d'Excel devrait vous être familière. Que ce soit dans Excel ou dans Word, la plupart des boutons de la barre d'outils Mise en forme (par exemple) sont les mêmes et ils fonctionnent exactement de la même façon : gras, italique, souligné, choix de la police ou de la taille des caractères, alignements des paragraphes… Il n'y a aucune différence de ce point de vue entre le traitement de texte et le *tableur*. De même, les commandes servant à ouvrir, créer, fermer et enregistrer les fichiers sont identiques dans tous ces programmes.

Un fichier Excel est appelé un *classeur*. Chaque classeur contient une ou plusieurs feuilles de calcul. Une *feuille de calcul* est un tableau dans lequel vous entrez des valeurs, du texte ou des formules. La Figure 14.1 montre un tableau enregistrant la pluviométrie d'un certain nombre de villes (en fait, les habitants de ces villes apprécieraient sans doute d'être si peu arrosés).

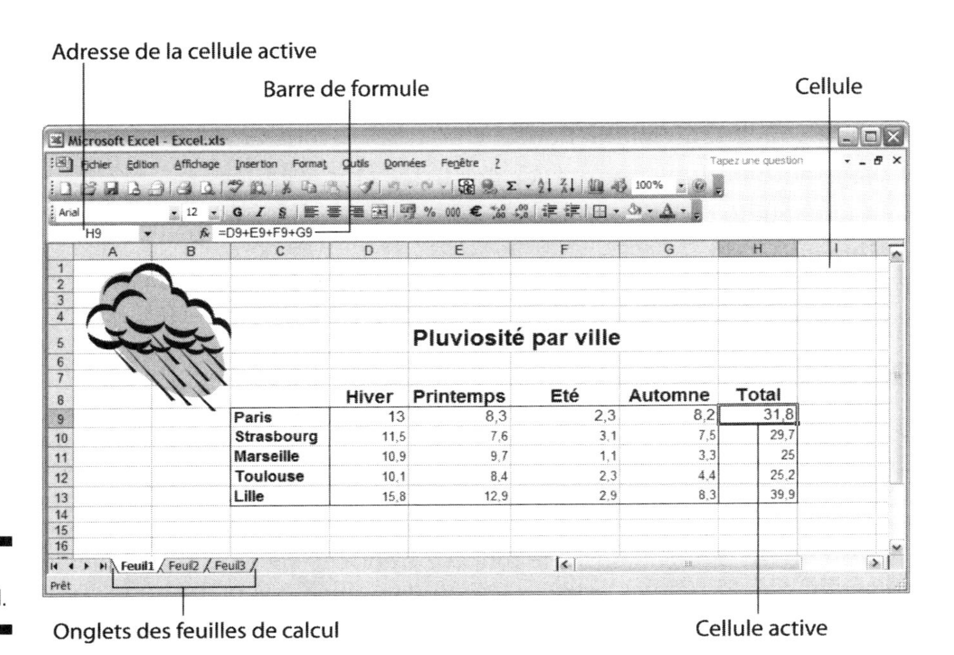

Figure 14.1 : L'écran d'Excel.

Les rectangles qui se trouvent à l'intersection des colonnes et des lignes s'appellent des cellules. Chaque *cellule* peut contenir une donnée, ou bien une formule permettant d'obtenir une donnée, ou encore rien du tout. En bas de la fenêtre, une série d'onglets permet de visiter les autres feuilles du classeur.

Toutes les cellules possèdent une adresse différente des autres. Sur la Figure 14.1, par exemple, la cellule D9 contient le nombre 13, censé représenter la pluviométrie à Paris en hiver. Comme le montre la barre de formule sur cette figure, la cellule H9 contient l'expression =D9+E9+F9+G9. Comme vous vous en doutez certainement, il s'agit de la somme des nombres contenus dans les cellules D9, E9, F9 et G9.

Ce qui fait la beauté d'Excel, c'est que le programme effectue automatiquement tous les calculs qui lui sont demandés dès que vous avez saisi une donnée. Si vous changiez par exemple le nombre contenu dans la cellule D9, la quantité de pluie sur Paris serait immédiatement recalculée dans la cellule H9. Même si les cours de mathématiques n'ont jamais été votre tasse de thé, nul besoin de lire dans le marc de café : Excel se charge de tout à votre place. Votre rôle se borne simplement à vous assurer que les formules et les données sont correctement entrées.

Une fois vos données en place, accompagnées de légendes explicatives, une fois vos formules définies, bref dès que le petit chef-d'œuvre est organisé, vous pouvez très facilement générer des graphiques comme celui de la Figure 14.2. Si vous y regardez de près, vous constaterez qu'il y a un rapport étroit entre ce graphique et le tableau de la Figure 14.1. Effectivement. Il est bel et bien obtenu à partir des données de pluviométrie, et il ne m'a pas fallu plus de dix secondes pour le créer ! Les graphiques seront étudiés dans le Chapitre 18 du Livret IV.

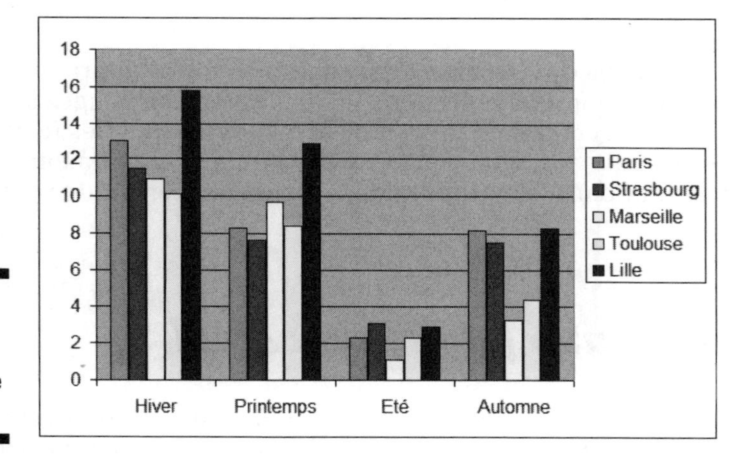

Figure 14.2 : Un graphique généré à partir des données de la Figure 14.1.

Lignes, colonnes et adresses

Personne n'a besoin de tout cela. Mais Excel propose tout de même rien de moins que 256 colonnes et 65 536 lignes dans *chaque* feuille de calcul. Les lignes sont toutes numérotées. Le nom des colonnes est défini par une série de lettres : de A à A, puis de AA à AZ, puis de BA à BZ, et ainsi de suite jusqu'à IV. Le plus important à retenir est que chaque cellule possède une *adresse* dont le nom est formé à partir du rang de sa colonne et du numéro de sa ligne. La toute première d'une feuille s'appelle donc A1. La suivante sur la première ligne a pour adresse B1, etc. Lorsque vous voulez indiquer à Excel où se trouvent des valeurs à calculer dans une formule, vous entrez leurs adresses.

Pour connaître l'adresse d'une certaine cellule, soit vous regardez le nom de la colonne et le numéro de la ligne dont elle forme l'intersection, soit vous cliquez dedans pour l'activer et vous jetez un coup d'œil dans le champ (appelé Zone nom) qui se trouve à gauche de la barre de formule (sur la Figure 14.1, par exemple, vous pouvez lire H9). L'adresse qui apparaît ici est celle de la *cellule active*.

Classeurs et feuilles de calcul

Feuil2

Lorsque vous ouvrez un nouveau fichier Excel, celui-ci affiche un classeur contenant par défaut trois feuilles de calcul. Ces feuilles sont appelées Feuil1, Feuil2 et Feuil3 (vous pouvez bien entendu changer ces noms, supprimer ou ajouter d'autres feuilles, et ainsi de suite). Pour passer d'une feuille à une autre, cliquez sur l'un des onglets présentés en bas de la fenêtre.

Pourquoi trois feuilles ? Sans doute parce qu'il s'agit d'un bon compromis. Un même projet nécessite souvent l'emploi de plusieurs feuilles de calcul. Songez à un classeur comme à une chemise contenant un empilage de documents (les feuilles). Vous pouvez effectuer des calculs non seulement entre les cellules d'une même feuille, mais aussi en incorporant dans les formules des valeurs provenant de plusieurs feuilles. Magique !

Entrer des données dans une feuille de calcul

Saisir des données dans une feuille est une activité ennuyeuse. Heureusement, Excel offre divers raccourcis pour simplifier cette tâche. Dans ces pages, nous allons voir comment entrer des données de différents types : nombres, texte, dates et heures.

Quelques bases sur les données

Ce que vous pouvez entrer dans une cellule se répartit entre quatre catégories :

- Du texte
- Une valeur (numérique, date ou heure)
- Une valeur logique (VRAI ou FAUX)
- Une formule qui retourne une donnée (valeur, valeur logique ou texte)

Dans tous les cas, la démarche est identique :

1. **Cliquez dans la cellule où vous voulez entrer quelque chose.**

   Comme l'illustre la Figure 14.3, la cellule active est signalée par une bordure épaisse. Le nom de sa colonne ainsi que le numéro de sa ligne sont mis en surbrillance. Et son adresse est affichée à gauche de la barre de formule.

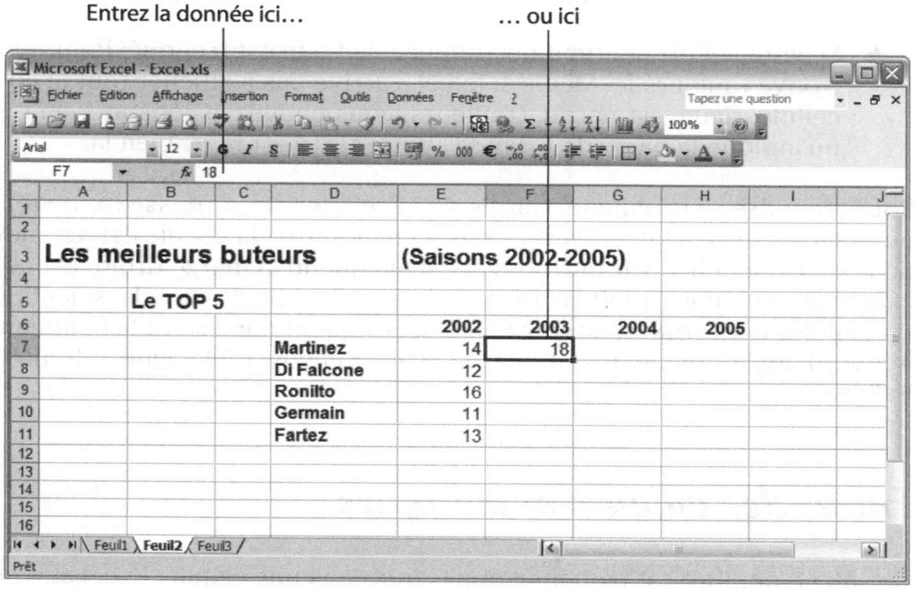

Entrez la donnée ici…

… ou ici

Figure 14.3 : Entrer une donnée.

2. **Saisissez la donnée dans la cellule.**

   Si vous préférez cette méthode, cliquez dans la barre de formule et commencez à taper quelque chose. Une fois entré le premier caractère, trois boutons apparaissent à gauche de la zone de saisie : Annuler (la croix), Entrer (la marque) et Insérer une fonction (le symbole Fx).

3. **Appuyez sur la touche Entrée pour valider la donnée.**

   Vous pouvez également appuyer sur une des touches de déplacement du curseur ou cliquer sur le bouton Entrer de la barre de formule.

   Si vous changez d'avis en cours de route, appuyez sur la touche Echap ou cliquez sur le bouton Annuler de la barre de formule. Vous pouvez alors recommencer l'opération.

Le Chapitre 16 du Livret IV explique comment entrer des formules et des valeurs logiques. Dans ce qui suit, nous allons nous occuper du texte, des valeurs numériques, des dates et des heures.

Entrer du texte

Il arrive qu'un intitulé soit trop long pour tenir dans une cellule. La façon dont Excel s'accommode de cela dépend du contenu de la cellule qui se trouve juste à droite :

✦ Si cette cellule est vide, Excel laisse le texte se répandre vers la droite.

✦ Si cette cellule contient une donnée, le texte est tronqué. Pour autant, il se trouve toujours là. Même si Excel n'arrive pas à afficher tout le contenu d'une cellule, rien n'est perdu. D'ailleurs, vous pouvez le constater en regardant ce qu'indique la barre de formule : votre texte est là, et bien là.

Pour résoudre ce problème, élargissez la cellule, raccourcissez le texte, réorientez-le ou renvoyez-le à la ligne. Dans ce cas, la hauteur de la cellule est agrandie et la suite du texte est affichée sur une nouvelle ligne quand la marge droite est atteinte, exactement comme le fait Word avec un paragraphe. Pour cela, sélectionnez la ou les cellules concernées, ouvrez le menu Format et choisissez la commande Cellule. Activez l'onglet Alignement. Cochez la case Renvoyer à la ligne automatiquement. Validez.

Entrer des valeurs numériques

Lorsqu'un nombre est trop long pour tenir dans une cellule, Excel affiche à la place une série de signes dièse (####) ou bien une valeur en numérotation scientifique. Bien entendu, le nombre est toujours affiché correctement dans la barre de formule. Pour voir le résultat exact, il vous suffit d'élargir la colonne (par exemple en faisant glisser vers la droite le trait qui sépare l'en-tête de cette colonne de la suivante).

Pour entrer une fraction, insérez un espace entre la partie entière et la partie fractionnaire. Par exemple, pour saisir 5_, tapez le chiffre **5**, appuyez sur la barre d'espace et tapez enfin **1/2**.

Voici une petite astuce pour saisir rapidement des séries de nombres décimaux sans avoir à appuyer à chaque fois sur la virgule ou sur le point du pavé numérique. Au lieu d'entrer par exemple **123,45**, vous aller demander à Excel de considérer que les deux derniers chiffres forment la partie décimale. Vous taperez alors **12345**, et il répondra par **123,45**. Pour cela, ouvrez le menu Outils et choisissez la commande Options. Dans la boîte de dialogue Options, activez l'onglet Modification. Cochez alors la case Décimale fixe. Dans le champ Place, indiquez le nombre de positions décimales à appliquer aux nombres. Validez. N'oubliez pas de désactiver cette option lorsque vous n'en avez plus besoin !

Entrer des dates et des heures

Les dates et les heures peuvent être utilisées dans des calculs. Mais leur saisie peut être problématique, car il ne faut pas qu'Excel les confonde avec un quelconque texte.

Dates

Vous pouvez entrer une date de plusieurs manières :

- **j/m/a :** Pour jour/mois/année. Par exemple : 31/7/2005.
- **j-m-a :** Même principe. Par exemple : 31-7-2005.
- **j-mmmm-aa :** Pour indiquer en toutes lettres le début d'un nom de mois et une année sur deux chiffres. Par exemple : 31-juil-04.

Lorsque vous entrez une date de cette façon, Excel la convertit immédiatement dans son format préféré : 31/7/2004. Si vous n'indiquez pas l'année, il considère qu'il s'agit de l'année en cours.

Puisque vous pouvez définir une date sous la forme d'une simple fraction, comment faire la différence entre ces deux types de données ? Pour qu'il interprète correctement votre volonté, placez en tête le chiffre **0** lorsque vous voulez entrer une fraction. Ainsi, **8/2** sera transformé en un 2 février, tandis que **0 8/2** fera comprendre à Excel que vous faites un calcul fractionnaire.

Si vous indiquez l'année sur deux chiffres, sachez que la plage 30 à 99 sera associée au vingtième siècle (de 1930 à 1999), tandis que l'intervalle 00 à 29 correspondra au début du vingt-et-unième siècle (de 2000 à 2029). Pour entrer une autre année, précisez les quatre chiffres. Exemples : **31/7/1919** ou **31/7/2048**.

La plupart du temps, Excel accepte des variantes de ces modes de notation. Cependant, vous devez vous assurer en consultant la barre de formule que votre date n'a pas été interprétée comme un simple texte. Ainsi, **Juillet 2005** ou **31 Juillet 2005** seront parfaitement compris par Excel. Par contre, **Juillet 2004, 31** deviendra un texte ordinaire.

Pour saisir une date directement dans une formule, entourez-la de guillemets (et assurez-vous que la cellule qui contient la formule possède le format Nombre, et non Date). Par exemple, la formule :

```
=AUJOURDHUI()-"1/1/2003"
```

est parfaitement licite. Elle calcule le nombre de jours écoulés depuis le 1er janvier 2003. Les formules sont étudiées dans le Chapitre 16 du Livret IV.

Heures

Vous pouvez entrer une heure sous plusieurs formes :

- **h:mm [AM/PM] :** Heure et minutes suivies éventuellement de la mention AM ou PM. Exemples : 3:30, 3:31 PM (qui donne donc 15:31).
- **h:mm:ss [AM/PM] :** Même chose, mais avec les secondes en plus. Exemples : 3:30:45 AM, 3:31:45 PM (qui donne donc 15:31:45).

Le séparateur utilisé est le double point (:). Si vous omettez le suffixe AM ou PM, Excel considère que l'heure est comptée à partir de minuit, pas de midi. Inutile d'entrer une heure de l'après-midi suivie de PM (comme dans **15:00 PM**) : il ne comprendra pas.

Combiner dates et heures

Vous pouvez parfaitement combiner dates et heures. Par exemple :

- 31/7/2005 3:35
- 31/7 3:31:45 PM

Pour entrer rapidement la date du jour dans une cellule, appuyez sur la combinaison Ctrl+; (point-virgule). Si vous avez besoin de l'heure exacte, appuyez sur Ctrl+Maj+; (toujours le point-virgule).

Même si ce n'est pas votre problème, sachez quand même qu'Excel convertit les dates et les heures en nombres pour pouvoir les utiliser dans des calculs. Par exemple, le 31 juillet 2008 "vaut" 39660. Et le 25 décembre 2010 à 15 heures "pèse" 40537,625. La partie entière correspond au jour, et la partie décimale aux heures, minutes et secondes.

Entrer automatiquement des listes et des séries de données

Certaines données sont par essence "sérielles" : une suite de noms de mois ou de jours, des chiffres ou des dates qui se suivent, etc. Excel propose un mode de remplissage automatique qui vous permet de saisir rapidement de telles séries. Croyez-le ou non, il reconnaît certaines successions de données et il est capable de les entrer à votre place. Au lieu d'appuyer laborieusement sur des myriades de touches, vous définissez simplement le début de la série, et vous faites glisser la souris. Voyons donc comment remplir automatiquement des cellules :

1. **Cliquez dans la cellule qui va débuter la série.**
2. **Entrez le premier nombre, date, jour ou élément de la future liste.**
3. **Déplacez-vous vers la cellule adjacente (généralement vers le bas ou vers la droite). Saisissez le second élément de la série (nombre, date, jour, etc.).**

   Cette étape n'est pas nécessaire si vous voulez simplement répéter une donnée. Par contre, Excel a besoin d'au moins deux entrées pour déterminer l'intervalle (numérique, de temps ou autre) entre le contenu des cellules. Si vous entrez par exemple **5** puis **10**, Excel comprendra que vous voulez un incrément positif de 5, et donc que la prochaine valeur doit être 15.

4. **Sélectionnez la ou les cellules dans lesquelles vous venez d'enregistrer le début de la série.**

   Pour activer une seule cellule, il suffit de cliquer dedans. Pour en sélectionner plusieurs, cliquez et faites glisser le pointeur au-dessus de ces cellules. Nous reviendrons en détail sur ces techniques dans le Chapitre 15 du Livret IV.

5. **Cliquez sur la poignée de recopie et faites glisser le curseur dans le sens où vous voulez que votre série apparaisse dans la feuille de calcul.**

   +

   Cette poignée de recopie est une petite croix noire qui apparaît lorsque le pointeur se trouve dans le coin inférieur droit de votre sélection. Déplacez doucement la souris pour atteindre cet angle. Lorsque vous voyez apparaître la croix, cliquez et commencez à faire glisser la souris. Au fur et à mesure de l'avancée, les données de la série s'affichent dans une bulle (voir la Figure 14.4).

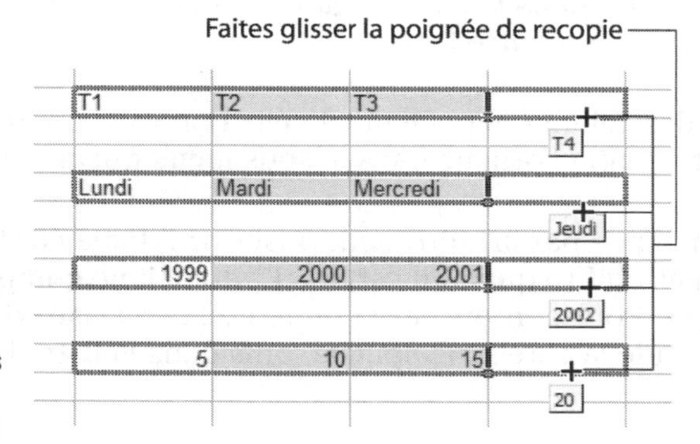

Figure 14.4 : Entrer des séries de données.

Pour entrer le même nombre ou le même texte dans plusieurs cellules vides, sélectionnez-les par la technique du glisser ou en faisant appel à la combinaison Ctrl+clic. Tapez ensuite votre donnée et appuyez sur Ctrl+Entrée. C'est parti !

Formater des nombres, des dates et des heures

Lorsque vous saisissez un nombre dont Excel reconnaît la nature, il lui affecte automatiquement un certain format. Entrez par exemple **45%**, et il recevra immédiatement le style Pourcentage. Tapez **19,95 €**, et Excel considérera qu'il s'agit d'une donnée de type Monétaire. Certes, vous pouvez toujours laisser faire les choses. Mais vous avez aussi la possibilité de choisir la façon dont vos cellules sont formatées, et même de vous éviter la saisie des symboles monétaires, des signes de pourcentage, des virgules, et autres ponctuations supplémentaires. Vous entrez simplement vos nombres et Excel se charge de l'intendance.

La barre d'outils Mise en forme propose divers boutons qui vous serviront de raccourcis pour mettre vos données en forme :

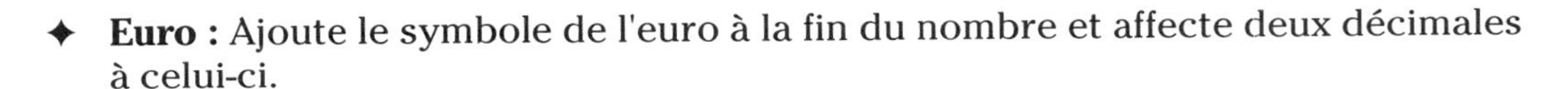

- **Euro :** Ajoute le symbole de l'euro à la fin du nombre et affecte deux décimales à celui-ci.

- **Pourcentage :** Convertit le nombre en pourcentage et lui ajoute le signe %.

- **Ajouter une décimale :** Accroît le nombre de décimales d'une unité.

- **Réduire les décimales :** Diminue le nombre de décimales d'une unité.

Pour formater des dates et des heures (de même que des nombres et ainsi de suite), choisissez dans le menu Format la commande Cellule. Sélectionnez une mise en forme dans l'onglet Nombre de la boîte de dialogue Format de cellule (voir la Figure 14.5). Cliquez sur une catégorie dans la liste de gauche, puis affinez les options correspondantes pour vos nombres ou votre texte.

Pour annuler la mise en forme des cellules actuellement sélectionnées, ouvrez le menu Edition, puis choisissez Effacer et enfin Formats dans le sous-menu qui apparaît.

Entrer un code postal qui commence par un zéro peut poser problème car Excel a tendance à supprimer le premier chiffre quand il est nul. Et donc il ne comprend pas tout de suite ce que vous voulez. Pour contourner la difficulté, choisissez dans la boîte de dialogue Format de cellule la catégorie Spécial, puis dans la liste de droite le type Code postal.

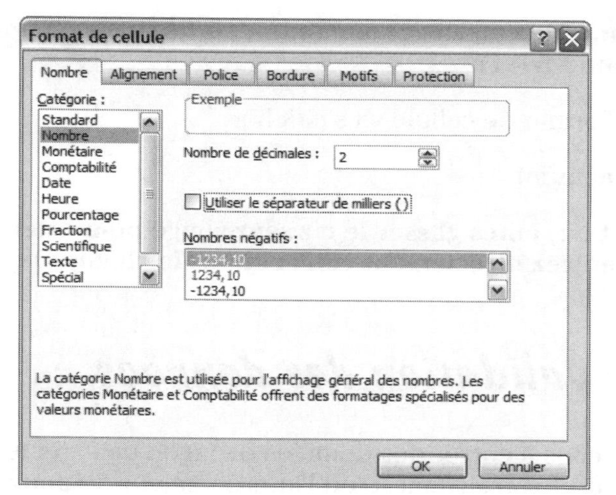

Figure 14.5 : La boîte de dialogue Format de cellule.

Formater du texte (ou des nombres)

Vous n'allez pas être dépaysé par Excel. Pour changer un style de caractères, vous sélectionnez une ou plusieurs cellules et vous choisissez ensuite dans la barre d'outils Mise en forme une nouvelle police ou bien une autre taille de caractères. Vous y trouvez également les traditionnels boutons Gras, Italique et Souligné. Pour effectuer une mise en forme plus poussée, ouvrez depuis le menu format la boîte de dialogue Format de cellule, activez l'onglet Police et configurez un style à votre convenance.

Lorsque votre feuille de calcul contient de nombreuses choses et qu'elle devient difficile à lire, il peut être très intéressant d'afficher certaines cellules de biais. Sur la Figure 14.6, par exemple, les intitulés des colonnes sont très longs. En les inclinant, vous réduisez considérablement la largeur du tableau. Voici comment procéder :

Ouest	Nord	Est	Sud	
1	4	3	1	
8	7	8	7	
5	2	8	2	
2	8	3	1	

Figure 14.6 : Faire tourner le texte.

1. **Sélectionnez les cellules dont vous voulez modifier l'orientation.**

2. **Dans le menu Format, choisissez la commande Cellule (vous pouvez aussi utiliser la combinaison Ctrl+1).**

   La boîte de dialogue Format de cellule va s'afficher.

3. **Activez l'onglet Alignement.**

4. **Dans la case Orientation, faites glisser le curseur rouge pour atteindre l'angle souhaité, ou entrez directement celui-ci dans le champ Degrés.**

Etablir des règles pour la validation des données

Par nature, les gens sont enclins à entrer des données de façon incorrecte, tellement ce travail peut être ennuyeux et astreignant. D'où l'intérêt majeur de pouvoir établir des contraintes à la saisie. Ces *règles de validation* concernent le type et la valeur des données autorisées dans une cellule. Lorsque vous activez une cellule associée à une telle règle, un message vous renseigne sur ce que vous pouvez faire. C'est ce qu'illustre la Figure 14.7. Si vous tapez quelque chose de contraire à la règle, vous en êtes prévenu par un message d'erreur.

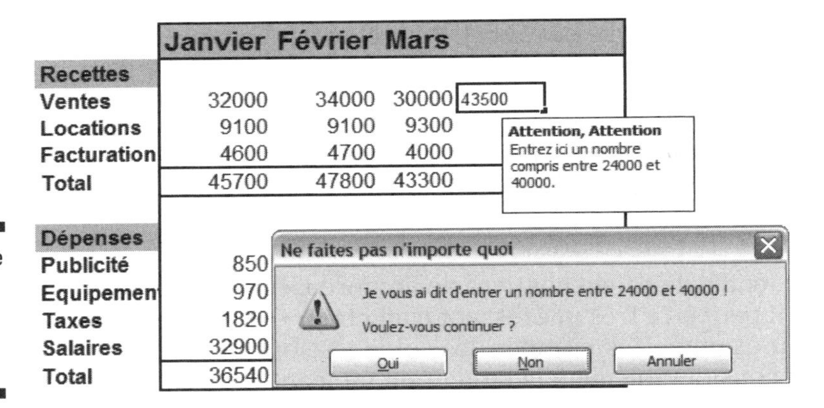

Figure 14.7 : Une règle de validation des données en action.

Les règles de validation des données sont une excellente défense contre les erreurs de saisie et cette sorte de sentiment d'épuisement, voire de désespoir, qui peut se faire jour face à un travail extrêmement fastidieux. Vous pouvez par exemple imposer que des dates se trouvent dans une certaine plage de temps, limiter l'intervalle des valeurs numériques, et même proposer de choisir un élément dans une liste sans avoir à le taper vous-même. Le Tableau 14.1 décrit les différentes règles de validation des données proposées par Excel.

Tableau 14.1 : Les différentes catégories des règles de validation.

Règle	Ce qui peut être entré
Tout	Tout, sans restriction... C'est la règle par défaut.
Nombre entier	Uniquement des entiers (sans partie décimale). Choisissez un opérateur dans la liste déroulante Données, puis définissez les valeurs qui décrivent l'intervalle autorisé.
Décimal	Comme ci-dessus, si ce n'est que les nombres décimaux sont aussi autorisés.
Liste	Des éléments choisis dans une liste. Entrez le contenu de celle-ci dans une suite de cellules (dans la feuille sur laquelle vous travaillez ou dans une autre). Revenez à la boîte de dialogue Validation des données. Cliquez sur le bouton qui suit le champ Source. Sélectionnez alors la plage de cellules qui définit la liste. Validez. Les éléments ainsi choisis seront proposés dans une liste déroulante lorsque vous éditerez la ou les cellules associées à la règle.
Date	Uniquement des valeurs de type date. Sélectionnez un opérateur dans la liste Données, puis définissez les valeurs qui décrivent l'intervalle autorisé. Pour plus d'informations, reportez-vous plus haut à la section "Entrer des dates et des heures".
Heure	Uniquement des valeurs de type heure. Sélectionnez un opérateur dans la liste Données, puis définissez les valeurs qui décrivent l'intervalle autorisé. Pour plus d'informations, reportez-vous plus haut à la section "Entrer des dates et des heures".
Longueur du texte	Limite le nombre de caractères autorisés dans un texte. Sélectionnez un opérateur dans la liste Données, puis définissez les valeurs qui décrivent l'intervalle autorisé.
Personnalisé	Une valeur logique (VRAI ou FAUX). Entrez une formule indiquant ce qui constitue une entrée vraie ou fausse.

Pour établir une règle de validation, suivez ces étapes :

1. **Sélectionnez la ou les cellules concernées par cette règle.**
2. **Dans le menu Données, choisissez la commande Validation.**

   La boîte de dialogue Validation des données va apparaître (voir la Figure 14.8).
3. **Dans la liste Autoriser, choisissez la catégorie sur laquelle va porter la règle.**

   Le Tableau 14.1 décrit ces catégories.
4. **Entrez un critère pour la règle.**

   Tout dépend de la catégorie choisie lors de l'étape précédente. Le critère peut être basé sur une valeur minimale, maximale ou sur un intervalle. Là encore, reportez-vous au Tableau 14.1. Vous pouvez sélectionner une valeur en cliquant sur le bouton qui se trouve à droite d'un champ de type Valeur.

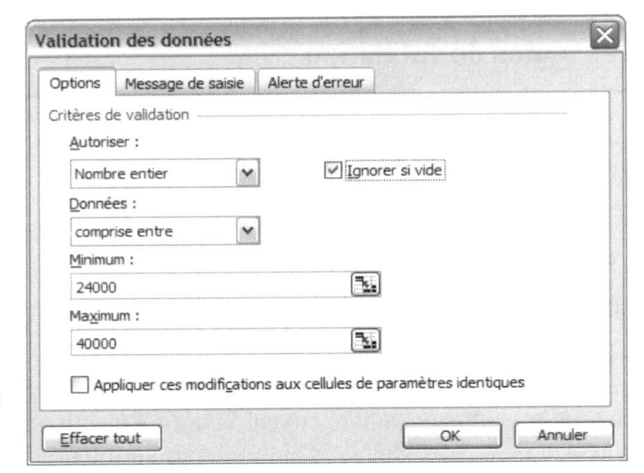

Figure 14.8 : Créer une règle pour la validation des données.

5. **Activez l'onglet Message de saisie. Entrez un titre et un texte pour le message.**

   Ce message apparaît dans une bulle lorsque vous activez une cellule régie par la règle. C'est ce qu'illustre la Figure 14.7. Décrivez brièvement ce qui est autorisé dans la ou les cellules concernées.

6. **Activez l'onglet Alerte d'erreur. Choisissez un style pour le symbole d'erreur. Entrez un titre et un message d'avertissement.**

   Sur l'exemple de la Figure 14.7, c'est le point d'exclamation "Avertissement" qui a été retenu. Le résultat est un "vrai" message d'erreur, exactement comme si c'était Excel lui-même qui haussait le ton.

7. **Cliquez sur OK.**

Pour supprimer une règle de validation, sélectionnez les cellules voulues, revenez à la boîte de dialogue Validation des données. Cliquez alors sur le bouton Effacer tout. Validez.

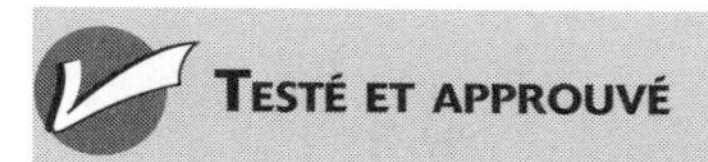

TESTÉ ET APPROUVÉ

Créer des listes personnalisées

Nous savons qu'Excel est capable de compléter automatiquement des listes. Vous pouvez entrer deux noms de jours ou de mois, puis sélectionner ces cellules et faire glisser la souris pour obtenir un calendrier complet. Et voici une nouvelle encore meilleure : il est possible de reproduire de la même manière la totalité des noms de vos collaborateurs, des joueurs de votre équipe de football préférée, des rues de votre ville, et plus largement de tout ce que vous pouvez avoir besoin de reproduire en série et rapidement.

Voyons donc comment créer une liste personnalisée qui vous permettra de créer en quelques instants des séries faisant l'admiration de tous :

1. **Dans le menu Outils, choisissez la commande Options afin d'ouvrir la boîte de dialogue correspondante.**
2. **Activez l'onglet Listes pers.**
3. **Cliquez sur le bouton Ajouter.**
4. **Dans la zone Entrées de la liste, saisissez une série de noms en les séparant par une virgule.**

   Vous pouvez observer la technique à suivre en regardant les définitions existantes dans la rubrique Listes personnalisées.
5. **Cliquez sur OK.**

Une autre méthode consiste à saisir la série dans une feuille, puis à sélectionner la plage correspondante grâce au bouton qui se trouve à droite du champ Importer la liste des cellules, et enfin à cliquer sur Importer.

Chapitre 15
Améliorer votre feuille de calcul

Dans ce chapitre :

- Modifier et éditer les données d'une feuille de calcul.
- Se déplacer dans une feuille de calcul.
- Figer ou fractionner des lignes et des colonnes.
- Documenter une feuille de calcul à l'aide de commentaires.
- Sélectionner des cellules.
- Copier et déplacer des données.

Ce chapitre va explorer plus avant le monde des feuilles de calcul. Vous y verrez comment saisir, éditer et déplacer rapidement des données. Vous apprendrez à sélectionner des groupes de cellules pour réaliser des manipulations plus complexes.

Editer des données

Personne n'entre du premier coup des données sans faire au moins quelques erreurs. Il est donc nécessaire de savoir éditer les cellules. Pour cela :

- **Faites un double clic dans une cellule :** Le curseur de saisie apparaît à l'endroit où vous avez cliqué. Corrigez et saisissez le contenu de la cellule comme vous le feriez dans votre traitement de texte.

- **Cliquez sur la cellule et appuyez sur F2 :** C'est comme ci-dessus, si ne c'est que le curseur est placé à la fin du contenu actuel.

- **Cliquez simplement sur la cellule :** Ceci revient à l'activer. Vous pouvez alors éditer son contenu dans la barre de formule.

Si rien ne se passe à la suite d'un double clic, ou si la touche F2 envoie le curseur dans la barre de formule, c'est que quelqu'un s'est amusé avec vos paramètres d'édition. Dans le menu Outils, choisissez la commande Options. Activez l'onglet Modification. Cochez alors la case Modification directe.

Se déplacer dans une feuille de calcul

Plus une feuille de calcul prend de l'ampleur, et plus il est difficile de s'y déplacer. Fort heureusement, Excel vous propose pour cela divers raccourcis clavier. Ils sont expliqués dans le Tableau 15.1.

Tableau 15.1 : Touches de raccourci pour se déplacer dans les feuilles de calcul.

Appuyez sur...	Pour déplacer le curseur vers...
Début	La colonne A.
Ctrl+Début	La première cellule de la feuille (A1).
Ctrl+Fin	La dernière cellule de la feuille qui contient quelque chose.
Flèches de déplacement	La prochaine cellule dans le sens spécifié.
Ctrl+flèche de déplacement	La prochaine cellule contenant des données dans la direction indiquée, ou à défaut l'extrémité de la ligne ou de la colonne.
Page Haut/Page Bas	Une page de lignes vers le haut ou vers le bas.
Alt+Page Haut/Page Bas	Une page de colonnes vers la droite ou vers la gauche.
Ctrl+Page Haut/Page Bas	La feuille précédente ou suivante dans le même classeur.

Si ces raccourcis ne fonctionnent pas sur votre machine, il est vraisemblable que quelqu'un à modifié le comportement par défaut d'Excel Essayez ceci. Ouvrez la boîte de dialogue Options (depuis le menu Outils) et activez l'onglet Transition. Désélectionnez l'option Touches alternatives de déplacement. Validez.

En plus des touches de raccourci, vous disposez de bien d'autres méthodes pour circuler dans vos feuilles de calcul :

- **Barres de défilement :** Faites-les glisser pour faire défiler la feuille. Pour couvrir très vite de grandes distances, appuyez en même temps sur la touche Majuscule.

- **Roulette :** Faites tourner la roulette centrale de votre souris pour monter ou descendre dans la feuille (à condition que ce dispositif soit compatible IntelliMouse).
- **Zone Nom :** Entrez une adresse dans cette zone (à gauche de la barre de formule) et appuyez sur Entrée pour vous rendre directement à la cellule correspondante. Si vous avez donné un nom à une plage de cellules (voir à ce propos le Chapitre 16 du Livret IV), vous pourrez le choisir dans la liste associée à la zone Nom.
- **Commande Atteindre :** Elle se trouve dans le menu Edition (vous pouvez aussi appuyer sur F5). Dans la boîte de dialogue Atteindre, entrez une adresse dans le champ Référence et cliquez sur OK. Si vous avez donné un nom à une plage de cellule, il va apparaître en haut de la fenêtre. Cliquez sur le bouton Cellules pour visiter une formule, un commentaire et autres objets ésotériques.
- **Commande Rechercher :** Choisissez cette commande dans le menu Edition (ou appuyez sur Ctrl+F). Dans la boîte de dialogue Recherchez, indiquez ce que vous voulez rechercher, puis cliquez sur le bouton Suivant.

TRUC

Pour revenir à la cellule active, appuyez sur la combinaison Ctrl+retour arrière.

Améliorer l'affichage de la feuille de calcul

Lorsque vous entrez des données (notamment), il est utile de pouvoir visualiser correctement la feuille de calcul. Vous devez par exemple repérer d'un coup d'œil la ligne et la colonne dans lesquelles se trouve la cellule active. Ces pages vous expliquent comment personnaliser votre affichage de manière à toujours savoir où vous vous trouvez. Vous y apprendrez à figer des titres, à cacher des lignes et des colonnes, ou encore à zoomer.

Figer et fractionner des colonnes et des lignes

Il arrive parfois que vos pérégrinations vous entraînent jusqu'à des cellules lointaines, comme X31 ou BK67. Une fois dans cette jungle, il devient difficile de dire où il faut entrer les données car vous ne voyez plus les titres qui décrivent le contenu des lignes et/ou des colonnes.

Pour garder en permanence ces intitulés à l'écran, vous pouvez fractionner la feuille de calcul, ou figer lignes et colonnes. Sur la Figure 15.1, la feuille est fractionnée de manière à ce que la colonne A (*Comptes*) soit toujours visible, même si vous vous déplacez loin vers la droite. De même, la première ligne restera apparente si vous faites défiler la fenêtre vers le bas. Remarquez aussi la rupture dans les numéros des lignes et les en-têtes des colonnes. Grâce au fractionnement, vous savez toujours à quoi correspond une cellule.

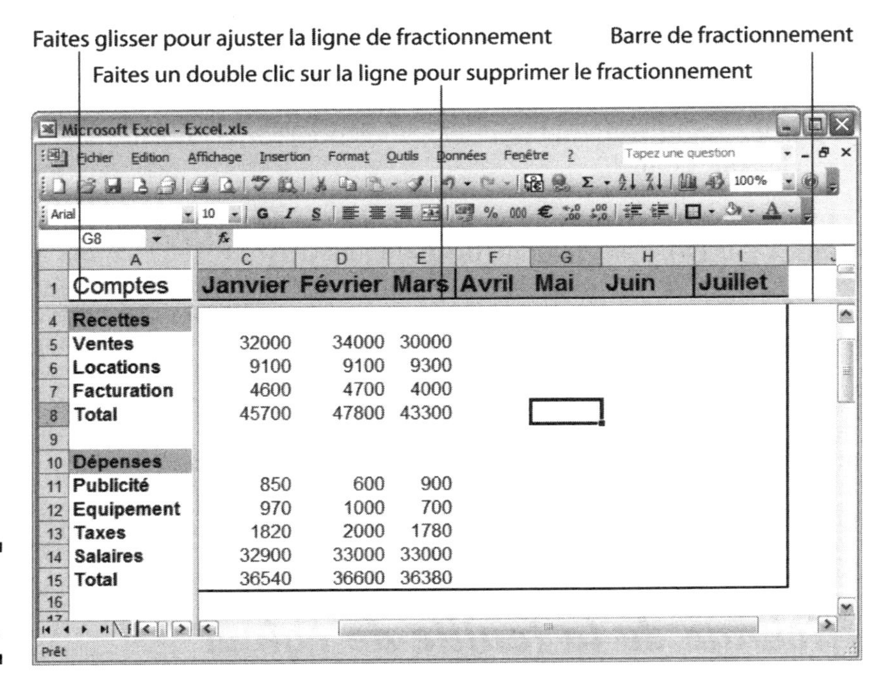

Figure 15.1 : Fractionner une feuille de calcul.

Figer des colonnes ou des lignes revient à peu près au même, si ce n'est que la barre grise de fractionnement devient une ligne noire et que l'affichage des zones de titres est bloqué.

Pour fractionner ou figer des lignes et des colonnes :

1. **Cliquez dans la cellule qui se trouve juste sous la ligne que vous voulez fractionner ou figer, et juste à droite de la colonne que vous voulez tout autant fractionner ou figer.**

   Sur la Figure 15.1, par exemple, le fractionnement est réalisé dans la cellule B2, ce qui permet de conserver l'affichage de la première ligne et de la première colonne (celles qui contiennent les titres).

2. **Choisissez dans le menu Fenêtre la commande Fractionner (ou Figer les volets).**

   Les zones fractionnées ou figées sont délimitées par une barre grisée ou une ligne noire. Déplacez-vous sur la feuille de calcul : les lignes et les colonnes qui ont été figées restent visibles dans la fenêtre.

Une autre méthode consiste à faire glisser le marqueur qui se trouve tout en haut de la barre de défilement verticale, et tout à fait à droite de la barre de défilement horizontale. Lorsque vous vous trouvez au bon endroit, le pointeur prend la forme d'une double flèche. Cliquez et faites glisser pour fractionner l'écran horizontalement ou verticalement.

Si vous voulez revenir à la fenêtre normale, ouvrez le menu Fenêtre et choisissez cette fois la commande Supprimer le fractionnement, ou Libérer les volets. Vous pouvez aussi faire un double clic sur une barre de fractionnement pour la supprimer de l'écran.

Le fractionnement est préférable au gel des lignes et des colonnes. Première raison : vous pouvez facilement redimensionner vos quadrants en faisant glisser les barres de fractionnement. Seconde raison : vous pouvez tout aussi facilement supprimer un sens de fractionnement en faisant un double clic sur une des barres. Ceci vous permet de diviser la fenêtre en deux parties gauche/droite ou haut/bas afin de mieux visualiser encore vos données.

Masquer des lignes et des colonnes

Vous pouvez aussi cacher provisoirement des données qui encombrent votre espace lors de la saisie ou de la consultation de données.

✦ **Masquer des lignes et des colonnes :** Cliquez quelque part dans la ligne ou la colonne à cacher. Choisissez ensuite dans le menu Format la commande Ligne (ou Colonne), puis l'option Masquer. Notez qu'il est possible de sélectionner plusieurs lignes ou colonnes à la fois pour réaliser cette opération.

✦ **Démasquer les lignes et les colonnes :** Sélectionnez au moins une colonne sur la gauche de celle qui est masquée, et au moins une sur sa droite (regardez les en-têtes de colonnes pour vous aider à vous repérer). Dans le menu Format, choisissez ensuite la commande Colonne puis l'option Afficher. Même principe pour les lignes, en remplaçant "à gauche" par "au-dessus", et "à droite" par "en dessous". Pour révéler tout ce qui est masqué, commencez par sélectionner l'ensemble de la feuille en appuyant sur Ctrl+A avant d'appeler les commandes Afficher.

Comment faire si la première ligne ou la première colonne est masquée ? Appuyez sur F5 pour afficher la boîte de dialogue Atteindre. Entrez **A1** comme adresse de référence et validez. Appliquez ensuite une commande Afficher.

Zoom !

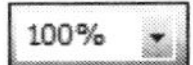

Les commandes de zoom sont très pratiques lors de la saisie de données. Il vous suffit de sélectionner un facteur d'agrandissement dans la liste Zoom de la barre d'outils Standard (ou d'y saisir un pourcentage suivi d'un appui sur Entrée). Vous disposez également dans le menu Affichage d'une commande Zoom qui vous permet de choisir un mode d'affichage dans une boîte de dialogue. Pour visualiser simultanément toute une plage de cellules, sélectionnez-les puis ouvrez la liste Zoom de la barre d'outils Standard et cliquez sur Sélection.

Si vous avez une souris compatible IntelliMouse, vous pouvez zoomer dans tous les sens en faisant rouler sa mollette tout en appuyant sur la touche Ctrl (cela marche aussi dans Word). Si vous voulez configurer Excel pour agir par défaut de cette manière, ouvrez la boîte de dialogue Options, activez l'onglet Général et cochez la case Zoom avec la roulette IntelliMouse.

Documenter votre travail avec des commentaires

Voilà une situation classique : vous reprenez une feuille de calcul au bout de quelques mois (voire de quelques semaines, et dans le pire des cas de quelques jours) et vous ne savez plus pourquoi vous avez placé à tel ou tel endroit un certain nombre ou une certaine formule. Autre situation classique : vous envoyez la feuille à une personne, et elle ne comprend rien à ce que vous avez fait. Pour lever ces ombres, documentez votre travail en entrant des commentaires partout où cela semble nécessaire. Comme le montre la Figure 15.2, un *commentaire* est une note attachée à une cellule et qui apporte une information sur son contenu ou sa construction. Ces commentaires sont facilement repérables par la présence d'un petit triangle rouge en haut et à droite des cellules concernées. Déplacez le pointeur au-dessus de l'un de ces triangles, et le commentaire va apparaître dans une bulle avec le nom (ou les initiales) de la personne qui l'a rédigé.

Voyons ce qu'il est indispensable de savoir sur les commentaires :

- **Entrer un commentaire :** Cliquez sur la cellule qui doit le recevoir. Dans le menu Insertion, choisissez la commande Commentaire (vous pouvez aussi appuyer sur Maj+F2). Entrez votre texte dans la fenêtre de note qui s'affiche. Pour terminer la saisie, il suffit de cliquer sur une autre cellule.
- **Lire un commentaire :** Placez le pointeur sur le petit triangle rouge. Une fenêtre pop-up apparaît. Lisez la note et déplacez le pointeur quand vous avez terminé. Pour rechercher des commentaires, commencez de préférence par réduire la vue en choisissant un zoom de 50%. Appuyez sur F5 pour ouvrir la boîte de dialogue Atteindre. Cliquez sur le bouton Cellules. Dans cette nouvelle boîte de dialogue, choisissez Commentaires et cliquez sur OK. Tous les commentaires de votre feuille vont être mis en surbrillance.

Comptes	Janvier	Février	Mars	Avril	Mai	Juin	Juillet
Recettes							
Ventes	32000	34000	30000				
Locations	9100	9100	9300				
Facturation	4600	4700	4000				
Total	45700	47800	43300				
Dépenses							
Publicité	850	600	900				
Equipement	970	1000	700				
Taxes	1820	2000	1780				
Salaires	32900	33000	33000				
Total	36540	36600	36380				

Figure 15.2 : Appuyez sur Maj+F2 pour entrer un commentaire.

- **Editer un commentaire :** Sélectionnez la cellule qui contient le commentaire. Dans le menu Insertion, choisissez la commande Modifier le commentaire. Editez tout à fait normalement le contenu de la fenêtre pop-up qui apparaît.

- **Supprimer un commentaire :** Cliquez avec le bouton droit de la souris sur la cellule voulue et choisissez la commande Effacer le commentaire. Pour supprimer plusieurs commentaires d'un coup, sélectionnez-les, ouvrez le menu Edition, puis cliquez successivement sur Effacer et sur Commentaires. Pour effacer d'un seul coup tous les commentaires d'un classeur, utilisez la boîte de dialogue Atteindre pour les mettre en surbrillance. Cliquez avec le bouton droit de la souris sur une des cellules sélectionnées, et choisissez dans le menu contextuel la commande Effacer le commentaire.

Si votre nom n'apparaît pas dans la fenêtre pop-up lorsque vous entrez un commentaire (et à condition d'en être vexé), ouvrez la boîte de dialogue Options, activez l'onglet Général puis renseignez le champ Nom d'utilisateur.

Vous pouvez imprimer les commentaires d'une feuille de calcul. Pour cela, choisissez dans le menu fichier la commande Mise en page. Activez l'onglet Feuille. Dans la liste Commentaires, sélectionnez une option autre que *(Aucun)*.

Sélectionner des cellules

Pour formater, copier, déplacer ou supprimer des données dans vos cellules, vous devez d'abord les sélectionner. Vous disposez pour cela de toute une gamme de méthodes. Pour sélectionner :

- **Un bloc de cellules :** Faites glisser le pointeur d'un coin de la zone à sélectionner vers la diagonale opposée. Vous pouvez aussi activer une cellule puis faire un Maj+clic dans l'angle opposé.
- **Des cellules adjacentes dans une ligne ou une colonne :** Faites glisser le pointeur sur ces cellules.
- **Des cellules inégalement réparties :** Cliquez sur les cellules voulues tout en maintenant enfoncée la touche Ctrl. Vous pouvez également vous exercer au Ctrl+glisser, ou encore au Ctrl+cliquer sur un en-tête de colonne ou un numéro de ligne.
- **Une ou plusieurs lignes :** Cliquez sur un numéro de ligne pour sélectionner la totalité de celle-ci. Cliquez sur un numéro de ligne et faites glisser pour en sélectionner plusieurs.
- **Une ou plusieurs colonnes :** Cliquez sur la lettre d'une colonne pour sélectionner la totalité de celle-ci. Cliquez sur un en-tête de colonne et faites glisser pour en sélectionner plusieurs.
- **Toute la feuille de calcul :** Cliquez sur le bouton qui se trouve à l'intersection des en-têtes des colonnes et des numéros des lignes (au-dessus et à gauche de la cellule A1, donc), ou appuyez sur Ctrl+A ou encore sur Ctrl+Maj+espace.
- **Une ou plusieurs feuilles de calcul dans un classeur :** Cliquez sur les onglets voulus tout en maintenant enfoncée la touche Ctrl ou Maj.

Appuyez sur Ctrl+espace pour sélectionner la colonne de la cellule active. Appuyez sur Maj+espace pour sélectionner la ligne de la cellule active.

Vous pouvez entrer la même donnée dans plusieurs cellules à la fois. Commencez par les sélectionner. Entrez ensuite le contenu d'une des cellules puis appuyez sur Ctrl+Entrée. Cette technique est très utile, par exemple, pour placer une série de **0** dans une série de cellules afin d'initialiser des formules.

Supprimer, copier et déplacer des données

Pour supprimer le contenu de cellules, commencez par les sélectionner. Appuyez ensuite sur la touche Suppr ou cliquez avec le bouton droit de la souris et choisissez dans le menu contextuel la commande Effacer le contenu.

Pour copier ou déplacer des cellules sélectionnées, servez-vous des bonnes vieilles commandes Copier, Couper et Coller (et des bons vieux raccourcis Ctrl+X, Ctrl+C et Ctrl+V). Pour coller des cellules, cliquez là où vous voulez insérer le contenu de la première d'entre elles. Faites attention à ne pas remplacer du même coup des données existantes et que vous voudriez conserver.

Lorsque vous collez des données, Excel reproduit les originaux à l'identique, formatage compris. Vous pouvez choisir dans la liste associée au bouton Coller (sur la barre d'outils Standard) la nature de ce que vous voulez reproduire, comme la valeur, la mise en forme, etc.

Vous pouvez parfaitement procéder par glisser et déposer pour déplacer votre sélection. Cliquez sur le bord de celle-ci, quand le curseur prend la forme d'une flèche à quatre pointes. Relâchez le bouton de la souris sur le nouvel emplacement. Pour effectuer une copie, appuyez en même temps sur la touche Ctrl.

Lorsque vous copiez ou déplacez le contenu de cellules, Excel ajuste automatiquement les formules présentes dans la sélection. Par exemple, si une cellule contient la formule =B5+C7, un déplacement de trois cases vers la droite et deux vers le bas donnera à la place : =E7+F9. C'est un atout considérable lorsque vous travaillez avec un tableur, mais cela peut aussi être parfois une source de confusion. Si vous ne voulez pas copier les formules, ouvrez le menu Edition, choisissez la commande Collage spécial, puis Valeurs dans la boîte de dialogue qui apparaît.

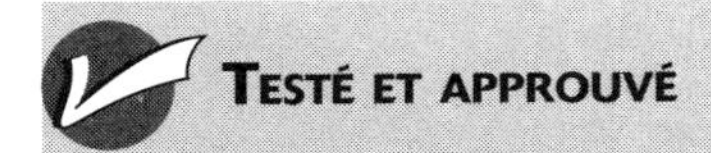

Créer des vues personnalisées

Une fois que vous avez pris la peine de fractionner la feuille de calcul, ou encore de zoomer sur une partie de celle-ci, vous pouvez sauvegarder votre nouvelle vue pour y revenir plus tard. De cette façon, vous pouvez revenir à un affichage plus classique, puis appeler rapidement le fractionnement ou le zoom. Une vue personnalisée peut enregistrer le mode d'affichage courant, la taille de la fenêtre, la position du quadrillage et même une sélection de cellules.

- **Pour créer une vue particulière, ouvrez le menu Affichage et choisissez la commande Affichages personnalisés. Dans la boîte de dialogue qui apparaît, cliquez sur le bouton Ajouter. Entrez alors un nom pour votre vue. Indiquez les paramètres spéciaux que vous voulez inclure.**
- **Pour revenir à une vue sauvegardée, ouvrez le menu Affichage et choisissez à nouveau la commande Affichages personnalisés. Choisissez le nom de la vue dans la liste et cliquez sur le bouton Afficher (ou sur Supprimer si vous n'en avez plus besoin).**

L'astuce de base consiste à créer en premier une vue correspondant à l'écran standard. Appelez-la par exemple Normal. Sans cela, revenir exactement à l'affichage initial au sortir d'une vue personnalisée serait souvent bien difficile, si ce n'est impossible. Il faudrait redéfinir les paramètres d'affichage et défaire le travail réalisé pour créer cette vue.

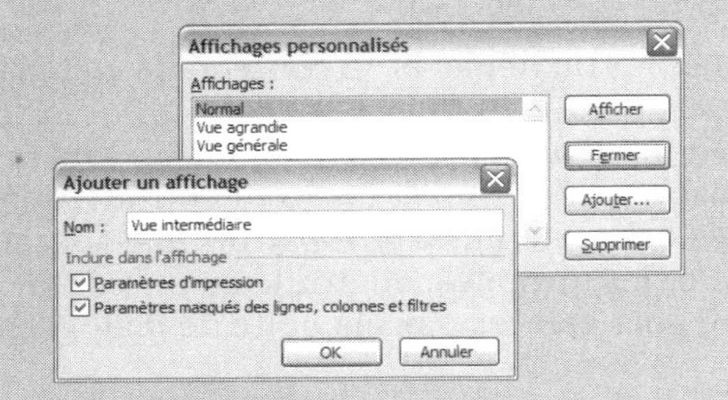

Chapitre 16
Formules et fonctions

Dans ce chapitre :

- Construire une formule.
- Utiliser des plages de cellules dans les formules.
- Nommer des plages de cellules.
- Faire référence à des cellules dans d'autres feuilles.
- Copier des formules vers d'autres lignes et colonnes.
- Utiliser des fonctions.

Les formules sont au cœur d'Excel. Une fois que vous savez comment construire des formules (ce qui n'est pas si difficile), Excel peut se mettre au travail. Faites parler les nombres ! Et transformez des piles de chiffres ésotériques en images et en statistiques.

Ce chapitre explique ce qu'est une formule, comment l'entrer et en quoi Excel peut vous aider à le faire. Vous apprendrez également à copier des formules entre cellules. Enfin, nous aborderons quelques fonctions parmi la bonne centaine de celles que nous offre Excel.

Comment fonctionnent les formules

Une *formule* (si du moins vous vous souvenez de toutes ces heures de mathématiques passées au chaud, au fond de la classe) sert à effectuer des calculs. Par exemple, 2 + 3 est une formule (Excel me dit qu'elle produit comme résultat 5). Lorsque vous entrez une formule dans une cellule, Excel la calcule et il en affiche le résultat. Cliquez par exemple dans la cellule A3 et tapez **=2+3**. Voyez ce qui s'affiche.

Faire référence aux cellules dans des formules

Les formules Excel peuvent contenir non seulement des nombres, mais aussi des références à différentes cellules. Dans ce cas, c'est la valeur courante de la cellule concernée qui est utilisée dans le calcul. Sur la Figure 16.1, la cellule A1 contient le nombre 2. La cellule A2 contient le nombre 3. Et on a tapé dans la cellule A3 la formule = **A1+A2**. Excel affiche donc 5 dans A3. Vous changez ensuite la valeur de A1 de 2 en 4 (c'est un exemple). Immédiatement, le contenu de A3 devient 7 (la somme de 4 et de 3). Tout cela est donc parfaitement dynamique : si une cellule *X* fait référence à une autre, *Y*, et que le contenu de *Y* est modifié, alors *X* est automatiquement recalculé et mis à jour.

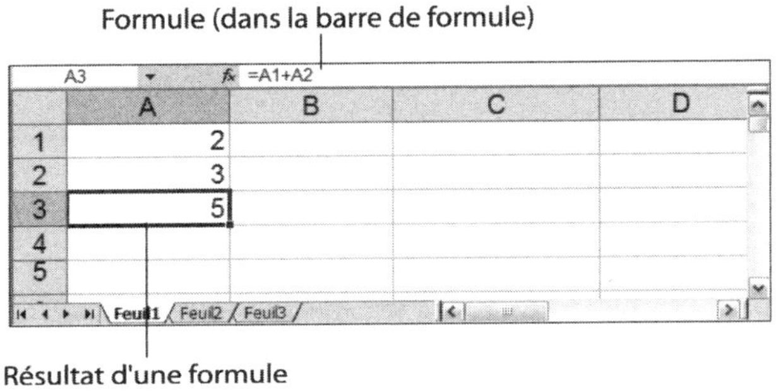

Formule (dans la barre de formule)

Résultat d'une formule

Figure 16.1 : Une formule très simple.

Pour mieux comprendre l'importance des formules, reportez-vous à la Figure 16.2. Elle est censée représenter le budget d'une association locale, disons des amis de la pêche à la ligne (APL). La colonne C indique les recettes espérées par les responsables de l'association (leur budget prévisionnel). La colonne D enregistre les recettes réellement réalisées. La colonne E compare, poste par poste, les deux colonnes précédentes. Chaque fois que la colonne D est actualisée (le trésorier enregistre un nouveau montant de recette), les valeurs de la colonne E sont mises à jour et la ligne Total reflète la situation à cet instant. Tout cela est rendu possible parce que le tableau contient des formules qui font référence à des cellules "vivantes", et non à des *constantes*.

La Figure 16.3 montre les formules utilisées pour calculer les données dans l'exemple de la Figure 16.2. Dans la colonne E, les montants des colonnes C et D sont soustraits afin de juger si les différents postes budgétaires ont bien été évalués par les responsables de l'association. Sur la ligne 8, vous découvrez comment le total des lignes 3 à 7 est calculé en faisant appel à une fonction Excel : SOMME. Nous reviendrons sur les fonctions à la fin de ce chapitre.

	A	B	C	D	E	F
2						
3	**Recettes**		**Prévisions**	**Réalisé**	**Ecart**	
4		Adhésions	500,00	450,00	-50,00	
5		Produit des ventes	850,00	925,00	75,00	
6		Concours de pêche	1230,00	890,00	-340,00	
7		Fêtes et manifestations	1020,00	1745,00	725,00	
8		Intérêts bancaires	50,00	34,00	-16,00	
9	**Total des recettes**		**3 650,00 €**	**4 044,00 €**	**394,00 €**	
10						
11						
12						
13						

Feuil1 / Feuil2 / Feuil3 / APL

Figure 16.2 : Utiliser des formules dans un tableau.

	A	B	C	D	E
2					
3	**Recettes**		**Prévisions**	**Réalisé**	**Ecart**
4		Adhésions	500	450	=D4-C4
5		Produit des ventes	850	925	=D5-C5
6		Concours de pêche	1230	890	=D6-C6
7		Fêtes et manifestations	1020	1745	=D7-C7
8		Intérêts bancaires	50	34	=D8-C8
9	**Total des recettes**		=SOMME(C4:C8)	=SOMME(D4:D8)	=SOMME(E4:E8)
10					
11					

Feuil1 / Feuil2 / Feuil3 / APL

Figure 16.3 : Les formules utilisées pour produire les résultats de la Figure 16.2.

Excel est particulièrement efficace pour mettre à jour les formules lorsqu'elles font référence à des cellules que vous déplacez. Supposons par exemple que vous supprimiez totalement une colonne dans votre feuille de calcul. Une formule fait référence à C1. Vous détruisez brusquement la colonne B. Par conséquent, C devient B (et D devient C, etc.). Du coup, la bonne référence n'est donc plus C1, mais B1. Vous pourriez alors croire que les références à C1 sont périmées. Pas du tout ! Excel a compris votre intention, et il a immédiatement changé partout C1 en B1 ! Il a bien mérité le prix d'Excellence !

Pour afficher les formules dans une feuille de calcul à la place de leurs résultats, appuyez sur la combinaison Ctrl+". La même combinaison rétablit la présentation normale.

Faire référence à des formules dans d'autres formules

Une formule peut faire référence non seulement aux nombres contenus dans des cellules, mais aussi à d'autres formules. Considérons par exemple la feuille illustrée sur la Figure 16.4. Son propos est de suivre les points marqués par les joueurs d'une équipe de basket-ball. Vous y voyez les résultats qu'ils ont obtenus au cours de trois matches, le total correspondant, puis la moyenne de points par match. Pour calculer cette moyenne, nous avons besoin de la formule donnant le total afin d'en diviser la valeur par 3 (soit le nombre de parties).

La colonne E contient les moyennes retournées par la formule

	A	B	C	D	E	F
1		Match 1	Match 2	Match 3	Total	Moyenne
2	André	4	3	7	14	4,7
3	Claude	2	1	0	3	1,0
4	Sony	11	13	8	32	10,7
5	Louis	8	11	6	25	8,3
6	Alain	2	0	0	2	0,7
7	Tony	3	8	4	15	5,0
8	Paul	13	18	18	49	16,3
9		43	54	43	140	46,7

Feuil1 / Feuil2 / Feuil3 / APL / Basket

	A	B	C	D	E	F
1		Match 1	Match 2	Match 3	Total	Moyenne
2	André	4	3	7	=B2+C2+D2	=E2/3
3	Claude	2	1	0	=B3+C3+D3	=E3/3
4	Sony	11	13	8	=B4+C4+D4	=E4/3
5	Louis	8	11	6	=B5+C5+D5	=E5/3
6	Alain	2	0	0	=B6+C6+D6	=E6/3
7	Tony	3	8	4	=B7+C7+D7	=E7/3
8	Paul	13	18	18	=B8+C8+D8	=E8/3
9		=SOMME(B2:B8)	=SOMME(C2:C8)	=SOMME(D2:D8)	=B9+C9+D9	=E9/3

Feuil1 / Feuil2 / Feuil3 / APL / Basket

Figure 16.4 : Utiliser les résultats de formules dans d'autres formules.

Des opérateurs dans les formules

L'addition, la soustraction, la multiplication et la division ne sont pas les seuls opérateurs dont vous disposez pour bâtir vos formules. Le Tableau 16.1 décrit les opérateurs arithmétiques disponibles et le symbole qui les représente. Vous noterez que le tableau classe les opérateurs selon leur ordre de priorité.

Tableau 16.1 : Les opérateurs arithmétiques.

Opérateur	Symbole	Exemple de formule
Pourcentage	%	=50% (soit 50 pourcent, ou 0,5)
Exponentiation	^	=50^2 (soit 50 puissance 2, ou 2500)
Division	/	=E2/3 (soit la valeur de la cellule E2 divisée par 3)
Multiplication	*	=E2*4 (soit la valeur de la cellule E2 multipliée par 4)
Addition	+	=F1+F2+F3 (soit la somme des valeurs de ces cellules)
Soustraction	-	=G5-8 (soit la valeur de la cellule G5 diminuée de 8)

Ordre de priorité

Lorsqu'une formule contient plusieurs opérateurs, l'ordre dans lequel ils apparaissent à l'intérieur d'une formule a une importance déterminante. Regardez par exemple cette formule :

```
=2+3*4
```

Est-ce que le résultat de ce calcul vaut 14 (2+[3*4]) ou 20 ([2+3]*4) ? La réponse est 14, car en dehors de toute indication particulière, Excel évalue les multiplications avant les additions. En d'autres termes, la multiplication a priorité sur l'addition. La règle générale qui s'applique aux différents opérateurs est appelée *ordre de priorité*. Vous devez connaître cette règle si vous voulez construire des formules complexes comprenant plusieurs opérateurs. En allant du "plus prioritaire" au "moins prioritaire", vous allez trouver :

1. **Le pourcentage (%)**
2. **L'exponentiation (^)**
3. **La multiplication (*) et la division (/). L'opérateur le plus à gauche est évalué en premier.**
4. **L'addition (+) et la soustraction (-). L'opérateur le plus à gauche est évalué en premier.**
5. **La concaténation (&).**
6. **La comparaison (=, <, <=, >, >=).**

Pour contourner ce problème de préséance, placez les opérations que vous voulez rendre prioritaires entre parenthèses. Ces dernières demandent à être évaluées d'abord. Ainsi, la formule =(2+3)*4 donnera comme résultat 20.

Une autre manière d'établir une formule consiste à faire appel à une fonction. Comme l'explique plus loin la section "Travailler avec les fonctions", une fonction est une formule prédéfinie fournie directement par Excel. Par exemple, la fonction SOMME additionne les valeurs d'une série de cellules. MOYENNE calcule la moyenne de plusieurs nombres, etc.

Savoir entrer des formules

Quel que soit le type de formule que vous voulez entrer, et quelle que soit sa complexité, vous devez suivre ces étapes :

1. **Cliquez dans la cellule où vous voulez saisir la formule.**
2. **Cliquez dans la barre de formule.**
3. **Entrez un signe d'égalité (=).**

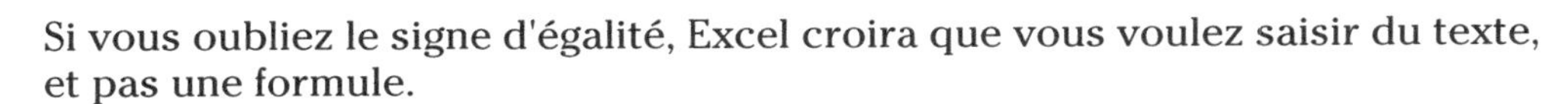

   Si vous oubliez le signe d'égalité, Excel croira que vous voulez saisir du texte, et pas une formule.

4. **Entrez la formule.**

   Tapez par exemple **=B1*,06**. Vérifiez que toutes les adresses de cellules dont vous avez besoin dans la formule sont correctement spécifiées. Il est inutile d'entrer les en-têtes des colonnes en majuscules. Excel rectifiera le tir de lui-même. Dans la section qui suit, nous verrons comment entrer rapidement des adresses de cellules dans les formules.

5. **Appuyez sur Entrée (ou cliquez dans la barre de formule sur le bouton Entrer).**

   Le résultat apparaît immédiatement (du moins, si vous n'avez pas commis d'erreur).

Techniques rapides pour formules efficaces

Entrer des formules et s'assurer que toutes les références des cellules sont bonnes est un travail fastidieux. Fort heureusement pour vous, Excel offre quelques techniques pour faciliter cette saisie. La plupart du temps, vous pourrez définir vos références en cliquant, ou encore en faisant glisser la souris pour définir une plage entière. Nous verrons également comment faire essaimer les formules par simple recopie.

Cliquer sur des cellules pour définir des références

Avec les formules, le plus dur est d'entrer correctement les références des cellules (leur adresse ou éventuellement leur nom). Vous devez localiser le nom de la colonne et le numéro de la ligne, puis taper soigneusement ces indications. C'est assez pénible. Mais, en fait, il y a bien plus sûr et rapide. Pendant la saisie de votre opération, il vous suffit de cliquer sur une cellule pour qu'Excel entre son adresse dans la barre de formule. De surcroît, des marques colorées clignotantes apparaissent tout autour de la cellule. Dès que vous entrez un opérateur, ces marques deviennent fixes, et vous pouvez continuer à créer votre formule. Encore plus joli : chaque nouvelle référence possède sa propre couleur. Vert, bleu, violet : c'est un vrai feu d'artifice !

Dans l'exemple illustré sur la Figure 16.5, vous pouvez observer ce phénomène. La formule de la cellule G3 y a été définie en cliquant d'abord sur C3, puis en tapant un signe plus, en cliquant ensuite sur D3, en tapant un signe, et ainsi de suite.

Cliquez sur une cellule pour entrer son adresse dans la formule

NA =C3+D3+E3+F3

	A	B	C	D	E	F	G
1	**Ventes par région**						
2			**Janvier**	**Février**	**Mars**	**Avril**	**Total**
3		**Nord**	23 456	41 281	63 421	42 369	=C3+D3+E3+F3
4		**Est**	4 881	8 907	4 897	6 891	
5		**Ouest**	42 571	37 101	50 178	47 088	
6		**Sud**	5 719	8 761	5 307	4 575	

Figure 16.5 : Cliquez pour entrer une référence.

Entrer une plage de cellules

Une *plage de cellules* est une ligne, une rangée ou encore un bloc contenant plusieurs cellules. Elle sont particulièrement utiles dans les fonctions (voyez la dernière partie de ce chapitre). Pour créer une plage, il vous suffit de sélectionner le bloc de cellules à l'aide de la souris. Ainsi, sur la Figure 16.6, l'utilisateur a sélectionné le groupe allant de C3 à F3 pour former la plage C3:F3. Cette plage est affectée à la fonction SOMME afin de totaliser toutes les cellules qu'elle contient. Remarquez en passant la façon dont Excel entoure la plage lors de sa sélection.

Attention : Erreur dans la formule !

Il peut arriver (il arrivera certainement) que vous entriez une formule et qu'Excel refuse de la calculer. Au lieu du résultat espéré, vous obtenez un mot de quelques lettres précédé d'un signe dièse (#). Voici les principaux messages d'erreur et ce qu'ils signifient :

- **#DIV/0! :** Vous avez essayé de diviser un nombre par zéro ou par une cellule vide.
- **#NOM? :** Vous avez utilisé un nom censé être attribué à une plage de cellules, mais ce nom n'a pas été défini. Cette erreur peut aussi se produire si le nom a été mal orthographié, ou encore si vous faites référence à une cellule qui affiche elle-même le message #NOM!. Voir plus loin la section "Nommer des plages de cellules".
- **#N/A :** La formule fait référence à une cellule vide, qui ne fournit donc aucune donnée pour le calcul. Notez cependant qu'Excel considère par défaut qu'une cellule qui ne contient rien possède la valeur zéro.
- **#NUL! :** La formule fait référence à une plage de cellules qu'Excel ne reconnaît pas. Vérifiez que la plage est entrée correctement.
- **#NOMBRE! :** Un argument utilisé dans la formule est invalide.
- **#REF! :** Une cellule (ou une plage de cellules) utilisée dans la formule ne peut pas être trouvée.
- **#VALEUR! :** La formule contient une fonction qui est utilisée de façon incorrecte, ou qui reçoit un argument invalide, ou qui est mal orthographiée. Vérifiez la fonction.

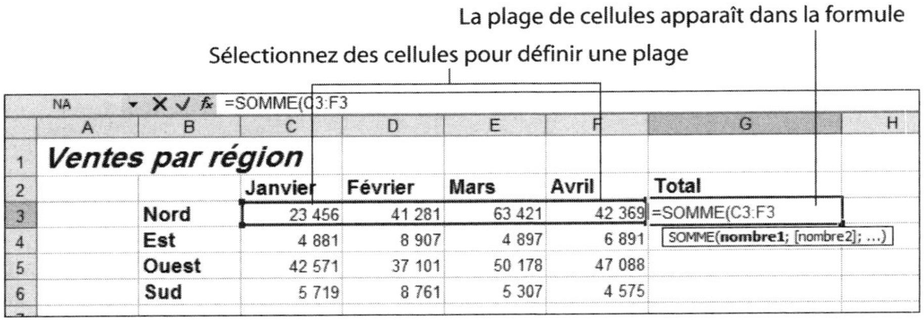

La plage de cellules apparaît dans la formule

Sélectionnez des cellules pour définir une plage

NA =SOMME(C3:F3

	A	B	C	D	E	F	G	H
1	***Ventes par région***							
2			**Janvier**	**Février**	**Mars**	**Avril**	**Total**	
3		**Nord**	23 456	41 281	63 421	42 369	=SOMME(C3:F3	
4		**Est**	4 881	8 907	4 897	6 891	SOMME(**nombre1**; [nombre2]; ...)	
5		**Ouest**	42 571	37 101	50 178	47 088		
6		**Sud**	5 719	8 761	5 307	4 575		

Figure 16.6 : Utiliser une plage de cellules dans une formule.

Pour identifier une plage, Excel en indique les deux extrémités en les séparant par un double point (:). Vous pouvez parfaitement créer une plage en cliquant au lieu de glisser. Cliquez sur la première cellule, tapez le caractère :, puis cliquez sur la dernière cellule de la plage.

Une plage comprenant les cellules A1, A2, A3 et A4 s'écrira A1:A4. Un bloc s'étendant de A1 en D3 s'écrira A1:D4 (il contiendra donc douze cellules).

Nommer des plages de cellules

Que vous tapiez vous-même les références ou que vous définissiez des plages en faisant glisser le pointeur de la souris, reconnaissons que la notion de plaisir n'est pas au rendez-vous. Taper quelque chose comme **=C1+C2+C3C+C4** peut provoquer une crampe dans les doigts. Et saisir **=C1:C4** ne suscite pas non plus l'enthousiasme. Pour vous dispenser de répéter ces manipulations, Excel vous propose de donner un nom aux plages de cellules. Quand vous voulez faire référence à cette page dans une formule, il vous suffit de choisir le nom voulu dans la boîte de dialogue Coller un nom (voir la Figure 16.7). Autre bénéficie apporté par cette méthode : vous pouvez atteindre directement une plage de cellules en la sélectionnant dans la liste déroulante Zone Nom (à gauche de la barre de formule).

Faites un double clic pour insérer la plage nommée dans une formule

Choisissez un nom pour aller à la plage

G5 =SOMME(Ouest)

Coller un nom: Est, Nord, Ouest, Sud — Coller une liste | OK | Annuler

par région

	Janvier	Février	Mars	Avril	Total
Nord	23 456	41 281	63 421	42 369	170 527
Est	4 881	8 907	4 897	6 891	25 576
Ouest	42 571	37 101	50 178	47 088	176 938
Sud	5 719	8 761	5 307	4 575	24 362

Figure 16.7 : Choisir une plage de cellules nommée.

Les temps changent, les taux aussi. Vous devez par exemple calculer des centaines de tarifs TTC. Le principe est simple : il faut multiplier le prix hors taxes par le taux de TVA. Mais le gouvernement décide de modifier ce taux. Et vous voilà avec des centaines de formules à corriger. Non ! Car vous aviez tout prévu : vous avez entré le taux dans une cellule que vous avez nommé TVA. Et vous avez de plus pris la précaution d'appeler PrixHT la colonne qui contient les tarifs unitaires. Vous avez donc en réalité besoin d'une seule formule dans votre colonne PrixTTC : **=PrixHT*TVA**. Copiez, collez, c'est gagné. Le jour où le taux de TVA change, vous mettez à jour cette seule cellule et Excel se charge du reste.

Les noms des plages doivent commencer par une lettre, une barre oblique (\) ou un trait de soulignement (_). Commencez par opérer votre sélection, puis au choix :

- Cliquez dans la zone Nom (à gauche de la barre de formule). Entrez un nom pour votre plage et appuyez sur Entrée.
- Dans le menu Insertion, choisissez l'option Nom puis la commande Définir. La boîte de dialogue Définir un nom va apparaître. Entrez un nom et validez.

Pour utiliser une plage nommée dans une formule, appuyez sur F3 ou choisissez dans le menu Insertion l'option Nom, puis la commande Coller. Dans la boîte de dialogue Coller un nom, cliquez sur l'intitulé voulu puis sur OK.

Si le fait de nommer des plages offre de multiples avantages, il y a aussi un inconvénient majeur : lorsque vous copiez une formule contenant un nom vers un autre emplacement, Excel ne met pas cette référence à jour. Autrement dit, la plage concernée ne bouge pas. Voyez plus loin la section "Copier des formules entre cellules".

Faire référence à des cellules dans d'autres feuilles de calcul

Excel vous permet d'utiliser dans une formule des données provenant d'autres feuilles de calcul. Si, par exemple, vos ventes mensuelles sont enregistrées dans des feuilles séparées, vous pouvez parfaitement totaliser tout cela dans un bilan annuel distinct. On appelle parfois cela une *référence 3D*.

Commencez à construire votre formule tout à fait normalement. Lorsque vous avez besoin d'accéder à une cellule ou à une plage de cellules dans une autre feuille, cliquez en bas de la fenêtre sur son onglet. Effectuez alors votre sélection. Si vous en avez terminé, appuyez sur Entrée pour clôturer la saisie. Vous revenez à la feuille d'origine et vous pouvez y voir le résultat produit par votre formule. Sinon, vous pouvez entrer un opérateur, puis cliquer sur l'onglet d'une feuille afin de choisir une autre cellule.

Lorsque vous créer des ponts entre feuilles dans vos formules, vous devez bien faire attention à la syntaxe employée. Jetez un coup d'œil dans la barre de formule. Une référence externe se signale par le nom de la feuille, un point d'interrogation, puis l'adresse de la cellule ou de la plage elle-même (ou bien son nom). Par exemple, la formule ci-dessous additionne le contenu de la cellule A4 de la feuille courante avec celui des cellules D5 et E5 de la feuille appelée Feuil2 :

```
=A4+Feuil2!D5+Feuil2!E5
```

Dans la formule qui suit, la valeur de la cellule E18 (dans la feuille active) est multipliée par celle de la cellule C15 (provenant de la feuille appelée Feuil1) :

```
=E18*Feuil1!C15
```

Enfin, cette dernière formule calcule la moyenne de la plage C7:F7 de Feuil1 et place le résultat dans la feuille courante :

```
=MOYENNE(Feuil1!C7:F7)
```

Copier des formules entre cellules

Il est courant d'utiliser dans une feuille de calcul une formule construite sur le même modèle, mais dans laquelle les références aux cellules varient. Prenons l'exemple de la Figure 16.8. Dans la colonne H, nous voulons totaliser les valeurs des colonnes D à G. Vous pourriez écrire cette somme dans la cellule H9 pour la ligne 9, recommencer en H10 pour la ligne 10, et ainsi de suite. Voilà qui serait très laborieux. Mais il y a bien mieux à faire. Entrez la formule voulue dans la première cellule de total (donc en H9 dans cet exemple). Copiez ensuite cette formule dans la plage H10:H12 (pour s'en tenir toujours à notre exemple).

H9 | fx =D9+E9+F9+G9

Pluviosité par ville

	Hiver	Printemps	Eté	Automne	Total
Paris	13	8,3	2,3	8,2	31,8
Strasbourg	11,5	7,6	3,1	7,5	
Marseille	10,9	9,7	1,1	3,3	
Toulouse	10,1	8,4	2,3	4,4	
Lille	15,8	12,9	2,9	8,3	

Faites glisser la poignée de recopie

Figure 16.8 : Copier une formule.

Lorsque vous copiez une formule vers une nouvelle cellule, Excel ajuste les références qu'elle contient de manière à en conserver la cohérence (par exemple, la troisième cellule en partant de la droite restera la troisième cellule en partant de la droite, quel que soit l'emplacement). Magique ! N'hésitez pas à multiplier les expériences. Vous comprendrez vite que le procédé le plus rapide et le plus sûr pour entrer des formules, c'est de les copier.

Pour copier une formule :

1. **Sélectionnez la (ou les) cellule(s) que vous voulez copier.**
2. **Faites glisser la poignée de recopie jusqu'à ce que la plage de destination soit sélectionnée (comme sur la Figure 16.8).**

   +

   La poignée de recopie est la même que celle que vous utilisez pour entrer les listes et des séries de données (voir à ce sujet le Chapitre 14 du Livret IV). Il s'agit de la petite croix noire qui s'affiche quand le pointeur se trouve dans le coin inférieur droit de la cellule. La Figure 16.8 montre une formule en train d'être recopiée.
3. **Relâchez le bouton de la souris.**

   Cliquez dans les cellules où la formule vient d'être dupliquée. Vérifiez dans la barre de formule que la transposition a été correctement réalisée.

Travailler avec les fonctions

Une *fonction* est une formule directement incorporée dans Excel. Celui-ci en propose littéralement des centaines, dont certaines sont extrêmement obscures. Peut-être ont-elles été ajoutées à la demande de scientifiques spécialisés dans le domaine des ondes hyperspatiales, à moins que ce ne soit une exigence des services de sécurité. Par contre, d'autres fonctions sont très pratiques. Par exemple, SOMME vous permet de calculer très rapidement le total des nombres contenus dans une plage de cellules. Au lieu de taper dans la barre de formule quelque chose comme **=C1+C2+C3+C4...+C895**, vous entrez directement **=SOMME(C1:C895)**. C'est mieux. De même, vous pouvez multiplier une série de valeurs, puis appliquer au résultat un certain coefficient en écrivant par exemple : **=PRODUIT(G11:G17;0,6)**.

Le Tableau 16.2 décrit les fonctions les plus courantes.

Une fonction prend un ou plusieurs *arguments*. Il s'agit des nombres ou des références de cellules dont la fonction se sert pour effectuer ses opérations. Par exemple, la formule **=MOYENNE(B1:B4)** évalue la moyenne des valeurs contenues dans la plage de cellules allant de B1 à B4. Lorsqu'une fonction a besoin de plusieurs arguments, vous devez les séparer par un point-virgule.

fx

Pour vous faire une idée de la quantité de fonctions intégrées à Excel, cliquez dans la barre de formule sur le bouton Insérer une fonction. Vous allez voir apparaître la boîte de dialogue illustrée sur la Figure 16.9. Choisissez une catégorie, cliquez sur un nom de fonction et lisez la description correspondante. Servez-vous du lien Aide sur cette fonction pour obtenir davantage d'explications sur sa syntaxe et son utilisation.

Tableau 16.2 : Quelques fonctions courantes sous Excel.

Fonction	Retourne
MOYENNE(*nombre1;nombre2;...*)	La moyenne d'une suite de nombres ou des cellules spécifiées en argument.
NB(*valeur1;valeur2;...*)	Détermine combien de cellules contiennent les nombres fournis en argument.
MAX(*nombre1;nombre2;...*)	La plus grande valeur parmi celles qui sont fournies en argument.
MIN(*nombre1;nombre2;...*)	La plus petite valeur parmi celles qui sont fournies en argument.
PRODUIT(*nombre1;nombre2;...*)	Le produit des nombres ou des cellules spécifiées en argument.
STDEVA(*valeur1;valeur2;...*)	Une estimation de l'écart type à partir de l'échantillon de population fourni en argument.
STDEVPA(*valeur1;valeur2;...*)	Une estimation de l'écart type à partir d'une population entière fournie en argument.
SOMME(*nombre1;nombre2;...*)	Le somme des nombres ou des cellules spécifiées en argument.
VAR(*valeur1;valeur2;...*)	Une estimation de la variance à partir de l'échantillon de population fourni en argument.
VAR.P(*valeur1;valeur2;...*)	Une estimation de la variance à partir d'une population entière fournie en argument.

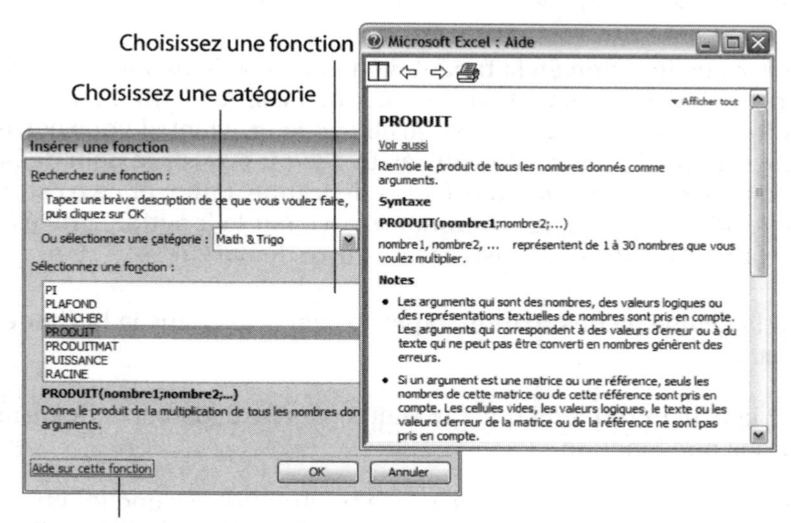

Figure 16.9 : La boîte de dialogue Insérer une fonction.

Entrer manuellement une fonction dans une formule

Si vous connaissez bien une fonction, vous pouvez l'entrer vous-même dans la barre de formule avec le reste de celle-ci. N'oubliez pas les parenthèses autour du ou des arguments. N'ajoutez surtout pas d'espace entre le nom de la fonction et la première parenthèse. Et surtout, surtout, commencez bien votre formule par le signe égal (=). Sinon, Excel "pensera" que vous voulez entrer du texte.

Vous pouvez saisir les noms des fonctions en minuscules. Excel les convertira en majuscules dès que vous validerez la formule en appuyant sur Entrée. L'utilisation des minuscules est en fait recommandée. Si le nom n'est pas converti en majuscules, c'est qu'Excel ne l'a pas reconnu, et donc que vous avez fait une faute de frappe !

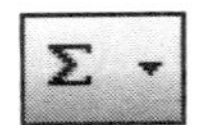

Pour additionner rapidement les valeurs contenues dans une suite de cellules, cliquez sur celle où vous voulez placer le total (généralement sous la plage ou à droite de celle-ci). Cliquez ensuite dans la barre d'outils Standard sur le bouton Somme automatique. Excel va entourer la plage qu'il détecte d'une colonne de "fourmis marchantes". Si vous êtes en accord avec lui, appuyez tout de suite sur Entrée. Dans le cas contraire, sélectionnez la bonne plage et appuyez sur Entrée. En cliquant sur la flèche qui suit le bouton Somme automatique, vous pouvez calculer de la même manière une moyenne, un compteur, un maximum ou un minimum.

Entrer une fonction avec l'aide d'Excel

Au lieu d'entrer une fonction en la tapant, vous pouvez demander de l'aide à Excel via la boîte de dialogue Arguments de la fonction (voir la Figure 16.10). Ce qui est bien avec cette boîte de dialogue, c'est qu'elle vous prévient si vous entrez des arguments incorrects. De plus, elle vous évite d'avoir à saisir le nom de la fonction, et par conséquent elle vous évite des fautes de frappe. Enfin, et ce n'est pas le moins important, elle affiche le résultat courant renvoyé par la fonction, grâce à quoi vous pouvez vous faire une idée de la justesse de votre démarche.

Cliquez dans la cellule de destination, tapez le signe égal dans la barre de formule, puis, au choix :

- ✦ Ouvrez la liste déroulante qui apparaît à gauche de la barre de formule et choisissez une fonction.
- ✦ Cliquez dans la barre de formule sur le bouton Insérer une fonction. Dans la boîte de dialogue qui s'affiche, choisissez la fonction voulue et cliquez sur OK.

Entrez vos arguments dans les champs fournis en haut de la boîte de dialogue. Si nécessaire, vous pouvez cliquer ou sélectionner des cellules dans la feuille. Il suffit pour cela de cliquer sur le bouton qui se trouve à droite d'un champ. La boîte de

dialogue est alors rétrécie et vous pouvez parcourir votre feuille sans être gêné. Cliquez sur OK lorsque vous êtes satisfait de vos arguments.

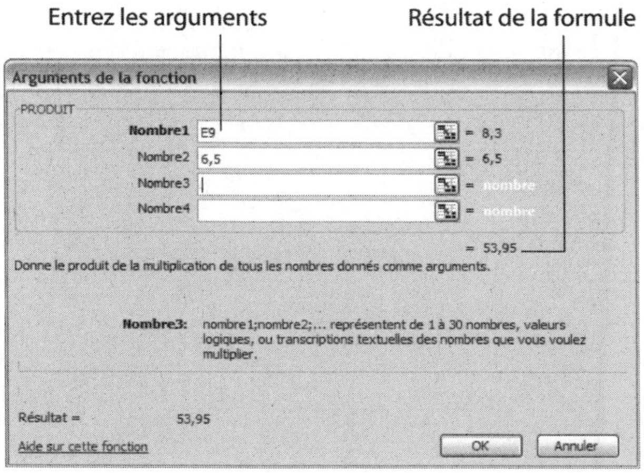

Entrez les arguments

Résultat de la formule

Figure 16.10 : La boîte de dialogue Arguments de la fonction.

Chapitre 17
Rendre une feuille plus facile à lire et à comprendre

Dans ce chapitre :

- Aligner les nombres et le texte.
- Changer la taille des lignes et des colonnes.
- Appliquer de la couleur.
- Dessiner des bordures autour des cellules et des titres.
- Ajuster les feuilles à la page.
- Imprimer une feuille de calcul.

Ce chapitre, court mais vigoureux, vous explique comment mettre des habits du dimanche à une feuille de calcul avant de l'imprimer ou de la présenter à d'autres personnes. Il vous montre comment aligner le texte et les nombres, comment insérer ou supprimer des lignes et des colonnes, et comment ajuster la taille de celles-ci. Vous apprendrez aussi à ajouter de la couleur et des encadrements. Enfin, vous vous initierez aux joies de l'impression, qu'il s'agisse de faire tenir une feuille sur une seule page ou encore de répéter les titres des lignes et des colonnes sur chaque feuille de papier.

Mettre une feuille en forme

Bien présenter une feuille de calcul, c'est une question de respect personnel et une nécessité pour bien présenter vos travaux lorsqu'ils sont imprimés. Vous disposez de multiples méthodes pour rendre vos feuilles de calcul plus simples à lire et à comprendre. Vous pouvez changer les polices de caractères, encadrer et/ou ombrer les cellules les plus importantes, formater les nombres pour que tout le monde comprenne par exemple qu'il s'agit de pourcentages ou d'argent. Bref, vos feuilles de calcul n'ont aucune raison d'être ternes et solennelles. Voyons donc comment mettre la forme au service du fond.

Aligner texte et nombres dans les lignes et les colonnes

Par défaut, les nombres sont alignés à droite dans les cellules. Le texte, lui, est aligné à gauche. Tous deux sont placés en bas des cellules. Mais vous pouvez parfaitement changer tout cela. Vous pouvez par exemple faire flotter les données en haut des cellules, les centrer, les justifier et ainsi de suite.

Avant tout, vous devez sélectionner la ou les cellules dont vous voulez changer la disposition. Suivez ensuite ces instructions :

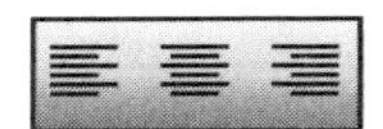

✦ **Changer l'alignement horizontal :** Cliquez sur l'un des boutons Aligné à gauche/Au centre/ Aligné à droite de la barre d'outils Mise en forme (voir la Figure 17.1). Vous pouvez aussi choisir dans le menu Format la commande Cellule, activer l'onglet Alignement, et sélectionner une option dans la liste déroulante Horizontal.

Figure 17.1 : Alignement à gauche, au centre et à droite.

A gauche	Au centre	A droite

✦ **Changer l'alignement vertical :** Ouvrez le menu Format et choisissez la commande Cellule. Dans la boîte de dialogue Format de cellule, activez l'onglet Alignement. Choisissez alors une disposition dans la liste déroulante Vertical. Avec l'option Distribuer, vous ajusterez la hauteur des cellules pour qu'elles affichent la totalité de leur contenu en répartissant si nécessaire celui-ci sur plusieurs lignes (voir la Figure 17.2).

Figure 17.2 : Alignement vertical dans les cellules.

En haut	Au centre	En bas
	Cette cellule est distribuée	

✦ **Réorienter les cellules :** Ouvrez le menu Format et choisissez la commande Cellule. Dans la boîte de dialogue Format de cellule, activez l'onglet Alignement. Faites alors glisser le petit curseur rouge dans la zone Orientation ou entrez directement un angle en degrés (voir la Figure 17.3).

Recettes		Prévisions	Réalisé	Ecart
	Adhésions	500,00	450,00	-50,00
	Produit des ventes	850,00	925,00	75,00
	Concours de pêche	1230,00	890,00	-340,00
	Fêtes et manifestations	1020,00	1745,00	725,00
	Intérêts bancaires	50,00	34,00	-16,00
Total des recettes		3 650,00 €	4 044,00 €	394,00 €

Figure 17.3 : Changer l'orientation des titres.

Fusionner et centrer le texte sur plusieurs cellules

Dans l'illustration ci-dessous, vous voyez un titre centré sur une largeur de quatre cellules. Normalement, il est aligné à gauche et peut éventuellement déborder sur les cellules de droite. Si vous voulez répartir un titre sur plusieurs cellules à la fois, cliquez dessus et faites glisser la souris de façon à sélectionner la largeur dont vous avez besoin. Cliquez ensuite dans la barre d'outils Mise en forme sur le bouton Fusionner et centrer.

	A	B	C	D	E	F
1						
2		Les Amis de la Pêche à la Ligne				
3						
4	**Recettes**		**Prévisions**	**Réalisé**	**Ecart**	
5		Adhésions	500,00	450,00	-50,00	
6		Produit des ventes	850,00	925,00	75,00	
7		Concours de pêche	1230,00	890,00	-340,00	
8		Fêtes et manifestations	1020,00	1745,00	725,00	
9		Intérêts bancaires	50,00	34,00	-16,00	
10	**Total des recettes**		3 650,00 €	4 044,00 €	394,00 €	
11						

Comme vous pouvez le constater, les cellules sont effectivement fusionnées pour n'en former qu'une seule. Dans notre exemple, la plage B2:F2 devient donc B2.

Pour "défusionner" les cellules du titre, cliquez sur celui-ci puis ouvrez la boîte de dialogue Format de cellule. Sous l'onglet Alignement, désactivez l'option Fusionner les cellules. Celles-ci retrouvent leur état normal, tandis que le titre reste centré.

Changer l'orientation du texte dans des cellules apporte une réponse élégante quand un tableau devient trop large. En général, les nombres occupent une place restreinte (surtout si c'est votre budget que vous calculez sous Excel), tandis que les textes sont fréquemment plus longs. Changer l'orientation d'une ligne de titres vous permet de diminuer la largeur des colonnes, et donc de faire tenir plus facilement un tableau sur une page.

Insérer et supprimer des lignes et des colonnes

Il est très courant de devoir insérer de nouvelles lignes ou de nouvelles colonnes, ou encore d'avoir à en supprimer certaines parce qu'elles n'ont plus d'utilité. Avant tout, assurez-vous que vous n'effacerez pas en même temps des données dont vous avez besoin. Si tout va bien, voici comment procéder :

✦ **Supprimer des lignes ou des colonnes :** Cliquez sur l'en-tête de la colonne ou sur le numéro de la ligne. Faites glisser si nécessaire pour étendre votre sélection. Cliquez ensuite sur le bouton droit de la souris et choisissez la commande Supprimer. Si vous voulez simplement nettoyer le contenu des cellules sans pour autant détruire les lignes ou les colonnes, choisissez la commande Effacer le contenu (ou appuyez sur la touche Suppr).

En supprimant des lignes ou des colonnes, les suivantes seront décalées vers le haut ou vers la gauche et leurs formules seront automatiquement mises à jour. En effaçant leur contenu, les lignes et les colonnes qui suivent ne sont pas modifiées.

✦ **Insérer des lignes :** Cliquez sur un numéro de ligne avec le bouton droit de la souris. Dans le menu contextuel, choisissez la commande Insertion (ou bien ouvrez le menu Insertion et cliquez sur Lignes). La nouvelle ligne vient s'intercaler *au-dessus* de la position courante.

✦ **Insérer des colonnes :** Cliquez sur un en-tête de colonne avec le bouton droit de la souris. Dans le menu contextuel, choisissez la commande Insertion (ou bien ouvrez le menu Insertion et cliquez sur Colonnes). La nouvelle colonne vient s'intercaler *à gauche* de la position courante.

Après avoir ajouté des lignes ou des colonnes, le bouton Options d'insertion apparaît. Si vous le souhaitez, cliquez dessus et choisissez dans son menu une option afin de donner ou non à la nouvelle rangée le même format que sa voisine.

Pour insérer d'un coup plusieurs lignes ou plusieurs colonnes, cliquez dans un en-tête et faites glisser la souris afin de sélectionner le nombre de rangées à ajouter. Appliquez ensuite la commande Insertion.

Changer la largeur des colonnes et la hauteur des lignes

Par défaut, les colonnes ont une largeur de 10,71 caractères. Pour les élargir, vous devrez procéder manuellement. Les lignes ont par défaut une hauteur de 12,75 points, mais Excel les met à jour de lui-même si vous entrez du texte ou des nombres plus grands. Pour les curieux, notons que 72 points valent un pouce, soit 2,54 cm. Pas simples, les Anglo-Saxons.

Si vous voulez changer la hauteur des lignes :

- **Une ligne à la fois :** Déplacez le pointeur de la souris sur le trait qui sépare la ligne à ajuster de sa plus proche voisine. Quand le pointeur prend la forme d'une double flèche, faites glisser vers le haut ou vers le bas. La hauteur courante va s'afficher dans une petite bulle. Il est aussi possible de faire un double clic sur le trait de séparation pour adapter la ligne à sa cellule la plus haute.
- **Plusieurs lignes à la fois :** Sélectionnez les lignes voulues. Choisissez dans le menu Format l'option Ligne, puis la commande Hauteur. Vous pouvez aussi cliquer avec le bouton droit de la souris et choisir Hauteur de ligne dans le menu. Dans la boîte de dialogue qui apparaît, indiquez la hauteur voulue.

Si vous voulez changer la largeur des colonnes :

- **Une colonne à la fois :** Déplacez le pointeur le souris sur le trait qui sépare la colonne à ajuster de sa plus proche voisine. Quand le pointeur prend la forme d'une double flèche, faites glisser vers la gauche ou vers la droite. La largeur courante va s'afficher dans une petite bulle. Il est aussi possible de faire un double clic sur le trait de séparation pour adapter la colonne à sa cellule la plus large.
- **Plusieurs colonnes à la fois :** Sélectionnez les colonnes voulues. Choisissez dans le menu Format l'option Colonne, puis la commande Largeur. Vous pouvez aussi cliquer avec le bouton droit de la souris et choisir Largeur de colonne dans le menu. Dans la boîte de dialogue qui apparaît, indiquez la largeur voulue.

Si vous voulez ajuster lignes ou colonnes à leur contenu, vous pouvez aussi (une fois la sélection réalisée) ouvrir le menu Format. Choisissez alors Ligne ou Colonne, selon le cas, puis la commande Ajustement automatique. C'est simple, souple et rapide.

Décorer une feuille de calcul à l'aide de couleurs et de bordures

Le quadrillage qui délimite les cellules n'est qu'une aide apportée par Excel pour faciliter votre travail et vos repérages. Ce quadrillage n'est (normalement) pas imprimé. Il est donc absolument nécessaire de mettre vous-même en valeur et en évidence vos données en dessinant des bordures, c'est-à-dire des encadrements. Ces bordures permettront d'attirer l'attention du lecteur sur les parties les plus importantes de la feuille de calcul : totaux, titres des colonnes, intitulés des lignes, etc. Vous pouvez aussi faire appel à des couleurs pour atteindre cet objectif.

L'essentiel de ce travail de présentation peut s'effectuer à partir de la barre d'outils Mise en forme. Pour le reste, vous disposez de la barre d'outils Dessin. Vous remarquerez qu'elle est totalement identique à celle dont vous disposez dans Word ou dans PowerPoint. Ce qui est bien pratique.

Choisir une mise en forme automatique

Avant de vous lancer dans des travaux de peinture et de décoration, regardez si une des mises en formes prédéfinies d'Excel ne suffirait pas à votre bonheur. Le programme vous en propose dix-neuf. Les essayer ne vous prendra que quelques secondes. Et si le résultat ne vous plaît pas, annulez-le. Sans rancune !

Pour appliquer un format prédéfini, commencez par sélectionner la plage de cellules concernée. Ouvrez ensuite le menu Format et choisissez la commande Mise en forme automatique. La boîte de dialogue qui va s'afficher est illustrée sur la Figure 17.4. Faites défiler les formats automatiques et sélectionnez un modèle qui semble vous convenir. En cliquant sur le bouton Options, vous pourrez de plus spécifier à quels types d'éléments la mise en forme doit s'appliquer.

Donner des couleurs à la feuille

Sélectionnez les cellules que vous voulez peindre, puis essayez l'une des techniques suivantes :

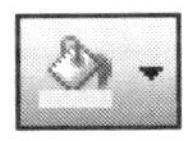

- ✦ Cliquez sur la flèche qui suit le bouton Couleur de remplissage. Choisissez une teinte ou cliquez sur l'option Aucun remplissage.
- ✦ Dans le menu Format, choisissez la commande Cellule. Activez l'onglet Motifs. Choisissez une couleur et/ou un tramage.

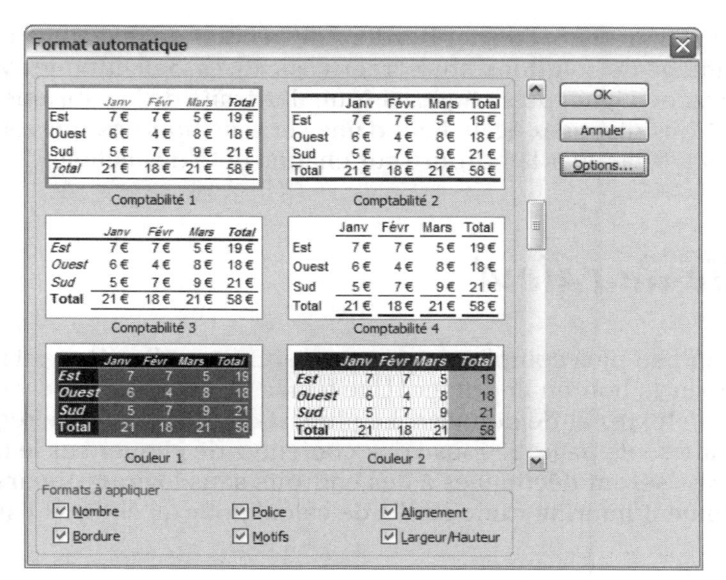

Figure 17.4 : La boîte de dialogue Mise en forme automatique.

Encadrer les cellules

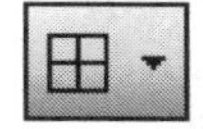

Commencez par sélectionner les cellules que vous voulez encadrer. Cliquez ensuite sur la flèche qui suit le bouton Bordures, dans la barre d'outils Mise en forme. Choisissez un motif dans le menu qui apparaît. En général, plusieurs essais sont nécessaires avant de trouver la bonne formule. N'hésitez donc pas à jouer de la commande Annuler si le résultat ne vous convient pas. Inversement vous pouvez reproduire un encadrement en opérant une nouvelle sélection puis en appuyant sur la touche F4.

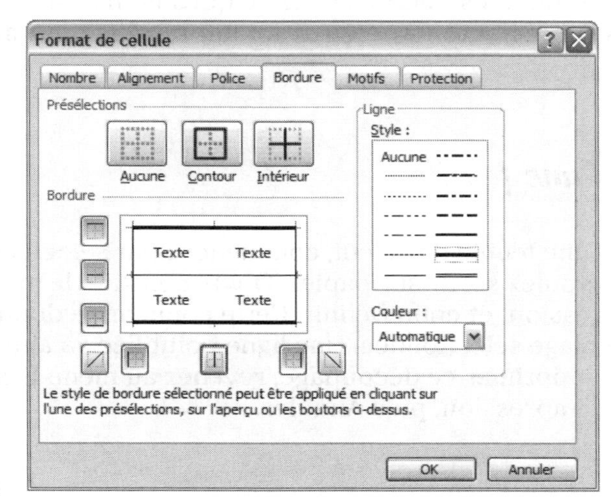

Figure 17.5 : L'onglet Bordure de la boîte de dialogue Format de cellule.

Comme l'illustre la Figure 17.5, l'onglet Bordure de la boîte de dialogue Format de cellule offre davantage de solutions pour créer vos cadres. Sélectionnez-y une épaisseur dans la zone Ligne, puis cliquez sur un des traits de la rubrique Bordure pour l'appliquer. Vous disposez également d'une série de boutons qui vous permettent d'activer ou de désactiver la bordure sur chaque côté des cellules.

Imprimer une feuille de calcul

Le problème est un peu plus compliqué qu'avec d'autres applications : il ne suffit pas ici de cliquer sur le bouton Imprimer ! Une feuille de calcul est une vaste mosaïque de formules, de textes et de données. La plupart du temps, elle ne rentre pas facilement dans une seule page. Si vous vous contentez de cliquer sur le bouton Imprimer, vos pages seront découpées à des endroits sans logique apparente. Voyons donc comment imprimer une feuille de calcul pour qu'elle soit lisible et compréhensible.

Ajuster une feuille de calcul à la page

Sauf indication contraire de votre part, Excel imprime tout le contenu d'une feuille de calcul, de la cellule A1 jusqu'à la dernière contenant des données, en allant vers l'angle sud-est. En règle générale, il n'est pas indispensable de tout éditer, d'une part parce qu'il y a un certain nombre de cellules vides qui n'apportent rien à la compréhension de la version papier, et d'autre part parce que les changements de page vont s'effectuer d'une façon purement technique, sans cohérence avec les données elles-mêmes. Essayons donc de découvrir l'art et la manière de répartir soigneusement une feuille de calcul sur une ou deux pages.

Tout en expérimentant les techniques décrites dans ce qui suit, n'hésitez pas à cliquer de temps en temps sur le bouton Aperçu avant impression pour mieux juger du résultat final.

Imprimer une partie d'une feuille

Pour imprimer une partie d'une feuille de calcul, commencez par sélectionner la plage de données que vous voulez sortir sur papier. Ouvrez ensuite le menu Fichier, puis choisissez Zone d'impression, et enfin Définir. Cette commande donne l'ordre à Excel de n'imprimer que la plage sélectionnée. Une ligne pointillée va apparaître autour de cette zone. Pour supprimer ce découpage, revenez au menu Fichier. Choisissez cette fois Zone d'impression, puis Annuler.

Ajuster les sauts de page

Lire une feuille de calcul est extrêmement difficile lorsqu'elle est découpée maladroitement sur le bord des pages. Pour décider vous-même de l'emplacement de ces coupures, choisissez dans le menu Affichage la commande Aperçu des sauts de page. Comme l'illustre la Figure 17.6, cette vue montre non seulement l'emplacement des sauts de page (toujours avec des lignes pointillées), mais aussi le nombre et la pagination des feuilles de papier.

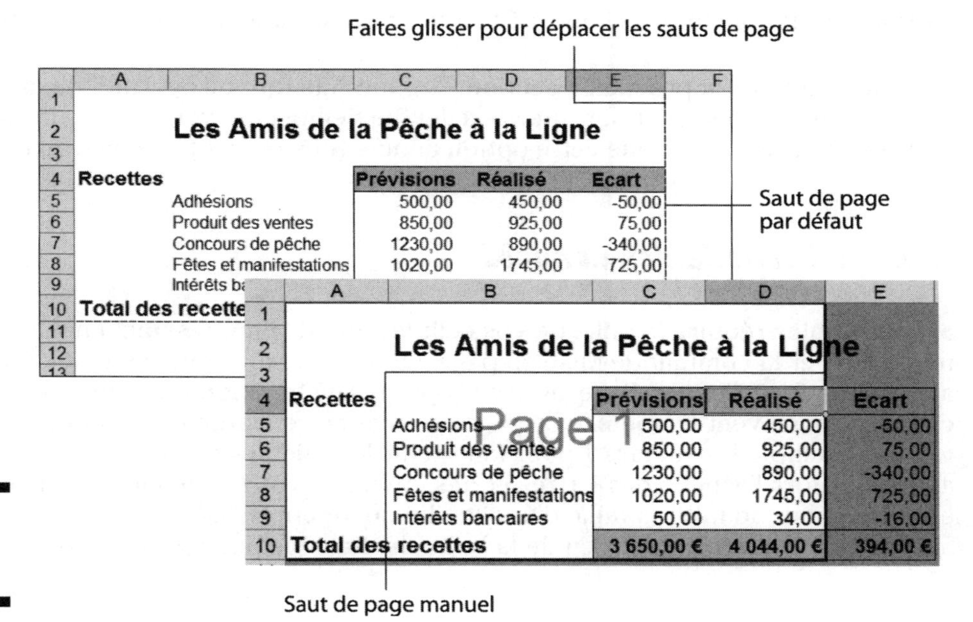

Figure 17.6 : Positionner les sauts de page.

Voyons ce que vous avez besoin de savoir sur ces sauts de page :

- **Changer la position des sauts de page :** Dans le mode Aperçu des sauts de page, faites glisser une ligne pointillée pour ajuster la position d'une coupure. Cette dernière devient un saut de page manuel marqué d'un trait bleu continu (que vous pouvez d'ailleurs continuer à faire glisser vers un autre emplacement). Excel ajustera s'il le faut l'échelle de vos cellules pour qu'elles tiennent sur la page.

- **Ajouter un saut de page :** Sélectionnez la cellule située exactement sous et à droite de la position où vous voulez ajouter un saut de page. Ouvrez ensuite le menu Insertion et choisissez la commande Saut de page. Si nécessaire, faites glisser la ligne du saut de page manuel pour affiner sa position.

✦ **Supprimer des sauts de page manuels :** Sélectionnez une cellule immédiatement à droite, ou en dessous, du saut, puis choisissez dans le menu Insertion la commande Supprimer le saut de page. Pour revenir à un découpage automatique, appuyez sur Ctrl+A afin de sélectionner l'ensemble de la feuille. Ouvrez ensuite le menu Insertion et choisissez cette fois la commande Rétablir tous les sauts de page.

Pour revenir à une vie standard, choisissez dans le menu Affichage la commande Normal. Les sauts de page apparaissent alors sous la forme d'une ligne pointillée. Si vous voulez désactiver la visualisation de ce marquage, ouvrez la boîte de dialogue Options. Sous l'onglet Affichage, désactivez la case Sauts de page et validez.

Comme l'explique la prochaine section, l'option Ajuster vous permet de modifier l'échelle de l'impression pour que votre feuille tienne par exemple sur une seule page. Mais vous devez savoir que cette option annule tous les sauts de page manuels.

Réduire l'échelle des données

Si vous voulez réduire la taille de vos cellules lors de l'impression, choisissez dans le menu Fichier la commande Mise en page. La boîte de dialogue de même nom va apparaître. Sous l'onglet Page, activez l'option Ajuster. Indiquez dans les deux champs qui suivent le nombre de pages souhaitées en largeur et en hauteur. Conservez par exemple les valeurs 1 pour faire tenir le tableau sur une seule page. Excel adaptera alors l'échelle des lettres et des chiffres à votre demande. Ce mode est excellent pour adapter la taille d'une feuille qui déborde légèrement de la page. Servez-vous du bouton Aperçu de la boîte de dialogue pour prévisualiser le résultat.

Imprimer une feuille en longueur

Si votre fenêtre est trop large pour tenir sur une page, vous pouvez essayer de pivoter la direction de l'impression pour l'orienter dans le sens de la hauteur. C'est ce que l'on appelle le mode *paysage*.

Dans le menu Fichier, choisissez la commande Mise en page. Dans la boîte de dialogue qui apparaît, activez l'onglet Page. Cliquez sur le bouton d'option Paysage. Cliquez ensuite sur Aperçu ou validez directement.

Ajuster les marges

Une autre méthode permettant de faire tenir des données sur une seule page consiste à modifier la largeur des marges. Pour cela :

- Choisissez dans le menu Fichier la commande Mise en Page. Dans la boîte de dialogue correspondante, activez l'onglet Marges. Changez la taille de ces marges dans la fenêtre et validez.
- Cliquez sur le bouton Aperçu avant impression. Dans la fenêtre d'aperçu, cliquez sur le bouton Marges si les lignes pointillées qui les représentent ne sont pas affichées. Il vous suffit alors de cliquer sur ces lignes et de les faire glisser pour redimensionner visuellement les marges.

Rendre une feuille de calcul plus présentable

Avant d'imprimer une feuille de calcul, visitez la boîte de dialogue Mise en page (à partir du menu Fichier) et voyez si vous pouvez rendre le résultat plus facile à lire et à comprendre. Vous disposez notamment des options suivantes :

- **Insérer des numéros de page :** Dans l'onglet Page de la boîte de dialogue, entrez 1 dans le champ intitulé Commencer la numérotation à. Activez ensuite l'onglet En-tête/Pied de page. Choisissez dans une des listes En-tête ou Pied de page une option de pagination (par exemple : *Page 1 de ?*).
- **Définir en-tête et pied de page :** Sous l'onglet En-tête/Pied de page de la boîte de dialogue Mise en page, choisissez une option dans la liste En-tête et/ou dans la liste Pied de page. A partir des choix que vous propose Excel, vous pouvez imprimer le nom du fichier, les numéros des pages, la date ou encore votre nom. Si cela ne vous suffit pas, vous disposez des boutons En-tête personnalisé et Pied de page personnalisé. La nouvelle fenêtre qui apparaît vous permet de définir un contenu spécifique sur les côtés et le centre de la page (voir la Figure 17.7).
- **Centrer les données sur la page :** Sous l'onglet Marges, cochez Horizontalement pour centrer le tableau entre les marges gauche et droite, Verticalement pour le centrer dans le sens de la hauteur, ou les deux. Si vous le souhaitez, vérifiez le résultat en cliquant sur le bouton Aperçu.
- **Imprimer le quadrillage, les noms des colonnes et les numéros des lignes :** Par défaut, ces éléments si utiles pour se repérer dans une feuille de calcul ne sont pas imprimés. Si vous êtes d'un avis contraire, activez l'onglet Feuille de la boîte de dialogue Mise en page. Cochez alors au choix l'une des cases Quadrillage ou En-têtes de ligne et de colonne (ou les deux).

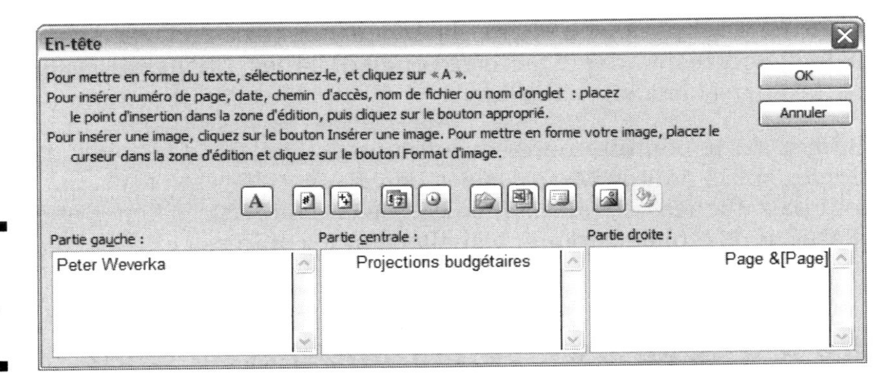

Figure 17.7 : Construire un en-tête personnalisé.

Répéter des titres sur chaque page

Si votre feuille ne peut être imprimée que sur plusieurs pages, il serait souhaitable d'aider vos lecteurs en répétant sur chaque feuillet les titres que vous avez donnés à vos colonnes ainsi qu'à vos lignes. Sans cela, personne ne sera capable de comprendre ce que signifient les données de la feuille de calcul. Pour obtenir ce résultat, suivez la procédure ci-dessous :

1. **Dans le menu Fichier, choisissez la commande Mise en page.**

   La boîte de dialogue Mise en page va apparaître.

2. **Activez l'onglet Feuille.**

3. **Pour reproduire sur chaque page une ou plusieurs lignes, cliquez sur le bouton qui suit le champ Lignes à répéter en haut. De même, pour reproduire sur chaque page une ou plusieurs colonnes, cliquez sur le bouton qui suit le champ Colonnes à répéter à gauche.**

   La boîte de dialogue est réduite à sa plus simple expression pour vous permettre de mieux voir votre feuille de calcul.

4. **Sélectionnez la ligne ou la colonne contenant les titres que vous voulez répéter.**

   Il est parfaitement possible de sélectionner d'un coup plusieurs lignes ou colonnes adjacentes.

5. **Cliquez sur le bouton situé à droite de la petite fenêtre Mise en page. Vous revenez à la boîte de dialogue normale.**

Le champ Ligne/Colonne à répéter contient maintenant l'adresse de la plage de cellules que vous venez de définir.

6. **Si vous avez spécifié une ou des lignes à répéter, recommencez la procédure pour les colonnes (et inversement).**

7. **Cliquez sur OK pour refermer la boîte de dialogue Mise en page.**

   Servez-vous du bouton Aperçu avant impression afin de vérifier que les titres sélectionnés sont effectivement reproduits de page en page.

Pour annuler cette répétition, revenez à la boîte de dialogue Mise en page. Effacez alors sous l'onglet Feuille le contenu des champs Lignes à répéter en haut et Colonnes à répéter à gauche. Vous pouvez également appuyer sur Ctrl+F3, puis cliquer successivement sur le nom Impression_des_titres et sur le bouton Supprimer.

Chapitre 18

Transformer les données en graphiques

Dans ce chapitre :

- Créer des graphiques à l'aide de l'assistant.
- Modifier le type et le contenu d'un graphique.
- Personnaliser l'apparence d'un graphique.

Pour impressionner les gens, un graphique est beaucoup plus efficace que des séries de données. Excel rend très, très facile la création de graphiques. Tout ce que vous avez à faire, c'est de sélectionner une plage et de choisir quelques options. Et si le résultat ne vous plaît pas, il vous suffit de sélectionner un autre style de graphique. Vous pouvez même ajouter des décorations qui sortent de l'ordinaire.

Ce chapitre vous explique donc comment créer un graphique et comment le personnaliser grâce aux outils que vous offre Excel.

Construire des graphiques à partir de vos données

Croyez-moi : créer un graphique est bien plus facile que vous ne le pensez. C'est comme une peinture par numéro : vous êtes guidé pas à pas. Visite guidée.

Créer un graphique à l'aide de l'assistant

La Figure 18.1 montre un tableau de données (très simple au demeurant) et un graphique en histogramme réalisé à partir de ces valeurs. Grâce à l'Assistant Graphique, il m'a suffi de quelques instants pour atteindre ce résultat. Au fur et à mesure que vous complétez les boîtes de dialogue de l'assistant, vous voyez votre graphique prendre forme. Et vous pouvez toujours revenir à ces boîtes de dialogue pour éditer le graphique. C'est ce que nous allons ici étudier en détail.

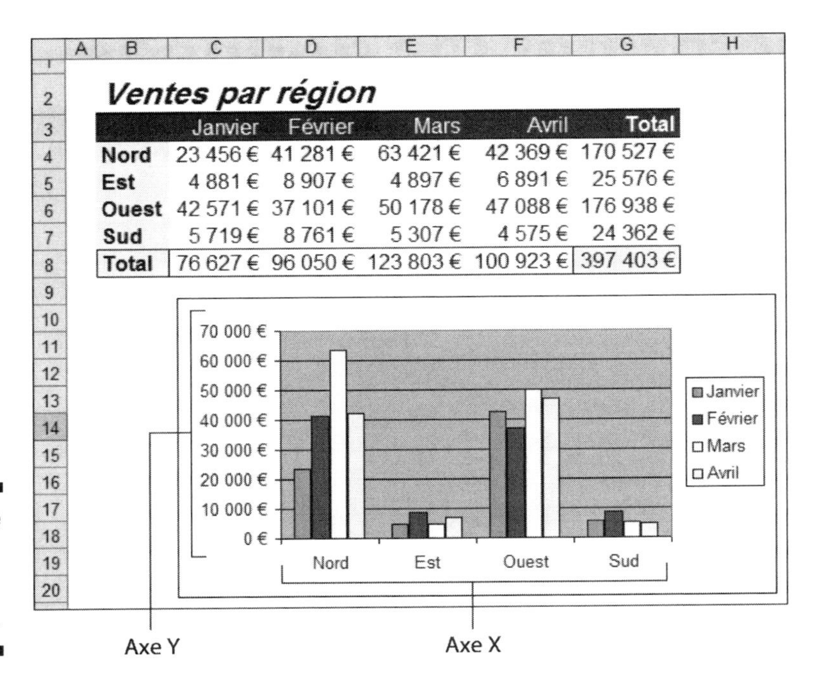

Ventes par région

	Janvier	Février	Mars	Avril	Total
Nord	23 456 €	41 281 €	63 421 €	42 369 €	170 527 €
Est	4 881 €	8 907 €	4 897 €	6 891 €	25 576 €
Ouest	42 571 €	37 101 €	50 178 €	47 088 €	176 938 €
Sud	5 719 €	8 761 €	5 307 €	4 575 €	24 362 €
Total	76 627 €	96 050 €	123 803 €	100 923 €	397 403 €

Figure 18.1 : Une feuille de calcul et un graphique obtenu à partir de ses données.

Voici comment créer un graphique :

1. **Sélectionnez les données à utiliser dans le graphique.**

   Ne sélectionnez pas par exemple une ligne ou une colonne de totaux (sur l'exemple de la Figure 18.1, il faut donc exclure la dernière ligne et la dernière colonne). Le but d'un graphique est de comparer et de mettre en valeur des données ayant exactement la même nature. Inclure un total se traduirait par une vision irréaliste des choses, puisque, par définition, il s'agit d'une valeur nettement supérieure à chacune de ses composantes. Non seulement la comparaison ne serait pas fondée, mais vous risqueriez en plus d'obtenir une immense barre, écrasant toutes les autres de sa hauteur et empêchant de les interpréter.

2. **Cliquez dans la barre d'outils Standard sur le bouton Assistant Graphique (ou choisissez dans le menu Insertion la commande Graphique).**

   La première des quatre boîtes de dialogue de l'assistant va apparaître (voir la Figure 18.2).

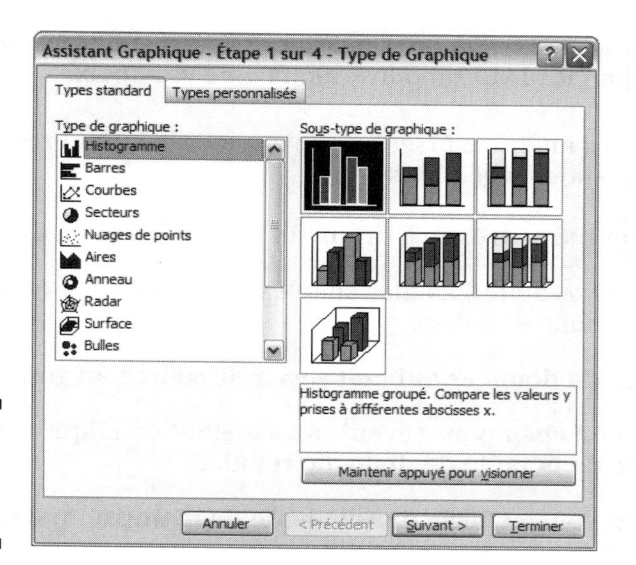

Figure 18.2 : L'Assistant Graphique, première étape.

3. **Choisissez vos options puis cliquez sur le bouton Suivant pour passer à l'étape suivante.**

   N'essayez pas de réaliser du premier coup le graphique idéal. Vous n'y arriveriez pas. Un graphique a toujours besoin d'être plus ou moins retouché jusqu'à ce que vous soyez pleinement satisfait du résultat.

Dans votre voyage vers le monde des graphiques, vous allez rencontrer quatre boîtes de dialogue : Type de graphique, Données source du graphique, Options de graphique et Emplacement du graphique. Attachez votre ceinture et lisez.

Etape 1 : Type de graphique

Choisissez un type de graphique dans la liste de gauche et un sous-type dans la partie droite de la fenêtre. Servez-vous du bouton Maintenir appuyé pour visionner afin d'obtenir un aperçu de ce que donneraient vos données. N'hésitez pas à faire des essais. Voyez aussi l'onglet Types personnalisés : il vous propose des choix tout à fait intéressants.

Etape 2 : Données source du graphique

Vous pouvez sélectionner à ce stade la plage de cellules définissant votre graphique, mais vous avez normalement dû le faire si vous avez suivi mon conseil. Cochez une des options de la rubrique Séries en afin de définir l'ordre dans lequel les données sont tracées. Surveillez l'aperçu : il vous montre l'impact de vos choix.

Si vous avez oublié de sélectionner une plage, ou si vous avez fait une erreur, ou encore si vous avez totalement changé d'avis :

1. **Cliquez sur le bouton qui se trouve à droite du champ Plage de données.**

   La boîte de dialogue est réduite à sa plus simple expression pour que vous puisiez mieux voir la feuille de calcul.

2. **Sélectionnez la plage de données qui doit servir de source au graphique.**
3. **Appuyez sur la touche Echap pour revenir à l'assistant ou cliquez sur le bouton situé à droite de la boîte de dialogue réduite.**
4. **Si nécessaire, activez l'onglet Série dans la boîte de dialogue Assistant Graphique.**
5. **Choisissez un des éléments de la liste Série.**
6. **Servez-vous des boutons de sélection, à droite des différents champs, pour préciser l'emplacement du nom de la série (dans la ligne ou la colonne de titres), celui des valeurs correspondantes, et si possible la position des étiquettes de l'axe horizontal. N'oubliez pas de regarder l'aperçu pour juger du résultat.**

Etape 3 : Options de graphique

C'est ici que vous allez préciser la façon dont votre graphique va se présenter. La boîte de dialogue vous propose six onglets :

- **Titres :** Entrez un titre pour votre graphique dans le premier champ. Vous pouvez également saisir une légende pour l'axe horizontal (X) et l'axe vertical (Y). Notez en passant que les anneaux et les camemberts ne possèdent pas d'axes. Pour autant, il n'est absolument pas indispensable d'ajouter ces légendes. Elles peuvent encombrer le graphique et réduire l'espace disponible pour le tracé des données. Surveillez toujours le résultat de vos choix dans l'aperçu.
- **Axes :** C'est ici que vous indiquez à Excel comment il doit gérer les échelles sur les axes. La plupart du temps, il est capable de faire la différence entre données numériques et chronologiques. Si nécessaire, rectifiez ses propositions.
- **Quadrillage :** Indiquez si vous voulez tracer un quadrillage horizontal et ou vertical afin de délimiter les séries de données.

- **Légende :** Sélectionnez un bouton d'option pour décider de l'emplacement de la légende (ou de sa suppression). Une *légende* est une liste de symboles précisant la nature des données du graphique.
- **Etiquettes de données :** Si vous le désirez, cochez une case afin d'attacher à chaque donnée représentée dans le graphique une étiquette individuelle. Utilisez l'aperçu pour vous faire une idée du résultat. Evitez en tout cas d'insérer plusieurs étiquettes. Votre graphique risquerait fort de devenir illisible et incompréhensible. Si vous pensez quand même que ce luxe descriptif est indispensable, sélectionnez un signe de ponctuation dans la liste Séparateur afin de relier les étiquettes.
- **Table de données :** Si vous voulez absolument ajouter au graphique une copie de votre plage de cellules, cochez la case Afficher la table des données.

Si vous faites dans cette boîte de dialogue des choix que vous regrettez par la suite, vous pourrez facilement corriger le tir en choisissant dans le menu Graphique la commande Options de graphique.

Etape 4 : Emplacement du graphique

Indiquez si vous voulez placer votre nouveau graphique sur la même feuille ou dans une feuille indépendante.

Si vous avez désactivé l'affichage du quadrillage, Excel ne vous proposera que la seconde solution.

Nous allons voir dans la suite de ce chapitre comment éditer les différentes composantes d'un graphique. Mais si vous voulez recommencer depuis le début, il vous suffit de sélectionner le graphique et de cliquer une nouvelle fois sur le bouton de l'assistant.

Ajuster la position du graphique sur la feuille

Si vous avez choisi de placer le graphique sur la feuille qui contient vos données, il est probable que vous devrez le déplacer vers le bas de la page. Cliquez sur le périmètre du graphique pour le sélectionner. Vous devriez voir apparaître des poignées noires dans les coins et sur les bords de l'objet. Faites glisser pour déplacer le cadre vers un nouvel emplacement. Tant que vous y êtes, vous pouvez aussi :

- Agrandir ou réduire la taille du graphique tout en conservant ses proportions. Pour cela, faites glisser une des poignées d'angle.

✦ Changer la taille de l'objet tout en conservant la position de son centre. Procédez comme ci-dessus mais en appuyant sur la touche Ctrl.

Par défaut, Excel produit un histogramme en deux dimensions. Si vous préférez un autre style, configurez le graphique à votre convenance. Sélectionnez-le. Ouvrez alors le menu Graphique et choisissez la commande Type de graphique. Dans la boîte de dialogue qui apparaît, cliquez sur le bouton Par défaut. Validez.

Editer un graphique

La plupart des graphiques ont besoin d'être retouchés, retravaillés et évalués plusieurs fois avant d'être pleinement satisfaisants. Voyons comment.

La barre d'outils Graphique devrait apparaître dès que vous avez créé un graphique. Si ce n'est pas le cas, ouvrez-la en cliquant avec le bouton droit de la souris sur le fond d'une barre d'outils quelconque. Comme l'explique les pages qui suivent, cette barre est très pratique pour améliorer l'apparence d'un graphique.

Choisir un autre type de graphique

Le type de graphique que vous avez choisi ne convient finalement pas ? Pour réparer l'erreur, cliquez sur le graphique pour le sélectionner. Vous pouvez alors au choix :

✦ Cliquer sur la flèche qui suit le bouton Type de graphique. Choisissez dans la liste déroulante un nouveau mode de représentation.

✦ Cliquer sur le bouton Assistant Graphique ou choisir dans le menu Insertion la commande Graphique. Dans la boîte de dialogue Type de graphique, activez au choix l'un des onglets Types standard ou Types personnalisés. Sélectionnez un nouveau style de graphique et cliquez sur Terminer.

Pour sélectionner un graphique entier, faites bien attention à cliquer sur sa bordure extérieure. Si vous cliquez trop à l'intérieur, vous risquez probablement d'activer un élément particulier (la légende, la zone de traçage ou encore une série de données). Vous pouvez facilement savoir quel est l'objet actif : c'est celui qui possède des poignées noires à l'intérieur ou sur ses bords. Avant de cliquer, il peut être utile de laisser quelques instants le pointeur de la souris au repos. Le nom de l'élément qui se trouve en dessous s'affichera dans une bulle. Si c'est le bon, cliquez !

Ajouter ou supprimer des éléments dans le graphique

Supposons qu'après avoir créé votre graphique avec l'assistant vous vous aperceviez qu'il manque un titre ou une légende. Que faire ? Supposons au contraire que vous vouliez supprimer ce titre ou cette légende. Que faire aussi ? Rien de plus simple. Excel vous offre toujours une seconde chance. Sélectionnez votre graphique et suivez ces étapes :

1. **Cliquez sur le bouton Assistant Graphique.**

   La boîte de dialogue Assistant Graphique va réapparaître. Elle devrait maintenant vous être familière.

2. **Revisitez les différentes étapes et les divers onglets de l'assistant. Cette fois, choisissez soigneusement les éléments que vous voulez modifier, ajouter ou encore supprimer.**

3. **Quand vous êtes satisfait de vos choix, cliquez sur le bouton Terminer.**

   Pour plus d'informations, reportez-vous aux explications données plus haut.

Vous pouvez cliquer sur le bouton Légende de la barre d'outils Graphique pour insérer ou retirer la légende du graphique (autrement dit, le cadre qui décrit ce que contient le graphique).

Si vous êtes pressé, il vous suffit de cliquer sur l'élément superflu et d'appuyer sur la touche Suppr. De même, vous pouvez éditer tel ou tel objet en choisissant dans le menu Graphique la commande Options du graphique. Vous revenez simplement aux six onglets de l'étape 3 de l'assistant.

Changer l'apparence d'un graphique : notions de base

Un graphique est composé d'un ensemble d'objets particuliers : la légende, la zone de traçage, les différentes séries de données, les axes, et ainsi de suite. Essayez de cliquer sur l'un de ces objets (pour savoir lequel, observez ce que dit la bulle qui s'affiche lorsque vous laissez le pointeur quelques instants en suspension). L'élément actif se signale par la présence de poignées sur son contour ou en son centre. Comme le montre la Figure 18.3, vous retrouvez aussi tous ces composants dans la liste déroulante située à gauche de la barre d'outils Graphique.

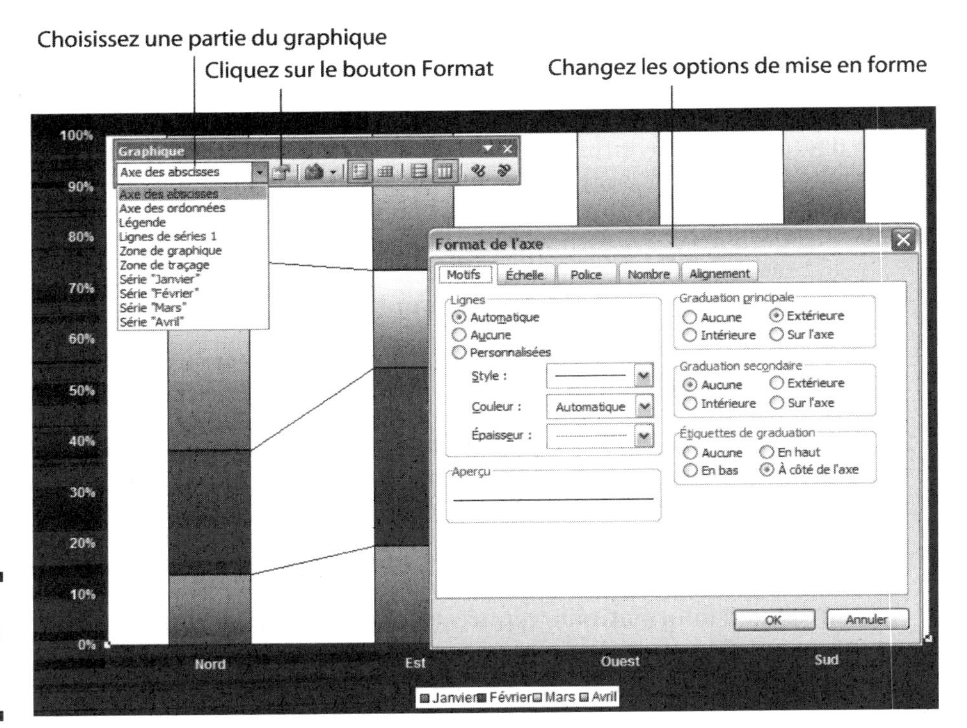

Figure 18.3 : Personnaliser la mise en forme d'un graphique.

Pour changer la taille, la forme, la police de caractères, la bordure ou encore la couleur d'un objet de votre graphique, suivez ces étapes de base :

1. **Cliquez sur l'élément que vous voulez éditer ou choisissez son nom dans la liste Objets du graphique de la barre d'outils Graphique.**

   Cette liste se trouve sur la gauche de la barre d'outils.

2. **Ouvrez la boîte de dialogue Format.**

   Excel vous propose en fait pas moins de cinq méthodes pour ouvrir cette boîte de dialogue :

   - Cliquez sur le bouton Format de la barre d'outils Graphique.
   - Faites un double clic sur l'objet sélectionné dans le graphique.
   - Cliquez avec le bouton droit de la souris sur l'objet sélectionné, puis choisissez dans le menu contextuel la commande Format.
   - Appuyez sur Ctrl+1.
   - Dans le menu Format, choisissez la commande *objet* sélectionné(e).

3. **Personnaliser les options de la boîte de dialogue à votre convenance.**

Les options dont vous disposez dépendent du type de l'objet que vous avez sélectionné lors de l'étape 1. Vous pouvez trouver dans la boîte de dialogue de un à six onglets : Motifs, Police, Echelle, Alignement, etc.

Pour éditer une valeur unique dans une série, commencez par sélectionner celle-ci. Cliquez une seconde fois sur l'élément à personnaliser. La commande Format va s'appliquer à ce *point* de donnée unique.

Si vos choix ne vous donnent pas satisfaction, appuyez sur Ctrl+Z (ou cliquez sur Annuler dans le menu Edition). En général, il faut prendre quelques minutes et effectuer plusieurs essais pour que le graphique soit pleinement réussi.

Puisque tous les éléments qui forment un graphique sont des objets, vous pouvez les sélectionner et les faire glisser vers un nouvel emplacement (ou faire glisser leurs poignées pour les redimensionner). La position d'atterrissage est signalée par une ligne pointillée.

Si vous sélectionnez uniquement un point de donnée et que vous le redimensionnez, la valeur correspondante sera automatiquement modifiée par Excel !

Vous pouvez cliquer dans la barre d'outils Graphique sur l'un des boutons Par ligne ou Par colonne pour inverser axe principal et légende.

Dans un camembert, vous pouvez séparer une part de ses voisines en cliquant dessus et en la faisant glisser vers l'extérieur. Vérifiez que vous n'avez sélectionné qu'un seul élément et non la zone de traçage.

Testé et approuvé

Décorer un graphique à l'aide d'une image

Une image placée dans la zone de traçage peut grandement contribuer à renforcer l'impact d'un graphique, surtout s'il s'agit d'un histogramme. Si vous disposez d'une illustration adaptée à vos données (ou si vous en trouvez une sur Internet qui soit libre de droits), n'hésitez pas à vous en servir. Voici comment procéder :

1. **Sélectionnez la zone de traçage en cliquant ou en choisissant son nom dans la liste déroulante Objets du graphique (dans la barre d'outils Graphique).**
2. **Toujours dans la barre d'outils Graphique, cliquez sur le bouton Format de la zone de traçage (ou faites un double clic sur cette zone).**

   La boîte de dialogue Format de zone de traçage va apparaître.
3. **Cliquez sur le bouton Motifs et textures. Une boîte de dialogue portant le même nom va s'afficher.**
4. **Activez l'onglet Image.**
5. **Cliquez sur le bouton Sélectionner une image.**

6. Dans la boîte de dialogue Sélectionner une image, localisez le fichier qui vous intéresse, sélectionnez-le et cliquez sur Insérer.

   Si possible, essayez de choisir une image suffisamment claire pour qu'elle ne gêne pas la lisibilité du graphique.

7. Validez deux fois. L'image va s'afficher sur le fond de la zone de traçage.

Vous pouvez également insérer une image dans une série de données. Dans ce cas, il est possible d'empiler le motif afin de l'associer avec l'échelle verticale. Par exemple, un vendeur de voitures pourra matérialiser ses ventes en empilant de petites voitures pour former les barres de l'histogramme.

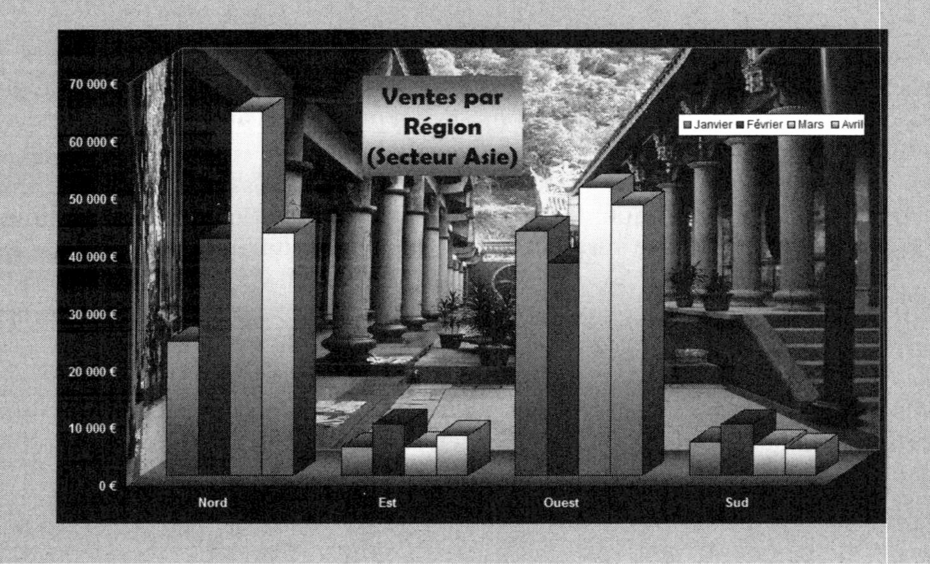

Index

D

E

F

G

H

I

J

K

L

M

N

O

P

Q

R

S

T

U

V

W

Y

Z

Achevé d'imprimer par Corlet, Imprimeur, S.A. - 14110 Condé-sur-Noireau
N° d'Imprimeur : 83322 - Dépôt légal : mars 2005 - *Imprimé en France*